S0-BTE-096

F     41430
2-03-503001-3

MERMET
FRANCOSCOPIE
09875    39-95

WITHDRAWN
L. R. COLLEGE LIBRARY

944.083          146687
M54f

**DATE DUE**

| | | | |
|---|---|---|---|
| | | | |
| | | | |
| | | | |
| | | | |
| | | | |
| | | | |
| | | | |
| | | | |
| | | | |
| | | | |
| | | | |
| | | | |
| | | | |

## Gérard Mermet

AVEC LE CONCOURS DE BERNARD CATHELAT ET DU C.C.A.

# FRANCOSCOPIE

## LES FRANÇAIS :
## QUI SONT-ILS ? OÙ VONT-ILS ?

Dessins de Nicolas Guilbert

CARL A. RUDISILL LIBRARY
LENOIR RHYNE COLLEGE

17, RUE DU MONTPARNASSE · 75006 PARIS

*944.083*
*M54t*
*146687*
*May 1989*

# SOMMAIRE

© Librairie Larousse, 1986

Toute reproduction, par quelque procédé que ce soit, de la nomenclature contenue dans le présent ouvrage et qui est la propriété de l'Éditeur, est strictement interdite.

Librairie Larousse (Canada) limitée, propriétaire pour le Canada des droits d'auteur et des marques de commerce Larousse. – Distributeur exclusif au Canada : les Éditions Françaises Inc., licencié quant au droits d'auteur et usager inscrit des marques pour le Canada.

ISBN 2-03-503085-4

- *Si vous êtes un lecteur pressé, faites une « lecture en couleur ».* **Afin** de faciliter la lecture et la mémorisation, les informations importantes ou synthétiques ont été sorties du texte et imprimées en couleur.

# Francoscopie, éditio

Aider tous ceux qui sont inquiets fascinés ou simplement concernés à mieux comprendre cette période de mutation unique dans l'histoire de la France (et des pays occidentaux), donc à mieux la vivre. Telle était l'ambition de la première édition de *Francoscopie*, qui réunissait pour la première fois dans un même lieu les informations, les chiffres et les analyses sur ce que font les Français, ce qu'ils pensent, ce qu'ils espèrent.

Le succès remporté par le livre (plus de 150 000 lecteurs) et l'intérêt qu'il a suscité dans les médias nous ont encouragé à poursuivre le travail d'explication commencé, et à vous proposer une description actualisée de « l'état des Français ».

Cette nouvelle édition de *Francoscopie* bénéficie des remarques ou suggestions faites à propos de la première. Elle se veut donc encore plus riche et plus conforme à vos attentes, que ce soit à titre personnel ou à titre professionnel. Ainsi, le nombre des thèmes traités a été élargi ; certains thèmes qui ont pris une importance nouvelle ou connu quelques changements notables font l'objet de plus longs développements (environnement politique, évolution des valeurs spirituelles, etc.). Des améliorations ont aussi été apportées dans plusieurs domaines : la mise en page adoptée permet un meilleur confort de lecture ; les nombreux graphiques réalisés sur ordinateur sont encore plus lisibles grâce à l'utilisation d'une imprimante à laser et à une nouvelle conception visuelle pour les tableaux complexes ; l'index a été enrichi, afin de faciliter la recherche sur des thèmes précis.

Par ailleurs, plusieurs innovations sont destinées à accroître le niveau de service apporté par le livre. La première partie présente une synthèse des tendances actuelles de la société française, réparties en trois catégories : les « Idées qui montent », tendances nouvelles apparues au cours de l'année écoulée, qui sont de précieux indicateurs de ce qui pourrait se passer demain ; les « Idées fixes », tendances lourdes dont l'importance est confirmée ; et aussi les « Idées reçues », qui ne sont que des tendances apparentes, créées ou entretenues par les médias. Sur un mode plus léger, « Le petit bout de la lorgnette » reprend des informations anecdotiques, amusantes ou étonnantes contenues dans le livre. De plus, chaque chapitre est suivi d'un tableau, « En vrac », donnant des informations complémentaires de toute nature.

# 000 moins 13

Dans le corps du livre, toutes les informations ont été revues, vérifiées et actualisées chaque fois que de nouveaux éléments étaient disponibles (statistiques plus récentes, nouveaux sondages, nouveaux éléments d'appréciation, etc.). L'illustration a été réalisée à partir des campagnes publicitaires récentes les plus révélatrices des tendances sociologiques actuelles.

Dans la dernière partie, une Annexe régionale fournit les informations essentielles de la vie dans les régions. Une Bibliographie détaillée donne pour chaque thème les principales sources d'information existantes.

L'ambition de ce *Francoscopie* « formule enrichie » est double. Il s'agit d'abord de décrire la vie des Français dans ses multiples aspects. Mais aussi, année par année, de raconter leur histoire, qui est celle d'une transition-mutation entre deux millénaires.

Gérard Mermet

Nous tenons à remercier toutes les personnes et tous les organismes qui ont contribué à l'élaboration de cette édition (voir liste en fin d'ouvrage). Nos remerciements vont en particulier à Bernard CATHELAT et au C.C.A. pour les informations concernant les Styles de Vie des Français, à Éric STEMMELEN et AGORAMÉTRIE pour les baromètres d'opinion, à Joseph DANIEL, Colette GIRALDON et Dominique WEILL du S.I.D. pour les sondages d'opinion, à Michel AUDRAS et Information Marketing pour la documentation médias, ainsi qu'à Francine MERMET pour la recherche, la collecte, la sélection de l'information, et son irremplaçable participation à l'élaboration de l'ouvrage.

# Méthodologie et mode d'emploi

**C**e livre a pour objet non pas de prendre parti, mais de présenter et d'analyser des faits. Il s'efforce donc de montrer, démontrer, ouvrir des pistes de réflexion, plutôt que juger, condamner ou militer.

Toutes les informations mentionnées sont les plus récentes disponibles au moment de la rédaction. Un certain nombre d'entre elles sont inédites. Dans certains cas, et en l'absence de chiffres officiels et précis, des estimations « raisonnables » ont été reprises ou élaborées. Un symbole E indique alors qu'il s'agit d'estimations. Dans d'autres cas, les chiffres donnés en référence émanent de sondages. Ils sont alors identifiés par le symbole S.

Le livre fait une large place aux **sondages** et **enquêtes d'opinion** réalisés sur un certain nombre de thèmes, utiles révélateurs de ce que pensent les Français à un moment donné. Nous avons sélectionné ceux qui présentent le maximum de garanties quant à la fiabilité des échantillons, à l'intitulé des questions posées, etc. Chaque fois que c'était possible, nous avons privilégié les enquêtes répétitives (baromètres) qui permettent de mesurer des évolutions dans le temps.

Lorsqu'on veut décrire la société contemporaine, il est nécessaire d'utiliser les moyens d'investigation les plus contemporains. C'est pourquoi nous nous sommes livrés à une **analyse systématique du contenu des médias**, de plus en plus abondant sur tous les grands sujets de société. Cette analyse permet de recenser les thèmes les plus souvent abordés et d'approcher la relation complexe existant entre les opinions, les modes de vie et les médias. Les comportements et les attentes des Français constituent en effet la substance et la raison d'être des médias, tandis que le contenu des médias n'est pas sans influence sur l'opinion et les modes de vie des Français.

La plupart des informations statistiques découpent la population française selon des critères sociodémographiques traditionnels : âge, sexe, profession, revenu, lieu d'habitation, etc. Ces découpages, qui restent nécessaires, ne sont plus suffisants pour rendre compte des changements sociaux, car les attitudes et les comportements des Français sont de moins en moins homogènes à l'intérieur d'une même catégorie sociodémographique. L'approche des Styles de Vie, mise au point par le C.C.A. (Centre de communication avancé, fondé par Bernard Cathelat), permet de compléter utilement l'information statistique. La « carte sociale » de la France, qui fait apparaître 5 grandes Mentalités, elles-mêmes divisées en 14 Socio-styles, permet en outre d'échapper à la description d'un insaisissable « Français moyen », tel qu'il ressort des statistiques habituelles.

Si les médias sont les miroirs de notre société, la **publicité** en est sans doute le plus grossissant. Rien de ce qui est « récupéré » par la pub n'est anodin. C'est pourquoi nous avons choisi pour illustrer ce livre des photos de campagnes publicitaires récentes, mettant en évidence certaines des tendances actuelles.

---

Dès sa première édition, *Francoscopie* a été utilisé comme livre de référence sur la société française, à la fois en France et à l'étranger. Il a été traduit en japonais et a reçu le prix Convergences 85 décerné par le ministère des Relations extérieures au meilleur livre décrivant la société française.

# L'ÉTAT
# DES FRANÇAIS

La décennie 80 aura décidément été fertile en événements de toutes sortes (économiques, politiques, technologiques), qui, tous, ont lourdement pesé sur les mentalités et les modes de vie des Français.

1981 marquait une rupture politique importante, renouant avec une alternance inconnue depuis 23 ans. 1982 constituait une rupture sociologique, avec le réveil des Français, qui découvraient après dix ans la réalité de la crise économique et l'intégraient dans leur vie quotidienne. Un vent de pessimisme soufflait alors, jusqu'en 1985, sur l'ensemble du pays, accentuant le divorce entre les citoyens et les institutions.

1986 s'annonçait comme une autre année de rupture. Économique d'abord, avec les effets conjugués de la baisse du prix du pétrole et de celle du dollar. Politique, ensuite, avec la formation, voulue par les Français, d'un gouvernement de cohabitation et l'entrée probable de la France dans le clan des « démocraties consensuelles », où l'action quotidienne des pouvoirs publics est plus importante que l'idéologie qui l'anime.

Avant d'entrer dans le détail de la vie quotidienne des Français, qui est l'objet de ce livre, nous vous proposons un résumé, une vue d'ensemble de la société actuelle, à travers des chiffres et des idées :
• **Quelques chiffres pour planter le décor** donnent un rapide aperçu de la France et des Français d'aujourd'hui.
• La **Rose des vents,** établie avec le C.C.A., montre la force des grands courants sociaux à trois périodes clés de l'histoire politique récente : 1974, 1981 et 1986.
• Le **Baromètre de l'opinion,** établi avec Agoramétrie, montre l'évolution depuis cinq ans de ce que les Français pensent, souhaitent ou rejettent.
• Les **Idées qui montent** sont les tendances qui sont apparues récemment.
• Les **Idées reçues** sont des malentendus, de plus en plus nombreux, entre l'image que l'on a des Français et de leur évolution et ce qu'ils sont vraiment.
• Les **Idées fixes** sont les « tendances lourdes » qui se consolident d'année en année.
• Le **petit bout de la lorgnette** présente quelques informations étonnantes, amusantes et/ou anecdotiques, mais souvent révélatrices des modes de vie contemporains.

# QUELQUES CHIFFRES POUR PLANTER LE DÉCOR

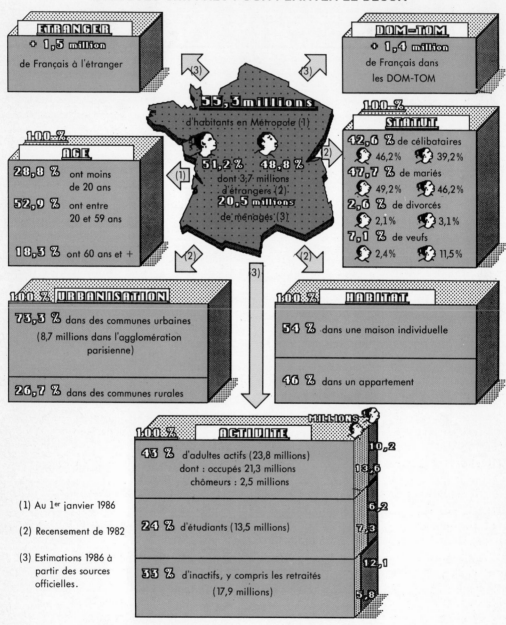

**ÉTRANGER**

**+ 1,5 million**

de Français à l'étranger

**DOM-TOM**

**+ 1,4 million**

de Français dans
les DOM-TOM

(3) (3)

**55,3 millions**

d'habitants en Métropole (1)

**51,2 %    48,8 %**

dont 3,7 millions
d'étrangers (2)

**20,5 millions**

de ménages (3)

(2)

(1)

(2)    (2)

(3)

**100 %**

**ÂGE**

**28,8 %** ont moins
de 20 ans

**52,9 %** ont entre
20 et 59 ans

**18,3 %** ont 60 ans et +

**100 %**

**STATUT**

**42,6 %** de célibataires

46,2%    39,2%

**47,7 %** de mariés

49,2%    46,2%

**2,6 %** de divorcés

2,1%    3,1%

**7,1 %** de veufs

2,4%    11,5%

**100 % URBANISATION**

**73,3 %** dans des communes urbaines
(8,7 millions dans l'agglomération
parisienne)

**26,7 %** dans des communes rurales

**100 %    HABITAT**

**54 %** dans une maison individuelle

**46 %** dans un appartement

**MILLIONS**

**100 %    ACTIVITÉ**

**43 %** d'adultes actifs (23,8 millions)
dont : occupés 21,3 millions
chômeurs : 2,5 millions

10,2

13,6

**24 %** d'étudiants (13,5 millions)

6,2

7,3

**33 %** d'inactifs, y compris les retraités
(17,9 millions)

12,1

5,8

(1) Au 1er janvier 1986

(2) Recensement de 1982

(3) Estimations 1986 à
partir des sources
officielles.

# La Rose des vents

Position de la société française par rapport par rapport à ses quatre axes principaux en 1974, 1981 et 1986.

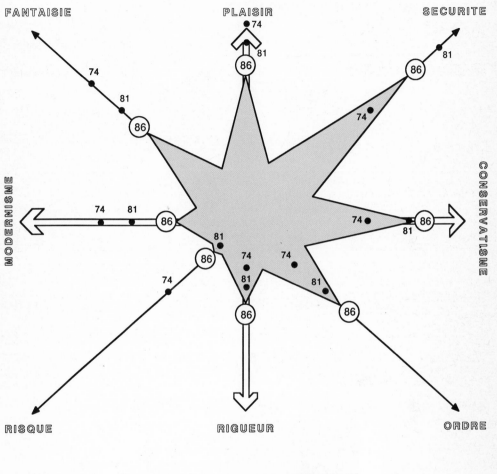

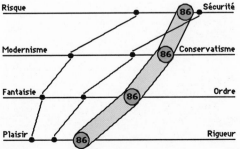

CCA

# Le Baromèt

## LES FRANÇAIS SONT POUR (¹)

*(par ordre décroissant, en % [²])*

| | 1981 | 1982 | 1983 | 1984 | 1985 |
|---|---|---|---|---|---|
| **• LA CROISSANCE**<br>« Il faut maintenir la croissance » | 67 | 68 | 65 | 72 | 73 |
| **• LES CONVENANCES**<br>« Il faut respecter les convenances » | 65 | 64 | 65 | 69 | 71 |
| **• L'ÉCOLE LIBRE**<br>« Pour l'école libre » | – | 61 | 62 | 64 | 68 |
| **• LE MARIAGE**<br>« Contre le mariage » | 16 | 17 | 15 | 14 | 18 |
| **• L'HÉRITAGE**<br>« Il faut limiter les héritages » | 17 | 17 | 21 | 16 | 15 |
| **• L'ÉGALITÉ DES REVENUS**<br>« Il faut égaliser les revenus » | 70 | 58 | 57 | 50 | 58 |
| **• LA PEINE DE MORT**<br>« Il faut rétablir la peine de mort » | – | 51 | 48 | 53 | 56 |
| **• L'AVORTEMENT**<br>« Il faut libéraliser l'avortement » | 55 | 53 | 48 | 51 | 53 |
| **• L'AIDE AU TIERS MONDE**<br>« Il faut aider les pays sous-développés » | 48 | 44 | 46 | 40 | 50 |
| **• LA SEMAINE DE 35 HEURES**<br>« Pour les 35 heures » | 54 | 48 | 44 | 45 | 48 |
| **• LES HOMOSEXUELS**<br>« Les homosexuels sont comme les autres » | 42 | 40 | 43 | 39 | 47 |
| **• LES SYNDICATS**<br>« Les syndicats sont indispensables » | 60 | 55 | 53 | 45 | 47 |
| **• LA NATALITÉ**<br>« Il faut encourager la natalité » | 36 | 33 | 33 | 40 | 42 |
| **• LA FORCE DE FRAPPE**<br>« Pour la force de frappe » | 38 | 39 | 40 | 40 | 41 |

# l'opinion

## LES FRANÇAIS SONT CONTRE (1)

*(par ordre décroissant, en % [2])*

|  | 1981 | 1982 | 1983 | 1984 | 1985 |
|---|---|---|---|---|---|
| **• LE CHÔMAGE**<br>« Le chômage est angoissant » | 90 | 85 | 89 | 93 | 93 |
| **• LA POLLUTION**<br>« La pollution est préoccupante » | 84 | 82 | 80 | 82 | 86 |
| **• LES SECTES**<br>« Les sectes sont respectables » | – | – | – | – | 10 |
| **• L'INSÉCURITÉ**<br>« On a un sentiment d'insécurité » | 64 | 63 | 63 | 70 | 68 |
| **• L'ENDETTEMENT**<br>« Il ne faut pas hésiter à s'endetter » | 19 | 21 | 17 | 18 | 18 |
| **• LES TRAVAILLEURS IMMIGRÉS**<br>« Il y a trop de travailleurs immigrés » | 57 | 60 | 60 | 60 | 57 |
| **• LA PATRIE**<br>« Pour la patrie » | 26 | 27 | 25 | 23 | 25 |
| **• LES DÉPENSES MILITAIRES**<br>« Il faut réduire les dépenses militaires » | 50 | 48 | 49 | 52 | 49 |
| **• L'ORDINATEUR**<br>« Les ordinateurs menacent nos libertés » | 53 | 46 | 49 | 42 | 45 |
| **• LA PORNOGRAPHIE**<br>« Il faut lutter contre la pornographie » | 46 | 46 | 43 | 44 | 44 |

(1) Plus précisément, cela signifie que les Français sont en majorité plutôt favorables (ou défavorables) au thème mentionné, d'après leurs réponses à l'affirmation qui figure sur la ligne du dessous entre guillemets.

(2) Les chiffres indiqués sont les pourcentages des réponses « bien d'accord » et « entièrement d'accord » à l'affirmation proposée (entre guillemets). L'échelle comporte cinq niveaux : « pas du tout d'accord », « pas tellement d'accord », « peut-être d'accord », « bien d'accord », « entièrement d'accord ».

Source : Agorametrie

# LES IDEES QUI MONTENT

*Au cours de la période récente (1985-86), on a vu se dessiner un certain nombre de tendances nouvelles, qui concernent une part croissante de la population française. Quatre d'entre elles pourraient avoir, si elles se confirmaient, un impact particulier sur l'évolution de la société dans les prochaines années.*

## Un moindre pessimisme

Tous les indicateurs le montrent ; le catastrophisme des années passées marque le pas. Les Français n'ont pas pour autant retrouvé le sourire et la joie de vivre des « belles époques » ; celle, insouciante, des années 30, ou celle, prospère, des années 60. Mais l'angoisse de la crise semble derrière eux. La dramatisation de 1983 et 1984 a représenté le point culminant du pessimisme collectif. Les bonnes nouvelles de 1985 (baisse de l'inflation, reprise de la croissance) et celles de 1986 (baisse du dollar et du pétrole, mise en place de la cohabitation politique, reprise du dialogue entre les États-Unis et l'u.r.s.s.) ont mis un peu de baume au cœur des Français, auxquels on a par ailleurs beaucoup parlé de la « France qui gagne ». Mais ce climat de moindre pessimisme reste fragile. Car les grands problèmes du moment (chômage, restructuration industrielle, risques de conflits, terrorisme...) ne sont pas encore résolus.

## La montée du néo-conservatisme

La preuve que l'on vit bien dans une société en mutation, c'est que même les conservateurs ont changé ! Si l'on retrouve encore parmi eux les « anciens », déroutés par des évolutions qu'ils n'ont ni souhaitées ni comprises, d'autres sont venus se joindre à eux, par choix personnel plutôt que par lassitude. Ceux-là sont souvent jeunes, exercent des responsabilités dans la vie économique et sont « entrés en conservatisme » au terme d'une réflexion personnelle. Ce sont les adeptes de la « révolution conservatrice » qui, après avoir pris le pouvoir aux États-Unis avec le président Reagan, s'implante aujourd'hui en Europe.

La démarche de ces nouveaux conservateurs est simple : la crise qui sévit dans les pays industrialisés n'est pas seulement économique ; elle est **culturelle.** Le système de valeurs actuel, qui favorise la permissivité, l'égoïsme et l'intolérance, rend la nation ingouvernable et accélère sa décadence. Leurs revendications vont essentiellement à un retour aux valeurs morales qui ont permis aux générations précédentes de maintenir l'ordre social. Le phénomène nouveau est qu'ils ne sont pas hostiles à certains aspects du modernisme : libre concurrence, flexibilité, efficacité. À condition toutefois que l'ordre soit maintenu et les principes respectés.

## Les nouveaux gourous

Les prêtres ne sont plus des directeurs de conscience car le discours officiel de la religion catholique est en opposition avec les pratiques quotidiennes (contraception, avortement, divorce...). Les intellectuels sont morts avec Sartre, Aron et Simone de Beauvoir. Les hommes politiques ne sont plus considérés comme des guides mais comme des gestionnaires jugés sur des résultats à court terme. C'est donc à une nouvelle race de maîtres à penser que les Français ont décidé de faire appel en cette fin de XXᵉ siècle : Montand, Renaud, Tapie, Séguéla, Gainsbourg, Kouchner, Coluche et Sabine (morts l'un en moto, l'autre en plein désert du Paris-Dakar) sont les nouveaux gourous de ces années de transition entre deux civilisations. Malgré les apparences, la liste n'est pas incohérente. Chacun incarne à sa manière un des courants porteurs de la société actuelle : Montand et l'apolitisme ; Coluche et la dérision ; Renaud et l'inquiétude ; Tapie et la nécessité d'entreprendre ; Séguéla et le rêve d'un monde aussi beau que dans la publicité ; Gainsbourg et le cynisme ; Kouchner et la solidarité ; Sabine et l'aventure. Chacun joue vis-à-vis du public un double rôle : il l'aide à prendre conscience de ce qui se passe et constitue un exutoire commode aux frustra-tions collectives. Ainsi les Français peuvent-ils à peu de frais vivre leurs fantasmes par médiateurs interposés : Tapie crée des emplois pour eux ; Kouchner leur donne le sentiment d'être fraternels ; Sabine, Dieuleveult ou Colas leur donnaient le sentiment d'être des aventuriers.

## Le pragmatisme en marche

Il aura fallu dix ans aux Français (1973-1983) pour accepter de voir la France en crise, avec ses faiblesses et ses atouts, ses difficultés et ses richesses. Il aura fallu deux années supplémentaires pour passer du réalisme au pragmatisme. Ce pragmatisme s'est d'abord traduit, en négatif, par le refus des idéologies de toute nature et de tout bord. Les partis politiques, et d'une manière générale toutes les institutions, ont fait les frais de cette désaffection nouvelle. La traduction positive du pragmatisme est apparue plus récemment, à travers les différentes formes de la **flexibilité** (dans l'entreprise ou l'administration) ou de la **mobilité** dans la vie personnelle.

Réalisme, pragmatisme, flexibilité, mobilité, tels sont quelques-uns des maîtres mots de l'époque. Chacun d'eux est un élément d'un processus qui commence, celui de l'adaptation. Adaptation des hommes, des idées et des structures à un monde qui change et qui a pris de l'avance sur les mentalités.

# LES IDÉES REÇUES

*L'image que les médias donnent des « nouveaux Français » ou qui ressort des enquêtes d'opinion n'est pas toujours conforme à la réalité sociale, telle qu'on peut la mesurer dans les comportements quotidiens. Récemment, plusieurs malentendus se sont ainsi développés dans des domaines d'une grande importance à la fois économique et sociale.*

## L'esprit libéral ?

Si l'on en croit les sondages, la majorité des Français seraient devenus depuis deux ans des libéraux convaincus. Il est vrai que le mot est magique, puisqu'il contient celui de **liberté ;** une des rares notions capables, aujourd'hui, de mobiliser vraiment les Français. On les a vus descendre dans la rue pour défendre l'école **libre,** les radios **libres,** applaudir à la création des télés **libres.** Les grands principes du libéralisme sont d'ailleurs en parfaite harmonie avec les grands courants sociaux du moment : réduction de l'emprise de l'État, accroissement des libertés individuelles, reconnaissance du rôle prépondérant de l'entreprise et de l'économie de marché... On peut ajouter à cet a priori favorable l'impact des exemples étrangers, en particulier celui des États-Unis.

D'abord considérées avec scepticisme, ces expériences ont peu à peu intéressé puis convaincu les Français par leurs résultats apparents : création d'emplois, retour à la croissance...

Mais il est clair que les Français ne veulent voir dans la doctrine libérale que les aspects les plus confortables. Les autres (généralisation de la concurrence entre les entreprises, entre les individus, personnalisation des salaires en fonction des performances, mise en cause de la sécurité sociale ou de la retraite...) sont considérés avec beaucoup plus de méfiance, ou même totalement rejetés. En fait, le « cocktail libéral » souhaité par les citoyens-consommateurs-individus serait un compromis sans nul doute historique entre un libéral-capitalisme de droite et un social-pragmatisme de gauche.

## L'esprit d'entreprise ?

Jamais autant de Français n'ont souhaité créer leur entreprise. C'est en tout cas ce qui ressort de certaines enquêtes. L'impression est renforcée par le culte voué à certains chefs d'entreprise très médiatisés (Tapie, Crasnianski, Leclerc...), qui font partie des « nouveaux gourous », ou l'admiration portée à un Marcel Dassault jusqu'à sa mort.

Pourtant, force est de constater que « l'effet-Tapie » reste aujourd'hui plus médiatique qu'industriel. Et, si le nombre des entreprises s'est un peu accru depuis deux ans, il est significatif de constater que 40 % environ des créateurs étaient chômeurs. Le statut de fonctionnaire continue d'attirer une proportion importante de la population, à une époque où le vrai privilège n'est plus celui de l'argent ou de la naissance, mais celui de l'**emploi.** Et, si les jeunes aujourd'hui à l'école semblent avoir massivement le goût de la création d'entreprise, seul l'avenir dira s'il s'agit d'une attitude dictée par la mode ou une réelle détermination.

## L'esprit d'aventure ?

Un martien débarquant en France aurait sans doute l'impression que chacun de ses habitants est saisi du démon de l'aventure et du risque. Il lui suffirait pour cela de lire les magazines ou de regarder la télévision, qui répercutent de plus en plus largement les exploits de nos concitoyens. Courses à la voile en solitaire, rallye Paris-Dakar, traversée du Groenland en traîneau, traversées de déserts en courant, escalades enchaînées des sommets alpins, etc., le sport se confond aujourd'hui avec l'aventure et sa « médiatisation » tend à modifier les pratiques, afin de les rendre plus spectaculaires.

Mais ces nouveaux héros ne sont en fait qu'une poignée d'aventuriers professionnels « sponsorisés » par des marques auxquelles ils servent de supports publicitaires. De sorte que l'aventure, si présente dans l'information quotidienne, devient paradoxalement de plus en plus inaccessible au plus grand nombre, qui ne dispose ni des moyens physiques ni des moyens financiers pour l'assumer. Ce qui n'empêche pas le système actuel de satisfaire toutes les parties prenantes : les sponsors ont trouvé une façon efficace de se donner une image moderne et dynamique ; les médias disposent d'images fortes. Quant aux Français, ils se donnent à peu de frais l'illusion de l'héroïsme, du dépaysement et du dépassement de soi... tout en restant tranquillement installés devant leur téléviseur.

## L'esprit de solidarité ?

Il y a eu les concerts en faveur de l'aide au tiers monde, les disques pour lutter contre la faim en Ethiopie, les ventes aux enchères télévisées au profit d'associations diverses, les manifestations de soutien aux prisonniers politiques, aux résistants polonais, chiliens, les dons à Médecins sans frontières, Médecins du monde, le Secours catholique, Aide à toute Détresse, l'A.I.C.F., etc. Sans oublier, bien sûr, les Restaurants du cœur de Coluche. L'actualité de ces deux dernières années est pleine de ces élans de générosité qui montrent qu'une fois de plus les Français, comme leurs homologues occidentaux, sont « formidables ».

Après dix années de repli frileux sur leurs petits problèmes et d'individualisme grincheux, les Français auraient donc tout à coup retrouvé le sens de la fraternité humaine et de la charité chrétienne ? La vérité est sans doute plus complexe. Si le « concert du siècle » de Wembley a pu drainer près de un milliard de téléspectateurs, on peut penser que c'est avant tout parce qu'il constituait un événement télévisuel considérable et parce qu'il réunissait un plateau de stars tout à fait exceptionnel. Si le disque des Chanteurs sans frontières et les autres opérations du même genre ont permis de récolter des sommes importantes, c'est parce qu'ils ont bénéficié d'une « couverture médiatique » considérable... et qu'ils offraient une musique de qualité. On peut penser aussi que le succès des Restaurants du cœur est avant tout lié à la personnalité de Coluche. Qu'aurait rapporté la même opération, patronnée par le ministère des Affaires sociales ?

Ainsi, si on ne peut nier l'ampleur de certains mouvements récents de solidarité, il est utile de s'interroger sur leur signification profonde. Tant que les Français ne seront pas, par exemple, très majoritairement favorables au partage de leur emploi, seule solution à court terme au plus grave problème social du moment, les autres formes de solidarité apparaîtront plus faciles, surtout lorsqu'il s'agit d'acheter un disque ou un billet pour un concert exceptionnel. Mais, bien sûr, la morale n'interdit pas de joindre l'utile à l'agréable. Et la conscience peut profiter de la bonne conscience...

## L'esprit de modernité ?

Les années 70 étaient celles du rétro, du retour au passé, à la nature et aux racines ; les années 80 (surtout depuis 1983) sont celles de la modernité. C'est ainsi, en tout cas, qu'on peut lire l'histoire récente de la société française, dans laquelle les « branchés » remplacent les « écolos », où le vent libéral souffle sur les entreprises, où la technologie est censée préparer un monde meilleur. L'impression, fondée encore une fois sur la lecture des journaux, ne résiste que très partiellement à l'analyse. Les branchés ne représentent que la partie visible (c'est-à-dire médiatisée) de la population française. Les préoccupations et les modes de vie de la partie immergée sont d'une tout autre nature. Pour la majorité des Français, les mutations professionnelles, culturelles ou technologiques sont difficiles à digérer. Ceux-là voient dans la mondialisation de l'économie une menace plus qu'une opportunité ; la concurrence avec le Japon ou la Corée du Nord ne leur apparaît pas comme un défi à relever, mais comme une mauvaise affaire pour la France. L'évolution des valeurs collectives leur semble constituer un danger pour la morale et pour l'individu, lorsque celui-ci n'a pas la chance ou les moyens d'être autonome. La pénétration de la puce électronique, au travail, à la maison, dans la rue, les effraie plus qu'elle ne les séduit, car elle détruit des emplois et nécessite de nouveaux apprentissages.

La vérité est que les proportions ne sont pas respectées, dans les médias, entre un courant moderniste, réel mais très minoritaire, et la réalité sociale de la « France profonde », plus préoccupée d'un maintien des traditions et d'un retour aux certitudes. Mais, dans la querelle des anciens et des modernes, ces derniers finissent toujours par l'emporter.

# LES IDÉES FIXES

*La nouvelle société se dessine déjà. Elle devrait s'appuyer sur un certain nombre de tendances lourdes que l'on voit se confirmer d'année en année. Dix d'entre elles nous paraissent devoir jouer un rôle majeur. Ce sont les dix commandements de la nouvelle société française.*

## L'égologie

La volonté de vivre pour soi, en dehors de toute contrainte, en écoutant ses propres pulsions, est le dénominateur commun de la société actuelle. Elle traduit à la fois la rupture avec le passé récent et l'angoisse du lendemain.

L'intérêt que les Français portent à leur corps, la priorité accordée au « look », la transformation des modes de vie à l'intérieur du couple et de la famille sont les conséquences directes et spectaculaires de ce mouvement « égologique ».

## La médiatique

Les Français entrent dans l'ère de la communication. De plus en plus, les médias concurrencent l'école pour leur apprendre les « choses de la vie ».

En même temps, la plupart des phénomènes sociaux de quelque importance sont aujourd'hui « médiatisés ». Produits, entreprises, institutions, idées et personnages publics se doivent de créer et d'entretenir une **image,** par une utilisation de plus en plus professionnelle des médias. De sorte que, dans beaucoup de cas, c'est l'image qui tient aujourd'hui lieu de réalité.

## L'ère du temps

Depuis le début du siècle, l'espérance de vie moyenne à la naissance s'est allongée de vingt-six ans. Parallèlement, la durée du travail a baissé de façon spectaculaire (moins d'heures par semaine, moins de semaines par an). Disposant de plus de temps, les Français cherchent aujourd'hui à mieux l'utiliser.

## Le mélange des genres

Les Français savent depuis longtemps que la vie est complexe. Ils savent maintenant que la société, qui en est le cadre, ne l'est pas moins. Les difficultés, les événements et les questions restées sans réponse au cours de ces dix dernières années les ont convaincus de cette réalité. Elle se traduit aujourd'hui par une aversion croissante pour les découpages manichéens, trop simplificateurs. Les manifestations de cette aversion sont sensibles dans tous les domaines. En politique, le débat **droite-gauche** n'intéresse plus les Français. Dans l'entreprise, le débat **employeurs-employés** est en train de prendre une autre forme, plus constructive. Dans la vie quotidienne, la dichotomie **travail-loisirs** apparaît de moins en moins satisfaisante. Dans le couple, **l'homme et la femme** se rapprochent de plus en plus. Dans la vie personnelle enfin, la traditionnelle opposition entre le **corps et l'esprit** est aujourd'hui dépassée, comme apparaît dépassée la séparation entre les **actifs** et les **inactifs.** La vie, comme le bonheur qui en constitue l'objectif essentiel, ne peut donc plus se résumer à des prises de position de type binaire, qui obligent à choisir entre deux extrémités, en oubliant toutes les nuances intermédiaires.

Les Français sont en train de se souvenir qu'ils sont, fondamentalement, des êtres **multidimensionnels.**

## La nouvelle famille

L'examen des statistiques démographiques n'incite guère à l'optimisme : les Français ne font pas assez d'enfants pour assurer le remplacement des générations ; ils se marient de moins en moins et divorcent de plus en plus.

Pourtant, la famille n'est pas en train de mourir. Elle change seulement de forme pour s'adapter à l'époque. Les chiffres ne montrent en fait que la face apparente de l'évolution sociale. Derrière eux se cachent des transformations plus subtiles et encourageantes. Ainsi, on assiste à l'intérieur du couple à une redistribution progressive des rôles entre l'homme et la femme, qu'il s'agisse de travailler, d'éduquer les enfants, de faire la vaisselle... ou l'amour. Les relations entre parents et enfants sont généralement harmonieuses et les conflits de génération ne sont guère à l'ordre du jour, même si l'usage de la drogue chez les adolescents, les fugues, voire le suicide montrent que des problèmes de communication demeurent.

## L'ère du qualitatif

Les Français, qui restent attachés à la consommation et à la quantité, sont aujourd'hui sensibles à la **qualité.** Leurs comportements d'achat ne sont plus dictés par les seuls soucis de l'accumulation et du paraître. Ils attendent aussi de leurs dépenses des satisfactions d'ordre personnel et/ou rationnel. Les produits chers doivent durer longtemps (voitures, biens d'équipement) ou apporter du plaisir (produits de luxe, spectacles, voyages, ordinateur...). L'argent n'a plus d'odeur ; il est investissement ou rêve selon les circonstances.

## La société d'excommunication

Depuis quelques années, les Français éprouvent des difficultés à vivre ensemble. C'est que, pour la première fois de leur histoire, la plupart ont quelque chose à perdre : l'acquis de trente années de prospérité et de croissance ininterrompue du niveau de vie. Alors ils cherchent à désigner des responsables : la politique, les immigrés, les pays étrangers, etc. Les bonnes manières et les grands principes s'effacent au profit du « chacun pour soi ».

Les systèmes de protection sociale ont freiné les effets de la crise, mais ils ne les ont pas empêchés. La société actuelle engendre une nouvelle forme de pauvreté, conséquence des grandes mutations qui s'opèrent : un travailleur sur dix n'a plus d'emploi ; un Français sur dix ne dispose pas d'un revenu suffisant pour vivre décemment. La société d'hier était « centripète » ; elle s'efforçait d'intégrer la totalité de ses membres. Celle d'aujourd'hui est « centrifuge » ; elle tend à exclure ceux qui ne parviennent pas à se maintenir dans le courant.

## La fin des certitudes

L'histoire des vingt dernières années est justement celle d'une mise en question progressive de l'ordre établi par les grandes entités auxquelles les Français avaient confié leur sort : Église, État, partis politiques, administrations, syndicats, idéologies de toutes sortes. Le chômage, la délinquance, le terrorisme, la faim dans le monde, la fragilité de l'économie internationale, les catastrophes naturelles ou le Sida, le déséquilibre démographique ou le non-respect des droits de l'Homme, sont autant de raisons d'être inquiet, au crépuscule du deuxième millénaire.

## Les nouvelles classes sociales

Le vieux schéma de la lutte des classes entre bourgeois et ouvriers, entre exploiteurs et exploités, ne rend pas compte de la situation sociale actuelle. Le développement du salariat et la prospérité économique des « trente glorieuses » (1945-1975) avaient favorisé la création d'une vaste classe moyenne et commencé à brouiller les cartes. Les dix années de crise économique et culturelle qui suivirent ont provoqué une véritable « nouvelle donne sociale ». Les critères traditionnels de différenciation (âge, sexe, profession, habitat...) expliquent de moins en moins les différences de comportement ou d'attitude entre les individus. Entre les nouvelles classes, ce n'est plus tant l'argent ou la naissance qui compte que la sécurité de l'emploi, son intérêt, ou la vision que l'on a du monde et de la vie.

## La destructuration

On observe depuis quelques années une tendance à la **destructuration.**

Dans l'entreprise comme dans la société la notion de hiérarchie, verticale et rigide, est remplacée par celle de **réseau,** horizontal et souple, plus propice à l'épanouissement individuel et à la créativité collective. L'État lui-même donne l'exemple, prônant hier la décentralisation, aujourd'hui la flexibilité.

Dans leur vie quotidienne, les Français pratiquent aussi la destructuration. C'est le cas dans l'alimentation, l'habillement ou l'ameublement. Les heures des repas et leur contenu, les matériaux des vêtements ou les formes des meubles rejettent de plus en plus la rigidité pour privilégier la mobilité et l'informel.

# LE PETIT BOUT
# DE LA LORGNETTE

Il y a les grandes tendances, celles qui expliquent le cheminement de la société française et contribuent à sa compréhension. Et il y a les anecdotes, les informations amusantes ou étonnantes à propos des Français d'aujourd'hui. Elles ont aussi leur place dans ce livre, car elles révèlent souvent des aspects ignorés de la vie quotidienne de nos concitoyens. Des petits morceaux de vérité qui complètent le puzzle et lui donnent toute sa dimension humaine.

• Les Français ont grandi en moyenne de 7 cm en un siècle, les Françaises de 5 cm. Depuis 1970, les hommes ont grossi de 3 kg et les femmes ont maigri de 600 g.

[S] 45 % des Françaises estiment qu'elles ont des kilos à perdre. Près de la moitié d'entre elles ont déjà essayé de maigrir ; 40 % d'entre elles ont réussi durablement.

• Les Français achètent en moyenne 4 savonnettes par an (650 g). Deux fois moins que les Anglais. Mais ils utilisent aussi 500 g de savon de Marseille.

• Les Français ont acheté 0,8 brosse à dents par personne en 1985, et 2,9 tubes de dentifrice.

• Ils sont les plus gros acheteurs de chaussures d'Europe (5 paires par personne et par an).

[S] 10 % des Français ne vont jamais chez le coiffeur.

• Les Français ont acheté en 1985 environ 90 millions de boîtes de médicaments pour dormir (hypnotiques et anxiolytiques), c'est-à-dire 2 fois plus qu'en 1976.

• Un professeur vit en moyenne 8 ans de plus qu'un manœuvre.

• Sur une vie de 72 ans, un Français en passe 30 à satisfaire ses besoins physiologiques (alimentation, sommeil, etc.).

[S] 25 % des Français pensent que le Soleil tourne autour de la Terre.

[S] 21 % croient que des extraterrestres se sont manifestés sur la Terre.

[S] 9 % pensent que la science pourra les rendre immortels.

[S] 90 % des Français connaissent leur signe du zodiaque, 17 % leur ascendant.

[S] 8 millions de Français utilisent les services des voyants.

[S] 85 % des Français se disent heureux.

[S] 53 % des femmes ont peur de l'an 2000, contre 25 % des hommes.

[S] 7 % des hommes et 1 % des femmes ont fait l'amour pour la première fois avant 14 ans.

[S] 19 % des hommes et 6 % des femmes ont eu des relations sexuelles avec plus de 10 partenaires au cours de leur vie.

[S] 10 % des hommes et 10 % des femmes n'ont jamais éprouvé le grand amour ; 16 % des hommes et 7 % des femmes l'ont éprouvé plus de trois fois.

• Les enfants de 8 à 14 ans passent plus de temps devant la télévision qu'à l'école (1 000 heures par an contre 900).

[S] 26 % des Français ont un bon souvenir de Mai 68 ; 40 % en ont un mauvais.

• Il y a beaucoup moins de baignoires en France que de postes de télévision (15 millions de baignoires contre 23 millions de postes de télé).

[E] 500 000 personnes sont mordues chaque année par des chiens.

• Les Français consomment en moyenne 80 litres de vin par an et 54 litres d'eau minérale.

• Ils consomment en moyenne 67 kg de pain contre 81 kg en 1970.

[S] 25 % ne mangent rien au petit déjeuner.

[S] 79 % estiment que les hommes politiques ne disent pas la vérité.

[S] Si les politiciens étaient des héros de B.D., Chirac serait Lucky Luke, Raymond Barre Obélix, Léotard Tintin, Le Pen Joe Dalton, Marchais Gaston Lagaffe, Rocard Astérix.

[S] Un salarié sur dix met plus de 45 minutes pour se rendre à son travail.

• 38 % des Français jouent au Loto, 13 % au tiercé, 10 % au Tac-o-Tac, 3 % à la Loterie nationale, 1 % sur les champs de course, 1 % dans les casinos.

• Entre 1970 et 1985, le prix du timbre a été multiplié par 7, contre 4,9 pour le litre de super.

[E] Il y aurait en France 16 milliardaires en francs actuels.

• Les Français passent 3 heures et demie par jour devant la télévision.

• Ils consacrent 2 heures trois quarts par jour à écouter la radio.

• Un Français sur deux ne va jamais au cinéma.

[S] 12 % des vacanciers profitent de leurs vacances pour avoir de nouvelles aventures amoureuses.

# 1
# L'INDIVIDU

# Le baromètre de l'individu

*Chacune des six grandes parties du livre est introduite par un baromètre qui indiq*
*l'évolution de l'opinion publique sur les principaux thèmes abordés.*
*        La plupart des tableaux présentés sont tirés des études annuelles Agoramétrie sur*
*population adulte (18 ans et plus). Les pourcentages mentionnés correspondent au cumul des répon*
*« bien d'accord » et « entièrement d'accord » aux affirmations proposées.*

La famille doit rester la cellule de base de la société (%).

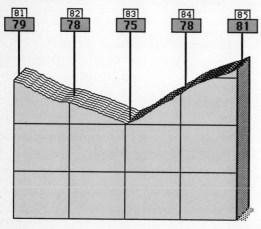

On doit se sacrifier pour la patrie (%).

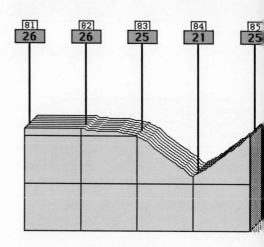

Dieu existe (%).

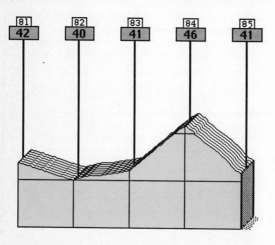

On n'apprend plus rien à l'école (%).

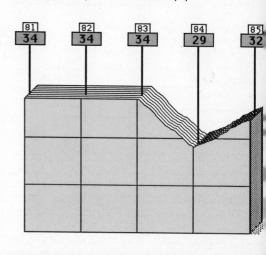

Agoramétrie (1 et 2)

# L'apparence physique

## LE CORPS

*Après une assez longue période d'oubli,
le corps est la grande affaire des années 80.
Si les Français ne veulent pas chasser
le naturel, ils font tout pour l'améliorer.
Beaucoup plus qu'une mode, le retour
du « physique » est un nouvel art de vivre :
être bien dans sa peau pour être mieux
dans sa tête.*

### Du « corps-outil »
### au « corps-vitrine »

Les années 50 et 60 sont celles de l'accession au confort. La voiture, la télé, les machines industrielles et domestiques sont autant d'incitations à la paresse physique. De sorte que les Français oublient un peu l'existence de leur enveloppe charnelle. La fatigue dont ils souffrent concerne d'ailleurs plus leur esprit que leur corps. Le « stress » est à la mode.

*Pendant les années 70, le « stress »
de la croissance se transforme
en « spleen » de la non-croissance.*

La fatigue nerveuse des années fastes fait bientôt place à une fatigue plus existentielle. Après avoir consulté leur médecin pour le « stress », les Français retournent le voir pour le « spleen ». Avec lui remontent à la surface des formes d'angoisse oubliées : peur de vieillir, peur de mourir, peur de perdre ce qui est acquis.

La solution s'impose alors avec évidence. Pour être mieux dans sa peau, il suffit de s'en occuper davantage ! C'est de cette constatation que part le grand mouvement de reconquête du corps qui marque les années 80.

*Le corps, aujourd'hui, ne sert pas à agir,
mais à communiquer.*

Le corps-outil, celui qui permet de bouger et de « faire » des choses, ne joue plus que les seconds rôles. C'est le corps-vitrine qui est en haut de l'affiche. Sa mission est de donner aux autres une image valorisante de celui qui l'habite. Mais il doit aussi rassurer l'individu à qui il appartient. La vitrine doit donc être vue de l'intérieur comme de l'extérieur. Le corps est aujourd'hui un miroir à double face.

*Être bien dans sa peau
pour être mieux dans sa tête.*

Telle est bien la préoccupation des Français d'aujourd'hui. Beaucoup font de leur corps l'objet privilégié de leur sollicitude, sachant qu'ils travaillent du même coup pour leur esprit. Il s'agit d'abord de maintenir ce corps en état : les dépenses de santé, le sport, l'introduction de la diététique dans l'alimentation sont chargés d'y pourvoir. Il s'agit aussi de l'embellir : c'est le rôle des soins de beauté, qui ne concernent plus aujourd'hui seulement les femmes. Il s'agit enfin de le personnaliser : les efforts vestimentaires permettent à chacun de se créer un « look », un style, qui n'appartient qu'à lui.

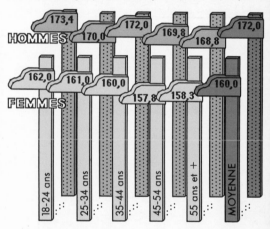

Bien être, c'est être bien dans son corps.

Lorsqu'on regarde les Français, on se dit que leur apparence physique doit finalement plus à leurs efforts qu'à ceux de la nature. S'il est difficile à quelqu'un de s'enlaidir, il lui est de plus en plus facile de corriger certains de ses défauts. Non contents d'être plus grands que leurs parents, les Français s'efforcent aussi d'être plus « beaux » et plus « propres » qu'eux.

## Taille et poids : la croissance sans crise

Est-ce la conséquence d'une alimentation plus équilibrée, d'une meilleure hygiène ou de phénomènes génétiques complexes ? Les Français, en tout cas, grandissent régulièrement ;

contrairement à ce qui se passe dans beaucoup d'autres domaines, l'écart de taille entre les sexes tend même à s'accroître.

*En un siècle,*
*les hommes ont grandi de 7 cm,*
*les femmes de 5 cm.*
*• Taille moyenne : 1, 72 m pour les hommes,*
*• 1, 60 m pour les femmes.*

Douze centimètres séparent aujourd'hui le « Français moyen » de son épouse.

### La taille des Français

Plus on est âgé, plus on est petit (taille en cm) :

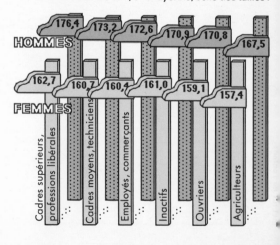

Les gens du Nord sont les plus grands ; les plus petits sont ceux de l'Ouest (en cm) :

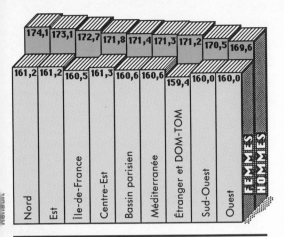

| | Nord | Est | Île-de-France | Centre-Est | Bassin parisien | Méditerranée | Étranger et DOM-TOM | Sud-Ouest | Ouest |
|---|---|---|---|---|---|---|---|---|---|
| HOMMES | 174,1 | 173,1 | 172,7 | 171,8 | 171,4 | 171,3 | 171,2 | 170,5 | 169,6 |
| FEMMES | 161,2 | 161,2 | 160,5 | 161,3 | 160,6 | 160,6 | 159,4 | 160,0 | 160,0 |

*Il y a un peu plus de grands,*
*mais beaucoup moins de petits.*

Comme toutes les moyennes, ce grandissement moyen cache une réalité plus complexe. Les conditions plus favorables de développement des jeunes enfants permettent aux facteurs génétiques d'influer normalement sur leur croissance. De sorte que les plus petits sont de moins en moins nombreux. À l'inverse, et pour des raisons semblables, les gens anorma-

### La taille des enfants

Taille moyenne selon l'âge (en cm) :

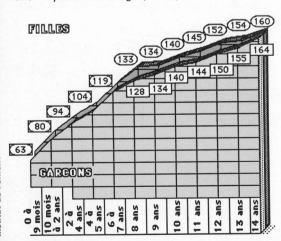

FILLES: 63, 80, 94, 104, 119, 133, 134, 140, 145, 152, 154, 160

GARCONS: 128, 134, 140, 144, 150, 155, 164

| 0 à 9 mois | 10 mois à 2 ans | 2 à 4 ans | 4 à 5 ans | 6 à 7 ans | 8 ans | 9 ans | 10 ans | 11 ans | 12 ans | 13 ans | 14 ans |

Institut de l'enfant

lement grands sont plus rares. D'après certains experts, cependant, le grandissement général serait dû au métissage de plus en plus fréquent entre les nationalités de race blanche plutôt qu'à l'évolution des conditions de vie et d'hygiène.

*La hiérarchie sociale reproduit*
*celle de la toise.*
• *Un cadre supérieur mesure en moyenne*
*7 cm de plus qu'un agriculteur,*
*5 cm de plus qu'un ouvrier.*
• *Chez les appelés du contingent,*
*un étudiant mesure 4 cm de plus*
*qu'un jeune agriculteur.*

On trouve des résultats similaires si l'on compare le niveau d'instruction et la taille, ce qui n'est pas étonnant lorsqu'on connaît la relation étroite existant entre les professions et les diplômes.

Une explication généralement proposée est celle du lien entre réussite sociale et prestance physique. Le type de société dans lequel vivaient nos ancêtres tendait à privilégier ceux qui pouvaient s'imposer physiquement. La taille, manifestation de cette force, a donc pu jouer un rôle dans la constitution d'une hiérarchie sociale. Les différences ainsi créées ont pu être maintenues, voire amplifiées, par les mariages fréquents entre des personnes aux caractéristiques sociales et physiques proches. Une vérité toujours d'actualité.

*Depuis 1970, les hommes ont grossi de 3 kg*
*pendant que les femmes perdaient 600 g.*
• *Les hommes pèsent en moyenne 75 kg,*
*les femmes 60 kg.*

L'hérédité joue un rôle déterminant dans le type de constitution (il en est ainsi chez certains obèses). Mais le mode de vie de chacun (alimentation, exercice, soins, etc.) fait le reste. C'est sans doute ce qui explique que les Françaises ont grandi et minci, tandis que leurs maris grandissaient et grossissaient.

Les statistiques montrent que plus on est âgé, plus on est lourd. Comme elles montrent aussi que plus on est âgé, plus on est petit, cela signifie que les risques d'être obèse augmentent avec l'âge.

## Poids plumes et poids lourds

Le poids des ans :

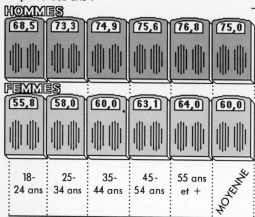

|   | 18-24 ans | 25-34 ans | 35-44 ans | 45-54 ans | 55 ans et + | MOYENNE |
|---|---|---|---|---|---|---|
| HOMMES | 68,5 | 73,3 | 74,9 | 75,6 | 76,8 | 75,0 |
| FEMMES | 55,8 | 58,0 | 60,0 | 63,1 | 64,0 | 60,0 |

Le poids des professions (en kg) :

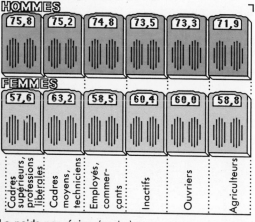

|   | Cadres supérieurs, professions libérales | Cadres moyens, techniciens | Employés, commerçants | Inactifs | Ouvriers | Agriculteurs |
|---|---|---|---|---|---|---|
| HOMMES | 75,8 | 75,2 | 74,8 | 73,5 | 73,3 | 71,9 |
| FEMMES | 57,6 | 63,2 | 58,5 | 60,4 | 60,0 | 58,8 |

Le poids par région (en kg) :

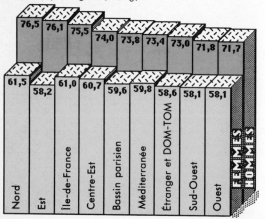

| | Nord | Est | Île-de-France | Centre-Est | Bassin parisien | Méditerranée | Étranger et DOM-TOM | Sud-Ouest | Ouest |
|---|---|---|---|---|---|---|---|---|---|
| HOMMES | 76,5 | 76,1 | 75,5 | 74,0 | 73,8 | 73,4 | 73,0 | 71,8 | 71,7 |
| FEMMES | 61,5 | 58,2 | 61,0 | 60,7 | 59,6 | 59,8 | 58,6 | 58,1 | 58,1 |

*Renault*

*Institut de l'enfant*

## « Big » n'est pas toujours « beautiful »

D'après les médecins spécialisés, on est obèse lorsqu'on pèse au moins 15 % de plus que son poids théorique, obtenu à partir de la formule de Lorentz :

$$\text{taille (en cm)} - 100 - \frac{(\text{taille} - 150)}{4}.$$

Il y aurait donc en France environ 12 millions d'obèses (un homme sur quatre, une femme sur cinq). Mais le nombre de ceux qui s'estiment trop gros est très supérieur. 45 % des femmes estiment qu'elles ont des kilos à perdre. Parmi elles, près de la moitié ont déjà essayé de maigrir (12 % au moins tous les ans). 10 % n'ont obtenu aucun résultat, 50 % ont perdu des kilos qu'elles ont repris ensuite, 39 % ont réussi à maigrir durablement.

## Le poids des enfants

Poids moyen selon l'âge :

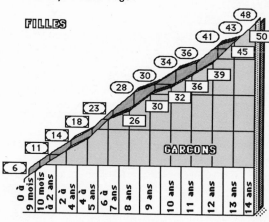

## Beauté : de la reconquête

Faut-il aider la nature ? Oui, répondent de plus en plus massivement les Français. Les attitudes vis-à-vis de la beauté restent pourtant différentes selon les personnes, en particulier selon leur âge. Pour les plus âgés, la beauté est d'abord le fait d'une apparence propre et soignée. Les plus jeunes sont attachés à l'entretien du corps et surtout à son embellissement.

## Les nouveaux canons de la beauté

Envolé, le mythe de la grande blonde à la poitrine imposante et au maquillage sophistiqué. La Française idéale, telle qu'elle ressort de l'enquête *7 Jours Madame/Ifres* (Janvier 1985), ne ressemble ni au modèle scandinave ni aux héroïnes de Fellini. Pour la majorité des hommes, elle est de taille moyenne, mince et brune. Son visage est ovale, son teint clair, ses yeux bleu-vert, ses lèvres pulpeuses et sa poitrine moyenne. Il faut ajouter encore que ses mains sont fines, ses jambes longues, ses dents petites et régulières.

Interrogées sur les hommes (sondage *Elle/Ifop*, décembre 1983), les femmes ont décrit de leur côté un homme plus traditionnel : grand, mince, sportif, rasé, aux yeux bleus ; il ne porte pas de lunettes, a une bouche petite et sensuelle, les cheveux bruns, courts et ondulés.

Toute ressemblance avec des Français existant ou ayant existé ne saurait être (espérons-le) une pure coïncidence !

*La consommation de produits de beauté est d'environ 400 francs par personne (72 francs en 1970).*

Les femmes ont acheté en 1985 pour plus de 15 milliards de francs de produits de parfumerie, de toilette et de beauté. Ce sont ces derniers qui se développent le plus, en particulier les produits de soins et de traitement du visage. Les achats de parfum connaissent aussi une forte progression. La volonté d'être belle, le désir de s'occuper de soi et le goût pour les produits de luxe expliquent cette évolution. En utilisant des produits de beauté, les femmes obéissent à une double motivation : être plus belles ; rester jeunes plus longtemps. Prendre soin de son corps est ressenti comme une nécessité, mais aussi et surtout comme un plaisir. Celui de mettre en valeur son apparence physique, mais aussi de pouvoir affirmer sa propre personnalité. Des motivations que l'on retrouve à des degrés divers dans toutes les catégories sociales.

*Les hommes s'intéressent aussi à leur beauté.*

Le grand mouvement de reconquête du corps ne touche pas seulement les femmes. Les hommes sont de plus en plus nombreux à redécouvrir son existence. L'égalité des sexes se fait dans un sens inhabituel puisque ce sont les hommes qui prennent modèle sur leurs homologues du « beau sexe ». Mais leurs tentatives s'étaient jusqu'ici limitées à ce qui ne risquait pas, à leurs yeux, de diminuer leur virilité (crème pour les mains, eau de toilette, pommade pour les lèvres...). Le marché de la beauté masculine connaît aujourd'hui une véritable explosion. Rester jeune, être séduisant, avoir l'air en forme sont des motivations croissantes dans une société qui tend à privilégier (dans les entreprises, dans les médias, dans l'inconscient collectif) ceux qui sont beaux et bien portants.

Toutes les grandes marques ont donc récemment créé, dans la foulée des eaux de toilette et des lotions après-rasage, des lignes de produits pour hommes. Tout en s'efforçant de ne pas culpabiliser, déviriliser, bref en rassurant les nouveaux adeptes des crèmes antirides ou anticernes. On constate cependant que ce sont les femmes qui, dans 60 % des cas, achètent les produits de beauté pour les hommes.

Séduire, c'est joindre l'utile à l'agréable.

*Les Français utilisent aussi d'autres armes pour la reconquête.*

Les produits de beauté permettent d'agir en surface, en embellissant le corps ou en rendant moins apparents les effets de son vieillissement. Mais les Français se tournent aussi vers des moyens d'agir en profondeur. Non contents de cacher leurs petits défauts physiques, ils cherchent à les faire disparaître. Remodeler son corps selon son propre désir, c'est l'ambition de ces femmes et de ces hommes qui souffrent en silence (mais aussi en musique) dans les salles d'aérobic, de culture physique, de danse, dans les cabines de sauna ou sur les tables de massage. Une souffrance apparemment supportable, puisqu'on se bouscule pour la subir.

### Les redresseurs de corps

Gym, aérobic, musculation, jogging... tous les moyens sont bons pour se faire ou se refaire une silhouette. Le précepte de l'âme saine dans un corps sain revient en

force après des siècles d'oubli. Aujourd'hui, le corps ne doit pas seulement être sain, il doit être musclé. L'attrait de jambes et d'abdominaux d'acier n'est plus l'apanage du sexe dit « fort » ; les femmes sont en train de conquérir l'un des derniers bastions de la suprématie masculine. Lasses d'offrir au regard des hommes des formes rondes et amples, attributs classiques de la féminité, elles se fabriquent aujourd'hui un corps ferme et fort. Les modèles des Françaises ont nom Jane Fonda, Raquel Welch, Sylvie Vartan, Véronique et Davina, qui ont toutes largement diffusé leurs « recettes » dans des livres ou cassettes vidéo à succès. Le pain étant devenu plus facile à se procurer, c'est aujourd'hui la forme que l'on gagne à la sueur de son front.

Les marchands de muscle ne s'y sont pas trompés. Les tristes salles de gym d'antan ont

## Les Styles de Vie et la beauté

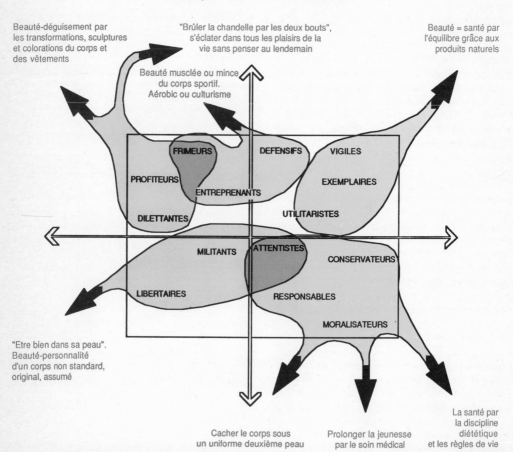

Beauté-déguisement par les transformations, sculptures et colorations du corps et des vêtements

"Brûler la chandelle par les deux bouts", s'éclater dans tous les plaisirs de la vie sans penser au lendemain

Beauté = santé par l'équilibre grâce aux produits naturels

Beauté musclée ou mince du corps sportif. Aérobic ou culturisme

FRIMEURS   DEFENSIFS   VIGILES

PROFITEURS   EXEMPLAIRES

ENTREPRENANTS

DILETTANTES   UTILITARISTES

MILITANTS   ATTENTISTES   CONSERVATEURS

LIBERTAIRES   RESPONSABLES

MORALISATEURS

"Etre bien dans sa peau". Beauté-personnalité d'un corps non standard, original, assumé

Cacher le corps sous un uniforme deuxième peau

Prolonger la jeunesse par le soin médical

La santé par la discipline diététique et les règles de vie

C.C.A.

Pour lire la carte, voir la description des Styles de Vie en fin de volume.

fait place à de véritables « stations-service du corps », intégrant toutes les dernières techniques. Le « polysensualisme » s'y exprime de façon particulièrement évidente : l'oreille écoute la musique stéréo ; le nez s'imprègne des odeurs de transpiration ; l'œil est allumé par la plastique des corps, mise en valeur par des tenues « sexy » aux couleurs vives ; le toucher concerne le corps tout entier, au contact de divers éléments ou matières (eau bouillonnante des bains Jacousi, mousse du tapis d'exercice, etc.).

## Hygiène : la face cachée de la beauté

Pour la plupart des Français, la beauté c'est ce qui se voit. Or, l'hygiène corporelle est généralement peu apparente. C'est pourquoi, peut-être, elle ne semble pas occuper une place essentielle dans les préoccupations de nos compatriotes.

*Au palmarès de la propreté individuelle, la France ne se situe pas au premier rang.*
*S Un Français sur deux va se coucher sans se laver les dents.*
*S Un homme sur cinq garde son linge de corps plusieurs jours de suite (10 % seulement des femmes).*
*S Un Français sur quatre se lave les mains une seule fois par jour.*
*S Chaque Français utilise en moyenne environ quatre savonnettes par an.*

Les chiffres sont implacables. Avec moins de 650 g par personne et par an (1984), les Français achètent deux fois moins de savon que les Anglais (1 250 g), et moins que les Allemands (1 000 g) ou les Italiens (800 g). Il faut pourtant, pour être plus précis, ajouter à la consommation de savon de toilette celle des produits récents tels que les gels de douche, les bains moussants ou des savons liquides, qui s'est développée au cours des dernières années. Il faut enfin y ajouter l'usage, qui revient à la mode, du savon de ménage (dit « savon de Marseille ») pour faire sa toilette. Les Français en achètent plus de 500 g par personne et par an, dix fois plus qu'en Grande-Bretagne ou en Allemagne, mais deux fois moins qu'en Italie et sept fois moins qu'au Portugal.

D'une manière générale, des progrès ont été réalisés : les Français se lavent les cheveux de plus en plus souvent (1,9 fois par semaine en moyenne, contre 1,2 fois en 1974) et leurs logements sont de mieux en mieux équipés sur le plan sanitaire. Ils semblent en tout cas utiliser leurs douches et baignoires, si l'on en juge par le développement spectaculaire des achats de bains moussants (56 % des femmes et 30 % des hommes en utilisent chaque fois qu'ils prennent un bain).

### Moins de brosses à dents que de mâchoires

Les Français ont acheté en 1985 environ 45 millions de brosses à dents. Sachant qu'il y a environ 50 millions de mâchoires susceptibles d'être brossées et qu'une brosse à dents a une durée de vie moyenne de 3 mois, il faudrait donc que chaque Français achète 4 brosses par an, soit 5 fois plus qu'aujourd'hui. Des enquêtes montrent d'ailleurs qu'un Français sur deux n'utilise jamais de brosse à dents. Un calcul semblable montre que la consommation de dentifrice (2,9 tubes par personne et par an) est très inférieure à ce qu'elle devrait être pour un brossage satisfaisant. Résultat : 40 % des enfants de 3 ans ont une ou plusieurs dents cariées ; ils sont 90 % à 15 ans.

*Le niveau d'hygiène est lié aux habitudes culturelles.*

La carte de l'hygiène est simple et bien connue. Elle sépare en gros le Nord et le Sud, le bassin méditerranéen et les pays d'influence anglo-germanique. C'est ainsi que les habitants des régions proches de la Belgique, du Luxembourg, de l'Allemagne ou de la Suisse consomment plus de savon et de dentifrice que ceux des régions proches de l'Italie ou de l'Espagne. Si le niveau d'hygiène d'un pays est lié à son développement économique, celui de ses habitants dépend pour une large part des caractéristiques culturelles nationales. À niveau de vie égal, ce sont l'habitude et la pression sociale qui font préférer l'achat d'un téléviseur à celui d'une baignoire.

## LE LOOK

*Du vêtement à la coiffure en passant par les accessoires ou la façon de bouger, tout est bon pour se créer une apparence. La mode fut pendant longtemps un phénomène de masse. L'heure est aujourd'hui à la personnalisation.*

## L'habit fait toujours le moine

Tout ce qui touche aux caractéristiques physiques est difficile à changer. Le poids, les traits du visage ou l'aspect de la peau demandent à ceux qui n'en sont pas totalement satisfaits des efforts éprouvants et constants. En matière de « look », au contraire, la liberté de manœuvre est très grande et les résultats sont garantis. Qui n'est pas capable de passer en trois minutes du rôle de jeune cadre responsable à celui de père de famille décontracté ? Changez votre costume trois-pièces contre un pantalon de velours et un pull-over, vos mocassins contre une paire de tennis ou de charentaises, et le tour est joué. Apparence, tout n'est qu'apparence...

*La part des dépenses d'habillement diminue régulièrement.*
* *12 % du budget des ménages en 1870,*
* *8,6 % en 1970,*
* *6,2 % en 1984.*

La France continue d'être, aux yeux des étrangers, le pays du bon goût et des beaux habits. De fait, la haute couture française tient toujours le haut du pavé, malgré les efforts des Américains et, plus récemment, des Japonais. Mais qu'en est-il de la façon de s'habiller des Français ?

Sans pour autant porter de jugement sur la qualité et le « chic » des vêtements d'au-jourd'hui, on est amené à constater que les Français consacrent de moins en moins d'argent à leur habillement, bien qu'on assiste à une stabilisation depuis 1984.

Ce phénomène n'est pas limité à la France ; on le retrouve dans tous les pays européens. Il concerne l'ensemble des catégories sociales, même si le « branché » des quartiers chics s'intéresse plus à la « fringue » que le « loubard » de banlieue.

La dépense vestimentaire moyenne était de 2 700 francs par personne en 1984.

*Les dépenses restent très inégales.*
* *33 % des hommes achètent*
*75 % des vêtements de dessus masculins (pantalons, vestes, costumes, chemises, pulls, imperméables, manteaux).*
* *30 % des femmes achètent 70 % des vêtements de dessus féminins.*

Si les Français dépensent moins pour leurs vêtements, c'est qu'ils s'efforcent aussi de les payer moins cher, en utilisant de façon systématique les moyens qui s'offrent à eux : périodes de soldes, dépôts-vente, circuits « parallèles », « discounters », etc. En même temps, les motifs d'achat évoluent. Le vêtement n'est plus depuis longtemps un produit de première nécessité. Le souci du confort et de la durée, la recherche de l'originalité sont des critères qui pèsent de plus en plus sur les achats.

Le look branché est grillé. La classe revient au galop.

CHEMISES PLAY-BOY.

Alice

Du branché au B.C.-B.G.

Les professionnels du textile observent cependant, depuis fin 1984, un « frémissement » sur le marché du prêt-à-porter, après quelques années moroses. Les créateurs sont en train de s'adapter aux nouvelles attentes de la clientèle : un peu plus de couleur (même si le gris, le noir et le marine restent des valeurs sûres) ; des produits de meilleure qualité ou alors très bon marché (le milieu de gamme se rétrécit) ; des vêtements plus fonctionnels et simples. Enfin, on note un intérêt plus grand des hommes pour des vêtements moins classiques. Comme l'attaché-case dont il est le complément, le costume trois-pièces ne fait plus rêver.

## Chaussures : le look se lit de bas en haut

Les années 70 avaient été celles de la chaussure utilisée à contre-emploi. Les tennis, baskets et autres chaussures de sport servaient plus à se rendre au bureau, à l'école ou au marché qu'à évoluer sur les courts ou dans les stades. La chaussure d'aujourd'hui est moins le symbole de la décontraction que celui de la personnalisation.

*Les Français sont les plus gros acheteurs de chaussures d'Europe : 5 paires par personne et par an contre 4 pour les Anglais et 2,5 pour les Italiens.*

Les Français ont acheté 289 millions de paires de chaussures en 1984, dont la moitié (147 millions) étaient importées.

## Les accessoires sont essentiels

Les compléments traditionnels du vêtement (chapeau, gants, etc.) sont en voie de disparition, malgré quelques tentatives périodiques de réhabilitation. Les accessoires jouent aujourd'hui un rôle à la fois psychologique et économique. Ils permettent de modifier à peu de frais l'apparence d'un vêtement éventuellement ancien et de donner au look une touche encore plus personnelle : montre de gousset, boucle d'oreille, nœud papillon, tatouage, pour les hommes ; écharpes, ceintures, sac, collier fluorescent, pour les femmes. La chaussette, longtemps austère et neutre, ne se cache plus.

Dans sa partie la plus dissimulée (au moins du plus grand nombre), le look change aussi. Il fait aujourd'hui une place à des dessous plus « folklo », avec le retour en force du caleçon chez les hommes, ou plus « coquins », avec le retour (plus timide) des bas et porte-jarretelles chez les femmes.

Autre ingrédient du look, les lunettes. Sur les 23 millions de Français qui en portent, beaucoup choisissent avec soin la monture qui leur donnera l'air le plus sérieux, le plus jeune, le plus intelligent... ou le plus drôle. Il faut encore citer au nombre des accessoires la barbe, portée par environ 7 % des hommes et qui peut complètement transformer les visages et les looks, et même valoir comme signe d'appartenance à une idéologie.

## L'anti-mode est à la mode

La façon de s'habiller a toujours eu une signification sociale. L'aristocrate ne s'habillait pas comme le domestique, ni le patron comme l'ouvrier. Le type de vêtement porté a longtemps été un signe d'appartenance à une catégorie particulière (souvent une classe sociale). Une sorte de carte de visite que l'on n'a pas besoin de sortir de sa poche. Aujourd'hui, les Français veulent faire de l'habillement un signe distinctif de leur personnalité plutôt que de leur classe sociale. Et, si leur façon de se vêtir peut encore être rattachée à celle d'un groupe, celui-ci est davantage caractérisé par une façon de vivre commune que par une profession, un âge ou un revenu semblables. Bref, par un Style de Vie. Le look est en effet l'un des critères de différenciation les plus clairs entre les Rigoristes, Matérialistes, Activistes, Égocentrés ou Décalés.

### La mode de 0 à 20 ans

On distingue différentes périodes dans les rapports des enfants avec la mode. Dans les milieux urbains, où on les confie très tôt à la maternelle (après la crèche), les enfants de 2 ans (surtout les filles) commencent à s'intéresser à ce qu'ils portent. Cet attrait pour le vêtement augmente ensuite avec l'âge, en même temps que s'accentue la différence entre filles et garçons. Alors

Institut de l'enfant

que l'intérêt évolue progressivement chez les garçons pour devenir de l'« attention » vers 14-15 ans, le phénomène, chez les filles, est plus brutal jusqu'à 5 ans, puis connaît un palier entre 5 et 8 ans pour se manifester à nouveau entre 8 et 11 ans. C'est vers 14-15 ans que filles et garçons s'intéressent à leur silhouette complète (le look). Alors que la mode des enfants entre 2 et 12 ans est assez unisexe, avec une importance particulière des pièces du bas (le pantalon), l'intérêt se déplace vers le haut à partir de 11 ans. La naissance de la poitrine crée chez les filles la hantise du transparent, la peur du moulant. À 15 ans, la mode se vit au pluriel. Elle peut aller de la silhouette « punk » à une allure assez efféminée chez les garçons. Au seuil de l'âge adulte, l'adolescent a déjà emmagasiné toutes les données vestimentaires qui détermineront son « look » jusqu'à 20-25 ans.

J. Walter Thompson

Les enfants n'ont plus peur du look.

## Coiffure : la querelle des anciens et des modernes

Comme le vêtement, la coiffure est un moyen de personnalisation de plus en plus utilisé. Les jeunes ont souvent voulu affirmer par des coiffures délibérément outrancières leur refus de s'intégrer totalement au monde des adultes. Les Beatles des années 60 avaient choqué le monde entier par la longueur de leurs cheveux (celle-ci passerait d'ailleurs inaperçue aujourd'hui). Plus récemment, les punks ont montré une grande créativité, à la

fois dans la coupe et dans la couleur. À la différence des vêtements, les cheveux sont partie intégrante du corps. La façon dont ils sont coiffés a donc des implications personnelles assez fortes. La longueur, la coupe, la couleur, l'addition éventuelle de produits voyants ou odorants sont rarement dues au

### La coiffure des Styles de Vie

Le choix du type de coiffure se situe entre deux options contradictoires :
– la norme : raie sur le côté pour les hommes, permanente pour les femmes... Des coiffures nettes, pratiques, faciles à entretenir, classiques et passe-partout ;

C.C.A.

– la personnalisation : du naturel (cheveux courts) à l'exotique (coiffure rasta)... Des coiffures qui permettent d'exprimer sa personnalité ou d'affirmer sa différence.

C.C.A.

hasard. Même chez ceux qui n'attachent pas à leur coiffure une importance considérable.

*10 % des Français ne vont jamais chez le coiffeur.*
⑤ *4 % (surtout les femmes) y vont au moins une fois par semaine.*
⑤ *30 % y vont au moins une fois par mois.*

## Les gestes : mieux qu'un long discours

L'apparence ne s'arrête pas à l'allure physique, aux vêtements et à la coiffure. Les gestes sont un révélateur important de la personnalité. Une heure passée à la terrasse d'un café suffit pour s'en convaincre ; le ballet plus ou moins harmonieux des bras, des jambes et des têtes des passants en dit long.

Pourtant, si l'on connaît bien la façon de manger ou de s'habiller des Français, on connaît moins leur façon de bouger. Parmi les rares études sur le sujet, celle de l'Américaine Laurence Wylie – citée dans *Français qui êtes-vous ?* L'ouvrage collectif réalisé sous la direction de J.-D. Reynaud (la Documentation française) – révèle des particularités intéressantes du comportement gestuel des Français.

*La tension musculaire est permanente.*

Ce qui frappe tout d'abord, lorsqu'on examine au ralenti les films des mouvements

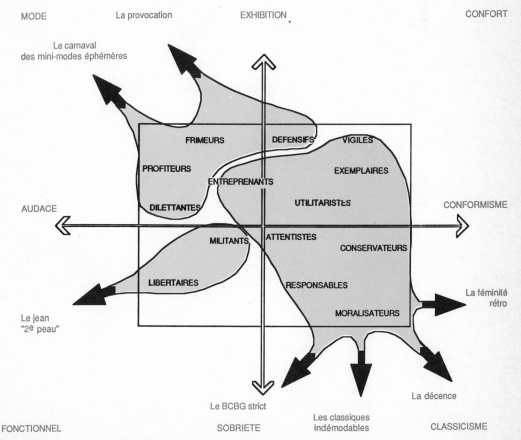

**Styles de Vie/Look : Paraître et Séduire**

Pour lire la carte, voir la description des Styles de Vie en fin de volume.

usuels, c'est le degré de tension musculaire. Pratiqué dès le plus jeune âge, le contrôle des muscles de tout le corps explique la rigidité du torse, la poitrine bombée, les épaules hautes et carrées des Français. Des épaules d'ailleurs particulièrement expressives : ramenées vers l'avant, accompagnées d'une expiration ou d'une moue, elles disent tour à tour le doute, le regret ou l'impuissance.

*L'avant-bras joue un rôle essentiel.*

Lorsqu'ils sont debout, les Français ne basculent pas le bassin comme le font les Américains. Leurs pieds sont distants d'environ douze centimètres, l'un posé en avant de l'autre. Cela permet un balancement d'avant en arrière, contrastant avec le mouvement latéral des Américains. Mais c'est la mobilité du poignet et du coude qui est la plus étonnante pour l'observateur. Les mouvements gracieux et compliqués de la main participent à la conversation, complétant efficacement ce qui est exprimé par les mots. C'est peut-être pour cette raison que mettre les mains dans ses poches n'est pas une attitude très courante, les Français préférant garder une certaine liberté de mouvement en mettant (quelquefois) les poings sur les hanches ou, plus souvent, en croisant les bras.

Lorsqu'ils sont assis, les Français aiment croiser les jambes, tout en les gardant parallèles, contrairement aux Américains qui préfèrent poser un pied sur le genou opposé (ce qui serait considéré comme impoli en France). Ils gardent parfois les bras croisés, ou bien utilisent une main pour caresser la bouche, les cheveux, ou soutenir le menton. Pas de pieds posés sur une table ou une chaise, pas de mains sur la tête comme on le voit couramment outre-Atlantique, dans la plupart des classes sociales.

*La démarche générale du corps est guidée par la tête.*

On peut distinguer un Américain d'un Français à cent mètres. Le premier a tendance à balancer les épaules et le bassin, et à faire des moulinets avec les bras. Le second s'efforce d'occuper un espace plus restreint : pas de balancement sur le côté ; la jambe est projetée très loin en avant et tend le genou. Le pied retombe sur le talon, le torse demeure rigide et ce sont les avant-bras et la tête qui amorcent le mouvement.

Bien sûr, les gestes varient selon les individus et les catégories sociales auxquelles ils appartiennent. Les gens « bien élevés » font plutôt moins de gestes que les autres, les hommes moins que les femmes. Le langage des mains, que les Français imaginent propre aux Italiens, appartient cependant au patrimoine national (de la main tendue pour dire bonjour aux pouce et index frottés l'un contre l'autre pour exprimer l'idée d'argent, en passant par l'index accusateur...).

Le dictionnaire des gestes, qui reste à créer, constituerait un complément utile (et drôle) à celui des mots.

## La parole a un double langage

S'il est établi que les gestes ont précédé la parole, celle-ci a pris depuis une éclatante revanche. Les mots utilisés sont tous porteurs de deux messages ; celui du dictionnaire et celui de l'individu qui les prononce. Le premier est parfois approximatif, tandis que le second ne laisse rien au hasard.

### Le français quotidien

Les études réalisées par Infométrie, qui prolongent celles entreprises il y a près de 30 ans par Gougenheim, ont permis de définir le vocabulaire moyen commun à la majorité des Français. Le « français quotidien » comporte environ 400 mots simples susceptibles d'être compris par tous. Les études montrent que tous ceux qui s'adressent au « grand public » et veulent être compris de lui devraient utiliser un vocabulaire composé au minimum de 80 % de français quotidien. Ainsi, ils ne devraient pas parler d'abaissement, mais de diminution ou de chute, d'abdication mais d'abandon, d'aberration mais d'erreur, ne pas dire abattement mais réduction, abordable mais facile, abonder mais approuver, etc. Les études ne précisent pas s'il faut dire branché ou câblé !

*Infométrie*

*La façon de parler est déjà un long discours.*

Autant que les mots eux-mêmes, la manière dont ils sont utilisés est révélatrice de la personnalité. Écoutez parler des étrangers dans une langue qui vous est inconnue et vous aurez quand même une idée assez précise de chacun d'eux. De la même façon, lorsque des étrangers non francophones écoutent une conversation entre Français, ils sont frappés par des comportements qui leur paraissent caractéristiques. Ainsi ressentent-ils souvent un rapport de force entre les divers intervenants. Il est courant, dans beaucoup de pays, d'attendre que celui qui parle ait terminé pour prendre la parole, après un bref silence marquant la fin du dernier monologue. Les Français sont si impatients de s'exprimer qu'ils commencent à parler sur le dernier ou l'avant-dernier temps du monologue précédent. Bien des étrangers ont des difficultés à participer à des discussions avec des Français, leur tour étant souvent pris par plus rapide qu'eux. Leur autre motif d'étonnement est de voir les conversations de groupe entre Français éclater fréquemment en plusieurs dialogues croisés, parallèles ou simultanés.

*Les « mots pour le dire » caractérisent bien l'époque où ils sont inventés.*

Si les Américains éprouvent quelque difficulté à dialoguer avec les Français, ils doivent cependant reconnaître au passage beaucoup de mots qui leur sont familiers. La « balance commerciale » du vocabulaire entre les deux pays est en effet largement déficitaire pour la France. Si le surf, le marketing ou les week-

### Les Styles de Vie et le langage

Les 5 Mentalités identifiées par le CCA ont chacune un vocabulaire qui leur est propre. Le tableau ci-dessous donne quelques exemples des différents mots utilisés par chacune d'elles pour évoquer un même sujet.

| Mots utilisés par chaque Mentalité pour : | DÉCALÉS | ÉGOCENTRÉS | MATÉRIALISTES | RIGORISTES | ACTIVISTES |
|---|---|---|---|---|---|
| Désigner quelqu'un | Mec | Type | Gars | Individu | Gens |
| Évoquer un conflit | Compétition | Magouille | Problème | Crise | Guerre |
| Évoquer leur centre d'intérêt | Génial | Vrai | Primordial | Important | Extraordinaire |
| Caractériser une situation, une personne, un objet | Fou | Bête | Sacré | Normal | Dingue |
| S'exprimer de façon générale | Sentir / Carrément / Vraiment | Être écœuré / Relativement / Finalement | Juger / Personnellement / Certainement | Considérer / Malheureusement / Exactement | Adorer / Absolument / Simplement |
| Leurs expressions | À la limite, tu sais, c'est genre aventure. | Tu vois, à la base, le foot, c'est la fête. | Au fond, en général, j'appelle ça du gaspillage. | À mon avis, c'est une question de valeurs, il faut les respecter. | C'est marrant de voir qu'il y a un pourcentage extraordinaire de gens qui gèrent mal leur contrat. |

CCA/Infométrie

PLANANTS, LES PRIX VACANCES!

GENÈVE 650ᶠ

LONDRES 810ᶠ

NICE 876ᶠ

AIR FRANCE
*Vacances*

H.C.M.

L'époque joue avec les mots.

croissante de la technologie : **didacticiel, formater, Minitel, monétique, productique, progiciel, publiphone, tableur, turbo, visioconférence,** etc. Certains mots courants ont pris, au fil du temps, une acception nouvelle. C'est le cas du verbe **assurer,** dont les jeunes font aujourd'hui une consommation journalière. Le *Petit Larousse* 86 présente aussi 23 expressions nouvelles : **prix d'appel, B.C.-B.G., en béton, carte à mémoire, cercle de qualité, remettre les pendules à l'heure, effet pervers, pluies acides, jeu de rôle, temps choisi,** etc. Enfin, parmi les 62 personnalités qui font leur entrée on trouve 24 Français : **Jacques Anquetil, Philippe Ariès, Brigitte Bardot, Louison Bobet, Jean Borotra, Bourvil, Henri Cochet, Alain Decaux, Laurent Fabius, Lucien Gaudin, Johnny Hallyday, Bernard Hinault, Raymond Kopa, René Lacoste, Jules Ladoumègue, Jacques Le Goff, Suzanne Lenglen, Alain Mimoun, Christian d'Oriola, Michel Platini, Jean Prat, San Antonio, Alain Touraine, Charles Vanel.**

À travers les mots, et au-delà d'eux, c'est le spectacle étonnant et fascinant de notre monde en mutation que nous offre chaque année le dictionnaire.

ends ont depuis longtemps envahi la conversation et les médias, le fast-food, le jogging et le Walkman sont d'acquisition plus récente. L'invasion touche en priorité les domaines liés à la consommation et aux pratiques professionnelles. Le publi-postage n'est pas prêt de remplacer le mailing, et les cibistes n'ont pas encore trouvé de mot français pour qualifier leur passe-temps (leur hobby ). Pourtant, les activités plus abstraites sont de moins en moins perméables au langage anglo-saxon. Les jeunes d'aujourd'hui sont branchés plutôt que cool et préfèrent le verlan à la langue de Shakespeare. S'ils continuent d'acheter les produits d'outre-Atlantique, ils s'intéressent moins aux modes de vie et aux idées qui y prennent naissance. Le modèle américain a vécu. Les modèles japonais, suédois, allemands, voire brésiliens ou australiens, ont fait faillite ou restent intransportables.

### Les mots nouveaux sont arrivés

Le dictionnaire est au langage ce que le droit est aux mœurs. Il consacre les usages et reflète fidèlement l'époque qui leur a donné naissance. Ainsi, la cuvée 1986 du *Petit Larousse* marque l'entrée de 84 mots et de 66 noms propres.

Parmi les mots, certains sont déjà sur toutes les lèvres ou font depuis quelque temps la une des médias : **beur, clip, déréglementation, médiatique, newsmagazine, pole position, rééchelonnement, smurf, sureffectif,** etc. D'autres sont plus techniques et révèlent l'importance

L'apparence physique

### En vrac

⑤ 52 % des hommes déclarent faire peu attention à la manière dont ils s'habillent (10 % pas du tout). 5 % seulement font très attention et 30 % assez.

⑤ 42 % des hommes préfèrent acheter leurs vêtements avec leur femme, 56 % seuls, 2 % avec un copain.

● Les Français ont dépensé en moyenne 397 francs pour leurs chaussures en 1984 (sur un total de 2 704 francs).

● Après une belle percée, de 1981 à 1984, les achats de savon liquide stagnent. Ils représentent aujourd'hui 8 % du volume de savon de toilette consommé.

● En 1970, 81 % des femmes n'utilisaient pas de crème. La proportion est tombée à 40 %.

● La moitié des chaussures importées en France viennent d'Italie.

● Depuis 1981, les achats de lingerie féminine (adulte) sont en constante diminution. Mais les produits de haut de gamme, « sexy », mode, prennent une part croissante.

⑤ 26 % des Français seulement prennent un bain ou une douche quotidiennement (19 % des hommes et 32 % des femmes).

● La consommation annuelle moyenne de shampooing est d'environ 650 ml par an, soit un peu moins de trois flacons de 230 ml.

# La santé

## MALADIES

*Les Français n'ont jamais eu aussi peur de la maladie. Malgré les progrès considérables de la médecine, les démons restent nombreux à rôder autour d'eux. Des maladies de cœur au cancer, en passant par la grippe ou le SIDA, ils continuent de frapper sans relâche. Profitant des erreurs de la civilisation... et des petites faiblesses de chacun.*

### Quand on a la santé...

En une génération, la médecine a réalisé des progrès immenses. La polio était vaincue en 1953. Un an après, la chlorpromazine ouvrait l'ère nouvelle des neuroleptiques, clôturant celle des camisoles de force. Les nouvelles techniques d'exploration du corps (scanner, R.M.N. ou résonance magnétique nucléaire, etc.), l'utilisation de la cortisone, le développement progressif des greffes d'organes (poumon, rein, cœur...) ou celui des organes artificiels constituent d'autres étapes importantes dans la lutte de l'homme contre la maladie. Pourtant, ces victoires n'ont pas éloigné la peur d'être malade. On peut même dire, paradoxalement, que celle-ci n'a jamais été aussi présente qu'aujourd'hui. Le bonheur ne se conçoit guère sans la santé.

*Pour être riche et heureux, il faut être en bonne santé.*

Plus que jamais, la santé apparaît comme une condition nécessaire pour réussir sa vie.

La santé n'a pas de prix.

Dans une société de plus en plus concurrentielle, seuls ceux qui sont en possession de tous leurs moyens peuvent tirer leur épingle du jeu. Trouver un emploi, un partenaire, obtenir de l'avancement, profiter pleinement de ses loisirs, tout cela requiert, pour le moins, d'être en bonne santé. Ceux qui sont beaux et en pleine forme sont les mieux armés pour réussir. Les Français l'ont bien compris depuis quelques années,qui redécouvrent leur corps et s'appliquent à le maintenir en état. Dans une époque éprouvante, la santé constitue un capital précieux. Aussi précieux que le temps, dont elle est l'allié le plus sûr.

*Les dépenses de santé ont été multipliées par 6 en 12 ans.*
*• En 1985, chaque Français a dépensé en moyenne 7 130 francs pour sa santé.*
*Il dépensait 870 francs en 1970 (+ 7 % par an en francs constants).*
*• Les dépenses de santé des ménages représentent aujourd'hui 14,8 % de leur budget (contre 9,4 % en 1970).*
*• La collectivité prend en charge 75 % des dépenses totales de santé (et 94 % des dépenses d'hospitalisation).*

Dans le budget des ménages, ce sont les dépenses de santé qui ont le plus augmenté au cours de la dernière décennie. C'est dire toute l'importance que les Français y attachent, que ce soit pour guérir la maladie ou la prévenir. Le ralentissement des dépenses observé (en francs courants) depuis 1983 ne doit pas être attribué à un changement de comportement vis-à-vis de la santé, mais aux différentes mesures prises par le gouvernement pour équilibrer les comptes de la Sécurité sociale, et donc décourager la consommation médicale, ainsi qu'à la baisse continue de l'inflation.

## À chaque maladie son image

La façon dont chaque maladie est perçue par les Français est plus ou moins sombre et angoissante selon les cas. L'imagerie populaire ne colle d'ailleurs pas toujours à la réalité : le cancer est plus fréquemment guéri qu'on ne l'imagine, tandis qu'on meurt encore beaucoup des maladies de cœur et de l'alcoolisme. La

fréquence et la gravité des « grandes maladies » ne sont pas toujours correctement perçues. Les Français, qui sont pourtant très amateurs d'informations dans le domaine médical, ont tendance à confronter ces informations à leur propre expérience et à celle de leur entourage, donc à les déformer.

### Les maladies qui tuent

Principales causes de mortalité (1984) :

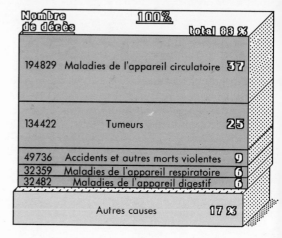

| Nombre de décès | 100% | |
|---|---|---|
| | | Total 83 % |
| 194829 | Maladies de l'appareil circulatoire | 37 |
| 134422 | Tumeurs | 25 |
| 49736 | Accidents et autres morts violentes | 9 |
| 32359 | Maladies de l'appareil respiratoire | 6 |
| 32482 | Maladies de l'appareil digestif | 6 |
| | Autres causes | 17 % |

*Maladies cardio-vasculaires :*
*36 % des décès.*
*• 15 % des Français entre 30 et 70 ans souffrent d'hypertension artérielle, mais 80 % l'ignorent.*
*• 60 % des obèses meurent d'un accident cardio-vasculaire.*
*• Entre 35 et 65 ans, les hommes meurent 3 fois plus des maladies cardio-vasculaires que les femmes.*

On continue de mourir davantage des « maladies de cœur » que de toute autre maladie, même si on meurt plutôt moins que dans d'autres pays (v. graphique ci-après). Plus de la moitié d'entre elles concernent le cerveau (maladies cérébro-vasculaires) et les arrêts cardiaques (ischémies). Viennent ensuite les problèmes liés à l'hypertension. L'hérédité, mais aussi les modes de vie sont les principaux responsables de ces maladies. Les hommes ont le cœur plus fragile que les femmes.

*Cancer : 200 000 personnes atteintes*
*chaque année.*
• *Le risque augmente à partir de 50 ans*
*(mais il diminue à partir de 80 ans).*
• *Le cancer du sein représente 46 % des*
*cancers des femmes (utérus : 15 %).*
• *Le cancer du pharynx représente 16 %*
*des cancers des hommes (poumons : 14 %).*

Le cancer reste pour les Français la maladie la plus tragique, la menace la plus redoutée. Les différentes formes de tumeurs atteignent en fait relativement peu de personnes chaque année, mais leur gravité est élevée par rapport aux autres formes de maladie. Les différents types de cancer ont connu des évolutions contrastées : forte diminution pour les cancers de l'estomac, du gros intestin (chez la femme) ; forte augmentation pour ceux du sein, du poumon (chez l'homme) ; stabilisation pour la plupart des autres formes. D'après l'OMS, la mortalité globale a quand même augmenté de 50 % en 20 ans dans l'ensemble des pays industrialisés (55 % chez les hommes, 40 % chez les femmes).

---

### La lutte finale ?

On estime que le taux de survie (à 5 ans) au cancer est en moyenne de 50 %. Le pourcentage est très variable selon le type de cancer. Il est par exemple de 95 % pour le cancer de la peau, de 90 % pour celui de la gorge, de 60 % pour celui du sein. On compte aujourd'hui environ 800 000 anciens cancéreux guéris. Les nouvelles méthodes thérapeutiques (immunothérapie, chimiothérapie, traitement au laser), l'utilisation de nouveaux médicaments (interféron) ont permis des progrès sensibles. Les recherches effectuées dans le monde entier laissent espérer à moyen terme des progrès décisifs. Peut-être le cancer sera-t-il, en l'an 2000, une maladie comme les autres. Peut-être même ne sera-t-il plus...

---

*Maladies nerveuses : un Français sur cinq*
*est concerné au cours de sa vie.*
• *Les hôpitaux psychiatriques abritent en*
*permanence 115 000 malades.*
• *Ils en soignent chaque année 200 000.*

Les troubles du système nerveux se traduisent par une modification de comportement affectant l'ensemble de la personnalité. Les névroses et les psychoses en sont les manifestations les plus courantes.

*Maladies professionnelles : le travail n'est*
*pas toujours la santé...*
• *5 018 cas en 1984, contre 10 000 en 1950,*
*mais 3 834 en 1980.*
• *La silicose (maladie des mineurs)*
*devient rare : 478 personnes atteintes en*
*1984, contre 8 500 en 1954.*

La plupart des maladies professionnelles sont des affections pulmonaires provoquées par l'inhalation de poussières métalliques ou minérales (pneumoconioses) ou des affections de la peau (dermatoses). De nombreuses maladies, de nature psychosomatique, ne sont pas prises en compte du fait de leur relation incertaine avec le travail : ulcères, maux gastro-intestinaux, troubles du sommeil, dépressions, bronchites, asthme, etc. Les statistiques seraient évidemment plus lourdes si l'on devait considérer le stress comme une maladie professionnelle... Les maladies professionnelles classiques sont en tout cas en forte régression.

*Maladies sexuelles : 25 ans de croissance.*

La recrudescence de ces maladies est particulièrement forte depuis 1958, en particulier chez les femmes. Trois raisons expliquent cette évolution :
– une plus grande mobilité des individus sur le plan international (tourisme, travail) ;
– l'accroissement de la liberté des mœurs sexuelles dans la plupart des pays développés ;
– la rapidité de contagion de certaines maladies vénériennes (blennorragie, syphilis, parasitoses, etc.).

---

### La grande peur du SIDA

Les hommes des siècles passés craignaient la peste ou le choléra. Nos contemporains tremblent devant le SIDA (syndrome immunodéficitaire acquis). Pourtant, le virus découvert en 1983 a fait couler plus d'encre que de sang : on n'avait dénombré dans le monde que 13 500 cas en juillet 1985 dont 350 en France. Mais les risques de contamination sont réels et les chances au cours de la première année, 86 % dans les 3 ans... les premières victimes sont les homosexuels et les héroïnomanes, qui favorisent la contamination par des échanges sexuels ou ceux de seringues polluées. Des tests de dépistage ont été mis au point, en France et aux États-Unis. Des traitements sont expérimentés dans les laboratoires.

---

*Grippe : 4 millions de Français*
*touchés chaque année.*
* *627 morts en 1984 (15 070 en 1969).*
* *20 millions de journées d'arrêt*
*de travail.*
* *Coût : 3,5 milliards de francs.*

La grippe est bien un véritable fléau économique et social. La prévention est cependant largement utilisée. Chaque année, environ 10 % des Français se font vacciner (20 % chez les plus de 65 ans). Avec des résultats variables, selon la précision avec laquelle les « virus de l'année » ont été identifiés.

## Handicapés : des millions de marginaux

Les handicaps ne sont pas des maladies comme les autres. La souffrance y est plus souvent morale que physique. Leur autre caractéristique commune est, dans la plupart des cas, que l'espoir de guérison y est faible.

*6 millions de Français souffrent*
*de handicaps physiques.*
* *70 000 sourds.*
* *17 000 sourds-muets.*
* *4 millions de malentendants.*
* *65 000 aveugles et amblyopes*
*(vue très affaiblie).*
* *2 millions de Français atteints*
*de parésie (difficulté à se déplacer)*
*ou de paralysie totale.*

Mis à part ceux qui sont héréditaires (environ un quart), la plupart des handicaps physiques sont dus à des causes socio-économiques : accidents, conditions de vie n'ayant pas permis un développement normal de l'individu. Des causes qui se traduisent par deux types de difficultés : anomalies des sens, anomalies des organes moteurs.

*La France compte environ*
*1 300 000 handicapés mentaux.*
* *La moitié souffrent de déficiences*
*légères.*
* *75 % ont moins de 20 ans.*

La moitié des handicapés mentaux sont des déficients intellectuels légers, susceptibles de s'adapter à la société. Parmi les délinquants et marginaux, environ 200 000 personnes sont des irresponsables, victimes d'un handicap prononcé. La durée de vie moyenne des handicapés mentaux est beaucoup plus faible que celle de la moyenne des Français. C'est ce qui explique que la plupart d'entre eux sont des jeunes.

## Alcoolisme, tabac, drogue : les maladies volontaires

Certains plaisirs de la vie peuvent contribuer à raccourcir sa durée. C'est ainsi que beaucoup de Français ont « creusé leur tombe avec leur fourchette ». Certes, la qualité de l'alimentation s'améliore lentement et la consommation d'alcool et de tabac tend à diminuer. Mais le « verre de trop » est encore à l'origine de nombreux accidents. La cigarette, elle, continue d'être responsable de dizaines de milliers de cancers chaque année. Quant à la drogue, elle promet un paradis qui ressemble à l'enfer.

*La consommation d'alcool*
*est une vieille tradition française.*
* *42 % des maladies de l'appareil digestif*
*sont des cirrhoses du foie.*
* *Elles sont responsables de 6 % des décès.*

D'après les experts, l'alcool serait l'une des principales causes de la surmortalité masculine. Les hommes boivent plus que les femmes. Ils ont donc plus d'accidents de la route, plus d'accidents du travail, plus de cancers, plus de maladies pour lesquelles l'alcoolisme est un facteur aggravant ou décisif.

L'alcool consommé provient de moins en moins des boissons moyennement alcoolisées comme le vin (10 à 13⁰), et de plus en plus des boissons faiblement alcoolisées (bière, 4 à 7⁰) et fortement alcoolisées (spiritueux, 15 à 40⁰). Il est de moins en moins consommé à table, et de plus en plus en dehors ou « autour » des repas. L'alcool tend donc à devenir une boisson de loisir, plus qu'un composant de l'alimentation.

### Un verre, ça va ; trois verres...

Les habitudes de consommation d'alcool dépendent surtout de l'âge, du sexe et du métier. Les plus âgés sont les moins nombreux à boire régulièrement. Mais c'est entre 45 et 54 ans que les hommes consomment les plus grosses quantités (35 à 44 ans pour les femmes). Les métiers où l'on boit le plus sont ceux de l'agriculture, de l'artisanat et du commerce, où les traditions sont les plus solidement installées. La consommation moyenne des Français est de 3 verres (30 g d'alcool) par jour. Les femmes sont généralement beaucoup plus sobres que les hommes : 39 % d'entre elles consomment régulièrement des boissons alcoolisées, contre 66 % des hommes. Parmi les consommateurs occasionnels, les femmes boivent trois fois moins que les hommes.

*Tabac : les hommes s'arrêtent de fumer, mais les femmes prennent le relais.*
*• 43 % des hommes et 16 % des femmes fument régulièrement.*
S *16 cigarettes par jour en moyenne pour les hommes, 12 pour les femmes (fumeurs réguliers).*

La cigarette reste un moyen de communication.

### Moins de vin, plus de bière et de spiritueux.

Évolution de la consommation d'alcool en litres d'alcool pur par personne (de 14 ans et plus) et par an.

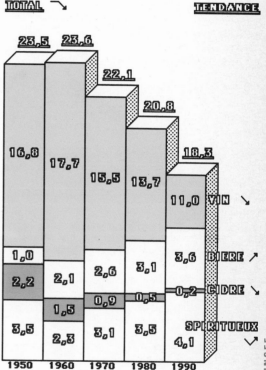

À titre de comparaison, la consommation moyenne d'alcool pur est de 13,3 litres par Français et par an, contre 13,0 en Italie, 12,7 en Espagne, 12,2 en R.F.A. et au Portugal, 11,7 en Hongrie, 11,3 en Suisse, 11,1 en Autriche, 10,8 en Belgique, 10,2 en R.D.A.

*• 5 % des hommes fument régulièrement la pipe, 7 % le cigare. Au cours des cinq dernières années, 14 % des hommes ont arrêté de fumer et 4,5 % seulement ont commencé (4 % et 9 % pour les femmes.*
*• 36 % des 12-18 ans sont fumeurs contre 46 % en 1976.*

Longtemps considéré comme inoffensif, le tabac s'était forgé au cours des siècles une solide image sociale. Dans les salons, la cigarette « posait » ceux qui en faisaient usage. Dans les bureaux, elle aidait à la concentration. Dans la vie en général, elle facilitait le contact entre les individus. Il n'en est plus de même aujourd'hui. Dans les lieux publics, il se trouve souvent quelqu'un qui se déclare indisposé par la fumée. La cigarette n'est donc plus l'attribut social indispensable qu'elle était et qui permettait, en fonction de la marque utilisée et de la façon de fumer, de se construire à peu de frais une image de loubard, d'aristo, d'aventurier ou de père tranquille.

Cette évolution explique sans doute la lente diminution du nombre de fumeurs parmi les hommes (9,5 % de moins en 5 ans). Il faut par contre chercher une autre explication à l'attitude des femmes, qui sont de plus en plus nombreuses à fumer (5 % de plus en 5 ans). Celle qui vient à l'esprit est l'égalité croissante entre les sexes, dans tous les domaines.

Il faut noter enfin que la consommation d'alcool et celle de tabac sont liées : 32 % des hommes et 6,5 % des femmes fument et consomment régulièrement de l'alcool. Ceux qui n'ont jamais fumé sont, pour la plupart, ceux qui boivent le moins. S'il est vrai que « plus on boit et plus on a soif », il est vrai aussi que plus on boit et plus on a envie de fumer (ou de se droguer). Il est vrai enfin qu'un malheur ne vient jamais seul...

---

### Les femmes enceintes fument de plus en plus

En 10 ans, le nombre de femmes enceintes qui fument a augmenté de 50 %. Le phénomène touche toutes les classes sociales sans exception. Il expliquerait la stagnation relative du poids des bébés à la naissance observée au cours de ces 10 dernières années, malgré la baisse importante du taux de prématurité.

---

*Drogue : les paradis artificiels conduisent en enfer.*
E *400 000 personnes se droguent régulièrement : 20 fois plus qu'en 1970.*
E *7 % des lycéens seraient concernés.*
• *30 000 intoxiqués ont été interpellés en 1984.*

La toxicomanie (état de dépendance vis-à-vis d'une substance particulière) est en forte augmentation. Plusieurs millions de Français auraient fait l'expérience d'une drogue douce. Les chiffres sont encore plus spectaculaires dans certains pays comme les États-Unis : un Américain sur cinq déclare avoir consommé au moins une fois du cannabis ; 16 millions sont des utilisateurs réguliers ; un tiers des étudiants fument de la marijuana. En France, parmi les personnes interpellées pour usage de drogue, 80 % ont moins de 25 ans ; 15 % seulement sont des femmes.

La nature des produits utilisés par les drogués varie beaucoup selon les périodes. En fonction de la disponibilité des produits. En fonction aussi de la mode créée dans les milieux de drogués et propagée par les médias. En 1982, 58 % des intoxiqués interpellés par la police utilisaient le cannabis, 32 % l'héroïne. Ces chiffres ne reflètent sans doute pas la situation exacte, la majorité des personnes n'ayant pas fait l'objet d'un contrôle policier utilisant d'autres drogues, telles que la cocaïne ou l'opium.

Les études réalisées au cours des dernières années (en particulier par l'I.N.S.E.R.M.) montrent une forte corrélation entre l'usage du tabac ou de l'alcool et celui de la drogue. L'essai d'une drogue est 6 fois plus fréquent chez les gros fumeurs que chez les non-fumeurs, 5 fois plus parmi les consommateurs d'alcool, 3 fois plus parmi les utilisateurs de médicaments psychotropes (maladies nerveuses).

---

### Il n'y a pas de drogués heureux

C'est parce qu'on est mal dans sa peau qu'on se drogue. S'il est parfois vrai que la première expérience se produit par jeu, par goût de la nouveauté ou par défi, sa poursuite est due, dans la plupart des cas, à des problèmes personnels. Lorsque le monde réel apparaît trop dur et trop froid, on en cherche un autre dans lequel on espère se sentir mieux. C'est parce que ça ne va pas bien qu'on se drogue et non pas le contraire.
L'image que les jeunes drogués ont d'eux-mêmes est beaucoup moins favorable que celle des non-drogués. Les premiers se jugent beaucoup plus pessimistes, tristes, inquiets, énervés, fantaisistes, paresseux, dépensiers, mal organisés, sans ambition, mal dans leur peau. Même ceux qui ne consomment que des drogues « licites » (alcool, tabac, médicaments psychotropes)

I.N.S.E.R.M.

sont beaucoup plus nombreux à avoir le cafard que ceux qui n'en utilisent pas (55 % contre 21 %). Ils sont même 13 % à avoir des idées de suicide, contre 3 % des non-consommateurs de ces drogues du quotidien.
La toxicomanie augmente d'environ 20 % par an depuis 5 ans. Comment ne pas rapprocher cette évolution de celle qui s'est produite sur le plan économique et social ? Les perspectives offertes aux jeunes ne sont guère attirantes. La plupart se font une raison et tiennent bon. D'autres se laissent au contraire gagner par les difficultés ; et en général ne trouvent guère de compréhension auprès de leur entourage. De fortes corrélations existent, en effet, entre l'usage des drogues et le type de relations au sein du milieu familial. Plus la vie familiale paraît peu dynamique et peu attractive à l'enfant, plus celui-ci a tendance à lui trouver des substituts. La drogue est bien souvent l'un d'entre eux.

# Migraine, stress, insomnie, suicide : les maladies du siècle

L'évolution de la science a favorisé le progrès. Dans ses applications médicales, le progrès a permis de faire reculer la maladie. Mais voilà que la maladie se venge en s'inventant de nouvelles formes. Le mal de tête, le stress, l'insomnie, le mal de dos ou même le suicide sont, semble-t-il, le tribut à payer à l'agitation et au confort caractéristiques de l'époque. Au point que certains se demandent aujourd'hui si les victoires remportées sur la poliomyélite ou le tétanos compensent les millions de dépressions, de nuits blanches et de dos en compote.

E *8 millions de Français sont migraineux.*

Le doute a longtemps plané sur la réalité physiologique de la migraine. Atteignant principalement les femmes, sans symptôme apparent, elle pouvait passer, selon Balzac, pour « la reine des maladies, l'arme la plus plaisante et la plus terrible employée par les femmes contre leurs maris ». Ce doute est aujourd'hui largement dissipé, car les manifestations qui accompagnent la « migraine commune » sont connues : modifications de l'appétit, barre sur l'estomac, troubles intestinaux, dépression ou euphorie, prise de poids. Le tout accompagné de douleurs souvent hémicrâniennes, débutant le matin. La thermographie permet d'ailleurs

aujourd'hui de faire apparaître les effets de la migraine sur des clichés, sous forme de taches sur le front et sur le crâne.

*Stress : le « cumul des mandats » est difficile à assumer.*
S *19 % des Français ont déjà fait une dépression (dont 40 % plusieurs fois).*
S *45 % pensent que cela pourrait leur arriver.*

Le stress n'est pas à proprement parler une maladie. Tout se passe, ici, dans la tête. L'accumulation de difficultés ou de frustrations dans la vie professionnelle, familiale ou personnelle en est la cause principale. Dans la vie moderne, chacun doit tour à tour assumer les responsabilités d'employé ou de patron, de parent ou d'époux. Une tâche souvent épuisante dans une société qui ne pardonne guère les faiblesses et les erreurs. Les nuisances de l'environnement (bruit, pollutions, agressivité ambiante) viennent encore ajouter à cette difficulté.

Vient un jour où la coupe est pleine, où le couvercle saute, où la personnalité craque. La palette des manifestations est large : de la perte de sommeil à la dépression totale, accompagnée parfois de la tentation extrême, celle du suicide.

E *20 millions de Français sont insomniaques.*
E *3 millions prennent chaque soir une « pilule » pour dormir.*
• *À partir de 40 ans, un Français sur trois est atteint d'insomnie (un sur deux à partir de 60 ans).*

Les Français ont acheté en 1983 88 millions de boîtes d'hypnotiques et d'anxiolytiques. Deux fois plus qu'en 1976 ! Même si tous ne souffrent pas d'insomnie, beaucoup de Français dorment moins qu'ils ne le souhaitent, à cause d'ennuis de santé, de l'inquiétude professionnelle ou de problèmes affectifs. Une durée de sommeil inférieure à la normale n'est pourtant pas nécessairement un handicap. Napoléon, Victor Hugo, Raymond Poincaré se contentaient de 3 à 5 heures par nuit. Ce qui, apparemment, ne nuisait pas à l'intensité de leur vie diurne.

## Le sommeil des Français

Répartition de la durée moyenne du sommeil :

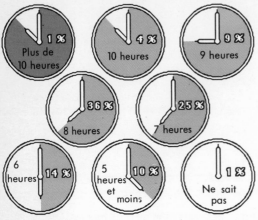

Plus de 10 heures — 1%
10 heures — 4%
9 heures — 9%
8 heures — 36%
7 heures — 25%
6 heures — 14%
5 heures et moins — 10%
Ne sait pas — 1%

France-Soir/IFRES (mars 1985)

*En 1984, 12 000 Français se sont suicidés.*
*• Les trois quarts étaient des hommes.*
*• Net accroissement depuis quelques années : 8 700 en 1977, 10 500 en 1980.*
*• En 1984, plus de 150 000 personnes ont tenté (sans succès) de se suicider.*
*• Les manœuvres se suicident 3 à 4 fois plus que les contremaîtres ou les cadres supérieurs.*

Les chiffres officiels sont d'ailleurs probablement sous-estimés, beaucoup de suicides étant camouflés en mort accidentelle ou en disparition. Le silence reste souvent la règle.

Si, chaque année, un grand nombre de personnes tentent de se donner la mort, c'est le plus souvent pour attirer l'attention sur leur détresse. Une forme d'appel au secours particulièrement dramatique. On peut y voir un effet de l'évolution de la société qui, en même temps qu'elle distribue le confort et le pouvoir d'achat, exclut du partage un nombre croissant d'individus.

### Un phénomène social

Cent ans d'études statistiques donnent raison à Durckheim. Plus qu'une décision individuelle, le suicide relève de causes socio-économiques :
• Il croît avec l'âge, indépendamment d'autres variables.

• Il est plus fort chez les hommes, chez les célibataires et les veufs, à la campagne et dans les petites agglomérations.
• Les jeunes et les femmes sont plus nombreux à « tenter » de se supprimer, mais les suicides effectifs sont plus rares.
• On se suicide plus souvent de jour, au début de la semaine, au printemps.
• Les protestants se suicident plus que les catholiques, qui se suicident plus que les juifs.

Les études montrent que les rythmes sociaux ont une grande influence : on se suicide plus le lundi, jour de la reprise du travail après le congé hebdomadaire ; la généralisation des congés payés a entraîné une diminution des suicides en juillet et en août.

# ACCIDENTS

*La route, la maison, le travail blessent ou tuent par an des centaines de milliers de personnes. La perte individuelle et collective est considérable.*

## La route tue autant que la guerre.

*• Entre 1960 et 1985, plus de 333 000 Français sont morts sur la route.*
*• 8 millions ont été blessés.*

Un bilan insupportable sur le plan humain. Détestable aussi sur le plan économique, puisque chaque décès dû à un accident de la route coûte environ 1,8 million de francs à la collectivité. La facture globale annuelle atteint 80 milliards de francs...

*En 5 ans, le nombre d'accidents a diminué de 15 %.*

L'amélioration du réseau routier, la limitation des vitesses, l'abaissement de la puissance moyenne des voitures, l'impact des campagnes sur la sécurité routière, l'accroissement de la vigilance des policiers et des gendarmes expliquent en grande partie cette amélioration.

*La proportion d'accidents mortels reste élevée.*
• *4,4 tués pour 100 millions de kilomètres parcourus en France,*
• *2 fois plus qu'en Grande-Bretagne, aux États-Unis ou au Japon.*

Si la situation est à peu près stable sur les autoroutes, elle tend à se dégrader sur les routes nationales. On y compte, en effet, un quart seulement des accidents, mais un tiers des blessés et deux tiers des tués. Parmi les pays occidentaux, la France est, avec l'Autriche, celui où l'on meurt le plus sur la route (255 tués par million d'habitants. À titre de comparaison, le chiffre est de 100 pour la Norvège, 107 au Japon, 154 en Italie [C.D.I.A.].)

*La vitesse est la principale responsable.*
• *Un accident sur trois sur autoroute.*
• *Un sur deux sur les autoroutes urbaines.*

Les causes des accidents sont bien connues. La vitesse occupe toujours la première place.

## Une amélioration lente, mais régulière

Évolution du nombre des accidents corporels des blessés et des tués :

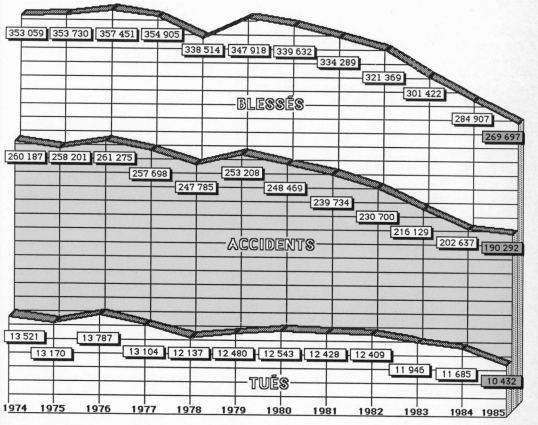

Direction de la sécurité et de la circulation routière

BUSINESS

# POUSSEZ PAS, ON N'EST PAS DES BŒUFS !

*CONDUISEZ VACANCES*

Ministère de l'Urbanisme, du Logement et des Transports. Sécurité Routière.

Le prix de la liberté.

---

### Vitesse et précipitation

Principales causes d'accidents sur route (1984) :

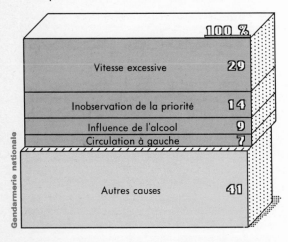

100 %
Vitesse excessive — 29
Inobservation de la priorité — 14
Influence de l'alcool — 9
Circulation à gauche — 7
Autres causes — 41

Gendarmerie nationale

---

Les infractions au Code de la route restent nombreuses, malgré les campagnes d'incitation à la prudence largement diffusées par les médias. La campagne « respect des feux rouges » n'a pas eu l'impact espéré (un automobiliste sur cinq avoue brûler des feux rouges). Les piétons des grandes villes, Paris en tête, en sont chaque jour les malheureuses victimes : la traversée des rues, petites ou grandes, devient une véritable aventure dont les risques sont réels. Chaque année, des milliers d'enfants y laissent leur vie. Les personnes âgées, plus prudentes mais moins mobiles, ne sont pas épargnées.

*Près de 40 % des accidents mortels sont imputables à l'alcool.*

La moitié des conducteurs impliqués dans un accident mortel dépassent le taux d'alcoolémie de 0,8 gramme par litre. L'importance de l'alcool est sous-évaluée dans les statistiques, du fait de l'impossibilité de pratiquer l'alcootest sur les morts et les blessés graves.

*Le danger, ce n'est pas toujours les autres. 48 % des accidents mortels ne mettent en cause qu'un seul véhicule.*

Contrairement à une idée répandue, les accidents ne sont pas systématiquement dus à la rencontre de deux véhicules. Dans la moitié des cas d'accidents mortels, on se tue tout seul. L'alcool y est bien souvent pour quelque chose, beaucoup plus que les défaillances mécaniques.

*Les erreurs humaines sont de loin les plus nombreuses.*
*• 2 % seulement des accidents sont dus à des défaillances mécaniques (mais on estime que 40 % des véhicules sont en mauvais état).*
*• 11 millions de Français voient mal au volant : 11 % d'entre eux ne portent pas de lunettes, 35 % de ceux qui en portent ont une correction mal adaptée.*

Les statistiques montrent que les malvoyants ont une fréquence d'accidents au moins double de celle des autres. Un solide argument à l'appui de ceux qui demandent l'examen de la vue obligatoire pour tous les conducteurs. Comme cela se pratique couramment au Japon (tous les 3 ans), en Suisse (tous les 5 ans), en Espagne et en Italie (tous les 10 ou 5 ans selon l'âge), etc.

Au « palmarès » des accidents corporels, les motos (surtout de grosse cylindrée) et les poids lourds arrivent à la première place. Les chauffeurs de poids lourds et les pilotes de « gros cubes» provoquent proportionnellement trois fois plus d'accidents corporels que les automobilistes : 30 pour 1000 chauffeurs ou pilotes, contre 10 pour 1000.

# Les accidents du travail en diminution régulière.

• *1984 : 777 867 accidents ont entraîné un arrêt de travail, 79 606 une incapacité permanente.*
• *19,9 millions de journées de travail ont été perdues.*

Le nombre des accidents du travail tend à diminuer depuis quelques années, après avoir été stable aux alentours de un million par an jusqu'en 1977. Le « taux de fréquence », ou nombre d'accidents avec arrêt par million d'heures travaillées, a, lui aussi, tendance à diminuer. Cette baisse est due à une réduction des risques, mais aussi à la diminution du nombre des ouvriers particulièrement exposés à ces risques. Contrairement à une idée reçue, l'alcool n'est que peu souvent responsable des accidents du travail.

*Le nombre des décès diminue régulièrement.*
• *1970 : 2 268.*
• *1975 : 1 986.*
• *1984 : 1 130.*

Les accidents du travail sont moins fréquents dans les tranches d'âge élevées, mais ils sont plus graves : le taux de fréquence est 5 fois plus élevé chez les ouvriers que chez les autres travailleurs.

*On meurt aussi sur le chemin du travail.*
• *1984 : 101 886 accidents de trajet, avec arrêt de travail.*
• *714 morts.*

La fréquence et la gravité des accidents du travail sont très variables d'un secteur d'activité à l'autre. La moitié d'entre eux se produisent dans le bâtiment et la métallurgie. La hiérarchie des décès selon le secteur est semblable. Les secteurs où on meurt le plus sont le bâtiment, les transports et la manutention, la métallurgie et l'alimentation. Le risque d'accident est maximal entre 20 et 29 ans. Il décroît ensuite avec l'âge.

*La maison tue autant que la route.*
E *12 000 décès dus à des accidents domestiques chaque année.*
• *2,3 millions de blessés.*
• *60 % sont des hommes.*

Plus nombreux que les accidents du travail, les accidents domestiques sont aussi plus graves. Parmi les pays industrialisés, la France est le plus touché : 23 décès pour 100 000 habitants, trois fois plus qu'au Japon ou en Grande-Bretagne. Du bricolage à l'électrocution, en passant par la chute dans la baignoire, les pièges de la maison sont nombreux.

*Les enfants sont les plus menacés.*
• *2 500 morts par an.*
E *100 000 chutes graves.*
E *50 000 intoxications.*

L'absorption de médicaments pris au hasard sur une étagère est responsable de beaucoup d'accidents chez les enfants de 3 à 6 ans. Il faut citer aussi l'ingestion d'objets les plus divers (cacahuètes, pépins, haricots, clous, boutons, capuchons de stylo...), qui peut parfois se terminer de façon tragique. Les brûlures, les chocs électriques, les chutes constituent d'autres types de risques que les parents peuvent éviter dans une large mesure : en rangeant les produits nocifs hors de portée des enfants, en camouflant les prises électriques, en évitant les meubles aux angles vifs. Un souci permanent qui vaut très largement le temps qu'il nécessite.

# MÉDECINE

*La santé est le capital le plus précieux des Français. C'est pourquoi ils investissent de plus en plus pour la préserver. Leurs rapports avec le corps médical évoluent. Le médecin traditionnel descend de son piédestal et les patients n'hésitent pas à faire appel à d'autres formes de médecine. Plus douces, plus naturelles ou plus exotiques.*

L'offensive-santé des Français depuis quelques années montre l'intérêt fondamental qu'ils attachent à la bonne marche de leur corps. D'autant que les dépenses de santé proprement dites ne sont que la partie apparente d'un dispositif plus vaste, qui inclut les dépenses liées à la prévention : activités sportives, hygiène, alimentation, etc.

### Entre 1978 et 1985, les dépenses de santé ont doublé

Les Français ont dépensé en 1985 près de 400 milliards de francs pour leur santé, soit 7 130 francs par personne. Une dépense en hausse de 10,9 % par rapport à 1984, alors que l'inflation n'était que de 4,7 %. Il faut préciser que les Français ne financent **directement** que 21,5 % de ces dépenses, le reste étant pris en charge par la Sécurité sociale (73 %), les administrations (1,8 %) et les mutuelles (3,7 %).

*La consommation médicale est très inégale.*
*• 13 % des familles effectuent 55 % des dépenses.*
*• 4 % des familles « monopolisent » plus des trois quarts des indemnités journalières versées.*

Les consommations médicales moyennes cachent en fait de très profondes disparités

entre les Français. Il est évident que les malades ont avec la médecine des rapports plus fréquents que n'en ont les bien-portants. Il n'est pas surprenant que les personnes âgées voient un médecin plus souvent que les autres (environ 7 fois par an contre 5). Les différences entre les sexes et les professions méritent par contre quelques explications.

*• Consultations et visites : 5,9 pour les femmes ; 4,5 pour les hommes (1980).*
*• Achats de médicaments :*
*29,5 conditionnements pour les femmes ; 22,9 pour les hommes (1980).*
*• Nombre d'examens :*
*3,2 pour les femmes ; 1,7 pour les hommes (1980).*

D'une manière générale, les femmes se sentent plus concernées que les hommes par leur état de santé.

### Un franc sur deux dépensé à l'hôpital

Répartition des dépenses médicales en 1985 :

| | Part (%) | Dépense moyenne (4) |
|---|---|---|
| – Hospitalisation (1) | 49,5 | 3 531 F |
| – Soins ambulatoires (2) | 30,0 | 2 132 F |
| – Soins médicaux (3) | 20,5 | 1 467 F |
| | 100,0 | 7 130 F |

(1) Publique, privée, transports
(2) Médecins auxiliaires, dentistes, laboratoires, cures thermales
(3) Pharmacie, lunetterie, orthopédie
(4) Par personne

Il faut dire que les femmes ont des raisons particulières de se rendre chez le médecin : périodes de grossesse, choix et suivi des méthodes contraceptives, ménopause, etc. Allant plus chez l'homme de l'art, il est normal qu'elles achètent plus de produits pharmaceutiques et parapharmaceutiques.

*Les cadres et employés sont ceux qui consultent le plus les médecins ; les professions libérales, agriculteurs et patrons sont ceux qui consultent le moins.*

Est-on plus souvent malade quand on est cadre que lorsqu'on est agriculteur ou membre d'une profession libérale? En tout cas, les pratiques sont différentes d'une catégorie à l'autre. La santé paraît en effet moins préoccuper les professions libérales, les agriculteurs et les patrons. Des catégories qui semblent avoir en commun deux caractéristiques : des horaires de travail très chargés et une couverture sociale moins favorable que celle des salariés. Ceci expliquerait-il cela ?

La quantité de soins n'est pas la seule différence entre les professions. La façon dont ils sont pratiqués oppose par exemple les cadres supérieurs aux agriculteurs et aux ouvriers non qualifiés : les premiers se rendent beaucoup plus fréquemment chez les spécialistes, tandis que les seconds restent fidèles aux médecins généralistes.

## La médecine traditionnelle désacralisée

Les Français ont de nouveaux rapports avec la médecine traditionnelle. Pendant longtemps, ils avaient considéré le médecin comme le détenteur unique d'un pouvoir magique, celui de guérir la maladie, de prolonger la vie. Mais les temps ont changé. Les Français en savent un peu plus sur leur corps et sont de plus en plus décidés à le prendre en charge. De leur côté, les médecins ne sont plus en position de force. Leur nombre a beaucoup augmenté (120 000, soit 1 pour 450 habitants). Certains d'entre eux (en particulier les plus jeunes) sont aujourd'hui contraints de prospecter la clientèle afin de l'attirer dans leur cabinet. Par ailleurs, la concurrence des autres types de médecine se fait de plus en plus pressante.

*Pour rester en bonne santé,*
*il n'y a pas que les médecins.*
*S 1978 : 53,7 % des Français sont*
*d'accord sur le fait que « le maintien en*
*bonne santé est l'affaire des médecins ».*
*S Ils ne sont plus que 44,4 % aujourd'hui.*

La médecine deviendrait-elle un service comme les autres ? Se rendra-t-on bientôt chez le médecin comme on va chez le garagiste ou le plombier ? Non, sans doute, mais les rapports entre malades et médecins échouent.

Si les attitudes changent, les comportements changent aussi. De plus en plus de malades, petits ou grands, pratiquent l'automédication. Ils se prescrivent eux-mêmes des médicaments, remettant à l'ordre du jour les « remèdes de bonne femme » que le développement de la médecine (et de la Sécurité sociale) avait fait disparaître. D'autres se tournent vers des thérapeutiques nouvelles. Un nombre croissant de malades mettent en concurrence le diagnostic, autrefois sacré, de leur médecin avec celui d'autres hommes de l'art (36 % demandent l'avis d'au moins un autre praticien). Même lorsqu'ils ont consulté un médecin, les Français gardent une possiblité de choix personnel. Un tiers des patients ne suivent pas les ordonnances à la lettre : certains n'achètent pas tous les médicaments prescrits ; d'autres enfin n'en consomment qu'une partie.

### Le droit des malades

Les Français acceptent de moins en moins de laisser au médecin ou au chirurgien l'exclusivité des décisions concernant leur santé ou même leur vie. La plupart veulent être informés de ce dont ils souffrent et pouvoir discuter des moyens à mettre en œuvre. Les médecins, eux, sont partagés entre le droit des malades à la vérité (44 % sont favorables) et la décision unilatérale du praticien de dire ou non la vérité (43 %).
Le droit à la mort est aussi une revendication croissante des patients dont la majorité condamnent l'acharnement thérapeutique. 29 % des généralistes ont déjà été confrontés à une demande d'euthanasie. 81 % y sont favorables, dont 23 % par des méthodes actives (injections, etc.).

Tonus/Indice médical (septembre 1984)

Le droit à la santé n'est donc pas dissociable du droit à décider soi-même de sa propre vie, voire de sa mort (ci-dessus). Si les Français ont tendance à rechercher l'assistance de l'État dans certaines circonstances pratiques (éducation, chômage, Sécurité sociale, retraite, etc.), ils souhaitent garder la maîtrise des grandes décisions qui concernent leur vie en général.

## Médecines douces : à chacun sa vérité

Les thérapeutiques douces comptent de plus en plus d'adeptes. Elles font d'ailleurs aujourd'hui l'objet de recherches officielles.

L'homéopathie est assez répandue en France. 6 000 médecins la pratiquent, à temps plein ou partiel et on estime que 15 % des Français y ont recours, au moins occasionnellement. Les Français s'intéressent aussi beaucoup à la phytothérapie (médecine par les plantes). L'énorme succès en 1985 du livre de Rika Zaraï (*Ma médecine naturelle*, Carrère-Lafon, plus de 1,5 million d'exemplaires vendus) et les réactions qu'il a suscitées en sont une preuve indiscutable.

Ce développement considérable des « autres médecines » depuis quelques années est un événement social d'importance. On peut y voir, en effet, la conséquence de plusieurs « tendances lourdes » de la société actuelle.

*Une plus grande ouverture d'esprit.*

Elle a permis à des techniques « venues d'ailleurs » de s'implanter avec succès. C'est le cas, par exemple, de l'acupuncture. L'ouverture des frontières économiques, l'accroissement des moyens d'information, la démocratisation des voyages, l'attirance croissante pour les « solutions des autres » président vraisemblablement à cette évolution des habitudes.

*L'intérêt croissant
pour la « pluridisciplinarité ».*

Il amène les Français à préférer l'utilisation de méthodes complémentaires à celle d'une méthode unique. Pourquoi la médecine chinoise ne pourrait-elle pas aider à soigner des maux pour lesquels la médecine française traditionnelle est inefficace ?

*Le besoin de « retour aux sources ».*

Il explique la redécouverte des techniques anciennes, telles que phytothérapie, homéopathie, ou aromathérapie. Dans un monde de haute technicité et de pollution, les secrets naturels des ancêtres ont un côté rassurant, voire salvateur.

*L'individualisme.*

Il trouve son compte dans la multiplicité des solutions offertes. Chacun peut ainsi « personnaliser » son approche des problèmes de santé et affirmer son unicité.

Dans une civilisation que l'on peut qualifier de « dure », les médecines douces apportent une sensation de retour aux sources, s'appuyant sur des besoins individuels profonds. Les médecines douces sont en quelque sorte à la santé ce que l'écologie est à la politique. Chassez le « naturel », il revient au galop.

La santé

## En vrac

● Des études ont prouvé que la consommation fréquente de cigarettes accroissait non seulement les risques de maladie chez les fumeurs (cancer du poumon, etc.), mais aussi chez les personnes de leur entourage qui ne fument pas.

● L'inégalité sociale devant la mort ne se réduit pas. Depuis 20 ans, les taux de décès par cancer des voies aéro-digestives supérieures et du poumon ont plus augmenté chez les manœuvres, ouvriers et employés que dans les autres catégories professionnelles, où les progrès réalisés dans la prévention des décès par maladies cardio-vasculaires ont davantage bénéficié aux cadres, professions libérales, artisans et commerçants.

● Les suicides de jeunes ont doublé en 20 ans (bien qu'ils ne représentent que 100 cas sur 12 000). Chez les 20-24 ans, le suicide est la seconde cause de décès après les accidents.

● Les dépenses d'hospitalisation représentaient 3 263 francs par personne en 1984, les soins ambulatoires 1 894 francs, les médicaments 1 325 francs.

[E] Près d'un blessé sur trois (accidents de la route, du travail, domestiques) est un alcoolique chronique.

● La proportion de chômeurs ayant une alcoolémie élevée est le double de celle de l'ensemble de la population.

[E] 70 000 Français meurent chaque année à cause de l'abus de tabac.

● 15 millions de Français seraient concernés par les humatismes, dont 70 % par l'arthrose.

● Les cigarettes brunes représentent encore 54 % des ventes ; les cigarettes avec filtre 69 % ; les étrangères 45 %.

[S] 85 % des Français déclarent ne consommer des médicaments que sur les conseils de leur médecin ; 7 % avouent se les prescrire eux-mêmes.

● 70 % des Français meurent à l'hôpital ou en milieu institutionnel (maisons de retraite...).

[S] 34 % des Français avouent ronfler (« toujours » ou « quelquefois ») en dormant ; 17 % rarement ; 41 % jamais.

# L'instruction

## FORMATION SCOLAIRE

*Pour les adultes d'aujourd'hui, l'école a plus été un moyen de formation générale (malgré quelques « bavures » spectaculaires) qu'une préparation concrète à la vie professionnelle. Plus que jamais la possession des diplômes reste le plus sûr moyen pour « réussir » dans la vie.*

*N.B. Il n'est question dans ce chapitre que de l'instruction qui a été reçue à l'école par la population adulte. L'instruction des enfants est traitée dans le chapitre « École ».*

## Diplômes :
## des jokers dans le jeu de la vie

École-diplôme-métier. Cette trilogie n'est pas, semble-t-il, près de se démoder. Si l'on mesure la réussite d'un individu à la place qu'il occupe dans la hiérarchie des professions, c'est à l'école qu'elle se prépare le plus souvent. Bien

sûr, le « déterminisme scolaire » souffre quelques exceptions. Mais, à une époque où l'offre d'emplois est tragiquement inférieure à la demande, les plus diplômés sont généralement les mieux servis.

*Un Français sur trois n'a pas de diplôme.*

Pourtant, le chemin parcouru depuis le début du siècle est considérable : un Français sur mille était alors bachelier. Le nombre des Français pouvant se prévaloir d'une quelconque « peau d'âne » s'accroît régulièrement. Il y avait en 1968 2,7 % de diplômés de l'enseignement supérieur. Quinze ans après la « révolte des étudiants », la proportion atteint 7,5 %.

*Parmi la population active :*
• *20 % ont au moins le baccalauréat ;*
• *22 % n'ont aucun diplôme.*

Pourquoi ceux qui travaillent sont-ils plus diplômés que les inactifs ? L'explication tient d'abord au nombre élevé des retraités. Ceux-ci ont connu l'école à une époque où il était rare de poursuivre de longues études. L'autre explication est que beaucoup d'inactifs sont des femmes, et celles-ci sont en moyenne moins diplômées que les hommes. Y a-t-il un rapport entre les études effectuées et le métier pratiqué ? Le diplôme est-il encore le passeport qui permet de franchir les frontières des « meilleures » professions ? La réponse est clairement « oui », et les chiffres sur lesquels elle s'appuie sont éloquents.

*Diplômes et métiers forment une association à but très lucratif.*
*• 6 % des agriculteurs ont au moins le bac, contre 76 % des cadres supérieurs.*
*• 50 % des ouvriers n'ont aucun diplôme, contre 9 % des employés.*

La hiérarchie des professions, qui est aussi celle des revenus, est véritablement calquée sur celle des diplômes. Difficile de « faire son trou » sans l'indispensable sésame. Bien sûr, les portes de la direction générale s'ouvrent parfois à l'autodidacte, mais c'est généralement parce que, ne disposant pas de la clé, il les aura enfoncées. Restent les métiers moins codifiés où les qualités personnelles sont plus prisées que les parchemins. Devenir G.O. au Club Méditerranée, accéder au poste de chef de rayon dans un hypermarché ou chef de chantier sont des rêves accessibles à ceux dont les souvenirs scolaires sont vagues ou inexistants. Mais il leur faudra le plus souvent « refaire le handicap », à coups de cours du soir, de promotions successives. Moins de

temps libre, plus d'acharnement, tel est le prix à payer par ceux qui, pour une raison ou une autre, n'ont pas obtenu dès l'école le droit d'être ce qu'ils sont.

## Qu'ont-ils appris à l'école ?

Les diplômes jouent un rôle évident, même s'il est discutable : celui de la **sélection.** Il est intéressant d'examiner si leur contenu constitue une préparation véritable aux carrières auxquelles ils permettent d'accéder. Apprend-on à l'école ce dont on a besoin dans la vie ?

⑤ *53 % des Français ont suivi des études classiques.*
⑤ *28 % ont suivi des études techniques.*
⑤ *19 % ont suivi successivement les deux filières.*
⑤ *35 % ont été élèves du privé.*

Plus de la moitié des adultes d'aujourd'hui ont flirté dans leur jeunesse avec les déclinaisons latines, le grec ancien ou la littérature française. Cela montre bien le décalage entre la nature des études et celle des activités professionnelles. La carte des métiers ne « colle » pas aujourd'hui à celle des formations. La constatation n'est pas nouvelle et on peut

---

**Les hommes un peu plus diplômés que les femmes**

Population de plus de 15 ans, non scolarisée (1985) :

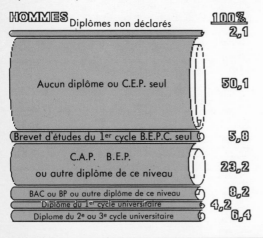
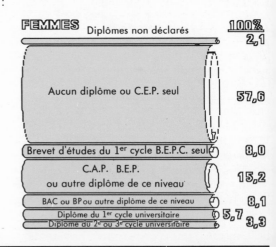

I.N.S.E.E./Enquête sur l'emploi 1985

### Managers : les diplômes paient

Formation des patrons et cadres gagnant plus de 900 000 francs par an :

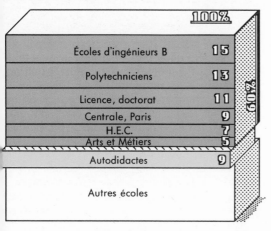

| | |
|---|---|
| Écoles d'ingénieurs B | 15 |
| Polytechniciens | 13 |
| Licence, doctorat | 11 |
| Centrale, Paris | 9 |
| H.E.C. | 7 |
| Arts et Métiers | 5 |
| Autodidactes | 9 |
| Autres écoles | |

d'ailleurs lui trouver des explications valables. D'abord, nul ne peut savoir, dix ou vingt ans à l'avance, où le conduiront les chemins de la vie professionnelle. Difficile, donc, de s'y préparer. Ensuite, l'école s'est souvent considérée elle-même comme un moyen « d'apprendre à apprendre », tout en dispensant une culture générale minimale, en particulier dans l'enseignement secondaire. Enfin, l'évolution des besoins des différents secteurs de l'économie a connu un rythme de changement difficile à suivre pour un système éducatif immense, traditionnel, donc peu mobile.

*L'orientation scolaire tient*
*plus au hasard qu'à un choix délibéré.*
S *Pour 70 % des adultes, le type d'études suivi a été dicté par les circonstances.*
S *Pour les autres, il a été guidé par les parents, les professeurs, etc.*

L'imparfaite adéquation des types de formation proposés par l'école à la réalité économique n'est pas la seule responsable du décalage décrit précédemment. Le rôle de l'orientation scolaire est tout aussi important. Elle est dans bien des cas indépendante de la réalité économique.

Le type d'orientation suivi doit plus au hasard (proximité d'une école, places disponi-

### Culture générale : les Français n'ont pas la moyenne

| | | % de réponses justes |
|---|---|---|
| 1 | Pouvez-vous citer quatre auteurs français du XVIIIe siècle ? | 15,3 |
| 2 | Qui a peint « la Joconde » ? | 66,4 |
| 3 | Qu'est-ce qu'un quintal ? | 60,3 |
| 4 | Citez quatre capitales d'États africains | 27,8 |
| 5 | En quelle année a eu lieu le sacre de Charlemagne | 32,7 |
| 6 | Où se trouve Budapest ? | 57,1 |
| 7 | Qui a composé « la Sonate au clair de lune » ? | 18,6 |
| 8 | Qu'est-ce qu'un alexandrin ? | 28,6 |
| 9 | Qu'est-ce qu'un triangle équilatéral ? | 58,4 |
| 10 | En quelle année Christophe Colomb a-t-il découvert l'Amérique ? | 15,0 |
| 11 | Citez un os du bras | 48,1 |
| 12 | La Bastille a été prise le 14 juillet 1789. Qu'était la Bastille ? | 80,8 |
| 13 | Qui a écrit « le Cid » ? | 46,4 |
| 14 | Quelle note donne le diapason ? | 43,5 |
| 15 | Dans quelle ville se trouve la Maison-Blanche ? | 78,1 |
| 16 | Dans quelle ville se trouve la place Rouge ? | 81,1 |
| 17 | Qui a écrit « Eugénie Grandet » ? | 32,0 |
| 18 | Qui a découvert le vaccin contre la rage ? | 88,3 |
| 19 | Qui était Rodin ? | 44,4 |
| 20 | Pouvez-vous citer une défaite de Napoléon ? | 65,8 |
| 21 | En quelle année a été votée la loi de séparation de l'Église et de l'État ? | 12,8 |
| 22 | Qui a écrit « la Marseillaise » ? | 63,7 |
| 23 | Quelles sont les cellules du sang qui assurent la défense de l'organisme ? | 45,0 |
| 24 | Nommez un grand écrivain allemand | 39,1 |
| 25 | Nommez un grand écrivain italien | 16,3 |
| 26 | Quelle est la population de la France ? | 51,0 |
| 27 | Quelle est la population de la Chine ? | 38,4 |
| 28 | En quelle année s'est installé le régime communiste en Russie ? | 37,2 |
| 29 | Où coule l'Amazone ? | 60,5 |
| 30 | Que s'est-il passé à Diên Biên Phu ? | 40,8 |
| 31 | En quelle année Hitler a-t-il pris le pouvoir en Allemagne ? | 49,2 |
| 32 | Qui a écrit « le Rouge et le Noir » ? | 55,3 |

Sur trente-deux questions posées, treize obtiennent plus de 50 % de réponses justes.

*l'Expansion (« Salaires des cadres 1984 »)*

bles, etc.) qu'à des choix délibérés de la part des intéressés ou de leur entourage.

## Qu'ont-ils retenu ?

On sait ce que tout élève est censé apprendre à l'école. Il suffit pour cela de se référer aux programmes, généralement copieux, de chacune des classes de la scolarité obligatoire. On sait moins ce qu'il en reste, dix, vingt... ou cinquante ans plus tard. Les résultats sont parfois surprenants. Ainsi, la note moyenne obtenue par les Français au questionnaire élaboré par le journal *le Point* et Infométrie pour tester leur culture générale était de 9,4 sur 20. Un score qui paraît décevant lorsqu'on sait que chacune des 32 questions posées fait partie des programmes de tout élève ayant suivi l'école jusqu'à 16 ans. Cependant, la moyenne générale dissimule de fortes disparités entre les diverses catégories de Français.

*En matière de culture générale :*
* *Les hommes font mieux que les femmes ;*
* *Les Parisiens mieux que les provinciaux ;*
* *Les sympathisants de droite mieux que ceux de gauche ;*
* *Les cadres mieux que les employés ou les ouvriers ;*
* *Les jeunes moins bien que leurs aînés.*

### Réponses

(Questions page précédente.)
1. Voltaire, Rousseau, Diderot, Montesquieu. – 2. Léonard de Vinci. – 3. 100 kilos. – 4. Alger, Tunis, Dakar, Abidjan, Rabat, Le Caire, Brazzaville, Tripoli, etc. – 5. 800. – 6. Hongrie. – 7. Beethoven. – 8. Un vers de douze pieds. – 9. Un triangle dont les trois côtés sont égaux. – 10. 1492. – 11. Humérus, radius, cubitus. – 12. Une prison. – 13. Corneille. – 14. Le « la ». – 15. Washington. – 16. Moscou. – 17. Honoré de Balzac. – 18. Pasteur. – 19. Un sculpteur. – 20. Waterloo. – 21. 1905. – 22. Rouget de Lisle. – 23. Les globules blancs. – 24. Goethe, Marx, Nietzsche, Brecht, Kant. – 25. Dante, Moravia, D'Annunzio, Pirandello. – 26. 54 millions. – 27. 1 milliard. – 28. Octobre 1917. – 29. Brésil (principalement). – 30. Défaite de l'armée française face au Viêt-minh. – 31. 1933. – 32. Stendhal.

*Les jeunes apprennent peut-être moins à l'école, mais plus à la télévision.*

On est surpris du mauvais score des 16-24 ans au questionnaire du *Point* (8,4 sur 20). Les réponses aux questions auraient pourtant dû être toutes fraîches pour eux. D'autant qu'il ne s'agissait pas de réciter par cœur les fleuves et les départements, mais de répondre à de véritables questions de culture générale. Les enseignants auraient-ils donc raison de se plaindre, chaque année, de la dégradation du niveau de leurs élèves ? La vérité est plus complexe. Si les élèves retiennent moins de ce qu'ils apprennent à l'école, c'est peut-être parce que leur attention est attirée par d'autres formes d'apprentissage. La famille et surtout les médias sont en effet de sérieux concurrents de l'école. Les images d'archives, la voix d'Alain Decaux ou les invités de Bernard Pivot font sans doute plus pour faire connaître l'affaire Dreyfus que beaucoup de cours d'histoire... Et puis, les jeunes semblent préférer la culture « utile » à celle qui permet de briller dans la conversation. Un questionnaire portant sur les derniers vainqueurs de Roland-Garros ou sur les performances de la navette spatiale aurait sans doute obtenu de bien meilleurs résultats auprès d'eux. On apprend peut-être moins en classe, mais plus à la maison. Moins sur le passé et plus sur le présent. La vraie culture générale est-elle de pouvoir réciter trente vers de *l'École des femmes* ou de savoir converser avec un ordinateur ? C'est le vrai débat. Les jeunes, pour leur part, ont déjà tranché.

## Les « bavures » du système

Certes, la grande majorité des Français disposent du bagage nécessaire à leur intégration sociale. Mais on constate tout de même quelques « ratés » spectaculaires.

E *3 millions de Français ne savent pas lire.*

Un chiffre étonnant, lorsqu'on sait que l'enseignement est obligatoire jusqu'à 16 ans. Cela incite à se poser des questions sur l'efficacité globale du système éducatif et sur sa capacité à réduire les inégalités entre les individus. L'évolution à laquelle on assiste

**Les perles... de culture**

Si la tristesse a pu étreindre les correcteurs du questionnaire *le Point-Infométrie* (voir pages précédentes), l'hilarité les a sans doute gagnés à la lecture de certaines réponses : – Qu'est-ce qu'un quintal ? Un fromage. – L'auteur de la « Sonate au clair de lune » ? John Lennon. – Qu'est-ce qu'un alexandrin ? Un apéritif ; un digestif. – Un triangle équilatéral ? Un triangle à 3 côtés ; un triangle à 2 côtés parallèles. – Un os du bras ? Le doigt ; le radium ; le cumulus. – La note donnée par le diapason ? 8 sur 10 ; un bruit sourd. – Rodin était un « penseur ». – L'auteur de « la Marseillaise » ? De Gaulle ; Robespierre ; Gainsbourg. – Hitler a pris le pouvoir en 1605. – À Diên Biên Phu, la Vierge est apparue. – C'est à « Waterpolo » que Napoléon a connu la défaite.

depuis plusieurs décennies se développe en effet dans deux directions opposées : d'un côté, l'accroissement réel du niveau d'instruction moyen ; de l'autre, un nombre croissant de laissés-pour-compte.

On estime que 4 à 6 % des Français ne savent ni lire ni écrire. Ce ne sont pas seulement comme on le croit des Français d'origine étrangère. La plupart n'ont pas appris à l'école (ou mal), d'autres ont oublié, faute de pratiquer.

Ce phénomène ne concerne pas que la France, puisqu'on considère que 10 à 15 millions d'Européens sont analphabètes. Beaucoup d'autres éprouvent des difficultés à lire dans leur propre langue. C'est le cas par exemple de 15 % des Américains.

S'il est difficile de recenser précisément cette forme très grave de handicap social, il est encore plus ardu d'y remédier. La plupart des personnes concernées s'efforcent de cacher leurs problèmes, craignant de perdre leur dignité. Sans cesse confrontées à la « civilisation de l'écriture », elles vivent une humiliation quotidienne. Qui se traduit souvent par l'isolement, la honte, voire le mépris de soi. Car le malheur guette celui qui ne peut pas comprendre ni s'exprimer, dans un monde où tout est communication. La société de communication peut être celle de « l'excommunication ».

*Beaucoup d'enfants*
*sont dans l'impossibilité de profiter*
*normalement de l'école.*

Parce que plus fréquemment malades, ils sont plus souvent absents que les autres. Parce qu'ils doivent, très tôt, aider leurs parents dans les tâches quotidiennes. Parce que la société qui leur est présentée à l'école ne ressemble pas à celle dans laquelle ils vivent. Ne pouvant faire l'expérience concrète des choses apprises, elles leur paraissent artificielles et ils les oublient très vite. L'école renforce donc les écarts existant à la naissance. La vie les amplifiera encore, jusqu'à rendre impossible toute intégration sociale. C'est à ce processus, entre autres, que l'on doit le développement rapide du « quart monde » depuis quelques années.

## À quoi sert l'école ?

Donner à chacun les connaissances de base qui lui seront nécessaires dans les différentes étapes de sa vie, telle est la mission théorique de l'école, sur laquelle tout le monde ou presque peut s'accorder.

Le programme minimum est sans doute d'apprendre à lire, écrire et compter. Il est assez largement réalisé, même si un nombre non négligeable d'enfants passent encore à travers les mailles du filet scolaire, malgré les efforts réalisés depuis des décennies.

**Le français tel qu'on l'écrit**

Si la plupart des Français savent écrire, bien peu le font en respectant l'orthographe. En particulier pour des mots un peu difficiles, tels que ceux qui suivent. Il a été demandé à un échantillon représentatif de la population d'écrire les vingt mots suivants. Les pourcentages figurant entre parenthèses indiquent les réponses erronées (l'orthographe indiquée est la bonne) : prud'homal (75 % de fautes), ressusciter (73 %), glu (65 %), dilemme (63 %), aux dépens (61 %), misogyne (60 %), ammoniaque (59 %), rhododendron (59 %), flamant (50 %), solennel (38 %), anticonstitutionnellement (38 %), rythme (37 %), licenciement (34 %), hasard (21 %), trafiquant (20 %), orthographe (16 %), il jette (14 %), langage (14 %), davantage (9 %), hirondelle (7 %).
D'après un sondage *la Vie/Louis Harris France* (septembre 1985), 52 % des Français considèrent qu'il est grave de faire des fautes d'orthographe, 2 % pensent que c'est « gênant mais pas grave ».

VSD/Ipsos (décembre 1983)

Le programme maximum est de préparer chacun à un métier. L'appréciation est ici moins facile à porter. Il faut distinguer entre le niveau des connaissances dispensées et leur nature, plus ou moins adaptée aux métiers en question et à l'économie dans laquelle elles s'insèrent.

*En pratique, l'école permet à ceux qui y réussissent d'obtenir des diplômes.*

Ces diplômes leur donnent la possibilité (sinon la garantie) d'accéder aux professions les plus élevées dans la hiérarchie sociale et les mieux rémunérées. On peut évidemment se demander si les capacités scolaires sont les mêmes que celles qui sont indispensables dans l'exercice d'une profession, mais c'est là un autre débat. Les non-diplômés devront en général se contenter des autres postes, quitte à rattraper à peu le temps perdu. Au prix de beaucoup de talent et de volonté.

Pour la plupart des Français, l'école reste un outil de sélection, plus que de préparation véritable à la vie d'adulte. Il serait évidemment injuste de lui jeter la pierre et de rejeter un système qui n'a pas peu contribué au progrès social et économique. Mais il serait tout aussi anormal de ne pas dénoncer ses faiblesses.

---

**Ce qu'ils auraient aimé apprendre**

Lorsqu'on leur demande dans quels domaines ils souhaiteraient avoir davantage de connaissances, les Français répondent « utile ». Ils citent en effet, en priorité, les langues et l'informatique (dans cet ordre). Viennent ensuite des matières plus liées à la culture et à la satisfaction personnelle : histoire, médecine, musique...
Si l'on devait supprimer trois matières de l'enseignement actuel, ils choisiraient dans l'ordre : le dessin, la musique et la philosophie.

---

*Encyclopaedia Universalis/Sofres (février 1985)*

# FORMATION PAR LE MILIEU

*La famille, les médias, la formation permanente sont devenus des concurrents de l'école traditionnelle. Si les domaines qu'ils couvrent sont souvent complémentaires, les types d'apprentissage qu'ils proposent sont différents. La « formation par le milieu » reste en tout cas irremplaçable.*
*Car les choses de la vie ne s'apprennent pas à l'école.*

---

## Famille : la transmission du savoir-être

Le rôle joué par la famille dans l'instruction des Français est subtil et difficile à analyser. Mais il est considérable. Plus sans doute que l'enseignement reçu à l'école, celui dû au milieu familial laisse des traces indélébiles. On se souvient plus des paroles prononcées par ses parents que de celles prononcées par les maîtres (sauf peut-être lorsque ceux-ci sont illustres). L'idée que l'enfant se fait de la société dépend plus des situations vécues en famille que de la présentation formelle qu'en font les professeurs.

*L'origine familiale reste un des principaux facteurs d'inégalité.*
*• Un enfant de cadre ou d'enseignant dispose, à 7 ans, d'un vocabulaire 2 à 3 fois plus riche que celui d'un enfant d'ouvrier.*
*• La probabilité d'accès à l'enseignement supérieur est 20 fois plus grande pour un fils de cadre supérieur que pour un fils d'ouvrier.*

C'est une évidence, mais il faut bien la rappeler : le fils du chirurgien n'a pas eu dans sa vie d'enfant les mêmes expériences que celui du manœuvre. Le premier a été amené tout naturellement à s'intéresser à la culture, aux discussions de portée générale. Le second n'en a guère eu la possibilité, ramené qu'il était aux réalités matérielles et aux difficultés qu'elles engendrent. La science, la littérature, l'histoire, la géographie ont été ressenties différemment par l'un et par l'autre. Même s'ils avaient été dans les mêmes classes, ce qui est fort improbable, les deux enfants seraient sans doute devenus des adultes différents. Ce n'est pas par hasard que le taux de redoublement au cours préparatoire est trois fois plus élevé chez les enfants d'o.s. que chez ceux des cadres. Sans nier l'influence, sans doute considérable, de l'hérédité, il est certain que les différences de vocabulaire, d'ouverture d'esprit jouent en défaveur des enfants des milieux modestes.

Le monde en direct avec les médias.

### Le hit-parade
### des moyens de formation

Pour 75 % des Français, « l'école permet d'acquérir des connaissances de base, mais la culture générale ne vient qu'avec l'expérience et une certaine maturité ». Ils ne sont que 22 % à penser que « c'est à l'école qu'on acquiert l'essentiel de sa culture générale, après on n'a plus le temps ni l'occasion de continuer à apprendre ». Le palmarès des moyens de formation fait apparaître dans l'ordre : l'école, la télévision, les livres, la famille, les voyages, les amis, les radios, les journaux, les concerts et expositions.

## Médias :
## la formation par l'information

Presque tous les Français disposent d'un poste de télévision et d'au moins un poste de radio. La plupart d'entre eux lisent en outre un ou plusieurs journaux ou magazines. La diffusion fantastique de ces moyens de communication est sans doute l'un des phénomènes majeurs de la société actuelle, au point même de la caractériser.

*Pour la première fois*
*depuis le début de leur histoire,*
*l'immense majorité des Français*
*ont les moyens d'accéder facilement*
*et à un très faible coût à l'information.*

La plupart utilisent d'ailleurs très largement ces possibilités : 3 heures 27 par jour en moyenne pour la télévision ; 2 heures 3/4 pour la radio ; sans compter le temps de lecture des journaux et magazines. Bien sûr, chacun peut en principe suivre des programmes différents selon ses goûts, mais la télévision et la radio offrent des choix finalement limités en matière d'information, malgré l'accroissement du nombre de stations et de chaînes.

*Une même masse d'informations arrive*
*au même moment*
*à un nombre considérable de gens.*

Cela ne peut être sans effet sur leur formation, leur culture générale ou leur façon d'être. Même si leur impact est différent et variable selon les individus, les médias constituent une sorte de bagage commun dispensé de la façon la plus démocratique à tous les Français. Le *Journal de 20 heures* à la télévision rassemble en un soir plus de monde que n'en rassemblera jamais pendant toute sa vie le meilleur professeur d'université.

*La révolution de la communication*
*ne fait pourtant que commencer.*

Le développement prochain des satellites accélérera son aspect planétaire, tandis que le câblage des villes renforcera la communication locale ou régionale. La généralisation des techniques de télématique permettra à tous l'accès aux banques de données, sources spécialisées d'informations. Chacun disposera chez lui d'un système complet et personnalisé. À la différence d'aujourd'hui, il faudra faire des choix entre des possibilités extrêmement nombreuses. Avec le risque de créer de nouvelles inégalités : certains maîtriseront mieux que d'autres les systèmes ; certains consacreront l'essentiel de leur temps à leur formation, d'autres à leur distraction. Après avoir contribué à la réduction des inégalités culturelles entre les Français, les médias pourraient donc, à l'avenir, tendre à les renforcer.

## Formation professionnelle : perfectionnement et rattrapage

Les plus démunis, les exclus de la connaissance ont pour la plupart peu de chance de combler leur retard. D'autres, pourtant, peuvent y prétendre. L'instauration, en 1971, de la loi sur la formation permanente aura été une étape de première importance sur le chemin de la lutte contre les inégalités. Une porte s'ouvrait devant tous ceux qui, pour des raisons diverses, n'avaient pas profité de l'enseignement scolaire, et qui, conscients de l'insuffisance de leur instruction, avaient le désir de progresser.

*Le système bénéficie autant à l'économie qu'à l'individu.*

### Former sans déformer

3,5 millions de personnes ont participé en 1984 à des stages de formation :
* 58 % étaient des ouvriers et employés,
* 27 % étaient des techniciens,
* 15 % étaient des ingénieurs et cadres,
* 67 % des stagiaires étaient des hommes,
* 33 % étaient des femmes (alors que leur part dans la population active est de 42 %).
Les T.U.C. (Travaux d'Utilité Collective), créés en septembre 1984, ont permis à 227 000 jeunes de percevoir une rémunération (au 30 juin 1985). Parmi eux, 79 % avaient entre 19 et 21 ans. Hommes et femmes étaient en proportions semblables, mais ces dernières étaient beaucoup plus nombreuses à ne posséder aucun diplôme (49 %).

*Ministère de la Formation professionnelle*

Depuis sa création, le système a permis à des millions de Français de progresser dans leur métier et donc d'accroître leur rôle dans l'économie nationale. Le resserrement des catégories sociales en a sans aucun doute largement profité. Même ceux qui n'ont pas, jusqu'ici, bénéficié du système savent que, désormais, les jeux ne sont plus faits dès la sortie de l'école. Une seconde chance est toujours possible. Il est bon de le savoir, même si l'on ne s'en sert pas...

*Le système, tel qu'il est appliqué, n'est pas sans défaut.*

Le principal est sans doute qu'il tend à privilégier ceux qui le sont déjà. Les entreprises ont en effet favorisé plutôt le perfectionnement de leurs cadres et techniciens que celui de leurs ouvriers. Elles ont également tendance à privilégier la formation des hommes par

### L'instruction

### En vrac

* En fin d'école primaire, les élèves font en moyenne 14 fautes dans un texte de 55 mots.
* [S] 61 % des adultes pensent que les enfants sont aujourd'hui plus heureux à l'école qu'il y a une vingtaine d'années (28 % pensent qu'ils sont moins heureux).
* [S] 84 % des Français considèrent qu'il est indispensable de rétablir l'enseignement civique à l'école dans les classes primaires.
* [S] Parmi les anciens élèves du privé, 49 % déclarent être proches de la droite, 27 % proches du P.S., 14 % proches du P.C., 60 % se disent pratiquants réguliers (contre 14 % pour l'ensemble de la population). 57 % d'entre eux ont un ou plusieurs enfants élèves d'une école catholique.
* En 1984, les Français ont plus dépensé pour se cultiver (3,4 % de leur budget) que pour leur automobile (2,9 %).
* [S] Les œuvres d'art préférées des Français sont, par ordre décroissant : la *Joconde,* la *Vénus de Milo,* la statue de la Liberté, Notre-Dame de Paris, l'Arc de triomphe, Versailles, *Guernica* et le Pont-Neuf.
* [S] 64 % des Français sont plutôt sensibles à l'art classique, 35 % à l'art contemporain.
* 95 % des cadres supérieurs ou professions libérales ont un niveau d'études supérieur ou égal au second cycle d'enseignement.
* 76 % des ouvriers spécialisés ont un niveau d'études primaires.

rapport à celle des femmes. Enfin, des abus ont été çà et là constatés. Tel ce comptable à six mois de la retraite qui s'initiait... à l'ébénisterie.

Ces défauts devraient être peu à peu corrigés. La restructuration en cours de l'industrie obligera l'État et les entreprises à s'intéresser en priorité à ceux qu'elle menace le plus directement. Il se trouve que ce sont plutôt les ouvriers et employés. C'est donc logiquement à eux que devrait s'adresser l'effort de formation au cours des prochaines années. Les individus comme l'économie nationale devraient y trouver leur compte.

# Le temps

## ESPÉRANCE DE VIE

*Depuis le début du siècle, les Français ont gagné en moyenne 26 années de vie supplémentaire. La France sera-t-elle demain peuplée de centenaires ? La conquête du temps est la grande affaire d'aujourd'hui. Avec, d'un côté, les espoirs les plus fous et, de l'autre, les inégalités les plus criantes.*

## L'inégalité devant la mort

On parle beaucoup de l'inégalité devant la vie. On dénonce moins souvent celle qui sépare les êtres devant la mort. Pourtant, cette inégalité-là est la plus fondamentale, la plus cruelle, la plus inacceptable. On sait que la vie est plus longue en Europe qu'en Afrique ou en Amérique du Sud. On sait moins que certaines catégories de Français vivent en moyenne 20 ans de plus que d'autres. Le sexe, l'hérédité, la profession, le mode de vie expliquent ces écarts gigantesques. Certaines de ces causes sont irréversibles : on ne peut modifier son

hérédité ; il n'est pas facile de changer de sexe. Il est heureusement possible d'agir sur d'autres facteurs. Bien sûr, on doit garder à l'esprit que les chiffres qui suivent constituent des moyennes établies pour des groupes d'individus.

La durée de vie d'un individu particulier appartenant à l'un quelconque de ces groupes n'est évidemment pas prévisible.

Ce n'est pas parce que les voitures durent en moyenne 12 ans qu'on ne pourra pas garder la sienne en état de marche pendant 20 ans. Une précision réconfortante, qui montre que, finalement, le destin d'un être lui appartient (au moins en partie).

*L'inégalité des sexes :*
*les femmes vivent en moyenne 8 ans*
*de plus que les hommes (6,7 en 1960).*
*Espérance de vie à la naissance*
*(en 1985) :*
• *Femmes : 79,4 ans.*
• *Hommes : 71,3 ans.*

L'espérance de vie est la moyenne des années de vie d'une génération imaginaire qui serait soumise toute sa vie aux quotients de mortalité par âge (nombre de décès dans un groupe donné pendant une année donnée par rapport à la population du groupe en début d'année) pendant l'année d'observation.

Le prétendu « sexe faible » prend ici une revanche éclatante. Et l'on comprend alors pourquoi les « vieux » sont en fait le plus souvent des « vieilles ».

Les raisons de cette plus grande longévité des femmes sont difficiles à cerner avec précision. Elles tiennent probablement à un mode de vie plus favorable : moins de risques d'accidents (travail, transport), du fait d'une vie plus sédentaire et de métiers moins dangereux. Leur constitution générale est peut-être aussi plus résistante. Dès les premières années de la vie, on constate que les petites filles sont moins fragiles que les petits garçons. Leur mortalité infantile est d'ailleurs inférieure. Mais l'une des causes essentielles semble être que les femmes consomment beaucoup moins d'alcool ou de tabac que les hommes.

La différence de mode de vie entre les deux sexes n'est pas spécifique à la France. Pourtant, les Françaises sont championnes d'Europe quant à l'écart d'espérance de vie entre hommes et femmes (8 ans, contre 6 ans en moyenne pour le reste de l'Europe).

*L'inégalité des époques.*
*• Depuis le début du siècle,*
*l'espérance de vie a augmenté de 27 ans pour les hommes, 31 pour les femmes !*

Mieux vaut être né d'hier que d'avoir vu le jour au siècle dernier, surtout si l'on est un homme ! C'est en tout cas ce que suggère l'évolution spectaculaire de l'espérance de vie

depuis plus de deux siècles telle que la montre la courbe ci-dessous.

La vérité est moins simple. Ces chiffres prennent en compte la mortalité infantile (nombre d'enfants décédés avant l'âge d'un an, pour 1 000 enfants nés vivants). Cette cause de mortalité a considérablement diminué dans le temps, du fait de l'amélioration des conditions de vie des mères, des progrès de la médecine et des techniques d'accouchement.

---

### L'inégalité commence tôt

La mortalité infantile est plus forte chez les garçons (10,7 ‰) que chez les filles (8 ‰). Elle est plus élevée dans les familles nombreuses (y compris pour les premiers-nés), chez les immigrés et dans les familles dont les parents ont le niveau d'instruction le plus faible. Elle augmente avec l'âge de la mère (elle double entre 30 et 40 ans). En 1955, le taux de mortalité infantile atteignait 36,5 ‰. Il n'est que de 8,9 ‰ aujourd'hui.

Le moindre nombre de décès avant un an explique en partie l'allongement de la durée de vie moyenne. L'amélioration des conditions de vie (en particulier l'hygiène), les progrès considérables de la prévention et de la guérison des maladies ont également largement contribué à la diminution de la mortalité que l'on constate à tous les âges.

---

**La vie, la mort, la guerre**

Évolution de l'espérance de vie à la naissance (en années) :

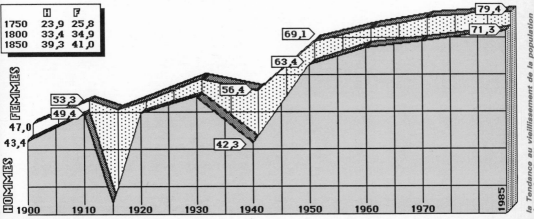

| | H | F |
|---|---|---|
| 1750 | 23,9 | 25,8 |
| 1800 | 33,4 | 34,9 |
| 1850 | 39,3 | 41,0 |

la Tendance au vieillissement de la population française, D. Waltisperger et J.-M. Costes, S.E.S.I.

*En fait, en un demi-siècle,*
*les Français de 40 ans n'ont gagné que*
*6 ans d'espérance de vie supplémentaire*
*et les Françaises, 8 ans.*

On a une idée précise de l'influence de la mortalité infantile en observant l'évolution de l'espérance de vie des adultes de 40 ans, selon les époques. On constate que l'allongement de la durée de vie est en réalité moins grand que ne le mesure l'espérance de vie à la naissance.

*L'inégalité des âges.*
• *À 20 ans, l'espérance de vie*
*d'un homme est de 53 ans*
*(il vivra en moyenne jusqu'à 73 ans).*
*Celle des femmes est de 61 ans*
*(âge moyen de décès : 81 ans).*
• *À 60 ans, l'espérance de vie*
*est de 18 ans pour les hommes (78 ans)*
*et de 23 ans pour les femmes (83 ans).*

Plus on est âgé et plus on a de chances de vivre longtemps. De toutes les inégalités, celle-ci est sans doute celle qui choque le moins. Le bon sens incite à penser que les risques de décès à 20 ans (accident, maladie, guerre, etc.) sont plus élevés que ceux que l'on court à 60 ans, après avoir traversé sans encombre 40 années supplémentaires. Il est donc logique que l'âge moyen de décès probable des personnes âgées soit plus élevé que celui des jeunes.

*L'inégalité des professions.*
• *Un professeur vit en moyenne 9 ans de*
*plus qu'un manœuvre.*

On sait qu'il vaut mieux, si l'on veut vivre longtemps, être une femme qu'un homme. Si l'on peut en plus choisir sa profession, il faut s'intéresser de préférence à celle d'enseignant, ou de cadre supérieur. C'est en tout cas ce que disent les chiffres de l'espérance de vie selon la profession.

L'explication par les écarts de mortalité infantile ne tient plus, puisqu'il s'agit d'adultes ayant 35 ans. Par contre, le risque d'accident mortel intervient, en particulier pendant le travail. Il est beaucoup plus élevé chez les manœuvres que chez les professeurs. De sorte que, si l'on élimine cette cause non négligeable

de mortalité, on retrouve des écarts un peu moins élevés entre les professions. En dehors de ces risques spécifiques, on peut dire que ce n'est pas le fait d'exercer un certain métier qui explique une durée de vie plus ou moins longue, mais l'ensemble des répercussions que ce métier implique sur le style de vie en général (sédentarité, fatigue, stress...).

*L'inégalité des modes de vie.*
• *Le risque de mort subite est 5 fois plus*
*élevé chez les gros fumeurs.*

**Les métiers qui conservent...**
**et les autres**

Espérance de vie, (en années) à **35 ans**, selon la profession (pour les hommes) :

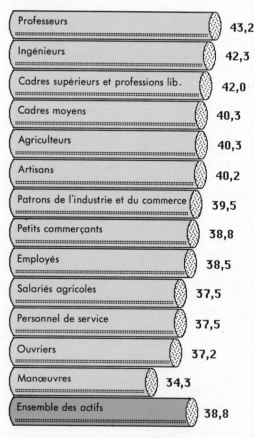

| | |
|---|---|
| Professeurs | 43,2 |
| Ingénieurs | 42,3 |
| Cadres supérieurs et professions lib. | 42,0 |
| Cadres moyens | 40,3 |
| Agriculteurs | 40,3 |
| Artisans | 40,2 |
| Patrons de l'industrie et du commerce | 39,5 |
| Petits commerçants | 38,8 |
| Employés | 38,5 |
| Salariés agricoles | 37,5 |
| Personnel de service | 37,5 |
| Ouvriers | 37,2 |
| Manœuvres | 34,3 |
| Ensemble des actifs | 38,8 |

*• Les hommes de 40 ans
pesant 30 % de plus que leur poids idéal
ont 2 fois plus de risque que les autres
de mourir d'une maladie cardio-vasculaire
dans les 10 ans.
• Ce risque est multiplié par 5 pour
les personnes atteintes d'hypertension.*

Plus difficile à mesurer, mais tout aussi réel, est l'impact du mode de vie sur sa durée. La qualité de l'alimentation, l'hygiène corporelle, la consommation d'alcool ou de tabac sont autant de facteurs influant sur l'espérance de vie.

Vivre longtemps implique donc une certaine discipline personnelle. C'est parce qu'elle est plus courante chez les femmes que celles-ci vivent plus longtemps. En somme, le secret est très simple : pour vivre vieux il faut vivre mieux.

*L'inégalité des pays.
• L'espérance de vie à la naissance
est de 37,5 ans en Éthiopie
contre 80,5 en Islande.*

Les hommes des pays riches vivent longtemps, et les femmes plus encore. La situation est très différente dans les pays dits en voie de développement, qui cumulent les handicaps de la malnutrition, du manque d'hygiène, de l'insuffisance des soins et de l'inexistence de la prévention.

On trouve pourtant de beaux vieillards dans les pays défavorisés ; leurs photos ornent bien souvent les catalogues de voyage. C'est que, ici encore, la mortalité infantile explique une partie de l'écart considérable entre les durées de vie moyennes. Ce taux, descendu à des niveaux très faibles dans les pays développés (environ 1 %), dépasse 10 % dans des pays comme l'Inde, le Sénégal ou l'Égypte. Cela signifie qu'un enfant sur dix mourra avant son premier anniversaire.

*Modernité et mortalité.*

Des chercheurs de l'I.N.E.D. (Jacques Vallin et Alan Lopez) ont constaté des phénomènes qui mettent en question la relation, généralement acceptée, entre le degré de modernité d'une société et son niveau de mortalité :
– Certains pays en voie de développement, tout en restant « pauvres », atteignent ou même dépassent l'espérance de vie de nombreux pays industrialisés.

## Les riches meurent plus vieux que les pauvres

Espérance de vie à la naissance selon les pays (deux sexes, 1983) :

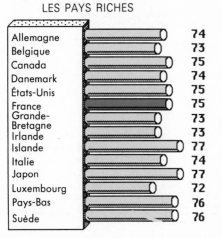

LES PAYS RICHES

| | |
|---|---|
| Allemagne | 74 |
| Belgique | 73 |
| Canada | 75 |
| Danemark | 74 |
| États-Unis | 75 |
| France | 75 |
| Grande-Bretagne | 73 |
| Irlande | 73 |
| Islande | 77 |
| Italie | 74 |
| Japon | 77 |
| Luxembourg | 72 |
| Pays-Bas | 76 |
| Suède | 76 |

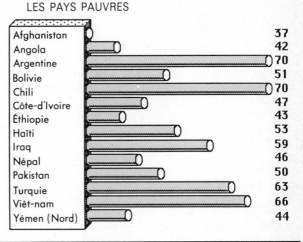

LES PAYS PAUVRES

| | |
|---|---|
| Afghanistan | 37 |
| Angola | 42 |
| Argentine | 70 |
| Bolivie | 51 |
| Chili | 70 |
| Côte-d'Ivoire | 47 |
| Éthiopie | 43 |
| Haïti | 53 |
| Iraq | 59 |
| Népal | 46 |
| Pakistan | 50 |
| Turquie | 63 |
| Viêt-nam | 66 |
| Yémen (Nord) | 44 |

O.N.U. (O.M.S.)

– L'inégalité sociale devant la mort est très importante dans les pays industrialisés où pourtant, en moyenne, des progrès considérables ont été accomplis.

– Cette inégalité semble résister à tous les systèmes de prise en charge collective des dépenses de santé.

– L'écart d'espérance de vie entre les hommes et les femmes ne cesse de se creuser.

• *740 000 Français ont 85 ans et plus.*
• *8 000 sont centenaires (80 % de femmes).*

L'allongement considérable de la durée de vie constaté en France depuis un ou deux siècles semble autoriser tous les espoirs. Roy Walfold, célèbre biologiste américain, affirme dans son livre *la Vie la plus longue* (Éditions Robert Laffont) qu'il sera bientôt possible de vivre jusqu'à 130 ans. En l'an 2000, le vieillissement devrait être considérablement ralenti et, pourquoi pas, stoppé, écrit-il. Il suffirait, selon lui, de conjuguer la diététique et la pharmacopée...

Chacun se prend donc à rêver de fêter un jour son centième anniversaire, entouré de trois ou quatre générations remplies d'admiration devant la vigueur de l'ancêtre. Un rêve encouragé par tous ceux qui considèrent que la mécanique humaine est faite pour durer plus d'un siècle, si elle est bien entretenue.

*Les arbres ne montent pas jusqu'au ciel.*

D'autres experts sont pourtant moins optimistes. Les causes de décès les plus anciennes (mortalité infantile, certaines maladies, etc.) ont déjà été réduites de façon spectaculaire. Reste maintenant à vaincre les grandes maladies (cancer, maladies cardiaques, etc.) qui continuent d'abréger anormalement la vie. Le chemin risque d'être long et difficile. D'ailleurs, si l'on regarde la courbe d'évolution de l'espérance de vie, on remarque qu'elle monte moins vite depuis le début des années 60. Il faut compter aussi avec de nouvelles maladies, comme le SIDA, qui menacent certaines populations particulièrement exposées. Va-t-elle atteindre un palier ou un sommet ? On sait, de toute façon, que les plus grands arbres ne montent jamais jusqu'au ciel...

## Tendances récentes : surprises à l'Est comme à l'Ouest

L'évolution constatée depuis quelques années fait apparaître des phénomènes nouveaux et inattendus. Ils touchent de façon différente les pays de l'Europe de l'Est et ceux de l'Occident.

*À l'Est, la durée de vie moyenne est en train de baisser.*

Après avoir stagné depuis 1970, l'espérance de vie tend à diminuer depuis 1977 dans les pays du bloc socialiste. L'U.R.S.S. et certains de ses satellites, tels que la Pologne, semblent particulièrement touchés. Les causes principales en seraient l'alcoolisme et... la planification. L'alcoolisme fait augmenter le nombre des accidents de la route : on constate, par exemple, que certains pays de l'Est connaissent un nombre d'accidents semblable à celui que connaît la France (qui n'est pourtant pas un modèle), avec un nombre de voitures beaucoup moins élevé. La responsabilité du système planificateur est plus subtile. L'organisation de la santé, très centralisée, ne permet pas de soigner efficacement les cancers ou les maladies cardio-vasculaires, principales causes des décès. Les équipements hospitaliers, mal entretenus, se dégradent, et leur nombre est insuffisant pour faire face à l'accroissement de la population. Par ailleurs, les médecins sont invités à ne pas prescrire les médicaments les plus coûteux, qui sont généralement les plus efficaces. D'où la montée de certaines maladies, et la lenteur des progrès réalisés vis-à-vis de certaines autres.

*À l'Ouest, l'écart entre la durée de vie des hommes et celle des femmes s'accroît.*

On pensait que les causes de cet écart étaient liées à des modes de vie différents entre les sexes. Le rapprochement des conditions de vie des hommes et des femmes, auquel on assiste depuis un certain nombre d'années, aurait dû réduire les différences de durée de vie. C'est le contraire qui semble se produire dans les pays occidentaux les plus développés.

Pourquoi, alors que les (mauvaises) habitudes telles que l'alcool, le tabac, le goût du risque sont de moins en moins le monopole des hommes, les femmes n'en subissent-elles pas à leur tour les conséquences ? Réponse des spécialistes : les femmes consomment de toute façon beaucoup moins de tabac et d'alcool que les hommes ; elles bénéficient en outre d'une meilleure surveillance médicale. Il est établi que les machines régulièrement entretenues durent en général plus longtemps que celles qui ne sont révisées qu'en cas de panne ou d'accident. Il est logique qu'il en soit de même des individus, qui savent bien qu'il vaut mieux « prévenir que guérir ».

### Combien d'années vivrez-vous au XXIᵉ siècle ?

Espérance de vie en l'an 2000 en fonction de l'âge :

| Espérance de vie | | |
|---|---|---|
| Âge en 2000 | Hommes | Femmes |
| 0 | 73.88 | 83.37 |
| 1 | 73.40 | 82.87 |
| 5 | 69.47 | 78.93 |
| 10 | 64.53 | 73.97 |
| 15 | 59.58 | 69.00 |
| 20 | 54.77 | 64.07 |
| 25 | 50.02 | 59.16 |
| 30 | 45.24 | 54.24 |
| 35 | 40.46 | 49.35 |
| 40 | 35.75 | 44.50 |
| 45 | 31.23 | 39.72 |
| 50 | 26.99 | 35.03 |
| 55 | 23.00 | 30.41 |
| 60 | 19.22 | 25.88 |
| 65 | 15.75 | 21.47 |
| 70 | 12.57 | 17.23 |
| 75 | 9.83 | 13.33 |
| 80 | 7.57 | 9.91 |
| 85 | 5.84 | 7.17 |
| 90 | 4.61 | 5.14 |

On observe depuis quelques années un accroissement de la surmortalité masculine (rapport entre les probabilités des décès à un âge donné des hommes par rapport aux femmes). Dans la tranche d'âge de 40 à 44 ans, elle est passée de 2,15 au début des années 70, à 2,25 à la fin de la décennie. Dans la tranche 60-64 ans, elle est passée de 2,40 à 2,54 dans la même période. On retrouve ce phénomène chez les personnes âgées, bien que l'accroissement soit moins prononcé (1,31 contre 1,29 pour les 80 ans et plus).

*Une nouvelle vision de la vie.*

L'allongement de l'espérance de vie n'a pas que des conséquences individuelles ou économiques. Il influe aussi sur le système de valeurs de la société. Ainsi, la survie presque générale des femmes jusqu'à la période féconde tend à modifier l'image et l'importance de la procréation.

Par ailleurs, la mort des personnes proches est une expérience plus rare puisqu'elle se produit essentiellement chez des personnes âgées. Cet éloignement croissant de l'idée de la mort n'est sans doute pas sans effet sur les conceptions religieuses, la production artistique ou la conception globale de la vie.

## EMPLOI DU TEMPS

*Le temps dont les Français disposent a considérablement augmenté, et la façon dont ils l'utilisent a beaucoup évolué. Mais la distinction entre temps subi et temps choisi ne les satisfait pas vraiment. Pas plus que le découpage traditionnel école-travail-retraite. C'est tout l'emploi du temps de la vie qui est aujourd'hui mis en question. Le début, peut-être, d'une véritable révolution.*

## La vie devant soi

Le capital-temps des Français est de 71 ans pour les hommes, 79 ans pour les femmes. Une durée de vie moyenne à laquelle personne ne rêvait il y a cent ans. Mais que font donc les Français de toutes ces années ?

Réponse : ils passent le tiers de leur temps à dormir et consacrent 3 fois plus de temps à se divertir qu'à travailler.

---

### Un temps pour chaque chose

Répartition du temps d'une vie (en années) pour un Français d'aujourd'hui (estimations) :

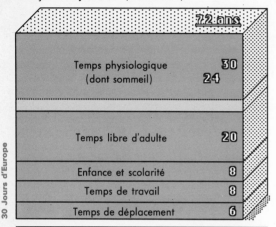

*Le temps libre d'une vie est aujourd'hui 6 fois plus long qu'en 1800.*

Le temps a beaucoup changé... au fil du temps. Il s'est globalement « dilaté », mais les différentes parties qui le composent ont subi des déformations très différentes.

Il y a près de deux siècles, nos ancêtres vivaient deux fois moins longtemps et consacraient la moitié de leur vie éveillée au travail. Le temps libre restant était donc très limité : moins de trois ans. Heureusement, les incitations au loisir étaient moins nombreuses. Aujourd'hui, les Français disposent de beaucoup plus de temps. La part qu'ils consacrent au travail est 3 fois moins élevée qu'en 1800. La période de l'enfance s'est un peu étirée, du fait de l'allongement de la scolarité. Seul le temps accordé au sommeil et aux divers besoins d'ordre physiologique n'a guère évolué. Même si beaucoup d'entre eux dorment mal, les Français continuent de passer quelque 8 heures par jour dans leur lit. Ceux qui travaillent ont, par contre, tendance à consacrer moins de temps à leurs repas. Au total, ce sont tout de même plus de 40 % des années

de la vie qui sont consacrées à ces activités peu compressibles. Ce qui ne veut d'ailleurs pas dire qu'elles soient désagréables.

Mais le véritable bouleversement est celui du temps libre de l'adulte, multiplié par 6 depuis 1800. Bien sûr, la majeure partie de ce temps-là n'est disponible qu'au moment de la retraite. Les 22 millions de Français actifs n'ont pas troqué la « vie de travail » de leurs ancêtres contre une « vie de loisirs ». La plupart ne pourront vraiment profiter de ce temps libre qu'après 30 ou 40 ans de labeur. Il n'en reste pas moins que le temps, matière première de la vie, est devenu un bien de plus en plus répandu.

---

### Le temps à géométrie variable

Évolution de l'emploi du temps de la vie du Français moyen selon les époques (en % du temps total) :

Temps libre d'adulte
Temps de travail
Transports et déplacements
Enfance et scolarité
Temps physiologique
(sommeil, repas...)

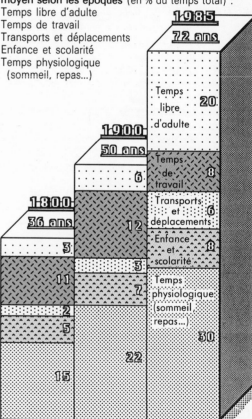

LEGUMES SURGELES BONDUELLE

Les produits gain de temps se multiplient.

## Les jours des Français se suivent et ne se ressemblent pas

L'emploi du temps de la vie des Français fait apparaître de profondes différences entre les individus, dès la fin de la période scolaire.

La répartition temps de travail-temps libre varie principalement selon qu'on est actif ou pas.

Mais ces définitions officielles ne reflètent pas toujours la réalité : certains inactifs (les femmes en particulier) travaillent plus que beaucoup d'actifs. On peut, pour simplifier, diviser chaque journée en trois types d'activités distincts :
– le temps physiologique, évoqué précédemment, regroupe le sommeil, l'alimentation et les soins personnels (toilette, etc.) ;
– le temps subi est celui consacré au travail (y compris les trajets), à la formation et aux tâches domestiques ;
– le temps libre (ou « temps choisi ») est celui qui est consacré aux activités de loisir et à la vie sociale.

*Parmi les actifs, les hommes ont chaque jour une heure de loisir de plus que les femmes.*

L'emploi du temps des adultes actifs fait évidemment une large place au travail. Si les femmes y consacrent 1,3 heure de plus que les

hommes, c'est parce que s'ajoutent à leur travail rémunéré 4 heures quotidiennes pour les tâches domestiques.

### La journée moyenne des actifs
(moins de 65 ans)

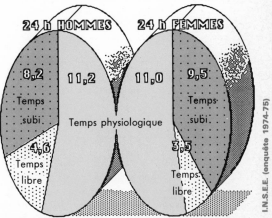

Temps exprimé en heures et en dixièmes d'heure (moyenne sur 10 mois de l'année, hors juillet et août, week-ends compris).

La vaisselle ou les courses ne prennent aux hommes que 1,4 heure par jour, mais ils passent un peu plus de temps que les femmes sur leur lieu de travail (6,7 heures contre 5,4 – durée journalière calculée sur une base de 7 jours). Le temps physiologique des deux sexes est comparable. Les hommes restent un peu plus longtemps à table (1,9 heure contre 1,6 heure), tandis que leurs épouses prennent un peu plus de temps pour s'occuper d'elles-mêmes (1,3 heure contre 1,2 heure). Au total, les femmes actives sont donc pénalisées d'une heure de loisir par rapport aux hommes. Ce qui représente tout de même le quart du temps libre quotidien.

*Parmi les non-actifs, l'écart se creuse entre les hommes et les femmes.*

La différence d'emploi du temps entre hommes et femmes est encore plus marquée quand ils n'ont pas d'activité professionnelle. Les hommes sont de plus gros dormeurs

(9,3 heures contre 8,5 heures). Les femmes « inactives » passent tout de même 6,6 heures au ménage et autres travaux domestiques (2,4 heures pour les hommes). De sorte qu'au concours du temps libre les hommes sont encore les grands gagnants, avec 7,4 heures par jour, soit 2,2 heures de plus que leurs compagnes.

*Les personnes âgées ont du temps à revendre.*

### La journée moyenne des non-actifs (moins de 65 ans)

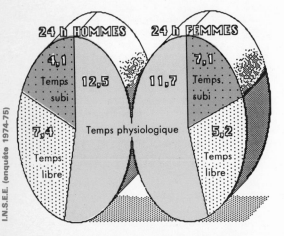

### La journée moyenne des non-actifs (plus de 65 ans)

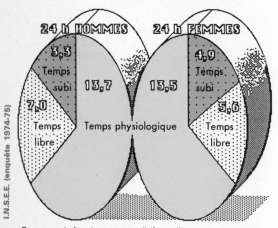

Temps exprimé en heures et en dixièmes d'heure.

I.N.S.E.E. (enquête 1974-75)

La journée des plus de 65 ans ressemble un peu à celle de leurs cadets non actifs. S'ils consacrent moins de temps aux travaux domestiques, c'est principalement que leurs foyers comptent moins de personnes. Les enfants étant partis, les courses et le ménage leur demandent moins de temps. C'est peut-être pourquoi ils ont tendance à en consacrer davantage aux repas, moments importants de la journée, souvent prolongés, l'après-midi, par la sieste. Pour beaucoup de personnes âgées, le temps est une matière première à la fois abondante (dans le cadre d'une journée) et rare (pour l'avenir).

## Du temps libre, pour quoi faire ?

Selon le joli mot d'Elsa Triolet, « le temps n'est que l'activité de l'espace ». Les Français en ont une conception beaucoup plus concrète. Pour eux, le temps est la substance essentielle de la vie. Il s'agit donc, très simplement, d'en avoir le maximum, et de l'utiliser au mieux.

### Une journée comme les autres

Selon une enquête réalisée pour Radio Monte-Carlo en 1983, 31 % des Français (de plus de 18 ans) se lèvent entre 7 et 8 heures. 9 % sont des « lève-tôt » (avant 6 heures), tandis que 5 % font la « grasse matinée » et se lèvent après 9 heures. Le petit déjeuner est une institution sacrée pour la plupart, bien que 2,5 % avouent ne pas en prendre. Les autres choisissent à 62 % le café, qui devance largement le thé (11 %) et le chocolat (6 %). 18 % s'habillent ensuite en tenant compte du temps prévu par la météo. Les Niçois, étonnamment, sont les plus attentifs (25 %). Trois Français sur quatre regardent par la fenêtre en se levant. Peut-être pour vérifier les prévisions entendues à la radio...
L'activité de la journée, qu'elle soit professionnelle ou domestique, est coupée par le repas de midi. Contrairement à une idée répandue, 73 % des citadins (actifs et inactifs) et 54 % des Parisiens prennent leur repas à domicile (17 % sur leur lieu de travail).
Le déjeuner est suivi d'une sieste dans 20 % des cas. Une pratique plus répandue dans le Sud (28 % à Nice, 25 % à Marseille), où elle fait depuis longtemps partie des habitudes.
Le repas du soir commence le plus souvent entre 19 et 20 heures. Il précède la soirée, dont une partie est traditionnellement consacrée à la télévision (un Français

*Le temps s'achète, comme le reste.*

Les dernières décennies ont été marquées à la fois par la conquête du confort matériel et par celle du temps libre. Tandis que la durée de vie s'allongeait, la part du temps subi ne cessait de diminuer. La réduction du temps de travail quotidien, l'accroissement de la durée des vacances n'en sont que les aspects les plus apparents. Car la société moderne offre bien d'autres moyens de gagner du temps. Les produits alimentaires (en poudre, concentrés, congelés, surgelés, en conserve, lyophilisés, précuits, etc.), l'équipement électroménager (machines à laver le linge ou la vaisselle, four à micro-ondes...), les moyens de transport (avion, T.G.V., transports urbains) ont une raison d'être commune : faire économiser du temps. Car c'est bien du temps qu'on achète, chaque jour, en s'offrant un hamburger, les services du pressing, ceux d'une femme de ménage ou d'un jardinier...

*Les Français veulent gagner du temps pour en avoir plus à perdre.*

sur deux regarde le *Journal de 20 heures ;* ils sont encore plus nombreux à regarder les émissions de 20 h 30, en particulier le film de TF1).
La fin de la soirée se déroule selon un cérémonial qui comprend le plus souvent la toilette (72 % des citadins) et le brossage des dents (80 % selon les déclarations, ce qui n'est pas tout à fait cohérent avec les statistiques disponibles par ailleurs). Un Français sur deux se désaltère avant d'aller au lit ; 45 % lisent un livre ou un journal.
Enfin, la journée s'achève par le coucher, prélude à un repos bien mérité. À 10 heures, 53 % des Français sont au lit. Ils sont 85 % une heure plus tard à se laisser aller aux rêves les plus variés.
Les samedis et les dimanches occupent une place à part. Les horaires, les activités, les motivations sont radicalement différents de ceux de la semaine. Si 31 % des Français affirment ne pas avoir de jour préféré, 22 % ont une prédilection pour le samedi, 18 % seulement préfèrent le dimanche. Quant au lundi, il est considéré par 37 % des Français comme le plus mauvais jour de la semaine.
Comme on pouvait s'y attendre, ce sont les jours de congé qui ont la faveur de nos concitoyens. On retrouve une tendance identique en ce qui concerne les mois : août arrive en tête (24 %) devant juillet (21 %). L'étalement des vacances n'est pas pour demain.

La grande affaire de cette fin de siècle est celle du temps. Les Français des années 80 se plaignent davantage du manque de temps (43 %) que du manque d'argent (27 %). Ils n'en ont pourtant jamais eu autant à leur disposition. Pourquoi alors cette fuite en avant ? D'abord, parce que le temps, c'est la vie, et qu'on n'en a, par définition, jamais assez. Ensuite, parce que, pour la première fois de leur histoire, la plupart des Français ont résolu une partie des problèmes d'ordre matériel, qui occupaient leur esprit. Si la société de consommation est toujours d'actualité, elle est maintenant tenue pour acquise. Les Français ont donc le temps... de penser au temps. Sa conquête quantitative est maintenant bien avancée. Reste à réaliser celle, plus difficile et personnelle, de la qualité du temps. Le succès du livre de Jean-Louis Servan-Schreiber *l'Art du temps,* édité chez Fayard, confirme bien cette passion nouvelle des Français pour le temps.

Que faire de ce temps de vie supplémentaire gagné sur la mort ? Les solutions ne manquent pas. Car, si les marchands sont nombreux à nous vendre du temps, certains nous proposent aimablement d'en perdre. Au premier rang, on trouve les fabricants de programmes de télévision, qui « prennent » à chaque Français près de trois heures de ses journées. D'une manière générale, les invitations au loisir ne manquent pas. Elles tendent d'ailleurs à se multiplier, avec l'avènement de la fameuse civilisation des loisirs.

Mais cette vision marchande du temps ne fait cependant pas le tour du problème. La conquête du temps n'a pas le divertissement pour unique objet. Elle représente pour chacun la possibilité de gérer lui-même le temps dont il dispose. Un pas important vers la maîtrise de son propre destin, revendication essentielle de l'époque.

Gagner du temps pour pouvoir le perdre à sa guise, tel est l'étonnant paradoxe de la vie quotidienne des Français d'aujourd'hui.

## La grande révolution du temps est commencée

Les Français ont, en un siècle, gagné beaucoup de temps. Même si on peut discuter les détails, il ne fait pas de doute que la civilisation du travail est en train de faire place à celle du temps libre, deux fois plus abondant. Cependant, les structures de la société restent calquées sur le modèle précédent, organisant la vie autour du travail, activité pourtant de plus en plus minoritaire dans l'emploi du temps de la vie.

## Les temps changent.

Les ruptures traditionnelles du temps social (fins de semaine, congés payés, retraite, etc.) étaient hier considérées comme des progrès. Elles commencent aujourd'hui à être vécues comme des contraintes. Les Français souhaitent pouvoir faire leurs courses tard le soir, utiliser les services publics sept jours sur sept. Ils veulent pouvoir choisir les dates de leurs vacances et, pour ceux qui ont des enfants, ne pas dépendre du calendrier scolaire.

Bien plus, ils se demandent aujourd'hui si le découpage de la vie en trois périodes successives (un temps pour apprendre, un autre pour travailler, le dernier pour se reposer) n'est pas totalement artificiel. Pourquoi ne pas apprendre quand on en a envie ou quand c'est nécessaire ? Pourquoi ne pas « se mettre en retraite » à différentes époques de sa vie, afin de s'orienter vers un autre type d'activité, prendre un peu de recul ou simplement profiter de la vie ? Pourquoi ne pas travailler de façon plus modulée, tant qu'on en éprouve le besoin ou l'envie, tant qu'on en a la capacité ? Pourquoi, en fait, ne pas vivre selon ses aspirations ?

## Le temps est aussi en train de changer.

Ainsi, le rêve d'un « autre temps » s'installe peu à peu dans l'esprit des Français. Les intellectuels, les rêveurs et, d'une manière générale, les « Décalés » conduisent le mouvement. Mais voici que des experts commencent à se pencher sur le problème et à dire que l'utopie sociale pourrait avoir des justifications économiques. Qu'on pourrait mieux partager l'emploi, mieux adapter la formation aux besoins de l'économie en même temps qu'on rendrait les gens plus heureux.

Bref, que l'on pourrait prendre le chemin d'une autre société, caractérisée par une plus grande harmonie entre les nécessités collectives et les aspirations individuelles.

La voie vers cette nouvelle civilisation, que chacun estime aujourd'hui inéluctable et nécessaire, passe sans aucun doute par la révolution du temps. Alors, vive la Révolution !

---

Le temps

### En vrac

● Le climat joue un rôle dans la durée de vie moyenne des populations. Il explique aussi bien les bons résultats des pays scandinaves que les mauvais des pays sahéliens et tropicaux.

● La taille limitée d'une population est un facteur favorable à l'efficacité des politiques sanitaires. Certains petits pays d'Europe (Danemark, Suisse, etc.) en ont profité, ainsi que des pays d'Asie (Sri Lanka, Taiwan, Israël) ou d'Amérique (Cuba, Costa Rica).

[S] 66 % des Français disent être en forme à leur réveil, 33 % ont du mal à démarrer la journée.

# Les Valeurs

## SYSTÈME DE RÉFÉRENCE

*Les grands slogans à la gloire de l'Homme et de la République ne font plus recette. Quant à la religion, son rôle traditionnel de référence morale est de moins en moins apparent. Pourtant, si certaines valeurs semblent désuètes, d'autres réapparaissent sous des formes nouvelles, moins grandiloquentes. Et, si les Français ne vont plus à l'église, ils sont toujours aussi nombreux à croire en Dieu.*

## Vingt ans de contestation

Les manifestations de la morale sociale sont empreintes, depuis l'après-guerre, d'un libéralisme croissant. Les contraintes collectives sont de moins en moins fortes et leur impact sur la vie privée des Français beaucoup moins sensible, favorisant ainsi l'individualisation des comportements. Ce relâchement des contraintes s'est traduit, par exemple, par la disparition du carré blanc à la télévision, la régression progressive de la censure au cinéma, la libéralisation des relations sexuelles, la légalisation de l'avortement.

*Ce grand mouvement de remise en cause des rapports d'autorité avec les principales institutions a commencé vers 1965.*

L'Église, l'armée, l'entreprise, l'État ont connu tour à tour la contestation. Celle qui toucha l'école en mai 68 fut la plus spectaculaire. Dès 1965, certains phénomènes, passés presque inaperçus, annonçaient déjà la « révolution des mœurs ». La natalité commençait à chuter. Le chômage s'accroissait, tandis que, pour la première fois depuis vingt ans, la productivité du capital diminuait dans l'ensemble des pays occidentaux, préparant le terrain de la crise économique des années 70. La pratique religieuse régressait, en particulier chez les jeunes. Le nu faisait son apparition dans les magazines, dans les films et sur les plages.

Ce goût de plus en plus affirmé pour la liberté et la levée des tabous qui pesaient depuis des siècles sur la société allaient progressivement donner naissance à une nouvelle échelle des valeurs. Avec, en contrepoint, la remise en cause presque systématique des valeurs traditionnelles ou, plus précisément, leur redéfinition.

## Travail, famille, patrie : un tiercé dans le désordre

La fameuse devise vichyste s'en est allée rejoindre le Panthéon des formules usagées. Non pas que les mots eux-mêmes soient bannis du vocabulaire commun. Mais leur sens a évolué et l'on ne ressent plus aujourd'hui le besoin de les accoler pour en faire un tout cohérent et symbolique.

*Pour beaucoup,*
*le travail est fait pour gagner sa vie*
*plutôt que le paradis.*

Les Français ne sont pas foncièrement opposés au travail, même si la proportion de ceux qui sont délibérément « pour » a baissé depuis 1977. Il n'occupe pourtant plus une place prioritaire dans l'échelle des valeurs actuelles. C'est que le rapport des Français avec le travail est en train de changer. « Gagner son pain à la sueur de son front », « se tuer à la tâche », etc., sont des expressions que l'on n'entend plus guère. Le travail n'est plus un but en soi, une raison de vivre, mais un moyen de gagner sa vie ou, si l'on a de la chance, une possibilité de s'épanouir à titre personnel. Ce n'est plus, en tout cas pour les plus jeunes, le moyen de contribuer à la prospérité générale.

*Tous pour un... mais chacun pour soi,*
*c'est la nouvelle devise de la famille.*

Dans un monde froid, dangereux et dur, la cellule familiale représente un havre de paix. Mais elle ne doit pas étouffer l'individu ni l'empêcher de vivre sa vie.

C'est toute la contradiction des sentiments des Français vis-à-vis de la famille. Celle-ci ne sert plus seulement aujourd'hui à élever des enfants, dans le but conscient ou inconscient de se perpétuer.

Certains la veulent plus ouverte sur l'extérieur, d'autres cherchent au contraire à s'y cacher confortablement. D'autres enfin la considèrent comme un port d'attache où ils viennent se reposer entre deux épisodes de leur vie personnelle. Mais, si les conceptions évoluent et se diversifient, la famille n'est pas morte, comme l'ont dit certains observateurs. Elle change seulement de forme.

### La vie bascule à 35 ans

35 ans représente assurément l'âge pivot. Peut-être parce qu'à 35 ans on a autant d'années à vivre que d'années vécues. Sans doute parce que c'est souvent à cet âge que les modes de vie changent, que ce soit dans le domaine professionnel ou dans celui des loisirs. Avant 35 ans, on privilégie l'amour, la sexualité, l'indépendance. Après 35 ans, on revient à des conceptions plus traditionnelles : famille, mariage, et, plus tard, patriotisme et religion.

C'est vers 35 ans que s'effectue le difficile arbitrage entre les rêves de la jeunesse et les possibilités de la vie, entre les interrogations passionnées et les certitudes, réconfortantes ou douloureuses.

*L'attachement à la patrie*
*n'apparaît guère en temps de paix.*

Certes, le nombre des patriotes est très inférieur à celui des partisans de la famille ou du travail. Certes, le patriotisme arrive au dernier rang des préoccupations des Français. Mais comment s'étonner que l'amour de la patrie ne soit pas placé sur le même plan que l'amitié, la liberté ou la justice, dont les récompenses sont plus immédiates ?

Les Français n'ont pas envie de projeter leurs craintes et leurs espoirs sur une entité abstraite. Ce serait en quelque sorte vivre par procuration. Aucune cause ne leur paraît aujourd'hui suffisamment importante pour qu'ils lui donnent la priorité absolue.

La vie appartient à celui qui en est le dépositaire ; telle est l'une des grandes idées de l'époque. Alors, la patrie peut attendre. Jusqu'au jour, par exemple, où elle sera en danger. Alors, renaîtra sans doute le sentiment patriotique, qui n'est finalement rien d'autre que la forme collective de l'instinct de conservation individuel.

## Liberté, égalité, fraternité : le tiercé dans l'ordre

On entre ici dans un tout autre domaine, celui des intentions généreuses. La devise de la République séduit moins dans sa globalité que par chacun de ses composants. Car ils correspondent à des préoccupations importantes, mais inégales, de l'époque actuelle.

Ainsi, la **liberté** peut être considérée comme l'une des formes contemporaines de l'individualisme.

L'**égalité** n'est pas absente des préoccupations actuelles des Français. À condition bien sûr qu'elle permette à chacun d'égaler celui qui est au-dessus de lui !... À condition aussi qu'elle ne conduise pas à l'uniformité.

Quant à la **fraternité**, elle rallie les suffrages du plus grand nombre, dans la mesure où elle s'exprime par exemple à travers le corporatisme ou les mouvements associatifs de toute nature.

Le Citoyen applaudit donc sans réserve au grand discours de la République. Mais il faut savoir que, derrière lui, se cache l'Individu, qui entend bien recevoir sa part de chacun de ces bienfaits.

### La liberté à droite et l'égalité à gauche ?

Interrogés sur le difficile choix de la liberté ou de l'égalité, comment réagissent les Français ? Ceux qui choisissent la liberté sont plutôt des hommes, ayant un revenu élevé, propriétaires de leur logement, satisfaits de la vie, prêts à se battre pour leur pays. Les tenants de l'égalité sont au contraire plutôt les femmes, ceux qui ont des revenus modestes et les personnes ayant des problèmes affectifs. C'est ce qui apparaît dans la vaste enquête menée par Jean Stoetzel dans 9 pays d'Europe (*les Valeurs du temps présent*, Éditions P.U.F., 1984).

En termes d'appartenance politique, il apparaît que ceux qui privilégient la liberté sont plutôt à droite, tandis que ceux qui prônent l'égalité sont plutôt à gauche. L'enquête donne des résultats comparables dans les différents pays. C'est en Angleterre que l'on trouve le plus d'amateurs de liberté (69 % contre 23 % pour l'égalité). C'est en Espagne que l'égalité l'emporte sur la liberté (39 % contre 36 %). Une étude particulièrement intéressante dans le contexte politique français, où la gauche et la droite semblent plus s'affronter sur la défense des libertés que sur celle de l'égalité.

### *La solidarité à la mode ?*

Après une longue période d'oubli, les Français parlent à nouveau de fraternité et de solidarité. Les premières manifestations de ce regain d'intérêt et de considération pour ses semblables remontent à l'hiver 1984-85. Les images des sans-abri menacés par un froid exceptionnel ont ému beaucoup de Français. L'action de l'abbé Pierre, bien relayée par les médias, fut largement soutenue et fit affluer les dons. Au cours de l'année 1985, les actions en faveur des pays du tiers monde se multiplièrent. Comme aux États-Unis et en Grande-Bretagne, le mouvement fut conduit en France par des artistes. Mais l'enthousiasme général s'estompa quelque peu lorsque les informations en provenance des pays destinataires (l'Éthiopie en particulier) laissèrent planer quelques doutes sur la façon dont l'aide était utilisée.

### Art et philanthropie : même combat

Beaucoup d'artistes, en France et dans les pays les plus développés, se sont faits les champions des causes humanitaires et de la solidarité : Coluche avait créé les « Restaurants du Cœur », Daniel Balavoine s'occupait, un peu avant sa mort, de distribuer des pompes à eau dans les pays africains situés sur le parcours du rallye Paris-Dakar ; Jane Birkin patronne des recherches sur la moelle épinière ; Collaro récolte des fonds pour les enfants autistiques ; Daniel Guichard a offert un scanner à l'hôpital de Villejuif ; Valérie Lagrange et Renaud ont organisé l'opération « Chanteurs sans frontières » ; Lino Ventura a fondé l'association « Perce-neige » en faveur des enfants handicapés, etc.

Altruisme désintéressé, position privilégiée pour se faire entendre, possibilité de se forger une image favorable vis-à-vis du public, telles sont quelques-unes des raisons qui poussent les artistes à mêler art, médias et philanthropie. Le monde a tout à y gagner.

### Les chiffres de la crise religieuse

| | 1970 | 1983 |
|---|---|---|
| • Proportion de catholiques | 90 % | 85 % |
| • Proportion de baptêmes par rapport aux naissances | 84 % | 68 % |
| • Proportion de mariages religieux | 95 % | 61 % |
| • Nombre de prêtres | 45 259 | 37 550 |
| • Nombre d'ordinations | 264 | 95 (1) |

(1) Le nombre d'ordinations est stable depuis une dizaine d'années.

Épiscopat

# La religion en question

Le pourcentage (encore très élevé) de catholiques est en diminution régulière depuis plusieurs décennies. Les Français font de moins en moins baptiser leurs enfants, ils vont de moins en moins à l'église, même pour s'y marier. Bref, l'Église est en crise. Mais qu'en est-il de la religion ?

*On assiste à une séparation de l'individu et de l'Église.*

Aller à la messe était autrefois une obligation à la fois religieuse et sociale. Les églises sont aujourd'hui de moins en moins fréquentées. Les prêtres y sont d'ailleurs de moins en moins nombreux. Ceux qui restent sont âgés et beaucoup ne sont pas remplacés lorsqu'ils décèdent. On note cependant une stabilisation du nombre des ordinations sacerdotales depuis 1977 (une centaine par an) après la forte chute des années 70 (264 en 1970). Le déclin des valeurs religieuses est peut-être enrayé, comme celui des vocations.

---

### Le divorce Église-Société

• 51 % des Français estiment que l'Église n'a pas su s'adapter au monde moderne (38 % des catholiques pratiquants réguliers, personnes déclarant assister à la messe au moins une fois par mois).
• 69 % des Français ont le sentiment que l'évolution actuelle de la société va dans le sens d'un déclin des valeurs spirituelles et religieuses (58 % des catholiques pratiquants réguliers).
• Pour l'ensemble des Français, être chrétien aujourd'hui, c'est d'abord et par ordre décroissant d'importance : aider ceux qui en ont besoin autour de soi ; mener une vie familiale réussie ; croire en Jésus-Christ, même si on ne pratique pas.

---

*Les Français préfèrent vivre « ici et maintenant » qu'« ailleurs et plus tard ».*

À quoi attribuer ces nouveaux comportements des Français devant la religion ? On peut y voir deux raisons de natures très différentes. La première est historique. Le pouvoir et l'influence de l'Église, considérables jusqu'à la fin du XIXe siècle, ont régulièrement diminué depuis. La disparition des liens officiels entre l'État et l'Église (1905) ne pouvait pas être sans conséquence sociale, en particulier sur le système de valeurs adopté par les individus. En même temps s'opérait un transfert à l'État de la fonction d'assistance aux plus défavorisés, traditionnellement assumée par l'Église. Celle-ci avait donc perdu deux de ses rôles essentiels : proposer (et défendre) un système de valeurs servant de référence commune ; contribuer à l'égalisation de la société. Son utilité apparut alors avec moins d'évidence à l'ensemble des catholiques.

*L'influence de l'Église sur la vie quotidienne est affaiblie.*
Ⓢ *Lorsque le pape se prononce contre le divorce, la pilule ou l'avortement, 75 % des catholiques déclarent ne pas en tenir compte (45 % seulement des pratiquants).*

Pour la majorité des catholiques, le rôle essentiel du prêtre est de dire la messe, d'aider et de réconforter les plus déshérités, de favoriser la transmission des valeurs familiales, de prêcher la paix et le respect des droits de l'homme, d'être une référence morale plutôt que le censeur des mœurs et des modes de vie. Il faut rapprocher cette évolution des esprits de celle qui s'est produite sur le plan économique au cours de ces trente dernières années. La « société de consommation » a mis au premier plan les valeurs de satisfaction des besoins **individuels.** Prônant du même coup une jouissance **matérielle** et **immédiate.** Dans le même temps, l'Église continuait de prôner des valeurs d'altruisme, d'effort, voire de **pénitence.**

D'un côté, la possibilité, matérielle et morale, de « profiter de la vie » ; de l'autre, la promesse d'un « paradis différé » au prix du sacrifice quotidien. Les Français, comme la plupart des Occidentaux, n'ont pas hésité longtemps avant de basculer dans le camp de la facilité.

Ⓢ *Pourtant, la proportion des Français qui croient en Dieu reste stable (environ 60 %).*

La crise de la religion n'est pas celle de la foi. Tout se passe comme si les catholiques ne se sentaient plus concernés par les manifestations concrètes de leur culte. Comme si la religion devenait une affaire personnelle, que l'on ne serait plus obligé de partager avec d'autres.

La Croix/Sofres (avril 1985)

## De nouveaux courants spirituels apparaissent

L'évolution actuelle des mentalités se traduit plus par un refus des pratiques religieuses que par un rejet de l'institution en tant que telle. Ainsi, les Français ne mettent pas en cause le rôle fondamental de la religion, mais ressentent fortement le décalage qui s'est installé entre le système de valeurs qui prédomine et les préceptes traditionnels. On constate d'ailleurs le même phénomène à propos des autres grandes institutions françaises : les syndicats, les partis politiques, l'école, etc.

Après une période surtout marquée par le refus, il semble qu'on entre actuellement dans une période plus positive. Un nombre croissant de chrétiens tentent aujourd'hui de proposer des directions nouvelles, susceptibles de permettre une meilleure compatibilité entre leur vie de citoyen et celle de catholique. C'est ainsi qu'on assiste à un intérêt grandissant pour des petites communautés, formelles ou informelles, porteuses de nouveaux courants spirituels. C'est le cas par exemple du « Renouveau charismatique ».

Ce phénomène, sorte de spontanéisme religieux diffus, a été analysé par Jean-Marie

### 81 % de catholiques

|  | Catholique pratiquant régulier % | Catholique pratiquant occasionnel % | Catholique non pratiquant % | Autre religion % | Sans religion % |
|---|---|---|---|---|---|
| TOTAL | 15 | 14 | 52 | 3 | 16 |
| **Sexe** | | | | | |
| – Homme | 13 | 11 | 55 | 3 | 18 |
| – Femme | 17 | 17 | 49 | 2 | 15 |
| **Age** | | | | | |
| 18 à 24 ans | 7 | 12 | 48 | 3 | 30 |
| 25 à 34 ans | 10 | 11 | 54 | 3 | 16 |
| 35 à 49 ans | 12 | 15 | 54 | 3 | 22 |
| 50 à 64 ans | 22 | 17 | 52 | 2 | 7 |
| 65 ans et plus | 24 | 15 | 50 | 2 | 9 |
| **Profession du chef du ménage** (nouvelle nomenclature PCS) | | | | | |
| Agriculteur | 27 | 32 | 37 | – | 4 |
| Artisan, commerçant, chef d'entreprise | 20 | 11 | 49 | 1 | 19 |
| Cadre, profession intellectuelle supérieure | 27 | 7 | 38 | 5 | 23 |
| Profession intermédiaire et employé | 11 | 13 | 50 | 4 | 22 |
| dont : Profession intermédiaire | 10 | 15 | 50 | 5 | 20 |
| Employé | 11 | 11 | 50 | 4 | 24 |
| Ouvrier | 4 | 12 | 64 | 2 | 18 |
| Inactif, retraité | 20 | 17 | 51 | 2 | 10 |
| **Préférence partisane** | | | | | |
| Parti communiste | – | 8 | 57 | 1 | 34 |
| Parti socialiste | 7 | 11 | 56 | 2 | 24 |
| UDF | 27 | 15 | 50 | 4 | 4 |
| RPR | 27 | 26 | 41 | 1 | 5 |
| Front national* | 13 | 3 | 51 | 3 | 30 |

La Croix/Sofres (14 février 1986)

(*) En raison de la faiblesse des effectifs, les résultats sont à interpréter avec prudence.

Donegani, chercheur au C.N.R.S. (*les Raisons de vivre des Français de 20 à 40 ans*, Le Centurion). Son enquête lui a permis d'identifier deux modèles récents de comportement vis-à-vis du catholicisme. Les « exilés » se sont détachés de la pratique religieuse mais s'en trouvent déchirés, car ils ne savent plus quelles valeurs transmettre à leurs enfants. Les « culturels » s'éloignent également de la pratique du culte mais restent attachés au catholicisme en tant que modèle dans lequel ils peuvent puiser une aide et des valeurs.

La tendance est donc à un aménagement personnel des préceptes religieux, à la revendication d'un véritable pluralisme des comportements, qui s'inscrit d'ailleurs dans une perspective œcuménique plus générale.

### L'Église devra faire face à de nouveaux défis

La « crise » de l'Église, telle qu'elle apparaît dans les chiffres et dans les mentalités, n'est peut-être, comme pour la société dans son ensemble, qu'une phase de transition entre deux états, entre deux conceptions du monde, entre deux types de réponses aux grandes questions du moment. C'est par exemple l'avis de Julien Potel, prêtre et sociologue, qui considère que l'Église devra faire face à cinq grands défis d'ici à la fin du siècle :

**La naissance, la vie, la mort.** L'Église va devoir affronter les questions éthiques posées par la dénatalité, les progrès de la biologie et de la génétique. Il s'y ajoute celles liées à la place du mariage religieux, face à la montée de la cohabitation et au rejet de la morale sexuelle prônée par l'Église. Enfin, le langage chrétien sur la mort et l'au-delà doit être mieux entendu ; des formes nouvelles d'accompagnement des mourants doivent être trouvées.

**Le rôle des femmes.** Si les femmes sont bien présentes dans l'Église, leur rôle y est limité à l'animation liturgique, à la catéchèse, ou à l'aumônerie. Leur place dans l'élaboration des textes normatifs, leur consultation sur les problèmes typiquement féminins comme la procréation ne sont pas assez marquées. Sans oublier bien sûr, celui qu'elles pourraient jouer dans la célébration du culte.

**La redistribution des tâches entre les prêtres et les laïcs.** La diminution du nombre des prêtres accentue la nécessité d'une nouvelle réflexion sur le rôle et la responsabilité des laïcs dans les tâches pastorales. Quelles tâches doivent rester celles des prêtres, quelles autres pourraient (ou devraient) être confiées aux membres des communautés chrétiennes ?

**La communication.** Face au gigantesque besoin de communication ressenti par les hommes, et à l'explosion des moyens disponibles pour se parler, quelle sera l'attitude de l'Église ? La France devient une société pluraliste où se côtoient plusieurs races, plusieurs religions (avec en particulier l'accroissement du nombre de musulmans). L'ouverture et la tolérance deviendront demain des vertus indispensables à la qualité de la vie sociale.

**La transmission de la foi.** Un nouveau tissu religieux est en train de se former, dans lequel s'élaborent un nouveau langage sur la foi et de nouvelles façons de la vivre. Ces groupes, qui ne se laissent pas facilement saisir, et auxquels les médias accordent aujourd'hui peu de place, devraient avoir demain une importance croissante dans l'expression et la transmission de la foi.

---

#### 5 millions de musulmans ?

Les chiffres avancés varient entre 3 et 6 millions. La plupart sont des immigrés, des familles harkies, mais on trouve aussi des intellectuels, des membres des professions libérales. Le nombre de Français convertis à l'islam est estimé entre 30 000 et 1 000 000 selon les sources.

L'islam est, aujourd'hui, la seconde religion de France. Le nombre des lieux de culte (environ 600) a doublé depuis 1980. Tous les musulmans ne sont pas pratiquants et les principes du Coran sont interprétés de façon très différente par les diverses communautés qui s'y réfèrent. Mais la grande majorité (plus de 90 %) des musulmans de France sont sunnites. Les autres sont chiites ou appartiennent à une secte schismatique (les bahai, environ 10 000).

---

## Les « croyances de substitution »

Le besoin de croire est sans doute aussi fondamental que celui de manger. Il le restera tant que les questions essentielles sur l'origine du monde et le sens de la vie resteront sans réponse. L'éloignement de la religion catholique a donc laissé un vide dans la vie des Français. Ils se sont efforcés de le combler de différentes façons, selon leur âge, leur caractère ou leur instruction.

### Et pourtant, elle tourne...

Le goût pour l'irrationnel pénètre (ou persiste) d'autant mieux dans les esprits que les grandes données scientifiques rationnelles n'y sont pas solidement implantées.
En voici deux exemples spectaculaires :
• 25 % des Français pensent que le Soleil tourne autour de la Terre (29 % des femmes et 20 % des hommes). 70 % donnent quand même la bonne réponse.
• 21 % des Français croient que des extraterrestres se sont déjà manifestés sur la Terre. La proportion est plus grande chez les moins de 18-35 ans.
Il est moins étonnant, alors, de constater qu'un certain nombre de Français sont prêts à croire aux miracles.
• 9 % pensent que la science pourra les rendre immortels.
• 22 % croient que des voyants peuvent vraiment prédire l'avenir (28 % des femmes et 17 % des hommes).

*Les Français se lancent aujourd'hui à la recherche des « religions douces ».*

Le parallèle avec la médecine est significatif. Dans le même temps où les Français s'intéressaient aux médecines douces, censées compléter ou améliorer les résultats obtenus avec la médecine traditionnelle, ils se tournaient aussi vers les religions « venues d'ailleurs » : bouddhisme, hindouisme, etc. Les années 70 ont vu le développement des sectes, dont certaines avaient des vocations plus lucratives que religieuses.

E  *600 000 Français sont concernés par les sectes.*
• *200 000 adeptes, 400 000 sympathisants.*

Certains événements survenus depuis quelques années dans des sectes ont beaucoup contribué à donner d'elles une image négative : les démêlés de Moon avec la justice américaine, les différentes affaires de « voleurs de conscience » révélées en France se sont ajoutées au souvenir douloureux du suicide collectif des adeptes du Temple du peuple à Jonestown (Guyana) en octobre 1978, qui fit 911 victimes, provoquant l'horreur et la colère.

Ces drames n'ont pourtant pas freiné l'engouement croissant des Français (comme de tous les Occidentaux) pour les sectes. L'Église de scientologie, la Méditation transcendantale, Écoovie, l'Église de l'unification (Moon), la Nouvelle Acropole, les Témoins de Jéhovah, et bien d'autres, recrutent chaque année de nouveaux adeptes.

*C'est la promesse d'un « autre » monde qui séduit les adeptes des sectes.*

La crise des valeurs, celle de l'économie et de la religion, la proximité de l'an 2000 expliquent sans doute ce besoin, ressenti par beaucoup de jeunes en particulier, de chercher de nouvelles attaches, de nouvelles explications du monde, de nouvelles visions de l'avenir. Dans ce contexte, l'originalité des pratiques proposées par les sectes et la marginalisation sociale qu'elles offrent à leurs adeptes apparaissent comme d'ultimes solutions à ceux qui se sentent mal dans la société telle qu'elle est aujourd'hui.

S'il est vrai que certaines sectes forcent leurs adeptes à ne plus se nourrir, à se laisser humilier ou même torturer, à faire don de tous leurs biens ou à se prostituer, d'autres ont cependant des pratiques plus acceptables et en tout cas moins dangereuses. Mais il est difficile, dans le maquis des sectes, de trier le bon grain de l'ivraie. D'autant que chacun cherche à se donner les apparences de la respectabilité. D'autant aussi qu'il est souvent difficile de les repérer dans leurs manifestations commerciales nombreuses et variées : produits de consommation courante, restaurants, crèches, boîtes de nuit, manifestations culturelles, etc.

• *8 millions de Français utiliseraient les services des voyants.*

Il y aurait en France environ 50 000 extralucides professionnels (entendez qui en vivent, et généralement bien). Plus que de prêtres ! Ces chiffres montrent bien l'importance de l'irrationnel dans les mentalités contemporaines. Télépathie, clairvoyance, précognition sont les dons revendiqués par ces voyants, marabouts, occultistes, exorcistes, radiesthésistes que les Français consultent de plus en plus fréquemment et ouvertement. D'après le fisc, le chiffre d'affaires de la profession représenterait plus de 5 milliards de francs !

### Le retour du diable

La superstition, bien ancrée dans l'esprit de beaucoup d'hommes, réapparaît souvent lorsque le quotidien semble fade et l'avenir bouché. Dans un monde difficile et menacé, l'existence de Satan apparaît comme une explication logique à ceux qui sont angoissés. D'ailleurs 27 % des Français déclarent croire au diable (66 % en Dieu). La rubrique des faits divers donne une place croissante aux affaires de sorcellerie, d'envoûtement, de possession, de crime rituel. On estime à 30 000 le nombre des sorciers, mages, désenvoûteurs opérant en France. Chaque année, les diocèses reçoivent plusieurs milliers de demandes d'exorcisme, dont 1 000 pour la seule ville de Paris.
Ce sont principalement les femmes, issues des classes modestes, qui sont concernées. Mais le phénomène gagne aujourd'hui des couches sociales plus cultivées, y compris parmi celles qui exercent des responsabilités économiques. Une manne en tout cas pour tous ceux qui vivent de l'angoisse des autres ; leur chiffre d'affaires annuel est estimé à quelque 3 milliards de francs. Les sorciers ne tirent pas le diable par la queue...

*Avec l'astrologie, les Français ont l'impression d'être « en direct avec le cosmos ».*
⑤ *9 Français sur 10 connaissent leur signe du zodiaque (17 % seulement leur ascendant).*

Comme la peur du diable et le goût pour l'irrationnel, l'engouement pour l'astrologie n'est pas un phénomène récent. Mais on constate aujourd'hui sa croissance, voire même son institutionnalisation. La société moderne, industrielle et technologique s'accommode donc bien des vieilles croyances ancestrales, dont les fondements scientifiques sont d'ailleurs contredits par les découvertes récentes de l'astronomie. On peut même penser que c'est le « trop-plein » des certitudes scientifiques qui explique le retour de l'irrationnel.

La France, qui était connue comme le pays de Descartes, est aujourd'hui celui de Nostradamus et de Madame Soleil. Depuis longtemps présente dans les journaux « grand public », l'astrologie investit peu à peu les différents domaines de la vie quotidienne.

Les indications demandées aux astres ne concernent plus seulement la chance au jeu ou en amour. On les consulte aujourd'hui pour prévoir les événements politiques, embaucher un cadre... ou anticiper les cours de la Bourse.

Alors, superstition, science, ou simple jeu ? La France hésite. Et c'est bien normal, puisqu'elle est née, d'après les astrologues, sous le signe de la Balance...

### L'astro-business

Selon une enquête *l'Express*/Gallup-Faits et Opinions de novembre 1985, 59 % des Français n'hésitent pas à avouer qu'ils croient à l'astrologie (dont 9 % sans réserves). 70 % déclarent consulter, régulièrement ou occasionnellement, leur horoscope. Selon certaines estimations, 5 % des Français se rendraient chez un astrologue au moins une fois par an.
La presse a compris depuis longtemps tout le profit qu'elle pouvait tirer de cet intérêt des Français pour les astres. Tous les ans, les prédictions astrologiques de *France Dimanche* pour l'année à venir font grimper le tirage de 10 à 20 %. Lancé en mai 1983, le mensuel *Vous et votre avenir* atteignait 170 000 exemplaires après cinq numéros. On pourrait citer aussi les ventes record de *Nostradamus,* revu (et corrigé ?) par Jean-Charles de Fontbrune, et les réactions de panique que ses prédictions ont provoquées. La frénésie astrale ne touche pas seulement les Français : les États-Unis comptent près de 100 000 astrologues ; 47 % des Allemands croient à l'astrologie.

## Le règne de « l'Égologie »

Le système de valeurs des Français d'aujourd'hui donne clairement la priorité aux aspirations de caractère personnel. Cette préséance du « je » sur le « nous » résume bien l'époque, car on la retrouve dans tous les aspects de la vie quotidienne. Chaque Français est de plus en plus conscient d'être unique. Il veut donc apparaître comme tel dans tous ses faits et gestes.

**Dans le travail,** il recherche une plus grande autonomie, en revendiquant par exemple des horaires personnalisés.

**En famille,** il se montre de plus en plus tel qu'il est au plus profond de lui-même. Fini le temps des maris-héros et des femmes-victimes. Les hommes et les femmes d'au-

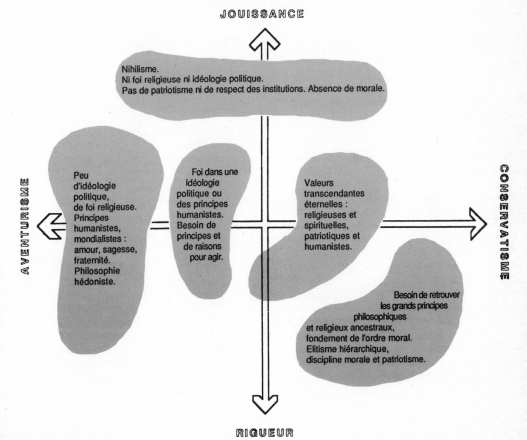

SORTEZ DU TROUPEAU, ROULEZ EN POLO.

Je roule en Polo et j'aime ça.. Volkswagen

Le temps des moutons est passé, vive l'individualité !

jourd'hui bousculent les stéréotypes. Cela se traduit par une redistribution des rôles à l'intérieur du couple et par un plus grand respect de la personnalité de chacun des membres de la cellule familiale.

**En société,** il fait preuve de plus de tolérance vis-à-vis des gens qui ne sont pas ou qui ne vivent pas comme lui, dans la mesure où leurs actions ne lui portent pas ombrage. Il s'éloigne de plus en plus des modèles, ne pouvant avoir par définition d'autre modèle que lui-même.

*La « règle du je »*

Cette « règle du je » s'énonce de plusieurs façons qui, toutes, dévoilent un aspect de son contenu : « chacun pour soi et tout pour tous » ;

**Les Styles de Vie et les Valeurs**

JOUISSANCE

Nihilisme.
Ni foi religieuse ni idéologie politique.
Pas de patriotisme ni de respect des institutions. Absence de morale.

AVENTURISME

Peu d'idéologie politique, de foi religieuse. Principes humanistes, mondialistes : amour, sagesse, fraternité. Philosophie hédoniste.

Foi dans une idéologie politique ou des principes humanistes. Besoin de principes et de raisons pour agir.

Valeurs transcendantes éternelles : religieuses et spirituelles, patriotiques et humanistes.

CONSERVATISME

Besoin de retrouver les grands principes philosophiques et religieux ancestraux, fondement de l'ordre moral. Elitisme hiérarchique, discipline morale et patriotisme.

RIGUEUR

Le Nouvel Observateur-TF1/Sofres (décembre 1985)

Pour lire la carte, voir la description des Styles de Vie en fin de volume.

« on ne vit qu'une fois » ; « après moi le déluge »... Après l'Écologie, qui connut la gloire pendant les années 70, voici venir l'**Égologie.** La ressemblance entre les deux mouvements ne s'arrête pas à celle des mots qui les qualifient. Ils se caractérisent tous deux par une volonté de retour à la nature. Mais c'est à la nature humaine que l'Égologie s'intéresse. Tout se passe comme si chaque individu, après avoir refoulé pendant des siècles certaines facettes de son être, avait récemment décidé de les libérer.

Mais ne nous y trompons pas. L'Égologie, que l'on pourrait décrire comme la science du moi, est bien autre chose que l'individualisme, mesquin et combinard, que l'on associe traditionnellement à la mentalité française. Il s'agit ici d'un individualisme noble, raisonné, presque philosophique, qui pose en principe que la personne est plus importante que le groupe, quelles que soient la taille et la composition de celui-ci.

Les manifestations de l'Egologie sont présentes dans tous les comportements de la vie des Français. Chaque fois que le choix se présente entre l'individuel et le collectif, les préférences s'expriment de plus en plus clairement. Souvent, le consommateur prend le pas sur le citoyen, le corporatisme défensif l'emporte sur le militantisme désintéressé ; comme parfois l'homme sur l'époux ou même la femme sur la mère...

---

### Le hit-parade des valeurs

Avez-vous plutôt confiance ou plutôt pas confiance dans les valeurs suivantes :

| | Plutôt confiance | Plutôt pas confiance | NSP | Écart 1985/1982 (*) |
|---|---|---|---|---|
| • Famille | 92 | 6 | 2 | + 4 |
| • Études | 85 | 10 | 5 | + 4 |
| • Travail | 84 | 12 | 4 | + 9 |
| • Progrès | 83 | 11 | 6 | + 4 |
| • Mariage | 74 | 17 | 9 | + 2 |
| • Avenir | 69 | 21 | 10 | + 9 |
| • Patrie | 67 | 20 | 13 | + 1 |
| • Religion | 52 | 31 | 17 | + 1 |
| • Idéal politique | 30 | 47 | 23 | – 3 |

(*) Sur le pourcentage de ceux qui font « plutôt confiance »

Le Nouvel Observateur-TF1/Sofres (décembre 1985)

# RÔLE DE LA FEMME

*L'image sociale de la femme a plus changé en vingt ans qu'au cours des vingt siècles précédents. Au foyer, au bureau, partout, les citadelles masculines tombent les unes après les autres. Les conséquences ne concernent pas seulement les femmes, mais la société tout entière.*

---

## La « nouvelle femme » a vingt ans

Le « système de valeurs » des Français est cet ensemble de références d'ordre moral qui détermine dans une large mesure leurs opinions et leurs comportements. La façon dont chacun perçoit les autres fait évidemment partie du système. En particulier, le regard que l'homme et la femme portent l'un sur l'autre conditionne la façon dont ils vivent ensemble. Les vingt dernières années ont marqué dans ce domaine un bouleversement profond. Historique.

La femme est au premier plan de la société.

*C'est encore la vague de l'individualisme qui explique l'émergence du féminisme.*

La revendication du droit de chacun à disposer de lui-même ne pouvait laisser les femmes indifférentes. Des siècles de dépendance leur avaient fait oublier qu'elles pouvaient un jour exister par elles-mêmes. Le moment venu, elles s'en sont souvenues et ont osé réclamer l'égalité et l'autonomie dont elles avaient été si longtemps privées. Tout en s'efforçant (avec un succès relatif dans les périodes les plus dures de la contestation) de sauvegarder les aspects essentiels de leur « différence ».

*Les femmes ne se contentent plus de la trilogie maison-mère-mari.*

Pendant des siècles, les « trois M » ont bien résumé la vie de la femme, qui partageait son temps entre les travaux de la maison, l'éducation des enfants et la satisfaction des besoins du mari, entre la cuisine et la chambre à coucher. La révolution féministe n'a pas totalement aboli cette triple fonction, mais elle l'a rendue plus acceptable.

*La plus grande conquête est celle de la contraception.*

L'évolution fulgurante de la condition féminine n'aurait pas été possible sans le développement de la contraception. Auparavant, la vie de la femme était rythmée par la succession des grossesses. C'est en devenant capable de maîtriser ce rythme qu'elle put commencer à conquérir son autonomie. Même si toutes les femmes ne sont pas concernées, cette victoire des unes a rejailli sur les autres. Dès lors que l'on pouvait « programmer » les périodes de maternité, tout devenait possible : l'espoir d'une vie professionnelle plus riche, celui d'un rôle social différent. Sans parler de la sexualité du couple, qui prenait une nouvelle dimension. Pour la première fois, la femme n'était plus déterminée par sa fonction de procréation. Elle devenait un être à part entière, capable de conduire sa vie hors des limites étroites que la nature (largement aidée par les hommes) lui avaient imposées. Une nouvelle ère commençait.

### Les grandes étapes de la conquête

1850 : admission des filles à l'école primaire
1880 : admission au lycée
1937 : garçons et filles suivent le même programme scolaire
1945 : obtention du droit de vote
1965 : suppression de la tutelle du mari
1967 : légalisation de la contraception
1970 : partage de l'autorité parentale
1975 : légalisation de l'IVG
1983 : remboursement de l'IVG par la Sécurité sociale. Loi sur l'égalité professionnelle
1985 : possibilité d'administrer conjointement les biens familiaux.

*Un nouveau partage des tâches s'installe dans le couple.*

Pour profiter vraiment de l'autonomie ainsi conquise, les femmes devaient encore trouver le temps nécessaire. Et donc partager avec leurs maris le fardeau des tâches quotidiennes. Certes, la répartition des rôles est encore loin d'être égalitaire. Mais les hommes mettent de plus en plus la main à la pâte, même si beaucoup restent réfractaires au repassage ou à la lessive.

C'est peut-être dans l'éducation des enfants que les mentalités ont le plus évolué. Les « papas poules » ne sont pas encore légion, mais beaucoup de jeunes pères ne se sentent plus « dévirilisés » lorsqu'ils changent bébé ou l'emmènent jouer au square.

## Nous entrerons dans la carrière...

L'autonomie, pour être réelle, doit être accompagnée de la sécurité financière. Avec le droit au travail, les femmes ont cherché d'abord à ne plus dépendre de l'argent de leur mari. Cela leur donnait un poids nouveau à l'intérieur du foyer, tout en leur apportant des garanties pour l'avenir ; au cas où... Mais la conquête féminine du travail poursuit aussi un objectif plus ambitieux : la possibilité pour les femmes de s'épanouir dans un métier intéressant.

L'idée de carrière, longtemps associée au travail masculin, devient aujourd'hui une notion asexuée.

*La vie professionnelle commence à l'école.*

Les femmes avaient longtemps considéré l'école comme le moyen d'acquérir un « vernis » suffisant pour discuter avec leur mari et ses relations de travail sans avoir l'air trop en retrait. Elles veulent aujourd'hui y apprendre un métier. Conscientes de l'enjeu, les femmes deviennent donc de redoutables concurrentes des hommes aux examens et concours. D'autant qu'elles travaillent souvent avec plus de détermination et obtiennent de meilleurs résultats qu'eux (au bac, par exemple). Les portes des « grandes écoles », qui leur étaient pour la plupart fermées, se sont ouvertes peu à peu. Entrouvertes plutôt pour certaines : on trouvait 7 % de filles à Polytechnique, dans la promotion 1981-82, mais 20 % à l'E.N.A., 43 % à H.E.C., 54 % à l'École nationale de la magistrature. Les derniers bastions de la misogynie scolaire tombent un par un.

*L'égalité professionnelle reste théorique.*
* *Les femmes représentent 28 % des effectifs de la formation continue, mais 43 % de la population active.*
* *Le taux de chômage des femmes est supérieur de moitié à celui des hommes : 12,6 % contre 8,5 %.*
* *64 % des chômeurs de longue durée sont des femmes.*

Il faudrait ajouter à cette liste l'inégalité des salaires versés, à poste égal, aux hommes et aux femmes ou le fait que les métiers accessibles aux femmes restent moins nombreux que ceux des hommes (même si l'on trouve aujourd'hui des femmes P.-D.G., pilotes de ligne, pompiers, militaires, ministres ou... soudeuses).

Bien qu'officiellement reconnue, l'égalité des sexes vis-à-vis du travail se heurte donc encore à de nombreux obstacles dans la réalité quotidienne. Toutes ces réserves ne doivent cependant pas faire oublier le chemin parcouru au cours de ces vingt dernières années. La loi sur l'égalité professionnelle de juin 1983, l'adoption en juillet 1982 du statut des femmes d'artisans et de commerçants (améliorant leurs conditions de retraite) constituent des étapes importantes. Leurs effets se traduiront pleinement dans une ou deux décennies, au fur et à mesure que s'accroîtra le niveau de formation, condition première de l'accès aux carrières de responsabilité.

## De la femme d'influence à la femme de pouvoir

L'importance sociale de la femme peut se mesurer de plusieurs façons. L'indicateur le plus classique était jusqu'ici sa contribution démographique. L'évolution en ce domaine n'est évidemment pas très favorable. La chute des naissances, amorcée il y a quelques années, s'est encore accélérée récemment. Mais l'importance de la femme se mesure aujourd'hui à bien d'autres choses qu'au nombre de ses enfants.

*Les femmes d'influence sont passées de l'alcôve à l'Assemblée nationale.*

Le bruit court depuis environ 2 000 ans que c'est la femme qui, contre toute apparence, détient le pouvoir. Les hommes, officiellement en charge des responsabilités suprêmes, prendraient leurs décisions à partir des conseils subtilement prodigués par leurs épouses ou leurs maîtresses. La « politique de l'oreiller » est-elle une réalité qui conditionne depuis des siècles l'évolution de nos sociétés ? Est-elle au contraire un mythe, inventé par l'homme pour maintenir chez elles les femmes qui auraient eu la mauvaise idée d'en sortir ? Il aurait fallu, pour le savoir, dissimuler des micros dans les chambres de Jules César, d'Alexandre ou de Napoléon. Force est, en tout cas, de constater que le rôle politique de la femme est aujourd'hui sorti de la clandestinité.

Des ministres, des députés, des sénateurs, des maires, des conseillers municipaux du sexe prétendu faible sont là pour le prouver, même si elles demeurent encore largement minoritaires.

Mais le pouvoir des femmes ne s'étend pas seulement à la politique. Les fils de la toile d'araignée féministe s'accrochent peu à peu à l'ensemble des secteurs de l'activité humaine. Les affaires, spécialité traditionnellement masculine, concernent aujourd'hui quelques femmes qui ont bien d'autres atouts que leur simple pouvoir de séduction. Les professions artistiques peuvent s'enorgueillir de compter dans leurs rangs des femmes de grand talent. La création deviendra-t-elle, comme la procréation, une spécialité féminine ?

Dernier vestige de la misogynie, le vocabulaire des métiers reste fondamentalement masculin. Mais une femme a réussi à franchir l'entrée (pourtant bien gardée) de l'Académie française. Elle pourra y participer aux séances du dictionnaire et y faire valoir un point de vue nouveau...

*Liberté – Égalité – Activité*

## Un nouveau rapport de forces

On ne compte plus aujourd'hui les places fortes masculines conquises par les femmes. Et, pourtant, que représentent deux décennies de militantisme face à 2 000 ans de soumission ? Les prochaines années risquent d'être rudes pour les hommes, même si le mouvement féministe cherche aujourd'hui un second souffle ! D'autant que, pour parvenir à leurs fins, les femmes ont repris à leur compte la technique qui avait si bien réussi aux hommes pendant des siècles : la culpabilisation. Afin de mieux enfermer leurs compagnes dans leur rôle maternel et ménager, les hommes leur avaient fait entrevoir les conséquences dramatiques d'une éventuelle désertion du foyer. Afin de mieux prendre le pouvoir, certaines femmes ont culpabilisé les hommes en les mettant en face des injustices qu'ils leur avaient fait subir.

*En conquérant le droit à l'égalité, les femmes risquent de perdre leur droit à la différence.*

Il en est du féminisme comme de tous les mouvements profonds qui transforment la société. Les revendications qui leur donnent naissance ont généralement un caractère extrémiste marqué qui, résolvant quelques problèmes de fond, finit par en poser d'autres.

La contrepartie des victoires féminines de ces dernières années est la crainte, de plus en plus apparente, d'avoir été trop loin dans l'égalitarisme, et de perdre dans les rapports quotidiens la spécificité (et donc la complémentarité) des deux sexes. Ces risques sont de plus en plus nombreux. Des femmes qui ont « investi » dans leur vie professionnelle se retrouvent P.-D.G., mais célibataires ; d'autres, à force de vouloir ressembler aux hommes, ont fini par les éloigner. La littérature féminine de ces deux dernières années est pleine de ces histoires un peu tristes de femmes « libérées » qui regrettent un peu le temps de la « prison »...

### Le féminisme cherche un second souffle

« Être une femme libérée, tu sais, c'est pas si facile. » Si la chanson de Cookie Dingler fut le « tube » de l'été 84, c'est sans doute en partie parce qu'elle traduisait bien l'inquiétude de nombreuses femmes, au lendemain des victoires du féminisme.

Il semble en effet que les héroïnes de la lutte contre les monopoles du sexe opposé sont quelque peu fatiguées. Certaines d'entre elles, après avoir goûté à la vie professionnelle se préfèrent encore en femmes au foyer. D'autres s'inquiètent de la passivité nouvelle des hommes, finalement satisfaits de partager leurs responsabilités et leurs soucis avec leurs compagnes. La littérature de ces dernières années est pleine de ces récits de féministes reconverties dans des rôles plus traditionnels, des « Jupes-culottes » de Françoise Dorin (Flammarion) à « Une femme amoureuse » d'Annick Geille (Grasset) en passant par « Comme tu veux, mon chéri » de Danièle Granet et Catherine Lamour (Grasset) ou « Côté cœur, c'est pas le pied » de Martine Bourillon (Grasset). Un sondage *Elle*/Ifop réalisé en juillet 1985 montrait que 45 % des femmes pensent que « en croyant obtenir des libertés, les femmes ont fait un marché de dupes ». Entre la « superfemme » des années 80 et la « bobonne » d'antan, la femme actuelle se cherche. Et avec elle, son mari ou son concubin.

Alors, comme il se doit, le balancier amorce un mouvement de sens contraire. Les femmes ne se battent plus pour l'égalité en général, mais pour un compromis acceptable au sein du couple. La femme fatale, bannie par les féministes des années 70, refait son apparition au cinéma et dans la publicité. Les magazines redécouvrent la femme traditionnelle : *Prima* tire à plus d'un million d'exemplaires, suivi bientôt de *Femme actuelle* (chez le même éditeur), *7 Jours Madame*, tandis que *Femme* (ex-*F Magazine*), *Cosmopolitan*, *Biba* ou *Elle* reviennent à des conceptions moins militantes de la condition féminine.

Le féminisme pur et dur a donc vécu. Force est de constater qu'il aura fait largement progresser la condition de la femme.

Quant aux hommes, beaucoup sont encore sous le coup des profondes mutations qui se sont déroulées sous leurs yeux. Occupés à reconnaître une nouvelle identité à la femme, ils ne se sont pas rendu compte qu'ils risquaient de perdre la leur. Pris entre le souci de rester virils et celui d'être modernes, certains n'ont pas encore réussi à trouver le bon équilibre. Après la « nouvelle femme », ce pourrait être au « nouvel homme » d'occuper le devant de la scène.

F.C.A.

# Yoplait Nature. Je passe au doux !

Nature
Yoplait

Yoplait

Bravo la petite fleur !

Le « macho » n'est plus à la mode.

# BONHEUR

*Malgré la crise et ses conséquences quotidiennes, les Français se disent heureux. Mais leur bonheur est d'autant plus éclatant qu'il est fragile. On est heureux aujourd'hui lorsqu'on a le sentiment d'être « passé entre les gouttes ». Mais on craint de ne plus l'être demain, si l'orage se transforme en ouragan.*

## Heu-reux !

Inconscience, goût du paradoxe ? Les baromètres qui mesurent l'indice de satisfaction des Français (leur « moral ») n'ont jamais été aussi hauts (encadré). Surprenant ! Alors que les journaux sont pleins de la guerre, de la crise économique, des mutations technologiques,

---

### 85 % des Français sont heureux

La crise, quelle crise ? 85 % des Français se déclarent heureux. Un nombre élevé, et qui reste pratiquement constant dans le temps (89 % en 1973). Si l'on note peu d'écart entre les réponses des hommes et des femmes, les jeunes semblent plus satisfaits que les moins jeunes : 91 % chez les 15-20 ans ; 82 % chez les 50-64 ans ; 77 % chez les 65 ans et plus.
Les principales raisons de ce bonheur sont, par ordre décroissant (au moins 10 % des réponses) : la famille, les amis, la santé, le logement, les loisirs, l'environnement (quartier, ville ou village), le travail. Les principaux obstacles sont, par ordre décroissant (au moins 10 %) : la santé, le climat, le travail, l'absence de qualités naturelles de la région, l'environnement.

Pèlerin Magazine/Sofres (octobre 1985)

---

des tensions internationales, les Français nageraient dans le bonheur ? Heureux, oui, mais inquiets. Inquiets pour leur avenir à court terme et pour celui de leur entourage familial.

Chômage, guerre, diminution du pouvoir d'achat, les démons des années 80 sont là, bien présents dans l'esprit de chacun. Et c'est paradoxalement cette inquiétude, ce poids sur l'estomac, qui explique le bonheur des Français. Comme si chaque instant de calme gagné sur des lendemains incertains prenait une saveur particulière. « Vivez, si m'en croyez, n'attendez à demain... » Telle est la devise de ceux qui, ayant échappé aux grands maux dont tout le monde parle, redoutent d'en être bientôt atteints. Les Français sont heureux aujourd'hui, mais ils craignent de l'être moins demain.

*La crise existe, mais peu de Français l'ont vraiment rencontrée.*

Bien sûr, il y a le chômage. Un travailleur sur dix est aujourd'hui sans emploi. Mais ce ne sont pas toujours les mêmes dix pour cent qui pointent à l'A.N.P.E. Certains d'entre eux ne seraient même pas mécontents, paraît-il, de s'accorder une année sabbatique aux frais de l'État ! La baisse du pouvoir d'achat ? Elle touche en priorité les plus aisés, et elle a été jusqu'ici moins forte que dans les autres pays occidentaux. Alors, un pour cent de plus ou de moins, au-delà du principe, est-ce vraiment si important ? Pas assez, semble-t-il, pour remettre en cause le confort et les modes de vie dans leurs grandes lignes. Surtout si l'on tient

compte du facteur de régulation considérable qu'est l'économie parallèle (autoproduction, travail au noir, etc.). La guerre ? Jusqu'ici, elle affecte les autres. Et son spectre, maintenant bien installé dans l'opinion publique, fait d'autant plus apprécier le moment présent.

Il faut donc se rendre à l'évidence. La crise existe dans les journaux, dans les conversations du café du commerce, et... chez le voisin.

*Des îlots de bonheur,*
*dans un océan de difficultés...*

Les Français ont le sentiment d'être favorisés par rapport aux autres. On se dit alors que les médias, en montrant quotidiennement les difficultés de vivre dans la société actuelle, ont beaucoup fait pour le bonheur du plus grand nombre ! Le bonheur, aujourd'hui, c'est en effet de ne pas souffrir des problèmes dont les autres sont affectés. On est donc heureux par différence. On l'est également parce qu'on n'est pas sûr de l'être encore demain. Les Français savourent avec délices un bonheur dont ils pensent les autres privés et dont ils ne savent pas combien de temps il durera. Pour ne pas dire un jour comme Radiguet : « Bonheur, je ne t'ai reconnu qu'au bruit que tu fis en partant. »

## Les nouveaux ingrédients du bonheur

Les Français ne sont pas seulement heureux parce qu'ils ont l'impression que les autres ne le sont pas (ci-dessus). Quelques raisons objectives justifient ce bonheur de vivre. La famille est pour eux la plus grande source de satisfaction. Le logement, qui en est le cocon, est généralement apprécié des Français. Il faut dire que, dans ce domaine, des progrès considérables ont été accomplis en dix ans. Là encore, la situation de chacun semble être meilleure que celle de tous. Pour une raison sans doute analogue, le travail est aussi une source de satisfaction. Le fait d'en avoir un, dans une époque où il est inégalement réparti, représente en soi un privilège dont beaucoup de Français sont conscients.

Béilier

**DES TARIFS A S'ENVOLER**
JEUNES / FAMILLES / 3ÈME AGE

**AIR INTER**

Le bonheur, c'est souvent l'image de la famille.

## L'argent ne fait-il plus le bonheur ?

Environ 60 % des Français considèrent qu'ils disposent d'un revenu suffisant pour vivre. Opinion évidemment très subjective. Le minimum vital que réclame l'avocat est sans doute plus élevé que celui qui paraît nécessaire à l'employé de bureau ou au manœuvre. Ainsi, les cadres supérieurs ne sont pas beaucoup plus nombreux que les artisans ou les employés à être satisfaits de leurs revenus. Il est significatif qu'une majorité de Français considère que les revenus devraient être liés aux besoins individuels plutôt qu'à ce que chacun apporte à la société. Entre la « méritocratie » et l'égalitarisme, existe-t-il une troisième voie, compatible avec le souci de « recentrage » de bien des Français ? Une question rendue plus aiguë par la crise.

Pour beaucoup, c'est à l'État d'organiser la création de richesses et de les redistribuer d'une « juste » façon. Mais l'affaire se complique s'il faut prendre en compte les besoins de chacun...

Aujourd'hui, le désir de gagner plus d'argent est en progression. Mais l'arbitrage entre temps de travail et rémunération n'est pas uniforme. À partir d'un certain niveau de vie, c'est bien le temps qui l'emporte sur l'argent.

## Le bonheur est-il à nouveau dans le pré ?

Le cadre de vie joue un rôle souvent essentiel dans la satisfaction de vivre. Après la vague du « retour à la nature » des années 70, le « bonheur des villes » avait concurrencé le « bonheur des champs ». Beaucoup de Français veulent aujourd'hui concilier les avantages de la ville (emplois, loisirs, commerces, etc.) avec ceux de la campagne (calme, verdure, convivialité, espace). C'est ce qui explique les mouvements de « péri-urbanisation » (déplacement vers les banlieues des grandes villes) ou même de « rurbanisation » (déplacement vers des zones privilégiées à la campagne) mis en évidence par le recensement de 1982. Il n'en sera peut-être pas de même demain, pour des raisons aussi bien sociales qu'économiques. Les temps de transport tendent à augmenter, tandis que les emplois restent le plus souvent centralisés.

### An 2000 : tous à la campagne

Lorsqu'on les interroge sur l'endroit où ils souhaiteraient habiter à la fin du siècle, les Français désignent en majorité la campagne (52 %) et les villes moyennes (34 %). Les grandes villes ne recueillent que 11 % des suffrages, sauf chez les jeunes et les cadres supérieurs, plus attirés par les grandes agglomérations.

Des raisons de cette préférence apparaissent dans les réponses à d'autres questions posées dans le même sondage. 58 % des personnes interrogées pensent que « la pollution des villes sera aussi ou plus importante qu'aujourd'hui » en l'an 2000. De plus, les Français recherchent en priorité le calme et l'espace dans leur logement idéal. Des qualités plus difficiles à trouver dans les villes.

## Quand bonheur rime avec peur

Côté pile, c'est le bonheur. Mais, côté face, c'est plutôt l'angoisse ! Chaque médaille a son revers : les Français craignent que celle du bonheur national ne se retourne brutalement.

Leur bonheur est, on l'a vu, surtout individuel. Il n'est donc pas étonnant que leurs craintes le soient aussi en priorité. L'angoisse qui les étreint est de nature éminemment concrète. Pas de préoccupation métaphysique quand le quotidien n'est pas garanti !

### Le hit-parade de la crainte

**Quel est, parmi les 7 problèmes suivants, celui qui vous préoccupe le plus personnellement ?**

| | |
|---|---|
| • La violence, l'insécurité dans la rue | 64 % |
| • La paix et la situation internationale | 55 % |
| • La hausse des prix | 53 % |
| • Le niveau de vos revenus | 43 % |
| • Le montant de vos impôts | 24 % |
| • Le climat social dans votre entreprise | 8 % |

Total supérieur à 100 en raison des réponses multiples

*La peur pour l'emploi domine.*

Elle est suspendue au-dessus de chaque tête, épée de Damoclès forgée par dix années de

La Croix/Antenne 2/Louis Harris

crise. Avec le premier choc pétrolier arrivait le premier million de chômeurs. On pensait avoir connu le pire avec le second million. Et puis, à force de faire de l'équilibre sur la « crête des deux millions », l'économie s'est fatiguée. La crainte d'un redémarrage du chômage, peu sensible en 83, est entrée dans les esprits en 84. Elle est aussi entrée dans les faits. Malgré les manifestations syndicales, malgré les paroles d'apaisement des discours officiels, les Français savent aujourd'hui que la restructuration de l'industrie sera rude. Même si elle est nécessaire.

*L'économie est le principal épouvantail.*

Les autres raisons de l'angoisse des Français sont, pour la plupart, liées aux difficultés économiques. Longtemps fermés aux grandes démonstrations chiffrées, les Français vibrent aujourd'hui à l'annonce des indices qui leur sont distillés quotidiennement par les médias. Hausse des prix, déficit du commerce extérieur, cours du dollar, dette extérieure de la France n'ont plus, ou presque, de secret pour eux.

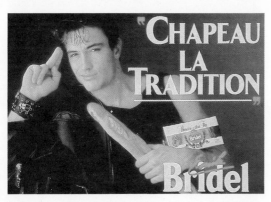

Quand l'avenir est incertain, on se tourne vers le passé.

*La peur collective*
*renforce les craintes individuelles.*

Après moi... le déluge. La formule résume assez bien le comportement des Français dans leur vie quotidienne. Elle ne les empêche pas, cependant, de redouter l'avenir tel qu'il se présente à l'ensemble de la collectivité. La peur du déluge, c'est de plus en plus celle de la guerre. Mais, pour la première fois dans l'histoire, il s'agit de la guerre nucléaire, qui dépasse dans les esprits toutes les horreurs (pourtant nombreuses) de toutes les autres guerres. Une véritable psychose s'est donc installée, ouvrant

### Demain l'angoisse

Pensez-vous que vos conditions de vie vont s'améliorer ou se détériorer au cours des 5 prochaines années ?

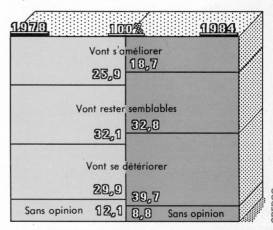

| 1978 | 100% | 1984 |
|---|---|---|
| Vont s'améliorer | | |
| 25,9 | 18,7 | |
| Vont rester semblables | | |
| 32,1 | 32,8 | |
| Vont se détériorer | | |
| 29,9 | 39,7 | |
| Sans opinion 12,1 | 8,8 | Sans opinion |

CREDOC

la porte à de nouveaux comportements. Plus rien, désormais, ne sera comme avant. Tant que les armements, à l'Est comme à l'Ouest, n'auront pas été détruits jusqu'au dernier, les hommes et les femmes ne dormiront plus de la même façon. Leur vision de la vie, de la mort, de la société s'en trouvera transformée. Les Français, comme tant d'autres, sont entrés de plain-pied dans la « civilisation du nucléaire ». Il leur faudra sans doute l'assumer pendant longtemps comme une menace permanente sur le destin du monde.

## Le bonheur des autres

Y a-t-il des pays heureux et des pays malheureux ? La capacité d'une nation à offrir le bonheur à ses citoyens est-elle mesurable ? Difficile d'imaginer une sorte de B.N.B. (Bonheur National Brut) qui, comme le P.N.B., permettrait de comparer les différents pays. Sans tomber dans cet excès, des moyens existent pour comparer la satisfaction des habitants de différents pays.

---

### Le bonheur de l'Europe

**Dans l'ensemble, êtes-vous satisfait de la vie que vous menez ?** (en octobre 1985)

Indice (*)
- Belgique                    2,95
- Danemark                    3,51
- Allemagne fédérale          2,91
- France                      2,71
- Irlande                     3,04
- Italie                      2,62
- Luxembourg                  3,31
- Pays-Bas                    3,25
- Grande-Bretagne             3,11
- Grèce                       2,54
- Espagne                     2,87
- Portugal                    2,43

(*) Très satisfait : 4, pas du tout satisfait : 1, valeur centrale : 2,5.

*Euro-Baromètre*

L'Euro-Baromètre, entre autres études, mesure régulièrement le degré de satisfaction des habitants des pays de la CEE à l'égard de la vie en général. Les résultats sont intéressants. Ils font apparaître des écarts importants entre les « pays heureux », qui sont plutôt ceux du Nord (Danemark, Pays-Bas, Irlande) et les autres, avec en queue de peloton les pays méditerranéens (France, Italie, Grèce).

Mais la sensation du bonheur n'est pas une donnée immuable. Elle peut varier de façon significative au fil des années. C'est le cas en particulier en Belgique, où le pourcentage de « très satisfaits » de la vie est passé de 46 % en 1978 à 18 % en 1983. En France, le niveau est resté stable (et bas) aux alentours de 15 % pendant la période. Aucune explication satisfaisante n'est donnée à la chute spectaculaire enregistrée en Belgique. Les difficultés économiques, souvent mises en avant pour expliquer le bonheur ou le malheur des gens, n'y ont pas été plus sévères que dans d'autres pays européens comme la Grande-Bretagne, l'Irlande ou la France.

*Il existe un bonheur d'être Français.*

Les enquêtes, baromètres et sondages effectués périodiquement à l'échelon international donnent généralement des résultats très favorables à la France, vue par les autres pays. Les Français ne sont pas toujours conscients de l'attirance qu'exerce leur pays sur beaucoup d'étrangers, témoin ce dicton allemand qui dit d'un homme comblé qu'il est « heureux comme Dieu en France ».

D'une manière générale, il semble que la sensation de bonheur, à l'échelon individuel ou collectif, varie dans le même sens que plusieurs facteurs d'ordre subjectif (la confiance à l'égard d'autrui) ou objectif (le niveau de revenu, la prospérité économique nationale, le niveau de sécurité physique). Il semble également que le bonheur ait besoin, pour se maintenir, d'une amélioration continue de ces facteurs favorables. C'est ce que le bon sens populaire appelle ne jamais être satisfait de son sort, en vouloir toujours plus. La courbe du bonheur semble donc s'inverser en même temps que celle de la croissance économique.

Les valeurs

## En vrac

⑤ 6 % des Français ont déjà fait faire leur thème astral.

⑤ Il y aurait à Paris plus de 5 000 voyants, cartoman-ciennes, etc., payant des impôts à ce titre.

⑤ L'approche de l'an 2000 inquiète 53 % des femmes, contre 25 % des hommes.

⑤ 64 % des Français pensent que les symboles natio-naux (drapeau, Marseillaise, 14-Juillet, etc.) conserve-ront leur valeur en l'an 2000.

⑤ Si la France était menacée par un autre pays ? 50 % des Français déclarent qu'il faudrait tout faire pour préserver la paix, même si le territoire national devait être envahi. 35 % pensent qu'il faudrait faire la guerre pour préserver à tout prix sa liberté.

⑤ 87 % des Français sont favorables aux offices œ-cuméniques (catholiques et protestants).

⑤ 63 % des prêtres trouvent normal d'exercer un métier (30 % « anormal »). 64 % sont opposés au mariage des prêtres, 29 % y sont favorables. 53 % sont plutôt opposés à ce que des femmes deviennent prêtres, 36 % plutôt favorables.

⑤ Les préoccupations actuelles des Français sont, par ordre décroissant : le chômage, la faim dans le monde, l'insécurité dans les villes, les atteintes aux droits de l'homme, les menaces de guerre, l'inflation.
Parmi les différentes spécialités divinatoires, c'est en astrologie que les Français ont le plus confiance (43 %). Viennent ensuite les lignes de la main (chiromancie) pour 12 % des personnes interrogées, puis la cartomancie (8 %), la transe médiumnique (3 %) et la géomancie (marc de café...) pour 1 %. Pour 44 % des Français, la voyance est un don. Elle est une supercherie pour 36 % et une science pour 8 % (12 % sans opinion).

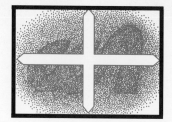

# Les Styles de Vie et l'Individu

## SOLITAIRES PLUS QUE SOLIDAIRES

*Les Français se sentent de moins en moins concernés par les formes collectives d'enracinement : patrie, religion, politique, etc. Ils préfèrent mobiliser leur énergie au service de leur propre cause. Ils s'inventent des formes d'attachement plus personnelles, qui s'expriment par les modes de vie. Jamais la France n'a été aussi individualiste.*

### La personne plus importante que le groupe

La façon de vivre des Français fut pendant très longtemps conditionnée par leur attachement à des valeurs acquises dès la naissance et rarement mises en question. Le sens de la patrie, la pratique religieuse, l'enracinement culturel à l'histoire, à la région, à la nation constituaient le cadre général à l'intérieur duquel se déroulait la vie. Tous ces grands sentiments d'appartenance à un pays, une religion, une culture, une classe sociale sont aujourd'hui en déclin. Il s'ensuit une déstabilisation mentale qui se traduit par un néoconservatisme semblable à celui qui s'est développé aux États-Unis.

Les raisons de cette rupture du cordon ombilical sont sans doute multiples. Logique de la civilisation matérialiste qui tend à remplacer les formes d'attachement quasi mystiques par la recherche de satisfactions plus tangibles. Doute grandissant vis-à-vis d'un monde où la guerre, la faim, la violation des droits de l'homme sont plus courantes que la paix, la solidarité et la démocratie. Possibilité, entrevue pour la première fois, de maîtriser personnellement son destin, sans recourir aux forces institutionnelles ou spirituelles.

Élevés dans l'idée que les intérêts particuliers doivent s'effacer devant l'intérêt général, beaucoup de Français n'en sont plus aujourd'hui aussi convaincus. Partant du principe qu'on ne vit qu'une fois, ils souhaitent que cette vie soit heureuse et conforme à leur personnalité profonde. D'où le refus croissant de toute contrainte, qu'elle soit imposée par l'État, la religion, le travail ou la famille.

Alors, les énergies individuelles, jusqu'ici au service des grandes causes, se mobilisent aujourd'hui pour que triomphe le « moi ».

### Les classes sociales sont mortes, vive les Styles de Vie !

Ainsi donc, les Français cherchent à exprimer leurs aspirations les plus profondes de façon individuelle. Mais on retrouve dans cette expression les caractéristiques des Mentalités et des Socio-Styles auxquels ils appartiennent. Ce n'est d'ailleurs pas par hasard si la diversité des personnalités s'exprime, au total, d'un nombre limité de façons. Privés de leurs enracinements traditionnels, qui étaient autant de guides commodes (bien que souvent contraignants), les individus s'efforcent inconsciemment d'en inventer d'autres. Si les modèles anciens étaient lourds à porter, l'absence totale de modèles est plus effrayante encore. C'est pourquoi les nouveaux comportements se sont vite organisés en quelques groupes informels mais cohérents.

Pour remplacer les anciennes références, les Français sont donc en train de se créer de nouveaux ports d'attache. Ces nouvelles appartenances se décrivent beaucoup mieux en termes de modes de vie et de pensée qu'en termes d'adhésion à une classe sociale, un mouvement politique ou religieux.

## Chacun pour soi... et tout pour tous

Tel pourrait être, en caricaturant un peu, le cri de ralliement des Français d'aujourd'hui. Un « chacun pour soi » vécu différemment par

les cinq Mentalités : chacun pour sa famille, chez les Matérialistes ; chacun pour son groupe et sa corporation, chez les Égocentrés ; chacun pour sa carrière ou son objectif social, chez les Activistes ; chacun pour son aventure personnelle, chez les Décalés ; chacun pour son idéal élitiste, chez les Rigoristes. La société française de la fin des années 80 n'est plus un corps organisé, structuré, mais une juxtaposition de groupes sociaux plus ou moins étrangers les uns aux autres. Chacun a le sentiment que la « macro-société » ne constitue plus un système de référence satisfaisant et se réfugie dans une « micro-société » plus proche de ses aspirations personnelles.

Le résultat est que l'on trouve aujourd'hui plus d'individualisme que de solidarité sur la

## La carte des individualismes

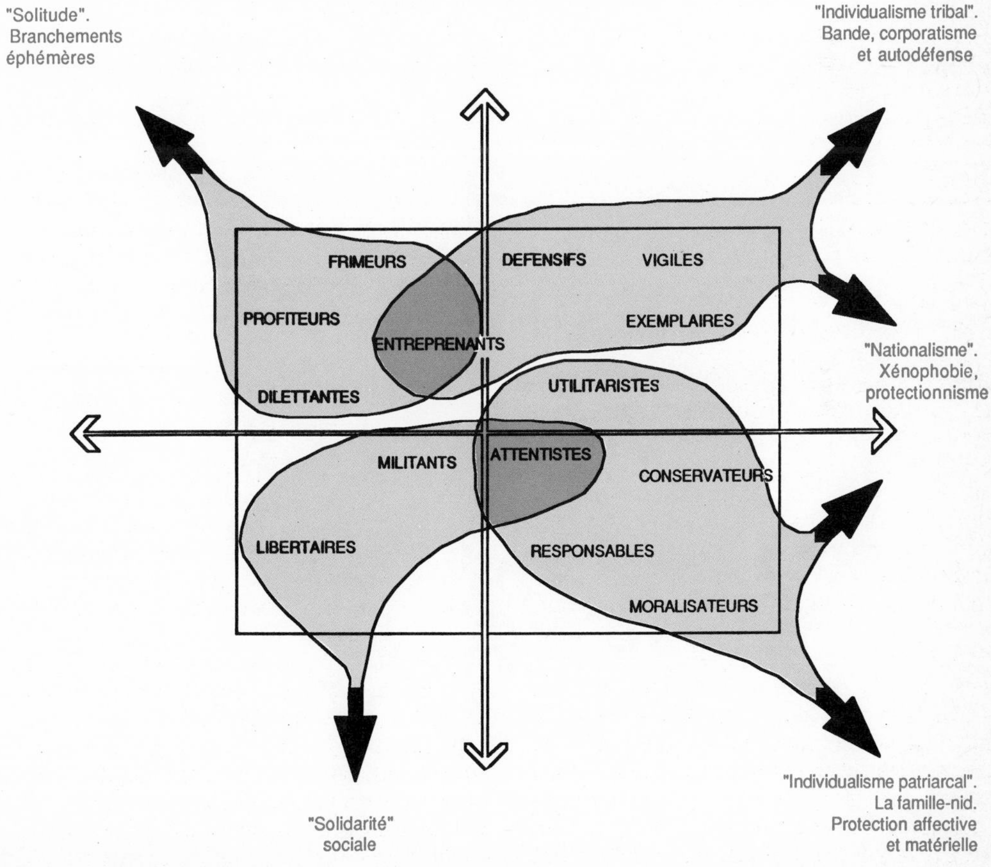

"Solitude".
Branchements
éphémères

"Individualisme tribal".
Bande, corporatisme
et autodéfense

FRIMEURS    DEFENSIFS    VIGILES

PROFITEURS    EXEMPLAIRES

ENTREPRENANTS

DILETTANTES    UTILITARISTES

"Nationalisme".
Xénophobie,
protectionnisme

MILITANTS    ATTENTISTES

CONSERVATEURS

LIBERTAIRES    RESPONSABLES

MORALISATEURS

"Individualisme patriarcal".
La famille-nid.
Protection affective
et matérielle

"Solidarité"
sociale

Pour lire la carte, voir la présentation des Styles de vie à la fin du livre.

carte sociale de la France. Individualisme patriarcal, centré sur la famille au Sud-Est de la carte. Individualisme tribal, centré sur un groupe élargi aux amis et relations au Nord-Est. Solitude des « citoyens du monde et de nulle part » au Nord-Ouest.

La solidarité, dans sa forme la plus traditionnelle, se situe seulement au Sud-Ouest, chez les Libertaires, Militants où elle est combat et dialectique sociale, et chez les Attentistes où elle s'exprime plutôt par la volonté de consensus, et le sentiment d'être « tous dans le même bateau ». À l'Est, la solidarité se teinte de nationalisme, voire de xénophobie, voire même dans certains cas de racisme.

# 2
# LA FAMILLE

# Le baromètre de la famille

*Les pourcentages donnés représentent le cumul des réponses positives aux affirmations proposées.*

« La famille est le seul endroit
où l'on se sente bien et détendu. »

| 81 | 82 | 83 | 84 | 85 |
|----|----|----|----|----|
| 64 % | 61 % | 63 % | 63 % | 63 % |

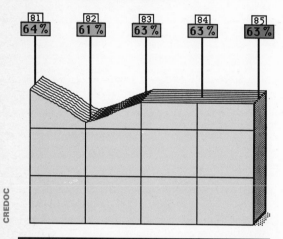

« Contre le mariage. »

| 81 | 82 | 83 | 84 | 85 |
|----|----|----|----|----|
| 16 % | 17 % | 15 % | 14 % | 18 % |

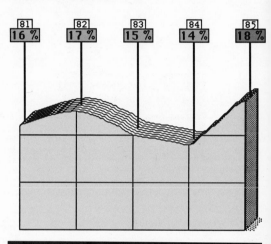

« Il faut encourager la natalité. »

| 81 | 82 | 83 | 84 | 85 |
|----|----|----|----|----|
| 36 % | 33 % | 33 % | 40 % | 42 % |

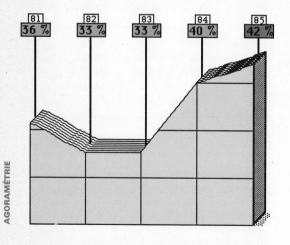

« Il faut défendre le consommateur. »

| 81 | 82 | 83 | 84 | 85 |
|----|----|----|----|----|
| 58 % | 58 % | 55 % | 57 % | 61 % |

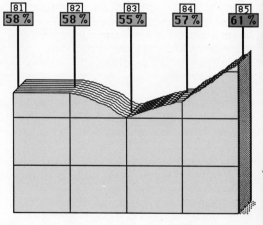

CREDOC

AGORAMÉTRIE

# Le Couple

## MARIAGE

*La diminution du nombre des mariages, l'augmentation de celui des divorces font craindre à beaucoup la mort du couple. Pourtant, si l'on est plus instable aujourd'hui qu'hier, c'est parce que l'on demande plus à la vie à deux. Les nouveaux couples veulent toujours être heureux ensemble. Mais ils veulent aussi l'être séparément...*

### Au revoir, M'sieur le Maire

La force des institutions, c'est qu'elles reposent sur une longue tradition et représentent donc des points de repère dans les périodes de stabilité. Mais cette caractéristique devient faiblesse dans les périodes troublées, lorsqu'on s'aperçoit qu'elles ne sont plus adaptées à la situation sociale qui évolue plus vite.

Le mariage, qui est l'une des plus vieilles institutions, n'échappe pas à cette règle.

*En 10 ans, le nombre annuel des mariages a diminué de plus de 100 000.*
*• 273 000 mariages en 1985 contre 417 000 en 1972.*
*• 11,8 nouveaux mariés pour 1 000 habitants contre 19,4 en 1950.*

L'arrivée à l'âge du mariage des générations de l'après-guerre avait fait croître le nombre des unions, en particulier depuis 1963. On constate, depuis 1973, une baisse régulière des mariages, bien que le nombre des « mariables » reste stable. Et les cloches des églises sont de plus en plus discrètes le samedi après-midi. La diminution des mariages religieux n'explique pas tout.

Pourquoi cette désaffection croissante pour le mariage ? Est-ce parce que les jeunes refusent les responsabilités et cherchent la facilité ? Rien n'est moins sûr. Si le mariage est en cause, c'est au contraire parce qu'on attend plus de lui que par le passé. Et qu'il ne permet pas, dans sa forme traditionnelle, de répondre à ces attentes nouvelles.

*Chacun des partenaires veut pouvoir « vivre sa vie ».*

La montée de l'individualisme ne pouvait pas épargner les relations au sein du couple. Chacun des partenaires veut aujourd'hui s'épanouir sans contrainte. La femme, en parti-

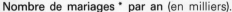

### 20 ans de mariages

Nombre de mariages * par an (en milliers).

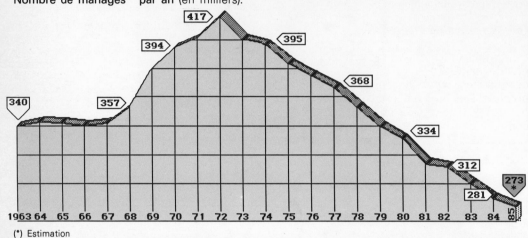

I.N.S.E.E.

(*) Estimation

culier, s'était contentée pendant des siècles de sa condition de mère et d'épouse (ou l'avait subie), vivant une vie sociale « par procuration ». Elle veut aujourd'hui profiter de sa liberté nouvelle, durement gagnée. De son côté, l'homme n'accepte pas de renoncer à ses activités et habitudes de célibataire, quand elles lui paraissent enrichissantes. La réussite d'un tel équilibre entre la vie personnelle et la vie du couple n'est pas facile à réaliser. C'est pourquoi la décision du mariage est plus difficile à prendre. C'est pourquoi aussi les constats de son échec sont plus nombreux.

*À leur mariage, les époux des années 80 ont encore 50 ans à vivre.*
*• Au XVIIIᵉ siècle,*
*la durée moyenne d'un couple était de 17 ans ; elle est, aujourd'hui, de 47 ans.*

L'allongement considérable de la durée de vie fait que les couples qui se marient aujourd'hui s'engagent en moyenne pour un demi-siècle de vie commune ! Un temps considérable, pendant lequel le pire peut souvent succéder au meilleur !

Cette perspective fait sans doute reculer certains, à la veille de la grande décision. Elle explique aussi la plus grande mobilité conjugale que l'on observe actuellement. Si certains

trouvent déjà qu'il est difficile en soi de préserver sa propre identité au sein du couple, il leur paraît encore plus difficile d'y parvenir pendant 50 ans. La société bouge, les individus aussi. Même les présidents de la République, élus pour 7 ans, considèrent que la durée de leur « mariage » avec la France ne devrait pas excéder 5 ans ! Ira-t-on un jour vers un mariage renouvelable par tacite reconduction ?

## Le changement et la continuité

Si l'on se marie moins, on se marie à peu près toujours de la même façon. Et ce qui change (moins de cérémonie, moins de mariages religieux) ne doit pas faire oublier ce qui demeure (l'âge, la proximité sociale des conjoints).

*On se marie aujourd'hui*
*au même âge qu'au XVIIIᵉ siècle.*
*• À 18 ans, 10 % des femmes sont mariées, contre 1 % seulement des hommes.*
*• 76 % des mariages ont lieu entre 20 et 30 ans.*

En deux siècles, les choses ont peu changé ! Les femmes (plus mûres ou plus pressées ?) se marient en moyenne deux ans plus tôt que les hommes (24 ans contre 26). Après avoir baissé de deux ans en deux siècles, l'âge moyen au mariage tend cependant à augmenter à nouveau depuis quelques années.

### Qui se ressemble s'assemble.

Le vieux dicton n'est pas démodé. Dans la grande majorité des cas, les jeunes mariés ont des caractéristiques personnelles et familiales proches : âge, niveau d'instruction, profession, lieu de résidence, etc. Le milieu social d'origine conserve une importance particulière.

### Dis-moi ce que fait ton père, je te dirai si je t'épouse...

Les statisticiens mesurent la propension des individus à se marier « entre eux » à l'aide du coefficient d'homogamie. Il est par exemple de 10,1 pour les professions libérales. Cela signifie que le nombre de couples dans lesquels le mari et le père de la femme exercent tous deux une profession libérale est 10,1 fois plus grand que si les couples se formaient purement par hasard. Le coefficient est de 9 pour les gros commerçants, de 8,4 pour les industriels, de 5,9 pour les professeurs. Il est de 11,6 pour les artistes et... de 20,7 pour les mineurs.

Les catégories sociales les plus « fermées » sont les catégories non salariées : professions libérales, gros commerçants, industriels, artistes, agriculteurs. On s'y marie entre gens du même monde.

À l'opposé, certaines catégories se mélangent plus volontiers. Ainsi, les enfants de techniciens, employés de bureau ou de commerce épousent parfois des représentant(e)s d'autres catégories. Le désir d'évolution sociale est plus ou moins fort selon les groupes sociaux. Les fils de contremaîtres épousent plutôt les filles d'entrepreneurs ou de commerçants que celles de contremaîtres ou d'ouvriers. Les fils de cadres moyens épousent des filles de cadres supérieurs, tandis que les jeunes cadres supérieurs trouvent un charme particulier aux filles des membres des professions libérales. Il semble également que les interdits familiaux ou sociaux soient en régression : se marier avec quelqu'un de la même race n'apparaît souhaitable qu'à un Français

sur deux, du même pays qu'à un Français sur cinq, du même milieu social qu'à un Français sur trois.

### De nouvelles conceptions

Attachez-vous de l'importance aux points suivants ? :

| | Ensemble des Français (1) | | | Jeunes filles (15-20 ans) | | |
|---|---|---|---|---|---|---|
| | Oui | Non | NSP | Oui | Non | NSP |
| • Se marier | 62 | 33 | 5 | 52 | 45 | 3 |
| • Se marier à l'église | 52 | 41 | 7 | 54 | 43 | 3 |
| • Arriver vierge au mariage | 24 | 63 | 13 | 18 | 76 | 6 |

(1) La question était : « Si vous aviez une fille, attacheriez-vous de l'importance aux points suivants ? »

*Madame Figaro/Sofres (mai 1985)*

*Le mariage est de plus en plus « dédramatisé » et « désacralisé ».*
*• Aujourd'hui, 64 % des mariages sont célébrés à l'église.*
*• Il y en avait 78 % il y a 20 ans.*

La conception du mariage évolue. Si, pour un nombre croissant de Français, elle consiste... à ne pas se marier, l'institution garde encore des adeptes. Mais la tendance est à sa dédramatisation. Comme si l'on hésitait à lui donner un caractère solennel et définitif. Impression confirmée par la désacralisation croissante du mariage.

*L'époque « grande pompe et petits fours » n'est pourtant pas révolue.*

Les mariages d'antan réunissaient pendant trois jours famille et amis, proches ou lointains. Ces fêtes sont aujourd'hui réservées à ceux qui en ont à la fois le goût ... et les moyens. Pourtant, la crise économique, la hausse des prix du champagne et la « désacralisation » du mariage, n'ont pas aboli l'éclat d'un mariage luxueux. Beaucoup de couples n'hésitent pas pour cela à dépenser beaucoup d'argent. Malgré la baisse du nombre des mariages, les fournisseurs de haut-de-gamme (traiteurs, coiffeurs, couturiers, dépositaires de listes de mariages) voient leur chiffre d'affaires augmenter. La plupart notent aussi un retour à la tradition : on se marie en blanc, on fait faire une pièce montée...

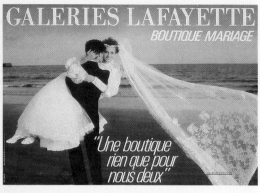

GALERIES LAFAYETTE
*BOUTIQUE MARIAGE*

*"Une boutique rien que pour nous deux"*

La conception du mariage évolue.

Publicis

### La nouvelle dot

La dot était autrefois apportée par l'épouse. Le mari fournissait, par son travail, les moyens de subsistance du ménage. Aujourd'hui, les deux époux apportent, à égalité, un petit pécule le plus souvent fourni par les parents. 61,5 % des hommes et 65,7 % des femmes ont reçu, au moment de leur mariage, une aide matérielle des parents. Elle est la plus fréquente chez les enfants d'agriculteurs (76 %) et la moins courante chez les enfants d'ouvriers (58 %). Elle se matérialise le plus souvent par de l'argent (18 %), des meubles (16 %) ou un trousseau (13 %) ; 9 % des couples reçoivent un terrain ou une maison ; 4 % trouvent encore dans leur corbeille de mariage la traditionnelle cuisinière.

Elle/B.V.A. (janvier 1983)

## La cohabitation à la mode

Pendant des années, on avait peu parlé de cohabitation. Comme si on avait voulu l'ignorer, en attendant que les choses reprennent leur cours normal. Loin de se raréfier, la pratique de la cohabitation s'est au contraire largement développée (à tel point qu'elle est entrée dans le vocabulaire politique !). De sorte qu'elle constitue aujourd'hui un véritable phénomène de société.

*Un million de couples ne sont jamais passés devant Monsieur le Maire.*
*• La moitié des couples qui se marient aujourd'hui ont vécu ensemble avant le mariage.*
*• La fréquence augmente avec le niveau d'instruction.*
*• Elle est 5 fois plus élevée chez les non-croyants que chez les catholiques pratiquants.*

Encore limitée si on la compare au nombre total de couples (13 millions), la tendance apparaît beaucoup plus clairement chez les plus jeunes. D'après certaines enquêtes, 18 % des couples où l'homme a moins de 35 ans ne sont pas mariés (5 % en 1975).

La proportion est de 4,4 % dans les couples où l'homme a entre 35 et 59 ans et de 2,6 % dans les couples où il a 60 ans ou plus.

Il est difficile de tracer la frontière entre le « mariage à l'essai » (plus sérieusement appelé « cohabitation juvénile ») et le concubinage, qui a un sens plus définitif. Beaucoup de mariages commencent par un concubinage. Un certain nombre de concubinages se terminent, parfois tardivement, par un mariage. Il n'en reste pas moins que la cohabitation s'amplifie, comme elle l'a fait, avec quelques années d'avance, dans les pays scandinaves. En Suède, plus d'un jeune sur cinq, parmi les 18-25 ans, vit en cohabitation.

Ni l'hypothèse d'un allongement de la période de fiançailles ni celle des... incitations fiscales ne constituent des explications satisfaisantes. L'expérience des autres pays montre que la cohabitation n'est pas vraiment considérée comme une étape transitoire avant le mariage. À preuve, l'accroissement du nombre des naissances illégitimes (hors mariage) : 13 % du nombre total des naissances en 1982, contre 7 % en 1975.

*Ça n'empêche pas les sentiments...*

L'amour et le mariage apparaissent de plus en plus comme deux notions indépendantes. On ne mélange pas les sentiments et les institutions. L'institution est d'ailleurs souvent ressentie comme une contrainte à l'expression des sentiments. Au « nous sommes mariés, donc nous nous aimons » qui leur semble un peu hypocrite, les jeunes préfèrent le « nous nous aimons tant que nous n'avons pas besoin de nous marier ».

### Des marginaux comme les autres

En 1968, le nombre des couples non mariés était estimé entre 315 000 (recensement) et 800 000 (enquête sur l'emploi). Il est sans doute aujourd'hui supérieur à un million.

L'accroissement est surtout notable chez les jeunes (moins de 35 ans), qui représentent aujourd'hui environ 60 % des couples non mariés, alors que les moins de 35 ans représentent seulement 20 % des couples mariés. En même temps qu'elle se développe, l'union libre se banalise. Elle concerne aujourd'hui toutes les catégories sociales ; elle est cependant plus fréquente chez les couples où la femme a un statut social supérieur à celui de son compagnon ; elle est plus répandue à Paris qu'en province, dans les régions du Sud que dans celles du Nord.

Si, depuis 20 ans, les jeunes se marient de moins en moins, ce n'est pas seulement parce qu'ils vivent en union libre ; la proportion de jeunes vivant en couple, mariés ou non, tend en effet à diminuer.

## Bonjour M'sieur le Juge

La diminution du nombre des mariages aurait dû logiquement entraîner celle des divorces. C'est tout le contraire qui se produit. Amorcé depuis le début du siècle, le phénomène s'est largement amplifié depuis. De sorte qu'aujourd'hui le mariage est de moins en moins considéré comme indissoluble.

*Plus d'un quart des mariages contractés aujourd'hui devrait se terminer par un divorce.*
*• On enregistre chaque année 8 divorces pour 1 000 couples mariés.*

La situation est beaucoup plus spectaculaire à l'échelle d'une vie : environ 30 % des couples mariés au cours de l'année devraient divorcer un jour. Encore ces chiffres ne tiennent-ils compte que de la situation actuelle et non de sa dégradation éventuelle. La proportion est double aux État-Unis, où la moitié des couples divorcent au cours de leur vie.

### Le palmarès du divorce

Les employés divorcent 10 fois plus que les agriculteurs. Les professions respectives des époux ont une grande

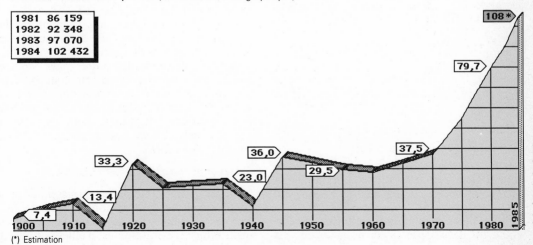

**10 fois plus de divorces \* qu'au début du siècle**

Nombre de divorces \* par an (en milliers sur le graphique).

| 1981 | 86 159 |
|------|--------|
| 1982 | 92 348 |
| 1983 | 97 070 |
| 1984 | 102 432 |

108\*
79,7
37,5
36,0
33,3
29,5
23,0
13,4
7,4

1900 1910 1920 1930 1940 1950 1960 1970 1980 1985

ministère de la Justice

(\*) Estimation

I.N.S.E.E.

importance. Un couple formé d'une employée et d'un agriculteur a 50 fois plus de risques de divorcer qu'un couple constitué de deux agriculteurs. Un couple où la femme est employée et le mari ouvrier divorcera 2 fois plus que si les deux sont employés, mais un peu moins que s'ils étaient tous deux ouvriers. Le risque de divorce est d'autant plus grand que l'écart des revenus des deux époux est important. Ainsi, un patron de l'industrie ou du commerce a 3 fois plus de risques de divorcer si son épouse est cadre supérieur que si elle est également patron, 4 fois plus si elle est cadre moyen, 7 fois plus si elle est employée, 11 fois plus si elle fait partie du « personnel de service ». Il n'a donc pas intérêt (statistiquement au moins) à épouser sa secrétaire ou sa femme de ménage ! Qui racontera un jour la (vraie) fin de l'histoire du Prince et de la Bergère ?

Une conception plus exigeante
de la vie à deux

*59 % des divorces ont lieu
entre 20 et 34 ans.*
*• La durée moyenne des mariages
se terminant par un divorce est de 12 ans.*
*• Le taux de remariage diminue :*
*46,4 % pour les hommes en 1982*
*(contre 63,7 % en 1977);*
*42,1 % pour les femmes (contre 57,3 %).*

On tend aujourd'hui à divorcer de plus en plus tôt. D'abord parce qu'on attend moins longtemps avant de constater l'échec du couple. Ensuite, parce que les procédures juridiques, moins longues et pénibles que par le passé, ont facilité les démarches des candidats au divorce. Certains prétendent même que cette simplification administrative et le moindre coût des divorces d'aujourd'hui ont déclenché quelques vocations... Mais la principale raison est probablement la plus grande acceptation du divorce par la société. Les « nouveaux divorcés » ne subissent plus, aujourd'hui, les mêmes pressions familiales et sociales que par le passé. Et leurs enfants sont (au moins vis-à-vis de la collectivité) des enfants comme les autres.

*La femme joue un rôle prépondérant.*
*• Dans 70 % des cas, c'est elle
qui demande le divorce.*
*• Dans 85 % des cas, c'est à elle
qu'est confiée la garde des enfants.*

Si c'est traditionnellement l'homme qui fait la demande en mariage, c'est souvent la

femme qui fait la « demande en divorce », surtout lorsqu'il y a « faute ».

La législation considérait traditionnellement que la mère était la mieux placée pour assurer la garde et l'éducation des enfants. Les choses sont en train d'évoluer, sous la pression des pères, qui réclament des jugements moins systématiques. Une loi récente précise que « l'autorité parentale continue à être exercée par les deux parents, qui s'accordent sur les

## Le consentement mutuel progresse

Répartition des divorces * selon les demandes (en %).

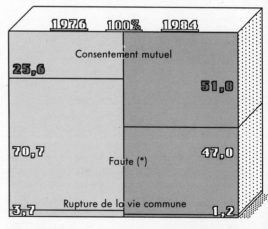

* Dont 75,4 % émanent des femmes en 1984 (contre 69,6 % en 1976).

modalités d'exercice de leur droit de garde ». Certains juges sont partisans de la garde alternée : l'enfant demeure une semaine, un mois ou une année chez l'un, puis chez l'autre de ses parents. Une solution qui présente évidemment des inconvénients pratiques pour assurer à l'enfant une scolarité normale et un environnement stable. Malgré l'évolution administrative et la meilleure compréhension sociale, le divorce est encore bien souvent vécu comme un drame par les enfants.

---

### Les enfants, la loi et l'opinion

Pensez-vous qu'un enfant devrait avoir le droit de choisir celui de ses parents divorcés avec lequel il souhaite vivre ?
- Oui                83 %
- Non                10 %
- NSP                7 %

---

# La vie est trop longue pour n'aimer qu'une fois

Les règles du jeu de la vie à deux sont en train de changer. Parce que la partie risque d'être longue et qu'on craint de ne pas la trouver passionnante jusqu'à la fin. Parce que les deux joueurs jouent sur un même parcours, alors que parfois deux parcours parallèles leur conviendraient mieux. Quitte à ce qu'ils se rejoignent fréquemment.

*On veut vivre plusieurs vies dans une vie.*

La perspective de cinquante ans de vie commune est de plus en plus souvent ressentie avec angoisse. Les adeptes du concubinage ont choisi de ne pas y entrer par la porte officielle afin de mieux se ménager une sortie. D'autres choisiront plus tard la voie du divorce. La plupart, en tout cas, seront de plus en

plus vigilants quant à la qualité de leur vie conjugale, sur le plan affectif, intellectuel, culturel et sexuel. Dès que le doute apparaîtra, ils en tireront les conclusions et partiront vers de nouvelles « aventures ». Au sens presque philosophique du terme.

*Le droit à l'erreur devient une revendication majeure des couples d'aujourd'hui.*

Contrairement à ce que les statistiques semblent indiquer, les Français restent attachés à la notion de couple et à son prolongement naturel, la famille. Plus peut-être qu'hier, ils recherchent l'amour et le respectent. Certains d'entre eux le respectent même tant qu'ils n'acceptent pas de le vivre imparfaitement. D'où le rejet de tout ce qui, légalement ou socialement, les obligerait à composer avec leurs sentiments. Mais l'amour n'est ni garanti par contrat ni éternel. Au nom du réalisme, ils revendiquent donc le droit à l'erreur pour chacun. Afin que cette erreur n'ait pas de conséquences définitives sur la vie de ceux qui, en toute bonne foi, l'ont commise. D'autant qu'en ce domaine, la réussite d'aujourd'hui peut devenir l'échec de demain.

La vie du cœur est donc de plus en plus souvent faite d'une succession d'expériences, vécues avec des partenaires différents. Ces expériences ne se limitent d'ailleurs pas toutes au cadre habituel des relations homme-femme, amant-maîtresse : l'homosexualité est de moins en moins marginalisée ; la vie en communauté prend des formes différentes.

Mais ces diverses tentatives ne signifient pas que le cœur a changé. Ce sont les conditions de la vie qui se sont transformées. L'aspiration, récente, d'une vie personnelle riche et sans contrainte est en train de modifier la notion de couple et le rôle des institutions qui s'y rattachent.

## PARTAGE DES RÔLES

*Hier, les deux membres du couple avaient des attributions bien distinctes. D'un côté, la mère-femme au foyer, de l'autre le père-chef de famille. Les couples d'aujourd'hui se reconnaissent de moins en moins dans cette description. Les rôles de l'homme et de la femme se sont rapprochés. Que ce soit pour faire la vaisselle... ou l'amour.*

### La nouvelle image du couple

L'image du couple traditionnel faisait une large place au devoir, à la contrainte et au sacrifice. Celle du couple moderne est au contraire marquée par une volonté commune de s'épanouir, aussi bien dans le cadre familial qu'au dehors. Entre ces deux visions contradictoires de la vie conjugale, il y a l'espace d'une révolution. Celle du féminisme, bien sûr. Du coup, la société est en train de revoir l'image du couple qu'elle présentait jusqu'ici.

*L'image du couple moderne est conditionnée par le nouveau rôle de la femme.*

Dans le couple traditionnel, l'homme et la femme avaient des attributions bien distinctes. La tradition transmise par les parents est aujourd'hui souvent considérée comme désuète et sert de moins en moins de modèle. Elle fait même, dans certains cas, figure de repoussoir. Dès l'école, la nouvelle génération d'enseignants transmet une vision moins stéréotypée des rôles de l'homme et de la femme, dans le couple comme dans la société en général. La chasse aux descriptions sexistes a commencé dans les manuels, sous l'impulsion de quelques femmes soutenues par l'opinion publique. L'administration elle-même, souvent accusée

de conservatisme, a réagi : plus de chef de famille, plus de monopole masculin dans les formalités administratives ; les femmes, qui ont conquis le droit au revenu par leur travail, ont aussi gagné celui, plus symbolique, de signer la feuille d'impôts. Les principales institutions de la vie sociale renvoient aujourd'hui une image nouvelle du couple.

J'AIME LES CHAUSSETTES DE MON HOMME !

CHAUSSETTES OLYMPIA

La nouvelle image du couple.

*Ce sont les médias qui ont le plus contribué à cette transformation.*

Parmi eux, la publicité donne sans doute l'illustration la plus spectaculaire du chemin parcouru. Même si la « femme-objet » continue d'être placardée sur les murs, des campagnes de plus en plus nombreuses commencent à montrer le couple d'une façon plus égalitaire que par le passé. Avec parfois des publicités-clin d'œil représentant l'homme dans des situations réputées moins « viriles » : les maris-vaisselle de Paic-Citron ou des gants Mappa, l'homme-cuisinier de l'huile Lesieur ou le mari-prévenant des couches Pampers...

### Le partage des tâches : une idée à suivre

Un certain nombre d'activités traditionnellement féminines sont en train de « tomber dans le domaine public ». C'est-à-dire qu'elles peuvent désormais être exécutées indifféremment par l'un ou l'autre sexe. Beaucoup d'hommes (qui n'avaient rien demandé) se seraient bien passés de cette conquête du droit à la vaisselle et aux divers travaux ménagers. Mais ils ont dû s'y mettre, entraînés par le courant féministe.

### L'égalité des sexes passe par celle du fer à repasser.

Cuisine, vaisselle, ménage, lavage, courses, soins des enfants... Autant de domaines jusqu'ici exclusivement réservés à l'épouse modèle. Si l'homme se mêlait quelquefois de cuisine, c'était pour faire déguster à l'entourage admiratif une de ses spécialités. Cuisine-loisir de l'homme contre cuisine-contrainte de la femme. Parfois même, le bon époux condescendait à faire la vaisselle, voire à passer l'aspirateur. Attendant en retour un témoignage de reconnaissance devant cette preuve d'affection.

Ces vieux clichés ne sont pas tous démodés. Mais la participation masculine est plus active. Elle est surtout guidée par un nouvel état d'esprit, qui tend à s'éloigner du « machisme » longtemps en vigueur.

---

### Contradictions ?

Affirmations proposées à un échantillon représentatif des femmes françaises de 15 à 49 ans.

|  | D'accord | Pas d'accord |
|---|---|---|
| • Un homme doit être aussi apte à faire la vaisselle qu'à prendre de grandes décisions | 92 % | 8 % |
| • Ménage, cuisine, vaisselle : les corvées domestiques, c'est l'horreur | 40 % | 60 % |
| • Trop de femmes restent prisonnières de leur foyer. Travailler serait une libération | 65 % | 35 % |
| • La présence de la mère à la maison est indispensable à l'équilibre des enfants | 86 % | 14 % |
| • Le féminisme aujourd'hui, c'est acquis. On peut passer à autre chose | 46 % | 54 % |

---

### La plupart des hommes se disent prêts à participer...

Les hommes d'aujourd'hui sont pleins de bonnes intentions. L'immense majorité semble d'accord pour mettre la main à la pâte. Près de la moitié des hommes se disent même partisans d'une répartition totalement « asexuée » des tâches domestiques. Il n'y a guère qu'une minorité d'irréductibles pour refuser de risquer leur virilité dans de telles aventures. Pour plus d'un tiers, le rôle de la femme reste tout de même essentiel.

### ... mais la contribution masculine est très inégale.

Dans les foyers où la femme travaille, 74 % des maris participent aux tâches domestiques.

Lorsque la femme est au foyer, il n'y en a que 59 % (enquête INED, 1984).

La contribution effective de l'homme aux travaux du ménage est en tout cas inférieure à celle qui apparaît dans les intentions. L'activité la plus fréquente (ou la moins rare) est de faire les courses. Viennent ensuite celles qui concernent les enfants (soins, travail scolaire). À l'opposé, les travaux ménagers (repassage, ménage, cuisine) sont considérés avec beaucoup de circonspection.

La participation masculine est nettement plus développée chez les jeunes ménages de moins de 35 ans. Les plus de 45 ans ont une conception du couple née à une autre époque et confortée par vingt ans de vie commune.

La profession joue aussi un rôle important. Les employés de bureau, les cadres moyens ou les enseignants participent plus que les professions libérales ou les agriculteurs. Force de l'habitude ou moindre disponibilité des maris ? Il semble, en tout cas, que les « machos » se recrutent plus dans certaines professions que dans d'autres.

---

## On partage mieux les décisions que les travaux du ménage

Il y avait d'un côté les travaux dévalorisés bien qu'indispensables : entretien de la maison, préparation des repas, etc. Et puis, de l'autre, les décisions à prendre, qui conditionnaient le bon fonctionnement du foyer. La femme avait le monopole des premiers, l'homme gardait la haute main sur les secondes. C'est ainsi qu'on se représentait la répartition des rôles entre les époux jusqu'à une date relativement récente. Si le mari participe de plus en plus aux travaux du ménage, la part prise par la femme dans les décisions a, semble-t-il, encore plus évolué.

*Le rôle de chacun
est de moins en moins spécialisé.*

De la façon de s'habiller au nombre d'enfants souhaité, en passant par la décoration de l'appartement, la vie en commun implique des choix, donc des décisions. Il est bien difficile de les classer par ordre d'importance, même si certaines paraissent avoir plus de conséquences que d'autres.

À l'évidence, le poids de la femme est prépondérant lorsqu'il s'agit de choisir l'ameublement, la décoration de la maison ou l'équipement électroménager (logique, puisque c'est elle, généralement, qui fera fonctionner la machine à laver !).

L'avis du mari est déterminant dans le choix du lieu d'habitation, de l'automobile ou du matériel hi-fi. Mais c'est l'épouse qui, le plus souvent, décide de l'acquisition des biens culturels (livres, œuvres d'art), sauf pour les disques, achetés ensemble.

*La concertation gagne du terrain.*

La véritable évolution est que de plus en plus de décisions sont prises en commun, qu'elles concernent les vacances, les invitations à dîner ou l'éducation des enfants (bien que, dans ce dernier domaine, l'empreinte de la mère reste forte).

Plus encore que dans les activités domestiques, l'équilibre du couple se réalise lors des décisions concernant la vie familiale. L'égalité de la femme dans le couple se fait donc plus

facilement lorsqu'il s'agit d'accroître son influence dans les domaines « importants » que lorsqu'il s'agit de la restreindre dans les tâches courantes. En d'autres termes, les maris acceptent de faire « monter » les femmes à leur hauteur plus volontiers que de « descendre » eux-mêmes à leur niveau.

## Argent du ménage : la fin du monopole

Pendant longtemps, les femmes participaient surtout aux **dépenses** du ménage. C'étaient elles qui, dans la majorité des cas, tenaient les cordons de la bourse, gérant en particulier les frais de fonctionnement du foyer : nourriture, entretien, etc. Aujourd'hui, 44 % d'entre elles exercent une activité professionnelle rémunérée. Elles peuvent donc également contribuer aux recettes, au même titre que le mari. Cette évolution a, bien sûr, des incidences sur le plan économique : l'impact du second salaire modifie complètement la structure des revenus des ménages. Elle en a aussi sur le plan psychologique : avec son salaire, la femme a gagné l'autonomie ; sa faculté d'accroître le budget disponible lui donne accès à la gestion du foyer.

*Celui qui a accès à l'argent
détient l'autorité.*

L'argent a toujours joué un rôle déterminant dans les rapports entre maris et femmes. En accédant par son travail à un revenu personnel, la femme accède du même coup à l'autorité qu'il confère. Un des étalons de mesure de cette évolution est le développement du compte bancaire joint, qui concerne aujourd'hui 70 % des couples. Grâce à lui, la femme peut désormais effectuer des dépenses sur l'argent du ménage sans la signature de son mari. Une évolution qui n'est pas seulement symbolique.

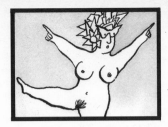

# AMOUR, SEXUALITÉ

*Lorsqu'on parle d'amour aujourd'hui, c'est plus à propos du sexe que des sentiments. La libération sexuelle des années 70, en particulier celle des femmes, a eu un impact considérable sur la vie intime des Français, à l'intérieur comme à l'extérieur du couple. Mais, après la tempête, survient le calme. Le corps ne suffit pas là où le cœur n'est pas.*

## L'amour à double sens

Dans le vocabulaire français, le mot amour tient une place particulière, qui montre autant son importance que son ambiguïté. Masculin lorsqu'il est singulier, l'amour change de sexe dès qu'il y en a plusieurs. Comme si quelque grammairien malin avait voulu justifier la polygamie des hommes et la monogamie des femmes ! À ces particularités de la grammaire s'ajoutent celles de la signification. L'amour est en effet un mot à double sens. Il y a l'amour que l'on ressent et celui que l'on pratique. Entre l'amour-sentiment et l'amour-physique, le vocabulaire est souvent imprécis. Outre que cela facilite bien des sous-entendus, cela montre combien ces deux sens sont devenus inséparables l'un de l'autre.

## Liberté, Égalité, Sexualité

La plupart des Français ont aujourd'hui une vie sexuelle plus riche que celle de leurs parents. Ils s'accordent d'ailleurs à reconnaître que les conditions de vie actuelles sont plus favorables à l'épanouissement sexuel.

La diminution progressive de la pratique religieuse explique en partie la disparition des vieux tabous. L'éducation des adolescents, qui a contribué à avancer l'âge des premiers rapports, est une autre cause de cette évolution. La réduction du temps de travail, la diminution de la fatigue physique qu'il entraîne ont également joué un rôle important ; on fait moins l'amour quand on rentre tard chez soi ou quand on n'est pas en forme. Mais, plus que le supplément de liberté individuelle apporté

**De plus en plus tôt**

À quel âge avez-vous fait l'amour pour la première fois ?

| | Ensemble % | Homme % | Femme % | - de 35 ans % | 35 ans et plus % | Paris | Province |
|---|---|---|---|---|---|---|---|
| Avant 14 ans | 4 | 7 | 1 | 5 | 3 | 2 | 4 |
| 14-16 ans | 18 | 25 | 11 | 23 | 14 | 27 | 16 |
| 17 à 18 ans | 25 | 27 | 23 | 29 | 22 | 34 | 23 |
| 19 à 21 ans | 17 | 9 | 24 | 15 | 19 | 16 | 17 |
| 22 à 24 ans | 8 | 5 | 11 | 4 | 11 | 3 | 9 |
| 25 à 30 ans | 1 | – | 3 | – | 2 | 2 | 1 |
| 30 ans et plus | – | – | – | – | – | – | – |
| Ne veut pas répondre | 13 | 11 | 16 | 10 | 16 | 10 | 15 |
| N'a pas fait l'amour | 3 | 3 | 2 | 6 | – | – | 3 |
| Ne se prononce pas | 11 | 13 | 9 | 8 | 13 | 6 | 12 |
| | 100 | 100 | 100 | 100 | 100 | 100 | 100 |

Le Nouvel Observateur/Sofres (juin 1985)

### Les hommes ont eu plus d'expériences

Au cours de votre vie, avec combien de partenaires environ avez-vous eu des relations sexuelles ?

|  | Ensemble | Hommes | Femmes |
|---|---|---|---|
| Un(e) seul(e) | 35 | 19 | 50 |
| Deux | 13 | 11 | 14 |
| Entre trois et cinq | 17 | 21 | 12 |
| Entre cinq et dix | 13 | 18 | 9 |
| Entre dix et vingt | 7 | 11 | 3 |
| Plus de vingt | 5 | 8 | 3 |
| Sans réponse | 10 | 12 | 9 |
|  | 100 % | 100 % | 100 % |

par les conditions de la vie moderne, c'est sans aucun doute l'émancipation féminine qui constitue la cause essentielle de la révolution sexuelle de ces vingt dernières années. La libération des femmes ne s'est pas en effet limitée à la cuisine, au travail ou à la façon de s'habiller. Elle a aussi transformé leur vie amoureuse.

*L'évolution de la sexualité a suivi celle de la contraception.*

Nul doute que la pilule aura plus fait pour l'histoire de la femme et la sexualité du couple que 2 000 ans d'histoire. C'est donc une fois encore la technologie qui a fait basculer la société dans une nouvelle ère. En donnant à la femme le droit de séparer sa vie sexuelle de sa fonction de procréation, la pilule aura eu une incidence dans de nombreux domaines. La religion, la famille, la démographie, les rapports entre les sexes, la vie professionnelle en ont été bouleversés. On a de la peine à retrouver dans l'histoire de l'humanité des changements aussi profonds et aussi rapides que ceux qui se sont produits depuis 30 ans dans le domaine de la sexualité.

### Trente ans de révolution sexuelle

**1956** 22 femmes créent « La Maternité heureuse », association destinée à favoriser l'idée de l'enfant désiré et de lutter contre l'avortement clandestin par un développement de la contraception.

**1967** L'éducation sexuelle se vulgarise. On projette *Helga, la vie intime d'une jeune femme,* film allemand qui aura un énorme succès. Sur RTL, Ménie Grégoire réalise sa première émission, qui durera six ans. Surtout, l'Assemblée nationale vote la loi Neuwirth qui légalise la contraception.

**1970** Le M.L.F. est créé. Les sex-shops commencent à se multiplier au grand jour.

**1972** Procès de Bobigny, où Me Gisèle Halimi défend une jeune avortée de 17 ans.

**1973** Hachette publie l'*Encyclopédie de la vie sexuelle,* destinée aux enfants à partir de 7 ans ainsi qu'aux adultes. Elle se vendra à 1,5 million d'exemplaires et sera traduite en 16 langues. L'éducation sexuelle est officiellement introduite à l'école par Joseph Fontanet, ministre de l'Éducation nationale.

**1974** Remboursement de la contraception par la Sécurité sociale et contraception possible pour les mineures sans autorisation parentale.

**1975** Loi Veil légalisant l'interruption volontaire de grossesse (I.V.G.).

**1978** L'industrie de la pornographie s'essouffle. La fréquentation des salles baisse très nettement, mais elle sera bientôt relayée par les cassettes vidéo.

**1980** Loi sur la répression du viol. Les criminels, qui étaient auparavant redevables de la correctionnelle, sont jugés par un tribunal d'assises.

**1983** L'I.V.G. est remboursée par la Sécurité sociale. On en pratique environ 180 000 chaque année. Aujourd'hui, la majorité des femmes en âge de procréer utilisent un moyen contraceptif : 28 % prennent la pilule et 14 % portent un stérilet.

### Homosexualité : la fin du ghetto ?

Longtemps considérée comme une anomalie, voire une maladie, l'homosexualité est en train d'obtenir droit de cité. Les couples d'homosexuels se cachent moins, en particulier dans les grandes villes. Les médias ne les ignorent plus. Plusieurs magazines qui leur sont destinés sont maintenant en vente libre, la télévision leur consacre des émissions. Les partis politiques sont conscients de leur poids électoral et certains formulent régulièrement des propositions en leur faveur en période électorale. Des homosexuels vont même jusqu'à réclamer la reconnaissance officielle de cette forme particulière de concubinage (Nantes, janvier 1984). Tout cela montre combien la société a changé. Dans le sens d'une plus grande tolérance vis-à-vis de minorités autrefois considérées avec indifférence ou mépris. Mais il faut dire que le développement du SIDA tend à remarginaliser les homosexuels

### Des gens comme les autres

Les homosexuels sont des gens comme les autres (1).

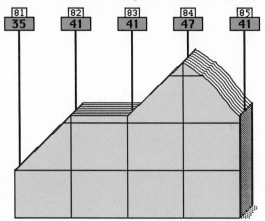

| 81 | 82 | 83 | 84 | 85 |
|----|----|----|----|----|
| **35** | **41** | **41** | **47** | **41** |

(1) **Cumul des réponses** « bien d'accord » et « entièrement d'accord » à l'affirmation proposée.

## L'amour change de sexe

Traditionnellement, la vie sexuelle des femmes était très en retrait par rapport à celle des hommes. Il ne s'agissait pas pour la femme de faire l'amour pour se faire plaisir, mais pour assurer le plaisir du mari. En une génération, les choses ont bien changé. La majorité des femmes considèrent aujourd'hui l'épanouissement sexuel comme le prolongement légitime de leur épanouissement individuel. Elles sont d'ailleurs de plus en plus nombreuses à y parvenir, si l'on en croit les nombreuses conquêtes réalisées sur le sujet.

### Satisfaction

• 90 % des femmes trouvent leur vie sexuelle satisfaisante (29 % très satisfaisante).
• 62 % se déclarent plutôt actives (21 % plutôt passives)
• 59 % parviennent facilement à l'orgasme, 27 % difficilement, 4 % jamais (10 % ne se prononcent pas).
Sondage réalisé auprès d'un échantillon représentatif des femmes de 20 à 55 ans.

*Les femmes sont de plus en plus « libérées ».*

Il apparaît que les femmes, longtemps cantonnées à un rôle de soumission, parviennent aujourd'hui à vivre une sexualité plus satisfaisante.

Les femmes libérées veulent assumer leur rôle non seulement dans les phases préalables de séduction, mais aussi dans toutes celles qui suivent. Ce mouvement de rééquilibrage des forces au sein du couple a pris une telle ampleur que certains hommes le ressentent comme une frustration et une atteinte à leur virilité.

### 17 % des hommes atteints de troubles de l'érection

C'est le résultat d'une étude réalisée en France en 1984. L'impuissance, partielle ou totale, est très variable selon l'âge : 4 % avant 40 ans, 42 % après. Des chiffres à rapprocher d'autres estimations, selon lesquelles 5 millions d'Américains seraient frappés d'impuissance. Le tabac, l'hypertension, le diabète, l'hypercholestérolémie sont des facteurs de risques. Ce sont, curieusement, les mêmes que ceux des maladies cardio-vasculaires.

Il faut dire que les choses sont allées vite et que tous les hommes n'étaient pas préparés à ce nouveau partage des tâches amoureuses. L'évolution qu'ils constatent chez leurs partenaires surprend parfois même les plus « modernes ». C'est toute une redéfinition des rapports amoureux qui est en train de s'opérer depuis quelques années. La plupart des hommes s'efforcent d'y participer de bon cœur. D'autres résistent encore dans une lutte qui pourrait bien être vaine.

### Le Grand Amour ne passe qu'une fois ?

Combien de fois avez-vous éprouvé le grand amour au cours de votre vie ?

|  | Ensemble | Hommes | Femmes |
|---|---|---|---|
| • Jamais | 10 | 10 | 10 |
| • Une fois | 47 | 42 | 52 |
| • Deux fois | 23 | 22 | 23 |
| • Trois fois | 6 | 7 | 5 |
| • Davantage | 11 | 16 | 7 |
| • NSP | 3 | 3 | 3 |
|  | 100 % | 100 % | 100 % |

Le Nouvel Observateur/Sofres (juin 1985)

*Les vingt dernières années
ont été marquées par une sorte
de boulimie sexuelle collective.*

Après des siècles de tabous, d'interdits et d'effacement féminin dans un domaine où l'homme régnait en maître, la libération des mœurs s'est accompagnée d'une véritable frénésie. Les Français, marqués par les théories freudiennes, se sont efforcés de rattraper le temps perdu, considérant la sexualité comme un produit de grande consommation. Cette période de défoulement général aura permis à certains de vivre une sexualité nouvelle, dans laquelle les seules limites étaient celles de l'imagination. Pour le plus grand nombre, cependant, un reste d'éducation traditionnelle limitait les expériences à ce qui paraissait « moralement » acceptable. Les femmes ont profité plus que les hommes de cette liberté nouvelle. Elle leur a permis d'exprimer leur propre personnalité et leurs propres désirs, c'est-à-dire de commencer à recevoir en même temps qu'elles donnaient.

## La nouvelle infidélité

Pour la plupart des Français, l'adultère a une signification précise, négative et contraire à la morale. Être trompé, cocu était jusqu'ici le signe d'une grande infortune, surtout lorsqu'elle était vécue par l'homme. La femme, elle, ne devait pas en ressentir la même humiliation. Des siècles de machisme l'avaient habituée à tolérer ces « petits extras » du mari qui lui permettaient de vivre sa vie sans remettre en question son mariage. Le théâtre de boulevard exploite depuis longtemps déjà ces situations triangulaires dont le cocufiage est le ressort essentiel. Mais l'infidélité est en train de changer de forme.

---

### Tout ce que vous avez toujours voulu savoir sur le sexe...

De nombreux sondages et enquêtes ont été réalisés récemment sur la sexualité des Français. Les résultats ne reflètent évidemment que les déclarations des personnes interrogées. Il est donc possible, voire même probable, que certaines réponses comportent une part d'exagération ou de dissimulation. Les informations présentées ci-dessous sont tirées des enquêtes qui nous ont paru présenter le maximum de garanties de fiabilité. Sauf indications contraires, elles ont été effectuées auprès d'échantillons représentatifs de la population française âgée de 18 ans et plus.

**A quel moment ?**
• 48 % des Français n'ont pas de jour préféré pour faire l'amour. Pour les autres, le week-end arrive largement en tête (surtout le samedi).
• 40 % n'ont pas d'heure préférée ; pour les autres, le moment privilégié se situe après 20 heures, de préférence entre 22 heures et minuit.
*(7 Jours Madame/Ifres.* Octobre 1984)
N.B. 71 % des hommes et 56 % des femmes trouvent agréable de faire l'amour le matin. 17 % des femmes et 9 % des hommes trouvent cela plutôt peu agréable.
*(Vital/Ifop.* Avril 1985)

**Combien de fois ?**
• Tous les jours : 7 %.
• 2 ou 3 fois par semaine : 34 %.
• 1 fois par semaine : 19 %.
• 2 ou 3 fois par mois : 9 %.
• 1 fois par mois : 3 %.
• moins souvent : 7 %.
• plus de rapports sexuels : 9 %.
• ne se prononcent pas : 1 %.
*(le Nouvel Observateur/Sofres.* Juin 1985)
**N.B. 43 % des hommes aimeraient faire l'amour plus souvent, contre 21 % des femmes.**

**Quelle durée ?**
• moins de 15 minutes : 11 %.
• de 16 à 25 minutes : 22 %.
• de 26 minutes à 1 heure : 26 %.
• plus d'une heure : 29 %.
*(Journal du dimanche/Ipsos.* Avril 1985)
Sondage réalisé auprès des 18-40 ans.

**Où ?**
• 57 % des Français ont déjà fait l'amour en voiture.
• 55 % en plein air.
• 22 % au bureau.
• 18 % dans un train.
• 8 % dans un lieu public (musée, exposition, etc.).
• 6 % au cinéma.
*(Union/Ifres.* Octobre 1985)

**Comment ?**
• 4 % des Français ont déjà pris des aphrodisiaques ou des excitants.

*Pour les « nouveaux couples »,*
*les expériences extraconjugales*
*sont à la fois normales et salutaires.*

L'infidélité devient une des composantes de la vie des couples les plus « modernes ». Mais le mot prend aujourd'hui un sens différent. Sans aller jusqu'à l'échangisme ou à la sexualité de groupe, qui sont des formes particulières de l'infidélité, c'est le souci de l'épanouissement personnel qui explique le besoin de changer parfois de partenaire. Il faut dire que la plupart des couples qui s'adonnent à ces pratiques ne sont pas mariés. Cocufiage et concubinage se justifient donc mutuellement, dans le cadre d'une union de moins en moins formelle.

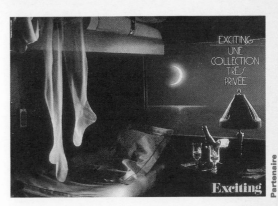

La sexualité s'affiche sans complexe.

*Les femmes veulent profiter*
*de leur liberté récemment acquise.*

• 4 % ont déjà eu des relations sexuelles avec une personne du même sexe.
• 5 % ont déjà fait l'amour à plusieurs.
• 3 % ont déjà fait un échange de partenaire avec un autre couple.
• 7 % ont déjà pratiqué la sodomie.
• 22 % des hommes ont eu des relations avec une prostituée.
• 4 % des femmes ont déjà utilisé des objets pour obtenir le plaisir.
• 19 % des hommes et 50 % des femmes ont eu un seul partenaire au cours de leur vie.
*(le Nouvel Observateur/Sofres.* Juin 1985)

**L'amour et le travail**
• 36 % des femmes ont déjà subi des « avances » sur leur lieu de travail. 32 % d'entre elles ont cédé à ces sollicitations
• Parmi celles qui n'ont pas cédé (66 %), un quart a eu à subir des conséquences (licenciement, brimades diverses).
*(Biba/Quotas.* Octobre 1985)

**Et après ?**
• 40 % se montrent tendres après l'amour (43 % des femmes et 36 % des hommes).
• 38 % fument (41 % des femmes, 35 % des hommes).
• 34 % dorment (40 % des hommes, 29 % des femmes).
• 22 % mangent (24 % des femmes, 21 % des hommes).
• 21 % boivent (26 % des femmes, 17 % des hommes).
*(Union/Ifres.* Octobre 1985)

### L'infidélité : un problème à résoudre

| | Ensemble % | Homme % | Femme % |
|---|---|---|---|
| **Pour vous un homme qui trompe sa femme ou sa compagne, c'est :** | | | |
| **Un acte impardonnable** | 17 | 16 | 18 |
| Un problème difficile, mais que le couple doit **pouvoir résoudre** | 59 | 56 | 62 |
| Une chose finalement **sans gravité** | 15 | 18 | 11 |
| **Ne se prononce pas** | 9 | 10 | 9 |
| | 100 | 100 | 100 |
| **Pour vous une femme qui trompe son mari ou son compagnon, c'est :** | | | |
| **Un acte impardonnable** | 21 | 22 | 21 |
| Un problème difficile, mais que le couple doit **pouvoir résoudre** | 57 | 50 | 63 |
| Une chose finalement **sans gravité** | 12 | 14 | 10 |
| **Ne se prononce pas** | 10 | 14 | 6 |
| | 100 | 100 | 100 |

France Dimanche/Ipsos (janvier 1985)

La vie est trop courte, pensent les nouveaux couples, pour ne pas profiter de toutes les occasions qu'elle offre. Les femmes, pour qui la liberté sexuelle est une conquête récente, sont d'autant plus décidées à s'en servir. Beaucoup sont convaincues de la nécessité de vivre à l'extérieur du couple des expériences de tous ordres. Elles y sont d'ailleurs largement encouragées par une partie de la littérature contemporaine et par certains magazines féminins. De sorte que l'infidélité conjugale n'apparaît plus comme une fuite, mais comme un droit, qui n'est pas censé remettre en cause l'attachement au couple mais au contraire l'enrichir et le renforcer. Jusqu'au jour où la fidélité s'impose d'elle-même.

## Le sexe ne fait pas toujours le bonheur

Il fallut quelques siècles à nos anciens pour débattre des mérites comparés du cœur et de la raison. Après bien des hésitations, le cœur était sorti vainqueur de la confrontation. Le mariage d'amour avait alors peu à peu éclipsé le mariage de raison.

À ce débat un peu intellectuel s'en est substitué, récemment, un autre : celui du cœur et du corps. Au romantisme apparemment puritain du début du siècle répondit la boulimie sexuelle des vingt dernières années. L'immense soif de liberté exprimée par les Français au cours des années 60 concernait au premier chef leur vie amoureuse. Aux tabous et aux interdits succédait une volonté de mettre la sexualité au grand jour, guidée voire imposée par les manuels spécialisés, illustrée par les médias, justifiée par les sexologues.

*Pourtant, la révolution sexuelle n'a pas apporté le bonheur espéré.*

Le grand mouvement de libération, qui avait bien réussi sur le plan social, eut des effets plus discutables sur le plan individuel.

Après l'euphorie des premiers moments, les Français s'aperçurent que la libération sexuelle, comme l'argent, ne faisait pas le bonheur, même si elle y contribuait. C'est cette découverte qui explique l'espèce de déconvenue actuelle vis-à-vis du sexe. Elle montre (si besoin était) que le bonheur ne peut être réduit

à ses dimensions matérielles. Alors, le balancier (que l'on imagine toujours stabilisé, mais qui n'interrompt jamais son mouvement) est reparti dans l'autre sens. Traversant au passage les décors qui jalonnent la carte du tendre : séduction, romantisme, chasteté, érotisme, pornographie, infidélité... À la recherche, finalement, d'un « juste milieu ».

### Et la tendresse... ?

• 61 % des femmes estiment qu'elles reçoivent suffisamment de tendresse et de « petits câlins » dans leur vie amoureuse ; 14 % en manquent ; 11 % n'ont pas actuellement de vie amoureuse ; 14 % ne se prononcent pas.

• 36 % des femmes affirment qu'elles pourraient se passer de l'acte sexuel si elles bénéficiaient de « beaucoup de tendresse et de petits câlins ». Un chiffre très inférieur à celui mesuré par d'autres magazines féminins auprès de leurs lectrices : 71 % d'entre elles avaient répondu qu'elles seraient « satisfaites si on les enlaçait tendrement sans aller jusqu'à l'acte sexuel ».

*Après avoir fait la révolution, les « éros » sont fatigués.*

Si le calme précède la tempête, il est normal aussi qu'il suive la précédente. Et la tempête sexuelle des quinze dernières années devait un jour se calmer. Certains signes laissent supposer que ce moment est proche. Après le temps de la chair, voici venir (ou revenir) celui de la chasteté. Le mouvement est encore confus et minoritaire, mais il existe. Un nombre croissant de Français refusent aujourd'hui d'investir leur temps et leur énergie dans une activité sexuelle qui ne les satisfait pas.

Cette évolution a une double raison. D'un côté, les déçus de la sexualité, à qui elle n'a apporté, en guise de bonheur, que de petits plaisirs, ponctuels et limités. De l'autre, le groupe, de plus en plus vaste, des solitaires, qui ne parviennent pas à satisfaire leurs pulsions, par manque de partenaires. Ils se construisent alors une autre vie, dans laquelle le sexe n'a pas sa place.

Il faut y ajouter une autre catégorie, un peu hybride, qui tente de séparer à nouveau l'amour minuscule (entendez physique) et l'Amour majuscule (entendez sentimental). La sexualité débridée des années 70 avait donné à certains l'impression déplaisante que le premier prenait le pas sur le second. Ils souhaitent aujourd'hui réconcilier les deux aspects, à mi-chemin entre les nouveaux chastes et les tenants de la course au sexe. C'est par eux, peut-être, que se stabilisera le balancier des mœurs. Quelque part entre la chair faible et la chair triste. Entre les besoins du corps et les envies du cœur.

---

Le couple

### En vrac

$\boxed{S}$ 32 % des Français trouveraient acceptable que les enfants divorcent de leurs parents, si une loi l'autorisait (48 % trouveraient cela absurde, 15 % scandaleux).

$\boxed{S}$ Il y a eu en 1984 un divorce pour deux mariages à Toulouse, un pour deux et demi à Paris.

$\boxed{S}$ Il y aurait en France 1 500 000 divorcés non remariés.

$\boxed{S}$ 38 % des Françaises seraient prêtes à épouser un prêtre, malgré l'interdiction de l'Eglise.

$\boxed{S}$ Pour 65 % de Français, l'incompatibilité d'humeur n'est pas un motif suffisant pour divorcer.

$\boxed{S}$ 70 % des Français comprennent que des jeunes vivent ensemble sans se marier, ne voyant pas l'utilité d'un contrat public, civil ou religieux. 24 % seulement ne comprennent pas cette attitude.

$\boxed{S}$ 41 % seraient d'accord pour qu'on puisse se marier à l'église sans être auparavant marié à la mairie. 45 % seraient contre cette solution (14 % NSP).

$\boxed{S}$ 80 % des Français considèrent que la meilleure façon de vivre en couple est de partager le maximum de choses (loisirs, sorties, revenus, relations, logement...). Ils ne sont que 16 % à considérer que chacun doit conserver s'il le veut une large autonomie.

$\boxed{S}$ 33 % des femmes vivant en couple ne pourraient partager leur vie avec un homme qui a des opinions politiques totalement différentes des leurs, contre 56 % qui le pourraient.

$\boxed{S}$ Le caractère de la femme idéale, selon les hommes : plus décidée (70 %) que timide (18 %) ; un peu plus sûre d'elle (48 %) que réservée (42 %) ; plus drôle (79 %) que sérieuse (15 %) ; plus spontanée (57 %) que réfléchie (36 %) ; plus rêveuse (54 %) que matérialiste (32 %).

$\boxed{S}$ 41 % des Français ont déjà fait l'amour dans leur salle de bains ; 39 % dans le salon ; 15 % dans la salle à manger ; 15 % dans la cuisine. 30 % n'ont connu que la chambre.

$\boxed{S}$ 26 % des Français ont déjà eu des relations sexuelles avec un(e) étranger(e) : 5 % avec un(e) Asiatique ; 8 % avec un(e) Arabe (nord-africain) ; 5 % avec un(e) Noir(e).

$\boxed{S}$ 65 % des Français écrivent (ou ont écrit) des lettres d'amour. 8 % d'entre eux en gardent des doubles.

$\boxed{S}$ 90 % des couples dorment dans un lit à deux places ; 4 % dans des lits jumeaux ; 4 % dans une autre pièce que leur conjoint.

$\boxed{S}$ 9 % des Français avouent avoir reçu des coups de leur conjoint, 3 % déclarent en avoir donné, 9 % disent en avoir donné et reçu.

# Les Enfants

## DÉMOGRAPHIE

*Un Français sur quatre est un enfant. C'est beaucoup lorsqu'il faut donner à chacun une éducation et un emploi. Mais c'est peu lorsqu'il faut assurer la relève des générations et faire marcher l'économie. Le mouvement de dénatalité, amorcé il y a 10 ans, est en train de s'amplifier. Si la situation ne se redresse pas, c'est une véritable catastrophe démographique qui se prépare. Avec des conséquences nombreuses sur les plans économique et social.*

## La patrie en danger (de vieillissement)

La France compte aujourd'hui 15 millions de mineurs (moins de 18 ans). La part des jeunes dans la population totale diminue. L'arrivée à l'âge mûr des générations nombreuses de l'après-guerre n'explique pas tout.

Pas plus que l'allongement de la durée de vie moyenne. C'est du côté des naissances qu'il faut se tourner pour comprendre.

### La vieille France

Proportion des classes d'âge.

|  | 1962 | | 1985 | |
| --- | --- | --- | --- | --- |
|  | Effectif (milliers) | % | Effectifs (milliers) | % |
| • De 0 à 19 ans | 15 400 | 33,1 % | 15 907 | 28,8 % |
| • De 20 à 64 ans | 23 105 | 55,1 % | 32 141 | 58,1 % |
| • 65 ans et plus | 5 500 | 11,8 % | 7 234 | 13,1 % |
| dont 75 ans et plus | 2 000 | 4,4 % | 3 490 | 6,5 % |

### 15,9 millions de moins de 20 ans

|  | Effectifs en 1985 (en millions) |
| --- | --- |
| • Moins de 5 ans | 3,8 |
| • De 5 ans à 9 ans | 3,7 |
| • De 10 à 14 ans | 4,2 |
| • De 15 à 19 ans | 4,2 |

*Il manque 160 000 enfants par an à la France.*
*• Pour que le remplacement des générations s'effectue normalement, il faudrait que chaque femme en âge d'avoir des enfants (de 15 à 49 ans) ait en moyenne 2,1 enfants.*

I.N.S.E.E.

• *Nous en sommes aujourd'hui à 1,82 (contre 2,84 en 1965).*

Certes, les Français sont de plus en plus nombreux : 2 millions de plus en 10 ans. C'est donc que le nombre des naissances excède celui des décès. Mais c'est parce que la situation démographique est de plus en plus déséquilibrée, dans le sens du vieillissement. Les femmes en âge de procréer ont en moyenne un enfant de moins qu'il y a 20 ans !

(768 000 en 1985). La baisse par rapport aux « années fastes » touche toutes les régions, sauf la Corse. C'est dans le « croissant fertile » (Nord et Ouest) qu'elle est la plus accentuée. La crise démographique suit celle de l'économie.

*On assiste à la fin des familles nombreuses.*
• *En 1975, les ménages avaient en moyenne 1,9 enfant.*

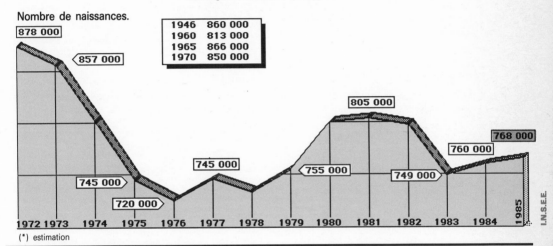

**Lorsque l'enfant (dis)paraît**

Nombre de naissances.

878 000 · 857 000

| 1946 | 860 000 |
| 1960 | 813 000 |
| 1965 | 866 000 |
| 1970 | 850 000 |

805 000 · 768 000 · 760 000 · 755 000 · 749 000 · 745 000 · 745 000 · 720 000

1972 1973 1974 1975 1976 1977 1978 1979 1980 1981 1982 1983 1984 1985

(*) estimation

I.N.S.E.E.

### 1945-1973 : le flux, puis le reflux.

Après la Seconde Guerre mondiale, la France, comme l'ensemble des pays de la Communauté européenne, connaît vingt années de forte fécondité. Mais celle-ci commence à baisser vers 1964. Le nombre annuel des naissances reste cependant stable, aux alentours de 850 000 par an, jusqu'en 1973.

### 1973-1986 : la valse-hésitation.

En trois ans, entre 1973 et 1976, le nombre des naissances allait passer de 875 000 à 720 000. Il se redressait ensuite jusqu'en 1981, pour se stabiliser depuis aux alentours de 760 000. Après la chute de 1983 (749 000), 1984 et 1985 ont montré une très légère progression

### Le poids des immigrés

Si la part des étrangers dans la population française n'est que d'environ 7 %, leur part dans le nombre des naissances est près de deux fois plus élevée : 12,3 % en 1982, contre 10,8 % en 1975. Ces écarts s'expliquent par la différence de fécondité entre les femmes françaises et les étrangères : 1,8 enfant par femme en moyenne pour les premières ; 3,15 pour les secondes. Ainsi, près de 40 % des parents ayant eu au cours de l'année un quatrième enfant étaient étrangers. Ce qui explique les craintes souvent exprimées sur la composition future de la population. La fécondité des femmes étrangères varie avec la nationalité : la plus faible est celle des Italiennes (1,74 enfant par femme) et des Espagnoles (1,77), inférieure à celle des femmes françaises. La plus forte est celle des Marocaines (5,23), des Tunisiennes (5,20), des Turques (5,05) et des Algériennes (4,29).

*• En 1985, ils n'en ont plus que 1,7.*

Les familles nombreuses, courantes après la Seconde Guerre mondiale, sont devenues l'exception aujourd'hui. Ce sont les agricultrices, les ouvrières, les femmes au foyer qui ont le plus d'enfants. Et ce sont les femmes appartenant aux couches moyennes salariées qui en ont le moins. Tout se passe comme si la règle (implicite) dans ces catégories moyennes était d'avoir au maximum deux enfants. Afin de limiter les problèmes matériels : taille du logement, de la voiture, pouvoir d'achat nécessaire au-delà de 2 enfants, etc. Afin aussi de préserver une vie personnelle difficilement compatible avec l'existence d'une famille nombreuse.

---

### Le rêve...

Quel est le nombre d'enfants que vous souhaitez ?

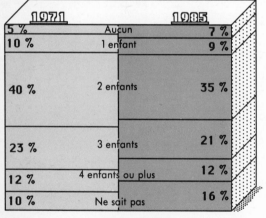

*Pélerin magazine/Sofres (sept. 85)*

### ... et la réalité

Nombre d'enfants de 0 à 16 ans (en milliers) :

| Nombre de familles | 1968 | 1975 | 1982 | % 1982 |
|---|---|---|---|---|
| | 12 054 | 13 177 | 14 119 | 100,0 % |
| 0 enfant | 5 813 | 6 367 | 7 130 | 50,5 % |
| 1 enfant | 2 622 | 3 026 | 3 200 | 22,7 % |
| 2 enfants | 1 891 | 2 196 | 2 498 | 17,7 % |
| 3 enfants | 951 | 959 | 919 | 6,5 % |
| 4 enfants | 417 | 362 | 241 | 1,7 % |
| 5 enf. ou + | 360 | 266 | 130 | 0,9 % |
| Nombre total d'enfants | 13 044 | 13 287 | 12 647 | |

INSEE

---

*Toute l'Europe est touchée.*

Depuis 12 ans, tous les pays de la Communauté économique européenne, sauf l'Irlande, sont dans la « zone rouge », c'est-à-dire que les générations ne se reproduisent plus à l'identique. Malgré la baisse récente, c'est la France qui reste aujourd'hui la plus féconde !

L'Allemagne fédérale, par exemple, évolue rapidement vers une société de retraités, avec un niveau de fécondité de l'ordre de 1,40 (contre 1,75 en France). Depuis 1942, d'ailleurs, elle se reproduit moins que la France. Le ministère de l'Intérieur allemand prévoit une population de 38 millions d'habitants en 2030 contre 61 millions aujourd'hui, si la tendance actuelle se prolonge ! L'Allemagne serait alors confrontée à de graves problèmes de main-d'œuvre et de financement des retraites et des dépenses sociales. Après le miracle économique, c'est un miracle démographique qu'il faudrait à notre voisin.

---

### Les enfants de l'Europe

Naissance pour 1 000 habitants (1983) :

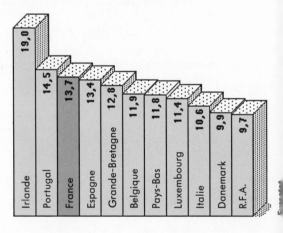

---

Cette situation défavorable n'est cependant pas nouvelle. Les courbes démographiques montrent bien l'aspect cyclique de la fécondité depuis une cinquantaine d'années. L'Europe avait connu une baisse généralisée du taux de reproduction entre 1930 et 1940, avec un taux de fécondité du même ordre que celui d'au-

**Il n'y a pas
que le sexe dans la vie.**

LA FRANCE
A BESOIN
D'ENFANTS.

CAMPAGNE RÉALISÉE PAR AVENIR DAUPHIN GIRAUDY.

CLM/BBDO

La France aime les enfants,
même si elle en fait moins.

jourd'hui. Qu'en sera-t-il demain? Le cycle démographique, comme celui de l'histoire, peut-il se reproduire?

## Les moyens de choisir

Que se passe-t-il dans la tête des Françaises et des Français en âge d'avoir des enfants? On s'est beaucoup interrogé sur les causes de la dénatalité actuelle, et l'on a dit à son sujet quelques contre-vérités. Certaines ont parfois conduit à des décisions un peu hâtives. La première explication à la « dénatalité galopante » de ces dernières années est simple.

*L'idée d'avoir des enfants non désirés est aujourd'hui insupportable.*

### Les enfants de Michel et Martine s'appellent Nicolas et Céline

Depuis une vingtaine d'années, les prénoms attribués aux enfants sont à la fois plus nombreux, plus différenciés entre les sexes, et se démodent plus rapidement. L'impact des médias est réel, en tant qu'initiateur et surtout amplificateur. Enfin, ce sont les « cadres et professions intellectuelles supérieures » qui lancent la mode de certains prénoms, pour s'en détacher ensuite rapidement lorsque celui-ci devient trop répandu.

Proportion des 10 prénoms masculins les plus fréquents suivant l'année de naissance :

| 1900-1904 | | 1925-1929 | | 1945-1949 | | 1965-1969 | | 1975-1979 | | 1980-1981 | |
|---|---|---|---|---|---|---|---|---|---|---|---|
| Louis | 4,8 | Jean | 8,3 | Michel | 7,4 | Christophe | 4,9 | Sébastien | 5,0 | Nicolas | 5,3 |
| Pierre | 4,6 | André | 5,9 | Alain | 5,7 | Philippe | 4,9 | Christophe | 3,5 | Julien | 3,9 |
| Jean | 4,3 | Pierre | 5,5 | Gérard | 4,3 | Laurent | 4,3 | David | 3,5 | Sébastien | 3,6 |
| Marcel | 4,2 | René | 4,8 | Daniel | 4,3 | Thierry | 4,2 | Nicolas | 3,4 | Cédric | 2,6 |
| Henri | 4,2 | Roger | 4,5 | Bernard | 4,1 | Eric | 3,9 | Frédéric | 3,3 | Michaël | 2,5 |
| Joseph | 4,1 | Robert | 3,8 | Christian | 4,0 | Pascal | 3,7 | Stéphane | 3,2 | Guillaume | 2,3 |
| André | 3,6 | Marcel | 3,7 | Jean-Pierre | 4,0 | Frédéric | 3,3 | Jérôme | 2,9 | David | 2,3 |
| Georges | 3,4 | Jacques | 3,3 | Jean-Claude | 3,9 | Stéphane | 3,1 | Michaël | 2,6 | Frédéric | 2,2 |
| René | 3,3 | Georges | 2,9 | Jacques | 3,5 | Olivier | 2,6 | Cédric | 2,4 | Jérôme | 2,2 |
| Paul | 2,7 | Louis | 2,8 | Claude | 2,8 | Franck | 2,4 | Olivier | 2,3 | Christophe | 2,1 |

Proportion des 10 prénoms féminins les plus fréquents suivant l'année de naissance :

| 1900-1904 | | 1925-1929 | | 1945-1949 | | 1965-1969 | | 1975-1979 | | 1980-1981 | |
|---|---|---|---|---|---|---|---|---|---|---|---|
| Marie | 11,7 | Jeannine | 3,9 | Danielle | 4,3 | Nathalie | 7,2 | Sandrine | 4,5 | Céline | 3,5 |
| Jeanne | 5,5 | Simone | 3,4 | Michèle | 4,0 | Isabelle | 5,6 | Stéphanie | 4,3 | Aurélie | 3,4 |
| Marguerite | 3,8 | Jacqueline | 3,2 | Monique | 3,9 | Sylvie | 5,1 | Céline | 3,5 | Émilie | 3,0 |
| Marie-Louise | 3,7 | Marie | 3,1 | Françoise | 3,8 | Valérie | 5,0 | Virginie | 2,7 | Virginie | 2,9 |
| Germaine | 3,7 | Jeanne | 3,0 | Nicole | 3,8 | Catherine | 3,4 | Karine | 2,7 | Sandrine | 2,6 |
| Louise | 2,6 | Denise | 2,8 | Annie | 3,8 | Véronique | 3,2 | Nathalie | 2,5 | Stéphanie | 2,5 |
| Madeleine | 2,4 | Paulette | 2,5 | Christiane | 3,0 | Corinne | 3,2 | Sophie | 2,2 | Laetitia | 2,1 |
| Yvonne | 2,3 | Odette | 2,5 | Chantal | 2,8 | Laurence | 3,0 | Séverine | 2,2 | Audrey | 1,9 |
| Suzanne | 2,3 | Yvette | 2,4 | Martine | 2,8 | Christine | 2,9 | Delphine | 2,1 | Sabrina | 1,8 |
| Marthe | 1,8 | Suzanne | 2,4 | Anne-Marie | 2,6 | Sandrine | 2,6 | Laetitia | 1,9 | Élodie | 1,8 |

INSEE

Il s'est passé beaucoup de choses dans la société française depuis la fin de la guerre. L'activité professionnelle de la femme s'est développée ; de véritables mutations psychologiques se sont produites. Dans la vie des couples, il apparaît naturel de choisir le nombre de ses enfants et le moment où on les met au monde. Les mises en garde ou les interdits religieux ne pourront pas renverser un mouvement aussi fort.

*L'usage de la contraception s'est étendu.*

Parallèlement, des moyens contraceptifs nouveaux, plus sûrs et plus confortables, sont apparus. Il y a donc de moins en moins d'enfants non désirés. Les moyens contraceptifs concernent aujourd'hui environ une femme sur deux. Aucune étude ne permet d'établir avec certitude une relation entre le développement récent de la pilule et la chute de la natalité. Pourtant, leur utilisation massive chez les adolescentes de 15 à 18 ans a commencé dès 1970-1975. Force est de constater que c'est au moment où ces jeunes filles sont arrivées à l'âge de procréer que la chute s'est accentuée. Cause réelle ou simple coïncidence ?

*L'interruption volontaire de grossesse a été banalisée.*

### 1,2 million d'I.V.G. en 7 ans

Nombre d'opérations non clandestines pratiquées :

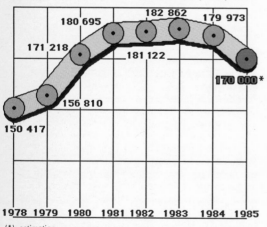

180 695    182 862    179 973
171 218
181 122
170 000*
156 810
150 417

1978  1979  1980  1981  1982  1983  1984  1985

(*) estimation

I.N.E.D.

L'I.V.G., qui était pratiquée clandestinement, à grands frais (et à grands risques), était un recours ultime et désagréable. Sa légalisation lui a ôté son côté immoral, même si la religion continue de lui être hostile. Son remboursement l'a presque banalisée dans l'opinion publique, en tout cas l'a mise au rang des opérations cliniques classiques. Ce qui ne signifie pas pour autant que l'I.V.G. soit devenue un moyen de contraception.

## Profiter de la vie ou la donner ?

La grande vague de matérialisme de ces vingt dernières années avait mis en avant les valeurs de jouissance immédiate. Elle est aujourd'hui renforcée par la vague de l'individualisme, qui prône la liberté de chacun à disposer de sa propre vie. Dans cette perspective, le fait d'avoir à élever des enfants peut apparaître comme une contrainte. Contrainte personnelle dans la mesure où le temps qu'on leur consacre est pris sur celui que l'on pourrait utiliser pour ses loisirs. Contrainte économique, aussi : avoir des enfants coûte cher et réduit donc le budget disponible du couple.

Plus peut-être que le développement de la contraception, c'est celui de la « contre-acceptation » de l'enfant qui explique l'évolution démographique récente.

*Il est tentant de rapprocher la baisse des naissances de celle des mariages.*

Bien qu'il soit difficile, là encore, d'établir une relation de cause à effet, l'affaissement du nombre des mariages correspond précisément à celui des naissances. La corrélation ne surprend pas : on se sent moins pressé (au sens propre et au sens des « pressions » sociales) d'avoir des enfants lorsque c'est en dehors du cadre du mariage. Les jeunes qui, de plus en plus, vivent en concubinage ressentent la présence d'un enfant comme une contrainte. Alors ils ne se précipitent pas...

Le contexte actuel fournit de bonnes raisons à ceux qui cherchent à expliquer leur réticence, qu'ils soient mariés ou non : « un enfant de plus, c'est un chômeur de plus » ;

« c'est une victime de plus en cas de guerre »...
Sans parler, bien sûr, des plaintes concernant
le nombre de crèches, de classes maternelles,
voire de piscines... Même si l'on peut parfois
déceler quelque hypocrisie dans ces déclarations, la peur du lendemain qu'elles expriment
n'est pas sans fondement. Le résultat est, en
tout cas, sans équivoque.

### Les bébés de la science

Jamais sans doute les progrès de la science n'ont posé
avec autant d'acuité des problèmes de société, ni avec
autant de précipitation. Au moment où les instances
scientifiques, religieuses, publiques ou civiles s'interrogent sur les conséquences possibles des nouvelles
méthodes de reproduction humaine, celles-ci sont en
train de se développer, en dehors de tout cadre juridique
ou moral. Depuis la naissance d'Amandine, le 24 février
1982, plus de 200 « bébés-éprouvettes » sont nés en
France, fruits de la méthode de fécondation in vitro.
L'insémination artificielle, les mères-porteuses, les manipulations d'embryons sont des techniques de plus en
plus sophistiquées, sûres et répandues.
Si les Français sont généralement favorables aux
possibilités nouvelles de reproduction artificielle, ils
estiment qu'elles doivent être plutôt réservées à des fins
thérapeutiques, comme en témoignent les sondages.
Ainsi 54 % des Françaises sont contre le principe des
mères-porteuses (une femme porte un enfant destiné
à une autre, après avoir été inséminée avec le sperme
du mari de cette femme, mais avec son propre ovule) ;
35 % sont pour. 71 % des Françaises ne feraient pas
appel à une mère-porteuse en cas de stérilité. 40 % des
femmes sont pour l'insémination post-mortem (insémination artificielle d'une femme avec le sperme de son
conjoint décédé), 48 % sont contre. (Source : *Elle/Ipsos*,
novembre 1985.)
Pour 35 % des Français, c'est le médecin qui, cas par
cas, devrait fixer les règles applicables à ces nouvelles
méthodes de procréation ; pour 28 %, des comités
d'éthique formés de médecins, juristes, moralistes ; 9 %
pensent que le Parlement doit voter une loi ; enfin 19 %
estiment qu'il n'y a pas de règle à fixer. (Source : le
*Monde/Sofres*, juillet 1985.)

### Le « double coût » de l'enfant est un frein à la natalité.

Les enfants sont devenus plus coûteux
dans la mesure où ils viennent concurrencer
l'activité professionnelle des mères. Le
deuxième salaire dans un ménage permet un
accroissement considérable du niveau de vie.

Lorsque la venue d'un enfant est incompatible
avec le travail de la mère à l'extérieur (c'est
le cas très souvent du troisième), cet enfant a
un coût double. À son coût direct (éducation,
alimentation, etc.) s'ajoute le manque à gagner
du salaire de la mère. Les faits semblent
confirmer l'importance de cette cause : la
baisse de la fécondité, depuis 15 ans, résulte

### Le prix d'un enfant

La joie d'avoir des enfants est évidemment inestimable.
Faisant abstraction de cet aspect affectif des choses, les
experts de l'I.N.S.E.E. ont tenté d'évaluer le prix d'un
enfant, tel qu'il se présente dans le budget familial. La
méthode utilisée est de nature comparative. Si l'on
considère qu'un couple sans enfant dépense en
moyenne 9 960 francs par mois, que doit dépenser un
couple avec un enfant (moins de 16 ans) pour maintenir
un niveau de vie équivalent ? Réponse : 1 760 francs
par enfant et par mois en moyenne. Ce coût s'élève à
3 420 francs par mois pour deux enfants et à
5 470 francs pour trois enfants. Cette estimation ne tient
compte ni du travail domestique lié à la présence des
enfants (lavage, repassage, préparation des repas, etc.)
ni des frais d'éducation, santé, loisirs, etc., pris en charge
par la collectivité. Elle intègre, par contre, les transformations du mode de vie rendues nécessaires par la
présence d'enfants dans un foyer : surface d'habitation,
équipement ménager, voiture, etc.

| C'est le troisième enfant qui coûte le plus cher | Le bébé coûte moins cher que l'adolescent |
|---|---|
| Coût moyen mensuel (total) | Coût moyen mensuel |
| 1 enfant 1 760 F | moins de 5 ans 1 370 F |
| 2 enfants 3 420 F | 5 à 9 ans 1 660 F |
| 3 enfants 5 470 F | 10 à 15 ans 2 250 F |

Il faut encore, pour être précis, tenir compte de bien
d'autres facteurs. La profession du père, par exemple :
le coût moyen est de 1 700 francs pour un père ouvrier,
il est de 2 060 francs pour un père cadre supérieur. L'âge
des parents a aussi son importance : l'arrivée du premier
enfant représente une dépense supplémentaire de 30 %
pour un couple dont le mari a moins de 35 ans ; elle
est seulement de 11 % quand il a plus de 35 ans
(toujours dans l'hypothèse d'un maintien du niveau de
vie, et compte tenu de l'écart des revenus). Il faudrait
enfin considérer la façon dont chacun nourrit, habille,
soigne, éduque, divertit ses enfants pour y voir tout à
fait clair. Mais cela est un autre problème, qui n'est pas,
Dieu merci, du ressort des statisticiens.

I.N.S.E.E. 1984

autant de l'augmentation de la proportion de couples sans enfant que de la baisse des naissances de rangs 3 et 4.

## Quel avenir démographique ?

Les Français sont conscients de l'importance du problème de la dénatalité. Selon une enquête *Figaro Madame/Ipsos* (septembre 1985), 48 % d'entre eux pensent que les familles devraient en moyenne avoir plus d'enfants (42 % non). Les causes principales de cette dénatalité sont, par ordre décroissant d'importance : la difficulté des jeunes à trouver un emploi ; l'appréhension à mettre au monde des enfants qui pourraient être malheureux ; la préférence des femmes pour une vie professionnelle ; l'insuffisance ou le prix des services collectifs (crèches, garderies...) ; l'inadaptation des logements aux familles nombreuses (enquête *le Pèlerin Magazine/Sofres,* septembre 1985).

La politique gouvernementale est jugée plutôt négativement, en particulier les mesures telles que le remboursement de l'I.V.G. ou la campagne d'information sur la contraception. Cette prise de conscience est nouvelle, car la plupart étaient jusqu'ici mal informés des questions touchant à la natalité. L'écart entre le nombre d'enfants souhaité idéalement (en moyenne 2,5 par foyer) et la réalité (1,75) laisse à penser qu'une marge de manœuvre existe

LA MODE AVEC DES ... YEUX D'ENFANTS **Dinou**

C'est le troisième enfant qui coûte le plus cher.

*Futurs*

pour une politique nataliste. Les raisons invoquées pour expliquer cet écart sont d'ailleurs de nature matérielle et conjoncturelle (chômage, peur du lendemain, etc.). Mais il est possible que ces raisons, par ailleurs crédibles, en cachent d'autres, de pure convenance personnelle...

### *Un retournement de tendance ne paraît guère probable.*

Il semble que l'évolution passée se soit jouée sur la baisse des naissances du troisième enfant. Or celui-ci paraît contradictoire avec l'activité professionnelle des femmes (20 % seulement des mères de 3 enfants et plus travaillent). Pourtant, les tentatives qui ont été faites dans certains pays n'ont pas donné de résultats spectaculaires. Reste peut-être à essayer de faciliter le travail à temps partiel, auquel les femmes sont de plus en plus attachées.

### Faut-il interdire aux femmes de travailler ?

Le cas de certains pays étrangers proches tend à montrer qu'il n'y a pas de lien direct mesurable entre la vie professionnelle des femmes et le niveau de la natalité. Les Pays-Bas sont l'un des pays où la fécondité a le plus baissé (de 3,5 à 1,5 enfant par femme). C'est aussi le pays occidental où le taux d'activité des femmes est le plus faible (moitié de celui de la France). La situation est comparable en Suisse, où le taux d'activité et celui de la fécondité sont également faibles. En Hongrie, le gouvernement a décidé de rémunérer les femmes au foyer qui avaient un enfant. 75 % des femmes actives ont profité de l'occasion et sont restées chez elles. L'accroissement du taux de fécondité a été très bref ; il est aujourd'hui revenu à environ 1,80.

Le problème se complique encore depuis 1983, année où la baisse des naissances était liée à la diminution des enfants de rangs 1 et 2. Il faut y ajouter deux autres facteurs « aggravants » : le retard du premier enfant, lié sans doute au développement de la cohabitation avant le mariage ; le fait que les enfants de familles peu nombreuses ont tendance à vouloir à leur tour moins d'enfants. Enfin, les plus pessimistes des démographes s'inquiètent de la possibilité de choisir le sexe des enfants.

Il se pourrait alors (comme le laissent entendre des enquêtes sur ce sujet) que le nombre des garçons soit supérieur à celui des filles, ce qui ne serait évidemment pas favorable à la fécondité... Le risque de cette évolution est, à terme, celui d'une France coupée en deux, dans laquelle 40 % des foyers n'auraient pas d'enfants. On arriverait alors à une France vieillie, dans laquelle les plus de 65 ans représenteraient le quart de la population, soit plus que les moins de 20 ans.

### L'avenir : 2 scénarios démographiques

L'évolution future de la fécondité, qui conditionne le renouvellement des générations, est très incertaine, même à court terme. Dans ses projections de population, l'I.N.S.E.E. utilise 2 types d'hypothèses :
1. Évolution progressive de la fécondité à un niveau stable de 2,1 enfants par femme pour les prochaines générations. Dans ce scénario, l'équilibre serait retrouvé vers 1995. La population de la France atteindrait 62 millions en l'an 2050.
2. Le niveau de fécondité estimé reste à 1,8 enfant par femme, niveau jamais enregistré sur une longue période (en dehors des périodes de guerre). Dans ce scénario, l'équilibre ne serait jamais atteint, et la population de la France, qui continuerait d'augmenter jusqu'en l'an 2000 (56 millions) compte tenu de la pyramide des âges actuelle, descendrait à 48 millions en l'an 2050.

### Ce qu'en pensent les Français

A votre avis la famille en l'an 2 000 aura-t-elle en moyenne :

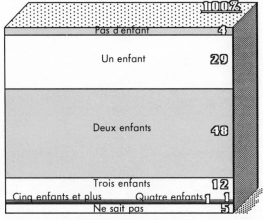

Le Matin/Louis Harris (sept. 85)

### Les démographes ne sont pas tous d'accord.

Pierre Chaunu annonce un déclin de l'Occident parallèle à son vieillissement. En France, gouvernement et opinion sont majoritairement natalistes, et considèrent que la poursuite de la dénatalité actuelle aura de graves conséquences sur le plan économique et social.

Pour Hervé Le Bras, directeur de recherches à l'I.N.E.D., les perspectives alarmistes d'une France peuplée de vieillards ne sont pas réalistes. Si le taux de natalité se maintient à son rythme actuel, 14 % de la population française aurait plus de 65 ans en l'an 2000. Cela pourrait être supporté par la population active, dans la mesure où les femmes constituent une réserve de force de travail très importante.

Alors, le déclin démographique des pays occidentaux en général est-il un drame ? La

### Tout savoir sur la démographie

**Il naît 105 garçons pour 100 filles.** C'est ainsi que la nature s'efforce de compenser (partiellement) le fait que les femmes sont plus nombreuses que les hommes dans la société, du fait d'une plus grande longévité et d'une moindre mortalité infantile.

**20 % d'enfants naturels en 1985.** La proportion augmente depuis quelques années. Le phénomène apparaît évidemment lié à la diminution du nombre des mariages et au développement du concubinage. L'attitude beaucoup plus tolérante de la société est une autre explication partielle : on ne parle plus guère aujourd'hui des « filles-mères » avec la connotation péjorative que le terme dégageait, mais plutôt des « mères célibataires », appellation plus neutre. À titre de comparaison, la proportion de naissances hors mariage n'est que de 2,6 % lorsque la mère est de nationalité tunisienne, mais de 12,2 % lorsqu'elle est italienne, 9,7 % espagnole, 8,8 % algérienne, 7,2 % portugaise, etc.

**6 000 enfants adoptés par an.** Sur les 20 000 demandes enregistrées chaque année, 2 500 adoptions relèvent de l'Aide sociale à l'enfance, 1 500 concernent des enfants étrangers, 2 000 sont des adoptions particulières. La France compte aujourd'hui 15 000 pupilles de l'État, un nombre en diminution régulière. Plus de 90 % d'entre eux sont placés dans des familles. Les autres (dont 90 % ont 15 ans et plus) sont accueillis dans des établissements spécialisés.

question doit être posée en termes clairs et dans une perspective d'avenir. Tout en sachant qu'il serait extrêmement difficile d'inverser le courant actuel de la dénatalité, car cela reviendrait à mettre en cause directement le type de civilisation dans lequel nous vivons. Une tâche d'autant plus difficile que l'intérêt individuel n'a jamais autant primé sur l'intérêt collectif.

# VIE QUOTIDIENNE

*Il est impossible de parler des enfants en termes généraux. Du premier biberon au premier amour, de Blanche-Neige à la guerre des étoiles, leurs centres d'intérêt se déplacent. L'itinéraire qui mène de la petite enfance à l'adolescence est complexe et souvent mal balisé. Mais les jeunes Français parviennent, le plus souvent, à trouver leur chemin.*
N.B. *Ce chapitre comporte de nombreuses informations provenant de l'Institut de l'enfant, dirigé par Joël-Yves Le Bigot.*

## Une époque passionnante et dure

Les jeunes Français d'aujourd'hui vivent, sans s'en rendre vraiment compte, une période passionnante et paradoxale. Jamais, peut-être, le présent n'avait été si riche et l'avenir si pauvre.

Riche, le présent l'est sans doute si l'on considère les possibilités qui s'offrent aux jeunes des années 80. Les transports, la télévision, l'ordinateur, l'espace sont des conquêtes magnifiques et récentes. Tandis que les adultes font la fine bouche, les enfants se les sont déjà appropriés.

Mais l'avenir est d'une autre couleur. Les perspectives de l'entrée dans la vie active sont alarmantes. La possibilité de s'y épanouir n'apparaît pas avec évidence. Il y a donc deux poids, deux mesures entre la vie facile de l'enfance et celle, plus compliquée, de l'adolescence. On retrouve ces deux aspects dans les préoccupations des jeunes Français.

*Jusqu'à 7 ans,
la vie est un formidable jeu.*

Les plus petits se sentent plutôt bien dans leur peau. Papa et Maman n'épargnent pas leurs efforts pour leur rendre la vie simple et

---

### La vie quotidienne de 0 à 7 ans

**De 0 à 3 ans**
• Ils sont 3,1 millions, soit 5,6 % de la population française
• Dans 52 % des cas, leurs mères ont une activité professionnelle
• Dans 18 % des cas, leurs parents vivent en concubinage
• 60 % des enfants de 0-3 ans sont à la maison pendant la journée ; 25 % sont gardés par une nourrice
• Après 2 ans, 38 % vont à la maternelle
• 37 % possèdent un livret de caisse d'épargne (montant moyen 740 francs)
• Leur premier jouet leur est offert en moyenne vers 2 mois et demi
• Leurs émissions préférées à la télévision : les dessins animés et la publicité
**De 4 à 7 ans**
• Ils sont 3 millions, soit 5,3 % de la population française
• Dans 5 % des cas, leurs parents vivent en concubinage
• 44 % possèdent un livret de caisse d'épargne (montant moyen : 1350 francs)
• 47 % se lèvent entre 7 heures et 7 heures 30, 33 % entre 7 heures 30 et 8 heures
• 63 % vont à l'école à pied, 35 % en voiture, 5 % en autobus
• 45 % déjeunent à la cantine ; les autres rentrent à la maison
• 52 % sont couchés avant 20 heures 30, 38 % vers 21 heures
• Leur loisir préféré est la télévision
• 59 % pratiquent un sport. Par ordre décroissant : vélo, danse (filles), football, judo, natation
• À Noël, 64 % passent leurs vacances à la maison, 17 % dans la famille, 13 % chez les grands-parents, 4 % à la mer, 3 % au ski (15 % pour les vacances de février)
• En été, 19 % passent leurs vacances à la maison, 21 % dans la famille, 11 % chez les grands-parents, 48 % à la mer.

Institut de l'enfant

agréable. Chaque jour est une véritable découverte. Le monde des adultes leur apparaît comme un gigantesque jeu aux possibilités infinies. Grâce à la télévision, la maison n'a pas de murs ; grâce aux fusées, l'espace n'a pas de frontières. L'école n'est pas encore un outil de sélection ; on s'y fait de bons copains, avec qui on partage ses expériences et ses rêves.

### De 8 à 14 ans, on est conscient du monde des adultes.

Les plus grands vivent aussi dans un univers plaisant où le jeu tient une grande place. Les inventions des adultes sont passionnantes (télévision, ordinateur, etc.) et les jeunes les apprivoisent facilement.

Certes, il y a bien quelques petits problèmes. Papa et Maman ont un peu tendance

---

## La vie quotidienne des 8-14 ans

• Ils sont 5,9 millions, soit 10,9 % de la population française
• Dans 3 % des cas, leurs parents vivent en concubinage
• 80 % fréquentent l'école publique, 20 % l'école privée

**Les loisirs**
• Leur activité préférée est la télévision, l'intérêt est plus fort chez les garçons, dans les familles modestes, et décroît un peu avec l'âge
• Les activités manuelles préférées sont le dessin ou la peinture, la pâtisserie ou la cuisine, les puzzles ou les jeux de patience
• 70 % pratiquent un sport. Par ordre décroissant : natation, tennis, vélo, football (garçons), danse (filles)
• Ils écoutent de plus en plus les radios libres (un sur deux) au détriment des radios périphériques
• Ils lisent de plus en plus des magazines (de télé, pour enfants) et des livres (bandes dessinées, mais aussi romans et livres illustrés) ; au total environ 3 livres par mois.

**La consommation**
• Un enfant sur deux mange des céréales au petit déjeuner
• La boisson des repas reste principalement l'eau et le sirop
• D'après les mères, 61 % des 8-14 ans utilisent de l'eau de toilette, dont 23 % tous les jours (47 % pour les filles)
• L'intérêt pour les vêtements s'accroît ; les tenues unisexe ont moins de succès
• Ils ont en moyenne 244 francs dans leur tirelire, pour un argent de poche mensuel d'environ 80 francs (dont la moitié vient des parents).

---

Crüesli.
Le réveille-matin qui fait Cric Crac !

IL Y A LONGTEMPS QUE NOS CEREALES FONT POUSSER LES ENFANTS. **QUAKER**

D.D.B.

Un enfant sur deux
mange des céréales au petit déjeuner.

à en faire trop, à force de vouloir protéger leurs enfants d'on ne sait quel danger. Ceux-ci se sentent parfois un peu frustrés dans leur désir d'autonomie. Mais les parents sont pleins de bonne volonté et ils s'entendent plutôt bien avec eux. Ils se rendent compte peu à peu que le monde n'est pas tout à fait aussi simple, aussi juste et aussi gai qu'ils l'avaient imaginé...

### 15-25 ans : adolescents plus tôt, adultes plus tard.

L'adolescence commence en effet de plus en plus tôt. Et, avec elle, le sentiment que l'intégration au monde des adultes ne sera pas

---

## 18-21 ans : les mots qui comptent...

Dans cette liste, quelle est la vertu à laquelle vous attachez le plus d'importance ? Et ensuite ?

| | Ensemble | % Hommes | % Femmes |
|---|---|---|---|
| • La loyauté | 54 | 51 | 56 |
| • La tolérance | 51 | 47 | 55 |
| • La générosité | 48 | 45 | 51 |
| • La solidarité | 42 | 40 | 45 |
| • La persévérance | 34 | 36 | 32 |
| • La patience | 32 | 38 | 26 |
| • La politesse | 30 | 32 | 28 |
| • L'obéissance | 9 | 12 | 5 |

Femme pratique/Ipsos (mars 1985)

CARL A. RUDISILL LIBRARY
LENOIR RHYNE COLLEGE

si facile. C'est ce qui explique peut-être que cette adolescence précoce tend aussi à se prolonger.

L'échelle des valeurs des adolescents reflète à la fois leur volonté de vivre en harmonie avec les autres et celle d'être indépendants. Plus encore que les adultes, ils font une séparation très nette entre les personnes et les entités collectives. Les premières sont les compagnons de route (parents, amis, relations), tandis que les secondes sont ressenties comme des contraintes, des empêcheurs de vivre sa vie. Car les jeunes (comme leur aînés) privilégient la recherche du bonheur individuel et repoussent ce qu'ils considèrent comme l'illusion du bonheur collectif. Ils ne se paient pas de grands mots ni de grands principes, puisqu'à leurs yeux les uns et les autres ont montré leur impuissance à résoudre les problèmes de l'époque.

### La vie quotidienne des 15-25 ans

• Ils sont 8,6 millions ; soit 15,8 % de la population française
• 72 % habitent chez leurs parents
• Un quart des garçons et un tiers des filles ont des problèmes de vue

#### Les loisirs

• Contrairement aux plus jeunes, la télévision n'est pas leur distraction préférée, sauf pour les films et les émissions de rock
• Ils écoutent de plus en plus les radios libres, au détriment des radios périphériques
• Le cinéma reste leur distraction préférée. Ils lisent plus de magazines et de livres, s'intéressent plus à la presse régionale que nationale
• 75 % pratiquent un sport. Par ordre décroissant : tennis, natation, jogging, football (numéro 1 des garçons), vélo, gymnastique (filles)
• Ils sont plus intéressés par le magnétoscope que par l'ordinateur, le Walkman, le Minitel ou le compact-disc.

#### Consommation

• 72 % possèdent un livret de caisse d'épargne (montant moyen de 4 300 francs à 6 400 francs selon l'âge)
• Leurs dépenses concernent en priorité : les vêtements (44 % du budget), le cinéma et les restaurants (12 %), les livres et magazines (10 %), les bijoux et le maquillage pour les filles (8 %), l'essence (8 %), le « grignotage » (5 %), les disques et cassettes (4 %), le café et les jeux (3 %), divers (6 %).

*Institut de l'enfant (sept. 1982)*

### Les 8-14 ans passent plus de temps devant la télé qu'à l'école.

Le temps passé à l'école ne représente que 10 % du temps de la vie des enfants. Même si on lui ajoute le temps de trajet (une heure par jour en moyenne pendant les 160 jours de classe) et les devoirs faits à la maison (environ trois quarts d'heure par jour de classe), le temps consacré à l'école est du même ordre que celui passé devant la télévision. Mais il est évidemment difficile de comparer les influences respectives de l'un et de l'autre sur les connaissances et le développement de l'enfant.

#### Les surprises de l'emploi du temps

Répartition moyenne du temps d'une année pour un enfant de 8 à 14 ans.

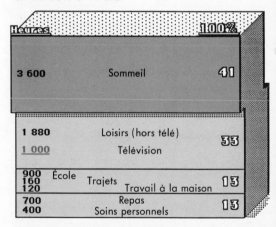

| Heures | | 100% |
|---|---|---|
| 3 600 | Sommeil | 41 |
| 1 880 | Loisirs (hors télé) | 33 |
| 1 000 | Télévision | |
| 900 | École | 13 |
| 160 | Trajets | |
| 120 | Travail à la maison | |
| 700 | Repas | 13 |
| 400 | Soins personnels | |

### Les enfants passent deux fois plus de temps avec leurs parents qu'avec leurs professeurs.

La majeure partie du temps de loisir de l'enfant se passe en famille.

Cela ne signifie pas pour autant que parents et enfants communiquent pendant tout ce temps, mais seulement qu'ils sont ensemble à la maison. On est surpris du peu d'écart existant lorsque la mère exerce une activité professionnelle. Cela tient au fait que ses horaires de travail lui permettent généralement d'être à la maison tôt le soir, même si elle est alors moins disponible que la mère au foyer. La différence essentielle se fait plus souvent le mercredi.

Les pessimistes et autres nostalgiques des périodes révolues en seront pour leurs frais. Les jeunes ne rejettent pas en bloc les valeurs qui guidaient les pas de leurs parents. Si la patrie, la religion ou la politique semblent éloignées de leurs préoccupations, la famille, le travail et l'amour restent, au contraire, des valeurs sûres. Mais il ne faut pas s'y tromper : ces mots n'ont plus pour eux tout à fait le même sens que pour les adultes des générations précédentes. La **famille** qu'ils souhaitent est plus ouverte, plus attentive au monde extérieur, plus propice à l'équilibre de chacun des ses membres. Le **travail** qu'ils réclament n'a plus la valeur mythique que lui attribuaient les anciens. C'est d'un « autre » travail qu'il s'agit, par lequel les jeunes veulent à la fois gagner leur vie et s'épanouir, sans lui consacrer pour autant la totalité de leurs forces ni de leur temps. L'**amour,** lui, a changé surtout dans les apparences : les adolescents en parlent d'une façon plus décontractée, ils sont aussi mieux informés de ses aspects charnels ; mais le sentiment semble bien éternel. En fait, si les mots restent les mêmes, les jeunes sont en train de leur donner un sens plus moderne, mieux adapté à la société, telle qu'elle leur apparaît aujourd'hui.

La « bof génération » des années 60 à changé. Si ses rêves de liberté ne sont pas morts, dix années de crise les ont teintés de **réalisme.**

## L'enfant consommateur

On ne soupçonne guère le véritable rôle économique joué par les enfants. Non contents de dépenser eux-mêmes l'argent dont ils disposent, ils exercent une influence considérable sur les achats effectués par leurs parents. De la tablette de chocolat à la chaîne hi-fi en passant par les magazines ou la planche à voile, l'ombre des enfants se profile derrière beaucoup de décisions d'achats.

L'enfant consommateur,
un interlocuteur privilégié.

*43 % des dépenses des foyers*
*en biens et services*
*dépendent des enfants.*

Ce sont, chaque année, environ 400 milliards de francs qui sont plus ou moins « contrôlés » par les moins de 15 ans. Dans cette somme ne figurent d'ailleurs pas les dépenses effectuées pour eux sans qu'ils y prennent part (assurances, dépenses de santé, etc.) ni celles

Rythme Alpha

---

**De la contestation
à l'adaptation**

Les jeunes de 15 à 25 ans ne sont pas aussi désabusés qu'on le dit. S'ils mettent en cause certaines valeurs traditionnelles, ce n'est pas par goût de la nouveauté mais parce qu'elles ne leur paraissent pas répondre aux questions qu'ils se posent aujourd'hui. Certains chiffres sont particulièrement révélateurs :
• 75 % affirment qu'ils s'adaptent à la société, alors qu'ils n'étaient que 54 % en 1975. 17 % seulement disent qu'ils chercheront à l'avenir à changer cette société qui ne leur convient pas, contre 32 % en 1975. Enfin, ils ne sont que 7 % à la rejeter totalement, contre 12 % dix ans plus tôt.
• 51 % pensent que l'humanité vit actuellement une période de régression (60 % en 1975) ; 47 % pensent qu'elle vit plutôt une période de progrès (28 % seulement en 1975).
• Leurs préférences politiques ont aussi beaucoup changé : en 1975, 39 % se déclaraient prêts à voter pour les partis de gauche et 25 % pour ceux de droite. En 1985, les tendances sont inversées : 47 % pour la droite, 32 % pour la gauche.

dont ils sont indirectement responsables mais qui sont effectuées par les ménages sans enfants (grands-parents recevant leurs petits-enfants, etc.).

Comment s'étonner alors que la publicité les interpelle si souvent, même lorsqu'elle vante des produits qui ne semblent pas leur être particulièrement destinés (produits alimentaires, biens d'équipement, etc.).

Cette influence sur la consommation familiale s'exerce sur des types de dépenses très différents selon l'âge de l'enfant.

### De 0 à 2 ans.
Son impact est surtout sensible sur les produits alimentaires et les jouets. Ne bénéficiant pas encore de la parole, l'enfant manifeste le plus souvent ses choix par le refus, plus facile à exprimer.

### De 3 à 6 ans.
Les enfants exercent leur action sur un domaine élargi aux vêtements, livres, journaux, disques, etc.

### De 7 à 8 ans.
Les pressions portent sur les produits familiaux courants (alimentation, loisirs, etc.). Les demandes sont précises et l'incitation à l'achat très directe.

---

#### L'argent de vos enfants nous intéresse

Qui a dit que la nationalisation des banques n'avait pas favorisé leur créativité ? L'une d'entre elles, le C.I.C., faisait pourtant parler d'elle fin 1983 en créant le compte en banque pour les 13-18 ans. Une idée qui a fait jaser le monde bancaire et enchanté les jeunes à qui une habile publicité proposait d'être « majeur à 13 ans ». Le système est simple : un compte ordinaire non rémunéré, sans chéquier, mais avec une « carte de retrait », et un compte d'épargne. Le compte ordinaire est un compte électronique sur lequel le jeune titulaire peut effectuer des retraits à l'aide de la carte magnétique MOA. La seule intervention des parents se situe au moment de l'ouverture du compte, pour laquelle leur autorisation est nécessaire. Les 13-18 ans ont de l'argent à dépenser ; les plus âgés d'entre eux gèrent un budget annuel d'environ 5 000 francs. Et ils aiment bien qu'on les prenne pour des grands. Devant ce succès incontestable, le Crédit Lyonnais a créé son « Multilion Junior », la BNP, la Société Générale, etc., ont suivi.

### De 9 à 12 ans.
L'influence s'exerce sur les produits familiaux d'équipement (voiture, télévision, hi-fi, etc.), en même temps qu'apparaît le désir d'accéder à des produits normalement réservés aux adultes.

### Entre 12 et 14 ans.
C'est l'âge du « spécialiste », imbattable dans les domaines spécifiques qu'il a choisis (moto, électronique, planche à voile...). L'enfant organise tout son univers autour de ses passions, tendant à abandonner le reste. L'influence est alors très grande, puisqu'un univers considérable de produits de plus en plus sophistiqués s'ouvre à lui. Adolescence et technologie font souvent bon ménage.

L'argent n'a plus d'odeur ni d'âge.

---

### De 15 à 18 ans.
Le réalisme reprend le dessus. Beaucoup de produits pour adultes (habillement, loisirs) apparaissent dans les préoccupations d'achat. La prescription de l'enfant est alors d'autant plus forte que celui-ci approche de la majorité.

Le poids économique des jeunes s'exerce sur deux formes d'achat principales. D'un côté, les achats qui les concernent directement et personnellement : vêtements, jeux, fournitures scolaires, vacances, loisirs, nourriture, etc. De l'autre, les achats pour lesquels ils ne sont que prescripteurs. L'influence concerne alors le type de produit (une chaîne hi-fi plutôt qu'un électrophone), la marque (des pâtes Panzani plutôt qu'un produit « libre »), la quantité achetée (un lot de tablettes de chocolat permettant de recevoir un cadeau, etc.) ou le type de magasin (les enfants ont plus de sympathie pour les hypermarchés que pour les vieilles épiceries de quartier).

### Le règne de l'enfant-partenaire est commencé.

Les dépenses effectuées directement par les enfants ne peuvent être estimées avec précision. Le budget qu'ils gèrent personnellement (rentrées diverses et économies) est en tout cas sans commune mesure avec les sommes qu'ils dépensent.

---

#### Argent de poche : l'arbre qui cache la forêt

Il est faux d'imaginer que les dépenses des enfants sont proportionnelles à l'argent de poche dont ils disposent. Outre qu'il est difficile d'évaluer correctement les sommes qu'ils reçoivent (d'autres sources que les parents interviennent, la monnaie des courses n'est pas toujours rendue, etc.), cette approche du budget des enfants n'est pas significative. Une étude de l'Institut de l'enfant a montré, par exemple, que le montant d'argent de poche moyen des 8-14 ans est d'environ 40 F par mois. Pour les 6 millions d'enfants de cet âge, cela représente un budget total de 2,4 milliards de francs. Ce chiffre, important dans l'absolu, ne représente qu'une faible partie du budget global sur lequel les enfants ont une influence déterminante.
56 % des enfants de 8 à 14 ans reçoivent de l'argent de poche, régulièrement ou occasionnellement. Les plus âgés reçoivent, d'après leurs parents, des sommes allant de 145 francs par mois (à 15 ans) à 290 francs par mois (à 17 ans).

---

En dehors des petits achats quotidiens (bonbons, journaux, cinéma, etc.) financés par l'argent de poche, les dépenses plus importantes (équipements sportifs, musicaux, transport, certains vêtements...) font de plus en plus souvent l'objet d'un « cofinancement » avec les parents. En matière de dépenses comme dans les autres domaines, enfants et parents tendent à se considérer aujourd'hui comme des « partenaires ». Un nouveau type de rapport s'est donc installé au sein de la famille.

### Les enfants sont publiphiles.

À l'inverse des adultes, souvent publiphobes, les enfants aiment bien la publicité. Mais ils sont beaucoup plus sélectifs qu'on ne l'imagine généralement. L'image les fascine davantage que le son, ce qui explique leur

ON NE RÉSISTE PAS A L'APPEL DU BANGA.

B.C.R.C.

Pour l'enfant,
la pub est un spectacle et un jeu.

---

#### Les nouveaux contes de fée

Les enfants, par définition, aiment le merveilleux, les choses qui ne se passent pas comme dans la vie, qui transgressent ou ignorent les règles et les contraintes du monde des adultes. C'est pourquoi ils aiment les spots publicitaires, dont certains leur apparaissent comme de véritables contes de fée. Pour Jean-Noël Kapferer, spécialiste de la publicité et auteur de *l'Enfant et la publicité* (Dunod), plusieurs raisons expliquent cet engouement : la régularité des heures de diffusion des écrans publicitaires satisfait le goût des fixe chez les enfants ; la simplicité et la rapidité des histoires racontées correspondent bien à leurs capacités d'écoute et de compréhension. Comme dans les contes de fée, tout est possible dans la publicité : on a un problème, on fait appel au produit X et on est sauvé.
Pour les enfants d'aujourd'hui, la publicité est donc l'instrument du merveilleux. Elle met en scène leurs fantasmes et fait travailler leur imagination. Mais cela ne les empêche pas de savoir prendre leurs distances par rapport au message publicitaire. Habitués très tôt à la publicité, les enfants d'aujourd'hui en connaissent bien vite les codes et les limites. Et ils deviendront sans doute des consommateurs avisés et responsables.

attirance pour les spots télévisés ou les affiches dans la rue. La publicité à la radio les attire moins ; c'est sans doute l'une des raisons du succès grandissant auprès d'eux des radios « libres ».

## Amour, amitié, sexualité : à la recherche des autres et de soi-même

Les jeunes, jusqu'à environ 15 ans, placent souvent l'amitié au-dessus de tout. Ce sentiment fait place ensuite à l'amour et à son corollaire, la sexualité. Si la façon de parler de l'amour et de le faire a changé, les notions profondes qu'il recouvre n'ont pas vraiment évolué.

### Les jeunes cherchent toujours l'amour.

72 % des filles (de 15 à 25 ans) et 69 % des garçons croient au coup de foudre (enquête *Elle/l'Étudiant* auprès d'un échantillon représentatif des lycéens et étudiants de l'enseignement supérieur, juillet 1985). L'Amour majuscule n'existe pas qu'au cinéma et dans la littérature. Il peuple encore les rêves des jeunes gens d'aujourd'hui. Les filles l'avouent sans doute plus facilement que les garçons. Mais ceux-ci ne sont pas à l'abri des grands sentiments, même s'ils tentent de les dissimuler sous des airs décontractés et un langage peu romantique.

### La frime et la provocation sont une armure contre la peur de grandir.

Lorsqu'on les interroge sur leur conception de l'amour, les adolescents adoptent volontiers une attitude cynique. Le langage, facilement cru et grossier, est une sorte d'exorcisme à la peur de grandir. Le désir de coucher ensemble n'enlève rien au besoin de tendresse. En fait, les jeunes garçons rêvent toujours de vivre le grand amour, et les jeunes filles de rencontrer le prince charmant. Car le grand frisson de la chair n'est finalement total que lorsqu'il s'accompagne de la communion des esprits. Aujourd'hui comme hier, l'adolescence reste une période d'expérimentation, de quête d'une identité difficile à trouver. L'amour

et la sexualité en sont souvent les révélateurs privilégiés. C'est au contact, cérébral et charnel, des autres que l'on apprend à se connaître soi-même.

### La sexualité commence de plus en plus tôt.
E  *En cinquante ans, l'âge de la puberté s'est abaissé en moyenne de deux ans.*

Dans le même temps, la manière dont la société considère l'acte sexuel s'est complètement transformée. Les parents sont plus ouverts, jouent mieux leur rôle de conseil. Les médias ont levé quelques-uns des tabous traditionnels : nudité, référence à l'acte sexuel et même à sa représentation dans les médias les plus « évolués ». De sorte que les relations amoureuses sont beaucoup moins mystérieuses, sans être pour autant banalisées. Par ailleurs, la contraception est devenue facile et efficace. Les conditions étaient donc réunies pour que la sexualité s'exprime différemment.

### Faire l'amour, c'est déjà entrer dans l'univers des adultes.

L'un des aspects essentiels de la période d'adolescence est de transformer la sexualité latente en sexualité véritable, c'est-à-dire partagée. Du bon déroulement de ce processus dépendra l'équilibre futur de l'adulte. Cette recherche de soi passe par la découverte des autres. Les conditions actuelles font que cette première rencontre se situe de plus en plus tôt. L'angoisse n'en est pas absente. C'est elle qui pousse parfois les jeunes de 15 à 20 ans à tomber dans les bras du premier venu.

### La vie sexuelle des adolescents est de plus en plus satisfaisante et variée.

Plus précoce que par le passé, l'expérience sexuelle des jeunes est aussi plus « riche ». Sur le plan technique, l'évolution est encore plus sensible. Si la position la plus classique est pratiquée par l'immense majorité des couples, des variations sont souvent recherchées. On constate d'ailleurs que les habitudes varient peu avec les catégories sociales. L'amour physique reste une activité primaire, qui transcende largement le statut social. Autre signe de l'évolution considérable de ces dix dernières années, le « droit au plaisir », longtemps réservé aux hommes, semble avoir été conquis

On peut parler de tout aux adolescents.

### L'âge moyen au premier rapport a baissé de 5 ans en 12 ans

En 1970, la moitié des filles étaient vierges à 21 ans. Aujourd'hui, elles ne sont plus que 4 %.
L'évolution est spectaculaire. Elle est due, bien sûr, à une maturité physique et psychologique plus précoce. Elle est également liée à une plus grande permissivité sociale, qui interdit moins avant et condamne moins après. La diminution de l'influence religieuse, le développement des moyens contraceptifs, la possibilité de recours à l'I.V.G. n'y sont évidemment pas étrangers.
Les jeunes gardent en général un assez bon souvenir de la « première fois » : 22 % des garçons et 17 % des filles ont trouvé ça « génial » ; 51 % et 44 % « pas mal ». Les « déçus » sont respectivement 15 et 30 %. Enfin, 8 % des garçons et 7 % des filles ont trouvé ça carrément « catastrophique ».
On constate que c'est encore principalement par les livres et les journaux que les jeunes sont informés, puis par leurs parents et amis.
15 % des jeunes de 15-25 ans déclarent avoir eu des relations sexuelles avec plus de 3 partenaires au cours des six derniers mois (5 % avec plus de dix). 13 % des garçons et 14 % des filles disent avoir déjà eu des relations homosexuelles.
*N.B.* L'enquête portait sur un échantillon représentatif des jeunes de 15 à 25 ans, lycéens et étudiants de l'enseignement supérieur.

par les femmes, en particulier par les plus jeunes. On est loin du temps où certains sexologues diagnostiquaient qu'un femme sur deux était frigide ! Là encore, les différences entre les catégories sociales sont peu marquées. Les jeunes filles habitant en milieu rural semblent cependant un peu plus nombreuses à connaître le plaisir que les filles d'ouvriers. Celles de l'agglomération parisienne semblent aussi un peu plus favorisées que celles qui habitent la province.

Les expériences amoureuses des adolescents d'aujourd'hui sont à la fois plus complexes et plus précoces que par le passé. Elles devraient leur permettre de trouver dans leur vie d'adulte un équilibre que beaucoup de leurs parents n'ont pas connu. Celui qui doit régner entre le corps et l'esprit, entre le plaisir physique et la tendresse. Car le corps a ses raisons que la raison ne peut ignorer.

# ÉCOLE

*À 2 ans, un enfant sur trois est à la maternelle. Entre 20 et 24 ans, un sur quatre est encore étudiant. Au moment où les parents et les maîtres se posent des questions sur l'avenir de l'école, les jeunes semblent lui trouver bien des vertus. Comme si Mai 68 n'avait jamais existé...*

## Primaire et secondaire : 12,5 millions d'élèves

Les classes du premier et du second degré comptent aujourd'hui 1 300 000 élèves de plus qu'en 1968. C'est moins la croissance démographique (au demeurant assez faible) que celle du taux de scolarisation qui explique cette rapide croissance.

*L'école est plus considérée
comme une nécessité
que comme une obligation.*
• *À 16 ans, 75 % des jeunes sont scolarisés.*
• *Ils n'étaient que 55 % en 1968.*

La nécessité de l'instruction scolaire est aujourd'hui très largement reconnue. Il n'est qu'à voir la relation étroite entre les diplômes obtenus et la profession exercée pour se convaincre de son intérêt.

La scolarité obligatoire jusqu'à 16 ans est aujourd'hui presque entrée dans les faits, même si un certain effritement se produit encore à partir de 14 ans. On peut donc espérer pour les prochaines générations un net recul de l'analphabétisme. À la condition, bien sûr, que tous ceux qui sont inscrits à l'école en ressortent en sachant parfaitement lire et écrire. Ce qui est loin d'être démontré.

*Un élève sur six dans le privé*
• *14 % des élèves du premier degré
sont dans l'enseignement privé
(15,5 % en 1960).*
• *21 % des élèves du second degré
(26,1 % en 1960).*

Qu'est-ce qui incite un nombre non négligeable de parents à placer leurs enfants dans une école privée ?

Quelles que soient leur condition, leur sensibilité politique, les Français sont en grande majorité favorables à la coexistence des deux systèmes, même s'ils ne sont pas prêts à envoyer leurs enfants dans une école privée. L'ampleur des manifestations qui se sont déroulées dans toute la France en 1983 et 1984 témoigne de cette volonté.

L'image du privé est généralement bonne. Les Français, dont la plupart ne l'ont jamais pratiqué, semblent convaincus que l'enseignement y est plutôt meilleur que dans les écoles publiques, que les pesanteurs administratives y sont moins lourdes, que les professeurs y sont moins politisés. La grande force de l'enseignement privé est d'avoir réussi à entrer dans les esprits sous le nom d'école libre.

Après avoir beaucoup mobilisé les Français, la querelle de l'école privée s'est éteinte. Les hommes politiques de tous bords ont compris qu'il ne fallait pas la rallumer.

## L'école à plusieurs vitesses

Tous les enfants, ou presque, vont à l'école. Mais tous ne réussissent pas leur vie scolaire de la même façon. L'évolution favorable de la scolarisation ne doit pas faire oublier les écarts importants qui subsistent entre les diverses catégories sociales. De la maternelle à l'université, l'entrée (comme la sortie) ne s'effectue pas dans les mêmes conditions selon les caractéristiques du milieu familial.

*La sélection commence à la maternelle.*
• *32 % des enfants d'ouvriers sont
« signalés » (éprouvent des difficultés
à suivre normalement) dans les classes
de maternelle.*
• *C'est le cas de seulement 14 %
des enfants de cadres supérieurs.*

Les éléments de la réussite ou de l'échec scolaire sont présents dès les premières années de la scolarité. Il ne s'agit pourtant pas encore d'apprendre à lire ou à compter. Mais le développement intellectuel des enfants semble plus stimulé dans les milieux les plus favorisés, indépendamment des différences de capacité pouvant exister entre les uns et les autres.

*À l'école primaire, les enfants d'ouvriers
redoublent dix fois plus
que ceux des cadres supérieurs.*
• *2,2 % des enfants de cadres supérieurs
et professions libérales
redoublent le cours préparatoire.*
• *22 % des enfants d'ouvriers.*

Le taux de redoublement au cours préparatoire est très variable selon l'appartenance sociale des enfants. À 6 ans, l'écart s'est déjà fortement creusé entre les enfants des familles culturellement privilégiées et les enfants de celles qui ne le sont pas.

On sait par ailleurs que les élèves ayant rencontré des difficultés dans l'enseignement primaire sont beaucoup moins nombreux à accéder en classe terminale.

*La sélection se poursuit dans le secondaire.*
• *Le taux d'admission en terminale varie
de 79 % pour les enfants d'enseignants
à 15 % pour les enfants de salariés agricoles.*

Les enfants des catégories sociales défavo-risées (ouvriers, personnels de service, salariés agricoles...) représentent 45 % de l'effectif en-trant en 6ᵉ et 26 % seulement de celui admis en terminale (13 % en terminale C).

L'écart entre les enfants, déjà important dans le primaire, peut aller jusqu'à l'exclusion dans le secondaire. À l'issue de la classe de 3ᵉ, l'orientation qui s'opère montre que les élèves d'origine ouvrière sont beaucoup plus nom-breux dans l'enseignement professionnel que dans l'enseignement général. Les écarts dus au milieu social conditionnent donc la vie profes-sionnelle future.

*Les enfants d'immigrés cumulent les handicaps.*
*• Les élèves étrangers représentent 10 % des effectifs du premier degré (enseignement public).*

### 9 enfants d'ouvriers sur 10 entrant en 6ᵉ n'iront pas jusqu'en terminale

Devenir de 100 élèves de chaque groupe socioprofessionnel de la promotion 1972-73 d'élèves de 6ᵉ jusqu'à la terminale (enseignement public et privé).

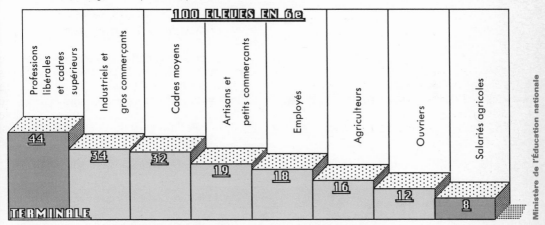

### On redouble de plus en plus à partir de la 6ᵉ.

Évolution du taux de redoublement de la 6ᵉ à la terminale.

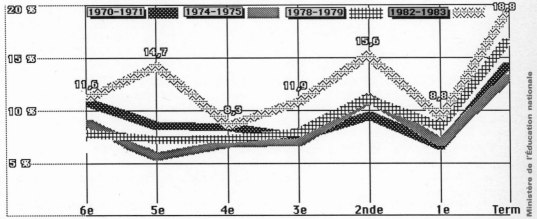

• *Ils ne représentent plus que 7 % des effectifs du second degré.*

Les immigrés exercent souvent les professions qui, d'après les statistiques, sont les moins favorables à la réussite scolaire de leurs enfants (57 % sont ouvriers, contre 18 % des Français). Ceux-ci souffrent en outre des problèmes linguistiques et culturels liés à leur origine étrangère et à leur difficile intégration sociale. La plupart d'entre eux s'orientent vers les formations de type technique ou professionnel et choisissent les formations courtes.

## Le bac banalisé

On ne parle plus guère du certificat d'études, autrefois fort apprécié. C'est le bac, aujourd'hui, qui est le visa nécessaire à l'entrée dans la vie professionnelle. Parce qu'il ouvre les portes des universités et entrouvre celles des grandes écoles. Parce qu'il donne à ceux qui terminent là leur parcours scolaire l'espoir d'un emploi.

*En 20 ans, le nombre des admis au bac a plus que triplé.*
• *75 000 bacheliers en 1963.*
• *254 000 en 1985 (session de juin).*

La proportion des bacheliers par génération est passée, dans le même temps, de 12 à 27 % ; elle devrait atteindre 30 % au cours des prochaines années. On se bouscule de plus en plus pour obtenir le parchemin qui constituera le bagage minimum figurant sur le curriculum vitae. Le milieu familial n'est pas étranger au choix de la filière suivie dans le secondaire. On remarque ainsi que :
• les enfants d'agriculteurs sont moins attirés que la moyenne par les lettres et les sciences physiques,
• les enfants des employés et ouvriers sont nombreux à choisir le bac de technicien,
• les enfants des cadres supérieurs et professions libérales sont les plus intéressés par les maths et s'intéressent moins aux matières techniques.
Ces différences expliquent évidemment celles qui existent plus tard dans l'enseignement supérieur.

## Le charme (de moins en moins) discret de l'enseignement supérieur

Contrairement au bac de technicien, celui d'enseignement général ne prépare pas directement à un métier. Il permet aux jeunes qui le souhaitent (et qui en ont la capacité) de poursuivre leurs études dans le cadre de l'enseignement supérieur. Ils sont aujourd'hui 1 100 000 à suivre les cours des universités ou des grandes écoles, soit environ un quart des 20 à 24 ans. Dans une conjoncture économique difficile, aucun atout n'est à négliger. D'autant que « l'investissement diplôme » se révèle généralement très rentable.

### La France dans le peloton de queue

Taux de scolarisation dans l'enseignement supérieur dans quelques pays (jeunes de 20 à 24 ans) en 1982 pour 100 habitants.

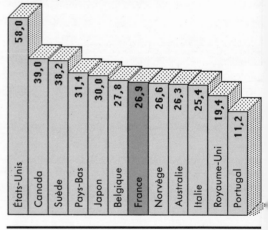

| États-Unis | Canada | Suède | Pays-Bas | Japon | Belgique | France | Norvège | Australie | Italie | Royaume-Uni | Portugal |
|---|---|---|---|---|---|---|---|---|---|---|---|
| 58,0 | 39,0 | 38,2 | 31,4 | 30,0 | 27,8 | 26,9 | 26,6 | 26,3 | 25,4 | 19,4 | 11,2 |

## Universités : 900 000 étudiants

Moins élitistes que les grandes écoles, les universités drainent la grande majorité des étudiants. Le hit-parade des matières n'a pas sensiblement varié. Moins en tout cas que les besoins de l'économie. Lettres et médecine attirent à elles seules près de la moitié des effectifs, mais la proportion des offres d'emplois auxquelles elles préparent est considérablement inférieure. On constate depuis quelques années la part croissante prise par le droit et les sciences économiques, dont les diplômes se « vendent » un peu mieux. La part du privé dans l'enseignement supérieur est très faible (environ 2 % des effectifs).

---

### Toujours les lettres

Répartition des étudiants des universités selon les matières en 1984-85.

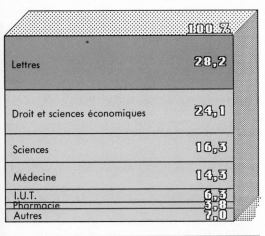

| | |
|---|---|
| | 100 % |
| Lettres | 28,2 |
| Droit et sciences économiques | 24,1 |
| Sciences | 16,3 |
| Médecine | 14,3 |
| I.U.T. | 6,3 |
| Pharmacie | 3,8 |
| Autres | 7,0 |

---

## L'origine sociale des étudiants ne se démocratise pas vraiment.

On rencontre encore très peu de fils d'ouvriers ou d'agriculteurs dans les universités. La part qu'ils représentent dans le recrutement reste faible (elle a même diminué depuis 10 ans), très inférieure en tout cas à leur importance numérique dans la population.

On connaît les raisons de ces discriminations. Si certaines sont liées aux différences de capacités individuelles (mais les démonstrations irréfutables manquent sur ce point), d'autres sont au contraire totalement dépendantes de l'environnement familial. Les obstacles d'ordre financier sont importants, mais ils peuvent être levés dans un certain nombre de cas (100 000 étudiants environ bénéficient d'une bourse). Il est beaucoup plus difficile d'agir sur les obstacles de nature culturelle. Comment donner aux enfants le goût des études lorsque les parents n'en ressentent pas vraiment l'intérêt ? Comment leur donner l'**aisance** et la sûreté de soi qui leur manquent ? Le problème essentiel est toujours le même : convaincre les plus humbles qu'ils peuvent, s'ils le veulent, **vraiment,** « sortir de leur milieu ». Mais les barrières intérieures sont souvent les plus difficiles à faire tomber.

---

### Vous avez dit démocratisation ?

Effectifs universitaires selon la profession des parents (en %)

| | Étudiants 1984/85 | Étudiants 1973/74 | Part de chaque CSP dans la population (en 1984) (1) |
|---|---|---|---|
| • Agriculteurs exploitants | 4,2 | 6,1 | 6,7 |
| • Salariés agricoles | 0,6 | 0,6 | 1,3 |
| • Patrons du commerce et de l'industrie | 8,4 | 11,9 | 7,7 |
| • Professions libérales et cadres supérieurs | 30,2 | 32,6 | 8,5 |
| • Cadres moyens | 17,4 | 16,2 | 18,6 |
| • Employés | 8,0 | 9,4 | 21,4 |
| • Ouvriers | 12,2 | 12,5 | 29,4 |
| • Personnel de service | 1,0 | 0,8 | 4,8 |
| • Autres catégories | 8,7 | 8,1 | 1,6 |
| • Sans profession | 3,2 | 1,8 | – |
| • Non réponse | 6,1 | – | – |

(1) CSP : catégorie socioprofessionnelle.

I.N.S.E.E.

*On compte, chaque année,*
*plus de 100 000 diplômés de l'université.*

D.E.U.G., D.U.T., D.E.S.S., etc., ces sigles barbares sont quelques-unes des appellations des diplômes universitaires. Les plus connus sont la licence, la maîtrise et le doctorat, qui sanctionnent le parcours des étudiants les plus ambitieux. La moitié des licences sont obtenues en lettres et en sciences humaines. Mais les maîtrises et doctorats de 3ᵉ cycle tendent à privilégier les disciplines scientifiques.

### Grandes écoles : les portes du paradis

Face aux universités largement ouvertes, les grandes écoles françaises constituent un petit club très fermé. Beaucoup d'étudiants rêvent d'y être un jour admis. Il leur faudra pour cela franchir plusieurs obstacles : d'abord le bac (de préférence avec mention), puis deux années de préparation spéciale, avant le concours d'entrée destiné à sélectionner les « meilleurs ». Une fois entré dans le sanctuaire, l'étudiant devra encore mériter d'en sortir avec les honneurs, qui prennent ici la forme d'un diplôme. Les cinq années nécessaires après le bac constitueront pour beaucoup le meilleur des placements. On pourrait même parler de rente, puisque la plupart en percevront les dividendes pendant toute leur vie. Ce qui ne signifie pas d'ailleurs, qu'ils pourront se contenter de la toucher sans continuer de la

---

#### Étudiants à tous prix

Un polytechnicien coûte 250 000 francs par an à la collectivité ; un étudiant en droit ou en économie ne revient qu'à 6 900 francs. Entre ces deux extrêmes, on trouve des étudiants à tous les prix, selon la spécialité, l'établissement, etc. Une place dans une école d'infirmière coûte 16 000 francs par an, une autre à l'Université Paris-Dauphine vaut 23 000 francs. Un peu moins que dans un I.U.T. (28 000 francs) ; beaucoup moins qu'à Centrale (67 000 francs).

Mais le prix payé par l'État est très variable en fonction des ressources propres des écoles : frais de scolarité, taxe d'apprentissage, contrats de recherche avec des entreprises, subventions des collectivités... Ces ressources, qui couvrent 7,5 % des dépenses à l'université, peuvent atteindre plus de 50 % dans le cas de l'École supérieure de commerce de Paris ou d'autres

---

grandes écoles. La contribution des étudiants eux-mêmes est également très variable : 90 % paient moins de 1 000 francs par an ; 3 % paient de 1 000 à 10 000 francs, 5 % paient plus de 10 000 francs. Le record appartient probablement à l'Institut européen des affaires (I.N.S.E.A.D.) de Fontainebleau, avec 55 000 francs de frais annuels de scolarité. Des chiffres qui confirment, si besoin est, que les diplômes n'ont pas de prix.

---

mériter, car la conjoncture économique actuelle n'épargne personne, pas même les diplômés. En début de carrière, le diplôme est un « laissez-passer » très utile. Ce sont ensuite les qualités personnelles qui font la différence.

## La démocratisation des grandes écoles reste à faire

Les remarques faites à propos des universités quant à la faible représentation des catégories sociales les plus modestes valent encore plus pour les grandes écoles. Les fils d'ouvriers ne se bousculent toujours pas à Polytechnique ou à H.E.C., même s'ils sont plus nombreux aux Arts et Métiers. De même, on rencontre peu de fils d'immigrés à Centrale ou à l'E.S.S.E.C. Mais on croise de plus en plus de jeunes femmes dans cet univers traditionnellement réservé aux hommes. Les plus misogynes des grandes écoles se sont d'ailleurs récemment officiellement ouvertes aux représentantes de l'autre sexe.

Face à cette « oligarchie du diplôme », les plus admiratifs se félicitent de l'existence d'un système d'ailleurs envié par beaucoup de pays étrangers. Les plus amers condamnent la « cooptation » au sein des entreprises (encore appelée copinage ou mafia), qui en assure, selon eux, la pérennité.

*L'école d'aujourd'hui ne satisfait plus...*
*que les élèves.*

Les adultes émettent quelques réserves sur la façon dont l'école remplit sa mission d'éducation. Un tiers d'entre eux la trouvent inadaptée à la vie économique actuelle. Quant aux enseignants, ils ne sont pas non plus convaincus de la perfection du système. Leurs plaintes concernent aussi bien les conditions matérielles d'exercice de leur métier que le niveau des élèves qui, selon eux, a tendance à se dégrader. Il n'y a guère, paradoxalement, que les élèves qui sont satisfaits du système.

*La contestation de Mai 68 n'est plus qu'un lointain souvenir.*

Mai 68 ? Connais pas. On pourrait ainsi résumer l'attitude des jeunes Français d'au-

Télé 7 Jours/BVA (mars 1985)

### Souvenirs, souvenirs...

- 40 % des Français gardent un mauvais souvenir de Mai 68 (26 % en ont un bon)
- 44 % pensent cependant, avec le recul, que cela eu des effets plutôt positifs sur la société française. 21 % pensent que les effets ont été négatifs, 17 % qu'il n'y en a pas eu.

### Les lycéens aiment leurs profs

- 81 % sont globalement satisfaits de leurs professeurs
- 72 % les trouvent intéressants (24 % les trouvent ennuyeux)
- 80 % les trouvent sympathiques (9 % antipathiques)
- 32 % les trouvent « branchés » (40 % « ringards »)
- 53 % les trouvent attentifs (31 % indifférents)
- 35 % les trouvent modernes (44 % conformistes)
- 41 % les trouvent « cool » (34 % crispés)
- 62 % les trouvent compréhensifs (16 % sadiques)
- 36 % les trouvent engagés politiquement (48 % neutres)

jourd'hui devant l'école. La plupart (environ les deux tiers, d'après les sondages) s'y sentent bien, et elle ne laisse indifférents qu'une minorité d'élèves. Quant aux relations avec les enseignants, elles paraissent généralement bonnes. Et, si les chahuts existent toujours, on est loin de la crise dont parlent périodiquement les médias. Loin, en tout cas, de ses manifestations les plus dramatiques (suicides de professeurs).

Seuls les élèves des lycées d'enseignement professionnel semblent moins épanouis que les autres. Ils sont moins nombreux à se sentir bien à l'école et jugent leurs rapports avec les enseignants de façon un peu moins favorable.

### Les diplômes qui 'payent' le mieux

Salaire de début en fonction du diplôme obtenu (en francs par an) **fin 1985** :

| | Moyenne | Fourchette |
|---|---|---|
| ÉCOLES D'INGÉNIEURS | | |
| – Polytechnique | 158 000 | 140 000 – 175 000 |
| – Centrale (Paris) | 158 000 | 145 000 – 180 000 |
| – Télécom (École nationale supérieure des télécommunications) | 156 000 | 145 000 – 170 000 |
| – ENSTA (École nationale supérieure des techniques avancées) | 155 000 | 145 000 – 170 000 |
| – Ponts et Chaussées | 155 000 | 140 000 – 170 000 |
| – Mines (Paris, St-Étienne, Nancy) | 152 000 | 130 000 – 164 000 |
| – SUPELEC (École supérieure d'électricité) | 152 000 | 134 000 – 161 000 |
| – SUP AERO (École nationale supérieure de l'aéronautique et de l'espace) | 152 000 | 140 000 – 170 000 |
| – ESPCI (physique, chimie, Paris) | 150 000 | 130 000 – 170 000 |
| – Arts et Métiers | 147 000 | 130 000 – 165 000 |
| ÉCOLES COMMERCIALES ET DE GESTION | | |
| – HEC (Hautes Études commerciales) | 150 000 | 135 000 – 165 000 |
| – ESSEC (École supérieure des sciences économiques et commerciales) | 148 000 | 130 000 – 165 000 |
| – ENSAE (École nationale de la statistique et de l'administration économique) | 148 000 | 130 000 – 165 000 |
| UNIVERSITÉS | | |
| – Doctorat en droit ou en sciences économiques | 142 000 | 120 000 – 160 000 |
| – Maîtrise Dauphine | 128 000 | 114 000 – 144 000 |
| – Maîtrise Panthéon-Sorbonne (gestion) | 128 000 | 109 000 – 140 000 |
| – Maîtrise d'information et de communication (CELSA) | 126 000 | 85 000 – 140 000 |

l'Expansion (salaires des cadres – juin 1986)

Ils sont, par contre, plus nombreux que la moyenne à considérer que leur formation les prépare à la vie active

Dans une époque où le droit au travail n'a plus un caractère systématique, les jeunes se rendent bien compte que c'est l'école qui leur fournit les meilleures chances. Aussi les imperfections de l'enseignement qu'elle dispense leur paraissent-elles peu importantes en regard des avantages qu'elle procure.

Les enfants

## En Vrac

• Parmi les 8,5 millions de jeunes de 16 à 25 ans, 37 % travaillent, 32 % sont encore à l'école, 19 % sont chômeurs, 3 % font leur service militaire.

[S] Les motivations principales de la recherche d'emploi des 15-25 ans sont, par ordre décroissant : un travail bien payé, stable, permettant d'exercer des responsabilités, laissant du temps libre, dans une bonne ambiance, correspondant à la formation.

[S] Parmi les étudiants, 43 % se disent proches du P.S., 12 % de l'UDF, 12 % du RPR, 7 % du mouvement écologiste, 3 % du P.C. et 2 % du Front national. 77 % sont plutôt satisfaits de leurs études, 19 % plutôt mécontents. 32 % ne referaient pas les mêmes études. Leurs conceptions de la réussite sont, par ordre décroissant : être heureux en famille (33 % mais 19 % seulement pour les étudiants des grandes écoles) ; créer quelque chose de durable (31 %) ; accéder à un haut niveau de responsabilité (15 % mais 32 % pour les étudiants des grandes écoles) ; avoir du temps libre (12 %) et gagner beaucoup d'argent (5 %).

[S] Les personnalités préférées des 15-25 ans sont, par ordre décroissant : Coluche, le commandant Cousteau, Romy Schneider, Yannick Noah, Bernard Tapie, Stéphane Collaro, Lech Walesa.

[S] 56 % des 18-21 ans sont fiers d'être français (31 % ne le sont pas). Mais 37 % seulement seraient prêts à se battre physiquement pour défendre leur pays.

[S] Pour les 9-12 ans, l'homme politique le plus « rigolo » est Georges Marchais, le plus « sympa » est François Mitterrand, le plus « ringard » est Jean-Marie Le Pen.

• En dehors de la France, les pays que les 15-25 ans choisiraient pour vivre sont avant tout les États-Unis et l'Australie.

[S] 65 % des jeunes de 15 à 25 ans souhaitent créer leur entreprise.

[S] Pour 62 % des filles et 51 % des garçons de 15 à 25 ans, l'homosexualité est une forme de sexualité comme les autres.

[S] 70 % des garçons et 58 % des filles de 15 à 25 ans se considèrent comme « un bon coup ».

# La Vie de Famille

## RELATIONS PARENTS/ENFANTS

*Malgré le chemin parcouru en une génération, parents et enfants communiquent plutôt bien. Stimulées par les difficultés du moment, leurs relations s'établissent sur des bases nouvelles, mais apparemment solides. La famille a encore de beaux jours devant elle.*

### Éducation : la famille d'abord

L'éducation de l'enfant est la résultante des diverses influences qui s'exercent sur lui. L'école, la famille, les médias, les copains en sont les principaux acteurs. Le mélange qu'ils composent est de plus en plus riche et complexe, à défaut d'être toujours harmonieux. Les enfants puisent dans ces différentes sources les éléments nécessaires à leur apprentissage de la vie. Les influences qu'ils subissent ne sont guère spécialisées, mais ils sont cependant conscients de ne pas apprendre les mêmes choses à l'école, à la maison ou dans la rue. Dans ce concert de plus en plus bruyant d'influences concurrentes, voire contradictoires, la famille résiste plutôt bien.

*Les parents transmettent une philosophie de la vie.*

C'est en regardant vivre leurs parents que les enfants se forgent leur propre conception de la vie. Par imitation, ou au contraire par réaction. Les parents d'aujourd'hui semblent encore plus soucieux qu'hier de l'éducation de leurs enfants. Autant que l'amour, la crainte de passer pour un père incompétent ou pour une mère indigne les pousse à des efforts réels et permanents. On emmène les enfants au spectacle ou en vacances, on leur donne de l'argent, on s'efforce de participer à leur vie de tous les jours. Que ce soit par goût du sacrifice ou pour se faire pardonner de les avoir mis au monde...

*Le rôle des grands-parents est en train de disparaître.*

Pendant des générations, la présence des grands-parents au sein de la famille donna une sorte de « plus-value » très appréciable à l'éducation dispensée par les parents. Les grands-parents d'aujourd'hui habitent de moins en moins avec leurs enfants et petits-enfants. Les problèmes de logement, l'éloignement géographique, les conflits de génération, le souci croissant d'indépendance expliquent cette évolution. La conséquence est que les enfants profitent moins et de façon très discontinue de l'expérience de leurs grands-parents (le plus souvent à l'occasion des périodes de vacances). La vision qu'ils ont de la vie transite donc essentiellement par celle que leur enseignent leurs parents. Aussi les jeunes ne connaissent-ils plus guère l'histoire des générations antérieures. Ils la comprennent surtout moins bien. Ils ont donc une conscience moins aiguë du chemin parcouru en un siècle, au cours de ces années si importantes pour l'évolution de la société. L'image du grand-père faisant sauter son petit-fils sur ses genoux en lui racontant la guerre de 14 ou l'apparition des premières automobiles appartient au passé. Avec elle disparaît un des aspects les plus riches de la formation des enfants. Aucun livre, aucun documentaire de télévision ne pourra vraiment la remplacer.

## Famille, je vous aime

Les années 80 semblent marquer une trêve dans le conflit des générations. Toutes les enquêtes effectuées auprès des moins de 20 ans

La famille est le plus souvent élargie aux copains.

Dupuy-Saatchi

montrent que les jeunes Français ne connaissent pas, dans l'ensemble, de graves problèmes avec leurs parents. Ils communiquent généralement bien avec eux, même si certains sujets sont peu abordés en famille. Ils ne manquent pas d'affection, même si l'amitié des copains tient souvent la première place. Cela ne signifie pas pour autant que tout va pour le mieux au royaume des enfants. Ni d'ailleurs que les parents n'éprouvent pas de difficultés à élever leur progéniture.

### *On est content d'être ensemble.*

La famille reste pour les enfants un nid douillet dans lequel il fait bon vivre. On parle beaucoup plus volontiers aux parents (à la mère en particulier) qu'aux professeurs. Mais les copains restent, malgré tout, les interlocuteurs privilégiés. L'âge ne semble pas modifier sensiblement ce sentiment général de satisfaction. On se sent aussi bien en famille à 5 ans qu'à 20. Ou même parfois à 25.

### Les enfants du paradis ?

**Les 9-12 ans**
Qu'est-ce qui te plaît le plus chez tes parents ?
• Tu sens qu'ils t'aiment : 64 %
• Ils te font confiance : 43 %
• Ils s'intéressent à toi : 42 %
• Ils ont l'esprit jeune : 22 %
*(l'Express/Institut de l'enfant.* Mai 1985)
**Les 15-20 ans**
Comment trouvez-vous vos parents ?
• Ils me comprennent : 66 %
• Ils sont dépassés : 15 %
• Je suis en conflit avec eux : 3 %
Totaux supérieurs à 100, en raison des réponses multiples.

### *Mais tout n'est pourtant pas parfait.*

Que manque-t-il aux enfants pour que leur bonheur familial soit complet ? En réalité, peu de choses. La possibilité de parler de certains problèmes, concernant par exemple les relations entre garçons et filles. Peut-être aussi un peu plus d'argent de poche, mais le problème n'est pas crucial, car on finit toujours par s'arranger. Un peu moins de sévérité ? Elle a déjà fortement diminué : la moitié des parents déclarent faire usage (modérément) de la fessée. Le martinet, la ceinture et autres instruments répressifs ne sont utilisés que dans un foyer sur dix. Certes, on aimerait bien, dans certains cas, avoir des parents plus modernes, plus « cool » ou plus « branchés ». Mais il semble que ce reproche, souvent exprimé par le passé, le soit moins aujourd'hui. Les parents des années 80 sont plutôt plus tolérants. Non contents d'être des tuteurs, ils cherchent aussi à être des copains. Cependant, le développement récent des courants conservateurs devrait avoir des conséquences sur la manière d'élever les enfants dans de nombreuses familles. Mais, peut-être plus que par l'attitude des enfants, c'est à travers les comportements des parents que l'on comprend le mieux la nature des relations entre les deux générations.

### Les exceptions
### qui confirment la règle

Comme à toutes les époques, les relations entre parents et enfants ne sont évidemment pas uniformément bonnes. Les difficultés existantes sont principalement de quatre types :

**Fugues.** Les statistiques officielles font état de 28 158 fugueurs en 1983, auxquels il faut ajouter environ 1 500 pour la seule ville de Paris. Mais leur nombre réel est estimé entre 50 000 et 300 000. La plupart des fugueurs reviennent chez leurs parents dans le mois qui suit leur départ. En 1983, 27 222 ont été retrouvés, ce qui signifie que 2 000 environ ne l'ont pas été.

**Drogue.** D'après certaines enquêtes, 7 % des lycéens seraient concernés par l'usage, régulier ou non, de la drogue, tandis que 22 % des moins de 18 ans auraient essayé.

**Suicides.** Sur les 12 000 morts par suicide enregistrés chaque année, moins de 10 % concernent les jeunes de moins de 25 ans. Mais ils sont beaucoup plus nombreux à tenter, sans succès, de se donner la mort, afin d'attirer l'attention sur leur détresse.

**Difficultés de communication.** C'est, semble-t-il, vers 15 ans que les enfants ont le plus l'impression d'avoir des parents « dépassés ». Les conflits portent plus sur des aspects matériels (permission de sortir le soir, façon de s'habiller, argent de poche, choix des programmes de télévision, etc.) que sur des conceptions fondamentalement opposées de la vie.

# Parent :
# un métier passionnant mais difficile

La majorité des parents ont le sentiment de vivre harmonieusement en famille. Mais c'est au prix d'efforts constants et d'une inquiétude réelle. Le rôle de père ou de mère n'est plus aujourd'hui un simple état, c'est un métier. Il faut à la fois des compétences et du talent pour l'exercer correctement. L'une des difficultés du métier est d'ailleurs qu'il évolue selon l'âge des enfants.

### Un pluriel
### de plus en plus singulier

La famille « monoparentale » connaît un essor fulgurant. Ce terme barbare s'applique aux familles où les enfants sont élevés par un seul de leurs parents, père ou mère. On en recensait 650 000 en 1968, elles sont 1 million aujourd'hui. Pour la grande majorité (80 %), ce parent est la mère. Pendant longtemps, c'était le décès de l'un des parents qui était à l'origine de ces situations. Aujourd'hui, 30 % seulement des femmes et 28 % des hommes qui élèvent seuls leurs enfants sont veufs. La moitié des femmes concernées sont des divorcées ayant obtenu la garde de leurs enfants (contre 33 % des hommes) ; 10 % sont des mères célibataires.

*Pour les moins de 5 ans :*
*des parents dévoués.*

Élever des enfants en bas âge implique d'abord un grand dévouement. C'est le bébé qui impose son rythme ; aux parents de s'y adapter, même s'il faut se lever toutes les nuits à quatre heures pour donner le biberon. Les best-sellers des littératures française et américaine concernant l'éducation des enfants ont eu un impact certain. Cet impact est aujourd'hui largement relayé par les pages spécialisées des magazines féminins.

La diffusion de découvertes récentes dans ce domaine fait que les parents ont aujourd'hui le sentiment (souvent diffus) que la vie de bébé n'est pas seulement végétative et que des précautions sont indispensables pour que son cerveau se développe aussi harmonieusement que son corps. Les rôles des deux parents restent différenciés. Même si les jeunes pères se piquent aujourd'hui de psychologie infantile, ils demeurent encore très en retrait par rapport aux mères. Attendant le moment où ils pourront jouer au foot ou au Monopoly avec leur progéniture.

*Télérama/Louis Harris (novembre 1985)*

### Le retour de l'autorité

• 66 % des Français sont plutôt d'accord avec l'idée que les principes d'éducation et de pédagogie font plus de place à l'autorité et à la discipline (22 % sont plutôt d'un avis contraire).
• L'autorité des parents sur leurs enfants s'exerce principalement, selon eux, sur leurs études, leur façon de se conduire avec les adultes (la politesse), leurs valeurs morales et leur langage. Elle s'exerce au contraire très peu sur leur façon de s'habiller ou de se coiffer, le choix de leurs camarades ou de la musique qu'ils écoutent.

*Pour les 6-11 ans : des parents exigeants.*

C'est l'âge où il faut être omniprésent, afin d'aider l'enfant dans sa vie aussi bien scolaire qu'extrascolaire. Les devoirs à la maison, les jeux, les activités sportives ou artistiques sont autant de raisons pour les parents d'intervenir. C'est d'ailleurs là que se crée ou plutôt s'élargit le fossé entre les différentes familles. Constamment stimulé dans certaines familles, l'enfant se retrouve au contraire seul face à ses devoirs dans d'autres, moins disponibles ou moins concernées. C'est pourtant à cet âge que se révèlent les vocations. Mais comment savoir qu'on est doué pour la musique si l'on ne touche pas à un instrument ? Comment espérer devenir un champion de tennis si l'on n'a pas l'occasion de tenir une raquette ?

Les parents sont d'ailleurs de plus en plus conscients de l'importance particulière de cette période. Si les psychologues continuent de répéter que c'est entre 0 et 2 ans que tout se joue, il semble bien que certaines orientations essentielles se déclenchent à partir de 6 ans. Même si l'ambition de tous les parents n'est pas de faire de leurs enfants des champions ou de grands musiciens, ils savent bien que la compétition, dans tous les domaines, commence de plus en plus tôt. La crise économique et la rareté de l'emploi les incitent à attacher de l'importance à la scolarité de leurs enfants.

*Pour les 12-16 ans :
des parents compréhensifs... ou dépassés.*

Après la période tendre des cinq premières années, après celle, plus ouverte sur l'extérieur, des 6-11 ans où tout est encore possible (ou presque), voici la période complexe de l'adolescence. Il s'agit maintenant de préparer concrètement l'avenir, c'est-à-dire le moment (proche et redouté) où l'enfant devra prendre son envol. Mais il est difficile de lui apprendre à voler. Il est encore plus délicat de lui indiquer dans quelle direction. Quelles sont les bonnes carrières pour l'avenir ? Comment influer positivement sur les relations du jeune adolescent pour lui éviter le risque de mauvaises fréquentations ou celui, plus dramatique, de la drogue ? Beaucoup de parents ont le sentiment douloureux de ne pas savoir. Si les informations ne manquent pas, elles paraissent souvent contradictoires. Alors, on essaie de suivre, autant que de conseiller ; on dialogue pour ne pas perdre le contact. Conscient tout de même que les enfants en apprennent parfois plus par la télévision, les profs ou les copains.

Malgré ces difficultés, les relations parents-adolescents sont plutôt bonnes. Leur qualité doit d'ailleurs beaucoup aux efforts des adultes pour « rester dans le coup ». Qu'il s'agisse d'aider l'adolescent dans ses études , lorsqu'on n'a pas soi-même beaucoup de diplômes, ou d'aborder les questions concernant les relations sexuelles, le rôle des parents n'est pas de tout repos. Leurs soucis principaux concernent les études, mais aussi les fréquentations de leurs enfants.

*La difficulté du métier de parent
croît avec l'âge des enfants.*

Le développement intellectuel de l'enfant ne facilite pas forcément le dialogue que ses parents peuvent avoir avec lui. Il semble même

### Tu sera un chef, mon fils

Interrogés sur les différentes valeurs à transmettre à leurs enfants, les Français placent en tête (et à égalité) la « volonté de réussir » et les « valeurs morales ». Viennent ensuite la « culture » et le « patrimoine ». Les opinions varient cependant avec l'âge et la situation sociale. Ainsi, les moins de 30 ans, les ouvriers et les artisans-commerçants placent la volonté de réussir largement en tête, tandis que les cadres privilégient la transmission de la culture. Les plus âgés et les personnes proches de la droite insistent davantage sur l'importance des valeurs morales.

---

que le babillage du bébé s'interprète plus facilement que les états d'âme de certains adolescents. Beaucoup de parents exercent sans trop de difficultés leur rôle vis-à-vis des moins de 6 ans. Les vraies difficultés commencent ensuite.

*Entre tradition et innovation,*
*les parents hésitent.*

Bousculés par une société en constante évolution, les parents sont pris entre deux volontés contradictoires : offrir à leurs enfants un cadre de référence morale ou leur montrer qu'ils se sont adaptés aux nouveaux modes de vie, auxquels les jeunes sont toujours les plus sensibles. Il leur faut donc trouver le chemin, sinueux et encore mal balisé, entre une attitude traditionnelle confortable et une attitude moderniste qui reste à inventer. Compte tenu des difficultés, on peut considérer que les résultats obtenus sont bons. Les efforts ont été payants. De sorte que le conflit des générations qui

---

### Les parents plaident coupables

Difficile d'être père ou mère aujourd'hui. Outre le fait que la société reproche aux familles de ne pas faire suffisamment d'enfants, elle les suspecte volontiers de mal s'en occuper. Les médias, spécialisés ou non, regorgent en effet de conseils sur la façon de comprendre les enfants et de les aider à devenir des adultes. Les parents se sentent donc obligés d'ajouter à leurs compétences naturelles des rudiments de psychologie infantile. N'étant pas toujours certains de les avoir assimilés, ils ont tendance à se culpabiliser. Ce sentiment est renforcé par le besoin, souvent contradictoire, de conserver leur liberté d'action. Les mères, en particulier, qui souhaitent de plus en plus exercer une activité professionnelle, se reprochent de ne pas être en même temps au foyer et au bureau. Elles ont tort, puisque les études montrent que les enfants sont en grande majorité favorables au travail de la mère. Les statistiques montrent également que les enfants des femmes actives obtiennent en moyenne de meilleurs résultats scolaires que ceux des femmes au foyer.

Va voir papa, maman travaille...

---

existait entre les adultes et leurs parents est beaucoup moins net entre ces mêmes adultes et leurs enfants.

---

## Les enfants sont-ils trop protégés ?

Les Français sont, de plus en plus, demandeurs de protection, même s'il faut s'entendre sur le mot. Ils en sont aussi fournisseurs lorsqu'ils ont des enfants. Les années 80 marquent l'avènement des « papas-poules » et des « mamans-poulpes ». Conscients des difficultés de l'époque, les parents cherchent à tout prix à en amortir l'impact sur leurs enfants. En leur passant leurs caprices, en les soutenant financièrement, en leur accordant plus longtemps que par le passé le vivre et le couvert. Les enfants trouvent évidemment un certain confort dans la famille-refuge, mais ils sont conscients des inconvénients de la famille-cocon.

*Les moins de 15 ans*
*voudraient plus d'autonomie.*

L'adolescence commence de plus en plus tôt (encadré). Les parents n'en sont pas toujours conscients, même s'ils cherchent à favoriser l'évolution de l'enfant par une attitude libérale : argent de poche, autorisations d'accès à des activités de « grands » (certaines émissions de télé, sports, sorties du soir...). Un

L'Express/Institut de l'Enfant (mars 1985)

moment tentés par la méthode du laisser-faire total, importée des États-Unis au cours des années 60, ils semblent s'être plutôt orientés vers celle de la main de fer dans un gant de velours. Une méthode difficile à mettre en œuvre et qui suppose une présence de chaque instant dans la vie quotidienne de l'enfant.

---

### Ce qu'ils attendent de la vie
### (9 – 12 ans)

Pour toi, réussir dans la vie, c'est :

- Avoir un métier intéressant          64 %
- Aider les autres                     44 %
- Être sûr de ne jamais être au chômage 34 %
- Faire ce qu'on a envie               31 %
- Savoir se servir d'un ordinateur     27 %
- Gagner beaucoup d'argent             27 %
- Travailler dans les métiers d'avenir 27 %
- Commander les autres                  4 %

---

En contrepartie du confort qu'il procure, le système du « tout-mâché » tend à réduire les possibilités d'expression personnelle. C'est sans doute pourquoi certains enfants se sentent un peu étouffés. Le monde de l'enfant est en effet presque totalement organisé par les adultes, en fonction de l'image, souvent déformée, qu'ils en ont.

L'enfant demande, au contraire, à **participer** à la construction de son univers. La chambre qu'il occupe dans la maison est conçue, meublée, décorée le plus souvent sans tenir compte de son avis ou en le censurant.

---

### L'adolescence commence plus tôt

À 13 ans, la plupart des enfants ont une maturité comparable à celle qu'avaient leurs parents à 16 ans. Entre 11 et 14 ans, 78 % des enfants vont régulièrement faire des achats dans des magasins ; 56 % ont en permanence de l'argent sur eux, 47 % ont économisé de l'argent pour s'acheter un objet. L'influence de l'environnement est déterminante sur cette évolution. À la télévision, au cinéma ou à la radio, les enfants reçoivent des messages qui ne leur sont pas spécialement destinés. Ils voyagent plus tôt et plus loin, pratiquent plus d'activités, bref accumulent plus rapidement les expériences de la vie.

C'est pourtant là qu'il dort, travaille, joue et grandit. Que dire des squares, piscines, livres, émissions de télévision ou produits de toutes sortes, soi-disant conçus pour eux ? Si les moins de 15 ans représentent un quart de la population, la proportion de ce qui, dans la société, est vraiment conçu pour eux est très inférieure.

*Les plus de 15 ans ne sont pas pressés d'être autonomes.*

Le monde est mal fait. Alors que les jeunes de 8 à 14 ans piaffent d'impatience devant les portes de la vie d'adulte, les plus âgés hésitent à en franchir le seuil. Peur de l'inconnu, de la solitude, des difficultés matérielles ? Si l'adolescence commence plus tôt, elle tend aussi à se terminer plus tard. Certes, les études sont de plus en plus longues et elles retardent donc l'entrée des jeunes dans la vie professionnelle. De plus, beaucoup de jeunes se retrouvent sans emploi après l'école ou le service militaire, ce qui ne facilite pas leur autonomie. Mais le phénomène semble aller bien au-delà. De nombreux jeunes ayant un emploi continuent d'habiter chez leurs parents pendant plusieurs années. Il arrive même que des jeunes couples vivent chez les parents de l'un ou de l'autre des époux.

Pourquoi de telles réticences à couper le cordon ombilical ? La raison essentielle semble bien être la recherche de la sécurité. La famille est un refuge efficace et apprécié contre les dangers extérieurs. La crainte de plonger dans un monde hostile et dur renforce par contraste l'image chaleureuse et réconfortante du foyer. Les difficultés matérielles jouent aussi un rôle non négligeable. L'augmentation des loyers, la baisse du pouvoir d'achat, la précarité des emplois, les prélèvements fiscaux font hésiter certains à rechercher une autonomie complète. Pour qui veut pouvoir sortir le soir, s'offrir des vacances ou un magnétoscope, la meilleure solution est encore d'habiter chez ses parents. Le plus souvent, ceux-ci ne demandent d'ailleurs pas mieux. Certains, plus rares, trouvent le procédé un peu cavalier, lorsqu'ils ont l'impression que ce sont des raisons matérielles et non affectives qui expliquent l'attachement de leurs enfants au foyer. La tendance est, en tout cas, de retarder le moment douloureux de la séparation. Un phénomène réconfortant pour l'avenir de la famille, mais préoccupant pour celui de la société, par ses conséquences psychologiques et économiques.

## L'avenir en demi-teinte

L'inquiétude grandissante vis-à-vis de l'avenir en général déteint sur la façon dont les parents envisagent celui de leurs enfants. L'environnement actuel leur paraît défavorable. L'économie, l'affrontement entre l'Est et l'Ouest, celui, latent, entre le Nord et le Sud sont des menaces qui les empêchent de dormir. C'est sans doute pourquoi ils font de plus en plus d'efforts pour aider leurs enfants à se débrouiller dans un monde qui leur paraît hostile.

*Les souhaits des parents*
*ne rejoignent pas toujours ceux des enfants.*

Lorsqu'on compare les aspirations des jeunes à celles qu'ont pour eux leurs parents, on trouve un bon raccourci de l'évolution de la société depuis une génération. C'est surtout l'importance accordée au travail et à sa manifestation concrète, le métier, qui différencie les uns des autres. Faire carrière est aujourd'hui moins important pour les jeunes que de pratiquer une activité dans laquelle on peut librement s'exprimer. Ils ne sont pas prêts à sacrifier leurs amis à une entité (le travail) ou

---

### Deux visions de l'avenir

Les parents plutôt pessimistes :
Pensez-vous que la génération qui naîtra en l'an 2 000 sera plus heureuse ou moins heureuse que la nôtre ?

| | |
|---|---|
| • Plus heureuse | 21 % |
| • Pareil | 27 % |
| • Moins heureuse | 42 % |
| • NSP | 10 % |
| | 100 % |

Les enfants (9-12 ans) plutôt optimistes :
Dans une dizaine d'années, la vie sera :

| | |
|---|---|
| • Mieux que maintenant | 49 % |
| • Pareille | 31 % |
| • Moins bien | 20 % |

---

à une institution (le mariage). Liberté, liberté chérie. Le thème est décidément trop clairement exprimé pour qu'il ne corresponde pas à un besoin fondamental.

# CONSOMMATION

*Dans la bataille qui l'oppose au citoyen, le consommateur a déjà pris nettement l'avantage. Une autre bataille se livre aujourd'hui entre l'homme social et l'individu. Le premier achète des symboles tandis que le second a des motivations plus profondes. Être ou paraître, telle est bien la question.*

## Le glissement progressif vers le plaisir...

Les Français sont de plus en plus riches. En pleine période de diminution du pouvoir d'achat, l'affirmation peut paraître osée. Elle est cependant vraie lorsqu'on examine le chemin parcouru en trente ou quarante ans. Cette période, unique dans l'histoire de la France, a été marquée par trois événements d'importance capitale :
• le niveau de vie moyen s'est accru de façon considérable : + 55 % en francs constants entre 1969 et 1979. Mais il connaît une relative stagnation depuis 1980.
• l'éventail des revenus disponibles s'est resserré, contribuant à la création d'un vaste groupe central, très attiré par la consommation ;
• la façon de consommer a changé. À une demande très forte dans tous les domaines s'est adaptée une offre de plus en plus diversifiée, soutenue par un effort publicitaire considérable.

La « société de consommation » n'est donc pas une invention de journaliste. Elle caractérise parfaitement la France de ces vingt dernières années. Elle est encore d'actualité, même si le mode de consommation des Français s'écarte de plus en plus d'un modèle

### Le luxe se porte bien

La crise, la baisse du pouvoir d'achat, la montée du chômage auraient pu avoir une incidence négative sur les produits chers, hors de portée des budgets modestes ou moyens. Il n'en est rien. Au contraire, les produits de luxe n'ont jamais été aussi prisés qu'aujourd'hui. Les sociétés françaises et étrangères les plus prestigieuses (bijoutiers, couturiers, restaurants, décorateurs, constructeurs automobiles, et autres vendeurs de « haut de gamme ») connaissent depuis quelques années une forte croissance.

La plupart ont vu arriver, à côté de leur clientèle riche traditionnelle, de nouveaux acheteurs, plus modestes, mais prêts à faire des sacrifices pour s'offrir une robe signée Yves Saint-Laurent, une montre Cartier, un aller-retour Paris-New York en Concorde, une semaine de vacances aux Seychelles, une boîte de caviar Pétrossian, ou un repas chez Taillevent. D'après un sondage *la Croix/Antenne 2/Louis Harris* (mai 1985), 89 % des Français font assez souvent ou souvent des dépenses « pour un achat dont ils n'ont pas tout à fait besoin, qui est un luxe pour eux ».

Aujourd'hui, le luxe n'est plus seulement synonyme de standing et de richesse. Il constitue un échappatoire à la morosité des temps, un moyen de rêver et de faire la fête, pour soi-même autant que vis-à-vis des autres.

unique, déterminé par des préoccupations strictement matérielles. Pourtant, après une très longue période pendant laquelle tous ne pouvaient pas s'offrir le nécessaire, beaucoup peuvent aujourd'hui s'intéresser au superflu. De la société de consommation à la civilisation des loisirs, il n'y a qu'un pas.

*La société actuelle n'est pas celle de l'éphémère, mais du durable.*

Contrairement à l'image qu'on en donne, la société de consommation n'est pas caractérisée par les dépenses impulsives, destinées à des produits que l'on utilise et que l'on jette rapidement. En réalité, la part de ces produits dans les dépenses totales des ménages est très faible par rapport à celle des produits durables : voiture, équipement de la maison, de loisirs, etc. Ainsi, les achats de biens durables ont plus que doublé depuis 1970, alors que ceux des autres biens et services augmentaient moins vite.

## Consommer, c'est vivre

Les Français se distinguent autant par ce qu'ils achètent que par ce qu'ils disent ou ce qu'ils font. Dans une société où les choix en matière d'achat sont innombrables, la façon de dépenser devient le reflet fidèle de ce que l'on

### Les comptes des Français

Structure du budget par catégorie socioprofessionnelle du chef de ménage (%).

| | Cadres supérieurs Professions libérales | Cadres moyens | Patrons de l'industrie et du commerce | Clergé Armée Police | Employés | Ouvriers | Agriculteurs | Personnel de service | Salariés agricoles | Inactifs | Ensemble des ménages |
|---|---|---|---|---|---|---|---|---|---|---|---|
| Transports en commun | 1,3 | 0,8 | 0,6 | 0,7 | 1,1 | 0,7 | 0,3 | 0,9 | 0,3 | 1,1 | 0,9 |
| Vacances | 4,7 | 3,3 | 2,7 | 2,5 | 2,5 | 1,8 | 0,7 | 2,6 | 1,1 | 2,4 | 2,7 |
| Divers | 13,4 | 8,6 | 12,8 | 6,5 | 6,6 | 5,3 | 5,4 | 6,0 | 5,1 | 7,4 | 8,1 |
| Cantine, restaurant | 3,7 | 3,7 | 3,7 | 3,6 | 3,8 | 2,7 | 2,1 | 2,5 | 2,1 | 1,8 | 2,9 |
| Équipement du logement | 9,7 | 9,4 | 7,1 | 10,7 | 9,3 | 8,9 | 8,2 | 8,0 | 8,9 | 9,4 | 9,0 |
| Habillement | 10,5 | 10,9 | 9,7 | 10,3 | 10,8 | 10,0 | 8,8 | 11,2 | 9,3 | 9,9 | 10,2 |
| Culture, loisirs, éducation | 8,2 | 8,9 | 7,0 | 10,6 | 8,1 | 8,2 | 6,2 | 9,4 | 7,1 | 6,3 | 7,8 |
| Automobile | 13,1 | 15,2 | 14,8 | 13,3 | 15,2 | 14,9 | 15,9 | 13,0 | 19,1 | 8,6 | 13,4 |
| Habitation | 17,8 | 17,0 | 18,2 | 16,2 | 18,2 | 17,8 | 17,5 | 15,9 | 14,0 | 18,5 | 17,8 |
| Santé | 3,2 | 4,4 | 3,2 | 4,2 | 4,4 | 4,8 | 5,3 | 5,9 | 4,2 | 6,8 | 4,8 |
| Alimentation à domicile | 14,4 | 17,8 | 20,2 | 21,4 | 20,0 | 24,9 | 29,6 | 24,6 | 28,8 | 27,8 | 22,4 |
| TOTAL | 100,0 | 100,0 | 100,0 | 100,0 | 100,0 | 100,0 | 100,0 | 100,0 | 100,0 | 100,0 | 100,0 |

est. « Je consomme, donc je suis » reste une idée forte en période de crise.

*Dis-moi combien tu gagnes*
*et je te dirai ce que tu dépenses...*
• *L'alimentation pèse 2 fois plus lourd*
*dans le budget des manœuvres*
*que dans celui des professions libérales.*
• *La part consacrée aux vacances*
*y est 5 fois moins importante.*
• *Les dépenses d'habillement représentent*
*un dixième des dépenses des ménages*
*dans presque tous les budgets.*

Malgré l'évolution et le resserrement du pouvoir d'achat, la principale explication des écarts entre les budgets reste le niveau de revenu. C'est-à-dire, en fait, ce qui reste après les dépenses indispensables : alimentation, habillement, santé, transport et entretien du logement. Mais, si le luxe des riches n'est pas accessible à tous, les plus pauvres ont aussi leur luxe : café, jeux, Loto, bricolage...

On constate également des différences notables entre les foyers, selon la nature de l'activité du chef de ménage. D'un côté, les « petits indépendants » (agriculteurs, artisans,

commerçants), qui consacrent une part importante de leur budget à entretenir ou à maintenir leur outil de travail afin d'assurer leur avenir : travaux d'amélioration, taxe professionnelle, énergie, assurances, etc. De l'autre, les salariés des catégories moyennes et supérieures (enseignants, employés, cadres) qui privilégient les dépenses de type culturel : livres, disques, journaux, sport.

*La présence d'enfants a une influence*
*considérable sur la structure des dépenses.*

On sait que les enfants contrôlent, directement ou indirectement, près de la moitié des dépenses des ménages. Leur impact apparaît également sur la répartition de ces dépenses. Ainsi, la présence de deux enfants dans un ménage entraîne le triplement de la consommation de certains produits alimentaires (lait frais, yaourts, etc.) et le doublement de certains autres (biscuits, jambon, volaille, œufs, beurre, sucre, chocolat, confiserie, etc.) par rapport à ceux qui n'en ont pas. Elle fait, par contre, baisser la consommation de vins fins, de whisky ou les dépenses de restaurant (en valeur relative).

## L'enfant 'pousse-à-la-consommation'

Structure du budget par type de ménage (%).

| | Personne seule | | | Couple (1) sans enfant | | | Couple avec enfant (2) | | | Autres ménages | Ensemble des ménages |
|---|---|---|---|---|---|---|---|---|---|---|---|
| | moins de 35 ans | de 35 à 64 ans | 65 ans et plus | moins de 35 ans | de 35 à 64 ans | 65 ans et plus | 1 enfant | 2 enfants | 3 enfants | | |
| Alimentation à domicile | 12,7 | 17,5 | 26,9 | 15,9 | 21,2 | 29,5 | 20,7 | 21,1 | 24,9 | 24,8 | **22,4** |
| Cantine, restaurant | 7,5 | 4,2 | 2,2 | 4,2 | 2,5 | 1,2 | 3,0 | 3,0 | 2,8 | 2,8 | **2,9** |
| Habitation | 17,3 | 18,5 | 24,7 | 16,2 | 17,1 | 17,5 | 17,1 | 18,4 | 17,6 | 16,5 | **17,8** |
| Équipement du logement | 6,9 | 10,7 | 9,8 | 12,5 | 9,5 | 9,0 | 9,1 | 8,7 | 7,9 | 9,1 | **9,0** |
| Automobile | 13,5 | 8,9 | 3,0 | 18,5 | 13,7 | 8,0 | 15,2 | 14,9 | 14,4 | 12,8 | **13,4** |
| Transports en commun | 2,6 | 1,9 | 0,6 | 1,0 | 0,6 | 0,9 | 0,7 | 0,7 | 0,9 | 1,0 | **0,9** |
| Habillement | 12,1 | 11,6 | 9,4 | 10,7 | 8,9 | 9,0 | 10,3 | 10,3 | 10,5 | 10,7 | **10,2** |
| Santé | 3,7 | 3,8 | 8,5 | 3,2 | 4,4 | 8,4 | 4,3 | 4,2 | 4,7 | 4,8 | **4,8** |
| Culture, loisirs | 12,0 | 6,5 | 5,1 | 8,2 | 5,5 | 4,9 | 8,4 | 8,8 | 9,2 | 7,9 | **7,8** |
| Vacances | 4,4 | 3,4 | 1,9 | 2,7 | 3,6 | 2,8 | 2,6 | 2,7 | 2,2 | 2,2 | **2,7** |
| Divers | 7,3 | 13,0 | 7,9 | 6,9 | 13,0 | 8,8 | 8,6 | 7,2 | 4,9 | 7,4 | **8,1** |

(1) Le terme couple exclut la présence d'autres adultes hors le chef de ménage et son épouse.
(2) L'enfant est défini par son lien avec le chef de ménage, quel que soit son âge.          Publié dans *Données sociales – 1984.*

I.N.S.E.E.

## Le citoyen s'efface devant le consommateur

Dans leur vie quotidienne, les Français offrent deux visages différents. D'un côté, le citoyen brandit volontiers les valeurs de solidarité, de fierté nationale et de morale. Il est favorable à un État fort et protecteur, chargé d'assurer la justice sociale. De l'autre, le consommateur se concentre au contraire sur son seul plaisir. Il considère l'État comme un « empêcheur de consommer en rond » (prélèvements fiscaux, réduction du pouvoir d'achat), mais il lui reconnaît cependant un rôle de garde-fou, grâce au contrôle des fabricants et aux contraintes légales.

Dans la lutte qui l'oppose au citoyen, le consommateur l'emporte de plus en plus nettement. Pendant que le citoyen prône le partage du travail, son double refuse la réduction des horaires sans maintien du salaire. Tandis que le citoyen déclare solennellement qu'il faut acheter français, le consommateur se précipite sur les téléviseurs japonais, les vêtements « made in Hongkong » et les voitures allemandes.

*Le droit à la consommation*
*devient un nouveau chapitre*
*de la Déclaration des droits de l'homme.*

Ce droit s'exprime aujourd'hui de plusieurs façons. Droit d'acquérir ce que l'on souhaite, droit de regard sur ceux qui fabriquent ou qui vendent, droit de choisir enfin parmi une large variété de produits, de marques et de points de vente. En matière de consommation, les Français deviennent de plus en plus exigeants. Ils acceptent mal les ruptures de stocks dans les magasins, la queue aux caisses des hypermarchés, les livraisons qui traînent. Ils attendent des produits une qualité irréprochable, de préférence garantie par une marque réputée.

*Le consumérisme n'est plus*
*l'apanage des consommateurs.*

En même temps que l'explosion de l'écologie, les années 70 avaient connu celle du consumérisme. L'âge d'or des associations de défense du consommateur semble aujourd'hui révolu ; les dernières grandes campagnes de boycott (le veau, les colorants, les pneus Kléber-Colombes, etc.) remontent à 1980. On peut voir au moins trois raisons à cette démobilisation des consommateurs. D'abord, ils sont beaucoup moins méfiants à l'égard des fabricants et la recherche du « naturel » est beaucoup moins forte aujourd'hui. Ensuite, beaucoup d'entreprises font aujourd'hui leur propre consumérisme, en améliorant leurs contrôles, en retirant des produits en cas de risque, etc. Enfin, certains distributeurs ont pris le relais des associations de consommateurs pour les aider dans leur choix (analyses comparatives de la FNAC) ou faire baisser les

---

### La fin du « consommateur moyen »

Les produits de masse sont de plus en plus rares. Le moindre produit alimentaire existe aujourd'hui en plusieurs contenances, marques, variétés, compositions, prix, emballages. De sorte qu'il existe souvent une vingtaine d'offres différentes pour un même produit de base. Les spécialistes de marketing ont en effet compris qu'ils n'avaient plus affaire à un marché global aux attentes identiques, mais à une multitude de petits marchés aux caractéristiques spécifiques. Les adolescents, les couples sans enfant, les personnes âgées représentent des « segments » de clientèle qui n'ont pas les mêmes besoins que la famille classique avec ses deux enfants. La « règle du je » est aussi celle qui prévaut en matière de consommation.

---

Le circuit fabricant-acheteur tend à se raccourcir.

prix (initiatives de Michel et Edouard Leclerc concernant l'essence, les voitures, les produits pharmaceutiques, les pompes funèbres, etc.).

L'évolution de ces dernières années montre une diminution de l'intérêt pour les produits de « milieu de gamme », au profit du haut de gamme, plus cher mais souvent plus sûr et plus durable. Le bas de gamme, lui, a une clientèle de plus en plus hétérogène, attirée par la perspective de faire des affaires ou d'acheter « autrement ». Ici encore, la raison le dispute à la passion.

### Achats : l'ère de la débrouille

Les Français n'achètent plus comme avant. Pour résister à la hausse des prix, beaucoup se livrent aujourd'hui à une recherche patiente (mais souvent efficace) de la bonne affaire ; celle qui leur permettra de trouver le bon produit au meilleur prix.

Les soldes et promotions diverses, qui n'attiraient autrefois qu'une minorité d'acheteurs souvent modestes, font courir aujourd'hui les représentants de toutes les catégories sociales, y compris les plus aisées. 59 % des femmes déclarent attendre les périodes de soldes pour acheter quelque chose dont elles ont envie.

Outre cet engouement croissant pour la chasse aux petits prix, les Français s'intéressent aussi aux nouveaux circuits de vente (dépôts-vente, entrepôts, magasins d'usine, soldeurs, etc.), mieux adaptés aux attentes des nouveaux Styles de Vie. De sorte que les circuits traditionnels (petits commerçants de quartier, grands magasins, super et hypermarchés) connaissent une concurrence nouvelle, qui pourrait bien s'accroître sans l'avenir.

# Les Français et la pub : l'amour plus que la rage

Qui oserait aujourd'hui nier l'impact de la publicité sur la consommation ? Même ceux qui la trouvent inutile, laide ou mensongère (encadré) ne le pourraient pas. Qui, en effet, n'a jamais été influencé, directement ou indirectement, par son souvenir au moment du choix d'une voiture, d'un film ou d'un tube de dentifrice ?

La publicité fait aujourd'hui partie du « paysage culturel » des Français, au même titre que l'art traditionnel dont elle est le prolongement contemporain.

*La pub est un jeu de société ; les Français en connaissent aujourd'hui les règles*

Il est bien terminé, le temps où les Français ne voyaient dans la publicité qu'un moyen d'abrutir, de mentir, de manipuler. Certes, les consommateurs d'aujourd'hui ne sont pas devenus naïfs. Même s'ils sont de plus en plus nombreux à reconnaître les vertus informatives des campagnes qui leur sont proposées dans les différents médias, ils savent que leur raison d'être est plus de les pousser à l'achat que de parfaire leurs connaissances.

### La pub a droit de cité

– Avez-vous une bonne ou une mauvaise opinion des gens qui font carrière dans la publicité ?

| | |
|---|---|
| une bonne opinion | 72 % |
| une mauvaise opinion | 9 % |
| ne se prononcent pas | 19 % |

– Pour vous, la publicité a-t-elle plutôt un effet positif ou plutôt un effet négatif sur l'évolution des mœurs ?

| | |
|---|---|
| plutôt un effet positif | 46 % |
| plutôt un effet négatif | 27 % |
| ne se prononcent pas | 27 % |

– Pour vous, la publicité, c'est d'abord quelque chose qui...

| | |
|---|---|
| informe | 42 % |
| manipule | 36 % |
| distrait | 18 % |
| ne se prononcent pas | 4 % |

– Pour vous, la création publicitaire, est-ce quelque chose de proche ou d'éloigné de la création artistique ?

| | |
|---|---|
| proche de la création artistique | 60 % |
| éloigné de la création artistique | 27 % |
| ne se prononcent pas | 13 % |

Des deux discours destinés à vous convaincre, lequel préférez-vous ?

| | |
|---|---|
| la publicité | 55 % |
| le discours politique | 24 % |
| ne se prononcent pas | 21 % |

Le Point/IPSOS, (août 1985.)

Mais c'est là un jeu qui leur paraît légitime et qu'ils sont d'autant mieux disposés à jouer qu'ils en connaissent aujourd'hui les règles. On peut en énoncer 6 principales, qui s'enchaînent logiquement :
1. Pour survivre (et maintenir ou créer des emplois), les entreprises ont besoin de vendre leurs produits en grandes quantités.
2. La concurrence actuelle (nationale et internationale) est telle sur la plupart des marchés, qu'il ne suffit pas de fabriquer de bons produits pour les vendre. Il faut aussi le faire savoir.
3. La publicité est le moyen indispensable pour faire connaître un produit à ses acheteurs potentiels.
4. Grâce à la publicité, le consommateur peut gagner du temps dans son processus de décision d'achat, surtout lorsqu'il s'agit de produits « à forte implication » (biens d'équipement coûteux, produits de loisirs, etc.).
5. Dans le rapport de forces entre la publicité et le consommateur, c'est toujours le consommateur qui a le dernier mot. À condition bien sûr d'exercer son libre arbitre devant les multiples propositions qui lui sont faites quotidiennement.
6. En plus, la publicité est un spectacle, un divertissement, une création en même temps qu'un miroir de la société contemporaine. Elle mérite donc à ce titre la considération des Français, qui ressentent autant le besoin de se distaire que celui de comprendre ce qui se passe autour d'eux.
Contrairement à ce que l'on pourrait penser, ce cheminement de la publiphobie vers la publiphilie n'est pas la conséquence d'un

**Les Styles de Vie et les achats**

"La farfouille". Plaisir du shopping

Boutiques de modes renouvelées

La chasse aux prix de soldes, dégriffés et direct d'usine

Le réalisme de la grande distribution en hyper ou catalogues

"SOS". L'assistance du SAV

"Combine". L'aventure des circuits parallèles

FRIMEURS    DEFENSIFS    VIGILES

PROFITEURS    EXEMPLAIRES

ENTREPRENANTS

DILETTANTES    UTILITARISTES

"A votre service". A la recherche de services personnalisés

MILITANTS    ATTENTISTES

CONSERVATEURS

LIBERTAIRES    RESPONSABLES

MORALISATEURS

La nostalgie du petit commerce

Rêve de troc

A la recherche de la facilité

A la recherche de la garantie d'une marque sérieuse

C.C.A.

Pour lire la carte, voir la description des Styles de Vie en fin de volume.

mouvement de (bonne) humeur des Français, ni d'une révélation soudaine. Il est lié pour l'essentiel à trois évolutions majeures dans la mentalité collective : la réhabilitation de l'économie en général et de l'entreprise en particulier ; la qualité croissante des campagnes, grâce aux efforts à la fois techniques, artistiques et informatifs effectués par les publicitaires depuis quelques années ; l'arrivée à la maturité des générations actuelles de consommateurs, beaucoup plus capables, aujourd'hui, de « décoder » les messages publicitaires, et donc moins susceptibles de se laisser manipuler par eux.

*Le poids des mots et le choc des images expliquent l'impact de la publicité.*

Que l'on soit pour ou contre, la pub intrigue, fascine ou dérange. Ses clins d'œil ne laissent jamais indifférent. Les enfants sont les plus sensibles à ces minuscules tranches de vie que leur débitent chaque jour les médias. Les adultes ne veulent pas donner l'impression de se laisser piéger par leur aspect vantard et simplificateur. D'un côté, la pub leur apporte l'information dont ils ont besoin pour exercer librement leur choix de consommateur. De l'autre, les messages qu'elle leur adresse sont, par définition, outranciers et manquent d'objectivité. C'est ce qui explique à la fois l'attirance et la réticence qu'ils suscitent.

*La pub est le miroir grossissant de la société.*

La raison d'être de la publicité, depuis les premiers temps de la « réclame », est de convaincre. Les armes qu'elle utilise le plus couramment à cette fin sont l'exagération, le rêve et l'humour. Lorsqu'elle met en scène les Français dans leurs comportements quotidiens, c'est donc en grossissant le trait. À la manière du caricaturiste, elle met en évidence les aspects les plus marquants de la société telle qu'elle est à un moment donné. Sans oublier, bien sûr, que son rôle est de séduire et non de condamner. À cette réserve près, la publicité constitue, au fil des ans, un formidable livre d'histoire de la société française. Et le succès de la Mère Denis ou de la puce Thomson doit finalement autant à l'époque qu'à l'imagination des publicitaires.

## La séduction publicitaire en 6 leçons

Images et textes peuvent être utilisés de façons très différentes. Mais la plupart des publicités peuvent être rangées dans l'une des 6 catégories suivantes :

### 1. Face au produit

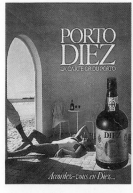

### 2. Le rêve

### 3. La réalité sublimée

### 4. L'interpellation

### 5. Le style de vie

### 6. Les symboles

A.M.P. (1)  R.S.C. & G. (2)  DUPUY-SAATCHI (3)  F.C.A. (4)  BELIER (5)  MC CANN ERICKSON (6)

*Médias* (septembre 1983)

# Les Styles de Vie et la publicité

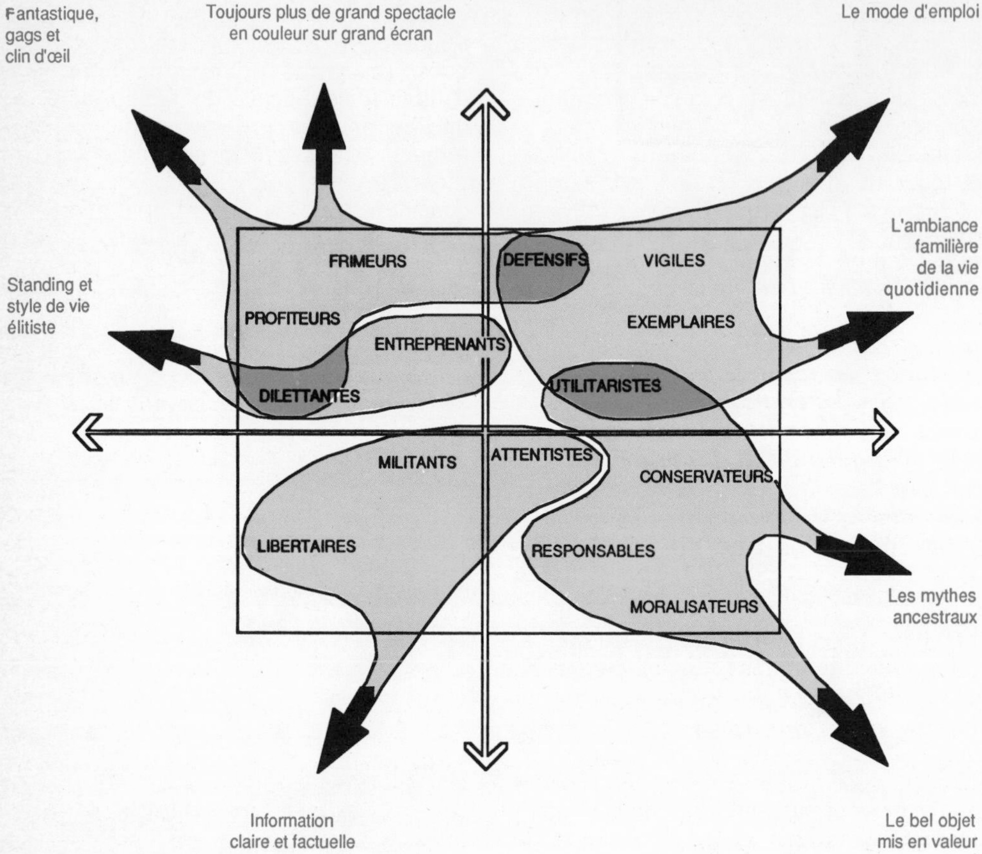

Fantastique,
gags et
clin d'œil

Toujours plus de grand spectacle
en couleur sur grand écran

Le mode d'emploi

L'ambiance
familière
de la vie
quotidienne

Standing et
style de vie
élitiste

FRIMEURS      DEFENSIFS    VIGILES

PROFITEURS                 EXEMPLAIRES
        ENTREPRENANTS

DILETTANTES            UTILITARISTES

MILITANTS    ATTENTISTES

                        CONSERVATEURS

LIBERTAIRES              RESPONSABLES

                    MORALISATEURS

Les mythes
ancestraux

Information
claire et factuelle

Le bel objet
mis en valeur

C.C.A.

Pour lire la carte, voir la description des Styles de Vie en fin de volume.

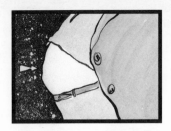

# ALIMENTATION

*Signe des temps. Même la nourriture, que l'on croyait sacrée, donc immuable, a changé. Si l'intérêt pour la bonne chère reste intact, il se manifeste différemment. Entre la sophistication des repas de fête et le fast food quotidien, les Français ne savent plus où donner de la fourchette. Pourtant, ce désordre alimentaire n'est qu'apparent.*

## 50 000 repas dans une vie

Bien qu'ils aient de plus en plus de temps libre, les Français en consacrent de moins en moins à leur alimentation. Cela est surtout vrai pour les repas quotidiens, où les conserves, surgelés et autres produits instantanés leur ont permis de gagner un temps qu'ils peuvent réinvestir dans les loisirs. Ils s'efforcent aussi de manger plus équilibré, même si certaines habitudes ne vont pas tout à fait dans ce sens. On mange aujourd'hui moins de sucre et de pain, plus de poisson et de yaourts. On boit plus de « vin vieux » et moins de « gros rouge ». La nourriture, on le sait, joue un rôle à la fois individuel et social. C'est en mangeant qu'on reconstitue ses forces ; c'est en partageant son repas avec les autres qu'on communique avec eux.

Qu'il soit fin gastronome ou indifférent aux choses de l'assiette, chaque Français se met à table environ 50 000 fois au cours de sa vie. À raison d'une heure en moyenne (si la révolution du fast food ne fait pas trop de ravages), cela représente tout de même près de 6 années, soit plus du dixième du temps éveillé. C'est dire toute l'importance de la « bouffe » dans une vie. C'est dire aussi toute l'attention dont elle est l'objet de la part de la majorité de nos concitoyens.

*Manger, un des plus grands plaisirs.*

Les « pignocheurs » et autres « sans appétit » restent l'exception dans un pays qui s'enorgueillit de solides traditions gastronomiques. Un grand nombre de Français sont d'ailleurs conscients de l'importance de la cuisine pour la présence française dans le monde. Et ils considèrent avec un certain mépris les tentatives culinaires des autres pays, considérés pour la plupart comme sous-développés en ce domaine. L'unanimité se fait pour désigner le pays où on mange le plus mal : la Grande-Bretagne, qui précède largement les États-Unis. Le hit-parade des cuisines étrangères montre la suprématie des pays latins et orientaux sur les pays anglo-saxons : l'Italie, l'Espagne et le Maroc arrivent en tête, précédant la Chine et le Viêt-nam.

### Un steak-frites, des fruits et... de l'eau

Parmi une liste de 6 plats courants, c'est le traditionnel steak-frites qui ressort largement en tête, avec 42 % des suffrages. Viennent ensuite, dans l'ordre : la sole (15 %), le boeuf bourguignon (14 %), le couscous (13 %), le magret de canard (12 %) et le steak tartare (3 %).

Il faut noter cependant que, d'après une autre enquête (*VSD/Indice-Opinion*, avril 1985) le steak-frites est beaucoup moins coté lorsqu'il s'agit de recevoir des amis. Il arrive alors largement derrière des plats comme le gigot-flageolets, ou des spécialités régionales.

En ce qui concerne les desserts, le choix des Français se porte sur les fruits (43 %) largement devant les tartes (18 %), les glaces (17 %), les bons gros gâteaux à la crème (12 %). Enfin, on est plus surpris de constater que la boisson favorite des Français n'est pas le vin rouge, comme tout le monde l'ignore, mais l'eau, qui irrigue 49 % des palais ! Elle devance de beaucoup le vin rouge (16 %), les boissons gazeuses (13 %), la bière (10 %), le lait (6 %), le cidre (5 %) et le vin blanc (1 %).

*Journal du Dimanche/Ifop (juillet 1984)*

*Les Français mangent de plus en plus souvent hors de chez eux.*
● *35 % des repas sont pris à l'extérieur (25 % en 1970) dont 16 % en restauration collective.*

L'accroissement du nombre des femmes actives fait qu'elles déjeunent de moins en moins chez elles. D'autant que le développement de la journée continue empêche souvent les maris qui travaillent de rentrer chez eux à midi.

## 15 % des Français vont au restaurant chaque semaine

Equip'hôtel/Sofres (octobre 1985)

• 47 % des Français de plus de 15 ans pratiquent au moins une fois par an le **déjeuner-détente** au restaurant, seul ou avec des collègues de travail (en dehors de la restauration collective, qui intéresse 22 % des Français). Les 20 millions de personnes qui utilisent la restauration commerciale (restaurants, buffets, snacks, fast-foods, cafés) consomment chaque année un peu plus d'un milliard de repas.
• Le **repas-loisir** est pris, lui, avec des parents ou des amis. Il concerne 28,5 millions de Français chaque année et représente 374 millions de repas.
• Le **repas d'affaires,** concerne 3 millions de Français qui invitent des clients ou fournisseurs. Il représente 224 millions de repas par an, qui rassemblent en moyenne 4 convives.
• Au total, 76 % des Français vont au restaurant au moins une fois dans l'année ; 15 % y vont chaque semaine.

*La séparation est de plus en plus nette entre repas quotidien et repas de fête.*

Le repas de midi est le plus souvent rapide et parfois frugal. Celui du soir obéit aux mêmes contraintes de temps, même s'il est plus consistant. Les femmes ont de moins en moins envie de consacrer leur soirée à la cuisine et à la vaisselle. Les produits et équipements susceptibles de leur faire gagner du temps sont donc les bienvenus.

L'attitude vis-à-vis des repas de fête est tout à fait différente. Les Français y voient l'occasion de passer un moment agréable en famille ou avec des amis, en profitant de l'ambiance créée par un bon repas. Ils consacrent donc le temps et l'argent nécessaires pour que la fête soit réussie. C'est le moment que choisissent certains hommes pour faire la démonstration de leurs talents culinaires, tandis que les femmes s'efforcent de mettre une note d'originalité, voire d'exotisme, dans les menus et la décoration de la table. Face aux délices très relatifs du fast food et du steak-salade de la semaine, les menus du week-end ou des repas d'anniversaire prennent une saveur particulière. Ils permettent aux membres de la famille de se retrouver et constituent une pause appréciée dans un emploi du temps souvent chargé.

Le grignotage, une autre conquête de l'individualisme (campagne BELIN).

*Les repas tendent à se « déstructurer ».*

Finis les traditionnels menus avec entrée, plat de résistance, salade, fromage et dessert, qui prédisposaient plus à la sieste qu'à toute autre activité. Trop longs, trop coûteux, trop riches en calories. Les repas quotidiens, surtout à midi, tendent à se limiter à un plat principal, éventuellement complété d'un fromage ou d'un dessert. Cette tendance à manger moins à chaque repas fait qu'on mange de plus en plus souvent au cours de la journée. Le « grignotage » est à la mode. Il se pratique au bureau, en regardant la télévision, en marchant ou en voiture. Finis aussi les horaires stricts qui ponctuaient la journée de nos anciens.

L'horaire variable du travail s'étend peu à peu à l'alimentation. Chacun adapte son emploi du temps alimentaire à ses propres contraintes, regardant moins la pendule, écoutant plus son estomac. Le mouvement est en train de gagner la famille où les heures de repas comme les menus sont de plus en plus personnalisés.

Comme dans tous les domaines, c'est le

souci d'une plus grande liberté individuelle qui explique l'évolution des mœurs alimentaires.

*Du pain, du vin...*
*mais de moins en moins.*
• *En 1920, chaque Français consommait*
*en moyenne 630 g de pain par jour.*
• *290 g en 1960.*
• *180 g aujourd'hui.*

S'il est vrai que les Français consacrent une part plus faible de leur budget aux dépenses alimentaires, ils gèrent différemment leur budget, sous l'effet conjugué des prix, des modes de vie et de l'existence de nouveaux types de produits alimentaires.

*Les Français ont consommé*
*650 000 tonnes de surgelés en 1985*

Les conserves, produits déshydratés et autres plats préparés avaient déjà facilité la vie des Français. Surtout celle des femmes, chargées le plus souvent de la préparation des quelque 30 000 repas d'une vie conjugale. En contrepartie d'un gain de temps appréciable, ces produits étaient généralement moins bons que s'ils avaient fait l'objet d'une fabrication

---

### Moins de pain et de pommes de terre, plus de conserves et de viande

Les quantités consommées par an et par personne ont considérablement varié pour certains produits.

| | En kg | |
|---|---|---|
| | 1970 | 1983 |
| Pain | 80,6 | 67,3 |
| Pâtes | 6,1 | 6,2 |
| Riz | 2,2 | 3,5 |
| Pommes de terre | 95,6 | 66,5 |
| Légumes frais et surgelés | 70,4 | 69,7 |
| Conserves de légumes | 13,5 | 20,8 |
| Bœuf | 15,6 | 19,4 |
| Veau | 5,8 | 5,3 |
| Porc frais | 7,9 | 10,1 |
| Volailles | 14,2 | 17,5 |
| Poissons, crustacés | 10,8 | 12,5 |
| Fromages | 13,8 | 19,3 |
| Yaourts | 8,6 | 15,3 |
| Beurre | 9,9 | 9,7 |
| Sucre | 20,4 | 13,0 |

I.N.S.E.E.

« maison ». Cet inconvénient est résolu avec les produits surgelés, dont l'usage se développe rapidement, parallèlement à l'équipement des foyers en congélateurs (62 % des foyers équipés). L'arrivée du four à micro-ondes, complément naturel du congélateur, accélère encore ce mouvement. 400 000 foyers seraient équipés fin 85, une proportion faible par rapport aux États-Unis (environ un foyer sur deux) ou au Japon (40 %).

Les achats de plats surgelés ont représenté environ 30 000 tonnes en 1985, dont la moitié sont à base de produits de la mer (poissons, crustacés). La clientèle principale est celle des moins de 35 ans. 60 % des produits sont achetés dans les magasins d'alimentation générale, 40 % dans les magasins spécialisés.

Le pain et les pommes de terre avaient longtemps constitué la base de la nourriture. L'augmentation de leur pouvoir d'achat a permis aux Français de s'affranchir en partie de ces produits, dont l'image est associée pour beaucoup à la guerre et aux privations. On consomme aujourd'hui moins d'aliments de base (pain, pommes de terre, sucre) et plus de viande (bœuf, porc, volaille), de poisson et de produits laitiers.

L'évolution de la consommation des différents groupes de produits alimentaires telle qu'elle est mesurée par le pannel SECODIP, est significative :
• **En fort développement** (par ordre décroissant) : glaces et surgelés, conserves diverses, charcuterie, produits laitiers frais.
• **En moyen développement** : boissons non-alcoolisées, volailles, produits de la mer, épicerie sèche, fromage.
• **Stables ou en régression** : viandes de boucherie, boissons alcoolisées, corps gras.

On constate enfin une tendance à un rapprochement des menus-types et des produits consommés entre les différents pays industrialisés, en particulier en Europe. Le ketchup, les céréales du petit déjeuner, l'eau minérale, le vin de table, etc., sont des produits dont la consommation déborde largement leurs frontières initiales. Les grandes sociétés alimentaires internationales constatent de moins en moins de différences entre les types de consommation des divers pays. Une tendance qui ne concerne pas d'ailleurs que l'alimentation.

*Les Français
sont les plus grands buveurs de vin...
et d'eau du monde.*

Dans le domaine des boissons, on assiste à un mouvement semblable vers des produits de meilleure qualité et plus sophistiqués. C'est ainsi que le « gros rouge » est de moins en moins consommé, au profit de vins plus fins et plus chers.

**La descente du « gros rouge »**

|                          | en litres |        |
| ------------------------ | --------- | ------ |
|                          | 1970      | 1983   |
| Vins courants .............. | 95,6      | 63,5   |
| Vins AOC .................. | 8,0       | 16,1   |
| Bière ...................... | 41,4      | 43,8   |
| Cidre ...................... | 18,3      | 17,1   |
| Eaux minérales ............ | 39,9      | 53,6   |
| Boissons gazeuses .......... | 19,1      | 26,8   |
| Café, thé, infusions (kg) ... | 3,7       | 4,6    |

I.N.S.E.E.

Le vin ordinaire est également délaissé pour d'autres types de boisson, comme la bière, les boissons gazeuses et... l'eau. Si les Français sont en effet les plus gros consommateurs de vin (tradition oblige), on sait moins qu'ils détiennent aussi le record mondial de la consommation d'eau minérale. Heureux pays que celui où on dispose à la fois de vignes et de sources pour étancher sa soif !

**Les Français ne connaissent
plus leurs vins**

Une légende s'effondre. Le Français, considéré mondialement comme un amateur de vin doublé d'un connaisseur, ne serait pas à la hauteur de cette réputation. Un sondage de 1982 avait déjà permis de découvrir des lacunes inimaginables dans la connaissance de nos contemporains : 68 % d'entre eux ignoraient en effet que le pauillac est un vin de Bordeaux, 64 % ne situaient pas le chambertin en Bourgogne. Pire, 8 % seulement connaissaient le montrachet, un de nos plus grands vins blancs. 90 % ne savaient pas que 1977 fut un millésime plus que médiocre pour les bordeaux, tandis que seuls 16 % se souvenaient que le tavel est un rosé des côtes du Rhône. Un autre sondage, réalisé pour l'Institut national des appellations d'origine contrôlé par l'IFRES

(novembre 1985), confirme la chose, et apporte quelques indications complémentaires :
• 19 % des Français de plus de 18 ans ne boivent jamais de vin.
• Parmi les buveurs réguliers, 11 % déclarent consommer un litre par jour, 34 % un demi-litre, 39 % un quart et 16 % un verre.
• 40 % des amateurs se disent prêts à mettre de 20 à 50 francs pour une bouteille de bon vin ; 25 % de 50 à 100 francs ; 7 % davantage. Les raisons de ce « vide culturel » dans ce domaine appartenant pourtant au patrimoine national ? Une mauvaise transmission sans doute de la connaissance des anciens et le développement de la vente en hypermarchés, qui a supprimé le conseil apporté par les vendeurs des boutiques spécialisées. Le vin serait-il un chef-d'œuvre en péril ?

*La « hiérarchie de la fourchette »
est semblable à celle de la société.*

L'accroissement général du pouvoir d'achat n'a pas vraiment modifié les différences traditionnelles en matière d'alimentation. L'opposition reste nette entre un petit nombre d'aliments d'image populaire (pain, pommes de terre, pâtes, vin ordinaire, etc.), surconsommés par les ouvriers et les paysans, et des produits « de luxe » (crustacés, pâtisserie, confiserie, vins fins, plats préparés, produits surgelés), principalement consommés par les catégories les plus aisées. Ainsi, le bœuf demeure une viande « bourgeoise », souvent présente sur les tables des cadres supérieurs, industriels et gros commerçants. Les agriculteurs lui préfèrent le porc, la volaille ou le lapin. Il faut dire que beaucoup de ceux-ci continuent de produire une partie importante de ce qu'ils consomment. On estime à 37 % la part de l'« autoconsommation » dans l'alimentation des agriculteurs. On constate cependant chez eux une tendance à la disparition de certaines habitudes traditionnelles, comme la soupe quotidienne ou l'influence des saisons sur le choix des menus.

Les ouvriers ont conservé un mode d'alimentation proche de celui des paysans. La ressemblance va jusqu'à l'autoconsommation : 42 % d'entre eux ont la possibilité de produire eux-mêmes une partie de leur nourriture (jardin potager, petits élevages, etc.).

Les employés s'opposent assez nettement aux ouvriers (même qualifiés), dont ils sont

Cuisine et vins de France (avril 1982)

pourtant proches par le revenu. On trouve dans leurs menus plus de produits coûteux : fruits frais, fromages, vins fins, etc. C'est à partir du niveau des cadres moyens que le type d'alimentation bascule vers les produits à forte valeur ajoutée (plats préparés, surgelés...) ou fortement liés au statut social (légumes et fruits exotiques, crustacés, whisky...). L'évolution des mœurs alimentaires tient aussi à celle de la distribution des produits. La présence des hypermarchés près des villes moyennes y a joué un rôle indéniable.

**MAGGI/BOLINO**
Sopad/Nestlé
Leo Burnett

La magie du temps gagné.

## Diététique :
## pour être bien dans son assiette

Les Français veulent être bien dans leur peau. Ils ont compris que la solution passe par une alimentation plus équilibrée. La diététique, longtemps réservée aux personnes au régime, s'installe donc progressivement dans les préoccupations quotidiennes. Les magazines féminins, depuis plusieurs années, ont largement contribué à cette prise de conscience en diffusant de façon compréhensible des informations qui ne l'étaient guère auparavant. Les femmes ont ainsi découvert l'effet bénéfique des grillades, salades, yaourts, etc., sur la ligne... et sur le moral. Elles se sont appliquées, peu à peu, à persuader le reste de la famille.

### 300 calories de moins en 10 ans

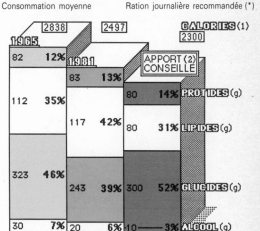

(*) Adulte sédentaire. Pour un adulte ayant une activité physique intense, les chiffres recommandés doivent être augmentés de 30 %. Ils doivent être diminués de 20 % pour les personnes âgées.

*Les Français consomment moins de sucre, mais encore trop de graisses.*

Le mouvement actuel vers une alimentation plus diététique touche particulièrement les catégories les plus jeunes et les plus urbaines de la population. Il se traduit déjà par une amélioration sensible du contenu de leur alimentation quotidienne. L'évolution des conditions de vie explique cependant en partie cette réduction de la ration calorique moyenne : diminution du nombre des travaux manuels et mécanisation croissante de ceux qui restent ; vieillissement de la population.

*La mode du fast food va-t-elle tout remettre en question ?*
*• Environ 1 000 fast foods au 1ᵉʳ janvier 1986.*

On peut se demander ce que deviennent les belles résolutions des Français en matière d'équilibre alimentaire lorsqu'on les voit se précipiter dans les Mac Donald's, Burger King et autres temples du hamburger.

Après une guerre qui fut indécise pendant plusieurs années, le fast food a gagné ! Et ses détracteurs du premier jour viennent, la tête

## Les Styles de Vie et l'alimentation

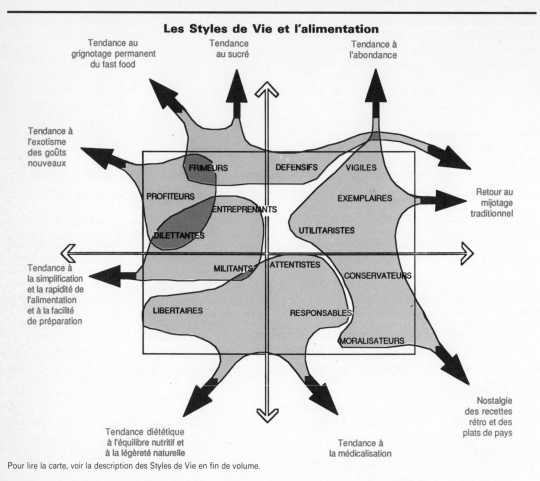

Pour lire la carte, voir la description des Styles de Vie en fin de volume.

C.C.A.

basse et le drapeau français en berne, sacrifier au rite de la restauration rapide, version américaine.

Les premières victimes du « mal » ont été les jeunes, qui n'ont pas résisté à une conception de l'alimentation qui avait tout pour les séduire : son origine outre-Atlantique ; la rapidité du service ; la possibilité de manger avec ses doigts ; la présence des frites (on en fait de moins en moins à la maison) ; enfin, et surtout, la modicité du prix, aujourd'hui 57 % des utilisateurs ont moins de 25 ans. Mais leurs parents aussi se laissèrent bientôt prendre au piège, surtout dans les grandes villes où l'on dispose de peu de temps pour déjeuner et où les femmes préfèrent faire du lèche-vitrine plutôt que de passer une heure au restaurant.

### « Breakfast food » à la française

• Que boivent-ils le matin ? Principalement du café (40 %) ou du café au lait (38 %). Les autres prennent du thé (9 %), du chocolat (7 %).
• Notons que 4 % déclarent ne pas prendre de petit déjeuner.
• Que mangent-ils ? 51 % sont fidèles à la tartine, 13 % mangent des biscottes, 4 % des toasts, 3 % un croissant. 7 % mangent « autre chose » et, surtout, 25 % ne mangent rien. A noter que 61 % « trempent » dans le bol ou la tasse, avant de manger.
• Où petit-déjeunent-ils ? Dans la cuisine pour 82 %, 13 % dans la salle à manger, 4 % dans la chambre, 1 % dans une autre pièce.

Sur le plan diététique, la juxtaposition d'un hamburger (le quart des besoins caloriques journaliers, mais la totalité des lipides), d'une ration de frites et d'un Coca-Cola augmente fortement la ration de glucides. Pourtant, entre une alimentation trop sucrée et une addition trop salée, beaucoup n'ont pas hésité !

Même s'il fait beaucoup parler de lui, le fast food ne représentait en 1985 que 2,5 % du chiffre d'affaires de la restauration commerciale (mais un peu plus de 6 % du nombre des repas).

Il ne faut donc pas trop s'inquiéter. Et puis, le sandwich n'était pas non plus un modèle d'aliment équilibré. Le hamburger reste d'ailleurs compétitif sur le plan nutritionnel avec la plupart des repas pris dans les restaurants. Et le fast food se développe dans de nouvelles directions, intégrant mieux les contraintes diététiques. Il reste, en tout cas, pour ceux qui ont trop abusé des frites et du Coca, la solution du régime qui leur permettra de « remettre la bascule à l'heure » ou celle de la « nouvelle cuisine », souvent peu riche en calories.

---

La vie de famille

### En Vrac

[S] 33 % des Français pensent qu'on ne peut pas élever convenablement les enfants sans leur donner de bonnes corrections (58 % contre).

[S] 53 % des adultes sont d'accord sur le fait qu'une fille doit pouvoir prendre la pilule avant sa majorité (18 ans). 35 % sont contre.

[S] 29 % des parents n'interdisent à leurs enfants aucune émission de télévision. En cas de conflit sur le choix d'un programme, 56 % des parents laissent l'enfant décider.

[S] En moyenne, les Français sont capables de citer spontanément une centaine de marques, sur les 10 000 qui font de la publicité.

[S] Ceux qui ne boivent pas de vin (19 %) boivent surtout de l'eau minérale (45 %), de l'eau du robinet (42 %), du jus de fruit (16 %) ou de la bière (8 %).

[S] Pour choisir un restaurant, 1 % seulement des Français se fient à un guide spécialisé ; 72 % préfèrent un restaurant de cuisine traditionnelle, 16 % de cuisine exotique, 10 % de nouvelle cuisine... 2 % de « fast food ».

[S] 41 % des Français se considèrent comme des gourmands, 37 % comme des gourmets, 20 % font attention à leur ligne.

[S] 57 % des Français sont favorables à l'ouverture des magasins le dimanche.

[S] 32 % des Français attendent la période des soldes ou recherchent des « bonnes adresses » pour acheter des produits de grande marque à meilleur prix.

# La Maison

## LOGEMENT

*Pendant un siècle, les Français avaient progressivement abandonné les campagnes. Ils semblent aujourd'hui vouloir les retrouver. Ce mouvement montre l'importance croissante prise par le cadre de vie. Il pourrait avoir, s'il se confirmait, des conséquences importantes sur les futurs modes de vie.*

### Le début de l'exode urbain ?

Près de la moitié des Français habitent dans une ville de plus de 50 000 habitants. On s'était habitué depuis longtemps au dépeuplement des campagnes. Pourtant, on assiste aujourd'hui à l'arrêt de la croissance urbaine, au profit de celle des communes rurales. C'est la première fois, depuis la fin du siècle dernier, qu'un tel phénomène se produit. Seules les villes de moins de 10 000 habitants continuent de croître à un rythme supérieur à la moyenne. C'est l'un des principaux enseignements du recensement effectué en 1982.

*La population des grandes villes stagne ou régresse.*
*• Entre 1975 et 1982, la population française a augmenté de 3,2 %.*
*• Dans le même temps, la population de l'Île-de-France n'a augmenté que de 2 %.*

Sur une centaine d'unités urbaines de plus de 50 000 habitants (villes isolées et agglomérations comprenant plusieurs communes), près de la moitié ont vu leur population décroître au cours des dernières années.

*Les Français avaient d'abord quitté les centres-villes...*

Les raisons probables de ce renversement historique de tendance tiennent à une déception croissante vis-à-vis des conditions de vie offertes par les grandes villes. À la quasi-impossibilité d'habiter la maison individuelle dont rêvent tous les Français se sont peu à peu ajoutés d'autres inconvénients : difficulté de circulation, bruit, pollution atmosphérique, mauvaise qualité des rapports humains, croissance de la délinquance sous toutes ses formes. L'augmentation du prix des logements (à l'achat comme à la location) a encore aggravé le « ras-le-bol » des citadins.

*... pour s'installer dans les banlieues...*

Comme il était difficile de transporter les villes à la campagne, on avait d'abord tenté l'opération inverse, en bâtissant des maisons près des villes dont le centre était inaccessible ou trop coûteux. On a donc assisté dans les années 60 à un formidable développement des banlieues des grandes villes, constituant une première couronne de population, puis bientôt une seconde. Cette situation était le résultat d'un double mouvement : d'un côté, l'arrivée aux abords des villes de nouveaux effectifs en provenance des campagnes, peu créatrices d'emploi et offrant une vie sociale et culturelle peu animée ; de l'autre, l'éloignement des habitants des centres-villes vers les banlieues, à la recherche d'un bout de jardin et de conditions de vie plus calmes.

*... Ils quittent maintenant les banlieues qui ressemblent trop aux villes.*

Après le centre des villes, ce sont leurs abords (surtout lorsqu'ils sont composés d'immeubles collectifs) qui se dépeuplent aujourd'hui, au profit des petites villes et des communes rurales. Ce phénomène, appelé péri-urbanisation par les experts, concernerait près de 20 % de la population totale. Dès que les conditions économiques le permettent (en particulier la possibilité de trouver un emploi), les Français s'implantent de plus en plus volontiers loin de la ville et de ses inconvénients. À la recherche d'un cadre plus agréable, résidentiel et propice à une vie socioculturelle satisfaisante. Les candidats à ce nouvel exode sont surtout les ouvriers et les membres des catégories moyennes, qui sont les principaux déçus de la vie urbaine. Mais la disponibilité de l'emploi reste un facteur déterminant.

### Les Français de moins en moins mobiles

10 % des Français ont changé de logement entre 1975 et 1982 mais 1,7 % seulement ont changé de région. Les principales raisons à un déménagement local sont, par ordre décroissant d'importance : l'amélioration du logement ; les raisons professionnelles ; les raisons familiales. Les déménagements plus lointains (changement de région) sont motivés d'abord par les raisons professionnelles, puis, loin derrière, familiales.
Le recensement de 1982 a montré une baisse de la mobilité (locale ou régionale) à tous les âges, alors que celle-ci avait augmenté de 1954 à 1975.
Une enquête effectuée par la Sofres pour la Chambre Syndicale des Entreprises de Déménagement et Garde-meubles (octobre 1985) indique que ce sont les moins de 35 ans, les cadres et professions libérales, les familles nombreuses, les habitants des grandes villes, qui déménagent le plus. 28 % des déménagements ont lieu en été et 43 % dans la même ville. Le plus souvent, les ménages effectuent eux-mêmes le déménagement : dans 83 % des cas pour les petites distances ; dans 57 % pour les distances supérieures à 100 kilomètres.

INSEE

**Un mouvement séculaire**

Part en % dans la population totale.

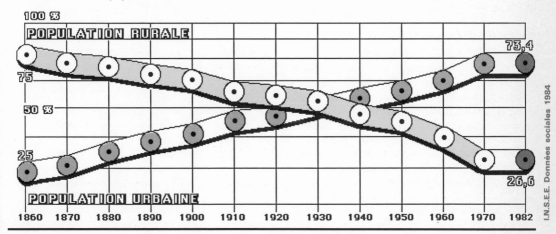

*Le paysage français
pourrait être différent dans 20 ans.*

Il est évidemment impossible de prévoir l'évolution de ce mouvement naissant. S'agit-il d'une fuite un peu superficielle et vaine devant les difficultés actuelles, dont les « villes inhumaines » seraient responsables ? S'agit-il au contraire d'une tentative profonde de « réenracinement » dans un cadre permettant une vie familiale plus harmonieuse ? Les conditions économiques joueront sans doute un rôle déterminant pour l'avenir de l'expérience : disponibilité des emplois ; importance des dépenses de fonctionnement (logement, transports, activités de loisirs), qualité des relations sociales. La mise en place de la décentralisation administrative et économique vers les régions devrait, en tout cas, favoriser le mouvement actuel.

## Le retour de la crise du logement

On croyait la crise du logement définitivement envolée, après trente années d'un rythme soutenu de construction. Entre 1966 et 1975, on avait construit chaque année près de 450 000 logements. Le nombre des mises en chantier a beaucoup diminué depuis cette époque (encadré). Le secteur le plus touché est celui des immeubles collectifs, tandis que la construction de logements individuels, devenue majoritaire depuis une dizaine d'années, se porte moins mal. Même si le taux des constructions par rapport à la population reste plutôt plus élevé en France que dans certains pays, la crise est quand même de retour.

*On ne trouve plus de logements
dans les grandes villes.*

Les candidats à la location ou à l'achat d'un appartement dans les grandes villes se font beaucoup de souci. Le choix qui leur est offert est très limité. Quant aux prix, ils ont de quoi décourager les plus optimistes. Ceux de la location sont souvent inaccessibles. La loi de l'offre et de la demande joue à plein, offrant parfois de très mauvaises surprises (« reprises » exorbitantes, vente de fausses listes de logements disponibles, etc.). Quant aux prix à

l'achat, ils ont repris en 1985 leur marche en avant après avoir baissé en 1982 et 1983. De plus, le recours au crédit est devenu un risque, compte tenu des taux d'intérêt élevés par rapport à l'inflation. Beaucoup hésitent à le prendre, n'étant pas assurés de leur capacité de remboursement, en particulier en cas de perte d'emploi.

*Plus d'un million de logements
sont aujourd'hui inoccupés.*

### Quand le bâtiment ne va pas...

Nombre de logements terminés chaque année (en milliers).

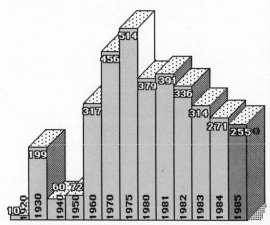

(*) Estimation

**Comparaison internationale** (logements terminés pour 1 000 habitants) **en 1983**.

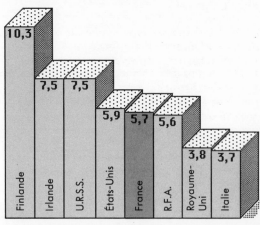

Il faut dire que la loi Quilliot n'a guère incité les propriétaires de logements de rapport à les offrir à la location. Depuis 1982, les investisseurs privés ne se sont pas bousculés pour acheter et louer, inquiets de la solvabilité des locataires. Le paradoxe est que, dans cette situation de rareté croissante, 1 100 000 logements sont inoccupés. La nouvelle loi de juin 1986 (mesures d'incitation fiscale, révision de la loi de 1948, liberté de fixer les prix des loyers lors des changements de locataires, etc.) devrait cependant avoir un effet bénéfique sur le nombre des logements disponibles.

## On se sent bien chez soi

« Un petit chez soi vaut mieux qu'un grand chez les autres. » Le vieux dicton est toujours d'actualité. La plupart des Français rêvent d'être propriétaires de leur logement, de préférence d'une maison. Ils sont de plus en plus nombreux à y parvenir. Ils y vivent aussi de plus en plus confortablement.

*Il y a en France 12 millions de maisons individuelles.*
*• 54 % des Français habitent une maison (33 % en 1970).*
*• 46 % habitent en appartement (67 % en 1970).*
*• 12,7 millions habitent dans des H.L.M.*

En dix ans, la répartition entre les logements collectifs et les logements individuels s'est complètement inversée. Aujourd'hui, plus de la moitié des Français ont pu réaliser leur rêve de maison.

*51 % des ménages sont propriétaires de leur résidence principale.*
*• 67 % dans les communes rurales.*
*• 34 % à Paris.*
*• 4 % des Français sont logés par leur employeur et 4 % à titre gracieux.*
*• 49 % des propriétaires ont encore des prêts à rembourser.*

Si la moitié des Français possèdent leur logement, la proportion est très variable selon les professions : 73 % des agriculteurs, 59 % des patrons de l'industrie et du commerce, mais 27 % des ouvriers.

*63 % seulement des logements disposent de tout le confort.*
*• La proportion de logements disposant de l'eau chaude a augmenté de 60 % depuis 1968.*
*• Le nombre des W.-C. a augmenté de 60 % également.*

Le confort, au sens de l'I.N.S.E.E., c'est l'existence, dans le logement, de l'eau courante, de W.-C. intérieurs, d'une baignoire ou d'une douche et du chauffage central. D'après cette définition, 37 % des Français habitent un logement inconfortable. Ce sont surtout les habitants des communes rurales, les agriculteurs et les inactifs. Les habitants de l'agglomération parisienne sont nettement privilégiés dans ce domaine.

### Le confort en chiffres

40 % des logements ont été construits avant 1914. 20 % sont postérieurs à 1968.

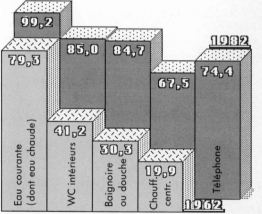

*16 % des logements sont surpeuplés.*

Outre l'absence des équipements de base dans beaucoup de logements, près d'un sur cinq est en condition de surpeuplement. À l'inverse, un peu moins des deux tiers sont sous-peuplés, souvent après le départ des enfants. Mais la notion de sur-ou sous-peuplement, telle qu'elle est définie par les statisticiens, ne correspond pas forcément à l'opinion de chacun. Il y a surpeuplement si le logement a au moins une pièce de moins que la norme. Il y a sous-peuplement si le logement compte au moins une pièce de plus que la norme.

La norme d'occupation est calculée ainsi :
– 1 pièce de séjour pour le ménage,
– 1 pièce pour chaque chef de famille,
– 1 pièce pour chaque personne hors famille non célibataire,
– 1 pièce pour chaque célibataire de 19 ans et plus,
– 1 pièce pour 2 enfants de moins de 19 ans, à condition qu'ils soient de même sexe (sauf s'ils ont tous les deux moins de 7 ans),
– 1 pièce pour l'ensemble des domestiques et salariés logés éventuellement.

D'une manière générale, ce sont les cadres supérieurs et professions libérales qui bénéficient des meilleures conditions de logement.

Malgré les progrès réalisés dans ce domaine, tous les éléments de confort sont encore loin d'être généralisés dans les logements des Français, et le retard reste réel par rapport à des pays comme les États-Unis, la Suède ou l'Allemagne.

### Les Français sont pourtant satisfaits de leurs logements.

L'attachement des Français à leur « chez-soi » ne dépend guère de l'existence d'une baignoire ou du chauffage central. C'est en tout cas ce que l'on peut penser en constatant les indices de satisfaction élevés qui apparaissent dans les sondages : les propriétaires sont plus

**Les Styles de Vie et la maison**

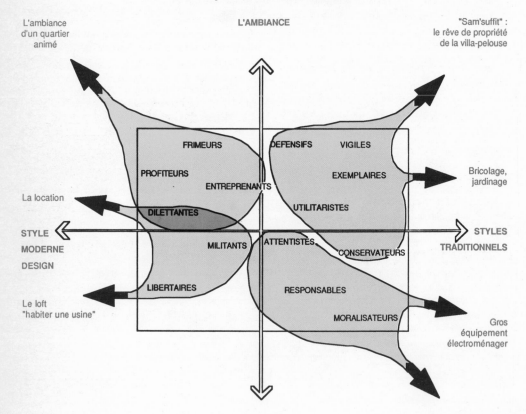

Pour lire la carte, voir la description des Styles de Vie en fin de volume.

satisfaits que les locataires ; ceux qui habitent une maison plus que ceux qui vivent en appartement. On note cependant une réticence vis-à-vis de la qualité de l'architecture, certains Français déplorant le manque d'originalité des constructions (surtout des immeubles collectifs) ou leur .qualité parfois insuffisante.

*Les Français sont les champions du monde des résidences secondaires.*

Leurs rêves de maison incluent souvent la résidence secondaire, dans laquelle il fait bon passer ses week-ends ou ses vacances. Un Français sur dix dispose aujourd'hui d'une seconde maison. La plupart sont propriétaires, à la suite d'un héritage ou d'une acquisition. Beaucoup consacrent une part importante de leurs loisirs à la réfection ou à l'amélioration d'une vieille bâtisse, qui accueillera leur retraite. Le culte de la résidence secondaire constitue sans aucun doute une caractéristique nationale, puisqu'aucun autre pays du monde ne dispose d'un parc aussi important par rapport à sa population. Le développement récent des formules de multipropriété devrait à la fois amplifier et déformer ce phénomène, car une même résidence sera partagée par plusieurs familles au lieu d'être possédée par une seule.

---

**2,3 millions de résidences secondaires**

11 % des ménages disposent d'une résidence secondaire. Il s'agit dans 80 % des cas d'une maison, presque toujours pourvue d'un jardin. À noter que 9 % des résidences secondaires sont constituées d'un terrain et d'une résidence mobile (caravane, camping-car, etc.). 56 % de ces habitations sont situées à la campagne, 32 % à la mer et 16 % à la montagne. Les cadres supérieurs et professions libérales sont les plus nombreux (23 %) à posséder une résidence secondaire. Les moins nombreux sont les agriculteurs (3 %), les ouvriers et employés (5 %).

---

# ÉQUIPEMENT

*Les Français ont beaucoup investi pour équiper leur maison. L'électroménager leur a permis de gagner du temps. Les appareils audiovisuels les ont aidés à en « perdre ». La cuisine et le salon ont beaucoup changé, plus que la salle de bains ; il y a en France plus de téléviseurs que de baignoires.*

## Le tout-électronique

La bonne fée électricité a beaucoup fait depuis 20 ans pour le confort des Français. Ses coups de baguette ont progressivement transformé l'ensemble des foyers. Sa fille, la fée électronique, se donne aussi beaucoup de mal. Mais les choses, dans son domaine, vont si vite qu'elle ne sait plus aujourd'hui où donner de la baguette !

*De toutes les pièces de la maison, c'est la cuisine qui a le plus changé.*

L'équipement reste un signe de standing.

Lorsqu'on feuillette les magazines de décoration de l'après-guerre, on a quelques difficultés à reconnaître les cuisines. La plupart étaient alors meublées d'une table, d'un évier, d'une cuisinière à charbon et de quelques placards.

Les cuisines d'aujourd'hui croulent sous les réfrigérateurs, congélateurs et robots de toutes sortes, qui ont largement contribué à libérer la femme de ses tâches ménagères. Congélateurs et lave-vaisselle sont apparus dans les années 70. Ce sont les fours à micro-ondes et les sèche-linge qui s'installent aujourd'hui.

*L'audiovisuel poursuit son invasion.*

L'équipement des foyers en radio est arrivé depuis longtemps à saturation. C'est maintenant le tour de la télévision (96 % des foyers, dont 62 % ont la couleur). La chaîne hi-fi est moins répandue, mais presque tous ceux qui n'en possèdent pas ont un électrophone.

La nouvelle génération audiovisuelle est en train de pénétrer dans les foyers. Magnétoscopes, caméras vidéo, lecteurs de disques compacts, micro-ordinateurs commencent à s'installer chez les plus jeunes et chez les plus modernistes des adultes.

## Sanitaire : la salle de bains redécouverte

Après avoir beaucoup investi dans leur cuisine, c'est à la salle de bains que les amoureux du confort s'intéressent aujourd'hui. Pour en faire une véritable « pièce à vivre » qui intègre à la fois la fonction traditionnelle d'hygiène et d'autres fonctions plus nouvelles, liées à la forme et au bien-être. On retrouve

### Moins de baignoires que de postes de télévision

85 % des foyers sont équipés d'une baignoire ou d'une douche, 20 % disposant d'une douche indépendante de la baignoire (2 % ont même 2 douches indépendantes). Ces chiffres globaux illustrent des situations en fait très disparates. Il y a un monde entre la minuscule baignoire carrée en acier qui équipe la salle de bains de la plupart des H.L.M. et la baignoire à remous dont disposent certains ménages.

là les grands courants actuels qui tendent à privilégier la forme physique, les soins de beauté. On rêve d'une salle de bains plus grande, mieux éclairée (de préférence par une fenêtre), équipée de matériel de culture physique.

### La « nouvelle cuisine »

Taux d'équipement des ménages jusqu'en janvier 1986 ( %).

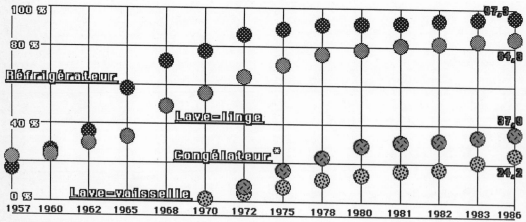

(*) Hors combinés réfrigérateurs-congélateurs (28 % en 1985).

Même si tous ne peuvent passer du rêve à la réalité, beaucoup s'efforcent de transformer leur salle de bains en un « salon de bains » dans lequel il fait bon s'occuper de son corps. Partant du principe que pour être « bien dans sa peau », il faut déjà que celle-ci soit propre...

## Mobilier :
## de la tradition à la « démeuble »

Les Français achètent de moins en moins de meubles. Le début de la constatation de cette baisse remonte à 1975. Plutôt que d'investir dans l'ameublement au sens traditionnel (armoire, buffet, lit ou canapé), les Français ont donné la préférence aux « meubles de loisirs » que sont la télé couleur ou la chaîne hi-fi.

Le développement du « kit », moins coûteux, explique aussi cette stagnation. Enfin, beaucoup se sont tournés vers des « circuits parallèles » tels que les dépôts-vente, la brocante ou les entrepôts de vente directe, dont la part croissante échappe aux statistiques de la profession.

*Il n'y a pas vraiment de style contemporain en matière de mobilier.*

**Des prix à faire pleurer les huissiers.**

CANAPÉ MOMENT
**2100F**

IKEA VITROLLES

**IKEA**

Peyrat et Associés

Les meubles
sont faits pour être changés.

Si 15 % des ménages restent fidèles au mobilier de style ancien, et autant au design moderne, la moitié environ retournent au « naturel » (bois scandinave, rustique clair et simple) ou au romantique rond et chaud de l'époque Louis-Philippe. Les autres mélangent allégrement les styles, bousculant toutes les conventions, allant jusqu'à la « démeuble », négation de l'aménagement traditionnel de l'espace. Certains sacrifient par exemple la chambre à coucher pour en faire un débarras ;

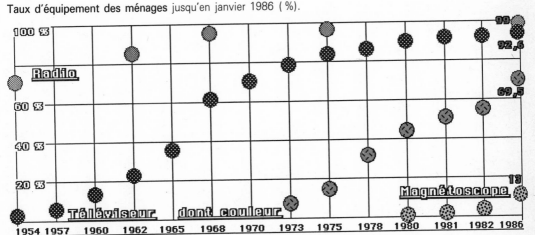

**Les « branchés »**

Taux d'équipement des ménages jusqu'en janvier 1986 ( %).

Magnétoscopes : estimations des fabricants.

**La France du confort**

Taux d'équipement des ménages selon la catégorie socioprofessionnelle en 1985 (en %).

| | Réfrigérateur | Congélateur | Lave-linge | Lave-vaisselle | Téléviseur | dont couleur |
|---|---|---|---|---|---|---|
| Agriculteurs .............. | 97,3 | 73,2 | 90,6 | 24,9 | 91,8 | 47,8 |
| Patrons de l'industrie ....... | 98,2 | 45,3 | 94,8 | 44,6 | 94,3 | 79,9 |
| Professions libérales et cadres supérieurs .......... | 99,6 | 40,6 | 90,8 | 54,6 | 91,2 | 79,5 |
| Cadres moyens ............ | 99,2 | 35,6 | 87,4 | 38,2 | 91,4 | 73,8 |
| Employés ................ | 97,9 | 30,0 | 85,5 | 20,4 | 92,5 | 71,6 |
| Ouvriers ................ | 97,7 | 38,6 | 88,9 | 18,8 | 94,1 | 67,8 |
| Personnel de service ....... | 95,1 | 22,0 | 76,8 | 9,8 | 82,9 | 51,2 |
| Autres actifs ............. | 98,1 | 41,0 | 85,9 | 28,8 | 93,6 | 71,8 |
| Inactifs ................. | 94,6 | 26,2 | 74,1 | 11,6 | 92,2 | 67,2 |
| Ensemble ............... | 96,9 | 35,3 | 83,6 | 23,0 | 92,6 | 69,5 |

I.N.S.E.E.

d'autres vont jusqu'à transformer la maison en un gigantesque bric-à-brac. Le moderne et l'ancien, le cher et le « cheap » (bon marché), le sophistiqué et le rustique, l'exotique et le conventionnel s'y côtoient pour mieux détourner l'attention et vouer à l'échec toute tentative de classification.

Les Français de la « démeuble » ont souvent moins de 35 ans. Pour eux, les meubles servent plus à rêver qu'à ranger. La musique et la lumière en sont les compléments naturels. L'exotisme y prend également une large place. Leur souci n'est pas de « faire beau », ni durable. Au slogan « un meuble pour la vie », ils opposent une conception plus éphémère et plus onirique. À une époque où les créateurs n'ont pas réussi à imposer un style contemporain caractéristique, c'est la « démeuble » qui en tient lieu.

# VOITURE

*Après avoir été un objet de culte, la voiture est aujourd'hui devenue un accessoire indispensable et coûteux. Mais, s'ils achètent des voitures sages, les Français continuent de rêver des autres...*

## Grandeur et décadence

La société automobile a commencé avec le siècle. Après avoir alimenté les rêves et les conversations des Français pendant des décennies, la voiture est aujourd'hui intégrée à leur mode de vie, au même titre que le réfrigérateur ou le poste de télévision. À la passion des années fastes a succédé la raison. La crise du pétrole n'y est pas étrangère. À partir de 1973, le prix du litre de super allait connaître une augmentation spectaculaire, mais qui ne fut pas dissuasive pour les automobilistes, contrairement à certains pronostics. La crise pétrolière ne se traduisit pas par une crise de l'industrie automobile, mais par sa restructuration. Avec elle se sont envolés les rêves de puissance (fiscale) et de grandeur (de la carrosserie). Après les belles américaines et les coupés séduisants, voici les modèles sages et passe-partout...

Pourtant, les nostalgiques de la voiture-statut ne manquent pas. Sous la raison couve toujours la passion.

La séduction
n'est plus une question de taille.

*74 % des ménages ont une voiture (janvier 1986).*
*• Ils n'étaient que 30 % en 1960 (58 % en 1970).*
*• 22 % des ménages ont au moins 2 voitures.*

Ceux qui n'ont pas de voiture sont surtout des personnes âgées, des foyers sans enfants pour lesquels la nécessité de la voiture est en général moins forte. Même si la voiture semble s'être aujourd'hui beaucoup démocratisée, on ne peut cependant affirmer que sa possession est indépendante du pouvoir d'achat.

La France compte 380 voitures pour 1 000 habitants. Un chiffre supérieur à celui de la Grande-Bretagne (290) et de l'Italie (358) mais inférieur à celui de l'Allemagne fédérale (403) et surtout à celui des États-Unis (539).

*Les modèles diesel*
*représentent aujourd'hui 7,1 % du parc.*
*• 13,7 % des voitures achetées en 1984 étaient des modèles diesel, contre 27,5 % en Italie et 13,3 % en Allemagne.*

Pendant longtemps, le moteur Diesel fut réservé aux camions et aux taxis. Il intéresse de plus en plus les particuliers. L'avantage de sa moindre consommation a pris de l'importance au fur et à mesure que l'écart entre le

## 21 millions de voitures

Évolution du nombre de voitures particulières en France au 31 décembre.

| En millions | 15,10 | 15,55 | 16,25 | 17,00 | 17,78 | 18,52 | 19,15 | 19,72 | 20,42 | 20,95 | 21,17 |
|---|---|---|---|---|---|---|---|---|---|---|---|
| RENAULT | 29,9% | 30,3% | 30,5% | 30,7% | 31,2% | 31,6% | 32,7% | 33,5% | 34,1% | 34,3% | 39,9% |
| CITROEN | 23,5% | 23,0% | 22,2% | 21,4% | 20,8% | 20,3% | 19,6% | 18,9% | 18,1% | 17,5% | 16,9% |
| PEUGEOT | 18,2% | 18,3% | 18,3% | 18,2% | 18,2% | 18,2% | 17,9% | 17,4% | 16,8% | 16,6% | 16,8% |
| TALBOT | 12,1% | 11,8% | 11,6% | 11,4% | 11,2% | 10,9% | 10,5% | 9,8% | 9,3% | 8,7% | 8,0% |
| Etrangères et divers | 16,3% | 16,6% | 17,4% | 18,3% | 18,6% | 19,0% | 19,3% | 20,4% | 21,7% | 22,9% | 24,4% |
| | 1974 | 1975 | 1976 | 1977 | 1978 | 1979 | 1980 | 1981 | 1982 | 1983 | 1984 |

Argus de l'automobile (oct. 1985)

## Près de 5 millions de voitures étrangères

Voitures particulières étrangères en France (au 31 décembre 1985).

| | |
|---|---|
| 7,7 % | Divers |
| 7,7 % | Voitures japonaises |
| 6,8 % | Voitures britanniques |
| 14,8 % | Fiat |
| 8,2 % | Autres marques |
| 12,8 % | Volkswagen |
| 10,8 % | Opel |
| 20,0 % | Ford |
| 11,2 % | Autres marques |

ITALIE 23,0 %
R.F.A. 54,8 %

Argus de l'automobile

**Les belles étrangères ?** Les Français ont une idée assez précise des caractéristiques positives ou négatives des voitures étrangères. Connaissance réelle ou idées toutes faites ? À vous de juger :
- les **allemandes** : solides, chères, sans histoire ;
- les **américaines** : chères, belles, confortables ;
- les **anglaises** : fragiles, belles, à la mode, amusantes ;
- les **italiennes** : belles, fragiles, à la mode, amusantes ;
- les **japonaises** : économiques, à la mode, amusantes, fragiles ;
- les **polonaises** : ennuyeuses, solides ;
- les **suédoises** : solides, chères, confortables, sans histoire ;
- et les **françaises** : confortables, belles, économiques à l'usage et chères à l'achat.

C.C.A.

super et le gazole augmentait. La durée de vie plus longue du diesel n'est pas non plus pour déplaire aux Français qui gardent leurs voitures de plus en plus longtemps. Les constructeurs, conscients de cette évolution, ont accéléré celle-ci en créant plus de modèles, en réduisant de façon sensible les inconvénients traditionnels du diesel (temps de préchauffage, manque de nervosité, bruit, etc.). Le résultat est qu'aujourd'hui une voiture sur quinze est une voiture diesel. Pourtant, la baisse des prix de l'essence depuis 1985 (et surtout 1986) pouvait rendre le diesel moins attrayant pour les nouveaux acheteurs de voiture.

## *Le parc de voitures vieillit.*

Depuis 1982, le nombre des véhicules âgés de 5 à 20 ans est supérieur à celui des véhicules de moins de 5 ans. Avec la crise, les acheteurs ont été amenés à garder leur voiture plus longtemps, quitte à mieux l'entretenir. Ils préfèrent aussi les voitures d'occasion : il s'en vend aujourd'hui environ 3 fois plus que de neuves, et le marché de l'occasion résiste mieux que celui du neuf.

### 2 millions de Français roulent sans assurance

Sur les 25 millions d'automobilistes et motocyclistes circulant en France, environ 2 millions ne sont pas assurés en cas d'accident.
Parmi eux, 800 000 conduisent sans avoir souscrit la moindre assurance et plus d'un million ne sont pas couverts pour des raisons diverses : non-paiement des primes, défaut de permis, fausse déclaration, etc.
C'est pour éviter ces abus qui coûtent chaque année plus de 200 millions de francs à la collectivité que la vignette-assurance apposée sur le pare-brise a été rendue obligatoire.

# Le rêve automobile entre parenthèses

La voiture est un moyen commode (enfin, souvent...) de se rendre d'un endroit à un autre. Surtout lorsqu'on doit transporter enfants, animaux et bagages. C'est bien de ce besoin fondamental de transport qu'est née l'automobile. Cent années d'existence lui ont donné bien d'autres raisons d'être. C'est par elle que les Français ont acquis l'autonomie, la connaissance de leur pays (et même de certains autres, parfois éloignés) et surtout la liberté individuelle. On peut d'ailleurs penser que, sans la voiture, l'individualisme actuel ne serait pas ce qu'il est.

### Les nouveaux comportements automobiles

Le kilométrage annuel moyen parcouru par les ménages tend à diminuer depuis quelques années (il est passé de 13 300 en 1978 à 12 500 actuellement). Mais on s'aperçoit que les ménages les plus modestes roulent au contraire de plus en plus, malgré les hausses du prix de l'essence. Les ménages les plus aisés, dont les besoins de déplacement étaient déjà largement satisfaits avant le début de la crise économique, ont été plus sensibles aux augmentations de prix.

Parallèlement à la réduction du kilométrage parcouru, la consommation d'essence moyenne par voiture a diminué depuis 1973, date du premier choc pétrolier. Le phénomène est vrai pour l'ensemble des pays développés : entre 1973 et 1982, la consommation totale de carburant n'a augmenté que de 5,9 %, alors que le nombre de voitures en circulation s'accroissait de 34,7 %. Toutefois, cette tendance se ralentit depuis le début des années 80.

Chaque année, 5 millions de voitures changent de main (contre 3,5 millions il y a 10 ans).

### Le rêve automobile n'est pas mort.

Le moins qu'on puisse dire est que la voiture n'a pas été épargnée depuis une dizaine d'années : accroissement du prix des modèles, de l'essence, de l'assurance, de la vignette ; limitation de vitesse ; obligation du port de la ceinture ; renforcement des contrôles et accroissement du prix des amendes ; réduction du taux d'alcoolémie autorisé, etc.

Pourtant, toutes ces mesures n'ont pas vraiment modifié l'attirance profonde des Français pour la voiture. Alors, en attendant le retour des jours meilleurs, on fait contre mauvaise fortune bon cœur. Faute de pouvoir impressionner les autres en soulevant le capot,

La passion automobile est-elle en train de renaître ?

on décore la carrosserie et on multiplie les accessoires. Bref, on se bat contre la banalité des modèles de série en essayant de les personnaliser. C'est ce qui explique la multiplication des options, qui peuvent donner lieu pour un même modèle à un écart de prix de 20 % entre l'équipement de base et celui du luxe.

Quelles que soient les difficultés du moment, l'amour de la « belle bagnole » n'est pas mort. Il suffirait sans doute de peu de chose pour qu'il s'exprime à nouveau.

#### La raison et la passion

• Pour 61 % des Français, conduire est un plaisir (31 % sont d'un avis contraire).

• 83 % pensent que l'on fait encore aujourd'hui de très belles voitures.

• Les marques de rêve sont, par ordre décroissant : Rolls-Royce (32 %), Jaguar (23 %), Ferrari (22 %), Porsche (22 %), Lamborghini (21 %), BMW (19 %).

• Ce qui fait le plus rêver dans une voiture, c'est d'abord le confort (50 %), puis la beauté de la carrosserie (19 %), enfin les performances (17 %).

• Sur le plan esthétique, la préférence des Français va d'abord aux modèles français (39 %), puis allemands (33 %) et italiens (23 %).

• Sur le plan des perfectionnements techniques, ce sont les voitures allemandes qui sont les plus appréciées (56 %), loin devant les françaises (29 %) et les japonaises (14 %) ou les américaines (12 %).

VSD/Ipsos (octobre 1984)

## Deux roues : la moto en roue libre

Si la raison explique les comportements actuels des Français vis-à-vis de la voiture, c'est la passion qui domine lorsqu'il s'agit des deux roues. Une passion qui semble bien en perte de vitesse si l'on en juge par le nombre des immatriculations.

### En quatre ans, le marché de la moto neuve a diminué de moitié.

Les belles images en provenance du Paris-Dakar ou de l'Enduro du Touquet, la cote d'amour d'un Hubert Auriol ne font rien à la chose. Les achats de motos neuves sont en chute libre depuis 1981 et la tendance, pour

## Les Styles de Vie et la voiture

La voiture dont ils rêvent.

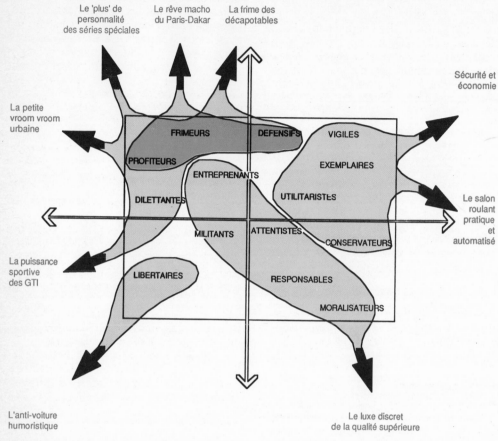

Le 'plus' de personnalité des séries spéciales

Le rêve macho du Paris-Dakar

La frime des décapotables

Sécurité et économie

La petite vroom vroom urbaine

FRIMEURS  DEFENSIFS  VIGILES

PROFITEURS  EXEMPLAIRES

ENTREPRENANTS

DILETTANTES  UTILITARISTES

Le salon roulant pratique et automatisé

MILITANTS  ATTENTISTES

CONSERVATEURS

La puissance sportive des GTI

LIBERTAIRES  RESPONSABLES

MORALISATEURS

L'anti-voiture humoristique

Le luxe discret de la qualité supérieure

Pour lire la carte, voir la description des Styles de Vie en fin de volume.

l'avenir proche, ne semble vraiment pas au redressement. Seule la légère augmentation des achats d'occasion explique la relative stagnation du nombre des motos en circulation.

### Le pouvoir d'achat des jeunes est en cause :

L'évolution du pouvoir d'achat des jeunes, ainsi que leur taux de chômage élevé expliquent leur hésitation à s'endetter pour acquérir des engins dont les prix (d'achat, d'entretien et de réparation) ont beaucoup augmenté depuis quelques années.

### Vive l'occasion !

|  | 1980 | 1981 | 1982 | 1983 | 1984 |
|---|---|---|---|---|---|
| Immatriculations |  |  |  |  |  |
| – neuves | 135 000 | 108 311 | 119 681 | 101 124 | 80 283 |
| – occasion | – | 200 600 | 221 325 | 227 464 | 231 319 |
| Part des marques étrangères | – | 95,2 % | 95,7 % | 96,2 % | 95,8 % |
| Motocycles en circulation (au 31 décembre) | 715 000 | 725 000 | 740 000 | 745 000 | 725 000 |

De plus, la création de nouveaux permis entraînant de nouvelles classifications administratives a porté un coup très dur aux 125 cm³. Dans les plus petites cylindrées, le cyclomoteur est également en chute régulière depuis 10 ans : un million vendus en 1974, la moitié aujourd'hui. Quant au scooter, vieux souvenir des années 60 relancé depuis 1982 par certains constructeurs, il n'a pas réalisé la percée attendue, malgré une augmentation sensible des ventes : 16 000 en 1984 contre 12 000 en 1983.

# ANIMAUX

*Même si elles comptent moins d'enfants, les familles se sont agrandies. Les animaux de compagnie sont présents dans la moitié des foyers. Ils y occupent une place considérable.*

## 33 millions d'amis

L'homme a toujours eu besoin de l'animal. D'abord pour assurer sa nourriture quotidienne, puis pour utiliser sa force dans les travaux qu'il était incapable d'effectuer seul. Aujourd'hui le cheval de labour est remplacé par les chevaux-vapeur, mais l'animal reste présent dans la vie de l'homme. En tant qu'ami et confident, il complète (et parfois remplace) les relations avec les autres.

Les Français ont une passion particulière pour les animaux de compagnie. Il y a d'ailleurs en France deux fois plus d'animaux familiers que d'enfants.

*55 % des foyers possèdent un animal : c'est le record d'Europe.*
* *9 millions de chiens (un foyer sur trois).*
* *7 millions de chats (un foyer sur quatre).*
* *9 millions d'oiseaux (un foyer sur huit).*

* *8 millions de poissons, 2 millions de lapins, hamsters, singes, tortues, etc.*

Bien que la majorité des Français habitent aujourd'hui dans les villes, leurs racines rurales restent fortes. Avec elles se sont maintenues les traditions d'amitié entre deux espèces liées par une longue histoire commune. L'homme n'est-il pas un animal qui a réussi ?

*La répartition des animaux est très inégale.*
* *Ceux qui ont le plus d'animaux domestiques sont les agriculteurs (84 % des foyers), les artisans et les commerçants (58 %).*
* *Ceux qui en ont le moins sont les ouvriers (37 %), les cadres et les employés (43 %).*

C'est dans les fermes que l'on trouve le plus d'animaux domestiques. Leur implantation géographique est la plus forte dans le Nord-Ouest et dans le Sud-Ouest. La région parisienne en compte relativement moins, même si l'on peut voir dans les rues les traces (glissantes) de leur existence. Environ 80 % des chiens et des chats vivent dans des maisons individuelles, 20 % en appartement.

Contrairement à l'idée générale, les inactifs habitant en ville, retraités ou non, sont ceux qui possèdent le moins d'animaux de compagnie.

L'animal,
le meilleur ami des Français.

# Une place dans la famille

Les animaux domestiques jouent un rôle important dans la vie des Français. Dans une société souvent dure et angoissante, ils leur apportent un réconfort et un moyen de lutter contre l'isolement.

Pour les enfants, les chiens, chats, hamsters ou tortues sont le moyen de faire éclore des sentiments de tendresse qui pourraient autrement être refoulés.

Pour les adultes, les animaux sont des compagnons avec lesquels ils peuvent communiquer sans crainte et partager parfois leur solitude. Sans parler bien sûr de la sécurité qui est apportée par les chiens, de plus en plus utilisés comme moyen de défense ou de dissuasion contre la délinquance. Avec parfois quelques abus... lorsque le chien ne fait pas la différence entre un voleur, un facteur ou même un membre de la famille en visite. Dans une période où la décision d'avoir des enfants est souvent difficile à prendre, celle d'avoir un animal la précède ou en tient parfois lieu. Ainsi, beaucoup de jeunes couples commencent par adopter un chien, moins exigeant qu'un enfant, moins coûteux à entretenir, plus facile à faire garder lorsqu'on veut sortir.

L'animal est un révélateur des angoisses de l'homme. Le fait qu'il ne parle pas en fait un confident privilégié. Il ne fait guère de doute que le premier journaliste ou sociologue qui parviendrait à interviewer un chien ou un chat en apprendrait beaucoup sur la vie et la nature profonde des Français !

*• En 1985, les Français ont dépensé près de 30 milliards de francs pour leurs animaux.*
*• L'alimentation d'un chien coûte en moyenne 2 000 francs par an.*
*• Celle d'un chat revient à 800 francs.*

Les achats d'aliments pour animaux représentaient moins de 200 millions de francs en 1970. Ils représentent près de 5 milliards de francs en 1986, soit environ 700 000 tonnes de produits, plus d'un milliard de boîtes de conserves. Pour nourrir leurs chiens, les Français dépensent chaque jour 40 millions de francs ; un sur deux achète régulièrement des aliments préparés ; un sur quatre cuisine des petits plats à l'intention de son animal ; un sur quatre lui donne les restes des repas familiaux.

Les animaux coûtent cher. Les sommes énormes qui sont dépensées chaque année représentent sur le plan économique des ressources et des emplois utiles à la collectivité. Mais elles constituent aussi une charge, parfois lourde, pour les possesseurs d'animaux. Outre les dépenses de nourriture, les Français investissent des sommes considérables pour les soins de leurs animaux. Ainsi sont dépensés pour les seuls chiens et chats :

*900 millions de francs par an pour les achats d'animaux,*
*• 1 milliard de francs pour la santé,*
*• 500 millions de francs d'assurance,*
*• 100 millions de francs pour le toilettage.*

Il faut ajouter à ces sommes environ 5,5 milliards de francs pour les autres animaux. Plus les accessoires nécessaires (niches, cages, aquariums, laisses, etc.), et les produits d'entretien. Ainsi, les Français achètent chaque année environ 150 000 tonnes de litière pour leurs chats. Il est vrai que, quand on aime, on ne compte pas. Mais cela ne doit pas faire oublier que, chaque été, 400 000 chiens et chats sont abandonnés par leurs maîtres avant de partir en vacances.

*Tel maître, tel animal.*
*• 500 000 morsures de chiens chaque année.*
*• 20 tonnes d'excréments par jour à Paris.*

L'existence de ces 33 millions d'animaux ne présente pas pour la collectivité que des avantages. Ce sont les chiens qui posent le plus de problèmes : pollution, bruit, agressivité, dégradations. D'après le CDIA, près de 500 000 personnes sont mordues chaque année (dont environ 4 000 facteurs au cours de leur tournée). La moitié d'entre elles en gardent une cicatrice, plus de 60 000 doivent être hospitalisées, des enfants meurent des suites de morsures. La plupart des communes prennent des dispositions pour réduire ces nuisances : réglementations, amendes, construction de « vespachiens », contrôle plus strict de la reproduction, etc. Mais, autant que les animaux, ce sont probablement les maîtres qu'il faudrait éduquer.

La maison

## En vrac

• Un Français sur six habite l'agglomération parisienne (8,7 millions d'habitants).

⑤ 28 % des Français renoncent parfois à partir en week-end ou à aller faire des courses à cause des risques d'embouteillage (71 % non).

⑤ 23 % des Français ont déjà conduit à plus de 180 km/h.

• Il se vend chaque année 3 fois plus de voitures d'occasion que de voitures neuves.

• En France, 14 % des chiens sont « de race », contre 55 % en Grande-Bretagne. Sur les 9 millions de chiens, on compte 700 000 bergers allemands.

• Il existe 2 200 salons de toilettage pour chien

• Entre 1970 et 1985, les prix des équipements électroniques grand public ont augmenté de 28 % en francs courants. Dans le même temps, l'ensemble des prix à la consommation augmentait de 270 %.

# Les Personnes Âgées

## TROISIÈME ÂGE

*On sait bien quand il finit, mais on ne sait pas quand il commence. Le troisième âge est-il celui de la retraite, du soixantième anniversaire ou de l'apparition des premières rides ? Parmi les 10 millions de Français qui sont concernés, des adultes dans la force de l'âge côtoient des vieillards grabataires. Le troisième âge n'existe pas.*

### Le papy boom

10 millions de Français ont plus de 60 ans (un adulte sur trois) ; 11 % sont à la retraite, dont 700 000 sont en préretraite.

La définition du troisième âge est éminemment artificielle. Il y a l'âge administratif (celui de la retraite ou de la préretraite), l'âge des artères et celui du cerveau. Mais cela n'empêche pas qu'un Français sur cinq (un adulte sur trois) fait aujourd'hui partie de ce qu'il est convenu d'appeler le « troisième âge ». Avec des conséquences nombreuses sur le plan économique et social.

L'évolution de ces dix dernières années a modifié pour une large part l'image de la vieillesse, longtemps associée à celle de retraite (dans tous les sens du terme). Deux événements se sont produits, qui ont ébranlé les habitudes. Le fait, d'abord, que beaucoup des « vieux » d'aujourd'hui ne ressemblent plus à ceux d'hier, dans leur apparence physique aussi bien que dans leur comportement. L'avancement de l'âge de la retraite, ensuite, qui met brutalement des individus en pleine force sur le « marché de la vieillesse ».

*Le vieillissement de la France semble irréversible.*
*• En 1900, 13 % de la population avaient 60 ans et plus.*
*• Ils sont 19 % aujourd'hui, dont 58 % de femmes.*

L'avancement de l'âge de la retraite n'est pas la seule raison de l'accroissement notable des effectifs du troisième âge. Ce vieillissement est dû pour partie à la forte chute de la fécondité et à l'allongement de la durée de vie moyenne. Le résultat est un déséquilibre croissant dans la structure de la population

## La France vieillit...

Évolution démographique de la France (1850-2000).

|  | 60 ans et plus | 65 ans et plus | 85 ans et plus | Total (millions) |
|---|---|---|---|---|
| En l'an 1850 | 10,2 % | 6,5 % | 0,2 % | 35,8 |
| En l'an 1900 | 12,9 % | 8,5 % | 0,3 % | 38,5 |
| En l'an 1975 | 18,3 % | 13,4 % | 1,0 % | 52,0 |
| En l'an 1980 | 17,0 % | 14,0 % | 1,1 % | 53,6 |
| En l'an 1985 | 17,9 % | 12,6 % | 1,3 % | 54,8 |
| En l'an 2000 | 19,0 % | 14,5 % | 1,5 % | 56,0 |

## ... mais elle n'est pas la seule

Pourcentage des personnes de 65 ans et plus (en 1983).

|  | Hommes | Femmes |
|---|---|---|
| Belgique .............. | 5,5 | 8,6 |
| Danemark ............. | 6,2 | 8,6 |
| États-Unis ............. | 4,7 | 6,9 |
| France ................ | 5,0 | 8,0 |
| Grèce ................. | 5,9 | 7,4 |
| Irlande ............... | 4,7 | 5,9 |
| Italie ................ | 5,4 | 7,8 |
| Japon ................ | 4,0 | 5,6 |
| Luxembourg ........... | 5,2 | 8,2 |
| Pays-Bas ............. | 4,8 | 7,0 |
| R.F.A. ............... | 5,1 | 9,6 |
| Royaume-Uni .......... | 5,9 | 9,1 |
| U.R.S.S. .............. | 3,0 | 7,1 |

son ensemble. Les femmes sont beaucoup plus nombreuses que les hommes du fait d'une espérance de vie plus longue (les trois quarts des plus de 85 ans sont des femmes). La répartition régionale est très inégale, de la Creuse qui compte 25 % de plus de 65 ans à l'Essonne qui n'en compte que 8 %, en passant par Paris (17 %).

*Il pourrait y avoir 14 millions de plus de 60 ans en 2050.*

La situation serait encore plus préoccupante si le taux de fécondité atteignait le

## La plupart des « vieux » sont des « vieilles »

Proportion de femmes dans la population de plus de 60 ans.

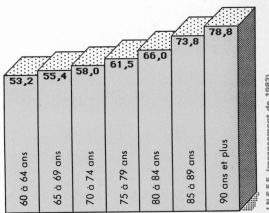

53,2 — 60 à 64 ans
55,4 — 65 à 69 ans
58,0 — 70 à 74 ans
61,5 — 75 à 79 ans
66,0 — 80 à 84 ans
73,8 — 85 à 89 ans
78,8 — 90 ans et plus

I.N.S.E.E. (recensement de 1982)

française. Une situation préoccupante, surtout en période de crise économique.

On constate un vieillissement semblable dans les autres pays européens et industrialisés. Il devrait encore s'accélérer au cours des prochaines décennies si les taux de fécondité restent à leur niveau actuel.

*La « vieille France » ne ressemble pas à la France.*

La population des personnes âgées ne ressemble guère à la population française dans

niveau de 1,4 observé dans plusieurs pays européens. La proportion des 60 ans et plus passerait alors de 18,1 % aujourd'hui à 27 % en 2050. Les conséquences sociales et économiques seraient dans tous les cas considérables, pour les actifs comme pour les inactifs.

## Les dernières inégalités

Les statistiques sont toujours frustrantes, parce que réductrices. Elles le sont encore plus lorsqu'elles s'appliquent au troisième âge, car

**Un Français sur cinq aura au moins 60 ans en 2050**

Évolution du nombre des plus de 60 ans (en % de la population totale) :

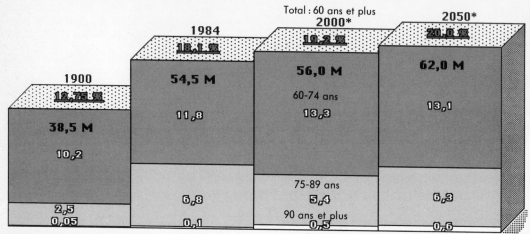

Total : 60 ans et plus

2000*

2050*

1984

1900

**38,5 M**

10,2

2,5
0,05

13,1 %

**54,5 M**

11,8

6,8

0,1

19,2 %

**56,0 M**

60-74 ans
13,3

75-89 ans
5,4
90 ans et plus
0,5

20,0 %

**62,0 M**

13,1

6,3

0,6

(\*) Hypothèse : taux de fécondité à 2,1

elles rangent dans une même catégorie des personnes très différentes.

La plus évidente des inégalités entre les personnes âgées concerne bien sûr leur état de santé. Les plus jeunes des « vieux » sont souvent dans une condition physique satisfaisante. D'autres, au contraire, connaîtront l'univers des maisons de retraite ou des hôpitaux.

Les premiers font partie de ces « nouveaux vieux » que l'on rencontre sur les courts de tennis ou dans les clubs de vacances. Les seconds n'ont pas les moyens, physiques ou financiers (bien souvent les deux à la fois), de se distraire autrement qu'en regardant la télévision ou en jouant à la belote.

Comme toutes les périodes de la vie, celle de la retraite est l'occasion de nombreuses inégalités.

*La durée de la retraite est très inégale selon les individus.*
*• La retraite d'un enseignant*
*dure en moyenne 13 ans de plus*
*que celle d'un manœuvre.*

Certaines professions « conservent » mieux que d'autres. L'enseignant cumule une espérance de vie de 9 ans supérieure à celle du

manœuvre et une retraite plus précoce (souvent 5 ans). Sa retraite sera donc en moyenne beaucoup plus longue que celle d'autres catégories professionnelles. On trouve des inégalités encore plus spectaculaires dans certains secteurs de la fonction publique, où la retraite peut être prise bien avant l'âge de 60 ans. La palme revient sans doute à l'armée, où le cumul des années de campagne et l'existence de dispositions particulières permettent à certains gradés de bénéficier de la retraite à... 35 ans. C'est peut-être à eux que s'adressait le marquis de Racan, écrivant à Tirsis : « La course de nos jours est plus qu'à demi faite. Il est temps de jouir des délices du corps. »

*L'inégalité en matière de logement*
*reste forte.*
*• 500 000 personnes de 65 ans et plus*
*habitent en hospice, en maison de retraite*
*ou à l'hôpital.*
*• La moitié des personnes âgées*
*ne sont pas logées « confortablement ».*

Malgré l'évolution spectaculaire des quarante dernières années, beaucoup de logements de personnes âgées ne disposent pas de

## Retraite à tous âges

Âge légal du départ à la retraite dans certains pays :

France ..................... 60 ans
Nouvelle-Zélande ............. 60
R.F.A. ...................... 63
Belgique ................... 65
Canada .................... 65
Espagne ................... 65
États-Unis ................. 65
Japon (*) ................. 60 (femmes : 55)

(*) pour les salariés (non salariés : 65 ans)

## Un « vieux » sur dix n'habite plus dans sa maison

Mode d'hébergement des personnes âgées de 75 ans et plus (1982).

|  | Nombre | % |
|---|---|---|
| Logement ordinaire ....... | 3 171 680 | 89,1 |
| Logement-foyer .......... | 63 160 | 1,8 |
| Hospice ou maison de retraite .............. | 234 220 | 6,6 |
| Hôpital psychiatrique ..... | 16 640 | 0,5 |
| Autre établissement hospitalier .............. | 43 820 | 1,2 |
| Communauté religieuse ... | 22 120 | 0,6 |
| Détention ................ | 180 | n.s. |
| Autre ................... | 8 240 | 0,2 |
| Total ................... | 3 560 000 | 100,0 |

tout le confort (eau courante, w.-c. intérieurs, baignoire ou douche). Les plus âgés occupent souvent des logements anciens, fréquemment insalubres, surtout en milieu rural. Leur capacité économique n'est pas toujours en cause. Une minorité d'entre eux continue de ne pas vouloir le téléphone ou un réfrigérateur, malgré l'insistance de leurs enfants.

*Le niveau de vie des personnes âgées a beaucoup augmenté.*
*• Le minimum vieillesse a été multiplié par 20 en 20 ans :*
*• 30 870 francs pour une personne seule au 1er janvier 1986*
*• 55 940 francs pour un couple.*

## Les « vieux » moins bien logés que les jeunes, mais presque aussi bien équipés

Conditions de logement des ménages de 65 ans et plus et de la population totale.

|  | 65 ans et plus | Population totale |
|---|---|---|
| Proportion des ménages : | | |
| • en situation d'inconfort | 53,7 % | 37,4 % |
| • propriétaires de leur logement .............. | 57,7 % | 50,7 % |
| Proportion des ménages possédant : | | |
| • réfrigérateur .......... | 94,5 % | 96,4 % |
| • téléviseur ............ | 92,5 % | 91,2 % |
| • téléphone ............ | 72,9 % | 74,4 % |
| • lave-linge ............ | 72,1 % | 82,7 % |

I.N.S.E.E.

Comparés à l'ensemble des ménages, les plus âgés ont un revenu inférieur, mais ils comptent en moyenne moins de membres. Le revenu moyen par personne de plus de 60 ans est donc en réalité supérieur à celui des plus jeunes. D'importantes disparités existent cependant entre les situations individuelles. Le montant des ressources dépend en effet de nombreux facteurs tels que l'âge, la profession exercée, la taille du ménage, etc. L'écart des revenus correspondant à ces diverses situations peut varier de 1 à 4.

## Le troisième âge de la consommation

La vieillesse était autrefois synonyme de pauvreté et d'ennui. Cette image est en train de se transformer progressivement. Même si les revenus des retraités sont inférieurs à ceux qu'ils percevaient en période d'activité, ils sont en moyenne supérieurs à ceux des Français actifs. Une simple juxtaposition de ces chiffres n'est d'ailleurs pas suffisante. L'argent que l'on reçoit à 60 ans n'est pas comparable, à montant égal, à celui dont on dispose à 30 ans. Il présente d'abord l'avantage de la régularité et surtout de la sécurité. Le risque de ne plus percevoir sa retraite est pratiquement nul, alors que celui de perdre son emploi est réel. Par ailleurs, les ménages de plus de 60 ans

C.E.R.C.

## Pensions de famille

Revenu disponible de ménages-types de retraités (francs, 1982 et 1985).

| | A | | B | | C | |
|---|---|---|---|---|---|---|
| | 1982 | 1985 | 1982 | 1985 | 1982 | 1985 |
| Retraite brute ............................. | 80 791 | 98 737 | 24 750 | 30 055 | 86 080 | 104 915 |
| moins : cotisations sociales d'assurance maladie | 1 038 | 1 268 | 0 | 0 | 1 330 | 1 620 |
| égale : retraite nette ........................ | 79 753 | 97 469 | 24 750 | 30 055 | 84 750 | 103 296 |
| moins : impôt sur le revenu payé (1) ......... | 3 168 | 3 880 | 0 | 0 | 4 940 | 6 000 |
| égale : revenu disponible total ............... | 76 587 | 93 589 | 24 750 | 30 055 | 83 810 | 101 296 |
| soit un revenu disponible par unité de consommateur (2) de ...................... | 45 051 | 55 052 | 24 750 | 30 055 | 49 300 | 59 586 |

A : couple, avec 2 retraites d'employés.
B : personne seule, allocataire minimum vieillesse.
C : couple, avec une retraite de cadre.

(1) impôt payé dans l'année sur les revenus de l'année précédente.
(2) chaque adulte compte pour 0,7. On ajoute 0,3 pour les dépenses indépendantes de la famille.

n'ont plus, dans la quasi-totalité des cas, d'enfants à charge. Ils peuvent donc utiliser sans crainte la totalité de leurs revenus. Revenus qui, pour les moins élevés, ont tendance à augmenter plus que la moyenne des salaires. Enfin, les personnes âgées ne sont pas, comme les plus jeunes, contraintes d'économiser en prévision de grosses dépenses à venir. Les investissements immobiliers sont déjà effectués et les crédits remboursés. De même, les achats d'équipement sont moins fréquents et moins lourds ; on est moins tenté de renouveler son mobilier à 60 ans qu'à 30 ou 40 ans.

*Les personnes âgées consomment en général plus que la moyenne.*
*• Les Français de 60 ans et plus dépensent environ 6 000 francs par an pour leur alimentation (contre 5 000 francs pour l'ensemble de la population).*
*• Ils dépensent en moyenne 7 000 francs par an pour leur santé (contre 1 800 francs pour les moins de 30 ans).*

Contrairement à ce qu'on imagine souvent, les personnes âgées jouent un rôle important dans la vie économique. Ce sont elles qui dépensent le plus pour leur alimentation, leur santé, les voyages, etc. Elles sont plus fréquemment propriétaires de leur logement que les plus jeunes et détiennent plus d'un tiers du parc immobilier. Leur patrimoine ne se limite d'ailleurs pas à la pierre puisqu'elles possèdent aussi une part importante des obligations, des actions et de l'or détenus par les particuliers.

### Le poids économique des « vieux »

• Entre 1970 et 1982, le taux de départ en vacances des plus de 65 ans a doublé.
• 22 % des vacanciers de plus de 60 ans sont hébergés à l'hôtel, contre 13 % pour l'ensemble de la population.
• Les plus de 55 ans possèdent le patrimoine le plus élevé par personne. Ils détiennent 28 % des résidences principales, 33 % des résidences secondaires, 51 % des résidences à temps partiel, alors que leur part dans la population totale n'est que de 24 %.
• Les plus de 55 ans achètent 38 % des voyages en avion sur le réseau intérieur, 36 % sur le réseau international.

Ce tableau impressionnant du pouvoir d'achat et des dépenses des personnes âgées ne doit pas faire oublier les difficultés de certaines situations individuelles. S'il est des retraités

## Retraite et pouvoir d'achat

Évolution du pouvoir d'achat du revenu disponible des ménages-types de retraités (%).

| | 1982 à 1983 | 1983 à 1984 | 1984 à 1985 |
|---|---|---|---|
| Allocataires du minimum vieillesse | | | |
| • Personne seule | − 0,4 (*) | − 2,3 (*) | + 0,2 (*) |
| • Couple, un seul retraité | − 1,5 (*) | − 2,9 (*) | − 0,5 (*) |
| • Couple, 2 retraités | − 0,9 (*) | − 3,0 (*) | − 0,5 (*) |
| Retraités du régime général | | | |
| • Couple, un seul retraité | | | |
| − ancien cadre | − 2,1 | − 1,6 | + 0,7 |
| − ancien employé | − 1,1 (*) | − 1,9 (*) | − 0,2 (*) |
| − ancien ouvrier (1) | − 1,1 (*) | − 2,0 (*) | − 0,3 (*) |
| − ancien manœuvre | − 1,2 (*) | − 2,1 (*) | − 0,4 (*) |
| • Couple, 2 retraités | | | |
| − anciens cadres | − 2,8 | − 0,6 | + 1,2 |
| − ancien cadre, ancienne employée | − 2,7 | − 0,7 | + 1,3 |
| − anciens employés | − 1,3 | − 1,7 | + 1,2 |
| − anciens ouvriers | − 1,2 | − 1,7 | + 1,0 |
| − anciens manœuvres | − 1,0 | − 1,8 | + 1,0 |

C.E.R.C.

(1) ouvrier qualifié ou ouvrier spécialisé.
(*) ménages non imposables.

riches, voire très riches, il en est d'autres qui sont pauvres, voire (plus rarement) très pauvres. Pourtant, les efforts considérables accomplis depuis 20 ans en leur faveur font que les personnes âgées d'aujourd'hui peuvent pour la plupart vivre dans la dignité les dernières années de leur vie. On constate avec satisfaction qu'elles disposent pour cela de plus en plus de temps et d'argent. L'avenir ne s'annonce pourtant pas aussi radieux.

# VIE QUOTIDIENNE

*La vieillesse avait autrefois un visage ridé, un peu triste, plus tourné vers le passé que vers l'avenir, d'ailleurs si court. Elle montre aujourd'hui un nouveau visage, sur lequel on peut lire une préoccupation essentielle : continuer à vivre comme tout le monde. Les « nouveaux vieux », déjà nombreux, vont se multiplier. La société devra compter avec eux. Par solidarité autant que par intérêt.*

## La vie commence à 60 ans

Les vieux ont changé. Beaucoup ne se contentent plus désormais d'écouter « la pendule qui ronronne au salon » comme dans l'émouvante (et triste) chanson de Brel.

Non, les personnes dites âgées veulent aujourd'hui vivre et s'épanouir.

Et retarder le plus possible les signes qui caractérisaient jusqu'ici le crépuscule de la vie. La notion même de vieillissement est de moins en moins adaptée à la réalité. À 60 ans, beaucoup de Français sont dans une forme physique intacte. Si les rides et autres stigmates de l'âge restent décelables sur les visages, ils semblent absents des esprits. Pour ceux qui ont pu ainsi préserver leurs forces physiques et morales, c'est une nouvelle vie, riche de promesses, qui commence.

*À 60 ans, une femme a en moyenne 23 ans à vivre ; un homme 18.*

Le temps de faire des projets, même à long terme... Et les projets, les plus de 60 ans n'en manquent pas. Eux qui, pour la plupart, ont connu tardivement l'ère de la consommation et des congés payés sont à même aujourd'hui d'en goûter les plaisirs. Comme la nostalgie, la vieillesse n'est plus ce qu'elle était.

## Le refus de vieillir

Pour lutter contre les dangers de la marginalisation, les personnes âgées s'efforcent de pratiquer les mêmes activités que les plus jeunes. C'est pourquoi elles sont de plus en plus nombreuses à pratiquer un sport. La mode du tennis, puis du jogging et de l'aérobic ne les a pas épargnées.

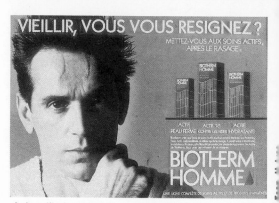

Aujourd'hui, visage ne rime pas toujours avec âge.

Si elles se préoccupent de leur santé, elles s'intéressent aussi à la prévention. Celle-ci se manifeste aussi bien dans le domaine alimentaire (par la diététique) que par de nouvelles habitudes de vie, excluant par exemple le tabac et l'alcool.

L'un des rares domaines où cette volonté de vivre comme tout le monde ne semble pas avoir abouti est la sexualité. Il semble bien que cette « retraite sexuelle » soit plus liée à des causes psychologiques qu'à des causes physiologiques. Le grand mouvement de libération n'a pas fait disparaître les tabous liés à la sexualité des personnes âgées, qu'ils soient de nature religieuse (on fait l'amour pour procréer et on cesse lorsque la période de procréation s'achève) ou qu'ils se situent dans l'inconscient collectif (la sexualité est liée à la beauté et à la séduction, caractéristiques de la jeunesse). Pourtant, il est vraisemblable que la prochaine génération des personnes âgées aura sur ce plan des attitudes différentes.

*Le vieillissement général
crée de nouveaux rapports
entre les générations*

Un retraité sur trois a encore ses parents. L'allongement de la durée de vie moyenne fait qu'il est de plus en plus fréquent qu'un enfant connaisse ses arrière-grands-parents, ce qui est une nouveauté sociologique importante.

La contrepartie est que beaucoup de ces aïeux finissent leur vie avec des handicaps physiques qui les empêchent d'être autonomes. Parmi les plus de 65 ans, 4 % souffrent d'une forte incapacité (qui les oblige à rester au lit ou dans un fauteuil) ; 20 % ont une incapacité moyenne (qui les oblige à rester chez eux). Après 85 ans, le taux d'incapacité atteint 80 %. Souvent, leurs propres enfants sont eux-mêmes à la retraite, et ne peuvent donc pas les prendre en charge, surtout lorsqu'il s'agit de payer des pensions à 10 000 francs par mois dans une maison de retraite ou un hôpital. Pour les familles, comme pour la collectivité, la coexistence fréquente de trois, voire quatre générations est à la fois une chance et une charge. L'éloignement géographique, les modes de vie actuels et le poids décroissant du nombre d'actifs rendent le second aspect plus apparent que le premier.

# Le bonheur des uns
# et la solitude des autres

La « dernière ligne droite » de la vie est vécue par certains comme une période de bonheur profond, dont chaque instant prend une saveur particulière. Elle est ressentie par d'autres comme une « prolongation » plutôt désagréable dont la fin est parfois attendue comme une délivrance.

L'état de santé, les difficultés matérielles, la solitude font le plus souvent la différence entre ces deux façons d'être vieux.

*Beaucoup de retraités se sentent bien
dans leur peau.*

La plupart des personnes âgées s'estiment plutôt heureuses. Les raisons de leur bonheur sont le plus souvent liées à la nature même de la retraite. Après une vie bien remplie (en

particulier par le travail), on apprécie de pouvoir souffler un peu, d'avoir enfin le temps de s'intéresser à d'autres choses, d'autres gens, et de vivre en meilleure harmonie avec soi-même. Avec, pour la première fois, la faculté d'adapter son emploi du temps à son rythme personnel (plus de réveil le matin, de soucis professionnels...). Avec aussi, en prime, la sagesse, cette vertu souvent associée à la vieillesse, qui permet d'apprécier à leur juste valeur les mille choses de la vie quotidienne.

---

### La vie derrière soi

Les personnes âgées de 70 ans et plus ont eu une vie bien remplie : deux guerres mondiales, quatre régimes politiques ; l'explosion de l'automobile, de l'avion, de la télévision, etc. Le regard qu'elles portent sur le passé et le présent est donc particulièrement intéressant.

• Les périodes où elles ont été le plus heureuses : 1958-1973 (83 %) ; 1946-1958 (78 %) ; 1919-1939 (71 %) ; depuis 1974 (68 %). Les périodes les moins heureuses ont été bien sûr celles des deux guerres.

• Les inventions qui ont le plus changé leur vie ont été : les équipements ménagers (78 %) ; la télévision (72 %), le téléphone (69 %). Le cinéma, l'ordinateur et l'avion sont celles qui ont le moins compté.

• 59 % pensent très souvent ou parfois à la mort, 40 % y pensent rarement ou jamais.

• 65 % n'ont plus de relations sexuelles, 12 % en ont, 23 % refusent de répondre.

• 51 % pensent qu'elles n'ont pas changé d'idées politiques, 22 % pensent qu'elles ont évolué plutôt à droite, 15 % plutôt à gauche.

• Leurs leaders politiques préférés sont : Raymond Barre (31 %), Valéry Giscard d'Estaing (29 %), Michel Rocard (23 %), Simone Veil (22 %), François Mitterrand (20 %).

*Figaro-Magazine/Sofres (novembre 1985)*

---

*La solitude existe, même si elle n'est plus
ce qu'elle était.*

Plus encore que des problèmes matériels, les personnes âgées souffrent de la solitude. Les femmes sont de loin les plus touchées. La disparition du mari est souvent un drame que rien ne peut adoucir. Surtout si les enfants, éloignés géographiquement, ne peuvent assurer une présence suffisante. Le risque, alors, est de passer de la solitude à l'isolement. On ferme ses volets, on reste couché et la vaisselle s'entasse dans la cuisine. Les solitaires n'ont généralement qu'un rôle social réduit. On n'a pas besoin d'eux ; on a donc tendance à les oublier. Heureusement, l'aide sociale à domicile s'est développée, et les clubs du troisième âge se sont multipliés, rendant la solitude un peu plus facile à supporter.

### Les « Gentils Membres » des clubs du troisième âge

Dans un pays traditionnellement peu porté à la vie associative, 26 000 clubs du troisième âge se sont créés en 15 ans, regroupant plus d'un million de retraités. Pour eux, le club offre la possibilité de rencontrer d'autres personnes et de sortir de chez soi. On peut s'y divertir en jouant aux cartes ou aux échecs. On peut aussi y pratiquer des activités utiles à la collectivité. Dans certains villages, les clubs jouent un rôle local important, prenant en charge une partie des problèmes de leurs membres : maintien à domicile, assistance financière... La plupart organisent périodiquement des voyages, des conférences, des manifestations diverses, qui fournissent à leurs membres l'occasion de se cultiver et de se distraire.

# L'avenir de la vieillesse

Les personnes âgées, déjà nombreuses aujourd'hui, le seront plus encore demain. Cette évolution, qui semble inéluctable, amène à se poser de nombreuses questions sur l'avenir de la société en général. Comment donner aux plus âgés les moyens de bien vivre la période de plus en plus longue de la retraite ? Comment faire pour que cela soit possible sans que les plus jeunes aient un tribut trop lourd à payer ?

*C'est à partir de l'an 2005 que se poseront les grands problèmes démographiques.*

Si les prophètes de tous bords nous font frissonner à l'approche de la fin du millénaire, c'est vers l'an 2005 que convergent les craintes des démographes. C'est en effet à partir de cette date que la pyramide des âges accusera le plus grand déséquilibre, avec l'arrivée à l'âge de la retraite des classes nombreuses du « baby boom » (1945-1950).

La poursuite des progrès médicaux, en particulier dans le domaine de la lutte contre les maladies cardio-vasculaires et le cancer,

devrait permettre d'allonger encore la durée de vie moyenne. Si l'on considère, en outre, que la fécondité, actuellement très insuffisante pour assurer le renouvellement des générations, restera au même niveau (environ 1,8), on peut prévoir une nouvelle accentuation du vieillissement au cours des années 2005-2050.

### 7 millions de ménages ont une assurance vie et retraite

Un ménage sur trois a souscrit une assurance vie et retraite. Le montant annuel moyen des primes versées était de 3 000 francs en 1984. Les plus nombreux sont les patrons de l'industrie et du commerce (58 % sont assurés) puis les cadres supérieurs et professions libérales (53 %), puis les ouvriers (45 %). 16 % seulement des inactifs (étudiants, retraités) sont couverts par un contrat vie.

On estime qu'en moyenne, le passage de la vie active à la retraite se traduit par une chute de revenu (brut) d'environ 30 % pour un employé ou un ouvrier, de 45 % pour un cadre et de 60 % pour un non-salarié.

*Les actifs devront payer (cher) pour les autres.*
*• En 1955, il y avait 10 travailleurs pour un retraité.*
*• Ils n'étaient que 3 en 1980.*

La tendance a peu de chances de se renverser au cours des prochaines années. Sauf si l'on devait repousser l'âge de la retraite, après l'avoir avancé. Cette situation pose évidemment le problème de la prise en charge par la collectivité des dépenses de la vieillesse : retraites, santé, etc.

### Répartition ou capitalisation

Certains experts situent à l'horizon 1990 le moment où il n'y aura plus que deux actifs pour un inactif. À partir de l'an 2000, le vieillissement de la population et l'arrivée à la retraite des premières générations de femmes actives vont mettre en péril l'équilibre des caisses de retraite. Face à cette menace, trois situations principales peuvent être envisagées :
1. À niveau de cotisation et âge de départ inchangés, il faudrait faire passer les prestations de 50 % du salaire de base à 28 % pour le régime général, de 75 % à 42 % pour les régimes spéciaux.

2. À âge de départ en retraite et niveau de prestations inchangés, il faudrait augmenter les taux de cotisation d'au moins 50 %.

3. À niveaux de prestations et de cotisations inchangés, il faudrait reculer l'âge de départ en retraite de 8 ans. Il est probable que le système actuel de retraite par répartition ne sera plus suffisant pour assurer les retraites du futur. C'est pourquoi le système de retraite par capitalisation individuelle devrait se développer, afin d'apporter le complément de revenu nécessaire. L'accroissement considérable du patrimoine des ménages au cours des trente dernières années devrait faciliter sa mise en œuvre.

La retraite, une crainte pour certains,
une chance pour d'autres.

### Les actifs se demandent qui paiera pour eux.

Leur inquiétude ne concerne pas seulement les cotisations qu'ils auront à verser pour financer la retraite des autres. Elle traduit aussi l'incertitude quant à leur propre retraite. Leurs souhaits dans ce domaine peuvent paraître contradictoires. La plupart sont favorables à l'abaissement de l'âge de la retraite et pensent d'ailleurs que de nouveaux efforts seront faits dans ce sens. Mais, s'ils se disent prêts à accepter d'autres principes, les trois quarts des actifs n'ont pas encore commencé à agir concrètement.

Même si l'État-providence n'est plus à la mode, le besoin d'assistance n'a pas disparu des mentalités. Surtout dans le domaine délicat de la retraite.

### La notion de troisième âge devra évoluer considérablement dans les prochaines années.

La poursuite du vieillissement de la population ne pose pas que des problèmes financiers. Les 11 millions de personnes âgées d'au moins 60 ans en l'an 2000 auront pour la plupart encore de nombreuses années à vivre. Il ne sera pas possible à la collectivité d'accepter que plus du tiers de sa population adulte reste marginalisée pendant une aussi longue durée.

### Une nouvelle image de la vieillesse

• 62 % des Français estiment que les retraités peuvent jouer un rôle positif dans la société (29 % négatif).
• 84 % ne trouvent pas choquant qu'une personne de plus de 60 ans ait une vie sexuelle (5 % choquant).
• 64 % considèrent que les activités bénévoles exercées par certains retraités ne sont pas une concurrence pour les personnes actives.

*L'Humanité Dimanche/ Ifop (mai 1985)*

L'avenir ne pourra que rendre encore plus évident le caractère artificiel de ce « troisième âge » fourre-tout, où l'on trouve aussi bien le préretraité de 55 ans que le vieillard grabataire.

### Le gaspillage des talents ne pourra pas durer.

25 ans à vivre, lorsqu'on en a 60, c'est plus de la moitié de la vie active d'un individu et le tiers de sa vie totale. Même si l'on admet que les années de « vraie » vieillesse entraînent une diminution au moins partielle des capacités d'un individu, ce sont quand même 15 à 20 ans de la vie de chaque Français qui sont perdus pour la collectivité. Une telle accumulation de compétences, d'expériences, de talents est un véritable trésor. Ne pas l'utiliser, même en partie, serait un intolérable gâchis. Le sentiment d'exclusion et d'inutilité des personnes concernées serait d'ailleurs de moins en moins bien supporté. Quant aux actifs, ils ne pourraient faire face seuls aux contraintes de la production économique, tout en assumant le financement de l'inactivité des autres (re-

traités, mais aussi étudiants et chômeurs). Il y aurait là les ingrédients d'une sorte de « guerre civile froide » entre les générations.

La solidarité nationale doit donc, au nom de l'efficacité comme de l'humanisme, se préoccuper dès maintenant de ce problème, dont on voit déjà les premiers signes. La solution passe obligatoirement par une réintégration des plus âgés dans la société, c'est-à-dire, sans doute, par une refonte complète de l'emploi du temps de la vie. Les mentalités s'y préparent, tandis que les nécessités économiques le rendent inéluctable.

« Un vieillard qui meurt, c'est une bibliothèque qui brûle », dit le dicton. Un retraité qui s'ennuie, c'est une souffrance individuelle et un drame collectif.

---

Les personnes âgées

### En vrac

[S]  63 % des femmes de plus de 50 ans estiment qu'elles ont réussi leur vie de couple (28 % pas complètement).

[S]  Les trois Françaises qui ont le plus marqué les plus de 70 ans : Michèle Morgan, Arletty, Jacqueline Auriol.

[S]  Leurs hommes politiques préférés : de Gaulle, Pompidou, Clemenceau.

●  En 1984, les dépenses de santé ont représenté en moyenne 12 800 francs pour les 65-79 ans et 16 000 francs pour les 80 ans et plus contre 6 500 francs pour la moyenne nationale.

●  À Paris, on compte 8,5 % de personnes âgées de 75 ans et plus, contre 6,6 % pour l'ensemble du pays. Le taux atteint 10 % et plus dans certains arrondissements : 6e, 7e, 16e, 17e.

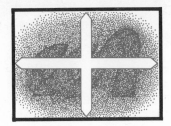

# Les Styles de Vie et la Famille

## LE JEU DES 3 FAMILLES

Première au hit-parade des valeurs-refuges, la famille est en train de changer de forme. Bousculée par trente années d'évolution socio-économique, la famille ancestrale traditionnelle fait place à deux nouveaux modèles : la « famille-associative » et la « famille-contractuelle ».

### Famille ancestrale : à la vie, à la mort

La plupart des Français aujourd'hui adultes ont été élevés dans une famille traditionnelle de type patriarcal. Sa raison d'être et sa façon de vivre se résument en un seul mot : transmettre. Il s'agit en effet de transmettre, au-delà des générations, les choses héritées du passé : un nom, un métier, un patrimoine, bref des traditions auxquelles chacun des membres est lié par un attachement indéfectible. Pour cela, deux conditions sont nécessaires. D'abord une autorité sans faille, exercée par l'homme, puisque la femme lui est ici subordonnée. Tout au moins dans les apparences, car ce type de famille s'accommode aussi de son contraire, le matriarcat, dans lequel la femme joue un rôle essentiel à l'intérieur, tandis que son mari apparaît au premier plan à l'extérieur. Il faut ensuite rendre cette transmission possible. C'est le rôle des enfants, généralement nombreux dans ce type de famille.

« À la vie, à la mort », telle est la règle de conduite de la famille ancestrale. Ce n'est d'ailleurs pas qu'une formule, car l'esprit de sacrifice y est poussé très loin ; de l'épouse qui abdique sa vie personnelle au mari qui accepte le travail de la mine, sachant qu'il risque de mourir de la silicose avant d'atteindre l'âge de la retraite...

La famille ancestrale est donc une espèce de tribu, refermée sur les trois ou quatre générations qui la composent, dont la vocation est de perpétuer les traditions dont elle se sent la dépositaire. Ce modèle est encore aujourd'hui celui d'environ 40 % des familles françaises, essentiellement la Mentalité Rigoriste et les socio-styles Attentiste et Utilitariste. Il est caractérisé par la contrainte, sous toutes ses formes.

Avec la révolution conservatrice qui gagne la France aujourd'hui et le fort courant de rigorisme qui la porte, cette conception de la famille pourrait bien reprendre de l'importance.

### Famille associative : confort individuel et collectif

La famille se cherche de nouvelles formes, mieux adaptées aux réalités de l'époque. La première d'entre elles est la **famille de type associatif**. Ce modèle concerne des Styles de Vie du Recentrage Matérialiste jeune (Exemplaires), les Égocentrés, et les Activistes Militants, surtout quand ils vieillissent ; au total environ 35 % de la population. Ici, pas de lourde tradition à assumer au prix d'efforts personnels permanents. L'objectif est, au contraire, de bien vivre sa vie, sans souci

## La carte des 3 Familles

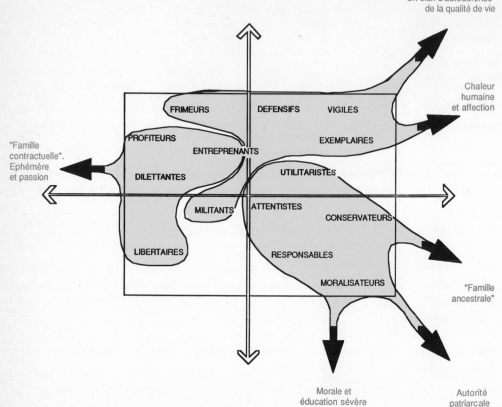

C.C.A.

Pour lire la carte, voir la description des Styles de Vie en fin de volume.

particulier pour ce qui se passera après la mort. La famille n'est plus tribu, mais groupe restreint de personnes ayant en commun des rapports d'affection. Les enfants y sont moins nombreux, mais considérés comme des sources de satisfaction plutôt que comme des contraintes. Leur nombre dépasse rarement deux, pour des raisons plus affectives qu'économiques. L'épouse travaille en effet souvent à l'extérieur et craint de ne pouvoir être suffisamment disponible pour un troisième enfant. À moins de renoncer à une partie de sa vie personnelle et de son autonomie, ce qui serait contraire aux conceptions de la famille associative. L'un des aspects essentiels de ce type de famille est en effet de défendre les intérêts de

ses membres dans l'harmonie générale et le respect des personnalités de chacun. Ainsi, les rôles à l'intérieur de la famille sont distribués de façon naturelle et complémentaire entre mari et femme, parents et enfants. La chaleur et l'harmonie règnent le plus souvent au sein du foyer.

Cette famille « corporatiste » s'ouvre facilement aux amis fidèles, aux collègues de travail, aux relations de loisirs. Les copains remplacent les cousins et les grands-parents sont moins importants que les partenaires avec qui on fait du tennis ou du foot. Les « réunions barbecue » du week-end, les sorties en bande sont des moments privilégiés de la vie de la famille associative.

**Le jeu des trois familles**

|  | FAMILLE ANCESTRALE | FAMILLE ASSOCIATIVE | FAMILLE CONTRACTUELLE |
|---|---|---|---|
| Personnes concernées (Styles de Vie) | - RIGORISTES<br>- Attentistes<br>- Utilitaristes | - Exemplaires<br>- ÉGOCENTRÉS<br>- Militants | - DÉCALÉS<br>- Entreprenants |
| Conception générale | Cellule de base de la société. | Communauté de repli et de défense vis-à-vis de la société. | Contrat limité entre des personnes, en dehors de tout sens social. |
| Rôle pratique | Défendre les valeurs et les traditions sociales. | Défendre un art de vivre personnel concret. | Vivre une « aventure personnelle » partagée avec d'autres. |
| Composition | Trois ou quatre générations unies par le sang ou les alliances légales (mariage), qui habitent sous le même toit. | Deux générations auxquelles viennent souvent s'ajouter les amis et relations. | Individus de même génération (les éventuels enfants sont considérés comme faisant partie de la génération de leurs parents). |
| Enfants | Nombreux et destinés à perpétuer la famille. | Peu nombreux, mais désirés et choyés. | Souvent sans enfants, sinon « pour le plaisir ». |
| Fonctionnement | Par sens du devoir et sacrifice de l'individu pour la famille (en particulier la femme). | Par cooptation et fusion affective et sentimentale. | Par passion spontanée. |
| Autorité | Paternelle, dans le respect des anciens. Surbordination de la femme à l'homme. | Sans hiérarchie affirmée. Partage des rôles entre les sexes et les âges. | Pas d'autorité établie. Totale égalité des sexes et des âges. |
| Communication avec l'extérieur | Fermée à l'environnement (famille « mafia »). On reste chez soi. | Contacts par communauté d'intérêts ou par générosité. On sort en famille. | Ouverte à tous les vents. Chacun sort de son côté. |
| Raison d'être | Faire durer éternellement le nom. Perpétuer les traditions, le métier. Transmettre le patrimoine. | Développer la qualité de la vie commune à l'échelle d'une vie. | Jouir de chaque instant sans perspective d'avenir. |

# Famille contractuelle : éphémère et passionnelle

L'« invention » la plus récente en matière de famille est sans aucun doute la famille contractuelle, propre aux Décalés et aux Activistes (surtout Entreprenants) ; au total 25 % de la population française. Fondée sur l'attirance physique, émotionnelle ou intellectuelle, elle a pour vocation première de permettre à ses membres de jouir de l'instant présent, sans aucun projet d'avenir commun. Il ne s'agit pas, en fait, d'une famille au sens traditionnel du terme, car les conventions sociales ici ne comptent pas. L'association est d'origine passionnelle : on se « branche » les uns sur les autres. Elle est souvent éphémère. Les enfants y sont peu nombreux, car le souci d'assurer une descendance quelconque est inexistant. On a donc éventuellement des enfants pour le plaisir, parfois par souci d'originalité, voire par curiosité... De façon le plus souvent individuelle, car c'est généralement l'un des membres du couple qui décide d'en avoir. Les enfants éprouvent d'ailleurs quelques difficultés à se situer dans un groupe où les adultes n'acceptent pas le rôle de parents (et, en tout cas, ne font pas la différence entre père et mère) et où les enfants sont très vite considérés comme des adultes. La famille contractuelle fonctionne alternativement dans l'euphorie et dans le drame, dans une ambiance passionnelle où seule compte l'intensité du moment présent. Dans sa forme la plus extrême, elle peut favoriser une forme de vie solitaire parce que l'un des membres du couple est parti en vacances seul et l'autre en voyage professionnel ; ou communautaire parce qu'un ami de passage vient s'y installer pour une durée indéterminée.

Il est probable que l'on assistera dans les années qui viennent à une scission plus grande entre la Famille ancestrale (qui regagne du terrain aujourd'hui) et la Famille contractuelle. Cette opposition des deux conceptions, l'une hypertraditionnelle, l'autre hypermoderniste, ne sera sans doute pas sans effet sur les partisans de la Famille associative qui seront alors contraints de choisir de façon plus nette, entre autoritarisme et libéralisme.

Les dimensions qui définissent le mieux les différences entre les trois familles sont, d'une part, le fait qu'elles privilégient la personne ou le groupe (axe horizontal) et, d'autre part, leur raison d'être essentielle qui peut être de « profiter de la vie » ou de « laisser quelque chose derrière soi » (axe vertical). On passe insensiblement (de droite à gauche) de la famille nombreuse au foyer composé d'un célibataire. Cela s'explique par le plus fort enracinement socioculturel des Styles de Vie conservateurs, chez qui la tradition de famille nombreuse est solidement ancrée.

# 3
# LA SOCIÉTÉ

# Le baromètre de la vie en société

    *C'est entre 25 et 29 ans que le respect des convenances paraît le moins nécessaire, mais augmente régulièrement et significativement avec l'âge, ainsi d'ailleurs qu'avec la pratique religieuse. La confiance dans la justice reste faible quelles que soient les caractéristiques personnelles. Le nombre des immigrés paraît d'autant plus excessif que l'on se situe politiquement à droite. Quant au sentiment d'insécurité, il est plus fort chez les femmes, les personnes âgées, et varie à l'inverse du niveau de formation. (Enquête auprès de la population de 18 ans et plus ; cumul des réponses « bien d'accord » et « entièrement d'accord » aux affirmations proposées.)*

Il faut respecter les convenances.

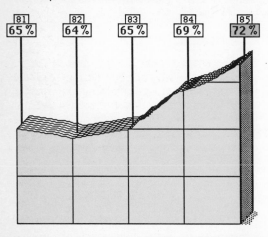

| 81 | 82 | 83 | 84 | 85 |
|----|----|----|----|----|
| 65 % | 64 % | 65 % | 69 % | 72 % |

Il y a trop de travailleurs immigrés.

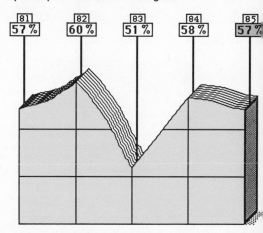

| 81 | 82 | 83 | 84 | 85 |
|----|----|----|----|----|
| 57 % | 60 % | 51 % | 58 % | 57 % |

Le sentiment d'insécurité augmente.

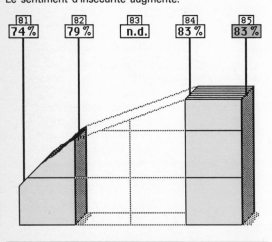

| 81 | 82 | 83 | 84 | 85 |
|----|----|----|----|----|
| 74 % | 79 % | n.d. | 83 % | 83 % |

Il faut faire confiance à la justice.

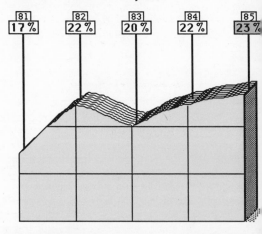

| 81 | 82 | 83 | 84 | 85 |
|----|----|----|----|----|
| 17 % | 22 % | 20 % | 22 % | 23 % |

AGORAMÉTRIE

# La Vie en Société

## CLIMAT SOCIAL

*Si les Français supportent mal la crise et les incertitudes qu'elle engendre, c'est que, pour la première fois dans l'histoire, la plupart d'entre eux ont quelque chose à perdre. Alors, ils ont tendance à désigner des boucs émissaires. Ce qui ne facilite pas le climat social.*

### La crise, c'est les autres...

Il fallait bien qu'ils trouvent des responsables à cette crise qui les agaçait depuis dix ans et dont ils ont finalement compris qu'elle n'était que le prologue à une formidable mutation de toute la société. Les Français accusèrent d'abord l'État, à travers ceux qui en eurent la charge depuis ce jour d'octobre 1973 où Anouar el-Sadate lança ses blindés contre le canal de Suez. La droite n'ayant pas su enrayer la crise, il leur parut légitime de

s'adresser à la gauche. Ce fut chose faite en ce mois de mai 1981, porteur de tant d'espoirs. On allait enfin pouvoir respirer et repartir pour une nouvelle période de croissance, ponctuée, cette fois, de considérations sociales. On allait guérir le cancer du chômage tout en redistribuant plus et mieux à ceux qui en avaient vraiment besoin.

---

**L'état de grogne**

Aujourd'hui, comment qualifiez-vous le climat social ?

| | |
|---|---|
| • Plutôt bon | 6 % |
| • Plutôt mauvais | 63 % |
| • Ni l'un ni l'autre | 29 % |
| • Ne se prononcent pas | 2 % |
| | 100 % |

---

*Le Nouvel Économiste/ Ifres (22 novembre 1985)*

*Les politiciens sont les principaux boucs émissaires.*

Las ! Les crises ont ceci d'ennuyeux aujourd'hui qu'on ne peut plus les maîtriser seul. Surtout quand elles sont internationales... Et l'on s'étonna bientôt d'entendre à gauche un discours qu'on avait rejeté à droite, tandis que le chômage continuait de s'accroître.

Alors les Français comprirent qu'il n'y avait pas grand-chose à attendre de ceux qui promettaient des miracles, quels qu'ils soient. Un long coup d'œil à droite (23 ans), un autre, beaucoup plus bref, à gauche, et ils n'avaient rien vu venir. À l'état de grâce succédait **l'état de grogne.** En mars 1986, les électeurs rappelaient au pouvoir, mais sans réel enthousiasme, un gouvernement de droite.

### Compatriotes mais concurrents.

La façon dont les Français communiquent entre eux obéit à deux tendances contradictoires. On peut observer sur le fond une certaine tolérance, liée à la disparition progressive des certitudes, et qui se manifeste par un certain regain de solidarité. Mais, dans la façon dont les Français se parlent (ou souvent s'ignorent), c'est la rigidité qui domine. Cette rigidité s'exprime en particulier vis-à-vis des minorités (raciales, professionnelles, confessionnelles) et de tous ceux qui bénéficient, de façon réelle ou supposée, de privilèges divers (commerçants, agriculteurs, fonctionnaires, employés de la Caisse d'épargne, etc.). Vivre ensemble est difficile en temps de crise.

*Pour la première fois,*
*la plupart des Français*
*ont quelque chose à perdre.*

La France a connu bien des périodes difficiles au cours de son histoire. Elle les a subies avec un courage mêlé de fatalisme. La situation est pourtant différente aujourd'hui. Quarante années de croissance ininterrompue ont créé un attachement profond aux valeurs matérielles. Ayant beaucoup travaillé, la plupart des Français ont beaucoup profité des bienfaits de la prospérité. À la frange des très riches, dont beaucoup l'ont toujours été, s'est ajouté le groupe immense des « classes moyennes ». Celles-ci ont accumulé en une génération plus de biens que ne l'avaient fait leurs ancêtres en plusieurs siècles. Beaucoup ont, en même temps, conquis des privilèges auxquels ils sont jalousement attachés.

Après avoir accumulé, il faut pouvoir préserver. La possession d'une maison (éventuellement d'une résidence secondaire), d'une voiture et de biens d'équipement de plus en plus nombreux est à la fois source de plaisir et d'angoisse. Plaisir de les avoir et de s'en servir, angoisse de les perdre. On sait à quelles extrémités peuvent arriver certaines personnes menacées dans leur propriété. Le développe-

ment de l'autodéfense et les abus que celle-ci a engendrés en sont une éclatante illustration. La sympathie croissante des Français pour des solutions « musclées » aux problèmes du moment en est une autre. La montée du Front national est l'aboutissement logique de ce processus de crainte.

Individualisme et protection sociale.

*Lorsque la taille du gâteau diminue,*
*il est difficile d'en accepter*
*une plus petite part.*

La difficulté des Français à communiquer entre eux n'est pas le fait d'une animosité réelle entre des individus qui ne se supportent plus. Certes, les conditions de la vie en société semblent se détériorer : la criminalité s'est beaucoup accrue et les nuisances (pollution, bruit...) de toutes sortes se sont développées. Mais ce sont surtout les angoisses économiques qui empêchent M. Dupont d'accorder tout le respect qu'il doit à son voisin lorsque celui-ci est fonctionnaire ou immigré. Au-delà des hommes, ce sont les représentants d'une catégorie sociale particulière qu'il voit en face de lui.

### Chacun pour soi et la crise pour tous

Les difficultés économiques ravivent génénéralement les conflits, jalousies ou critiques entre les membres de la société. Certains sont accusés de porter une part de responsabilité dans les difficultés subies par les autres. Ainsi les privilégiés sont-ils considérés avec une certaine défiance, qui peut aller jusqu'à la réprobation lorsqu'ils se permettent de manifester dans la rue ou de perturber le fonctionnement des services publics. L'évolution des Styles de Vie montre bien le développement des tendances à l'autodéfense, voire à l'agressivité de certains Français vis-à-vis de leurs concitoyens. Ainsi, la Mentalité d'Égocentrage, apparue en 1984, est largement caractérisée par la volonté de vivre à l'intérieur d'un clan (famille, amis, voisins, collègues de travail), le plus souvent fermé à ceux qui n'en font pas partie. D'une manière générale, l'émiettement et le cloisonnement des Styles de Vie auquel on assiste actuellement sont la conséquence de cette crainte croissante d'être « mangé » par les autres. Le sentiment d'insécurité qui domine n'est pas seulement dû à la recrudescence de la délinquance, mais aussi à la peur des autres, dans la plupart des circonstances de la vie quotidienne. C'est dans les périodes de risque et d'inconfort qu'on se souvient que « l'homme est un loup pour l'homme ».

## Haro sur les immigrés

L'une des conséquences sociales majeures de ces dix années de crise est la montée du racisme et de la xénophobie. Les immigrés de la première comme de la seconde génération sont tenus, par un nombre croissant de Français, pour les principaux responsables du chômage et de la délinquance. Deux maux qui arrivent au tout premier plan des angoisses individuelles et collectives.

L'extrême droite, qui s'est fait une spécialité de la dénonciation du problème des immigrés, trouve un terrain très favorable auprès d'une partie croissante de l'opinion. Résultat : 11 % des voix pour le Front national aux élections européennes de juin 1984 et des tentatives plus ou moins ordonnées de l'opposition pour « récupérer » le mouvement de mécontentement ainsi mis en évidence dans toutes les catégories sociales.

*Les étrangers représentent aujourd'hui 7 % de la population totale.*
*• La proportion d'étrangers a peu varié depuis le début de la crise.*
*• Elle est la même qu'en 1931.*

Plusieurs mouvements distincts se sont produits dans l'évolution de la population étrangère. Les principales vagues d'immigration se sont produites en 1931, 1946 et 1962. La proportion des différentes nationalités a beaucoup changé. Depuis 1954, ce sont les Maghrébins qui ont fourni l'essentiel des nouveaux immigrants, alors que le nombre d'étrangers arrivant d'Europe diminuait (voir le graphique ci-dessous).

Pourtant, la stagnation apparente du nombre d'étrangers (en particulier par rapport aux années 30) ne signifie pas que les flux d'immigration ont cessé, mais que beaucoup d'étrangers sont devenus Français, par naturalisation ou, à la deuxième génération, par intégration automatique.

### Les étrangers ont changé de couleur

Évolution par grandes nationalités.

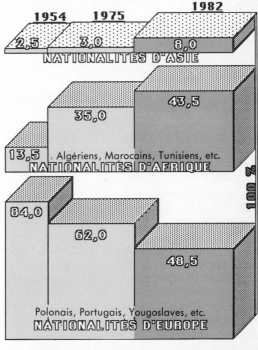

| | 1954 | 1975 | 1982 |
|---|---|---|---|
| NATIONALITÉS D'ASIE | 2,5 | 3,0 | 8,0 |

| | 1954 | 1975 | 1982 |
|---|---|---|---|
| NATIONALITÉS D'AFRIQUE | 13,5 | 35,0 | 43,5 |

Algériens, Marocains, Tunisiens, etc.

| | 1954 | 1975 | 1982 |
|---|---|---|---|
| NATIONALITÉS D'EUROPE | 84,0 | 62,0 | 48,5 |

Polonais, Portugais, Yougoslaves, etc.

100 %

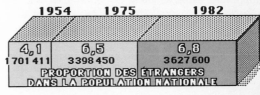

| | 1954 | 1975 | 1982 |
|---|---|---|---|
| PROPORTION DES ÉTRANGERS DANS LA POPULATION NATIONALE | 4,1 | 6,5 | 6,8 |
| | 1 701 411 | 3 398 450 | 3 627 600 |

I.N.S.E.E.

Paris Match/BVA (29 novembre 1985)

**Un racisme très « ordinaire »**

Voici un certain nombre d'opinions que l'on entend à propos des immigrés (en pourcentage). Pour chacune d'elles, êtes-vous plutôt d'accord ou plutôt pas d'accord ?

|  | plutôt d'accord | plutôt pas d'accord | NSP |
|---|---|---|---|
| • Chaque fois qu'un étranger occupe un emploi en France, c'est un Français qui en est privé .......... | 45 | 48 | 7 |
| • Les immigrés sont une chance pour la France .... | 21 | 66 | 13 |
| • Les immigrés sont un facteur important de la délinquance en France | 65 | 26 | 29 |
| • Les Français sont racistes vis-à-vis des immigrés .. | 71 | 23 | 6 |
| • Les immigrés sont racistes vis-à-vis des Français .. | 78 | 12 | 10 |

Il faut noter également que les chiffres établis par le ministère de l'Intérieur sont sensiblement plus élevés que ceux émanant de l'I.N.S.E.E. (à l'occasion des recensements). Il y avait, selon le ministère, 4 470 000 étrangers résidant en France au 1er janvier 1984, soit 8,1 % de la population totale. Parmi eux, 49 % étaient d'origine européenne (19 % Portugais) et 37 % d'origine maghrébine.

## Privilèges : la nouvelle donne

Depuis la nuit du 4 août 1789, les privilèges n'existent plus, et la Déclaration des droits de l'homme et du citoyen prévoit l'égalité politique et sociale de chacun... C'était sans compter avec la nature humaine en général, et certains traits du caractère français en particulier. Aussitôt abolie, la notion de privilège réapparaissait sous d'autres formes, dont les plus connues parce que les plus manifestes sont les salaires et rémunérations. Mais il en est d'autres, plus discrètes, qui ont le mérite d'échapper à la fois à la publicité et... à l'impôt. À salaire égal, la vie n'est pas toujours égale.

Bien que dénoncés par tous les Français, les privilèges font partie de la vie professionnelle de la plupart d'entre eux. Les employeurs ont dû faire preuve de beaucoup d'imagination pour inventer, au fil des années, des avantages spécifiques pour les catégories qui pesaient d'un poids suffisant pour les revendiquer. Car les avantages acquis ne sont pas la consé-

**Toujours plus :
le hit-parade des privilèges**

La liste des avantages non financiers des travailleurs est longue. Voici ceux qui concernent le plus de Français (en % des personnes actives) :
| | |
|---|---|
| • sécurité de l'emploi | 50 % |
| • protection sociale renforcée (allongement du congé de maternité, protection supplémentaire en cas de maladie, etc.) | 38 % |
| • indexation automatique du salaire sur l'inflation | 37 % |
| • droit de prendre la retraite plus tôt | 30 % |
| • services sociaux d'entreprise particuliers ou fournitures à des tarifs réduits | 27 % |
| • avancement garanti | 24 % |
| • six semaines de congés payés et plus | 24 % |
| • prix garantis pour les prestations et les produits (personnes travaillant à leur compte) | 19 % |
| • limitation du nombre de personnes ayant le droit d'exercer la profession | 14 % |
| • avantages en nature (notes de frais, voiture, logement de fonction) | 13 % |

Gérard/Sofres (janvier 1983)

quence d'un irrépressible mouvement de générosité de la part des employeurs. Ils ont été, pour la plupart, durement conquis par les syndicats, à une époque où la prospérité les rendait supportables par les entreprises, publiques ou privées. Ceux qui n'ont pas pu (ou su) constituer des groupes de pression suffisamment puissants sont passés à côté et se retrouvent aujourd'hui dans les positions les plus inconfortables.

*Le salariat devient un privilège
alors que l'héritage ne l'est plus.*

Les classes sociales étaient traditionnellement séparées par quelques privilèges, souvent obtenus par la naissance, parfois par le mariage, le travail ou les affaires. L'argent et le statut social en étaient les attributs les plus courants. Les Français éprouvaient en général du respect pour le statut et du mépris pour l'argent. Leur attitude est en train de se transformer. Certains privilèges d'hier sont aujourd'hui reconnus comme légitimes lorsqu'ils sont liés au mérite personnel. À l'inverse, certains avantages, auparavant sans importance, sont devenus des privilèges que chacun dénonce et envie tout à la fois.

S'il est devenu sain de s'enrichir par le travail, il n'est pas non plus malsain de le faire par héritage. Pour la grande majorité, l'héritage est un droit normal, même si la gauche reste plus réservée que la droite en ce domaine. Par contre, la condition de salarié, jadis associée à celle de prolétaire, fait aujourd'hui plus d'envieux que de mécontents, surtout dans les secteurs non menacés par le chômage. La sécurité de l'emploi est bien devenue en dix ans le privilège numéro un. Beaucoup plus que les vieilles oppositions bourgeoisie-prolétariat ou capital-travail, c'est elle qui trace la ligne de partage de la France d'aujourd'hui. Elle pourrait être, demain, l'enjeu d'une nouvelle lutte, opposant de nouvelles classes.

## Société de communication ou société d'excommunication ?

C'est le progrès technologique qui a permis l'avènement de la **société de communication.** S'il a permis à chacun d'accéder à une masse énorme d'informations, il a paradoxalement limité les échanges entre les individus. Les médias, les transports, l'insécurité, le repli sur soi ont à la fois réduit le temps disponible pour se parler et la volonté de le faire.

Les flux de communication qui se déversent sur la société actuelle fonctionnent généralement dans un seul sens. Face à ce torrent de sons, d'images et de textes, les Français n'ont guère d'autre choix que celui de la passivité.

*Les circonstances de la vie quotidienne
favorisent de moins en moins le dialogue.*

Comme le héros de Paul Morand, les Français sont pour la plupart des hommes pressés. Ils traversent la vie sans s'arrêter et ils ont de moins en moins l'occasion (ou l'envie) de se parler. Les discussions du café du Commerce se font rares, parce qu'on ne va plus au café pour se parler et que, de toute façon la présence du juke-box ne facilite pas la conversation. Les petits commerçants disparaissent et les Français n'ont guère le loisir de bavarder avec les caissières des supermarchés. Les stations-service deviennent des « self » où la présence humaine est réduite au strict minimum. Dans les rues, les piétons se déplacent au pas de charge, parfois équipés d'un Walkman, symbole d'une volonté croissante d'isolement. Le téléphone remplace bien souvent une visite de trois heures par une conversation utilitaire de trois minutes... Bref, la société actuelle ne favorise pas le dialogue.

Pourtant, la situation pourrait s'améliorer à l'avenir. Le progrès technologique prépare la voie à des médias interactifs (télévision par câble, jeux vidéo, visiophone, téléconférence, etc.), qui devraient permettre à la société de communication de mieux justifier son nom. Les « branchés » de demain devraient être moins passifs que ceux d'aujourd'hui...

*13 millions de Français
sont concernés par la solitude.*
• *7,6 millions de célibataires
parmi les 20 ans et plus.*
• *1,5 million de divorcés.*
• *4 millions de veufs, dont 80 % de femmes.*
• *À Paris, 48 % des ménages ne comptent
qu'une seule personne, contre 32 % en 1954.*

« L'enfer est tout entier contenu dans ce mot : solitude », écrivait Victor Hugo, qui l'avait bien connue pendant les longues années d'exil...

Le nombre des solitaires a augmenté beaucoup plus vite que la population. Le « marché de la solitude » est énorme. Les femmes y sont les plus nombreuses. Du fait de leur espérance de vie plus longue, elles sont plus souvent veuves, et les femmes divorcées se remarient deux fois moins fréquemment que les hommes.

La solitude, c'est donc principalement l'absence d'un conjoint. Mais c'est aussi l'absence d'un groupe d'amis avec lequel on voudrait partager les choses de sa vie. Ces deux formes de solitude vont d'ailleurs de pair : être célibataire à 40 ans, de nos jours, c'est souvent perdre en même temps une partie de ses amis ou de ses relations. La société n'est pas encore prête à intégrer vraiment les personnes seules. Si les marchands commencent timidement à leur proposer des produits spécifiques (aliments en conditionnement individuel, voyages, résidences pour célibataires, clubs de rencontres...), l'image du foyer, cellule de base de la vie sociale, reste traditionnelle : un homme, une femme, des enfants. Pour la foule des solitaires (dont la plupart n'ont pas choisi de l'être), la vie n'est donc pas facile.

*Lintas Paris*

Solitaires, mais parfois aussi solidaires.

*Pourtant, la vie associative se développe.*

L'une des conséquences de la solitude des Français est leur participation croissante à la vie associative. Les activités (sportives, culturelles, etc.) sont autant de prétextes pour ne plus se sentir exclu de la vie sociale. Le développement spectaculaire des clubs du troisième âge montre bien la volonté de la plupart des personnes âgées de lutter contre la marginalisation qui les guette au soir de leur vie.

## Associations : les réseaux parallèles

Proportion de Français faisant partie ou participant à une association (ou un groupe) [1].

|  | 1978 | 1980 | 1982 | 1984 |
|---|---|---|---|---|
| • Sportive | 15 | 16 | 17 | 20 |
| • Culturelle, de loisirs, d'éducation populaire | 14 | 10 | 12 | 12 |
| • Syndicale | 10 | 10 | 10 | 7 |
| • De parents d'élèves | 10 | 9 | 9 | 8 |
| • Professionnelle | 7 | 5 | 7 | 8 |
| • De bienfaisance, d'entraide | 7 | 4 | 6 | 6 |
| • De quartier local | 6 | 5 | 6 | 6 |
| • Confessionnelle | 6 | 4 | 5 | 5 |
| • D'un parti politique | 3 | 2 | 4 | 4 |
| • Familiale | 4 | 2 | 3 | 2 |
| • Défense de la nature, de gestion de l'environnement | 4 | 3 | 3 | 3 |
| • De jeunes | 4 | 2 | 3 | 3 |
| • D'étudiants | 2 | 2 | 1 | 2 |
| • De consommateurs et d'usagers (assoc. de locataires) | 2 | 2 | 2 | 3 |
| • De femmes | 2 | 2 | 1 | 1 |

[1] % calculé sur les 2 000 personnes de 18 ans et plus interrogées chaque année.

Mais la participation à la vie associative répond aussi au désir de protection des Français. S'ils sont moins nombreux à adhérer aux syndicats ou aux partis politiques, ils se dirigent de plus en plus vers d'autres types d'associations, susceptibles de défendre leurs intérêts particuliers. Le corporatisme s'exprime aujourd'hui dans des groupes très spécialisés, volontiers en marge des appareils traditionnels, jugés trop lourds et trop peu indépendants. Des associations de défense d'usagers (téléphone, route, etc.) aux mouvements de consommateurs, les Français se regroupent spontanément. Pour se défendre, lorsqu'ils ont été victimes d'une injustice quelconque (malfaçons dans la construction des maisons d'un lotissement, catastrophe naturelle, etc.) ou, de plus en plus, de façon préventive. Face à une société à la fois bouillonnante et froide, les Français ressentent de plus en plus fortement le besoin de créer des réseaux parallèles. Afin de combattre la menace qui pèse sur deux des libertés fondamentales de l'individu : celle de parler aux autres, celle d'être protégé.

## La communication est-elle le mal français ?

C'est au moment où s'installe la société de communication qu'on s'aperçoit que les Français communiquent mal entre eux. Outre les causes très actuelles évoquées précédemment, il semble y avoir dans la mentalité française des traits spécifiques qui ne favorisent pas le dialogue. La certitude d'avoir raison, par exemple, est le plus court chemin vers l'intolérance. Les « y a qu'à » et autres affirmations péremptoires animent depuis longtemps les conversations des Français, des tables de bistrot jusqu'à celles des négociations entre les partenaires sociaux.

Le manichéisme est un autre obstacle au consensus social. C'est à lui qu'on doit cette France traditionnellement coupée en deux entre la droite et la gauche, censées (dans l'ordre ou dans le désordre) représenter le bien

et le mal. Enfin, le centralisme ancré dans l'esprit des hommes et des institutions est contraire à l'efficacité collective autant qu'à l'épanouissement individuel.

Mais ces travers de l'esprit français sont en train d'évoluer rapidement. L'individualisme ambiant n'est guère favorable au centralisme ; la complexité de l'époque s'accommode de moins en moins du manichéisme ; l'incertitude générale devrait engendrer une plus grande tolérance.

### Les dix blocages de la société française

Dans son numéro du 22 février 1985, *l'Express* faisait, avec quelques observateurs de la société française, la liste des principaux blocages qui l'empêchent de s'adapter à l'évolution de son environnement international.

1. **Le complexe hexagonal** : depuis Louis XIV, la France a tendance à se prendre pour le nombril du monde, à se retrancher à l'ombre de son passé glorieux, de ses frontières et de sa langue.

2. **Le syndrôme du topinambour** : un attachement viscéral, passionnel, au terroir et, à défaut, à l'endroit (domicile, quartier, entreprise, bureau) auquel on est lié.

3. **L'esprit de clan** : instinct qui pousse les individus à s'agglomérer par boutiques et à s'organiser en citadelles.

4. **La trouille du risque** : goût immodéré pour la sécurité, peur de l'inconnu, réticence au changement.

5. **Le culte de l'acquis** : tout droit, structure ou privilège, de nature sociale, culturelle, syndicale, ou autre, est implicitement éternel et inviolable.

6. **Le tabou de l'argent** : comme la Légion d'honneur, l'argent ne se demande pas, ne s'exhibe pas, mais ne se refuse pas.

7. **L'État-papa** : l'État, pieuvre omnivore, pousse ses tentacules jusque dans les moindres recoins du pays.

8. **Le fétichisme de la botte** : « l'élite » des meilleures écoles est la fierté des Français. On la retrouve à tous les postes clés, aussi bien dans les ministères que dans l'entreprise, la banque, l'audiovisuel ou la politique.

9. **La méthode du discours** : en France, le discours est plus qu'un penchant, plus qu'un talent, c'est une fin en soi. Au point de servir de substitut à l'action.

10. **La tentation monarchique** : les Français ont la nostalgie de Versailles, de sa pompe, de son prestige et de l'autorité absolue qui y régnait. On la retrouve dans le fonctionnement des entreprises, des partis politiques, etc.

Société de communication ou d'excommunication ?

*La politesse n'est plus ce qu'elle était.*

Les nostalgiques du savoir-vivre, version XIX<sup>e</sup> siècle, et les fanatiques de l'étiquette ont aujourd'hui l'impression de vivre dans un monde de voyous. Force est de constater que les rapports entre les Français laissent de moins en moins de place à la courtoisie et au respect d'autrui. Les bousculades dans le métro, le comportement des automobilistes, celui des employés des magasins et des services publics, bref, la plupart des situations quotidiennes montrent un changement important dans le climat social.

L'individualisme, l'angoisse des temps, le souci de se montrer décontracté, le refus des rapports de hiérarchie entre les catégories sociales, entre les âges, entre les sexes expliquent ces nouveaux comportements. Tout ce qui ressemble à un code social de dépendance ou d'effacement d'un individu par rapport à un autre apparaît contraire à sa liberté. Les règles du savoir-vivre sont ressenties comme des contraintes et sont donc rejetées avec force.

## INSÉCURITÉ

*Beaucoup d'idées fausses ou tendancieuses circulent sur la montée de la violence et le laxisme de la justice. Les faits, lorsqu'on leur donne la parole, ramènent les choses à une plus juste mesure.*

### Délinquance : de l'insécurité au sentiment d'insécurité

L'insécurité fait vendre. C'est pourquoi elle occupe si souvent la une des médias. C'est à qui trouvera le titre le plus accrocheur pour

qualifier cette société dangereuse dans laquelle nous serions entrés : « terreur sur la ville » ; « le temps des assassins » ; « l'ère de la peur » ; « Paris-Chicago »... Autant de titres qui ont peut-être autant contribué à la psychose actuelle que la délinquance elle-même.

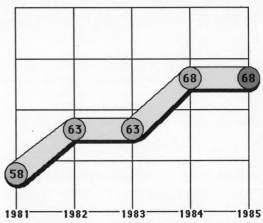

**La peur aux trousses**

Le sentiment d'insécurité « augmenté » (en %) [1].

(1) Cumul des réponses « bien d'accord » et « entièrement d'accord » à l'affirmation proposée

À ces raisons d'ordre commercial s'ajoutent des tentatives de récupération politique. Entre les exagérations des uns et les interprétations subjectives des autres, il faut garder la tête froide. Et d'abord interroger les faits, qui sont disponibles à tout citoyen curieux de les comprendre. Si certains sont accablants, d'autres sont plutôt moins dramatiques qu'on ne l'imagine. De sorte que **l'impression d'insécurité** est peut-être plus grave que l'insécurité elle-même.

### Après avoir été très rapide, l'accroissement de la délinquance s'est ralenti depuis 1983

Il faut, pour y voir clair, s'intéresser à chacun des aspects de délinquance. Il faut aussi être conscient que tout n'apparaît pas dans les statistiques et donc s'efforcer d'aller au-delà, lorsque c'est nécessaire et possible.

*3 700 000 délits en 1984.*
* *La petite délinquance représente 84 %
des délits.*

L'inflation de la criminalité a été moins forte en 1984 qu'en 1983 (+ 3,3 % contre + 4,4 %). Ce chiffre global n'a cependant pas beaucoup de sens puisqu'il est l'addition de délits aussi différents que les meurtres, l'usage de drogues ou les vols à l'étalage. C'est l'augmentation de la petite délinquance qui explique l'accroissement général. Ainsi, on a compté 386 000 chèques sans provision en 1984, sans compter les innombrables utilisations frauduleuses de chèques ou de documents volés (multipliées par 7 en 10 ans).

La moyenne délinquance (vols, cambriolages), qui avait beaucoup augmenté depuis quelques années, a évolué moins vite en 1984. Les estimations pour l'année 1985 font état d'une amélioration globale.

*La grande criminalité
augmente plutôt moins vite
que les autres formes de la délinquance.*

Le nombre des atteintes volontaires contre les personnes a un peu diminué en 1984. Les homicides crapuleux (même s'ils sont relativement peu nombreux) sont ceux qui frappent le plus l'opinion. Pourtant, le nombre des meurtres n'a guère varié en France depuis...

1825, époque où la population française était inférieure de moitié à celle d'aujourd'hui. De la même façon, on comptait déjà 38 000 procès-verbaux pour coups et blessures en 1949.

*Il y a eu 1 073 attentats par explosifs
en 1984.*
* *216 étaient dirigés
contre des biens publics.*
* *857 contre des biens privés.*

Les actes de terrorisme sont, avec les meurtres, ceux qui impressionnent le plus les

## Atteintes volontaires contre les personnes : une première amélioration

Nombre de délits et évolution :

|  | 1984 | Variation 1984/83 | Variation depuis 1972 |
|---|---|---|---|
| – Homicides | 2 712 | + 0,4 % | + 95 % |
| – Coups et blessures volontaires | 38 389 | – 2,2 % | + 47 % |
| – Enlèvement et séquestration de personnes | 430 | – 13,1 % | + 211 % |
| – Menaces de mort | 6 266 | + 0,4 % | + 222 % |
| – Violations de domicile | 7 266 | – 4,8 %. | + 94 % |

## Délits en tout genre

Nombre de délits et évolution :

|  | 1973 | 1983 | 1984 | Variation 1984/83 | Variation depuis 73 |
|---|---|---|---|---|---|
| – Vols simples | 790 848 | 1 692 694 | 1 752 584 | + 0,1 % | + 122 % |
| – Cambriolages de lieux d'habitation | 71 001 | 212 397 | 236 631 | + 11,4 % | + 233 % |
| – Vols avec violence | 13 525 | 44 735 | 50 246 | + 12,3 % | + 271 % |
| – Toxicomanie | 2 602 | 23 615 | 25 519 | + 8,1 % | + 880 % |
| – Trafic de stupéfiants | 228 | 2 735 | 3 275 | + 19,7 % | + 1 336 % |
| – Vols à main armée | 2 602 | 6 139 | 7 661 | + 24,8 % | + 194 % |
| – Viols | 1 507 | 2 803 | 2 859 | + 2,0 % | + 90 % |
| – Homicides non crapuleux | 984 | 2 043 | 2 115 | + 3,5 % | + 115 % |
| – Homicides crapuleux | 139 | 311 | 295 | – 5,1 % | + 112 % |
| – Chèques sans provision | 324 273 | 417 275 | 385 906 | – 7,5 % | + 19 % |
| – Autres (1) | 555 663 | 1 159 228 | 1 214 362 | + 0,1 % | + 119 % |
| TOTAL | 1 763 372 | 3 563 975 | 3 681 453 | + 3,3 % | + 109 % |

(1) Attentats par explosifs, destruction et dégradation de biens publics et privés, utilisation de chèques volés, escroqueries, coups et blessures volontaires, etc.

Ministère de l'Intérieur et de la Décentralisation

Français. Leur nombre peut varier considérablement d'une année à l'autre, en fonction de la situation politique internationale (les deux tiers des attentats ont des mobiles politiques).

CANNES  «MISSION» ACCOMPLIE, L'ESPRIT REVIENT

Libération

Pandraud annonce de fortes récompenses à qui permettrait d'arrêter les auteurs d'attentats

# TERRORISME: LA PRIME AUX MOUCHARDS

*Libération (20 mai 1986)*

La nouvelle guerre mondiale.

## 13 000 Français (adultes) disparaissent chaque année

Fuite ou délinquance ? Qu'arrive-t-il à ces milliers de personnes portées disparues chaque année ? Un peu moins de la moitié seulement sont retrouvées. Reste un peu plus de 7 000 disparitions, dont le tiers sont considérées comme involontaires. Les résultats obtenus dans la seule région parisienne, mieux équipée pour les recherches, sont moins alarmants. Sur 2 600 cas de disparitions d'adultes en 1981, deux tiers étaient dus à des départs volontaires, les autres à des comas consécutifs à un accident, à des amnésies ou à des suicides ; 8 étaient de véritables affaires criminelles. Il reste tout de même 200 énigmes qui défient la sagacité des enquêteurs. Certaines pourront être résolues à l'aide du fichier des cadavres non identifiés (environ 60 par an en France, dont 20 à Paris). Les autres stimuleront l'imagination des auteurs de romans policiers.

*Le nombre des cambriolages*
*a triplé en 10 ans.*
*• 237 000 cambriolages de lieux*
*d'habitation en 1984.*
*• 11 % de plus qu'en 1983.*

Les résidences principales sont de loin les cibles privilégiées des monte-en-l'air. C'est là,

## Vols : toujours plus haut

Nombre de délits et évolution :

|  | 1984 | Variation 1984/83 | Variation depuis 1972 |
|---|---|---|---|
| – Vols à main armée | 7 661 | + 24,8 % | + 262 % |
| – Autres vols avec violence | 50 246 | + 12,3 % | + 293 % |
| – Cambriolages et vols avec entrée par ruse | 444 003 | + 11,1 % | + 172 % |
| – Vols simples (1) | 1 752 584 | + 3,5 % | + 133 % |
| – Autres vols (recels) | 23 036 | + 15,4 % | + 420 % |

(1) Autos, deux-roues, vols à l'étalage, à la roulotte, vols de salariés, employés, etc.

bien sûr, que sont stockés les objets, meubles, bijoux de valeur, plus que dans les résidences secondaires qui sont donc relativement épargnées (moins de 10 % des cambriolages de lieux d'habitation). En 1984, les cambriolages ont encore augmenté de façon importante. Les vols de véhicules ont également augmenté en 1984 : 265 000 contre 253 000 en 1983.

## Les Français ne manquent pas d'assurances

27 milliards de francs en 1985. C'est ce qu'ont dépensé les Français (particuliers, commerçants, chefs d'entreprise) pour protéger leurs biens et défendre leurs intérêts. L'assurance proprement dite représente 68 % de cette somme (près de 18 milliards de francs). Viennent ensuite les actions de gardiennage (3 milliards), les honoraires d'avocats (3 milliards) et environ 2,5 milliards pour les systèmes de protection individuelle contre le vol (blindages, coffres-forts, systèmes d'alarme...).
Le souci majeur des Français fut pendant longtemps d'acquérir des biens. Il est aujourd'hui de les préserver.

*Le vandalisme se développe partout.*

Le malaise social, en particulier celui ressenti par les jeunes, s'est traduit par une véritable explosion du vandalisme. Parcmètres, cabines téléphoniques, voitures de métro ou de chemin de fer, tout est bon pour montrer son mépris du patrimoine public et donc de la société. Dans sa forme primaire, le vandalisme consiste à casser, abîmer, enlaidir, salir. Dans sa forme « culturelle », il se manifeste par les graffiti et autres moyens d'expression s'appropriant les surfaces publiques pour communiquer clandestinement avec la société. Mais le vandalisme n'est pas toujours gratuit. Avec les nouvelles technologies, se développe le piratage à but lucratif. Les ordinateurs sont la cible favorite de cette nouvelle forme de délinquance. Sur 100 pannes survenant à des ordinateurs, 20 seraient dues à des fraudeurs, qui « détournent » des programmes dans un but de profit. Le « vandalisme en col blanc » risque de faire parler de lui dans les prochaines années. Si le vol est une motivation courante, le pied de nez aux institutions en est une autre, d'importance croissante.

### La guérilla urbaine

Chaque mois, 15 % des parcmètres de Paris reçoivent une dose d'acide ou de mastic, symbole de la guerre entre les usagers et l'administration. Si la plupart des cabines téléphoniques sont en panne (210 000 ont été cassées en 1984), c'est 9 fois sur 10 parce qu'elles ont été volontairement sabotées. Chaque année, la Ville de Paris nettoie environ 50 000 m² de murs recouverts de graffiti de toutes sortes. Les transports en commun sont aussi des cibles privilégiées : 40 000 sièges sont lacérés dans les voitures du métro. À la S.N.C.F., le coût du vandalisme est estimé à 30 millions de francs pour 1984 dont 22 millions pour le matériel (dont 19 pour le matériel utilisé en banlieue parisienne) et 8 millions pour les vols (draps, couvertures, échelles, etc.). Un coût à rapprocher cependant de celui de l'entretien du matériel roulant des voyageurs : 3 milliards de francs.

*Le trafic des stupéfiants s'accroît considérablement, malgré les succès obtenus en matière de répression (+ 20 % en 1984).*
*• Le nombre des délits de toxicomanie a augmenté de 8 % par rapport à l'année précédente.*

Ce chiffre est très inférieur à la réalité puisqu'il ne représente que les décès signalés aux services de police et de gendarmerie. Il ne tient pas compte non plus des décès survenus à la suite de maladies liées à la toxicomanie. De sorte que le nombre réel de décès en 1983 est sans doute plus proche de 1 000. Les chiffres concernant le trafic de stupéfiants ont littéralement bondi : + 173 %. Mais ils ne donnent qu'une vision très partielle de la situation, puisqu'il s'agit des délits de trafic constatés par les services de police. Cette augmentation est-elle liée à l'intensification (efficace) des efforts réalisés par la police ou correspond-elle à une véritable explosion du trafic ? La toxicomanie ne semble pas, heureusement, avoir augmenté dans de telles proportions pendant cette période.

### Les chiffres ne disent pas tout

L'éternel débat sur la validité et l'interprétation des statistiques n'a pas épargné celles de la criminalité. On peut contester les chiffres bruts fournis par les pouvoirs publics, pour la simple raison qu'ils ne mesurent pas la délinquance, mais les résultats obtenus par ceux qui la combattent (arrestation de trafiquants...). On peut aussi leur reprocher de faire l'impasse sur un certain nombre de dossiers qui aboutissent directement aux parquets des tribunaux (plaintes émanant d'administrations ou de sociétés), sans transiter par la police. Ou, à l'inverse, de comptabiliser deux fois certaines affaires, du fait de la dispersion des services ou de la concurrence qu'ils se font. Par ailleurs, les catégories regroupant les différents types de délits se fondent sur des critères de gravité parfois fantaisistes. Ainsi, arracher le sac à main d'une dame est considéré comme un acte de grande criminalité. Mais la tuer ou la violer rentre dans la moyenne criminalité, si elle n'a pas été volée en même temps ! De plus, la refonte récente du système des statistiques du ministère de l'Intérieur tend à écarter certains crimes et délits (recel, etc.). Enfin, il semble qu'un nombre croissant de victimes ne déclarent plus les petits vols ou délits, par crainte (ou par conviction) qu'aucune suite ne soit donnée. Comme toujours, la réalité se prête difficilement à une description par les chiffres. Force est pourtant de constater qu'elle est encore plus difficile à comprendre sans eux.

## Vous avez dit laxisme ?

L'idée à la mode est que la répression de la délinquance n'est pas assurée dans de bonnes conditions. Et le mot laxisme monte instantanément aux lèvres des Français, comme il monte souvent à la une des journaux. Mais les impressions sont parfois trompeuses. Là encore, il faut laisser parler les faits. Sans les interrompre...

*La justice est de plus en plus sévère avec les criminels.*
- *Depuis 1978,*
*le nombre des condamnations à des lourdes peines de prison (10 ans ou plus) a augmenté de 50 %.*
- *Dans le même temps,*
*la population carcérale a augmenté de 20 %.*

Contrairement à une idée répandue, il n'y a jamais eu autant de monde en prison. Il est vrai que les effectifs avaient fortement diminué en 1981, à la suite des mesures de grâce collective qui avaient suivi l'élection présidentielle et de l'amnistie du 4 août. Ils ont retrouvé dès 1983 leur niveau antérieur, pour progresser ensuite (le niveau de 40 000 détenus était atteint en février 1984). Les peines prononcées sont en général plus sévères et le nombre des libérations conditionnelles a diminué, ainsi que celui des permissions de sortir.

### Permissions et délits

Infractions commises au cours et après une permission de sortir.

|  | 1983 | 1984 |
|---|---|---|
| Nombre de permissions | 13 104 | 15 888 |
| – Délits | 42 | 44 |
| – Crimes | 15 | 12 |
| – Infractions de nature inconnue | 5 | – |
| Total des infractions | 62 | 56 |
| – Taux d'infraction | 0,5 % | 0,35 % |
| – Taux de non-réintégration (1) | 1,4 % | 1,4 % |

(1) Prisonniers ne rejoignant pas la prison à l'issue de leur permission de sortir.

Enfin, les cas de récidive sont de moins en moins nombreux. On ne saurait pour autant se féliciter ; tant que le nombre des délits de récidive ne sera pas nul, il restera trop élevé. Mais la réalité statistique ne parviendra sans doute pas à contrebalancer l'impression générale selon laquelle on relâche les grands criminels et qu'ils recommenceront...

## De la peine de mort à la légitime défense

Effrayés par la description apocalyptique de l'insécurité qui leur est faite quotidiennement par les médias, une partie des Français ont très mal accueilli le projet d'abolition de la peine de mort. L'image « laxiste » du garde des Sceaux doit sans aucun doute beaucoup à cette loi, ainsi qu'à son désir, souvent exprimé, d'améliorer les conditions d'incarcération. Sans oublier, bien sûr, l'opération « portes ouvertes » de 1981 qui avait rendu la liberté à plusieurs milliers de détenus. Beaucoup de Français ont vu dans l'abolition du châtiment suprême la menace d'un nouvel accroissement de la criminalité. Partant de l'idée simple (mais apparemment fausse, voir ci-dessous) que, sans cette dissuasion, les crimes allaient se multiplier.

### Fallait-il tuer la peine de mort ?

Il faut rétablir la peine de mort (en poucentage) [1].

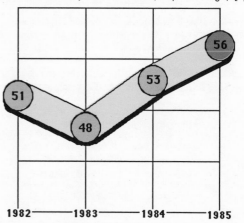

[1] Cumul des réponses « bien d'accord » et « entièrement d'accord à l'affirmation proposée ».

*Il n'y a pas de lien apparent entre l'existence de la peine de mort et la criminalité.*

L'influence de la dissuasion opérée par la peine de mort sur la grande criminalité peut être estimée à travers deux expériences : celle des pays étrangers ayant connu une situation semblable (l'Angleterre par exemple) et celle

Ministère de la Justice

Ministère de la Justice

de la France. La première a l'avantage d'être plus longue et extérieure, donc moins suspecte. Elle montre dans tous les cas que la situation n'est pas moins bonne après l'abolition qu'avant. Elle montre aussi qu'elle n'est pas pire que celle des pays où la peine de mort existe encore. L'expérience française va dans le même sens ; deux ans après la suppression de la peine capitale, le nombre des crimes de sang n'a pas augmenté. Si on prend l'exemple, très présent dans l'opinion, des policiers et gendarmes tués dans l'exercice de leurs fonctions, il ne montre aucun signe d'augmentation. Les Français restent en tout cas très sensibles à certains délits particulièrement haïssables comme les meurtres d'enfants ou les actions terroristes, pour lesquels ils réclament la peine de mort.

---

## 43 000 personnes en prison

Effectifs au 1$^{er}$ janvier 1986 :

| | |
|---|---|
| – Prévenus : | 21 146 |
| – Condamnés : | 21 471 |
| Total | 42 617 |
| (30 340 au 1/1/1982) | |

---

- **Proportion de femmes :** 3,7 %

---

- **Répartition selon la peine prononcée** (condamnés hommes) :

| | |
|---|---|
| – Contrainte par corps | 1,7 % |
| – Moins d'un an | 28,6 % |
| – Un à trois ans | 28,6 % |
| – Trois à cinq ans | 11,0 % |
| – Cinq ans et plus | 30,1 % |
| | 100,0 % |

---

- **Répartition selon la nature de l'infraction** (condamnés hommes) :

| | |
|---|---|
| – Crimes de sang | 11,4 % |
| – Coups et blessures volontaires, coups à enfant | 5,8 % |
| – Viol, attentat aux mœurs | 9,2 % |
| – Proxénétisme | 3,1 % |
| – Homicide, blessures involontaires | 1,4 % |
| – Vol qualifié | 8,7 % |
| – Escroquerie, abus de confiance, recel, faux et usage de faux | 7,0 % |
| – Vol simple | 32,5 % |
| – Autres | 20,9 % |
| | 100,0 % |

---

- **Répartition selon le niveau d'instruction** (condamnés hommes) :

| | |
|---|---|
| – Illettrés | 13,0 % |
| – Instruction primaire | 72,3 % |
| – Instruction secondaire ou supérieure | 14,7 % |
| | 100,0 % |

---

- **Répartition selon la nationalité :**

| | |
|---|---|
| – Français | 72,0 % |
| – Étrangers | 28,0 % |
| dont Afrique (68,7 %), Amérique (2,3 %), Asie (8,8 %), Océanie (0,1 %) | 100,0 % |

Ministère de la Justice

### Les risques du métier

Agents de la police nationale tués en :

| | 1980 | 1981 | 1982 | 1983 | 1984 | 1985 |
|---|---|---|---|---|---|---|
| – Opérations de police (par armes à feu en maintien de l'ordre et lutte contre la criminalité) .... | 9 | 3 | 8 | 9 | 11 | 6 |
| – Service (circulation, manipulation d'armes à feu, éducation physique, trajet, cas divers) ............... | 21 | 19 | 18 | 23 | 13 | 25 |

Ministère de l'intérieur

*La « légitime défense » tue chaque année.*
- *29 % des Français sont pour l'autodéfense.*
- *23 % ont une arme à feu chez eux.*
- *20 % ont un chien de défense.*

L'une des conséquences les plus évidentes du contexte de violence actuel est le développement de l'autodéfense. En quelques années, l'idée que l'on pouvait se substituer à une police jugée trop peu présente et à une justice considérée comme trop accommodante s'est répandue dans l'opinion. La plupart de ses adeptes sont d'honnêtes citoyens qui ne pensent qu'à protéger leurs biens et parlent volontiers de « légitime défense ». Beaucoup ont sans doute une trop haute idée de la vie pour s'accorder le droit de la supprimer à quelqu'un, sauf en cas de menace précise sur la leur.

D'autres, heureusement plus rares, envisagent la légitime défense de façon « préventive » et considèrent que toute tentative de s'approprier leurs biens est aussi grave que si elle menaçait directement leur vie. C'est ce type de réflexe primaire qui explique que l'on tire parfois sans sommation sur des cambrioleurs. Avec des conséquences particulièrement dramatiques lorsqu'un père en arrive à tuer par erreur un de ses enfants qui tentait de rentrer sans bruit dans sa chambre...

La sécurité, un marché porteur.

En 1985, environ 6 Français sur 100 ont été victimes d'un délit. Le taux est de 7 % en Grande-Bretagne ou en Allemagne et de 8 % au Danemark. La route, la maison, le travail restent infiniment plus dangereux que la criminalité. Sans minimiser l'accroissement, préoccupant, de la délinquance, il faut donc s'efforcer de garder la tête froide.

### 5 millions de foyers armés

- 14 % des foyers possèdent une arme à feu ; 9 % en ont plusieurs.
- Il s'agit dans 74 % des cas d'un fusil ou d'une carabine de chasse, dans 18 % d'une carabine 22 long rifle, dans 17 % d'un revolver ou pistolet, dans 6 % d'une arme ancienne ou de collection (avant 1870), et dans 6 % d'une arme de guerre ou de police autre qu'un revolver ou pistolet.
- Dans 34 % des cas, les armes possédées sont prêtes à être utilisées (munitions à proximité ou arme déjà chargée).
- 30 % des Français considèrent que c'est une bonne chose d'avoir une arme pour se défendre, 53 % que c'est une mauvaise chose (17 % ne se prononcent pas).

Le Chasseur français/BVA (novembre 1985)

# SCIENCE
# ET TECHNOLOGIE

*Les Français reconnaissent l'importance du progrès technique dans l'amélioration de leur vie quotidienne. Mais leur gratitude vis-à-vis du passé fait place à une angoisse croissante face à l'avenir. La science et la technologie vont trop vite et trop loin. Leurs applications représentent pour l'humanité à la fois l'espoir de sa survie et la menace de sa destruction. Dès aujourd'hui, la pollution, sous toutes ses formes, est le prix à payer pour bénéficier du progrès.*

## La science contestée

Si la délinquance et la criminalité inquiètent fort les Français, la véritable insécurité sociale se situe ailleurs, dans les conséquences actuelles et futures de la conquête scientifique.

Les Français sont satisfaits des progrès passés de la science, mais ils sont effrayés par ce qu'elle permet aujourd'hui. Leurs craintes portaient jusqu'ici essentiellement sur les applications militaires des nouvelles technologies : armes, bombes, moyens de destruction bactériologiques, etc. Il s'y ajoute aujourd'hui la peur concernant les utilisations pacifiques de la science : la biologie est une menace pour l'avenir de l'homme ; l'informatique en est une pour sa liberté.

### La peur des catastrophes

- 67 % des Français estiment qu'on ne parle pas assez des risques technologiques qui existent en France ; 21 % estiment qu'on en parle trop, par rapport au danger réel qu'ils représentent ; 12 % ne se prononcent pas.
- 44 % ont le sentiment qu'en France on fait tout ce qui est possible pour éliminer les risques technologiques ; 39 % pensent le contraire ; 17 % ne se prononcent pas.

*53 % des Français se déclarent plutôt hostiles au progrès technique (enquête Agoramétrie 1985).*

Lorsqu'on les questionne sur l'intérêt des grandes recherches scientifiques pour l'humanité en général et pour eux en particulier, les Français sont de plus en plus réservés. L'attrait intellectuel, le grand défi jeté par l'homme à la nature et à la vie ne les enthousiasment guère. Et les promesses technologiques qui ont leurs faveurs sont celles dont les applications pratiques leur paraissent les plus utiles et les moins susceptibles de détournement.

### Informatique et liberté

« Les ordinateurs menacent nos libertés » (en %) [1].

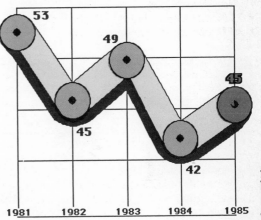

[1] Cumul des réponses « entièrement d'accord » et « bien d'accord » à l'affirmation proposée.

*Les progrès les plus attendus sont ceux qui permettront d'améliorer la santé et de prolonger la vie.*

Les Français ont toujours été très intéressés par la recherche médicale. L'image de la France dans ce domaine reste bonne. Les grandes émissions de la télévison et de la radio consacrées à la santé ont toujours du succès, et les résultats obtenus par la médecine depuis

aif-Sofres (avril 1985)

quelques décennies sont spectaculaires. Aujourd'hui plus que jamais, l'idée de la maladie est très désagréable ; celle de la mort est tout à fait insupportable. Surtout lorsqu'elle est associée aux souffrances et à la déchéance provoquées par le cancer ou d'autres maladies rappelant à l'homme sa faiblesse fondamentale. C'est pourquoi les Français plébiscitent volontiers les recherches dans ce domaine essentiel, où le risque de la mauvaise utilisation leur paraît faible, en comparaison des bénéfices escomptés.

*Les Français s'intéressent à tout ce qui peut renforcer leur liberté individuelle.*

Ils savent que celle-ci passe par une meilleure information à tous les niveaux. Mais ils ne veulent pas seulement être informés de l'évolution de leur environnement ; ils veulent aussi pouvoir communiquer avec lui. Les nombreuses innovations prévues dans ces domaines sont donc attendues avec impatience.

L'électronique joue un rôle déterminant dans le monde actuel.

Les Français sont cependant conscients que la science et la technologie ne leur ont pas apporté jusqu'ici que des satisfactions. La contrepartie la plus visible du progrès est la pollution, sous toutes ses formes, qui rend la vie souvent difficile et qui la met parfois même en danger. Il leur paraît donc légitime que la

science prenne en charge les problèmes qu'elle a elle-même engendrés. C'est pourquoi ils manifestent un grand intérêt pour des progrès tels que l'utilisation des énergies naturelles (non polluantes) ou le recyclage des déchets industriels et de ceux des particuliers.

---

### La communication d'abord

Parmi les innovations technologiques suivantes, quelles sont celles que vous souhaitez voir se développer le plus dans les années à venir ?

| | |
|---|---|
| • La télévision par satellite | 30 % |
| • Le Minitel | 27 % |
| • Les cartes de paiement électronique | 24 % |
| • La télévision par câble | 22 % |
| • Le téléphone « main libre » | 16 % |
| • Le four à micro-ondes | 14 % |
| • Le robot domestique | 12 % |
| • Le vidéodisque | 10 % |
| • Ne se prononcent pas | 20 % |

Total supérieur à 100 en raison des réponses multiples.

---

*Tout ce qui va contre la nature semble a priori dangereux.*

En dehors de la lutte contre la maladie et le vieillissement, qu'ils considèrent comme un combat essentiel, la majorité des Français refusent tout ce qui pourrait remettre en question l'ordre naturel. Qu'il s'agisse de se nourrir avec des algues ou des aliments cultivés artificiellement, ou encore de contrecarrer le déroulement normal des naissances par des « manipulations » génétiques (choix du sexe ou de la personnalité, bébés-éprouvettes...), leurs craintes sont clairement exprimées.

La peur de la science ne concerne pas seulement le futur. Certains nouveaux produits du quotidien, dont les services sont connus (sinon reconnus), ne semblent pas bien acceptés par les Français. Le micro-ordinateur, qui enchante tant les enfants, est loin de faire l'unanimité chez les adultes. Quant aux robots, ils étaient plus sympathiques lorsqu'ils se contentaient d'intervenir dans les histoires de science-fiction. Leur arrivée dans les usines est ressentie comme une menace. Dans leur majorité, les Français s'inquiètent de ces nouvelles techniques, conscients que leur implantation, progressive et inéluctable, ne sera pas sans conséquences sur l'emploi. Si le robot fascine les enfants, il effraye au contraire les adultes, qui voient en lui un dangereux rival.

# Face à la technologie : quatre scénarios d'adaptation des Français

La grande peur de l'homme vis-à-vis de la machine n'est pas nouvelle. On se souvient de l'hostilité à laquelle se sont heurtées les plus grandes inventions : l'automobile, dont le bruit et la vitesse déclenchaient prétendument des maladies ; le train, qui empêchait les poules de pondre ; l'avion, qu'on imagina d'abord limité aux courtes distances... Les craintes actuelles vis-à-vis de l'informatique, de la biologie ou de l'énergie atomique sont les conséquences logiques de l'avènement de la troisième révolution technologique. Pourtant, cette révolution présente trois différences fondamentales par rapport aux précédentes : les innovations se propagent de plus en plus vite ; les générations nouvelles sont de plus en plus rapprochées ; la puissance que confèrent ces innovations à l'homme est de plus en plus grande. À tel point d'ailleurs qu'il est, pour la première fois de son histoire, capable de s'autodétruire totalement. Une terrible menace.

---

## La science et la vie

● Face aux nouvelles possibilités en matière de procréation (insémination artificielle, fécondation « in vitro » etc.), 63 % des Français considèrent qu'il s'agit plutôt de progrès, contre 28 % qui trouvent cela plutôt négatif (9 % sans opinion).
● 76 % pensent qu'on devrait autoriser ces techniques pour permettre à des couples mariés de résoudre un problème de stérilité (16 % contre, 8 % ne se prononcent pas).
● Ils sont en majorité contre l'utilisation de ces techniques (67 %) dans le cas d'un couple désirant avoir un enfant après la ménopause (19 % pour, 14 % ne se prononcent pas), ou pour permettre à un homme seul d'avoir un enfant (59 % contre, 29 % pour, 12 % ne se prononcent pas) ou pour que des couples homosexuels puissent avoir un enfant (75 % contre, 14 % pour, 11 % ne se prononcent pas).

---

*La majorité des Français considèrent la mutation technologique comme une menace.*

Ceux qui y sont favorables sont principalement les jeunes et ceux qui ont une conception très moderniste de l'existence. Mais la plupart des Français se sont mis, depuis le début de la crise, en position de repli. Ils émettent donc de sérieuses réserves quant à l'intérêt des progrès techniques les plus spectaculaires, qui sont d'ailleurs souvent les moins comprises du public.

Les prochaines années diront comment s'effectue l'adaptation de la société aux nouvelles technologies. Un rapport réalisé par le Centre d'études sociologiques du C.N.R.S. (*Vie quotidienne et nouvelles technologies de l'information*, de Pierre-Alain Mercier, François Plassard et Victor Scardigli) propose quatre scénarios d'adaptation :

## 1. Le scénario d'intégration

Le progrès des sciences et des techniques est à l'origine de la transformation de la société. Les innovations sont souhaitées par les individus, qui les adoptent spontanément dans le but d'améliorer leur vie personnelle et les rapports au sein de la société. Elles sont rapidement maîtrisées par l'ensemble de la population, de sorte qu'elles n'accentuent pas les différences sociales, mais jouent au contraire un rôle égalisateur.

Cette hypothèse optimiste implique une parfaite diffusion des équipements à l'intérieur de la société. Elle nécessite surtout une formation rapide et efficace de chacun à l'utilisation de ces nouveaux outils, que ce soit à l'école, au travail, au foyer ou dans les contacts avec les organismes publics ou privés (institutions, administrations, services divers, commerçants...).

## 2. Le scénario de dysfonctionnement

La société dans son ensemble rejette la greffe des nouveaux produits. Elle cherche au contraire à privilégier un mode de vie où la technologie perde de son importance : développement des loisirs conviviaux (promenade, sport, fête...) ; valorisation des relations hu-

## Technologie et société : trois scénarios d'adaptation

Le scénario d'exclusion ne figure pas dans ce tableau comparatif, car il caractérise par définition la non-adaptation à l'évolution technologique.

| | INTÉGRATION | DYSFONCTIONNEMENT | SUJÉTION |
|---|---|---|---|
| **Diffusion sociale des nouvelles technologies** (informatique, communication, etc.) | Nombreux réseaux décentralisés et interconnectés. Nombreux équipements individuels (connectables). | Réseaux centralisés. Quelques équipements individuels (non connectables). | Réseaux centralisés. Nombreux équipements individuels (connectables). |
| **Apprentissage** | Facile (intérêt et compétence du public). | Difficile (allergie du public). | Facile. |
| **Utilisation** | Large. | Faible. | Très large. |
| **Attitudes individuelles** | Forte demande sociale. Épanouissement individuel par l'utilisation sélective. | Défiance face à un usage imposé. Réinvention d'un mode de vie traditionnel, en réaction. | Hédonisme et individualisme. Surconsommation passive imposée par les pressions sociales. |
| **Application aux tâches domestiques** (appareils ménagers, ordinateurs, terminaux vidéotex...) | Tâches dévalorisées. Achats à distance coexistant avec les formes traditionnelles. Utilisation interactive. | Tâches revalorisées. Commerce de quartier. Réticence face aux cartes de paiement. Croissance des réseaux non marchands. Réseaux parallèles d'information. | Tâches dévalorisées. Achats à distance généralisés. Fin du commerce de quartier. |
| **Travail** | Requalification professionnelle. Travail épanouissant. | Refus des technologies perçues comme déqualifiantes. | Déqualification professionnelle (l'homme au service de la machine). |
| **Santé** | Autosurveillance et médecine assistée par ordinateur. | Médecin de famille et médecines parallèles. | Développement de l'hospitalisation. |
| **Éducation** | Enseignement assisté par ordinateur (E.A.O.). Participation active des élèves. | E.A.O. refusé par les enseignants. Usage ludique par les élèves. | Professeurs dévalorisés. Peu d'intérêt et de créativité de la part des élèves. |
| **Loisirs** | Organisation rationnelle « vidéo-créativité ». | Valorisation de l'irrationnel, de la fête, du plein air. | Usage ludique de l'ordinateur. |
| **Relations sociales** | Rétablies par la technique. | Préservées de l'influence de la technique. | Détruites par la technique. |

Vie quotidienne et nouvelles technologies de l'information, C.N.R.S, P.-A. Mercier, F. Plassard et V. Scardigli maines traditionnelles non médiatisées par l'informatique ou la télévision ; refus de rationaliser l'emploi du temps de la vie, donc d'utiliser les produits ou équipements permettant de gagner du temps.

Un tel scénario ne peut se produire que si le développement technologique est en quelque sorte imposé par l'État ou le marché, sans tenir compte des aspirations réelles des personnes.

### 3. Le scénario de sujétion

Les individus sont soumis aux nouvelles lois liées à l'application des technologies modernes à la société (en particulier, l'informatique). Le gain de temps important qui résulte de cette introduction est consacré à la consommation passive de nouveaux services. Au travail, comme dans leur vie quotidienne, les Français perdent la maîtrise de leur temps. Les conséquences sont nombreuses : assistance, dé-responsabilisation, diminution progressive des compétences personnelles. La technique sert de plus en plus à satisfaire des besoins artificiels (mode, différenciation sociale, consommation de drogue) qu'elle crée comme dans le scénario précédent sans tenir compte des aspirations réelles des individus.

### 4. Le scénario d'exclusion

Ce scénario ne peut, par définition, concerner l'ensemble de la société puisqu'alors il ne reposerait plus sur rien et cesserait donc d'exister. Il peut, par contre, s'appliquer à une partie plus ou moins vaste de la population. Celle qui, mal préparée aux conséquences quotidiennes de l'évolution technologique, se trouve dans l'incapacité de s'y adapter. Les nouvelles conditions proposées aux travailleurs leur imposent un trop grand effort de remise en cause personnelle. Les nouveaux modes de vie qui s'installent sont incompatibles avec leur habitudes et leurs aspirations. Un traumatisme se développe chez eux, qui va progressivement les mettre à l'écart du fonctionnement social. Cette marginalisation subie renforce de façon spectaculaire les inégalités entre les catégories sociales. La grande question est alors l'importance numérique, le poids économique et la capacité de révolte de la population exclue...

*Le plus probable est*
*que plusieurs de ces scénarios*
*vont coexister et évoluer dans le temps.*

Face aux quatre scénarios proposés par les chercheurs du C.N.R.S., il est difficile de risquer une prévision. Il paraît pourtant peu probable que les Français intègrent sans difficulté aucune l'évolution technologique en cours, en particulier dans ses applications les plus quotidiennes. Certains signes visibles actuellement montrent qu'une partie de la population est déjà entrée dans un processus d'exclusion. C'est le quart monde industriel dont les effectifs ont régulièrement augmenté depuis le début de la crise. Les pauvres font de plus en plus partie du paysage sociologique de la France.

S'il est permis d'imaginer que le scénario de dysfonctionnement constituera une réponse initiale à la mutation technologique, il n'est pas logique de penser qu'il s'installera durablement. La France est en effet trop marquée politiquement par la volonté démocratique, économiquement par celle du libéralisme et socialement par un esprit revendicatif, pour qu'un type de société totalement étranger aux préoccupations du plus grand nombre ne soit pas balayé avant même d'avoir vu le jour.

Ça vibre à la Villette

métro :
porte de Pantin (grande halle, zénith)
porte de la Villette (géode)

renseignements :
répondeur 42.78.70.00
minitel (SEVIL) 36.14.91.66

la Villette

Fargeat, St Jean Vince

Il n'y a guère que les jeunes à ne pas avoir peur des mutations technologiques.

*Les Français accepteront difficilement*
*toute innovation contraire*
*à leur liberté individuelle.*

Par rapport à celui de l'intégration, le scénario de la sujétion apparaît moins improbable. Il peut en effet s'appuyer, au moins provisoirement, sur une certaine volonté de consommer, très présente dans certaines catégories de la population. Il pourrait donc caractériser une période de transition, dans l'attente d'une attitude plus stable, proche de l'intégration. Tout en favorisant pendant l'intérim le développement du scénario d'exclusion auprès des catégories les plus vulnérables.

La probabilité de chaque scénario est fortement liée à l'évolution de certains facteurs économiques : croissance ; chômage, disponibilité de l'énergie ; pouvoir d'achat. Elle dépendra aussi du rôle joué par l'État et le système éducatif (l'école, mais aussi la formation permanente). Elle dépendra enfin de la nature précise de l'évolution technologique et de ses applications concrètes.

Il est sûr, en tout cas, que les Français resteront très attentifs à l'impact de l'évolution technologique sur leur liberté individuelle. Les débats préalables à la loi « informatique et liberté » les ont déjà alertés sur les dangers de l'ordinateur. Les expériences actuellement menées dans les domaines de la biologie, de la génétique ou de la chimie montrent que l'écart entre science et science-fiction s'amenuise chaque jour.

*Le futur est-il pour après-demain ?*

La science tend aujourd'hui à se confondre avec la science-fiction. La tentation est forte, devant l'avalanche des produits nouveaux qui arrivent sur le marché, de prédire un bouleversement complet des modes de vie. Les médias, qui s'en voudraient de manquer une révolution, ont déjà largement raconté celle qui doit avoir lieu demain. La maison électronique, le télé-travail, l'information globale de la société y apparaissent déjà comme des faits plutôt que comme des hypothèses plus ou moins probables et plus ou moins proches. Devant tant d'assurance, il est nécessaire de s'interroger. La question fondamentale, résumée par les scénarios décrits précédemment, est bien de savoir quel sera le degré d'adaptation de l'offre (aux possibilités innombrables) à la demande, qui est moins extensible qu'on ne l'imagine

souvent. L'expérience Télétel conduite à Vélizy donne à cet égard un élément de réponse : au bout de la période de test (environ 18 mois), un tiers des utilisateurs avaient rangé leur terminal dans un placard. Certes, le nombre et la nature des services qui leur étaient offerts étaient limités, et il n'est donc pas possible de conclure. Mais il est probable que le progrès technologique ne sera pas accepté en bloc par les Français. D'abord, parce qu'il exerce sa propre concurrence : le magnétoscope et le vidéodisque sont des produits qui s'excluent mutuellement, comme le sont la caméra super 8 et la caméra vidéo ou la photographie électronique (type Mavica de Sony) et la photographie traditionnelle. Passé le premier moment d'enthousiasme, les utilisateurs attendent aussi des services réels de la part des équipements qui leur sont proposés. Il n'est qu'à voir l'évolution des ventes de jeux électroniques ou les débuts un peu difficiles de l'ordinateur familial pour s'en convaincre. S'il apparaît probable que la vie des Français sera demain marquée par l'avènement des produits issus des technologies de pointe, la vraie révolution des modes de vie ne sera peut-être que pour après-demain. Il n'y aurait donc pas lieu, dans ce cas, d'en être effrayé par avance.

## Pollution : la rançon du progrès

Les révolutions industrielles ont apporté le progrès matériel à une partie de l'humanité. Mais elles ont créé de nouveaux problèmes au fur et à mesure qu'elles en résolvaient. La pollution atmosphérique, le bruit, les difficultés de circulation sont la rançon de plusieurs décennies d'un développement sans précédent. La technologie peut être la meilleure amie de l'homme ou le mener à sa perte. Mais c'est encore à elle que l'homme fait appel lorsqu'il veut s'attaquer aux nuisances dont elle est la cause...

*La qualité de l'air s'améliore depuis 10 ans.*

La pollution atmosphérique a en moyenne fortement diminué dans la majorité des grandes villes françaises. Les résultats obtenus sont dus au développement des réseaux de surveillance et de mesure installés progressivement, en conformité avec les directives européennes. Ils sont dus également aux efforts effectués pour réduire la pollution à la source (usines, logements, véhicules). On constate encore des disparités importantes entre les agglomérations. Mais la comparaison est difficile, puisqu'il faudrait tenir compte à la fois du type de polluant (anhydride sulfureux, particules en suspension) et des variations du niveau atteint au-delà des valeurs moyennes indiquées.

*La qualité de l'eau de consommation s'est dégradée dans certaines régions.*

C'est le cas en particulier dans le Nord, l'Alsace et le Bassin parisien, où les eaux souterraines (qui représentent l'essentiel des eaux distribuées) sont infiltrées par des effluents pollués issus des activités domestiques et industrielles. Les teneurs en nitrates des nappes souterraines augmentent régulièrement depuis une dizaine d'années. L'agriculture rompt l'équilibre de l'azote dans le sol et libère des quantités importantes de nitrates qui se retrouvent dans les nappes. Selon les spécialistes, cette dégradation ne pourra pas se ralentir avant au moins une quinzaine d'années. La complexité de l'agriculture moderne et les contraintes économiques qui pèsent sur elle font en effet que l'évolution des pratiques et de l'emploi des engrais ne peut être que lente.

## Les Styles de Vie et la Science

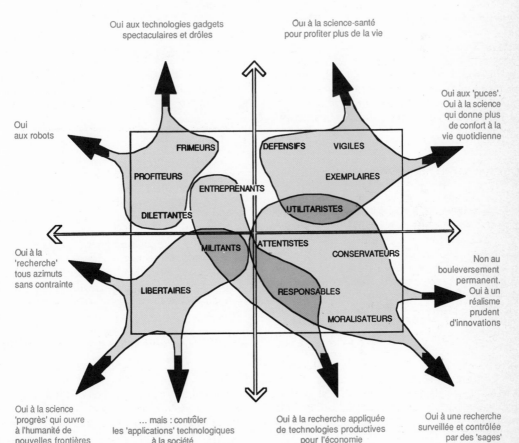

Pour lire la carte, voir la description des Styles de Vie en fin de volume.

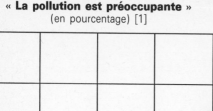

« **La pollution est préoccupante** »
(en pourcentage) [1]

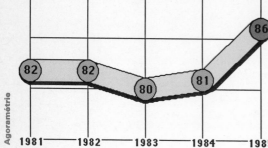

1981    1982    1983    1984    1985

[1] Cumul des réponses « entièrement d'accord » et « bien d'accord »
à l'affirmation proposée.

*La salubrité des plages*
*s'est récemment améliorée,*
*mais 30 % d'entre elles restent polluées.*

La pollution des plages (et du milieu marin
en général) provient de plusieurs sources :
déversements accidentels (ou involontaires)
des navires ; produits transportés par les
fleuves ; pollutions domestiques et industrielles.

Après s'être détériorée jusqu'en 1978, la
situation est un peu plus favorable depuis
quelques années. Il n'en est pas de même pour
les autres lieux de baignade. Plus de la moitié
des rivières ont une eau de mauvaise qualité
ou momentanément polluée. Pour les bai-
gneurs qui ne vont pas à la mer, mieux vaut
choisir les étangs ou les lacs, qui sont moins
fréquemment pollués que les rivières.

*C'est le bruit qui gêne le plus les Français.*
*• 18 000 plaintes enregistrées en 1984, dont*
*plus de la moitié à Paris (9 700).*
*• Le coût annuel est évalué à 25 milliards*
*de francs.*

Considéré par les Français comme la
principale nuisance, le bruit serait à l'origine
de nombreuses maladies. Selon le C.D.I.A., on
lui impute 15 % des journées de travail perdues
chaque année et 20 % des internements

psychiatriques, sans oublier la consommation
de certains types de médicaments (somnifères,
hypnotiques...). Les experts estiment que deux
millions de personnes travaillent dans un
environnement où le niveau sonore est dangereux pour la santé (ouvriers de la sidérurgie,
personnel de certains magasins, etc.). Une
grande partie de la population est exposée aux
agressions du bruit et à ses répercussions sur
l'organisme : accélération du pouls, de la
tension artérielle, fatigue, nervosité, etc. qui
sont parfois la cause de drames (on se souvient
de l'assassinat d'un jeune Maghrébin tué par
un adulte excédé de ne pouvoir dormir).

Les griefs le plus souvent évoqués sont les
aboiements de chiens. Plus dans les villes qu'à
la campagne, où ils sont pourtant plus nombreux. Les chaînes hi-fi, les outils utilisés après
22 heures, les disputes, les pianos et autres
instruments de musique arrivent immédiatement après. Dans les villes, les nouvelles
sirènes des voitures de police, la multiplication
des systèmes d'alarme (dont beaucoup se
déclenchent de façon intempestive) n'ont pas
amélioré le niveau, déjà élevé, du bruit ambiant. Les jeunes, amateurs de musique forte,
sont souvent accusés de gêner leur entourage.
Outre la considération de leurs voisins, ils
risquent ainsi de perdre une partie de leur
acuité auditive. Les spécialistes considèrent
que beaucoup de jeunes gens ont aujourd'hui
une ouïe déficiente.

*Les véhicules polluent de trois façons.*

Les voitures, motos, motocyclettes ou
camions ne se contentent pas de perturber la vie
des villes (et de certaines campagnes) par le
bruit. Ils contribuent largement à deux autres
types de pollution : celle de l'atmosphère et celle
de la circulation. Dans ce dernier domaine, les
choses ont tendance à empirer. Les rues des
villes et les routes des banlieues sont chaque
jour le théâtre d'étranges migrations dont la
plupart se font dans la lenteur et l'énervement.
À Paris, par exemple, les voitures qui entrent
chaque matin sont plus nombreuses que celles
qui sortent. Il suffit de quelques pourcents de
véhicules en plus de la normale pour que les
embouteillages commencent : 100 000 voitures
circulent sans difficulté dans les rues de la
capitale ; à 110 000, la paralysie est proche.

La vie en société

## En vrac

⑤    44 % des Français font plutôt confiance à la justice ; 47 % sont de l'avis contraire (9 % ne se prononcent pas).
● On a compté en 1985 64 prises d'otages en France, contre 53 en 1984.
● Il y a eu en 1985 près de 3 500 feux de forêt (contre 2 700 en 1984) couvrant au total 45 000 hectares.
● 52 % des dépenses d'assurances des Français concernent l'automobile, 20 % le logement, 20 % l'assurance-vie, 3 % les deux-roues, 5 % les autres risques.
● 71 % des Français sont favorables aux contrôles d'identité à titre préventif, 25 % sont contre, 4 % n'ont pas d'opinion.
⑤    Pour lutter contre la surpopulation des prisons, 73 % des Français pensent qu'il faudrait emprisonner moins de personnes en utilisant plus souvent les peines de substitution ; 13 % estiment qu'il faudrait augmenter le budget de la justice et construire de nouvelles prisons.
⑤    86 % des Français sont favorables à la fécondation « in vitro » (bébés-éprouvettes) ; 14 % sont contre.
⑤    51 % des Français sont favorables à l'insémination artificielle contre 49 %. 40 % seraient prêts à donner leur sperme ou leurs ovules, 60 % non.
⑤    75 % des Français sont favorables au principe des mères porteuses, contre 25 %.
⑤    59 % des Français considèrent que, si une nouvelle technique médicale permettait aux hommes d'être « enceints », ce serait là une monstruosité ; 22 % considèrent au contraire que ce serait un progrès (19 % ne se prononcent pas).

# L'Image de la France

que les moyens dont il dispose ne sont rien d'autre que ceux qui lui sont fournis par les citoyens. L'image de l'État fabriquant et distribuant les richesses est en train de disparaître de l'inconscient collectif pour faire place à celle, plus réaliste, de l'État coordonnant l'activité de production dans une perspective à long terme et s'efforçant de la répartir d'une façon équitable.

## ÉTAT

*Les Français éprouvent vis-à-vis de l'État des sentiments complexes. S'ils restent attachés aux institutions, ils condamnent la bureaucratie qui les étouffe. La contradiction n'est pas nouvelle, mais elle prend une autre dimension au moment où le citoyen demande à la fois plus de sécurité et plus de liberté.*

## De l'État-permanent à l'État-d'exception

Les Français n'ont jamais vraiment souhaité un État-providence. Tout au plus ont-ils imaginé au cours des années 70 que l'État tout-puissant pourrait les protéger des conséquences d'une crise qu'ils voulaient ignorer. Les années passées les ont peu à peu convaincus de deux vérités fondamentales. La première est que l'État ne peut pas lutter seul contre une tempête planétaire. La seconde est

### Haro sur le gouvernement

« Le gouvernement est inefficace » (en pourcentage) [1].

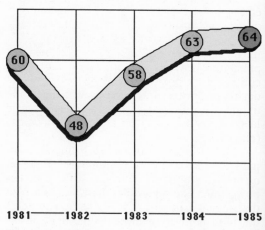

[1] Cumul des réponses « bien d'accord » et « entièrement d'accord » à l'affirmation proposée.

La bureaucratie a toujours agacé les Français. Depuis Courteline, les auteurs de théâtre et les chansonniers l'ont souvent tournée en dérision. Mais ce ne sont plus seulement les tracasseries administratives qui sont dénoncées par les Français. Plus que leur temps, c'est une partie de leur liberté qu'ils craignent de perdre dans leurs rapports avec l'État.

*Il y avait en 1985*
*2 600 000 fonctionnaires,*
*mais 6 700 000 actifs dépendent de l'État.*

C'est Bonaparte qui, le 17 février 1800, inventa l'Administration, installant dans chaque région un préfet chargé de veiller à une meilleure égalité des citoyens devant l'État. Depuis, le secteur public a connu une croissance impressionnante. Celle-ci s'explique de deux façons. D'abord, le progrès social et le développement économique ont accru le nombre des tâches non productives ; qui d'autre que l'État pouvait prendre en charge des activités a priori non rentables ? La seconde raison est plus triste, mais tout aussi importante : les guerres ont à plusieurs reprises détruit une partie du potentiel économique national : l'État a dû, chaque fois, organiser sa reconstruction.

*Les Français se sentent étouffés*
*par la bureaucratie.*

La croissance phénoménale de la pieuvre étatique aura permis la généralisation des différentes formes d'assistance souhaitées par les Français : sécurité sociale, retraite, chômage, allocations familiales, etc. Toutes ces prestations ont sans aucun doute largement contribué au progrès social de ces quarante dernières années. Elles ont aussi agi comme un amortisseur (ou retardateur ?) des effets de la crise sur ceux qui en étaient les victimes (chômeurs).

Mais trop, c'est trop. Les Français n'ont pas, en majorité, cette mentalité d'assistés qu'on leur prête si souvent. Une fois ces protections indispensables assurées, ils n'en demandent pas plus. Car ils sont conscients que toute nouvelle avancée risquerait de porter atteinte à leur capacité de maîtriser leur propre destin. Ils savent aussi que le financement de nouvelles interventions de l'État viendrait s'ajouter au poids, déjà élevé, de leurs impôts.

*Les Français savent aujourd'hui*
*que l'État, c'est eux.*

Conscients de représenter la force de production et de payer pour que le système

### 4,5 millions de fonctionnaires (1)
### 1 salarié sur 4 dépend de l'État

Part du secteur public dans la population active ( %).

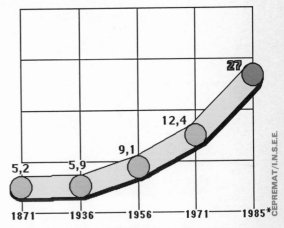

(1) Estimation incluant les 800 000 agents des collectivités territoriales.

### Trop d'État, pas d'État

« Il y a trop de fonctionnaires » (en pourcentage) [1].

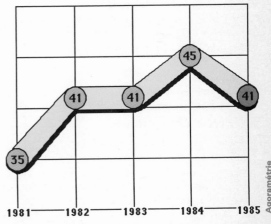

(1) Cumul des réponses « bien d'accord » et « entièrement d'accord » à l'affirmation proposée.

fonctionne, ils souhaitent légitimement être les vrais détenteurs du pouvoir. Ils sont par ailleurs de plus en plus « chatouilleux » sur le plan de la liberté individuelle. Ils acceptent difficilement les contraintes qui leur sont imposées par un État-glouton, contrôlant la moitié de l'outil de production, légiférant à tour de bras, jouant parfois les inquisiteurs.

## Aide-toi, et l'État t'aidera

Ce n'est pas un État-permanent, utile mais stérilisant, que veulent les Français. Leurs souhaits vont au contraire vers une sorte d'État-d'exception dont le rôle serait d'intervenir seulement en faveur des plus défavorisés (malades, chômeurs, retraités, handicapés, etc.), tout en laissant les autres s'occuper de leurs affaires. Cela implique un nouveau type de rapport avec les pouvoirs publics et les institutions, permettant à l'individu de garder la maîtrise de son environnement immédiat (quartier, commune, région) en liaison avec les collectivités locales.

### Tous républicains

• Lorsqu'on les interroge sur le meilleur système politique pour la France d'aujourd'hui, 63 % des Français choisissent la République, 17 % un gouvernement d'autorité, 12 % la démocratie populaire (7 % ne se prononcent pas).

• Les meilleurs symboles, à leurs yeux, de la République sont, par ordre décroissant : la défense des libertés, le suffrage universel, la défense de la patrie, la séparation des pouvoirs (exécutif, législatif, judiciaire), l'école laïque, l'existence d'un État, l'héritage de la Révolution française.

• 53 % estiment que la démocratie française fonctionne très bien ou assez bien ; 42 % pensent qu'elle ne fonctionne pas très bien ou pas bien du tout (5 % ne se prononcent pas).

*En démocratie, il n'y a pas de pouvoir sans contre-pouvoir.*

Les citoyens laissent volontiers à l'État la responsabilité d'intervenir dans les domaines d'intérêt public, afin d'assurer la justice sociale et l'égalité (bien qu'ici les définitions proposées divergent quelque peu), par les mécanismes de répartition de la richesse nationale. Mais ils demandent, en contrepartie, un véritable droit de contrôle, garanti par des moyens de pression efficaces. C'est ce qui explique l'essor actuel des mouvements associatifs, du corporatisme et l'attachement à la liberté et à l'indépendance des médias. C'est ce qui explique aussi le rôle joué par le « quatrième pouvoir », celui des médias, leur influence dans le jeu démocratique n'est plus à démontrer.

### La crise de confiance

Avez-vous plutôt confiance ou plutôt pas confiance dans... (en pourcentage)

| | Plutôt confiance | Plutôt pas confiance | Sans opinion | *Ecart* (1) *1985/1982* |
|---|---|---|---|---|
| Les institutions de la Vᵉ République .......... | 56 | 14 | 30 | – 1 |
| L'administration ............................. | 52 | 30 | 18 | – 4 |
| Les conseils régionaux ...................... | 53 | 15 | 32 | – 3 |
| Les conseils généraux....................... | 54 | 15 | 31 | – 2 |
| Les conseils municipaux..................... | 67 | 17 | 16 | – 5 |
| Le président de la République .............. | 49 | 33 | 18 | – 11 |
| Le Premier ministre ........................ | 45 | 37 | 18 | – 9 |
| Le Conseil constitutionnel .................. | 47 | 18 | 35 | – 3 |
| Les ministres............................... | 41 | 35 | 24 | – 7 |
| Les députés................................ | 44 | 32 | 24 | – 6 |
| Les maires................................. | 73 | 14 | 13 | – 2 |
| Les hommes politiques en général .......... | 25 | 55 | 20 | – 4 |
| Les partis politiques en général ............ | 18 | 59 | 23 | – 4 |

(1) sur les réponses « plutôt confiance »

## Institutions :
## je t'aime, moi non plus

Les Français vivent avec leurs institutions une étrange histoire d'amour. S'ils dénoncent fréquemment leurs travers, ils leur reconnaissent volontiers des mérites. Les administrations et services publics font partie du patrimoine national et le monde, paraît-il, nous les envie. Cela n'empêche pas les Français de les vouer, parfois, aux gémonies.

### *Des vieilles dames plus ou moins dignes.*

Lorsqu'on les interroge sur leur perception des grandes institutions, les Français expriment un avis contradictoire : accord unanime sur leur nécessité ; réserves importantes sur leur fonctionnement.

L'une des plus mal-aimées est la justice. Les réformes réalisées depuis 1982 ont, semble-t-il, été mal acceptées par une large fraction du public. L'abolition de la peine de mort est à ses yeux le symbole du « laxisme » actuel à l'égard de la délinquance.

La « cote d'amour » des services secrets a, quant à elle, beaucoup souffert de l'affaire Greenpeace et de ses conséquences pour l'image de la France à l'étranger.

À l'inverse, la police a vu son image s'améliorer de façon spectaculaire au cours des dernières années. Les succès remportés dans la lutte contre les grands criminels ou le trafic de la drogue n'y sont sans doute pas étrangers. Les vedettes comme le commissaire Broussard ou les membres du G.I.G.N. (malgré quelques « bavures ») ont aidé à cette réhabilitation. Et les manifestations des policiers dans la rue ainsi que la mort en service de certains ont permis aux Français de découvrir que, sous les uniformes, se cachent des êtres humains.

### L'idée fisc

« Il faut frauder le fisc » (en pourcentage) [1]

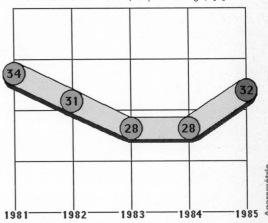

[1] Cumul des réponses « bien d'accord » et « entièrement d'accord » à l'affirmation proposée.

### La question de confiance

Avez-vous plutôt confiance ou plutôt pas confiance dans ces institutions ? (en pourcentage)

| | Plutôt confiance | Plutôt pas confiance | Sans opinion | *Écart (1) 1985/1982* |
|---|---|---|---|---|
| La police | 74 | 20 | 6 | = |
| Les lois | 56 | 33 | 11 | − 4 |
| Le Parlement | 42 | 30 | 28 | − 9 |
| L'armée | 62 | 23 | 15 | + 1 |
| Les services secrets | 35 | 30 | 35 | (*) |
| La justice | 44 | 47 | 9 | = |
| L'école | 74 | 19 | 7 | + 4 |
| L'université | 63 | 15 | 22 | + 6 |
| Les grandes écoles | 71 | 9 | 20 | + 2 |
| L'Église catholique | 52 | 26 | 22 | − 1 |

(*) Ne figuraient pas en 1982.
(1) sur les réponses « plutôt confiance »

*Le Nouvel Observateur –
TF1/Sofres (20 décembre 1985)*

Un phénomène semblable s'est produit pour l'école, très bien notée aujourd'hui après les soubresauts qui se sont produits au moment où l'avenir de l'école libre était en jeu.

*L'image des services publics souffre de l'absence de concurrence.*

Le jugement que les Français portent sur les services publics (P.T.T., E.D.F./G.D.F., S.N.C.F., Air France, Air Inter, R.A.T.P. ...) est globalement favorable. Et leurs critiques sont davantage liées au système administratif qu'à la carence des employés. Ils regrettent néanmoins la situation de monopole, jugée défavorable à la qualité du service. Les moyens de

### La fraude fiscale coûte au moins 100 milliards de francs par an

La fraude fiscale est bien un délit, même si beaucoup de Français n'en sont pas convaincus. C'est même, de très loin, celui qui coûte le plus à la collectivité : plus de 20 % du P.I.B., un dixième du budget de l'État ! Il faut préciser que la chasse aux fraudeurs est payante, puisqu'elle a rapporté en 1984 plus de 20 milliards de francs sous forme de redressements.

Des études montrent que le contribuable français, contrairement à une légende tenace, n'est pas plus mauvais citoyen que son homologue anglais, allemand, américain ou surtout italien (le montant d'impôts payé est là-bas quatre fois inférieur à ce qu'il devrait être).

## Les Styles de Vie et la France

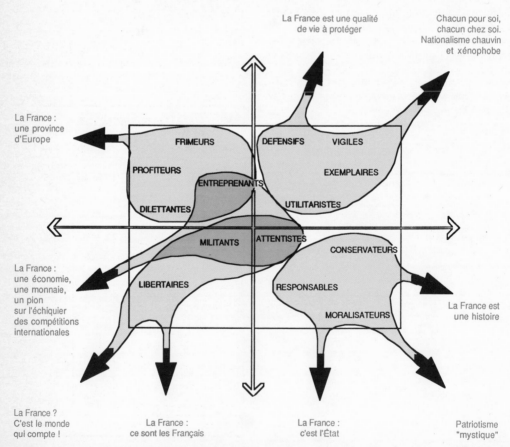

Pour lire la carte, voir la description des Styles de Vie en fin de volume.

Services publics : assez bons, mais pourraient (peut-être) mieux faire.

communication (téléphone, poste) arrivent en tête après une longue période de désaffection. Les compagnies aériennes ont, semble-t-il, perdu de leur magie en même temps qu'elles sont devenues accessibles au plus grand nombre. À l'époque du T.G.V. et des embouteillages pour accéder aux aéroports, le train est préféré à l'avion.

# POLITIQUE

*L'alternance aura permis aux Français de faire le point sur leurs relations avec la politique. Face à des partis qui ne leur inspirent guère l'enthousiasme, ils se tournent vers d'autres visions de la société, incarnées par d'autres hommes. Et les vieilles querelles droite-gauche leur paraissent d'un autre temps.*

## Garde-toi à droite, garde-toi à gauche

Il y avait ceux qui, par conviction ou par habitude, se réclamaient de la droite, garante de la prospérité économique et du libéralisme.

### Le flux et le reflux

Évolution des rapports droite/gauche depuis 1974 (%).

|  | GAUCHE | ÉCOLO-GISTES ET INCLAS-SABLES | DROITE |
|---|---|---|---|
| Élection présidentielle de 1974 (2e tour) | 49,4 | – | 50,6 |
| Élections cantonales de 1976 (1er tour) | 52,5 | – | 47,5 |
| Élections municipales de 1977 (1) (1er tour) | 50,8 | 2,9 | 46,3 |
| Élections législatives de 1978 (1er tour) | 49,4 | 2,7 | 47,9 |
| Élections européennes de 1979 | 47,4 | 4,5 | 48,1 |
| Élection présidentielle de 1981 (1er tour) | 47,3 | 3,9 | 48,8 |
| (2e tour) | 52,2 | – | 47,8 |
| Élections législatives de 1981 (1er tour) | 55,8 | 1,1 | 43,1 |
| Élections cantonales de 1982 (1er tour) | 48,1 | 2,0 | 49,9 |
| Élections municipales de 1983 (1) (1er tour) | 44,2 | 2,2 | 53,6 |
| Élections législatives de 1986 | 42,5 | 3,0 | 54,5 |

(1) Villes de plus de 30 000 habitants.

La crise, dès 1973, ne les avait pas inquiétés. Il ne faisait pas de doute pour eux que le pouvoir, après avoir identifié le virus, allait bientôt fabriquer le vaccin.

1981 les trouva donc fort étonnés d'être toujours malades. Un certain nombre d'entre eux décidèrent alors de changer de médecin.

Il y avait ceux qui, par idéalisme ou par tradition, se réclamaient de la gauche, seule capable à leurs yeux de mettre en œuvre une véritable justice sociale. Après 23 ans de frustrations, ils donnèrent libre cours à leur joie du printemps 81. Plusieurs printemps après, les impôts étaient plus lourds, le chômage plus élevé, le franc plus bas. Pour beaucoup, le rêve était fini...

Par le biais de l'alternance, les Français se sont donc enrichis d'une expérience nécessaire. Mais ils se sont appauvris d'une espérance qui ne l'était pas moins. Entre une gauche qui a failli et une droite qui se cherche, le doute s'est installé dans leur esprit. C'est tout le système politique qui perd à leurs yeux sa crédibilité. Entraînant du même coup ses responsables et ses partis.

*En 5 ans, l'érosion
du « peuple de gauche » est manifeste.*

Après quelques années de pouvoir, dans une conjoncture difficile, et malgré quelques réussites indéniables (la baisse de l'inflation, l'amélioration de la balance commerciale...), la gauche avait perdu en crédibilité sociale ce qu'elle avait gagné en crédibilité économique. Les élections législatives du 16 mars 1986 ont donc provoqué le retour de la droite aux affaires du pays, dans un climat qui, d'ailleurs, ne s'apparentait guère à « l'état de grâce » de 1981.

L'examen des sondages montre que c'est à l'occasion des plans de rigueur de juin 1982 et mars 1983 que la gauche a perdu une partie de ses électeurs traditionnels.

Le renversement de tendance s'est opéré en trois phases successives :
• **aux élections cantonales de mars 1982,** la gauche devient minoritaire avec 48,1 % des voix. C'est la fin de l'état de grâce ;
• **aux élections municipales de 1983,** la défaite de la gauche est beaucoup plus sévère. 30 villes de plus de 10 000 habitants changent

de camp. La gauche ne devance plus la droite que dans moins d'un tiers des départements ;
• **en 1984, au cours de la succession d'élections partielles** (cantonales, municipales ou législatives), de nouveaux reculs de la gauche conduisaient à un rapport de forces voisin de 45/55 en faveur de la droite. Ces chiffres allaient être en partie confirmés par l'élection de mars 1986 (voir tableau page précédente).

*Le recul du parti communiste
est encore plus marqué que celui du P.S.
En 25 ans, le P.C. a perdu plus de la
moitié de son électorat.*

La montée en puissance du parti socialiste entre 1974 et 1981 s'était faite en grande partie au détriment de son difficile partenaire dans l'Union de la gauche, le parti communiste. La lente érosion du P.C. se traduisait par le mauvais score de Georges Marchais à l'élection présidentielle de 1981 : 15,5 % des voix. Les dirigeants communistes ne voulurent voir dans ce déclin qu'un accident de parcours, lié au mécanisme constitutionnel de la Ve République.

Ces chiffres furent confirmés par les différents scrutins qui suivirent : 16,1 % aux législatives de juin 1981, 15,9 % aux cantonales de mars 1982, 11,2 % aux élections européennes de juin 1984, 9,7 % aux législatives de mars 1986. Le P.C. a ainsi perdu en 10 ans environ la moitié de ses voix. Une perte encore plus importante que celle qu'il avait accusée en 1958, au moment du retour du général de Gaulle (le parti communiste était alors brusquement tombé de 26 à 19 % des voix).

Entre 1981 et 1983, la stratégie de solidarité apparente du P.C. vis-à-vis du P.S. n'a pas profité aux communistes. C'est sans doute pourquoi elle a évolué en 1984 vers une stratégie de défiance, marquée par l'opposition aux plans de restructuration industrielle du gouvernement et par le rappel des engagements pris en 1981. Le « vote de confiance » d'avril 1984 dissimulait mal la détérioration des relations entre les deux partenaires. Celle-ci trouvait son aboutissement logique avec le départ des ministres communistes du gouvernement en juillet 1984 et l'invention par le P.C. d'une forme particulière d'opposition : « l'abstention positive ».

*L'apprentissage du pouvoir
a fait perdre des voix à la gauche.*

On peut s'interroger sur les raisons de la perte d'influence de la gauche depuis l'élection triomphale de François Mitterrand à la présidence. Elles sont sans aucun doute liées à la déception de ses électeurs quant aux résultats obtenus sur certains fronts de l'économie : chômage, tenue du franc, endettement, etc. Rien ne permet bien sûr d'affirmer qu'une autre politique aurait abouti à de meilleurs résultats. Il semble en tout cas que l'apprentissage d'un pouvoir dont elle avait été écartée pendant 23 ans n'a pas été facile pour la gauche, prise entre l'idéologie et l'obstination des faits. Et ce n'est pas par hasard que les faits (et le réalisme qu'ils inspirent) ont pris, en particulier depuis le deuxième semestre 1984, une revanche éclatante sur l'idéologie.

## La droite mobilise, mais ne passionne pas

Face à cette déception réelle vis-à-vis d'une politique qui n'a pas convaincu, on aurait pu croire que les Français se précipiteraient dans le camp de l'opposition. Même si les élections législatives de mars 1986 ont été gagnées par la droite, ses électeurs n'ont pas fait preuve à son égard d'un enthousiasme excessif.

Du côté des leaders, du moins jusqu'aux élections de mars 1986 (sa cote baissa pendant la « cohabitation »), c'est, semble-t-il, Raymond Barre qui tira le mieux son épingle du jeu et apparut comme un redoutable concurrent dans le « combat des chefs » qui aura lieu d'ici à 1988. On ne peut s'empêcher de noter que, des quatre grands leaders de la droite (Jacques Chirac, Valéry Giscard d'Estaing, Simone Veil et Raymond Barre), ce sont les deux plus « démarqués » des partis de droite (les deux derniers) qui bénéficient de la meilleure image et des meilleures cotes de popularité.

*Les différences entre droite et gauche
se sont estompées en matière économique.*

Les critères traditionnels de différenciation entre gauche et droite (la première serait la championne de la politique sociale, la seconde serait la spécialiste de l'économie) sont de moins en moins significatifs. Pendant ses cinq années au pouvoir, la gauche s'est appliquée, au-delà de ses réformes sociales, à démontrer qu'elle était capable de gérer. Après les quelques « ratés » du début, elle a effectivement obtenu des résultats spectaculaires, en maîtrisant l'inflation, ou en équilibrant les comptes de la Sécurité sociale. Les partenaires occidentaux, dont certains sont peu suspects de sympathie vis-à-vis du socialisme (États-Unis, Grande-Bretagne), ont d'ailleurs reconnu au gouvernement Fabius quelques qualités. Il faut souligner aussi que c'est sous un gouvernement de gauche que la Bourse a battu tous ses records de hausse (+ 56 % en 1985 !).

De son côté, la droite s'efforce d'apparaître comme le champion d'une sorte de libéralisme à visage humain, qui ne mettrait pas en cause les acquis sociaux de la période 1981-85, et se donnerait comme priorité de créer des emplois, dans un pays qui n'a cessé d'en perdre depuis quelques années.

Il reste que les Français ne perçoivent pas de façon très nette la différence entre le pragmatisme de gauche dont se réclamait Laurent Fabius, et le néolibéralisme prôné par la droite.

*La montée du mécontentement a favorisé
la forte ascension de l'extrême droite.*

Les temps difficiles sont souvent propices aux discours « musclés » des hommes à poigne qui parlent d'ordre et d'autorité. Il est clair qu'une majorité de Français sont aujourd'hui demandeurs de plus d'ordre, aussi bien sur le plan économique que social. Le langage du Front national ne les laisse donc pas insensibles. Le slogan de Jean-Marie Le Pen inauguré pour les élections européennes (« les Français d'abord ») a fait mouche auprès des Français tentés par le repli sur soi, l'individualisme, le protectionnisme et la xénophobie. D'abord réticents vis-à-vis de cette démarche peu généreuse, ces Français se sont laissés persuader que la sortie de la crise passait par des solutions énergiques. « Qui veut la fin veut les moyens », semblent-ils dire, surtout lorsqu'il est question de sa propre survie. C'est ce qui explique le score du Front national en mars 86.

### L'effet Le Pen

Il aura fallu peu de temps au Front national pour passer de la marginalité à la notoriété : 0,75 % des voix à l'élection présidentielle de 1981 ; 11 % aux élections européennes de juin 1984, 9,8 % aux législatives de 1986. L'extrême droite a, depuis quarante ans, des odeurs de soufre et son renouveau actuel ne peut être pris à la légère. Certes, le discours de son leader, en particulier dans les grands médias, tente de donner du parti une image plus « recommandable ». Mais le discours qui est tenu sur le terrain est beaucoup moins nuancé. Ce sont précisément les solutions énergiques préconisées par le Front national à l'égard des immigrés et autres supposés « parasites » de la nation qui plaisent à une frange croissante d'électeurs. Pour un nombre non négligeable de Français, Le Pen est avant tout celui qui parle des « vrais problèmes », même s'il est par ailleurs considéré comme quelqu'un d'excessif, voire même de dangereux.

### Les politiciens mal-aimés

« En général, les hommes politiques sont des gens bien » (en pourcentage) [1]

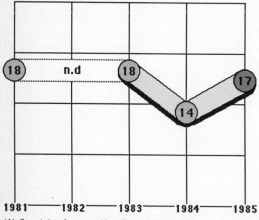

Agoramétrie

(1) Cumul des réponses « bien d'accord » et « entièrement d'accord » à l'affirmation proposée.

## Ni gauche ni droite, la France ambidextre

Tous les sondages le montrent, les Français sont las de l'éternelle dichotomie droite-gauche qui détermine le jeu politique depuis

si longtemps. Ayant fait l'expérience de deux façons successives d'aborder la crise, ils ont été déçus par l'une et par l'autre, bien que pour des raisons différentes. C'est pourquoi ils manifestent aujourd'hui un désintérêt croissant pour la « politique politicienne ». Cette désaffection concerne aussi bien les partis que les hommes qui sont à leur tête. L'image qu'ils en ont n'est, en effet, pas bonne et les diverses « affaires » semblent avoir desservi autant ceux qu'elles ont mis en cause que ceux qui les ont rendues publiques. Ce mouvement de rejet s'étend de plus en plus aux parlementaires de tous bords, dont les débordements de langage et les marques d'intolérance ne sont guère appréciés. C'est donc une France néopoujadiste mal disposée envers les jeux de la politique que les partis devront s'efforcer de reconquérir dans les prochaines années.

### Le marché aux « affaires »

« L'affaire des diamants » avait eu en son temps un certain retentissement sur l'image de l'ancien président de la République. Certains affirment même qu'elle n'est pas étrangère à son échec de mai 1981. La fin 83 et le début 84 auront été marqués par l'affaire Elf-Erap, dite des « avions renifleurs », qui a bénéficié d'une couverture exceptionnelle dans tous les médias. 1985 fut l'année de Greenpeace, affaire d'espionnage louche et tragi-comique, jouée par des agents bien peu secrets. 1986 fut marquée par les rebondissements de l'affaire des otages français au Liban dont le dénouement fut retardé et assombri par quelques « bavures » de la diplomatie française (expulsion des deux Irakiens condamnés à mort dans leur pays...). L'impression qui domine se résume simplement : « La politique est pourrie, et tous les hommes politiques sont à mettre dans le même sac. » La complexité des affaires, l'utilisation polémique qui en est faite et la quasi-certitude de ne jamais connaître la vérité les renforcent dans ce jugement. Si les scandales continuent de ternir l'image de ceux qui sont impliqués (il n'y a pas de fumée sans feu...), ils n'embellissent pas pour autant celle des hommes ou des partis qui s'efforcent d'en tirer profit. Bien mal acquis ne profite jamais...

*Les causes sociologiques du clivage gauche-droite s'estompent.*

L'appartenance à une classe sociale, elle-même fortement dépendante du milieu d'origine, fut pendant longtemps une raison essentielle de préférences politiques. L'existence de la lutte des classes rangeait les prolétaires à gauche et les bourgeois à droite. Le brassage des professions et des idées a rendu ce découpage moins net, même s'il est toujours d'actualité. Le vaste groupe central qui se constitue depuis trente ans se caractérise par une conception moins « binaire », sinon centriste, de la politique.

De la même façon, l'âge, le sexe, le lieu d'habitation et le revenu sont des indicateurs de moins en moins fiables des sympathies politiques. Seule la religion reste encore un fort déterminant : 62 % des catholiques expriment une préférence pour la droite, contre 36 % pour la gauche. La différence est beaucoup plus marquée chez les catholiques pratiquants réguliers : 76 % disent voter à droite, 14 % à gauche. Mais il faut préciser qu'ils ne représentent plus aujourd'hui que 15 % de la population.

### Les bases d'un consensus national existent.

Face aux grands acquis de la société démocratique, les Français ont une attitude relativement homogène, qui transcende largement l'appartenance à un parti ou à une catégorie sociale. Ils restent très attachés aux droits fondamentaux associés à la qualité de citoyen. Sur les grands problèmes de l'époque (libertés, indépendance nationale, modernisation, etc.), ils sont assez largement d'accord, à des majorités souvent supérieures à 60 % (les « 2 Français sur 3 » dont parle Valéry Giscard d'Estaing ?), sans réelle distinction selon l'appartenance politique. La crise n'a pas eu que des effets négatifs.

Ainsi, malgré les consignes des partis, qui tendent à s'affirmer plus par leurs différences que par leurs convergences, les lignes de force d'un consensus se dessinent peu à peu. Un consensus d'autant plus large qu'il traduit bien l'attachement général aux différentes formes de la liberté individuelle. Mais les dernières années ont aussi montré une progression très nette du consensus dans des domaines qui divisaient traditionnellement les Français : la modernisation industrielle par exemple. Une évolution importante due à la fois à une moindre dépendance vis-à-vis des partis et à une meilleure connaissance des réalités économiques.

---

### Les Français rêvent d'union nationale

À quatre mois des élections législatives de mars 1986, les Français, interrogés sur le gouvernement idéal, ont fait des choix très œcuméniques ; qui reflètent un net recul des dogmatismes :

**Le gouvernement idéal des sympathisants de droite**
- Premier ministre : Raymond Barre
- Ministre de l'Économie et des Finances : Raymond Barre
- Ministre des Affaires sociales : Dominique Baudis
- Ministre de l'Intérieur : Jacques Chirac
- Garde des Sceaux, ministre de la Justice : Robert Badinter
- Ministre des Affaires étrangères : Valéry Giscard d'Estaing
- Ministre de l'Agriculture : Michel Rocard
- Ministre de la Défense : Jacques Chaban-Delmas
- Ministre de l'Industrie : Bernard Tapie
- Ministre de l'Éducation nationale : Jean-Pierre Chevènement
- Ministre de la Culture : Jack Lang
- Ministre de la Jeunesse et des Sports : Guy Drut

**Le gouvernement idéal des sympathisants de gauche**
- Premier ministre : Michel Rocard
- Ministre de l'Économie et des Finances : Jacques Delors
- Ministre des Affaires sociales : Lionel Jospin
- Ministre de l'Intérieur : Pierre Mauroy
- Garde des Sceaux, ministre de la Justice : Robert Badinter
- Ministre de l'Agriculture : Édith Cresson
- Ministre de la Défense : Pierre Bérégovoy
- Ministre de l'Industrie : Bernard Tapie
- Ministre de l'Éducation nationale : Jean-Pierre Chevènement
- Ministre de la Culture : Jack Lang
- Ministre de la Jeunesse et des Sports : Alain Calmat

*Le Parisien/Louis Harris (7 novembre 1985)*

---

## Le grand vent libéral

Les Français aiment les grandes idées générales, celles qui permettent une représentation globale du monde. N'apercevant plus guère « d'homme-providence » dans le paysage politique, c'est sur les « idées-providence » qu'ils se rabattent. Le libéralisme est la dernière en date. Les raisons de son succès actuel sont multiples : le libéralisme prêche la réduction du rôle de l'État (« l'État-gérant » devient « l'État-garant »), l'accroissement des libertés collectives et individuelles, la reconnaissance du rôle essentiel de l'entreprise et de l'économie de marché...

Bref, la solution à la crise passerait par une systématisation du jeu de la concurrence, une plus grande flexibilité des individus, des structures et des décisions, afin de faciliter l'adaptation à un environnement changeant.

*Les principes du libéralisme
sont en harmonie avec
les grands courants sociaux du moment.*

Il n'est donc pas surprenant que le libéralisme, qui en est le concept fédérateur, ait pu s'installer aussi vite et aussi fort dans l'opinion. Il faut ajouter l'impact des exemples étrangers, en particulier celui des États-Unis. D'abord considérées avec scepticisme, ces expériences ont peu à peu intéressé les Français par leurs résultats les plus récents : création d'emplois, retour à la croissance, etc.

Il reste pourtant aux Français à découvrir par eux-mêmes le goût de la potion magique, même s'ils apprécient la description qui leur en est faite.

Les premières expériences, comme par exemple l'éclatement du monopole de la radio en 1982, puis de la télévision en 1984, ont été saluées sans réserve. Les mesures de « personnalisation » des salaires en fonction des performances, mises en place dans les entreprises, sont accueillies avec plus de réticence. Tous les Français ne sont pas favorables à d'autres mesures importantes propres à la panoplie d'un libéralisme dur à l'américaine. Ainsi, le système actuel de la Sécurité sociale, celui de l'enseignement continuent de satisfaire la majorité des Français.

Le « cocktail libéral » tel que semblent le souhaiter les citoyens-consommateurs-individus serait donc un compromis « historique » entre un libéral-capitalisme de droite et un social-pragmatisme de gauche. De quelque bord qu'ils soient, les politiciens au pouvoir devront en tout cas se faire violence pour appliquer, en toute bonne foi, les préceptes de Friedrich Hayek et des autres maîtres à penser libéraux. Car la tradition étatiste est l'une des spécificités françaises. Il ne sera sans doute pas facile, ni naturel, aux technocrates, hauts fonctionnaires et autres agents de l'État de couper la branche sur laquelle ils sont assis depuis des générations.

### De la théorie libérale à la pratique

Si beaucoup de Français se disent libéraux, l'application concrète des principes du libéralisme ne provoque pas toujours leur enthousiasme. Quelques mois avant les élections législatives de mars 1986, les réactions à certains aspects du programme de la droite étaient assez négatives :
• 58 % étaient contre la suppression de l'impôt sur les grandes fortunes (13 % pour, 11 % ne se prononçaient pas).
• 55 % étaient contre la possibilité de licencier plus facilement dans les entreprises (29 % pour, 16 % ne se prononçaient pas).
• 47 % étaient contre l'arrêt des subventions d'État aux entreprises en difficulté (30 % pour, 23 % ne se prononçaient pas).

# On demande nouveaux hommes politiques ; politiciens s'abstenir...

Au cours de ces trois dernières années, les Français ont appris trois choses importantes pour leur avenir :
• Ils ont eu le sentiment (réel) que le poids de l'État se faisait plus lourd. Cela va à l'encontre de leur souhait de liberté individuelle et d'autonomie.
• Ils ont fait l'expérience de l'impuissance des idéologies classiques (droite, gauche) à maîtriser la crise.
• Ils ont eu la révélation, amplifiée et vulgarisée par les médias, que le discours politique était en complet décalage avec la réalité de l'époque. Les promesses non tenues, les décisions à contre-courant, la détérioration des rapports entre les membres de la classe politique ont terni de façon durable l'image des partis et des hommes politiques.

Ces trois constatations se traduisent par une déception croissante vis-à-vis de la politique en général. Déçus par les visions du monde que leur proposent les politiciens, les Français se tournent aujourd'hui vers d'autres hommes, dont les analyses et le langage sont complètement différents.

### Déçus de la politique :
### le plus grand parti de France

Le jugement des Français sur la politique et sur les politiciens est plutôt sévère :
• 59 % trouvent que la morale et les principes n'ont pas assez de place dans la politique, 14 % trouvent qu'elle tient trop de place, 12 % une place normale, 15 % ne se prononcent pas (*la Vie/Louis Harris,* 16 janvier 1986).
• 79 % estiment que les hommes politiques ne disent pas la vérité, 13 % sont de l'avis contraire, 8 % ne se prononcent pas (*Paris Normandie/Sofres,* 23 octobre 1985).
• Pourtant 65 % considèrent que la politique est une activité honorable, contre 26 % (9 % ne se prononcent pas) et 60 % s'y intéressent, contre 39 % (1 % ne se prononcent pas) [*Paris Normandie/Sofres,* 23 octobre 1985].

*Une nouvelle race de maîtres à penser est en train de s'imposer.*

Les maîtres à penser d'hier étaient des philosophes et des écrivains. Sartre fut peut-être le dernier d'entre eux. Aujourd'hui, ceux qui contribuent le plus à la formation de l'opinion publique ne sont plus des philosophes retranchés derrière leur bureau ou refaisant le monde dans leur salon. Ce sont des écono-

Après les maîtres à penser, les maîtres à agir.

mistes, des journalistes, des patrons, voire des acteurs, qui tiennent aujourd'hui le rôle de guide auprès des Français.

### L'avenir de la France est en librairie

Les Français sont de plus en plus nombreux à se sentir concernés par ce qui se passe autour d'eux. Ce n'est pas dans les discours ou les programmes politiques qu'ils vont chercher les explications sur la société en crise ni les propositions pour en sortir. Ce n'est pas non plus dans les universités, les laboratoires ou les cercles de philosophie. Ils se rendent aujourd'hui dans les librairies, pour s'y procurer les derniers ouvrages des « nouveaux gourous ». L'essai politico-économique, genre réputé difficile autrefois, figure parmi les best-sellers d'aujourd'hui. La signature de François de Closets, de Michel Albert ou d'Alain Minc est une meilleure garantie pour l'éditeur que celle des meilleurs romanciers. On peut y voir en tout cas le signe d'une plus grande maturité des Français et d'une volonté croissante de « résister » activement aux idéologies du passé.

La liste des grands « médiateurs » de l'époque est très révélatrice de ce qui a changé dans la société. Qu'y a-t-il de commun entre Michel Albert, Jean Boissonnat, François de Closets, André Glucksman, Serge July, le cardinal Lustiger, Alain Minc, Yves Montand et Bernard Tapie ? Tous sont de grands professionnels qui exercent des métiers concrets en prise directe sur l'économie ou sur la société. Outre une compétence reconnue, leur force principale est de passer plus de temps à « rencontrer les choses » qu'à les décrire. Autre point commun, et non des moindres : aucun d'entre eux ne se réclame d'une chapelle, fût-elle politique ou intellectuelle. Même ceux (rares) qui affichent leurs préférences ont réussi à ne pas être « marqués » par elles. Dans un pays aussi amateur d'« étiquettes » que la France, la performance est remarquable. Elle demande finalement plus d'intelligence et de tolérance que d'habileté. Le résultat est que les Français (après avoir beaucoup ri de l'élection de Reagan, ancien acteur de cinéma) accordent plus d'intérêt au discours de Montand qu'à celui de n'importe quel politicien. L'arrivée des « nouveaux gourous » ne s'est pas faite sans causes. Elle ne sera pas sans effets, car les Français écoutent les gourous.

# Les Styles de Vie et la Politique

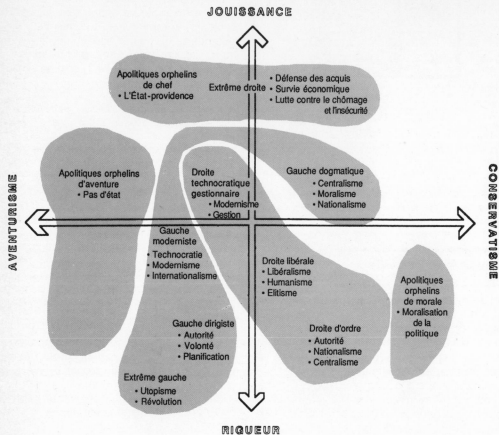

JOUISSANCE

Apolitiques orphelins de chef
• L'État-providence

Extrême droite

• Défense des acquis
• Survie économique
• Lutte contre le chômage et l'insécurité

AVENTURISME

CONSERVATISME

Apolitiques orphelins d'aventure
• Pas d'état

Droite technocratique gestionnaire
• Modernisme
• Gestion

Gauche dogmatique
• Centralisme
• Moralisme
• Nationalisme

Gauche moderniste
• Technocratie
• Modernisme
• Internationalisme

Droite libérale
• Libéralisme
• Humanisme
• Elitisme

Apolitiques orphelins de morale
• Moralisation de la politique

Gauche dirigiste
• Autorité
• Volonté
• Planification

Droite d'ordre
• Autorité
• Nationalisme
• Centralisme

Extrême gauche
• Utopisme
• Révolution

RIGUEUR

Pour lire la carte, voir la description des Styles de Vie en fin de volume.

# ÉCONOMIE

*La réalité économique échappe de plus en plus aux statistiques. Derrière celles-ci se développe un nouveau monde, avec ses nouvelles règles. L'économie parallèle, réponse des Français à la crise, leur a permis d'en amortir les effets. Leur permettra-t-elle, demain, de les oublier ?*

## Économie « officielle » : vers la sortie du tunnel ?

Il s'agit là de l'économie marchande, celle qui concerne les activités formelles de production, consommation, etc., qui font l'objet de la comptabilité nationale, par opposition à l'économie « parallèle » (travail noir, dissimulations fiscales, autoproduction, etc.).

Contrairement à une idée largement répandue, les Français ne sont pas ignorants en matière d'économie. S'il est vrai qu'ils s'en étaient pendant longtemps peu préoccupés, c'est parce que l'économie se débrouillait très bien sans eux. La connaissance des mécanismes de l'inflation est moins indispensable lorsqu'elle est à un chiffre que lorsqu'elle s'écrit avec deux. Et le déficit du commerce extérieur n'a aucun sens lorsque les exportations couvrent largement les importations.

Depuis le début de la crise, la culture économique des Français a beaucoup progressé. Mais c'est parce que l'économie, elle, a plutôt régressé.

*En 1985, la France a fait mieux qu'en 1984.*

Le tableau de bord 1985 montre une croissance du PIB un peu inférieure aux prévisions et au niveau atteint en 1984. C'est sur le front de l'inflation que les meilleurs résultats ont été enregistrés (4,7 % en glissement annuel, du début à la fin de l'année), ainsi, à un moindre degré, que sur celui des échanges commerciaux. Ces résultats ont été obtenus au prix d'une nouvelle progression du chômage, qui touche aujourd'hui un peu plus d'un actif sur dix (10,5 %), et d'un accroissement de la dette extérieure.

*En 1986, la France devrait bénéficier de la baisse du dollar et du prix du pétrole.*

C'est au cours du premier trimestre 1986, à quelques semaines des élections législatives, que parvenaient deux bonnes nouvelles pour l'économie. Après avoir atteint des sommets en 1985 (10,61 francs le 26 février 1985), le dollar baissait brutalement et passait au-dessous de la barre des 7 francs. Dans le même temps, le prix du baril de pétrole s'effondrait au-dessous de 10 dollars. La conjugaison de ces deux phénomènes représentait la perspective d'une économie importante, estimée à quelque 60 milliards de francs, sur la facture pétrolière. Le remboursement des dettes libellées en dollars s'en trouvait également allégé.

Mais la contrepartie de ces bonnes nouvelles était un risque accru de faillite financière des pays exportateurs de pétrole déjà fortement endettés, et des prix moins compétitifs des produits français à l'étranger. Le bilan était pourtant globalement favorable.

La vie moins chère grâce à la baisse du pétrole et du dollar.

# Le tableau de bord de l'économie « officielle »

Évolution des principaux indicateurs économiques :

- ● **Produit intérieur brut**
Croissance annuelle en volume ( %)

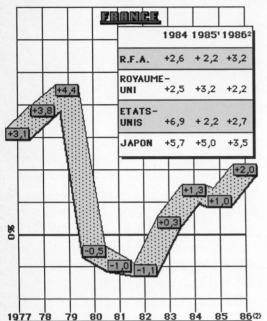

| | 1984 | 1985¹ | 1986² |
|---|---|---|---|
| **R.F.A.** | +2,6 | + 2,2 | +3,2 |
| **ROYAUME-UNI** | +2,5 | +3,2 | +2,2 |
| **ETATS-UNIS** | +6,9 | + 2,2 | +2,7 |
| **JAPON** | +5,7 | +5,0 | +3,5 |

- ● **Inflation**
Hausse des prix annuelle ( %)

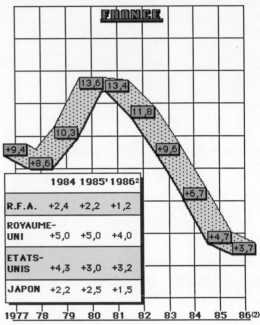

| | 1984 | 1985¹ | 1986² |
|---|---|---|---|
| **R.F.A.** | +2,4 | +2,2 | +1,2 |
| **ROYAUME-UNI** | +5,0 | +5,0 | +4,0 |
| **ETATS-UNIS** | +4,3 | +3,0 | +3,2 |
| **JAPON** | +2,2 | +2,5 | +1,5 |

- ● **Pouvoir d'achat**
Croissance en revenu disponible ( %)

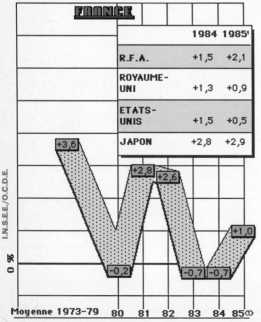

| | 1984 | 1985¹ |
|---|---|---|
| **R.F.A.** | +1,5 | +2,1 |
| **ROYAUME-UNI** | +1,3 | +0,9 |
| **ETATS-UNIS** | +1,5 | +0,5 |
| **JAPON** | +2,8 | +2,9 |

- ● **Chômage**
% de la population active totale (taux standardisé O.C.D.E

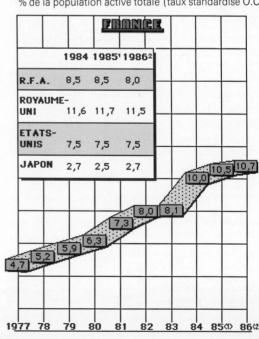

| | 1984 | 1985¹ | 1986² |
|---|---|---|---|
| **R.F.A.** | 8,5 | 8,5 | 8,0 |
| **ROYAUME-UNI** | 11,6 | 11,7 | 11,5 |
| **ETATS-UNIS** | 7,5 | 7,5 | 7,5 |
| **JAPON** | 2,7 | 2,5 | 2,7 |

(1) Estimations O.C.D.E. (2) Prévisions O.C.D.E.

- **Échanges extérieurs**

Taux de couverture des exportations françaises par les importations ( %)

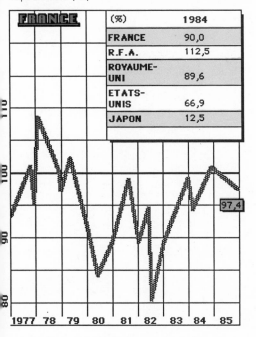

| FRANCE (%) | 1984 |
|---|---|
| FRANCE | 90,0 |
| R.F.A. | 112,5 |
| ROYAUME-UNI | 89,6 |
| ETATS-UNIS | 66,9 |
| JAPON | 12,5 |

- **Dette extérieure**

(en milliards de francs)

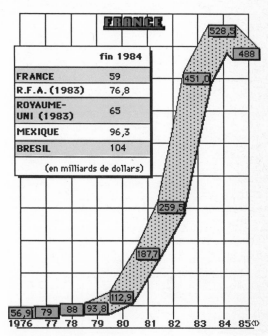

| FRANCE (fin 1984) | |
|---|---|
| FRANCE | 59 |
| R.F.A. (1983) | 76,8 |
| ROYAUME-UNI (1983) | 65 |
| MEXIQUE | 96,3 |
| BRESIL | 104 |

(en milliards de dollars)

- **Quelques comparaisons ( %)**

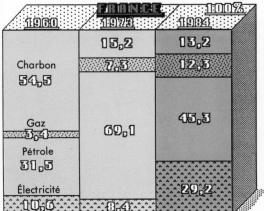

- **Consommation d'énergie**

Part des différentes énergies primaires consommées (%) :

| 100% | 1984 | EUROPE DES 10 |
|---|---|---|
| **R.F.A.** | **ROYAUME-UNI** | |
| Charbon 32,8 | 24,6 | 22,2 |
| Gaz 15,6 | 22,9 | 19,1 |
| Pétrole 41,6 | 44,7 | 46,3 |
| Électricité 10,0 | 7,8 | 12,4 |

- **Monnaie**

Le dollar (en francs)

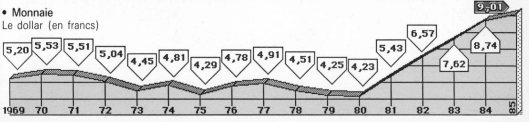

Annales des Mines/Eurostat

# Économie domestique : le pied de nez (légal) des Français

Confrontés en 1973 à la crise, les Français n'y ont d'abord pas cru. Et puis, peu à peu, le mot s'est chargé d'un véritable contenu. Il encombre aujourd'hui le vocabulaire. À la crise du **pétrole** ont succédé la crise de l'**emploi**, la crise **financière** mondiale, la crise **libanaise**, la crise **religieuse**, la crise des **euromissiles**, la crise **politique**, la crise de l'**Europe**, la crise des **mentalités**, la crise des **valeurs**, etc. Dans cette ambiance de crise omniprésente, les Français ont commencé à chercher les voies d'une adaptation.

*Les Français ont créé une véritable économie parallèle, échappant totalement à la comptabilité nationale.*

Le principal volet de cette économie est **légal**. Il est constitué de l'ensemble des activités domestiques d'autoproduction.

Le second volet est **illégal** : travail noir, dissimulations fiscales... Bien que mal cerné, l'impact de ces activités est considérable. Une autre question est de savoir s'il l'est plus qu'hier et surtout s'il le sera plus encore demain.

Pour la comptabilité officielle, les ménages sont essentiellement des unités de consommation qui, disposant d'un certain revenu, vont en dépenser la plus grande partie et épargner le reste. Cette approche formelle ne prend en compte que les aspects apparents d'une réalité beaucoup plus complexe. Elle laisse totalement de côté le fait que chaque ménage est aussi une unité de production qui utilise son capital (équipement du foyer), quelques matières premières et surtout le temps dont elle dispose pour se fournir à elle-même des biens et des services. Ces activités de production domestique (encore appelées autoproduction ou autoconsommation) sont parfaitement légales. Mais elles ne figurent pas dans les comptes de l'économie française, ce qui en fausse beaucoup les résultats.

*L'économie domestique représenterait environ 10 000 francs par ménage et par mois !*

Difficile, évidemment, d'évaluer l'importance que peuvent avoir la fabrication maison des confitures, des vêtements des enfants, d'un meuble, etc., ou les services (normalement

**Faire soi-même ou faire faire par les autres ?**

| Activités | Solution « marchande » | Solution « domestique » |
|---|---|---|
| • Alimentation | Restaurant, cantine | Repas à la maison |
| • Achat de produits alimentaires | Magasin, marché | Jardin potager |
| • Habillement | Prêt-à-porter, confection | Fabrication, raccommodage |
| • Ménage | Employée de maison, entreprise de nettoyage | Soi-même |
| • Entretien du linge | Laverie, blanchisserie | Machine à laver ou à la main |
| • Garde des enfants | Crèche, nourrice, baby-sitter | Foyer |
| • Transport | Transport en commun | Voiture privée, marche à pied |
| • Hébergement de vacances | Hôtel, location, club | Résidence secondaire, famille, amis |
| • Logement | Achat, location | Construction totale ou partielle |
| • Entretien des cheveux | Coiffeur | Lavage, coupe à la maison |
| • Équipement du foyer | Achat (neuf ou occasion) | Fabrication, montage (kit) |
| • Réparations | Spécialiste | Bricolage |
| • Déménagement | Déménageur | Location de camionnette ou avec des voitures |
| • Loisirs | Spectacle, match, exposition... | Télévision, jeux, conversation, promenade |

payants) que l'on se rend à soi-même : réparation d'une fuite d'eau, montage d'un meuble en kit, déménagement... La seule chose certaine est qu'elle est considérable. Les différentes estimations disponibles indiquent que le travail domestique représenterait entre 35 et 75 % de la production intérieure brute marchande. C'est-à-dire que tout se passe comme si chaque ménage « autoproduisait » chaque mois l'équivalent marchand de 10 000 francs environ ! La liste des activités qui se rapportent à cette économie domestique est illimitée. Le seul critère permettant de l'apprécier est qu'il s'agit d'activités pour lesquelles existe une alternative « marchande ». Ainsi, le fait de laver son linge soi-même est une alternative à la laverie automatique payante qui se trouve au coin de la rue. La « perte » pour l'économie nationale est totale si on lave le linge à la main (en dehors des dépenses minimes d'eau, de savon, de brosse, éventuellement de séchoir, achetés à la collectivité) ; la perte n'est que partielle si on utilise une machine à laver, qui coûte cher, qu'il faut renouveler ou faire réparer et qui consomme de l'électricité.

*Le développement des achats*
*en grande surface a fait perdre*
*l'équivalent de 130 000 emplois en 10 ans.*

Les Français n'imaginent pas, lorsqu'ils vont faire leurs courses dans un supermarché ou un hypermarché, qu'ils occasionnent un « manque à gagner » pour la collectivité. Le fait que les produits y sont généralement moins chers n'est pas lié au hasard : le travail des fournisseurs est simplifié lorsqu'ils livrent un hypermarché plutôt que cent petits détaillants ; les achats des clients sont faits en plus grosse quantité, ce qui augmente la rotation des stocks et réduit donc le prix de revient des produits. Évaluant à 10 % en moyenne cet écart de prix, l'économiste D. Stoclet estime qu'en 10 ans ce transfert du petit commerce vers les grandes surfaces a représenté une perte de 8 milliards de francs. Soit l'équivalent de 130 000 emplois qui se sont « évanouis » dans le domestique sans que personne ne s'en rende vraiment compte, sans qu'aucun chiffre comptable n'en garde la trace au niveau national... Ce transfert considérable a été largement favorisé par l'évolution sociale : multiplication

des voitures ; accroissement des possibilités de stockage chez soi (réfrigérateur, congélateur) ; modes de vie moins favorables au petit commerce traditionnel (recherche du gain de temps, d'un choix plus large, d'un groupement des achats, de prix moins élevés).

### L'alimentation prise entre le marchand et le domestique

Des mouvements contradictoires se sont produits dans le domaine alimentaire. D'un côté, les Français tendent à acheter des produits plus élaborés (sachets de purée, frites surgelées, café soluble...), donc plus chers. De l'autre, l'autoproduction alimentaire (jardins potagers...) s'est accrue en même temps que se développait le nombre des maisons individuelles. Les statistiques officielles de répartition du budget des ménages montrent en tout cas une réduction relative des dépenses d'alimentation. L'une des causes de cette évolution peut être la part croissante de l'autoproduction qui, elle, n'apparaît pas dans les chiffres.

*Le bricolage est une des grandes causes*
*de développement de l'économie parallèle.*
E *4 millions de bricoleurs en 1968.*
E *12 millions aujourd'hui.*
• *Dans le même temps,*
*le marché du bricolage est passé*
*de 3 à 30 milliards de francs.*

La réduction du temps de travail réel a été très favorable à l'essor considérable du bricolage depuis quelques années. La majorité des Français consacrent aujourd'hui une partie de leurs loisirs à réparer l'électricité ou la voiture, poser de la moquette ou restaurer une maison. Ce sont autant de dépenses traditionnellement affectées aux électriciens, garagistes, décorateurs ou maçons qui disparaissent ainsi de la circulation. Bien sûr, il existe une contrepartie, puisque les bricoleurs du dimanche ont besoin d'équipements et de matériaux qu'ils doivent acheter. Mais il s'y ajoute le prix de la main-d'œuvre et des déplacements qui seraient normalement facturés par les hommes de l'art. On sait ce qu'il en coûte lorsqu'il faut faire venir un plombier pour changer un joint de robinet valant environ 50 centimes ! Cette évolution est caractéristique du souci de beaucoup de Français de mieux gérer leurs dépenses, et aussi de devenir plus autonomes.

Le rêve de l'autosuffisance.

I.E.P. Continentale

*Les avantages en nature permettent en toute légalité d'échapper partiellement au fisc.*

Par ces temps de crise et de pesanteur fiscale croissante, la liste des avantages en nature accordés par les entreprises à certains de leurs employés a tendance à s'allonger. Rien d'illégal au fait de bénéficier d'une voiture de fonction, du remboursement des frais de restaurant ou autres avantages de plus en plus prisés par les salariés qui y ont accès. Le fisc, donc la collectivité, y trouve bien sa part puisque chaque avantage est en principe taxé. Le problème (ou l'intérêt, selon qu'on est inspecteur des impôts ou cadre supérieur) est que la valeur attribuée à chaque avantage en nature est généralement très inférieure à la réalité. Ainsi, la disposition d'une Peugeot 505 représente un avantage d'environ 35 000 francs, déclaré seulement 7 000 francs au fisc par l'entreprise !

*Le troc entre particuliers diminue les taxes et les impôts perçus par la collectivité.*

Un homme échange un appareil photo qui ne correspond plus à ses besoins contre un projecteur de diapositives ; une jeune femme troque sa veste de fourrure de l'année dernière contre un ensemble de cuir à peine porté par une autre femme qui a un peu grossi... Chacune de ces personnes fait une bonne affaire, mais la collectivité, elle, est doublement perdante : elle n'encaissera pas les taxes correspondant aux achats qui auraient eu lieu en l'absence d'échange ; elle ne recevra pas les impôts correspondant au bénéfice des commerçants qui les auraient vendus.

Certes, le troc n'est pas nouveau. Il représente même la toute première forme d'économie, qui précéda l'invention de la monnaie. Mais, depuis dix ans, le troc intéresse de plus en plus les Français, qui voient là un moyen avantageux de renouveler leur garde-robe ou leurs équipements. La Foire au troc, à Paris, reçoit chaque année plus de 100 000 visiteurs. Certains viennent effectuer les transactions les plus étonnantes : une télé couleurs contre une cheminée, un manteau de vison contre une commode Louis-Philippe, un ordinateur contre une planche à voile... Instrument efficace de lutte contre le gaspillage, le troc est aussi pratiqué par les commerçants ou les entreprises.

*L'économie domestique peut-elle encore se développer ?*

Comme le troc, l'autoproduction des ménages ne date pas d'hier. L'économie rurale du XVIIIe siècle était même largement dominée par l'activité domestique. L'offre de biens et de services était alors beaucoup plus limitée et les revenus des ménages ne permettaient guère de folies. Il est cependant probable que la crise, postérieure à l'installation de la société de consommation, a modifié les comportements de dépenses des Français. Quoi de plus tentant que d'économiser quelques centaines de francs par an en effectuant soi-même la vidange de sa voiture ? À cette économie apparente s'ajoute l'économie fiscale : un salarié doit gagner 140 francs pour avoir un pouvoir d'achat marginal de 100 francs, s'il est imposé à 40 % ! Sans parler, évidemment, de la satisfaction, non chiffrable, d'accomplir quelque chose de ses mains, surtout lorsqu'on n'a pas l'occasion de le faire dans sa vie professionnelle. L'accroissement du temps libre, la crainte pour le pouvoir d'achat, le développement de la maison individuelle sont sans aucun doute des facteurs favorables au développement de l'économie domestique.

À l'inverse, le développement du travail féminin devrait faire diminuer l'importance des tâches ménagères, par manque à la fois de temps et d'envie. De plus, l'apport financier d'un second salaire permet de s'offrir plus facilement les services que l'on n'est plus en mesure de prendre soi-même en charge. Mais on risque alors d'entrer dans un autre type de tentation, celui du travail noir.

## Économie clandestine : le pied de nez (illégal) des Français

Le travail noir (ou travail clandestin) est à la mode. Non seulement chez ceux qui le pratiquent, mais aussi chez ceux (journalistes, économistes, sociologues, politiciens) qui tentent de le comprendre. Les premiers continuent leur commerce en s'efforçant de rester dans l'ombre. Les seconds s'opposent sur son importance réelle et sur la façon dont la société peut et doit le réglementer.

**E** *Le travail noir représenterait environ 5 % de la production intérieure brute.*

On estime que 800 000 personnes exercent en France une activité clandestine et perçoivent chaque année, de la main à la main, au moins 10 milliards de francs sur lesquels, bien sûr, aucun impôt, T.V.A. ou cotisation sociale, n'est prélevé. Une perte de quelque 30 milliards pour la collectivité.

Selon les estimations du Bureau international du travail, 3 à 6 % de la population active s'adonnent au travail noir. La comparaison avec d'autres pays montre pourtant que la France est relativement épargnée par cette « marée noire » (encadré). De toute façon, ce chiffre n'est guère révélateur de l'impact véritable du travail noir. Il faudrait, pour en avoir une idée plus précise, connaître le nombre d'heures ainsi mobilisées et le comparer à celui de l'activité « officielle ».

Alfred Sauvy avance avec prudence quelques estimations : l'économie souterraine représenterait environ 4 à 5 % du P.I.B. français. Un tel chiffre, déjà élevé, est pourtant généralement inférieur à celui proposé pour d'autres pays : 5 à 7 % en Grande-Bretagne, 10 % aux États-Unis et en Italie, 3 % en Allemagne de l'Ouest.

*L'accroissement des contraintes économiques est toujours favorable à celui des activités clandestines.*

Les causes de l'existence du travail clandestin sont multiples. L'évolution de ces dix dernières années va dans le sens d'un accroissement de la demande en même temps que de l'offre, même si celle-ci est mal cernée.

Le temps libre a généralement augmenté, en particulier, bien sûr, pour les chômeurs, les retraités et préretraités, qui peuvent ainsi en consacrer une partie au travail noir. Par ailleurs, les soucis d'ordre financier se sont accrus avec la crise : le risque de perdre son emploi ou de voir son pouvoir d'achat diminuer amène des particuliers à rechercher des revenus complémentaires. La pression fiscale joue aussi un rôle déterminant, en particulier pour certaines entreprises, mises en difficulté par l'augmentation de leurs charges. C'est ce même souci d'ordre fiscal qui pousse les clients à faire appel au travail noir pour faire effectuer chez eux des travaux de peinture, de décoration ou de réparation. Il faut ajouter que les modes de vie actuels sont plus favorables aux solutions « non officielles », du fait de la dégradation de la confiance vis-à-vis de l'État.

### La « marée noire »

Part de la population active concernée par le travail « noir » (estimations).

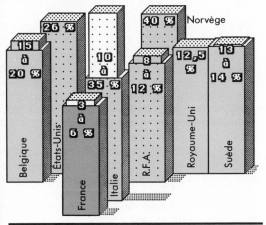

### Le travail noir n'est pas si noir

Pour la plupart des Français, le travail noir est principalement l'œuvre de petits artisans soucieux d'échapper au fisc ou de chômeurs n'ayant pas assez de leurs indemnités pour vivre. Le rapport publié par le B.I.T. sur le travail clandestin fait voler en éclats quelques-unes de ces idées reçues.

D'abord, les chômeurs semblent beaucoup plus préoccupés par la recherche d'un emploi que par celle de « petits boulots » aléatoires et généralement temporaires (même si 40 % d'entre eux avouent recourir de temps en temps à cette pratique). Ensuite, les entreprises, y compris les plus petites, ne sont pas toujours prêtes à courir les risques inhérents aux activités non déclarées, que ce soit vis-à-vis du fisc, des employés (accidents, dénonciations...) ou des clients (absence de garantie en cas de malfaçon...). Le travail noir s'est d'ailleurs surtout développé dans des créneaux délaissés par les entreprises, parce que trop particuliers ou non rentables. Enfin, les motivations financières ne sont pas les seules. D'autres raisons, plus psychologiques, paraissent tout aussi importantes : désir de se rendre utile, recherche de contacts afin d'être moins seul...

---

*Les immigrés en situation illégale de travail sont en nombre croissant.*
E *La France compte entre 800 000 et 1,5 million de travailleurs clandestins.*

Leur activité se cantonne principalement à certains secteurs particuliers : bâtiment, hôtellerie-restauration, confection, accessoirement agriculture (travaux saisonniers non déclarés). Là encore, la situation française est plutôt meilleure que celle d'autres pays comme l'Allemagne, avec ses 1,5 million de Turcs (encouragés à quitter le pays par une prime de retour), l'Italie ou les État-Unis (où 3 à 6 millions de personnes vivent en situation illégale). Mais les courants migratoires se font toujours des pays les plus pauvres vers les plus riches. La démographie galopante des premiers constituera une incitation croissante à l'entrée clandestine dans les seconds. C'est donc le problème, plus vaste, de la structure de la population et de l'intégration culturelle qui risque de se poser à plus long terme. Le travail noir est une soupape de sécurité à la crise. Au-delà de son aspect illégal et du manque à gagner qu'il représente pour la collectivité, le travail noir peut être vu sous un angle plus favorable. Il permet de survivre à un certain nombre de personnes aux prises avec des difficultés d'insertion (ou de réinsertion) dans la vie économique « officielle ». Il permet à un nombre encore plus grand d'individus de maintenir ou d'améliorer leur niveau de vie. Il a donc joué depuis le début de la crise le rôle d'un formidable amortisseur. Qui sait comment se serait traduit le mécontentement des plus défavorisés s'ils n'avaient pu recourir à cette solution ?

---

### Du « système D » à l'escroquerie

Le travail noir n'est pas la seule forme illégale de l'économie parallèle. Toutes les activités non déclarées font partie de la panoplie de ceux, marginaux ou pas, qui veulent échapper aux contraintes économiques, croissantes en période de crise. Ainsi, le troc pratiqué par des entreprises, petites ou grandes, est parfaitement illégal lorsqu'il n'est pas déclaré : la coiffeuse qui fait un brushing à l'infirmière en échange d'une série de piqûres, le dentiste qui soigne un client garagiste contre la réparation de sa voiture, l'épicier qui troque un cageot de légumes contre un repas au restaurant... On pourrait multiplier les exemples. Plus graves sont les opérations (à but beaucoup plus lucratif) de revente de drogue ou d'acheminement clandestin de capitaux à l'étranger par des passeurs spécialisés. De la « débrouille » à l'escroquerie pure, les formes de l'économie parallèle sont multiples et ne peuvent être considérées que cas par cas au regard de la morale.

---

S'il participe à la lutte contre le chômage, le travail noir tend aussi à réduire le niveau de l'inflation, grâce aux prix bas pratiqués. Sans les maçons du dimanche, la maison individuelle serait un rêve inaccessible pour beaucoup. Sans la possibilité de « bricoler », un certain nombre de retraités (et plus récemment de préretraités) auraient connu des difficultés morales aussi dures à supporter que les contraintes financières.

C'est pourquoi certains experts pensent aujourd'hui qu'il ne faut pas condamner le travail clandestin, mais le réglementer de façon intelligente. Il pourrait, par exemple, bénéficier d'une réduction de la T.V.A. sur certains petits travaux, tandis que les chômeurs pourraient, dans des limites raisonnables, y recourir sans perdre le bénéfice de leurs allocations. Le vrai travail noir serait ainsi condamné, tandis que serait tolérée une sorte de « travail gris »...

L'image de la France

## En vrac

S Pour 14 % des Français, la république est une valeur de gauche, pour 8 % de droite, pour 64 % une valeur commune aux deux (14 % ne se prononcent pas).

S Lorsqu'ils associent les hommes politiques aux héros de bandes dessinées, les Français imaginent Jacques Chirac en Lucky Luke, Raymond Barre en Obélix, François Léotard en Tintin, Jean-Marie Le Pen en Joe Dalton, Georges Marchais en Gaston Lagaffe, Michel Rocard en Astérix.

S Associations entre les hommes politiques et les couleurs : bleu pour Jacques Chirac, rose pour Laurent Fabius, blanc pour Valéry Giscard d'Estaing, noir pour Jean-Marie Le Pen, rouge pour Georges Marchais, vert pour Michel Rocard.

S 84 % des Français estiment que l'action du général de Gaulle a été positive. 21 % se disent aujourd'hui gaullistes, 13 % non-gaullistes, 49 % pensent que c'est une classification complètement dépassée, 17 % n'ont pas d'opinion.

# L'Image du Monde

## EUROPE

*Comme la plupart des Européens, les Français ne sont pas fascinés par l'Europe. Les difficultés nationales ont masqué les six facettes de la crise que traverse aujourd'hui la Communauté. Il apparaît pourtant de plus en plus clairement que le sort de l'Europe déterminera dans une large mesure celui de chacun de ses membres.*

### Un marché peu commun mais des difficultés communes

Question : quelle ressemblance y a-t-il entre MM. Schmidt, Smith, Vermeer, Ström, Stravopoulos, McCann, Van de Putt, Rossini, Egel, Fernandez, Da Silva et Dupont ? Réponse : ils font partie de la Communauté économique européenne (C.E.E.), qui, avec l'entrée de l'Espagne et du Portugal, compte aujourd'hui 12 membres ; ils sont voisins sur la carte du monde (à l'exception de M. Stravopoulos, Grec, qui est un peu éloigné de ses collègues) ; ils représentent ensemble une puissance économique supérieure à celle de tous les autres « grands » de la planète, puisque 32 % du commerce mondial transite par les douze pays de la C.E.E. Pourtant, les habitants de la C.E.E. ne sont guère conscients de ces points communs. Le rêve européen, qui avait commencé à se concrétiser avec le traité de Rome, en 1957, n'excite plus guère les imaginations. Au cours de ces dernières années, la flamme européenne s'est faite de plus en plus vacillante. Au point que l'on peut craindre que le souffle de la crise ne finisse par l'éteindre.

*Le corps de l'Europe est façonné, mais il lui manque une âme.*

Ce qui unit les pays de la C.E.E. est sans aucun doute plus fort que ce qui les oppose. La proximité géographique était, au départ, la principale raison d'être de l'Europe. Elle avait conduit à des évolutions économiques, politiques, sociales, démographiques relativement semblables dans les pays membres, malgré quelques affrontements historiques. La seconde raison d'être de l'Europe tient à ce que les nations qui la composent sont des démocraties (ce qui n'est pas si courant dans le monde actuel). Elles figurent, en outre, dans le groupe (également restreint) des pays industrialisés (à des degrés divers, selon qu'il s'agit de

## Le poids de l'Europe des Douze

| | Europe des 12 | États-Unis | Japon | URSS (1) |
|---|---|---|---|---|
| Population (en millions, 1984) .......................... | 320 | 237 | 120 | 272 |
| Densité (hab./km², 1984) ........................... | 142 | 25 | 322 | 12 |
| PNB par habitant (dollars, 1984) ........................... | 5 305 | 15 320 | 10 280 | 5 200 |
| Chômage (en % de la population active, 1984) ........ | 11,5 % | 7,4 % | 2,7 % | – |
| Inflation (1984) ............................ | + 6,4 % | + 3,7 % | + 0,4 % | – |
| Automobiles en circulation (pour 1 000 hab., 1982) ................... | 317 | 714 | 357 | 67 |
| Postes de télévision (pour 1 000 hab., 1983) ................... | 355 | 646 | 560 | 297 |
| Téléphones (pour 1 000 hab., 1983) ................... | 468 | 401 | 517 | 85 |

(1) Estimations.

*Institutions internationales*

l'Allemagne, du Danemark, de la Grèce ou du Portugal). Mais la raison d'être essentielle de la Communauté est que chacun de ses membres a globalement intérêt, sur le plan économique en particulier, à en faire partie. C'est ce qui explique que, 28 ans après sa création, le Marché commun ait survécu, qu'il se soit ouvert à de nouveaux adhérents et qu'il soit parvenu à gérer tant bien que mal les échanges commerciaux et les autres activités communautaires.

*53 % des Français considèrent que la France a bénéficié de son appartenance au Marché commun.*

Mais les Français, comme d'ailleurs beaucoup d'Européens, ne se sentent pas impliqués à titre personnel dans le grand mouvement qui se poursuit depuis près de 30 ans. L'Europe s'est faite, pour une large part, sans les Européens. Pour la plupart d'entre eux, elle n'est qu'une construction artificielle dont le fonctionnement n'a pu être assuré qu'à coups de lois compliquées, de compromis et de montants compensatoires. Le spectacle annuel des négociations marathon présidant à la fixation des prix agricoles les renforce dans cette idée. Tout se passe comme si chacun avait bien assez de ses difficultés nationales pour se

préoccuper de celles des voisins. Ceux dont le sort ne dépend pas directement de ces discussions de marchands de tapis s'en désintéressent même totalement. L'Europe n'est pour les Européens qu'un vaste groupement d'intérêt économique. Utile ou indispensable selon les individus, mais de toute façon sans âme.

*Les Français sont favorables aux États-Unis d'Europe, mais ils ne sont pas pressés.*

Les grands « Européens » des années 60 (Schuman, Monnet, Mansholt, Pisani...) avaient essayé d'amorcer la création d'une Europe à vocation plus large, conscients qu'elle ne pourrait pas toujours mobiliser ses membres autour de la seule recherche de compromis dans le domaine économique. Leurs voix se perdirent dans le brouhaha des égoïsmes nationaux. On eut quand même le temps, après l'Europe du Marché commun, de faire celle des monnaies (1978) et d'élire un Parlement au suffrage universel (1979). Mais la crise économique refoula au second plan l'idée d'une grande fédération européenne. Le résultat est que la « volonté européenne » a fortement diminué chez les Français et que peu d'entre eux sont aujourd'hui disposés à faire des sacrifices pour favoriser l'instauration des

## Les Européens sont satisfaits de l'Europe, mais restent profondément nationaux

Estimez-vous que votre pays a bénéficié de son appartenance à la C.E.E. ? (en %, octobre 1985)

| | France | Allemagne | Belgique | Danemark | Grande-Bretagne | Grèce | Irlande | Italie | Luxembourg | Pays-Bas | Espagne | Portugal |
|---|---|---|---|---|---|---|---|---|---|---|---|---|
| Oui | 53 | 53 | 56 | 49 | 34 | 42 | 67 | 70 | 69 | 67 | | |
| Non | 26 | 31 | 23 | 29 | 53 | 34 | 24 | 16 | 15 | 15 | | |
| Sans opinion | 21 | 16 | 21 | 22 | 13 | 24 | 9 | 14 | 16 | 18 | | |
| Total 100 | | | | | | | | | | | | |

Éprouvez-vous un sentiment de fierté nationale ? (octobre 1985)

| | France | Allemagne | Belgique | Danemark | Grande-Bretagne | Grèce | Irlande | Italie | Luxembourg | Pays-Bas | Espagne | Portugal |
|---|---|---|---|---|---|---|---|---|---|---|---|---|
| – Très fiers ou plutôt fiers | 82 | 62 | 73 | 78 | 88 | 91 | 90 | 87 | 90 | 79 | 90 | 86 |
| – Pas tellement fiers ou pas fiers du tout | 15 | 32 | 24 | 14 | 11 | 8 | 9 | 11 | 6 | 15 | 7 | 12 |
| – Sans opinion | 3 | 6 | 3 | 8 | 1 | 1 | 1 | 2 | 4 | 6 | 3 | 2 |
| Total 100 | | | | | | | | | | | | |

Est-ce que cette idée de former un jour les États-Unis d'Europe (sorte d'union politique) vous paraît une bonne idée ou une mauvaise idée ? (octobre 1985)

| | France | Allemagne | Belgique | Danemark | Grande-Bretagne | Grèce | Irlande | Italie | Luxembourg | Pays-Bas | Espagne | Portugal |
|---|---|---|---|---|---|---|---|---|---|---|---|---|
| Indice (1) | 2,39 | 2,47 | 2,45 | 1,45 | 1,78 | 2,36 | 2,16 | 2,66 | 2,38 | 2,21 | 2,51 | 2,5 |

(1) bonne idée = 3, mauvaise = 1.

## Vive les États-Unis d'Europe

Êtes-vous pour ou contre l'évolution du Marché commun vers la formation politique des États-Unis d'Europe ?

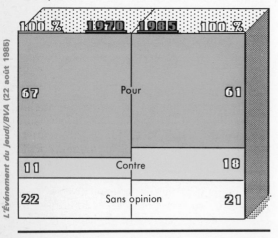

États-Unis d'Europe. Les jeunes semblent mieux disposés à l'égard d'une Europe renforcée sur les plans économique, politique et militaire. Une autre question est de savoir si l'Europe doit chercher à se créer une identité culturelle ou défendre ses particularismes nationaux. Les tendances actuelles vont vers la seconde solution, avec un intérêt croissant pour l'échelon régional.

Ce n'est sans doute pas un hasard si l'Europe a connu ses difficultés les plus graves au moment où ses membres étaient touchés individuellement par la crise. Dans une période où les solidarités nationales se cherchent, une véritable solidarité européenne peut paraître vaine.

L'Europe ne souffre pas d'une crise, globale et identifiable, mais de cinq crises, distinctes et durables : la crise de la croissance, la crise de l'emploi, la crise démographique, la crise des valeurs, la crise de fonctionnement.

**Le bout du tunnel**

| | PIB par habitant (dollars, 1984) | Croissance du PIB (%) | | Taux d'inflation (%) | |
|---|---|---|---|---|---|
| | | 1985 (1) | 1986 (2) | 1984 | 1985 |
| France | 12 591 | 1,0 | 2,0 | 7,4 | 5,8 |
| R.F.A. | 13 129 | 2,2 | 3,2 | 2,4 | 2,2 |
| Royaume-Uni | 11 022 | 3,2 | 2,2 | 5,0 | 6,1 |
| Belgique | 12 498 | 1,5 | 1,5 | 6,3 | 4,9 |
| Danemark | 13 325 | 2,5 | 3,5 | 6,3 | 4,7 |
| Grèce | 6 267 | 1,5 | − 1,0 | 18,5 | 19,3 |
| Irlande | 7 956 | 0,2 | 2,2 | 8,6 | 5,4 |
| Italie | 9 925 | 2,2 | 2,5 | 10,8 | 9,2 |
| Luxembourg | 12 955 | 2,2 | 2,2 | 5,6 | 3,1 |
| Pays-Bas | 11 485 | 2,0 | 2,0 | 3,3 | 2,3 |

(1) estimations.    (2) prévisions.

OCDE

## La crise de la croissance

Les Européens s'étaient habitués à la forte croissance économique des années 60. Ils furent d'abord étonnés lorsqu'elle diminua (progressivement), sous l'effet du premier puis du deuxième choc pétrolier. Beaucoup d'économistes distingués expliquèrent alors que les « trente glorieuses » (1945-1975) constituaient un épiphénomène sans précédent dans l'histoire et qui ne se reproduirait pas de sitôt. Il fallait donc, dans ces conditions, rechercher une croissance « douce », « molle », voire même la « croissance zéro » chère aux membres du Club de Rome. Bon gré, mal gré, les citoyens se sont donc faits à l'idée que rien ne serait plus comme avant et qu'il faudrait s'habituer à partager différemment un gâteau qui ne grossirait plus. Dix ans auront été nécessaires pour cela.

*Les pays européens ont préféré préserver le pouvoir d'achat de leurs habitants, plutôt qu'investir pour préparer l'avenir.*

Face à cette baisse de la croissance, les pays européens ont presque tous réagi en privilégiant le court terme. Ils ont laissé diminuer l'investissement industriel pour continuer d'accroître les salaires au-delà d'une inflation de plus en plus élevée. Tout s'est donc passé comme si on voulait retarder les effets de la crise, de crainte de mécontenter les citoyens ou simplement dans l'attente d'un redémarrage du commerce mondial. Même dans la période actuelle de désinflation, le handicap sera lourd à remonter.

## La crise de l'emploi

Les conséquences de l'arrêt de la croissance ne se sont pas fait attendre pour les entreprises. L'accroissement de leurs charges les rendait moins compétitives par rapport à des pays « agressifs » tels que le Japon. La contradiction du commerce international limitait leurs débouchés et, pour conquérir ou conserver des marchés, elles devaient se battre selon des méthodes auxquelles elles étaient mal préparées. La réduction de l'activité et la nécessité d'accroître la productivité sont les deux causes essentielles du chômage.

*L'Europe des douze comptait 15 millions de chômeurs à la fin 1985.*

Le fond du gouffre ne semble pas atteint, si l'on en croit les spécialistes de prévision économique. En France, des secteurs entiers de l'économie ont été jusqu'ici soutenus artificiellement par la collectivité. Parmi les autres secteurs, beaucoup sont en situation de sureffectif. Ils devront absolument investir pour maintenir ou améliorer leur compétitivité, sous peine de connaître à leur tour des difficultés. Il faudrait une forte croissance pour que cette mutation technologique nécessaire se fasse sans nouvelles pertes d'emploi. D'autant plus forte que le seuil minimum permettant de créer des emplois est plus élevé en Europe que dans d'autres régions industrialisées du monde : 3 % en France contre 1 % aux États-Unis.

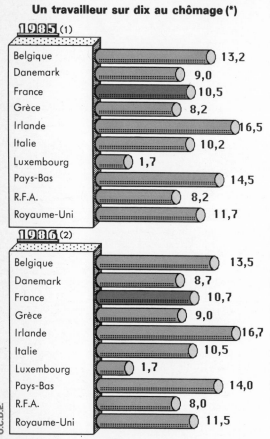

**Un travailleur sur dix au chômage (\*)**

**1985** (1)

| | |
|---|---|
| Belgique | 13,2 |
| Danemark | 9,0 |
| France | 10,5 |
| Grèce | 8,2 |
| Irlande | 16,5 |
| Italie | 10,2 |
| Luxembourg | 1,7 |
| Pays-Bas | 14,5 |
| R.F.A. | 8,2 |
| Royaume-Uni | 11,7 |

**1986** (2)

| | |
|---|---|
| Belgique | 13,5 |
| Danemark | 8,7 |
| France | 10,7 |
| Grèce | 9,0 |
| Irlande | 16,7 |
| Italie | 10,5 |
| Luxembourg | 1,7 |
| Pays-Bas | 14,0 |
| R.F.A. | 8,0 |
| Royaume-Uni | 11,5 |

O.C.D.E.

\* En pourcentage de la population active (définitions nationales pour le chômage, définitions OCDE pour la population active
(1) Estimations    (2) Prévisions.

## La crise démographique

Avec ses 320 millions d'habitants, l'Europe des douze représente aujourd'hui 6,8 % de la population mondiale, bien moins qu'il y a trente ans ou un siècle, mais plus, probablement, que dans les prochaines décennies.

Comme celle de la France, la population de l'Europe vieillit. Les difficultés liées à ce vieillissement ne se font encore que partiellement sentir. Les menaces qu'elles font peser sur l'avenir sont considérables : coût social et économique de la prise en charge des inactifs ; risque de déséquilibre avec les populations immigrées, plus jeunes et plus fécondes ; perte de compétitivité par rapport aux autres pays, etc. Dans la plupart des pays de la C.E.E., les actifs cotisaient en moyenne trois ans pour financer une année de retraite, contre deux aujourd'hui.

## La crise des valeurs

Les pays européens ont connu depuis la dernière guerre une évolution comparable. La création de la C.E.E. a sans aucun doute encore renforcé l'homogénéité entre ses membres. Depuis 1973, chacun des États membres a dû faire face aux mêmes types de difficultés. Il n'est donc pas étonnant, dans ces conditions, que l'échelle des valeurs ait évolué de façon similaire dans chacun des pays membres de la Communauté quel que soit son passé.

Comme les Français, les Européens connaissent une grave crise d'identité. La peur de l'avenir et l'individualisme expliquent largement la nouvelle échelle des valeurs européennes.

*La pratique religieuse diminue,*
*mais les Européens croient toujours en Dieu.*

La crise des valeurs est-elle religieuse ? Le déclin de la religion ne peut être tenu pour responsable de cette perte de foi apparente en l'humanité. Si les Églises d'Europe regroupent de moins en moins de fidèles, la religiosité, elle, tient bon.

*La famille résiste, mais le travail s'effrite.*

Au hit-parade des valeurs européennes, c'est toujours la famille qui arrive largement en tête. Le travail, lui, est considéré comme une nécessité plutôt que comme une malédiction. Mais un peu plus de la moitié des Européens ont l'impression d'être exploités dans leur vie professionnelle (encadré).

## Les chiffres de la 'vieille Europe'

| | Population (milliers d'habitants) | Densité (hab./km²) | Taux brut natalité (‰) | Taux de mortalité (‰) | Structure de la population (%) | | |
|---|---|---|---|---|---|---|---|
| | | | | | moins de 15 ans | 15 à 64 ans | 65 ans et plus |
| France | 54 729 | 101 | 14,7 | 10,0 | 21,7 | 65,2 | 13,1 |
| Allemagne | 61 423 | 247 | 9,7 | 11,7 | 16,2 | 69,1 | 14,7 |
| Grande-Bretagne | 56 377 | 231 | 12,8 | 11,7 | 19,8 | 65,2 | 15,0 |
| Belgique | 9 856 | 323 | 11,9 | 11,6 | 19,6 | 66,3 | 14,1 |
| Danemark | 5 114 | 119 | 9,9 | 11,2 | 19,2 | 66,0 | 14,8 |
| Grèce | 9 847 | 75 | 14,5 | 8,9 | 21,7 | 65,1 | 13,2 |
| Irlande | 3 508 | 51 | 19,0 | 9,3 | 30,0 | 59,4 | 10,6 |
| Italie | 56 836 | 189 | 10,8 | 9,9 | 21,5 | 65,3 | 13,2 |
| Luxembourg | 366 | 141 | 11,4 | 11,3 | 18,0 | 68,6 | 13,4 |
| Pays-Bas | 14 367 | 349 | 11,8 | 8,2 | 20,6 | 67,6 | 11,8 |
| Espagne | 38 173 | 76 | 13,4 | 7,4 | 24,4 | 63,9 | 11,7 |
| Portugal | 9 946 | 108 | 14,5 | 9,7 | 25,6 | 63,0 | 11,4 |

Eurostat

## La méthode des petits pas

Quelle est votre attitude fondamentale à l'égard du changement dans la société ? (octobre 1985)

| | Belgique | Danemark | Allemagne | France | Irlande | Italie | Luxembourg | Pays-Bas | Grande-Bretagne | Grèce | Espagne | Portugal |
|---|---|---|---|---|---|---|---|---|---|---|---|---|
| | % | % | % | % | % | % | % | % | % | % | % | % |
| « Il faut changer radicalement toute l'organisation de notre société par une action révolutionnaire » | 6 | 1 | 3 | 6 | 4 | 7 | 2 | 5 | 5 | 7 | 6 | 11 |
| « Il faut améliorer petit à petit notre société par des réformes » | 65 | 62 | 51 | 68 | 67 | 71 | 60 | 63 | 60 | 61 | 69 | 60 |
| « Il faut défendre courageusement notre société actuelle contre toutes les forces subversives » | 22 | 30 | 36 | 24 | 19 | 19 | 31 | 26 | 28 | 16 | 18 | 10 |
| Sans réponse | 7 | 7 | 10 | 2 | 10 | 3 | 7 | 6 | 7 | 16 | 7 | 19 |
| Total | 100 | 100 | 100 | 100 | 100 | 100 | 100 | 100 | 100 | 100 | 100 | 100 |

Euro-baromètre

**Le bonheur des Européens**

Tout compte fait, pouvez-vous dire comment vont les choses pour vous en ce moment ? Vous sentez-vous vraiment heureux, assez heureux ou pas trop heureux ? (octobre 1985)

| | France | Allemagne | Grande-Bretagne | Belgique | Danemark | Grèce | Irlande | Italie | Luxembourg | Pays-Bas | Espagne | Portugal |
|---|---|---|---|---|---|---|---|---|---|---|---|---|
| Indice (1) | 2,39 | 2,48 | 2,74 | 2,66 | 2,90 | 1,90 | 2,82 | 2,22 | 2,81 | 3,0 | 2,49 | 2,29 |

(1) vraiment heureux = 4, assez heureux = 2,5, pas trop heureux = 1.

*Euro-baromètre*

*L'engagement politique et syndical
est en très forte baisse.*
Ⓢ *Un Européen sur trois
se désintéresse totalement de la politique.*
Ⓢ *Un sur cinq refuse de se situer à
droite ou à gauche.*

Les Européens se sentent de moins en moins d'accord avec les formes actuelles de l'action politique.

L'action syndicale ne fait pas un meilleur score. Comme on le voit, on retrouve chez les Européens des préoccupations extrêmement proches de celles exprimées par les Français. C'est la preuve qu'il s'agit bien de sentiments aux racines profondes. C'est la preuve aussi de la mondialisation des phénomènes à une époque dominée par la multiplicité des moyens de communication.

## La crise de fonctionnement

C'est en 1983 que la Communauté a connu sa crise la plus grave. Les États membres ne parvenaient plus à s'entendre sur les principes mêmes du fonctionnement de l'Europe. La répartition des contributions financières de chacun (Grande-Bretagne en tête), la définition de la politique agricole commune avaient fait l'objet de discussions longues et difficiles, mais on avait toujours trouvé les voies d'un compromis acceptable par tous. Cette fois, les difficultés paraissaient insurmontables à court

terme. On parlait même de rupture, ce qui donnait à la France, placée à la présidence de la c.e.e. au premier semestre 1984, l'occasion de montrer ses qualités en matière diplomatique. On ne peut s'empêcher de rapprocher cette crise du fonctionnement communautaire de celle que connaissent individuellement les États membres. Il est toujours plus facile d'être généreux et tolérant lorsqu'on est riche et qu'on vit dans le confort. L'appartenance au « Club européen » présentait à l'époque de sa création des avantages évidents. Depuis 1973, certains se sont demandé si le « Club » était bien capable de satisfaire les besoins spécifiques de chacun de ses membres. Ce fut le cas de la Grande-Bretagne qui menaça alors de ne pas renouveler sa cotisation si les statuts de l'association n'étaient pas modifiés en sa faveur. Il faudra à l'Europe du courage pour venir à bout des difficultés qui sont devant elle.

## L'Europe est-elle en voie de sous-développement ?

« Les débuts d'une décadence ont la douceur dorée des premiers jours d'automne. Mais l'hiver et le mal sont là, plus graves chaque jour. » Ainsi débutait le rapport présenté au Parlement européen par Michel Albert et Jim Ball en 1983. Beaucoup d'experts s'accordent aujourd'hui pour constater l'amorce du déclin de l'Europe. Les cinq crises évoquées précédemment (croissance, emploi, démographie, valeurs, fonctionnement) sont pour eux la conséquence d'un laisser-aller général. C'est la priorité accordée au présent qui laisse le champ libre aux menaces qui pèsent sur l'avenir. Cette vision à court terme et la force des égoïsmes nationaux ont placé l'Europe sur le chemin de la décadence. Pour enrayer ce processus fatal, deux conditions paraissent aujourd'hui nécessaires : le retour à la croissance et la solidarité européenne.

*Le retour à la croissance est la condition essentielle du redémarrage.*

L'idée de la croissance douce, qui devait permettre de retrouver progressivement les grands équilibres, ne semble plus en mesure de renverser les tendances présentes. Seule une croissance forte peut limiter les effets de l'indispensable restructuration économique. La troisième révolution industrielle, celle de l'électronique et de la robotique, est à la fois nécessaire et dangereuse. C'est par elle que les entreprises se donnent les moyens d'une meilleure compétitivité. Mais elle ne se fera pas sans conséquence sur le plan social. Le nombre d'emplois économisés par l'introduction de l'électronique pourrait être de l'ordre de 5 % au cours des dix prochaines années. Cela représenterait en 1995 7 millions de chômeurs supplémentaires dans la Communauté européenne. Dans une telle perspective, seule la croissance peut atténuer la portée des « chocs » à venir. Il paraît cependant difficile d'espérer plus de 2 % de progression moyenne des économies jusqu'en 1990. Le poids des prélèvements obligatoires affaiblit l'appareil de production et modère l'enthousiasme des travailleurs. Il faut donc restaurer en même temps le moral des salariés et les marges des entreprises.

*La remise en marche durable des économies ne pourra se faire que d'une façon solidaire.*

La croissance ne se décrète pas. Elle ne se décide pas non plus au seul niveau national. La France en a fait l'expérience en 1982, lorsqu'elle tenta vainement de provoquer une relance solitaire par la consommation. À défaut d'une véritable entente planétaire, qui mettrait en jeu des intérêts trop contradictoires, la Communauté européenne peut servir de support à la mise en place concertée d'une politique de croissance. Les préoccupations de chacun de ses membres sont suffisamment proches pour justifier une action commune qui passe de façon prioritaire par une décélération progressive des prix et des revenus afin de redonner aux entreprises la possibilité d'investir. Elle suppose de la part des acteurs (salariés, patrons, syndicats, gouvernements) des qualités de réalisme plus que d'abnégation. La solidarité européenne n'est pas un acte de générosité gratuite. Elle est la condition du maintien de ses membres dans la course économique mondiale. Les grands projets du type EURÊKA constituent sans aucun doute des prétextes utiles à la vie économique de chaque pays membre et à la naissance, à terme, d'un véritable esprit européen.

---

### La technologie d'abord

Dans quel domaine estimez-vous qu'il est le plus important de développer une coopération européenne ?

| | |
|---|---|
| • Le domaine technique et industriel | 79 % |
| • Le domaine politique | 9 % |
| • Le domaine militaire | 5 % |
| • Ne se prononcent pas | 7 % |

# LE MONDE

*Pour les Français, le monde est une source d'inquiétude plus que d'émerveillement. Chaque jour leur apporte la confirmation de la folie qui s'est emparée de lui. La faim, la crise financière, l'absence de liberté, la guerre en sont les aspects les plus dramatiques. Quatre défis mondiaux qui font courir de graves dangers à l'humanité tout entière.*

## Si proche et si lointain

Aucune autre génération n'a jamais disposé d'une telle masse d'informations pour savoir ce qui se passe autour d'elle. Tous les soirs, à 20 heures, les Français peuvent, en 30 minutes, faire un tour du monde télévisé qui les renseigne sur l'état de ce monde et des relations entre les hommes. Devant leurs yeux blasés défilent jour après jour les images de la violence, de l'intolérance ou de la bêtise, qui font l'ordinaire de l'actualité, celle en tout cas qui est médiatisée.

Loin de concourir à une meilleure connaissance du monde, ces informations ont finalement l'effet inverse. Malgré leur précision, ou plus probablement à cause d'elle, l'impression qui s'en dégage reste floue. Car l'émotion qu'elles inspirent est annihilée par la répétition quotidienne, de sorte que l'inconscient cherche plutôt à éloigner qu'à retenir ces tristes manifestations de la nature humaine. Combien de Français peuvent aujourd'hui citer les causes précises du conflit libanais ou de celui qui oppose l'Iran et l'Irak ? Combien se souviennent de la date de l'attentat contre le pape ou de celui dont fut victime le président Reagan ? Devant l'agression permanente de l'image, chaque individu exerce sa propre censure, afin de ne pas en garder des traces trop profondes.

Ainsi, la connaissance du monde qu'ont les Français d'aujourd'hui n'est pas aussi précise et complète qu'on pourrait logiquement le penser. C'est parce que le monde leur fait peur qu'ils ont tendance à l'exclure de leurs préoccupations quotidiennes. C'est au moment où la plupart des phénomènes ont une dimension planétaire que les Français donnent à l'individu une place prépondérante. Plus qu'un paradoxe, on peut y voir une réaction normale de compensation, une sorte de version contemporaine de « après moi, le déluge »...

La conséquence est que les masses se mobilisent de moins en moins facilement (et de moins en moins longtemps) pour des causes qui leur paraissent de plus en plus vaines. Pourtant, les dangers qui les menacent sont d'autant plus grands qu'est faible l'effort de solidarité entre les individus et entre les peuples.

### Le retour de l'altruisme

« Il faut aider les pays sous-développés » (en %) [1]

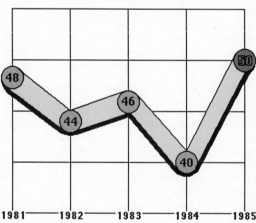

(1) Cumul des réponses « entièrement d'accord » et « bien d'accord ».

## La dérive des continents

Depuis la Seconde Guerre mondiale, les poids relatifs des différentes régions du monde se sont considérablement modifiés. La « dérive » économique, sociale, culturelle des principaux blocs s'est produite à une vitesse à laquelle l'histoire n'était pas habituée.

Malgré une croissance indéniable, le **bloc soviétique** est malade de son centralisme politique et administratif, de son manque d'ouverture et du poids de ses dépenses militaires. Certaines régions d'Asie (Japon, Corée du Sud, Hongkong...) ont connu une fantastique épopée économique due à leur compétitivité et à leurs succès répétés à l'exportation. Le **Moyen-Orient,** après les années de gloire, éprouve aujourd'hui plus de difficultés à s'enrichir en vendant son pétrole. L'**Afrique** n'a pas encore réussi à inventer l'après-colonialisme, ni à vaincre ses divisions. L'Europe souffre de ne pas avoir été jusqu'au bout de la logique européenne. L'**Amérique du Sud** a bien vite oublié les années du miracle économique de certains de ses membres (Brésil, Mexique, Venezuela), pour retrouver la misère et la dépendance vis-à-vis des pays à qui elle doit des sommes fabuleuses. Seuls les **États-Unis** ont réussi à maintenir leur suprématie, sans échapper toutefois à la crise et en abandonnant des parts de marché à la concurrence japonaise et, dans certains cas, européenne.

### Les nouveaux mondes

La vision que les Français ont de la Terre est largement conditionnée par les représentations cartographiques qui leur en sont données depuis l'école. À la classique projection de Mercator, qui régnait depuis le XVIᵉ siècle, s'en substituent aujourd'hui d'autres, qui font apparaître de nouvelles réalités.

Ainsi les Français ont-ils été surpris de voir apparaître des cartes (par exemple, celles de « l'Atlas stratégique » de Gérard Chaliand) qui ne placent plus l'Europe au centre du monde mais l'océan Pacifique, dont les enjeux stratégiques et économiques sont considérables. De même, les cartes établies à partir de photos-satellite prises au-dessus du pôle Nord montrent que les côtes de l'Alaska et du Grand Nord canadien font face à la Sibérie du Nord sur plusieurs milliers de kilomètres, et que la Chine menace l'Union soviétique tout au long de sa frontière sud-est. La projection de l'Allemand Peters, qui cherche à respecter la superficie de chaque territoire (île, continent, pays) propose aussi une représentation nouvelle (mais discutable) du monde, dans laquelle l'Afrique et l'Amérique du Sud deviennent longilignes.

Enfin, l'ordinateur permet aujourd'hui de créer des cartes en fonction de critères précis (la population, le P.I.B., la mortalité, etc.) donnant une vision du monde plus économique que géographique, et qui ne manque pas d'intérêt.

Les relations entre les nations reposent pour une large part sur des rapports de force. Plus encore que la politique, la culture ou la volonté d'hégémonie, ce sont les rapports de force économiques qui conditionnent la nature de ces relations. C'est pour l'instant la guerre économique qui occupe les hommes. Malgré ses inconvénients, elle est évidemment préférable aux autres formes de lutte entre les nations. Il faut aussi, bien sûr, mentionner la guerre de l'information, dont les premières batailles se livrent actuellement, par satellites et télévisions interposés. Ses enjeux sont tout simplement considérables...

## La culture devient planétaire

Les Français des années 50 et 60 regardaient volontiers de l'autre côté de l'Atlantique pour y puiser des idées neuves dans le domaine industriel autant que dans celui des modes de vie. S'ils continuent aujourd'hui de porter des jeans (mais les ventes ont tendance à baisser depuis quelques années) et de boire du Coca-Cola ou du Pepsi-Cola, c'est parce que ces produits, comme tant d'autres, ont été intégrés à la civilisation actuelle. De la même façon, le fast food ne séduit pas les Français parce qu'il est né aux États-Unis, mais parce qu'il présente des avantages déterminants par rapport aux formules traditionnelles.

... et le monde s'imprègne de la culture américaine.

*L'Amérique n'est plus un modèle,*
*mais joue un rôle croissant.*

Même si les Français ne cherchent plus, par principe, à se conformer aux modes de vie américains, la culture anglo-saxonne n'a jamais été aussi présente dans la société. Sans parler du langage, qui emprunte beaucoup à l'anglais, en particulier dans le domaine technique, les références des Français sont, pour une large part, américaines : au cinéma, à la télévision, en musique, en informatique, en électronique, les grands succès sont le plus souvent américains. Les jeunes, en particulier, vivent dans un univers largement américanisé ; leurs héros s'appellent Mickey, Rocky, Rambo, Madonna, Michael Jackson, Starsky et Hutch, J.R. Ewing, etc. Mais peu d'entre eux sont conscients de ce phénomène. La culture des jeunes est de plus en plus internationale. Les développements récents et à venir des médias ne pourront vraisemblablement qu'accélérer ce phénomène.

*Les modes de vie tendent à s'uniformiser*
*entre les différents pays.*

Comme le dit justement le proverbe, « le monde est petit ». Il est même de plus en plus petit lorsqu'on considère la facilité avec laquelle on peut en faire le tour. Les 80 jours de Phileas Fogg, une belle performance à l'époque, font sourire aujourd'hui, alors que la navette spatiale fait une révolution complète en une heure et demie. En quelques dizaines d'années, le monde s'est largement ouvert aux idées et aux produits des autres. Même des pays très autarciques comme l'U.R.S.S. ou la Chine ont laissé pénétrer quelques-uns des symboles de cette culture universelle que sont les produits de consommation courante : alimentation, loisirs (musique, télévision, cinéma...), etc.

*Les entreprises multinationales*
*sont les principales responsables*
*de cette uniformisation.*

Les produits, les campagnes de publicité, les méthodes de travail, les modes de vie se ressemblent dans la plupart des pays. De sorte qu'il faut aller de plus en plus loin pour trouver l'exotisme. Le visiteur qui se rend à New York, Amsterdam, Francfort ou Mexico retrouve beaucoup d'images qui lui sont familières : affiches publicitaires, boutiques et hôtels d'implantation internationale, produits courants, etc., à l'heure où les modes de vie tendent à devenir de plus en plus individuels, les cadres de vie tendent au contraire à s'uniformiser. Le paradoxe n'est qu'apparent. Ce ne sont pas, en effet, les éléments communs de l'environnement qui déterminent la façon de vivre des individus. Ils n'en sont que les accessoires, dont l'utilisation peut être aisément personnalisée, car chaque produit existe aujourd'hui dans un nombre élevé de versions. On peut d'ailleurs penser que c'est précisément pour lutter contre la standardisation de leur cadre de vie que les individus cherchent à s'inventer des façons de vivre de plus en plus personnelles. Les frontières que l'on place autour de sa vie privée sont souvent plus hermétiques que celles qui existent entre les pays.

**Les quatre défis mondiaux**

La perception qu'ont les Français du monde qui les entoure est caractérisée par l'angoisse. La peur de la guerre en est la première manifestation, en France comme

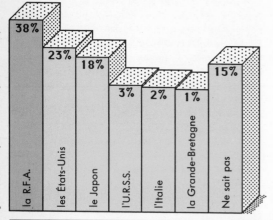

**L'Allemagne, partenaire préféré des Français**

Avec quel pays, selon vous, la France aurait-elle le plus intérêt à coopérer sur les plans industriel et technologique ?

Ça m'intéresse/Louis Harris (30 oct. 1985)

| la R.F.A. | les États-Unis | le Japon | l'U.R.S.S. | l'Italie | la Grande-Bretagne | Ne sait pas |
|-----------|----------------|----------|------------|----------|---------------------|-------------|
| 38% | 23% | 18% | 3% | 2% | 1% | 15% |

dans l'ensemble des pays occidentaux. Depuis quelques années, elle a gagné du terrain, trouvant une reconnaissance quasi officielle dans son intégration au langage des médias. L'autre épée de Damoclès suspendue au-dessus des têtes est le risque de faillite financière des pays fortement endettés. Il pourrait du jour au lendemain rompre le fragile équilibre maintenu jusqu'ici entre les pays riches et les autres. Les Français sont également sensibles au non-respect des Droits de l'homme, ces droits dont ils se souviennent être les inventeurs. Les raisons ne manquent pas pour alimenter quotidiennement leur inquiétude en ce domaine.

Le problème de la faim dans le monde, s'il ne mobilise pas toujours les Français, reste présent dans leurs mémoires et leur donne parfois mauvaise conscience. Plus que tout autre, il leur rappelle régulièrement que les progrès de l'humanité n'ont pas profité de façon égale à tous les hommes. Ce problème est d'ailleurs devenu plus proche, avec le développement de la « nouvelle pauvreté » au sein même de la société française.

---

### Les grands problèmes du monde

Parmi ces menaces qui pèsent aujourd'hui sur le monde, dites-moi celles auxquelles vous êtes personnellement le plus sensible ? (en %)

- La faim dans le monde      63
- Les atteintes aux droits de l'homme      38
- L'insécurité      34
- Le racisme      31
- La course aux armements      30
- La pollution      20
- Sans opinion      1

Total supérieur à 100 %, car possibilité de réponses multiples.

---

## 1. Le défi de la paix

Un Français sur quatre considère qu'une guerre mondiale est inévitable (encadré). La plupart des habitants des pays occidentaux accordent à ce risque une probabilité relativement élevée au cours des 10 prochaines années. Les Français sont, avec les Américains, les plus pessimistes des Occidentaux.

### Un Français sur quatre pessimiste

« La guerre mondiale est inévitable » (1)

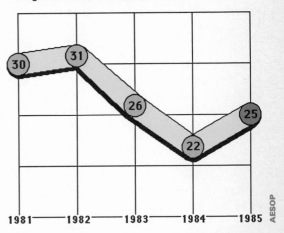

1981 — 1982 — 1983 — 1984 — 1985

AESOP

(1) Cumul des réponses « entièrement d'accord » et « bien d'accord ».

---

Pendant longtemps, l'idée d'une guerre mondiale n'était qu'une hypothèse extrême que seuls les particuliers évoquaient entre eux, comme pour l'exorciser. Aujourd'hui, la menace est de plus en plus présente dans le quotidien, au risque de devenir une véritable psychose.

### *L'adversaire est très clairement désigné : l'U.R.S.S.*

Pour la grande majorité des Français, c'est l'Union soviétique qui menace le plus la paix dans le monde. Mais elle n'est pas la seule responsable à leurs yeux des tensions internationales. Les États-Unis, avec leur dollar superstar, leurs fusées et la mission de « gendarme du monde » qu'ils se sont attribuée, n'y sont pas étrangers. L'opinion publique américaine reconnaît d'ailleurs le risque que les États-Unis font courir au reste du monde. Comme beaucoup d'autres, les Français attendent sans y croire de vraies négociations sur un vrai désarmement entre les deux superpuissances. Et c'est avec un espoir mêlé de scepticisme qu'ils ont suivi l'offensive de charme de Gorbatchev en direction des pays occidentaux, à commencer, fin 1985, par la France. L'image de l'U.R.S.S. en a bénéficié.

## La cote d'amour Est-Ouest

Quelle opinion avez-vous de la politique de l'Union soviétique et des États-Unis dans le monde ?

| | États-Unis | | U.R.S.S. |
| | 1985 | 1982 (rappel) | 1985 |
|---|---|---|---|
| • Très bonne | 4 | 2 | 0 |
| • Plutôt bonne | 39 | 28 | 9 |
| • Plutôt mauvaise | 22 | 38 | 36 |
| • Très mauvaise | 5 | 13 | 23 |
| • Sans opinion | 30 | 19 | 32 |
| | 100 | 100 | 100 |

*La sécurité passe principalement par le désarmement.*

C'est l'avis de la plupart des Français, qui n'envisagent pas de paix durable sans réduction bilatérale des armements. L'opinion des Américains est un peu différente. L'idée de devoir être présents sur tous les théâtres d'affrontements ne les séduit pas outre mesure et beaucoup souhaitent que l'Europe prenne en charge sa propre défense.

*Le pacifisme ne fait pas recette en France.*

Un peu partout en Europe, des mouvements pacifistes se sont développés au moment des discussions précédant l'installation des fusées Pershing II. Le courant n'a pas eu en France la même ampleur qu'en Allemagne. Peut-être parce que les Français se sont sentis moins concernés par un événement qui ne se passait pas directement chez eux. Peut-être aussi parce que le soutien du parti communiste au pacifisme a paru suspect à ceux pour qui le danger vient précisément du bloc communiste. Ainsi, face au déséquilibre croissant entre les forces de l'Alliance atlantique et celles du pacte de Varsovie, à la « mondialisation » de la stratégie de l'U.R.S.S. (développement de la marine de guerre, accroissement des tentatives d'intervention indirecte), les Français répugnent à se fier aux seuls « bons sentiments » pacifistes, pensant qu'il y a peu de chances qu'ils soient partagés par tous ceux qui détiennent le pouvoir de faire la guerre et qui pourraient en profiter.

## La paix ET l'indépendance

D'après vous, si la France était menacée par un autre pays, devrait-elle :

| | |
|---|---|
| • Faire la guerre pour préserver à tout prix sa liberté | 35 % |
| • Tout faire pour préserver la paix, même si le territoire national doit être envahi | 50 % |
| • NSP | 15 % |

Estimez-vous que pour renforcer sa défense, la France devrait accepter l'installation de missiles américains sur son territoire ?

| | |
|---|---|
| • Oui | 25 % |
| • Non | 55 % |
| • NSP | 20 % |

## 2. Le défi de l'argent

Les Français ne sont guère informés des risques de « krach » financier qui se sont développés depuis 10 ans dans les pays les plus endettés. Ce n'est que lorsqu'on leur décrit le scénario catastrophe d'une banqueroute internationale qu'ils se mettent à trembler. Heureusement, dans ce domaine comme dans les autres, le pire n'est jamais sûr. Les principaux pays prêteurs se disent, en tout cas, prêts à réagir en cas de difficultés. Et les citoyens des pays « riches » s'accrochent à cette idée afin de continuer à bien dormir la nuit...

*Les dettes des pays fortement endettés ne seront sans doute jamais remboursées.*

La comptabilité des organismes financiers internationaux porte la marque d'une extrême naïveté. Les prêts consentis aux pays en voie de développement sont inscrits à l'actif des bilans comme s'il s'agissait d'un bien éventuellement réalisable. La probabilité que ces capitaux soient un jour remboursés est en réalité très faible. Toute l'action internationale consiste à s'assurer que les intérêts annuels seront bien payés. Quitte à accorder de nouveaux prêts aux pays qui ne peuvent assurer par leur seule croissance le paiement de ces intérêts.

Ces pratiques sont en fait plus dictées par le réalisme que par la générosité. L'alternative à ce rééchelonnement indéfini des prêts est tout simplement la faillite des pays concernés. Et donc celle des organismes prêteurs. En cas de problème les Français perdraient environ 20 % de leurs dépôts dans les banques impliquées dans le pool mondial.

La chute brutale du prix du pétrole brut qui s'est produite début 1986 devrait encore accroître les difficultés de remboursement de certains pays producteurs, comme le Mexique.

### La crise mondiale tue

La récession mondiale entraîne une très grave détérioration des conditions de vie des familles, en particulier des enfants. Il existe, selon l'**U.N.I.C.E.F.**, un lien étroit entre le taux de mortalité des enfants et le taux de chômage, surtout lorsque celui-ci dépasse 10 % de la population active. Dans les pays les plus touchés, comme le Brésil, on note un accroissement de l'insuffisance du poids des nouveau-nés. Dans certains pays, la taille des enfants par rapport à leur âge tend à diminuer. On voit augmenter un peu partout les cas d'abandon d'enfants et d'errance des adolescents. La délinquance juvénile s'accroît, en même temps que le nombre des suicides. Le phénomène n'épargne pas les pays les plus riches. Aux États-Unis, le taux de mortalité infantile a augmenté dans des proportions spectaculaires dans les régions les plus touchées par le chômage (Alabama, comtés de Flint et de Pontiac dans le Michigan, quartiers de Central et East Harlem à New York). L'**U.N.I.C.E.F.** considère que les effets de la crise économique mondiale sont encore à venir. La proportion des moins de 18 ans vivant en dessous du seuil de pauvreté devrait continuer d'augmenter dans les prochaines années, risquant de causer à terme des « dommages incalculables » à des millions d'enfants.

## 3. Le défi de la faim

> E E *Une personne sur six souffre de la faim.*
> *Une sur quatre souffre de carences alimentaires.*

Les Français sont conscients de ce drame. Beaucoup se disent prêts à agir à titre personnel par des dons, mais la plupart estiment que le problème ne peut être traité qu'au niveau des gouvernements et des organismes internationaux.

Lorsqu'ils sont sollicités par les médias pour des opérations d'envergure (le Sahel, la Pologne, le Cambodge, etc.), les Français font preuve de générosité. Puis, comme la plupart des habitants des pays « riches », ils s'empressent d'oublier des images qui font mal et qui donnent mauvaise conscience.

La faim justifie tous les moyens.

### La faim et les moyens

• Il y avait en 1980 450 millions de personnes sous-alimentées. La Banque mondiale en prévoit 800 millions en l'an 2000 si un effort considérable n'est pas fait d'ici là.
• Sur 150 millions d'enfants qui naissent chaque année, 15 millions meurent au cours de leur première année.
• Pendant la grande sécheresse, les habitants du Sahel ont exporté plus de produits alimentaires qu'ils n'en ont reçu au titre de l'aide alimentaire.
• La **C.E.E.** consomme 110 millions de tonnes de céréales par an. Les deux tiers sont consommés par les animaux.
• Ce n'est pas l'Afrique qui compte le plus de mal-nourris, mais l'Asie (65 % du nombre total, contre 25 % en Afrique).
• Les ressources mondiales seraient largement suffisantes pour nourrir la planète si elles étaient bien utilisées. La production actuelle de céréales suffit à fournir 3 000 calories et 60 grammes de protéines par jour à chaque être humain. Or, il faut 2 500 calories et 60 grammes de protéines pour assurer la croissance normale d'un individu.
• Il suffirait de réorienter 2 % de la production céréalière mondiale vers ceux qui en ont besoin pour éliminer la malnutrition.

## 4. Le défi de la liberté

Pour la majorité des Français, les Droits de l'homme sont avant tout la garantie de sa liberté. Liberté de penser, de croire, de s'exprimer, d'agir. Les pays qui violent régulièrement les Droits de l'homme sont toujours à peu près les mêmes. Et l'on salue les trop rares victoires de la démocratie sur la dictature ou le totalitarisme. L'Espagne, la Grèce et, plus récemment, l'Argentine sont des exemples qui ne parviennent pas à faire oublier que la majorité des nations refusent à leurs habitants les droits élémentaires associés à la dignité humaine. On ne peut que s'indigner du fait que l'intelligence de l'homme ne soit pas toujours au service de la liberté de ses semblables.

Un être humain sur dix vit en démocratie.

### Les Droits de l'homme ignorés dans 123 pays

Le rapport annuel d'Amnesty International 1985 donne une idée précise de l'injustice et de la difficulté de vivre sa vie d'homme dans la majorité des pays du monde. La volonté apparente des auteurs de ne pas provoquer, amplifier ou déformer les pratiques qu'ils dénoncent (injustice, absence de jugement, torture, exécution) donne à leurs descriptions plus de poids encore. La seule énumération des violations des Droits de l'homme dans chacun des pays figurant dans le rapport (123, auxquels il faut ajouter les pays sur lesquels aucune information n'a pu être obtenue) donne froid dans le dos. La liberté la plus bafouée reste de loin la liberté d'opinion. Des « prisonniers d'opinion » existent dans environ la moitié des pays du monde, qui considèrent souvent l'intolérance et la répression comme des moyens légitimes de gouvernement. Il ne fait pas bon afficher des convictions religieuses, morales ou politiques différentes de la « norme » imposée par beaucoup de régimes en place. Et les prisons sont pleines de gens qui ont osé élever la voix contre l'abus, l'injustice ou le crime. Mais l'un des intérêts du rapport d'Amnesty International est de montrer que même les démocraties occidentales ne sont pas exemptes d'atteintes aux droits de l'individu. Les États-Unis, le Japon, l'Allemagne fédérale... et même la Suisse y sont cités pour différentes raisons, telles que le maintien de la peine de mort encore en vigueur dans plus de 100 pays ou la non-observation du droit d'asile. La France elle-même n'est pas absente du « palmarès » à cause du sort qu'elle réserve aux objecteurs de conscience. Ceux qui refusent de se conformer aux dispositions de la loi sur le service national (durée du service de 24 mois, soit le double de la normale) peuvent en effet être poursuivis et incarcérés.

L'image du monde

### En vrac

● La Communauté européenne consacre 19 % de son P.I.B. aux investissements, contre 28 % au Japon et 17 % aux États-Unis.
● Les personnes âgées de plus de 65 ans représentent 14 % de la population de la C.E.E., contre 12 % aux États-Unis, 10 % en U.R.S.S., 5 % en Chine, 3 % en Inde.
● En 1984, dans 55 pays, 2 068 personnes ont été condamnées à mort par les tribunaux.
● Aux États-Unis, fin 1984, il y avait 1 400 prisonniers condamnés à mort.
⑤ 37 % des Français croient que le projet Eurêka de coopération technique européenne redonnera à l'Europe un rôle de premier plan, 24 % qu'il la maintiendra à son niveau actuel, 21 % qu'il n'empêchera pas le déclin de l'Europe (ne se prononcent pas : 18 %).
⑤ 16 % seulement des Français pensent qu'il y a un risque de conflit armé touchant le territoire français dans les prochaines années (64 % non, 20 % ne se prononcent pas).
⑤ 87 % considèrent que la torture est inadmissible dans tous les cas et qu'il faut que tout le monde lutte pour la faire disparaître, 10 % qu'elle est inévitable dans le monde d'aujourd'hui (ne se prononcent pas : 3 %).
⑤ 37 % pensent que le respect des droits de l'homme a plutôt progressé au cours des 10 ou 20 dernières années, 26 % qu'il a plutôt reculé (ne se prononcent pas : 10 %).

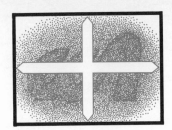

# Les Styles de Vie et la Société

## LA CRISE AU CENTRE DE TOUT

La crise a commencé bien avant le premier choc pétrolier de 73... Avant d'être économique, elle était déjà culturelle : incapacité ou impossibilité des enfants de la civilisation industrielle à trouver une raison de vivre et de se battre. Plus de projet d'avenir ni d'utopie mobilisatrice... Et ce fut, partout dans le monde industriel, mai 68 ! Quelques années auparavant, les « beatniks », le « rock », puis les « hippies » exprimaient chacun à leur manière la déstabilisation des valeurs et le « trou noir culturel » de la société industrielle.

*La crise des valeurs et des énergies mentales a précédé chez les jeunes la crise des techniques et de l'énergie du monde économique.*

La crise d'identité des jeunes privilégiés des sociétés d'abondance était annonciatrice de la crise mondiale qui allait éclater avec le premier choc pétrolier et remettre en cause la hiérarchie Nord-Sud.

Mais, dans les années 60-70, on n'accordait guère d'importance à ces états d'âme d'adolescents. N'en est-il pas de même, d'ailleurs, aujourd'hui ? On n'aime guère prendre en compte les symptômes de déstabilisation et de crise socioculturelle que sont les phénomènes nihilistes « punk », les poussées d'extrême droite, la xénophobie, etc. En fait, les sociétés ne cherchent guère à comprendre leurs marginaux...

*La crise fut considérée pendant 10 ans comme une « agression venue d'ailleurs ».*

De 1970 à 1976, l'inquiétude existait, mais la crise restait un phénomène abstrait, technocratique, lointain, international. Si la vie quotidienne en était affectée, c'était de façon extérieure. Pour les Français, il s'agissait d'une menace floue, contre laquelle il fallait élever des remparts pour protéger les modes de vie. Payer plus cher le pétrole, oui ! Changer de style de vie, non !

*C'est vers 1978 que l'idée d'une crise durable a commencé à s'installer, comme une sorte de maladie chronique du monde moderne.*

Mais les maladies chroniques, on s'y habitue, et on vit avec... ! Les Français se sont donc résignés à n'être plus « dans le peloton de tête » et à accepter une relative perte de puissance et de richesse. Mais à la condition que la France reste un îlot de bien-être, de sécurité, de consommation, de protection...

*Ce n'est qu'à partir des années 80 que la notion de crise est devenue centrale pour les Français.*

Pour l'opinion, les événements des années 65/68 n'avaient été que des désordres ; le choc pétrolier des années 70 une simple agression extérieure. La crise n'était qu'une maladie du monde, qui ne touchait que « les autres ».

À partir de 1980, la crise devint « notre crise ». Mais sa perception est restée collective.

Elle était le problème de la société en général, un dysfonctionnement des mécanismes macro-sociaux, une panne du moteur économique. La plupart des Français pensaient que ce n'était pas leur problème, qu'ils n'y étaient pour rien et n'y pouvaient rien...

*Cette vision de la crise*
*a, bien sûr, largement facilité*
*le changement de majorité politique*
*de mai 1981.*

L'arrivée d'une nouvelle équipe et de nouvelles méthodes apparaissait comme une solution à ce problème de société. La gauche, François Mitterrand en tête, symbolisait un changement qui promettait de résoudre les questions de gestion (inflation et chômage) sans austérité au niveau individuel. Ce fut alors « l'état de grâce ». Celui-ci prit fin à l'automne 1982, lorsque le gouvernement changea de discours pour mettre en œuvre une politique d'urgence et de survie économique, laissant de côté les projets de réforme à caractère social qui l'avaient fait élire. Au lieu de la justice sociale promise et de la poursuite de la croissance, se profilaient la rigueur et la diminution du pouvoir d'achat. Le baromètre de conjoncture sociale du C.C.A. montrait en décembre 1982 une brutale dramatisation individuelle de la crise. Sous l'effet de ce changement de discours politique se cristallisaient subitement 10 ans d'inquiétudes refoulées.

*En 1983, la crise de la société*
*devenait celle des individus.*

Elle remettait en cause les modes de vie, les valeurs, les statuts... Il s'en est suivi un sentiment de panique et de drame, qui s'est traduit par un vent de pessimisme et de démobilisation, amplifié par les « mauvaises nouvelles » économiques (commerce extérieur déficitaire, inflation, chômage, monnaie, déficits des services publics et des entreprises nationalisées...). Même lorsque ces indices macro-économiques s'amélioraient un peu (commerce extérieur), le pessimisme demeurait. « Pour que l'économie aille mieux demain, je vais devoir payer l'addition aujourd'hui », se disaient avec inquiétude les Français.

*1984 fut marquée*
*par une formidable vague de pessimisme.*

Un pessimisme tout aussi irraisonné que le fut l'optimisme béat des 10 années précédentes. Depuis 1984, la crise est au cœur de la carte des styles de vie et c'est elle qui conditionne les comportements actuels.

Pour les chefs d'entreprise, les leaders politiques ou les hommes du gouvernement, mobiliser les Français devenait donc une tâche de plus en plus difficile. D'un côté, la panique sociale, la dramatisation de la crise, l'éclatement du corps social. De l'autre, la divergence des diagnostics, la montée du pessimisme et celle de l'individualisme. Au total, une large majorité de Français qui, chacun à leur façon, semblaient dire « sauve qui peut, la crise ! ».

## 1985-1986 : l'adaptation en marche

Cette prise de conscience d'un désordre croissant dans le fonctionnement social s'ajoutait à une tendance déjà forte au repli sur soi. La défense des intérêts particuliers (droits acquis, privilèges, prise en charge par l'État-providence, etc.) prend le pas sur celle des intérêts collectifs. On voit alors apparaître une forme moderne de corporatisme, chargée d'exercer un contre-pouvoir face à l'État, par des pressions répétées, pour obtenir une part constante d'un gâteau qui diminue.

Face à la crise, les Français de 1986 n'offrent toujours pas un front uni. Et l'adaptation qui est en train de se produire est plutôt une collection d'adaptations individuelles, que l'on peut illustrer par la description d'une sorte de « bestiaire social ».

• **Les Chats** (Libertaires de la Mentalité de Décalage) représentent une tendance (minoritaire) qui consiste à observer le jeu social sans vraiment y participer. Mais avec la volonté d'en profiter chaque fois que c'est possible, en recourant au besoin à des pratiques de « parasitisme social ».

• **Les Renards** (Profiteurs, Dilettantes et Frimeurs) constituent une minorité croissante. Leur individualisme est très développé, et servi par une débrouillardise qui leur permet de tirer parti du système social et de la crise.

• **Les Chiens de garde** (Défensifs, Vigiles et certains Exemplaires) cherchent avant tout à protéger leurs acquis (emploi, famille, biens) et utilisent, dès qu'ils se sentent menacés, toutes les formes possibles d'autodéfense : nationalisme, xénophobie, racisme, repli sur soi, protectionnisme.

• **Les Bernard-l'ermite** (Conservateurs, Utilitaristes et certains Exemplaires) se contentent de rechercher la sécurité dont ils ont besoin auprès de l'État-providence. La « loi de la jungle » n'est pas pour eux ; ils préfèrent déléguer aux « responsables », à « ceux qui savent » le soin de résoudre les problèmes du moment.

• **Les Fourmis** (Moralisateurs, Responsables et la majorité des Attentistes) pensent que la sortie de la crise passe par une gestion plus rigoureuse à tous les niveaux. Le libéralisme leur apparaît comme une bonne solution, en théorie, mais beaucoup ne sont cependant pas prêts à en assumer les risques personnels. Déréglementation ne signifie pas à leurs yeux concurrence sauvage et mise en cause permanente de l'individu.

• **Les Castors** (Entreprenants, Militants et quelques Attentistes) croient fermement à la nécessité et au renouveau de l'esprit d'entreprise. Mais beaucoup d'entre eux privilégient le court terme, le pragmatisme plutôt que l'ambition à long terme et les grands projets de société.

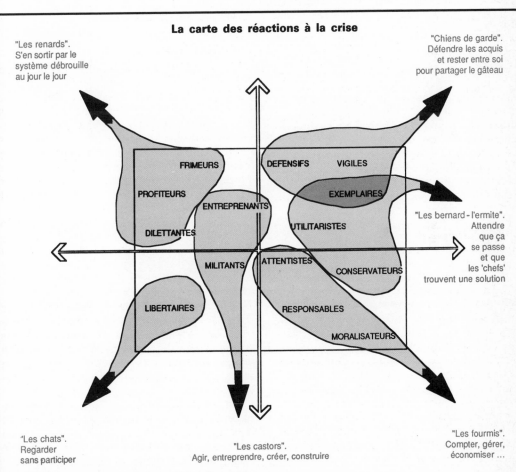

**La carte des réactions à la crise**

"Les renards".
S'en sortir par le système débrouille au jour le jour

"Chiens de garde".
Défendre les acquis et rester entre soi pour partager le gâteau

FRIMEURS  DEFENSIFS  VIGILES
PROFITEURS  EXEMPLAIRES
ENTREPRENANTS
DILETTANTES  UTILITARISTES

"Les bernard - l'ermite".
Attendre que ça se passe et que les 'chefs' trouvent une solution

MILITANTS  ATTENTISTES  CONSERVATEURS
LIBERTAIRES  RESPONSABLES
MORALISATEURS

"Les chats".
Regarder sans participer

"Les castors".
Agir, entreprendre, créer, construire

"Les fourmis".
Compter, gérer, économiser ...

C.C.A.

Pour lire la carte, voir la description des Styles de Vie en fin de volume.

## Les mentalités et la société

| | RIGORISTES | ÉGOCENTRÉS | ACTIVISTES (Entreprenants) | DÉCALÉS | MATÉRIALISTES + Militants |
|---|---|---|---|---|---|
| **Attitude vis-à-vis de la société** | Nostalgie des valeurs du passé : ordre, avoir, morale. | Repli sur les petits groupes et corporations. | Dynamisme professionnel. | Asociaux, parasites. | Modestie résignée (sentiment d'impuissance). |
| **Motivation principale** | Retour aux sources. | Vie « microsociale » (locale, corporative, etc.). | Activisme individuel, orienté vers la carrière personnelle. | Motivation culturelle dans le « hors-jeu social ». | Demande d'assistance. |
| **Comportement personnel** | Autoritarisme et recherche de l'ordre. | Autodéfense des privilèges acquis. | Cynisme. | Double jeu. | Passivité ; repli. |
| **Attitude vis-à-vis des autres** | Élitisme, chauvinisme, autoritarisme moralisateur. | Xénophobie, isolationnisme. | Tolérance, mais par indifférence. | Individualisme fraternel ; tolérance ; égalitarisme. | Recherche de chaleur humaine dans le groupe. |
| **Attitude vis-à-vis des institutions** | État puissant, besoin d'idéologie et de morale ; rôle essentiel des « institutions fortes » ; centralisme. | Décentralisation ; développement de la vie associative ; individualisme anti-institutions. | Prépondérance de l'entreprise par rapport à l'État ; antidirigisme. | Anti-institutionnalisme ; « anarchie ». | Soumission passive. |
| **Les causes de la crise** | Déclin des valeurs traditionnelles ; manque d'autorité de l'État. | Agression du monde extérieur « bouc émissaire » ; manque de force et d'agressivité de l'État pour défendre les citoyens. | Manque de compétitivité sur le plan international ; manque d'agressivité économique. | Décadence de la civilisation industrielle ; manque d'imagination et d'innovation. | Dérèglement de l'économie mondiale. |
| **Idéologie dominante** | Légalisme (le droit). | Matérialisme de consommation et de richesse (le « fric »). | Gestion économique ; technocratie. | Anti-idéologie. | Équilibre ; harmonie. |
| **Mobilisation sociale** | Défense des principes moraux et spirituels. | Défense des biens matériels. | Pour l'économie. | Pour de grands projets « fous ». | Pour la sécurité. |
| **Orientation sociale** | Ultra-conservatisme intégriste. | Corporatisme protectionniste, xénophobe et raciste. | Pragmatisme cynique. | Spectateur ironique, désabusé. | Passivité d'assisté. |

# 4
# LE TRAVAIL

# Le baromètre du travail

*Enquête auprès de la population de 18 ans et plus ; cumuls des réponses « bien d'accord »*
*et « entièrement d'accord » aux affirmations proposées.*

Il faut chercher à travailler le moins possible.

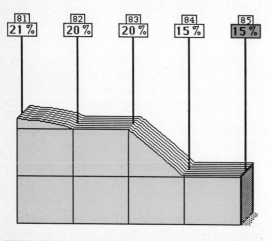

| 81 | 82 | 83 | 84 | 85 |
|----|----|----|----|----|
| 21 % | 20 % | 20 % | 15 % | 15 % |

Le chômage est très angoissant.

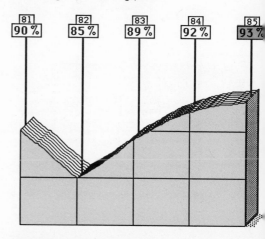

| 81 | 82 | 83 | 84 | 85 |
|----|----|----|----|----|
| 90 % | 85 % | 89 % | 92 % | 93 % |

Les syndicats sont indispensables.

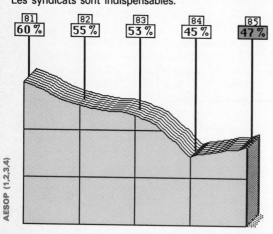

| 81 | 82 | 83 | 84 | 85 |
|----|----|----|----|----|
| 60 % | 55 % | 53 % | 45 % | 47 % |

Il faut adopter la semaine de 35 heures.

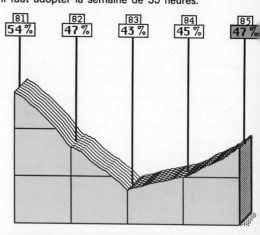

| 81 | 82 | 83 | 84 | 85 |
|----|----|----|----|----|
| 54 % | 47 % | 43 % | 45 % | 47 % |

AESOP (1.2.3.4)

# La Population Active

## TRAVAILLEURS

*Les chiffres de la population active ne reflètent qu'imparfaitement le travail des Français. La réalité est plus complexe. Le chômage et le développement des nouvelles formes du travail sont en train de bouleverser la notion d'activité.*

### Un Français sur trois au travail

Comme la nostalgie, le travail n'est plus ce qu'il était. La nostalgie n'est d'ailleurs pas absente de l'image que les Français ont du travail. Il faut dire que les choses ont beaucoup changé en quelques années et que le droit au travail, si intimement lié à la dignité humaine, paraît quelque peu bafoué aujourd'hui.

On a pu observer, au cours de ces dernières années, la montée concomitante de trois phénomènes : le chômage, le travail des femmes, la population immigrée. La tentation était

évidemment forte, au pays de Descartes, de relier ces trois évolutions et d'accuser les immigrés et les femmes d'être responsables de la forte croissance du chômage. L'explication est commode, mais elle est un peu trop simpliste.

*62 % des Français n'ont pas d'activité professionnelle rémunérée.*

Il faut ramener à sa juste proportion la notion d'activité (au sens où l'entendent les statisticiens, les officiels). Au total, 21 millions de Français ont aujourd'hui un emploi, soit 38 % seulement de la population totale. Ce qui veut dire que près de deux Français sur trois ne « travaillent » pas : enfants, étudiants, adultes inactifs, chômeurs, retraités.

L'histoire du travail a connu au cours du XX^e siècle deux phases distinctes, de durée inégale. De 1900 à 1970, la proportion d'actifs dans la population totale a diminué régulièrement. Depuis 1970, elle tend à remonter, sans pour autant retrouver le niveau qu'elle avait au début du siècle. L'évolution de la pyramide des âges n'est pas la seule explication de ce phénomène. La démographie n'est qu'un des outils de la sociologie. C'est principalement le « retour » des femmes au travail depuis une quinzaine d'années qui explique cet accroissement de la proportion d'actifs dans la population totale (voir page suivante).

I.N.S.E.E. (Données sociales 1984 + enquêtes sur l'emploi)

### 43 % des Français sont actifs

(En pourcentage de la population totale).

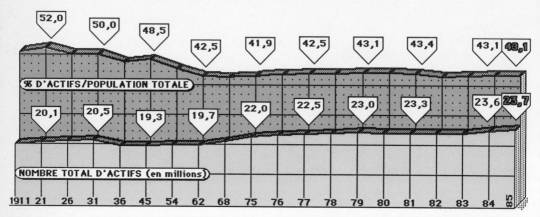

% D'ACTIFS/POPULATION TOTALE

52,0  50,0  48,5  42,5  41,9  42,5  43,1  43,4  43,1  43,1

20,1  20,5  19,3  19,7  22,0  22,5  23,0  23,3  23,6  23,7

NOMBRE TOTAL D'ACTIFS (en millions)

1911 21  26  31  36  45  54  62  68  75  76  77  78  79  80  81  82  83  84  85

*Entre 1900 et 1968, la proportion d'actifs dans la population totale a baissé de 20 %.*

Cette réduction importante est liée à l'évolution démographique peu favorable entre les années 1930 et 1945 : allongement de la durée de vie moyenne ; classes actives décimées par la guerre. Mais elle est aussi la conséquence de l'allongement de la scolarité, de la réduction de l'âge moyen de la retraite et de la diminution de l'activité féminine jusqu'à l'aube des années 70.

*Depuis 1968, le taux d'activité remonte régulièrement.*

Les années 70 ont été marquées par une diminution de la fécondité et par un ralentissement de la progression de l'espérance de vie. Il faut y ajouter l'arrivée sur le marché du travail des générations nombreuses de l'après-guerre, les départs en retraite des générations creuses de la guerre de 1914. Sans oublier les flux d'immigration, importants depuis la fin de la guerre d'Algérie.

Mais c'est le redémarrage de l'activité féminine depuis 1968 qui a joué le plus grand rôle dans l'accroissement de l'activité globale, qui atteint 43 % aujourd'hui (loin cependant du maximum de 52 % observé en 1921).

### On se met au travail plus tard et on est à la retraite plus tôt

Taux d'activité selon l'âge.

| Âges | Hommes | | Femmes | |
|---|---|---|---|---|
| | 1968 | 1985 | 1968 | 1985 |
| 15 à 19 ans | 43,0 | 17,6 | 32,5 | 12,6 |
| 20 à 24 ans | 81,7 | 68,1 | 63,6 | 66,0 |
| 25 à 29 ans | 96,5 | | 52,2 | 74,2 |
| 30 à 34 ans | 98,7 | | 44,6 | 71,1 |
| 35 à 39 ans | 98,5 | 96,5 | 45,2 | 70,9 |
| 40 à 44 ans | 97,7 | | 47,1 | 70,3 |
| 45 à 49 ans | 96,4 | | 48,8 | 65,9 |
| 50 à 54 ans | 93,2 | 91,2 | 48,4 | 57,8 |
| 55 à 59 ans | 83,9 | 67,8 | 45,7 | 42,8 |
| 60 à 64 ans | 65,9 | | 35,3 | |
| 65 à 69 ans | 28,9 | 13,5 | 14,8 | 6,5 |
| 70 à 74 ans | 14,2 | | 6,8 | |
| 75 ans et plus | 6,8 | | 2,8 | |
| **15 ans et plus** | **75,0** | **66,5** | **38,6** | **45,4** |

## Les femmes ont « repris » le travail

L'accroissement du travail féminin est l'une des données majeures de l'évolution sociale de ces dernières années. Mais ce phénomène n'est pas nouveau lorsqu'on élargit

### 36 % des femmes travaillent

Évolution du taux d'activité des hommes et des femmes (en pourcentage de la population totale de chaque sexe).

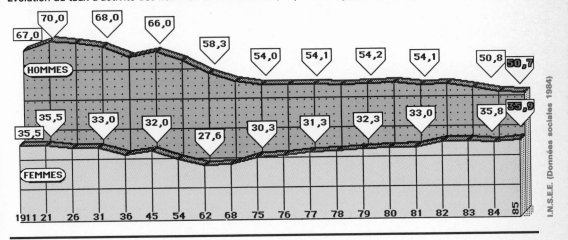

I.N.S.E.E. (Données sociales 1984)

| 67,0 | 70,0 | 68,0 | 66,0 | 58,3 | 54,0 | 54,1 | 54,2 | 54,1 | 50,8 | 50,7 |

HOMMES

FEMMES

| 35,5 | 35,5 | 33,0 | 32,0 | 27,6 | 30,3 | 31,3 | 32,3 | 33,0 | 35,8 | 35,9 |

1911 21  26  31  36  45  54  62  68  75  76  77  78  79  80  81  82  83  84  85

le champ de la mémoire. Les femmes actives étaient beaucoup plus nombreuses au début du siècle.

*45 % des femmes de 15 ans ou plus sont en activité.*

Après avoir atteint un maximum vers 1900, le taux d'activité des femmes avait fortement baissé jusqu'à la fin des années 60. Pour les raisons, principalement démographiques, expliquées précédemment. Depuis 1968, la proportion de femmes actives a augmenté, alors que celle des hommes a diminué, du fait du vieillissement de la population.

Cette évolution récente tient autant à un changement de mentalité des femmes vis-à-vis du travail rémunéré qu'à une modification des postes disponibles dans les entreprises. C'est, traditionnellement, la rencontre d'une demande nouvelle avec une offre qui lui est favorable qui explique les grands mouvements de la société. La « nouveauté » du travail féminin tient donc essentiellement au fait que les femmes travaillent aujourd'hui à l'extérieur du foyer et qu'elles occupent des postes de salariés.

*Les femmes sont de plus en plus nombreuses à exercer une activité rémunérée.*

*• 65 % des femmes de 25 à 54 ans occupent un emploi, contre 45 % en 1968.*

Le taux d'activité des femmes est lié à leur niveau de formation (il augmente avec lui) et à la profession exercée par le conjoint. Ce sont les femmes d'ouvriers, mais aussi de cadres ou de « professions intellectuelles supérieures » (enseignants, etc.) qui ont le taux d'activité le plus faible. On note une féminisation accrue

Vous décidez, lisez Biba.

Alice

L'ambition n'est plus une spécificité masculine.

de certains secteurs, notamment dans le tertiaire, où existe d'ailleurs une forte rotation de l'emploi et un niveau de rémunération souvent peu élevé.

### Mère de famille ou femme active ?

Le nombre des femmes actives entre 20 et 55 ans a considérablement augmenté au cours de ces dernières années. Il atteint un maximum entre 25 et 29 ans, avant la naissance du premier enfant. Les femmes non mariées (célibataires, veuves ou divorcées) travaillent plus fréquemment que les autres (70 % sont actives). Les mères de famille sont d'autant plus actives qu'elles ont moins d'enfants : jusqu'à 40 ans, le taux d'activité des femmes mariées sans enfant est de 70 % ; il passe à 50 % pour celles qui ont un ou deux enfants, puis à 20 % pour celles qui ont au moins trois enfants (de moins de 16 ans).

Si les femmes ont depuis 1968 « repris le travail », c'est en partie sous l'impulsion du vaste mouvement féministe des années 70. L'une de ses revendications majeures concernait le droit au travail rémunéré, condition première de l'émancipation.

Parallèlement, les femmes ont, depuis cette époque, une vie professionnelle beaucoup moins discontinue. Les maternités étaient autrefois l'occasion d'abandonner l'activité professionnelle, le temps d'élever l'enfant au moins jusqu'à son entrée à la maternelle. Les périodes d'arrêt sont aujourd'hui à la fois moins nombreuses (les femmes ont moins d'enfants) et plus courtes.

*L'évolution de la nature des emplois a été favorable à l'insertion des femmes.*
*• Une femme sur cinq travaille à temps partiel.*

Le très fort développement des services et la diminution du nombre d'emplois nécessitant la force masculine ont beaucoup favorisé l'arrivée des femmes sur le marché du travail. À ces raisons liées au progrès économique et technique s'en sont ajoutées d'autres, moins avouables. À travail égal, les femmes étaient le plus souvent moins bien payées que les hommes ; une bonne aubaine pour un certain nombre d'employeurs...

Mais c'est peut-être le développement du travail à temps partiel qui a le plus contribué à celui du travail féminin. On constate d'ailleurs que c'est dans les pays où les possibilités de travail à temps partiel sont les plus développées que les femmes sont les plus nombreuses à travailler.

L'attirance des femmes pour le travail à temps partiel dépend beaucoup du rôle qu'elles

**En Suède, plus de la moitié des femmes travaillent à temps partiel**

Taux d'activité des femmes (15 ans et plus en 1984) dans certains pays et importance du temps partiel (1983).

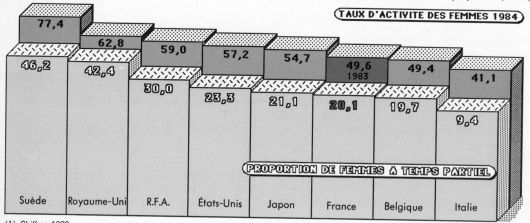

TAUX D'ACTIVITE DES FEMMES 1984

| | Suède | Royaume-Uni | R.F.A. | États-Unis | Japon | France | Belgique | Italie |
|---|---|---|---|---|---|---|---|---|
| Taux d'activité | 77,4 | 62,8 | 59,0 | 57,2 | 54,7 | 49,6 (1983) | 49,4 | 41,1 |
| Proportion de femmes à temps partiel | 46,2 | 42,4 | 30,0 | 23,3 | 21,1 | 20,1 | 19,7 | 9,4 |

(1) Chiffres 1980.

jouent dans la société. Elle est d'autant moins grande qu'elles ont la possibilité de partager les tâches familiales avec leur mari ou avec la collectivité (crèches, garderies, équipements divers...). L'attrait du travail à temps partiel dépend aussi du type de fonction occupé : il est beaucoup plus facile à une femme de travailler à mi-temps lorsqu'elle est dactylo que lorsqu'elle est cadre supérieur. Mais les femmes cadres supérieurs sont encore peu nombreuses dans les entreprises...

*L'accroissement du travail féminin devrait se poursuivre dans les prochaines années.*

La demande des femmes vis-à-vis du travail rémunéré devrait rester forte. Pour un nombre croissant d'entre elles, travailler est la condition de l'autonomie et de l'épanouissement personnel. Les femmes qui n'ont jamais travaillé sont d'ailleurs trois fois moins nombreuses parmi les moins de 30 ans (3,7 %) que parmi les plus âgées (12 %). La diminution du nombre des mariages, l'accroissement du nombre des femmes seules, avec ou sans enfants, la sécurité pour un couple de disposer de deux salaires sont autant de raisons qui militent en faveur du travail féminin.

Du côté des employeurs, on peut légitimement penser que l'évolution ira dans le sens d'un aménagement du temps de travail (horaires variables, travail à temps partiel, etc.), a priori favorable aux femmes. En attendant le développement du travail à domicile, qui devrait lever encore bien des obstacles.

# Travailleurs immigrés : la peur du loup

Les idées qui circulent sur l'importance numérique et sociale des travailleurs immigrés et leur augmentation « inquiétante » au cours des dernières années sont souvent la conséquence d'informations erronées ou partielles. Mais, si l'on s'efforce d'être objectif, les analyses diffèrent selon qu'on regarde plus ou moins loin en arrière pour trouver des éléments de comparaison. Dans un domaine délicat entre tous, il importe de ne pas se laisser guider par la passion ou la rumeur publique.

La présence des étrangers effraie plus les grandes personnes que les enfants.

*Sur les 3 millions d'étrangers officiellement recensés, près de la moitié ne travaillent pas.*

Le nombre des travailleurs étrangers est resté stable depuis 1975.

Beaucoup d'étrangers sont arrivés en France dans les années 60, attirés par la

### 1 600 000 travailleurs étrangers

Répartition des étrangers de 15 ans et plus par nationalité et taux d'activité (1985).

|  | Nombre | Taux (1) |
|---|---|---|
| Algériens | 530 540 | 52,6 % |
| Tunisiens | 127 690 | 58,8 % |
| Marocains | 331 911 | 56,2 % |
| Ressortissants des pays d'Afrique noire | 96 699 | 55,7 % |
| Italiens | 248 141 | 50,7 % |
| Ressortissants des autres pays de la C.E.E. | 130 118 | 54,6 % |
| Espagnols | 235 033 | 50,1 % |
| Portugais | 632 804 | 72,2 % |
| Polonais | 59 559 | 23,9 % |
| Yougoslaves | 59 844 | 73,7 % |
| Turc | 76 518 | 54,4 % |
| Autres étrangers | 342 862 | 53,5 % |
| Total des 15 ans et plus | 2 871 719 | 57,4 % |

(1) Proportion d'actifs (actifs occupés + chômeurs) dans l'effectif total de chaque nationalité.

INSEE (enquête sur l'emploi)

perspective de trouver un emploi dans des postes généralement délaissés par les Français. Leur nombre a augmenté depuis, sous l'effet des nouvelles vagues d'immigration. Il faut se souvenir cependant que ces chiffres correspondent à l'immigration **légale,** qui est la seule à pouvoir être mesurée. L'immigration clandestine est un autre problème qui échappe évidemment à cette analyse et dont l'importance ne peut être sous-estimée.

*On estime que 20 % des travailleurs étrangers sont au chômage, contre 10 % des Français.*
*• La proportion était de 5 % en 1975.*

Les partisans, en nombre croissant, du renvoi pur et simple des étrangers dans leur pays se livrent à un raisonnement simple : si l'on remplace les 1,5 million de travailleurs étrangers par des Français, on diminue le chômage dans des proportions considérables. Même si l'on fait abstraction de l'aspect moral de l'affaire (qui mérite pourtant d'être pris en compte), ce raisonnement laisse de côté deux éléments importants. Le premier est qu'environ 300 000 travailleurs étrangers sont sans emploi. Le second est que bon nombre des emplois libérés ne trouveraient pas preneurs parmi les chômeurs français. Le renvoi massif des travailleurs étrangers ne présenterait donc pas que des avantages pour l'économie nationale.

# CHÔMEURS

*Le chômage est le cancer de l'économie. En dix ans, les cellules malades se sont multipliées. Ni le traitement social ni le traitement économique n'ont jusqu'ici apporté l'espoir d'une guérison prochaine. Comme beaucoup de maladies, le chômage s'attaque aux terrains les plus favorables, amplifiant souvent les inégalités sociales. Pour la plupart des chômeurs, les difficultés à surmonter ne sont pas seulement financières.*

## Le grand choc

Qu'est-ce qu'un chômeur ? Sous ce terme, pourtant fort évocateur, se cachent des situations bien différentes. Les plus courantes sont celles des travailleurs qui ont perdu leur emploi, à la suite d'un licenciement, d'un départ volontaire, de la fin d'une période d'essai, d'un contrat à durée déterminée, ou encore d'une retraite anticipée. D'autres, parmi les plus jeunes, n'ont pas réussi à trouver leur **premier** emploi. Ils ne garderont pas un excellent souvenir de leur entrée dans la vie professionnelle. La façon dont les chômeurs vivent leur chômage est tout aussi variée. Celui qui se désespère après des mois de recherche vaine ne vit pas dans le même monde que celui qui s'efforce de profiter jusqu'au bout de l'« année sabbatique » financée par l'État. Les premiers sont, quoi qu'on en dise, beaucoup plus nombreux que les seconds. Entre ces extrêmes, il y a des millions de cas particuliers. On trouve, en tout cas, beaucoup de frustration et de souffrance dans une société qui proclame bien haut le droit au travail, mais qui n'a plus les moyens de le reconnaître à tous. En refusant un emploi à un individu, on touche en effet à sa dignité personnelle, autant qu'à son pouvoir d'achat.

## Un travailleur sur trois a connu le chômage.

Depuis 10 ans, les Français n'ont vraiment ressenti la crise qu'à travers l'inflation et le chômage. Le premier fléau est, semble-t-il, en voie d'être enrayé, bien que la France ait pris quelque retard par rapport aux autres pays industrialisés. Le second continue de se répandre dans la société, malgré les tentatives faites pour le stabiliser. Si la proportion de chômeurs est actuellement de 10 % de la population active, on peut estimer qu'environ un tiers des travailleurs ont fait l'expérience du chômage depuis le début de la crise. La proportion est encore plus élevée si l'on exclut tous ceux qui bénéficient de la garantie de l'emploi.

### Plus d'un foyer sur trois concerné

Dans votre foyer, y a-t-il actuellement :

| | Oui |
|---|---|
| • Quelqu'un au chômage | 20 % |
| • Quelqu'un qui cherche du travail sans en trouver | 24 % |
| • Quelqu'un dont l'emploi est menacé | 17 % |
| Au total, votre foyer connaît-il l'une de ces trois situations ? | 37 % |

## En dix ans, le nombre des chômeurs a été multiplié par 4.

Le cap de 500 000 chômeurs, atteint en 1973, apparaissait à l'époque comme un seuil alarmant. Trois ans plus tard, celui du million était commenté comme l'amorce possible d'une véritable explosion sociale. Le mal gagnait encore pour atteindre 1,5 million de travailleurs au début de 1981. En 1983, tout le monde considérait encore le chiffre de 2 millions comme la limite au-delà de laquelle l'équilibre social était menacé. Certains affirment que le cap des 3 millions était atteint dès la fin 1984, en tenant compte des personnes en « formation-parking » (stages ne débouchant pas sur un emploi) et de celles qui n'étaient pas ou plus inscrites dans les statistiques.

### La France n'a pas le monopole.

L'Europe (C.E.E.) comptait à la fin de 1985 environ 15 millions de chômeurs. Les États-Unis ont connu jusqu'en 1982 un accroissement considérable de leur taux de chômage, avant que la cure de libéralisme imposée par le président Reagan ne produise ses effets. L'épidémie s'est répandue dans la plupart des pays industrialisés depuis 1973, épargnant pourtant certains pays comme le Japon ou la Suisse. La réduction de la demande intérieure

### Le chemin de crise

Évolution du nombre des chômeurs.

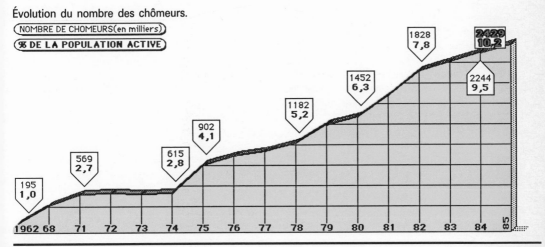

NOMBRE DE CHOMEURS (en milliers)
% DE LA POPULATION ACTIVE

| Année | Nombre | % |
|---|---|---|
| 1962 | 195 | 1,0 |
| 71 | 569 | 2,7 |
| 74 | 615 | 2,8 |
| 75 | 902 | 4,1 |
| 78 | 1182 | 5,2 |
| 79 | 1452 | 6,3 |
| 80 | 1828 | 7,8 |
| 84 | 2244 | 9,5 |
| 85 | 2429 | 10,2 |

I.N.S.E.E.

Eurostat et O.C.D.E.

### Le chômage des autres

En pourcentage de la population active.

|  | 1970 | 1985 |
|---|---|---|
| France ............... | 1,3 | 10,5 |
| Belgique ............. | 2,2 | 13,2 |
| Danemark ............ | 1,0 | 9,0 |
| États-Unis ........... | 4,8 | 7,2 |
| Italie ................ | 4,4 | 10,2 |
| Japon ............... | 1,1 | 2,5 |
| Pays-Bas ............ | 1,0 | 14,5 |
| Allemagne ........... | 0,6 | 8,2 |
| Royaume-Uni ......... | 2,5 | 11,7 |
| Suisse .............. | 0,5 | 0,9 |

et la contraction du commerce mondial en sont les principales causes. Mais l'année 1985 a vu, dans beaucoup de pays occidentaux, une stabilisation, voire même une réduction (États-Unis, R.F.A.) du nombre des chômeurs. En France, les chiffres sont difficiles à comparer d'une année sur l'autre, du fait de l'impact des T.U.C. et des « nettoyages statistiques » effectués.

*Les jeunes sont trois fois plus touchés que la moyenne.*
*• Plus d'un quart des jeunes de 15 à 25 ans sont chômeurs.*

Il ne fait pas bon avoir 18 ans et chercher son premier emploi. Surtout lorsqu'on ne peut se prévaloir de l'un de ces diplômes qui simplifient grandement les premiers contacts avec les employeurs. Les chiffres officiels sont d'ailleurs inférieurs à la réalité, puisqu'ils ne prennent pas en compte les quelque 200 000 jeunes qui, chaque année, sont en formation, au titre des pactes pour l'emploi. On peut considérer qu'au moins la moitié des jeunes qui sortent de l'école commencent leur vie professionnelle par... le chômage. La durée de cette période de « purgatoire » est variable selon les individus, en fonction de leur formation, de leurs caractéristiques personnelles, sans oublier bien sûr la chance. Il est clair que cette première expérience, qu'elle soit personnelle ou vécue à travers les difficultés des camarades du même âge, n'est

pas sans effet sur la perception qu'ont les jeunes du travail et de la vie en général.

*Les femmes sont plus touchées que les hommes.*
*• En 1985, 12,7 % des femmes actives étaient au chômage, contre 8,1 % des hommes.*

Une jeune fille de moins de 18 ans sur deux est au chômage. Si le taux diminue avec l'âge, c'est autant parce que les femmes plus âgées trouvent plus facilement du travail que parce qu'elles sont moins nombreuses à en chercher. Sur la période 1975-1984, le chômage des femmes a cependant augmenté un peu moins rapidement que celui des hommes.

### Les femmes et les jeunes d'abord

Évolution du taux de chômage par sexe et par âge (%).

|  | 1975 | | 1985 | |
|---|---|---|---|---|
|  | Hommes | Femmes | Hommes | Femmes |
| • 15-24 ans | 6,7 | 10,1 | 24,5 | 30,5 |
| • 25-49 ans | 2,0 | 4,5 | 6,2 | 9,7 |
| • 50 ans et plus | 2,1 | 3,0 | 5,9 | 7,1 |
| Ensemble | 2,7 | 5,4 | 8,5 | 12,6 |

*Les travailleurs immigrés sont deux fois plus touchés que les Français.*
*• Les deux tiers des étrangers à la recherche d'un emploi sont des hommes, contre 43 % pour les travailleurs français.*

Entre 1975 et 1982, date du dernier recensement, le nombre des chômeurs étrangers a triplé. Les taux de chômage sont très différents selon la nationalité des travailleurs. À ces différences s'ajoutent celles déjà évoquées concernant le sexe ou l'âge des travailleurs. Le secteur d'activité joue également un rôle important. Les étrangers sont proportionnellement plus nombreux que les Français dans le bâtiment, le génie civil ou l'agriculture, l'agriculture, où les taux de chômage sont élevés. Ils y occupent en plus des postes particulièrement vulnérables (manœuvres, ouvriers...). C'est ce qui explique que beaucoup sont aujourd'hui dans une situation difficile.

### Les étrangers chôment plus que les Français

Taux de chômage (1982).

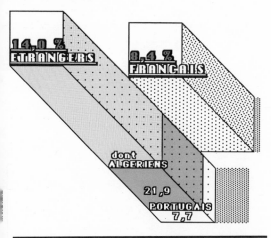

*Le chômage frappe inégalement les régions.*

C'est le Languedoc-Roussillon, le Nord-Pas-de-Calais, la Côte d'Azur et la Haute-Normandie qui, en 1985, étaient les régions les plus touchées par le chômage. En dehors de l'Ile de France, du Midi-Pyrénées, et de la région Champagne-Ardenne, la « hiérarchie » du chômage a peu évolué depuis 1975 et le premier choc pétrolier. Les disparités actuelles existaient généralement avant la crise, mais le niveau moyen du chômage s'est accru dans toutes les régions. On note cependant de fortes différences à l'intérieur d'une même région, entre les départements qui la composent.

### Industries en péril

De A comme ardoise à V comme vélo, certains produits que l'on croyait bien de chez nous sont en réalité menacés ou déjà fortement concurrencés par les fabrications étrangères. Cela n'a évidemment pas favorisé la situation de l'emploi.

**Ardoise :** L'Espagne dispose d'une ardoise plus facile à extraire que celle de la région angevine, donc moins chère. En France, la demande avait pourtant doublé en 20 ans.

**Champignons :** La France n'exporte plus que 38 % de sa production contre plus de la moitié en 1972. La concurrence se trouve à Formose, en Chine et aux Pays-Bas.

**Cigarettes :** La S.E.I.T.A. ne dessert plus que 65 % du marché national, contre 100 % il y a 10 ans. Ce sont les fabricants américains et sud-africains qui ont pris la relève, avec les cigarettes blondes.

**Cuisinière à gaz :** En 1982, 65 % des 734 000 cuisinières à gaz vendues en France sont venues d'Italie, d'Espagne ou d'Allemagne. On parle beaucoup de la cuisine française, moins de la cuisinière !

**Espadrilles :** 3 millions de paires fabriquées en Chine ont été importées en 1983, malgré les quotas douaniers.

**Fermetures (à glissière) :** Le japonais YKK détient 40 % du marché français. Il fabrique même les fermetures bleu-blanc-rouge destinées à l'armée française !

**Foie gras :** 70 % de la matière première (foie cru) provient d'Israël, Pologne, Hongrie ou Bulgarie. Qui l'eût cru ?

**Gants :** La mode avait déjà réduit la demande. La concurrence (Italie, Asie, Espagne) a fait le reste. Sur les 1 800 emplois existant en 1830, il n'en reste plus que 800, dont beaucoup sont aujourd'hui menacés.

**Grenouilles :** Les 1 500 tonnes importées chaque année viennent de Turquie, Inde, Indonésie, Hongrie, Yougoslavie. Heureusement, les recettes des restaurants restent françaises...

**Lin :** La Hollande et l'Italie tissent la plus grande partie du fil de lin utilisé par les créateurs de mode. Le « lys du pauvre » de la région du Nord n'est plus guère qu'un souvenir.

**Meubles :** La demande pour des produits bon marché a accéléré le flux des importations (25 % des ventes) : chaises des pays de l'Est, meubles de séjour d'Italie et de Belgique, etc.

**Parapluies :** Sur 9 millions de parapluies vendus chaque année, 8 millions sont importés, en particulier d'Extrême-Orient.

**Pianos :** En 1960, 90 % des pianos étaient fabriqués en France ; 90 % viennent aujourd'hui du Japon ou d'Allemagne.

**Piles :** Les Français n'assurent plus que 60 % des ventes, contre 90 % en 1970. Le reste est assuré par les firmes américaines. La pile française perd la face !

**Vélos :** 600 000 vélos ont été importés en 1982 d'Italie, d'Espagne et de Taiwan, soit près d'un quart des ventes.

Le Nouvel Observateur (juillet 1983)

*Les catégories professionnelles modestes sont les plus vulnérables.*

Dans les entreprises, les ouvriers et les employés sont souvent les premières victimes de la crise. À l'instar des cadres, leur nombre est en effet directement proportionnel à l'activité de production. La réduction de celle-ci a donc entraîné une surabondance de main-d'œuvre. Par ailleurs, les efforts faits depuis quelques années pour améliorer la productivité, par l'introduction de nouvelles machines ou de nouvelles méthodes de travail, ont eu des conséquences semblables.

*L'accroissement des emplois précaires a beaucoup contribué à l'augmentation du chômage. En particulier pour les femmes.*

### La hiérarchie du chômage ne ressemble pas à celle des professions

Taux de chômage selon les catégories professionnelles en 1985.

| | |
|---|---|
| – Agriculteurs exploitants | 0,4 |
| – Artisans, commerçants, chefs d'entreprise | 2,6 |
| – Cadres et professions intellectuelles supérieures | 2,3 |
| Dont | |
| • Cadres d'entreprises | 2,8 |
| – Professions intermédiaires | 4,0 |
| Dont | |
| • Professions intermédiaires de l'enseignement, de la santé, de la fonction publique et assimilés | 2,5 |
| • Professions intermédiaires administratives et commerciales des entreprises | 7,4 |
| • Techniciens | 3,0 |
| • Contremaîtres, agents de maîtrise | 4,0 |
| – Employés | 9,9 |
| Dont | |
| • Employés de la fonction publique | 4,4 |
| • Employés administratifs d'entreprise | 9,7 |
| • Employés de commerce | 17,4 |
| • Personnel des services directs aux particuliers | 15,6 |
| – Ouvriers | 12,9 |
| Dont | |
| • Ouvriers qualifiés | 10,0 |
| • Ouvriers non qualifiés | 16,7 |
| • Ouvriers agricoles | 14,1 |

I.N.S.E.E. (Enquête sur l'emploi 1985)

### 18 % prêts à prendre « n'importe quel travail »

Pourcentage de chômeurs déclarant rechercher « n'importe quoi » (1).

| | 1982 | 1983 | 1984 | 1985 |
|---|---|---|---|---|
| Ensemble | 12,6 % | 13,6 % | 14,4 % | 18,4 % |
| Hommes | 13,6 | 15,0 | 16,9 | 20,6 |
| Femmes | 11,8 | 12,6 | 12,3 | 16,4 |

(1) En % de la population sans emploi à la recherche d'un emploi.

L'augmentation du nombre des contrats à durée déterminée (favorisés à la fois par les entreprises et les pouvoirs publics) est aujourd'hui l'une des principales causes du chômage. Le nombre des cas liés à la fin des missions d'intérim a lui aussi augmenté depuis quelques années. Cette situation explique en partie que les femmes, beaucoup plus concernées que les hommes par les emplois précaires, sont plus touchées qu'eux par le chômage. C'est donc un véritable « chômage à temps partiel » qui caractérise la vie professionnelle de tous ceux, de plus en plus nombreux, qui n'ont d'autres recours que les contrats de travail à

### Emplois précaires : le chômage à temps partiel

Circonstances de la recherche d'emploi (1984).

| HOMMES 100 % FEMMES | | |
|---|---|---|
| Fin d'emploi précaire | 21,3 — 22,5 | Fin d'emploi précaire |
| Licenciement | 40,6 — 23,4 | Licenciement |
| | 17,5 | Fin d'études |
| Fin d'études ou de service national | 18,5 — 7,6 | Démission |
| Démission | 5,7 — 20,0 | Cessation d'activité ou sans activité |
| Cessation d'activité | 4,0 | |
| Autres causes | 9,5 — 9,0 | Autres causes |

durée déterminée ou les missions d'intérim. La précarité de l'emploi se mesure aussi à l'accroissement du nombre d'emplois précaires.

## Le travail, c'est la santé ; ne rien faire, ce n'est pas la conserver

La chanson d'Henri Salvador ferait beaucoup moins rire aujourd'hui. Car le travail, même s'il n'est pas l'essentiel de ce que les Français attendent de la vie, en est une composante d'autant plus importante qu'elle n'est plus assurée. Ne pas travailler est un luxe que seules peu de personnes peuvent s'offrir de façon durable, parce qu'elles sont très riches ou parce qu'elles se « débrouillent » autrement. Pour tous les autres, avoir un job est la condition première de leur existence, aussi bien en tant qu'individu que comme consommateur. Au-delà de la nécessité de disposer d'un revenu, c'est bien le problème de la dignité humaine qui est posé par le chômage.

Le Matin (14 mai 1986)

Le chômage est l'ennemi public numéro 1.

*Les plus de 50 ans restent deux fois plus longtemps « sur la touche » que les moins de 25 ans.*
*• À âge égal, les femmes ont plus de difficulté à retrouver un emploi.*

Le chômage est une sorte d'**accident du travail**. Comme tous les accidents, il présente

une gravité variable selon les circonstances et les individus. On sait que les jeunes, les femmes, les immigrés, les ouvriers et employés, ceux qui travaillent dans le bâtiment ou la sidérurgie sont les plus touchés. Mais cette plus grande vulnérabilité au chômage n'est pas obligatoirement le signe d'une difficulté plus grande à retrouver un emploi. Les statistiques officielles permettent non pas de mesurer la durée totale moyenne du chômage, mais son ancienneté à un moment donné. On s'aperçoit ainsi que, si les personnes plus âgées sont apparemment moins touchées que les jeunes, la durée de leur chômage est plus longue.

*La durée moyenne de recherche d'emploi augmente.*
*• 51 % des femmes et 43 % des hommes sont au chômage depuis au moins un an.*

À la suite du fort afflux de demandeurs d'emploi à la fin de 1983 et au début de 1984, la durée moyenne du chômage s'était stabilisée. En 1985, elle s'est à nouveau allongée, du fait de la difficulté croissante de trouver un emploi.

C'est chez les femmes et, d'une manière générale, chez les personnes âgées de 24 à 40 ans que cet allongement de la recherche d'emploi se fait le plus sentir. Parmi ceux qui sont au chômage depuis au moins un an, 39 % ont entre 25 et 40 ans chez les femmes, 36 % chez les hommes.

### « L'arrêt-chômage » est de plus en plus long...

L'ancienneté moyenne du chômage augmente

| | Nombre de mois | |
|---|---|---|
| | Hommes | Femmes |
| • 1975 | 6,7 | 8,3 |
| • 1980 | 10,6 | 12,8 |
| • 1985 | 14,6 | 17,3 |

| | Pourcentage (1) | |
|---|---|---|
| | Hommes | Femmes |
| • Moins de 25 ans | 30,9 | 40,9 |
| • 25 à 49 ans | 42,9 | 51,4 |
| • 50 ans et plus | 61,6 | 70,6 |

(1) Proportion de personnes au chômage depuis 1 an et plus en 1985.

INSEE

La profession a aussi une influence sur la durée du chômage. Chez les hommes, ce sont les cadres, les agents de maîtrise et les techniciens qui mettent le plus de temps à retrouver un emploi. Les femmes cadres trouvent plus rapidement du travail que leurs homologues masculins. Les ouvrières connaissent en revanche le chômage le plus long. Surtout celles qui ne peuvent, ou ne veulent, accepter la mobilité professionnelle.

On constate globalement que la durée du chômage a beaucoup augmenté depuis 1975. C'est ce qui explique qu'il y ait plus de chômeurs. C'est ce qui explique aussi qu'il soit de plus en plus difficile de vivre son chômage.

*Les conséquences psychologiques du chômage sont souvent aussi dures que ses conséquences financières.*

Le système d'indemnisation mis en place en France reste sans doute l'un des plus avantageux du monde, malgré les modifications apportées en 1983 et 1984. Bien meilleur en tout cas que celui existant aux États-Unis ou en Grande-Bretagne, où chômage et pauvreté sont très souvent associés. Il a donc limité la perte de pouvoir d'achat des chômeurs qui bénéficient des allocations des A.S.S.E.D.I.C., soit la moitié d'entre eux seulement.

Le système d'allocations n'a pas pu éviter à tous les chômeurs les conséquences sociales, familiales et personnelles de ce retrait forcé de la communauté du travail. L'exclusion du système social est souvent ressentie de façon dramatique par ceux qui en sont les victimes. Le pire est que le phénomène s'entretient de lui-même. Se sentant exclu, le chômeur tend à se comporter comme tel. Il éprouve alors de plus en plus de difficulté à se « vendre » à un employeur qui lui préférera souvent un non-chômeur à la recherche d'un changement d'emploi. En famille, la frustration qu'il éprouve à ne plus pouvoir jouer comme auparavant son rôle de parent ou d'époux (sur le plan matériel autant qu'affectif) le rend agressif. Les couples les moins solides n'y résistent pas et les difficultés de communication, voire la séparation, viennent aggraver une situation personnelle déjà bien mauvaise. La conséquence, pour le chômeur, est une modification, parfois irréversible, de la personnalité.

La perte d'un emploi aura donc fait perdre à certains leur famille, leur confiance, leur revenu et la possibilité d'en retrouver un dans des conditions normales. C'est évidemment beaucoup de conséquences pour une cause dont, le plus souvent, ils n'étaient pas responsables.

---

### La moitié des chômeurs ne perçoivent pas d'indemnité

49 % des chômeurs déclarent ne pas percevoir d'indemnité. Ce chiffre, très élevé, s'explique d'abord par le fait que 15 % des demandeurs d'emploi (selon la définition du Bureau international du travail) ne sont pas inscrits à l'A.N.P.E., mais aussi par le fait qu'une proportion importante de ceux qui sont inscrits ne touchent pas de prestation. Parce qu'ils n'y ont pas droit (pour n'avoir jamais travaillé ou pas assez longtemps), parce qu'ils n'y ont plus droit ou parce qu'ils ont négligé de faire valoir leurs droits. Parmi ceux qui perçoivent une indemnité, la moitié touchent moins de 3 000 francs. Il faut dire qu'un chômeur sur quatre est au chômage depuis plus d'un an. Alors, pour « tenir le coup », beaucoup cherchent des sources de revenus complémentaires ; 40 % des chômeurs déclarent se livrer au travail noir, surtout parmi les jeunes.

La population active

### En vrac

- En 10 ans, la proportion d'actifs parmi les personnes âgées de 60 à 64 ans est passée de 39 % à 24 %.
- Sur les 21 millions d'actifs, 2,3 millions sont employés à temps partiel, dont 2 millions sont des femmes.
- Sur 2 400 000 chômeurs en mars 1985, 1 300 000 étaient des femmes.
- Sur 100 personnes à la recherche d'un emploi à temps plein, 53 accepteraient un emploi à temps partiel ; la proportion n'était que de 32 % en 1982.
- Parmi les bénéficiaires des T.U.C., 41 % étaient au chômage ; 42 % étaient étudiants.
- Les ouvriers représentent 30 % de la population active et 42 % des chômeurs.
- Le nombre des stages rémunérés a augmenté de 100 000 entre 1984 et 1985.

# La Vie Professionnelle

## MÉTIERS

*En quarante ans, l'économie française est passée de l'agriculture aux services, des « cols bleus » aux « cols blancs ». Pendant que les paysans quittaient leurs terres, de nouveaux secteurs, de nouveaux métiers, de nouvelles fonctions voyaient le jour. Transformant peu à peu l'économie de la France.*

## Un nouveau paysage social

Comme la plupart des changements sociaux, ceux qu'a connus le travail depuis quarante ans se sont produits de façon progressive. De sorte qu'il faut faire un long retour en arrière pour en apercevoir l'ampleur. Ce qu'on découvre alors est étonnant : le travail, tel qu'il est conçu et pratiqué aujourd'hui, n'a plus grand-chose à voir avec ce qui le caractérisait au lendemain de la Seconde Guerre mondiale. Le devoir fait place à la nécessité.

*Les paysans sont devenus rares.*
*• En 1800, les trois quarts des actifs travaillaient dans l'agriculture.*
*• Ils ne sont plus que 8 % aujourd'hui.*

Le déclin de l'activité agricole s'est amorcé dès 1815. Pendant toute la période 1870-1940, les effectifs ont résisté, malgré la diminution régulière de la part de l'agriculture dans la production nationale.

**Agriculture, industrie, services :
les trois âges de l'économie française**

Structure de la population active en France.

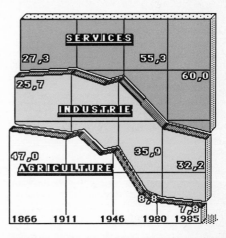

I.N.S.E.E.

## Fin des paysans, montée des salariés, des fonctionnaires ... et des chômeurs

Évolution de la population active et de sa répartition

INSEE

| (chiffres en milliers) | 1985 | | | | 1962 | | | |
|---|---|---|---|---|---|---|---|---|
| | Total | % de la population active | Hommes | Femmes | Total | % de la population active | Hommes | Femmes |
| – Population active totale | 23 748 | 100 | 13 620 | 10 128 | 19 251 | 100 | 12 587 | 6 664 |
| – Chômeurs | 2 429 | 10 | 1 154 | 1 275 | 196 | 1 | 109 | 87 |
| – Salariés en activité | 17 746 | 75 | 10 214 | 7 532 | 13 763 | 72 | 9 177 | 4 585 |
| • dont salariés de l'État et des collectivités locales | 4 862 | 20 | 2 195 | 2 667 | 2 229 | 12 | 1 349 | 879 |
| – Non-salariés | 3 573 | 15 | 2 253 | 1 320 | 5 293 | 27 | 3 301 | 1 992 |
| • dont agriculteurs (exploitants) | 1 490 | 6 | 916 | 574 | 3 045 | 16 | 1 920 | 1 125 |

Dès la fin de la Seconde Guerre mondiale, la mécanisation a précipité l'exode rural, de sorte que la part des agriculteurs dans la population active est aujourd'hui trois fois moins élevée qu'en 1950.

Cette part reste malgré tout plus élevée que dans beaucoup d'autres pays industrialisés. Elle montre le rôle encore important joué par l'agriculture en France, qui est la pourvoyeuse essentielle de la nourriture de 54 millions de personnes et le fournisseur d'une industrie agroalimentaire très compétitive et largement exportatrice.

Mais l'amélioration de la productivité agricole continue de faire baisser le nombre des agriculteurs. D'autant que les productions sont dans certains domaines largement excédentaires (beurre, poudre de lait...), à l'échelon national mais aussi européen. Il devient difficile d'écouler ces productions auprès des pays en voie de développement qui en ont bien besoin mais ne sont pas toujours solvables. La famine continue donc de sévir.

Le déclin des paysans est celui de toute une classe sociale, dans laquelle chaque Français a ses origines. Au-delà des difficultés de reconversion des paysans, c'est un drame plus profond qui s'est joué au cours de la seconde moitié du XXe siècle : celui, pour le peuple français, de la perte de ses racines. Aux certitudes de la vie rurale ont succédé les doutes de la vie urbaine.

### Les pays agricoles et les autres

Structure de la population active dans quelques pays en 1984

| | Agriculture | Industrie | Services |
|---|---|---|---|
| France .......... | 7,8 | 31,2 | 60,0 |
| Belgique ........ | 3,0 | 30,7 | 66,3 |
| Allemagne ...... | 5,6 | 41,6 | 52,8 |
| Grèce .......... | 29,4 | 27,8 | 42,7 |
| Italie .......... | 11,9 | 34,5 | 53,6 |
| Luxembourg ..... | 4,6 | 35,9 | 59,5 |
| Angleterre ...... | 2,6 | 32,9 | 64,4 |
| U.R.S.S. ........ | 19,7 | 39,3 | 41,1 |
| États-Unis ...... | 3,3 | 28,5 | 68,2 |
| Japon .......... | 8,9 | 34,8 | 56,3 |

*Les services représentent le troisième âge de l'économie.*
*• 6 Français sur 10 travaillent aujourd'hui dans une entreprise de services.*

Contrairement à ce qu'on imagine souvent, le secteur tertiaire n'est pas une invention récente. La société française a toujours eu besoin de tailleurs, de barbiers, de commerçants, de scribes, de cantonniers et autres allumeurs de réverbères. En 1800, à l'aube de la révolution industrielle, les travailleurs impliqués dans les activités de services représentaient 25 % de la population active et 30 % de la production nationale, le développement de l'industrie a largement contribué à celui des services connexes (négoce, banques, ingénierie, etc.). Mais c'est l'émergence de la société de consommation des années 50 et surtout 60 qui a donné au secteur tertiaire son importance actuelle.

L'aide à la communication, un service de plus en plus apprécié.

### La montée du quaternaire

Il aura fallu des millions d'années à la Terre pour passer de l'ère primaire à l'ère tertiaire. Les choses ont été beaucoup plus vite pour l'économie, qui a mis à peine 200 ans pour passer de l'agriculture aux services. Le tertiaire était à peine majoritaire dans la production nationale que l'on parlait déjà d'un secteur quaternaire, qui allait peu à peu prendre la relève. Il s'agit là de l'ensemble des activités à but non lucratif pratiquées par des organismes tels que les fondations ou les associations, dont la vocation est de rendre des services de nature humanitaire, culturelle, ou liés à la recherche. Si la crise a quelque peu ralenti le développement du secteur industriel, il est clair que les activités quaternaires continuent de croître. Beaucoup de jeunes y voient l'opportunité de s'épanouir dans un travail utile à la collectivité, sans subir la pression de la concurrence existant dans des entreprises orientées vers le profit. Les personnes âgées y trouvent l'occasion de rendre service, tout en occupant leur temps. C'est bien d'un nouveau type de travail qu'il s'agit dans la mesure où les motivations qui y conduisent (dévouement, générosité) sont généralement d'une autre nature que celles qui régissent le travail traditionnel.

*85 % des actifs sont salariés.*
* *Ils n'étaient que 72 % en 1960.*

Cette croissance est une autre conséquence de la révolution industrielle. Les non-salariés étaient principalement des paysans, des commerçants ou des artisans. Le nombre des premiers a considérablement diminué depuis un siècle. Celui des artisans et des commerçants a chuté plus récemment. Le nombre des aides familiaux (femmes de ménage, domestiques, etc.) a lui aussi considérablement diminué : 1 million de moins en 20 ans. Par ailleurs, beaucoup de femmes sont venues rejoindre les rangs déjà nombreux des salariés. Mais ce sont les postes créés dans la fonction publique qui ont le plus contribué à l'accroissement des emplois salariés depuis vingt ans.

### Un monde de salariés

Proportion de salariés dans la population active de quelques pays industrialisés (%)

|  | 1970 | 1983 |
|---|---|---|
| France . . . . . . . . . . . . . . . . | 78,7 | 83,9 |
| États-Unis . . . . . . . . . . . . . | 89,8 | 90,3 |
| Italie . . . . . . . . . . . . . . . . | 67,6 | 71,4 |
| Japon . . . . . . . . . . . . . . . | 64,9 | 73,4 |
| Allemagne . . . . . . . . . . . . | 83,4 | 87,2 |
| Angleterre . . . . . . . . . . . . . | 92,3 | 90,5 |
| Suisse . . . . . . . . . . . . . . . | 85,7 | 89,5 |

OCDE

*20 % des actifs dépendent de l'État.*
* *Le nombre des salariés de l'État et des collectivités locales a doublé en 20 ans.*
* *La moitié de l'activité économique est sous le contrôle direct de l'État.*

La redistribution des cartes entre les trois secteurs économiques (agriculture, industrie, services) ainsi qu'entre travailleurs indépendants et salariés est étroitement liée à l'accroissement spectaculaire du secteur public, principal fournisseur des emplois salariés. En un siècle, la part du secteur public dans la population active a plus que triplé. Les nationalisations effectuées par le pouvoir socialiste à partir de 1981 ont accentué le phénomène.

I.N.S.E.E.

## 4,8 millions de fonctionnaires

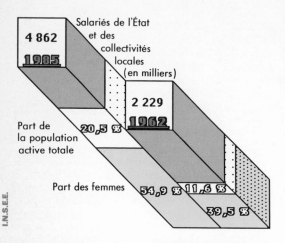

4 862
**1985**

Salariés de l'État
et des
collectivités
locales
(en milliers)

2 229
**1962**

Part de
la population
active totale

20,5 %

Part des femmes

54,9 %  11,6 %

39,5 %

Les femmes ont fait une entrée fracassante puisqu'elles sont aujourd'hui majoritaires dans la fonction publique.

Avant les dénationalisations prévues par le gouvernement de droite en 1986, près d'un actif sur cinq dépendait de l'État, si l'on ajoutait au nombre des « vrais » fonctionnaires (1 900 000 titulaires, 270 000 non-titulaires, ouvriers d'État, 320 000 militaires) les quelque 16 000 agents des services publics, 60 000 auxiliaires, 1 700 000 salariés des collectivités territoriales et 2 200 000 employés du secteur nationalisé. Au total, près de 7 millions d'actifs. On considère que l'État contrôle directement la moitié de la production intérieure française, et plus encore par l'intermédiaire des fournisseurs et sous-traitants.

## Des cols bleus aux cols blancs

Le déclin de l'agriculture au profit de l'industrie, puis des services, la prépondérance du statut de salarié, le développement spectaculaire du secteur public ont progressivement transformé la nature des métiers exercés par les Français. Mais, à l'intérieur des entreprises, principales pourvoyeuses de travail, les emplois eux-mêmes sont aussi en train de changer. On trouve de moins en moins de monde dans les ateliers, de plus en plus dans les

## Les métiers du souvenir

Où sont les marchands de glace qui circulaient en charrette à cheval avant l'invention du réfrigérateur ? Où sont les joueurs d'orgue de Barbarie qui ont précédé l'invention de la radio ? Où sont les vitriers des rues qui signalaient leur passage par de longs cris caractéristiques ?

Tous ces petits métiers ont aujourd'hui disparu, et les rares compagnons qui les pratiquent encore semblent sortis d'un autre monde, à la fois nostalgique et lointain.

Marchande de lait.

Alger

Raccommodeur de faïence et de porcelaine.

Gerard

bureaux, où les postes de cadres se sont multipliés. Les « cols bleus » (manœuvres et ouvriers de toutes qualifications), dont la croissance avait accompagné les deux premières révolutions industrielles (machine à vapeur, électricité), sont un peu délaissés par la troisième (l'électronique). Ce sont les « cols blancs » (employés, cadres et techniciens) qui prennent aujourd'hui la relève.

## Le grand chambardement

Répartition de la population active occupée selon la catégorie socioprofessionnelle (%)

| | 1985 | | 1968 | |
|---|---|---|---|---|
| | Total | dont femmes | Total | dont femmes |
| • Agriculteurs exploitants | 7,1 | 6,6 | 11,5 | 12,8 |
| • Artisans, commerçants et chefs d'entreprise | 8,0 | 6,9 | 10,7 | 11,5 |
| • Cadres et professions intellectuelles supérieures | 9,1 | 5,6 | 5,1 | 2,5 |
| • Professions intermédiaires | 20,0 | 19,5 | 10,4 | 11,4 |
| • Employés | 26,0 | 47,0 | 21,2 | 38,8 |
| • Ouvriers | 29,8 | 14,4 | 39,3 | 22,5 |
| • Autres catégories (pour 1968) | – | – | 1,8 | 0,5 |
| | 100,0 % | 100,0 % | 100,0 % | 100,0 % |
| Effectifs (en milliers) | 21 319 | 8 852 | 19 916 | 7 208 |

INSEE

*Il y a moins d'ouvriers en général, mais plus d'ouvriers qualifiés.*
* *7,4 millions d'ouvriers.*
* *Un travailleur sur trois.*
* *Un homme sur deux.*

La diminution du poids du secteur industriel dans l'économie s'est traduite par une baisse des effectifs d'ouvriers. De plus, les améliorations considérables de la productivité des entreprises ont permis, à activité égale, d'économiser des emplois de production ou de limiter leur croissance, en faisant appel aux machines et aux robots.

Le nombre d'ouvriers dans la population active reste cependant élevé. Celui des ouvriers qualifiés et des contremaîtres continue de s'accroître, alors que celui des manœuvres et des ouvriers spécialisés diminue. La proportion de travailleurs immigrés est deux fois plus élevée parmi les ouvriers que dans la population active totale. Désavantagés par une moindre formation professionnelle, ils occupent les postes les moins qualifiés. Il faut dire que beaucoup d'employeurs n'ont pas fait d'effort particulier pour qu'ils puissent acquérir une formation et obtenir des promotions.

*Le nombre des cadres a doublé en 30 ans.*

La mission des entreprises, initialement centrée sur la production de masse, s'est peu à peu transformée. Il faut aujourd'hui conce-

### 14 % d'immigrés parmi les ouvriers

| En 1985 | Nombre d'étrangers actifs | % de la population ouvrière (1) |
|---|---|---|
| • Ouvriers qualifiés ... | 472 000 | 12 |
| • Ouvriers non qualifiés ............ | 523 000 | 17 |
| • Ouvriers agricoles .. | 38 000 | 13 |
| Total des ouvriers .... | 1 033 000 | 14 |
| • Contremaîtres ...... | 20 000 | 3 |

(1) % calculé par rapport à l'effectif total (Français + étrangers) de la catégorie.

INSEE

voir de nouveaux produits, gérer, vendre, distribuer, exporter, penser à l'avenir face à une concurrence de plus en plus vive et des marchés de plus en plus sélectifs. Le rôle des cadres a donc pris de l'importance, en même temps que se développaient les activités de service, fortes consommatrices de matière grise. Le nombre des cadres supérieurs, en particulier, a fortement augmenté depuis 15 ans sous l'effet de la demande de cadres administratifs supérieurs et aussi de l'accroissement du corps professoral, qui entre dans cette catégorie. L'augmentation du nombre des cadres moyens est, elle, assez étroitement liée à la croissance du secteur médical et social.

*En 20 ans, 2 millions d'emplois
de commerçants ont disparu.*

Le monde du commerce a connu en France un véritable bouleversement, provoqué par l'énorme concentration qui s'est opérée. Les hypermarchés relativement peu nombreux en 1968 (le premier hyper fut le Carrefour ouvert en 1963 à Sainte-Geneviève-des-Bois, près de Paris) sont plus de 500 aujourd'hui et couvrent la totalité des villes, grandes ou moyennes. La tentation était donc forte pour les clients de délaisser les commerces de quartier, plus chers et mal adaptés aux nouvelles aspirations (gain de temps, liberté de circulation dans les rayons, etc.). Ce transfert de clientèle des petites vers les grandes surfaces a eu une incidence considérable sur les emplois du commerce.

Certains commerces de proximité ont pourtant réussi à se maintenir en offrant des services que ne pouvaient pas rendre les géants de la distribution : commerces ouverts sept jours sur sept et tard le soir (les Maghrébins, qui se sont fait une spécialité de la chose dans le domaine de l'épicerie, font des affaires florissantes dans les grandes villes) ; activités très spécialisées offrant un choix plus vaste et des conseils (chaussures de sport, accessoires de salles de bains, etc.) ; boutiques « franchisées » bénéficiant de l'expérience et de la notoriété des grandes marques nationales (encadré).

---

### Le boom du « franchising »

La perspective de tenir une boutique a toujours séduit les Français. Mais le nombre des faillites, parallèlement à la concentration de la distribution, avait de quoi les décourager. Outre le risque lié au développement des grandes surfaces, les facteurs intervenant dans la réussite d'un petit commerce sont nombreux et rarement à la portée d'une personne seule : choix du type d'activité, de l'emplacement, des fournisseurs, des stocks, etc. C'est ce qui explique que 90 % des petits commerces sont en difficulté au bout de la première année de fonctionnement. Le système de la franchise a permis à beaucoup de surmonter ces problèmes. Le candidat à l'ouverture d'une boutique passe un contrat avec un « franchiseur », souvent un fabricant voulant s'assurer une distribution exclusive (André, Pronuptia, Descamps, Kis, McDonald's, etc.). Dans le cas général, celui-ci apporte la notoriété de sa marque, entretenue par une publicité nationale, l'assistance au démarrage (implantation, décoration, vente, gestion des stocks, comptabilité, etc.), en échange d'un droit d'entrée et de redevances proportionnelles au chiffre d'affaires. Les risques du franchisé sont donc plus limités, ce qui se traduit par des « taux de survie » beaucoup plus élevés que pour le commerce traditionnel. La formule, développée depuis des dizaines d'années aux États-Unis, a explosé en France depuis environ 5 ans. Elle concerne aujourd'hui quelque 20 000 franchisés et 500 franchiseurs. Malgré les difficultés inhérentes à la situation économique et à l'existence de quelques franchiseurs peu recommandables, la formule devrait continuer à se développer à l'avenir.

---

*Les artisans ont réussi à stopper
l'hémorragie des années 60.*

L'artisanat ne fait guère parler de lui. Il regroupe pourtant 800 000 entreprises, employant moins de 10 salariés chacune (non compris le « patron » et, le cas échéant, son conjoint), représentant quelque 300 corps de métiers différents. Les difficultés des entreprises existantes, le poids croissant de leurs charges ont certainement découragé les candidats à la création. De même que la situation défavorable du bâtiment, qui fait vivre environ un tiers des entreprises artisanales. Ces petits patrons, qui ont pris des risques pour s'installer et travaillent généralement plus que la moyenne pour tenir le coup, ne bénéficient ni de la retraite à 60 ans (encore moins de la préretraite) ni des allocations de chômage. Ils se sentent, en outre, beaucoup moins écoutés que les salariés, n'ayant pas le même poids qu'eux dans les négociations avec les pouvoirs publics de toute tendance.

Pourtant, les plus dynamiques ont su adapter leur service, leur structure et leur façon de travailler aux nouveaux besoins de la clientèle. Beaucoup ont misé, en particulier, sur la rapidité d'intervention (même s'il est parfois difficile de trouver rapidement un plombier, un garagiste ou un électricien !).

La revalorisation du travail manuel, le goût pour l'indépendance (sans oublier l'accroissement du chômage) ont incité récemment beaucoup de Français à s'installer à leur compte. Avec des succès d'ailleurs relatifs, puisque les taux de survie à 5 ans ne dépassent pas 50 %.

# Égalité
# entre les hommes et les femmes :
# la loi et les faits.

La loi sur l'égalité professionnelle entre les hommes et les femmes a été définitivement adoptée le 30 juin 1983. Les femmes sont devenues ainsi officiellement des travailleurs à part entière. Tous les métiers leur sont désormais ouverts, dans des conditions de recrutement, de travail, de rémunération, de sanction éventuelle identiques à celles des hommes (en dehors d'une liste spécifique, définie par décret). Fini donc le temps où les employeurs considéraient le travail des femmes comme une transition en attendant le mariage ou une parenthèse entre deux grossesses ? Pas sûr. Les habitudes vieilles de plusieurs générations ne disparaîtront pas en un jour. Et l'on connaît l'habileté des Français à tourner les règlements qui les gênent. Qui empêchera un employeur de demander à une femme combien d'enfants elle souhaite avoir ou ce qu'elle pense faire de ceux qu'elle a lorsqu'ils seront malades ? Reste qu'il faudra plus d'imagination aux entreprises pour exercer leur misogynie. Bon gré, mal gré, les femmes devraient progressivement vaincre les derniers obstacles en matière d'accession à certains emplois, de mise à niveau de leurs salaires ou de promotion interne.

*Les métiers accessibles aux femmes restent aujourd'hui moins nombreux que ceux accessibles aux hommes.*

Le développement du tertiaire a été sans aucun doute favorable à l'intégration professionnelle des femmes. Mais l'élargissement et l'enrichissement général des métiers leur ont peu profité. Ainsi, la pénétration de l'informatique dans les entreprises avait entraîné la création du métier de perforatrice, réservé dès le début aux femmes. L'utilisation d'autres supports d'information (bandes magnétiques, disquettes) l'a depuis supprimé. L'évolution actuelle ne semble pas favoriser les emplois traditionnellement féminins. La bureautique devrait en particulier modifier profondément le contenu des emplois de secrétaire ou de dactylo : leurs patrons disposent avec l'ordinateur du moyen de gérer leurs dossiers, de classer leur documentation, et même de faire leur courrier grâce au traitement de texte. Au profit, peut-être, de tâches plus qualifiées si les femmes concernées parviennent à recevoir la formation nécessaire.

Les nouvelles technologies constituent donc à la fois une menace et une opportunité pour les femmes. Dégagées des tâches répétitives, plus typiquement féminines, celles-ci pourront demain s'intéresser à d'autres activités.

TRÈS FEMME DE L'ANNÉE
EN DANIEL D.

La femme des années 80 est une femme active.

### Métiers de femmes

Proportion de femmes dans certaines professions.

| | |
|---|---|
| Secrétaires sténo-dactylos | 97,6 % |
| Emplois de bureau non qualifiés | 71,0 % |
| Emplois de bureau qualifiés | 50,3 % |
| Personnel de service | 81,1 % |
| Vendeurs et salariés du commerce | 75,3 % |
| Infirmières diplômées | 83,9 % |
| Enseignement primaire et assimilé | 67,2 % |
| Ouvrières des filatures | 63,7 % |

B.I.T.

Part des femmes dans la population ouvrière (en %)

| | 1985 |
|---|---|
| – Ouvriers qualifiés | 8,2 % |
| – Ouvriers non qualifiés | 37,2 % |
| – Ouvriers agricoles | 18,3 % |
| – Total ouvriers | 20,0 % |
| (6 364 409 personnes) | |

INSEE

## Ceux qui créent leur emploi

Après une diminution en 1982 et 1983, on recommence à créer plus d'entreprises en France. La volonté d'indépendance et la difficulté de trouver un emploi ne sont pas étrangers à cet intérêt nouveau pour l'entreprise individuelle. La meilleure image de l'entreprise et des patrons ainsi que la montée du libéralisme économique constituent d'autres incitations, renforcées par les mesures d'encouragement prises par les pouvoirs publics.

*En 1985, 105 000 entreprises ont été créées, 50 000 ont été reprises, 26 000 ont fait faillite.*
*• 13 % des Français actifs envisagent de créer un jour leur propre entreprise.*
*• Un cadre sur deux est prêt à se lancer si une opportunité se présente.*

Le solde positif entre créations et disparitions (le rapport est de un à quatre) donne une idée erronée de la situation de l'emploi ; les entreprises qui naissent ont une taille généralement très inférieure à celles qui meurent. C'est ce qui explique que le nombre d'emplois créés en France depuis 10 ans soit inférieur à celui des emplois supprimés.

La plupart des experts s'accordent en tout cas à dire que ce sont les petites entreprises qui créeront demain le plus d'emplois.

### Qui sont les créateurs ?

• **Le sexe :** 88 % sont des hommes.
• **L'âge :** 49 % ont entre 30 et 40 ans, 28 % entre 20 et 30 ans, 16 % entre 40 et 50 ans.
• **La profession antérieure :** 36 % étaient cadres, 27 % agents de maîtrise ou employés ; 5 % seulement étaient ouvriers ou fonctionnaires. 41 % étaient demandeurs d'emploi.
• **Les motivations :** d'abord l'indépendance (67 %), puis la maîtrise de son destin (31 %) et l'argent 25 %. Le goût du pouvoir (6 %), la participation à l'effort de redressement national (5 %) et le statut social (5 %) arrivent aux derniers rangs.
• **La région :** 25 % en région parisienne, 10 % en région Provence-Côte d'Azur... et 1 % dans le Limousin et en Corse.
• **Le type d'activités :** les services représentent plus de la moitié des créations (51 %), suivis du commerce (23 %), de l'artisanat (10 %) et de l'industrie (8 %), des services à l'industrie (7 %) et de l'agriculture (1 %).
• **Les rapports avec les pouvoirs publics :** pas brillants, puisque 29 % se déclarent « refroidis », 24 % « écœurés », 11 % « découragés », contre 9 % « encouragés » et 8 % « aidés ».
• **La satisfaction :** 78 % déclarent qu'ils recommenceraient si c'était à refaire, contre 5 % qui s'y refuseraient. 15 % procéderaient différemment.

Enquête réalisée auprès de 1 184 créateurs représentatifs des régions, des secteurs d'activité, des formes juridiques de création (excepté établissements secondaires, GIE, groupements, sociétés civiles) par le magazine « Créez ».

---

### 57 % de survie à 4 ans

Nombre d'entreprises créées ou reprises

|  | 1981 | 1982 | 1983 | 1984 | 1985 |
|---|---|---|---|---|---|
| • Créations nouvelles ..... | 173 100 | 165 750 | 156 810 | 166 960 | 191 470 |
| • Reprises ............... | 68 920 | 63 850 | 52 520 | 50 430 | 53 010 |
| Total | 242 080 | 229 599 | 209 330 | 217 389 | 244 480 |
| • Taux de survie au 1/1/1985 ............. | 57 % | 65 % | 72 % | 83 % | nd |
| • Faillites (1) ........... | 20 300 | 20 300 | 22 500 | 25 000 | 26 425 |

(1) Source Rexeco.

INSEE

# CONDITIONS DE TRAVAIL

*Les Français travaillent de moins en moins, dans de meilleures conditions. Leur réconciliation avec l'entreprise jette les bases d'un consensus social qui pourrait se substituer à la lutte traditionnelle entre patrons et employés.*

## Durée du travail : la diminution silencieuse

Beaucoup de Français, et surtout de Françaises, rêvent de travailler à mi-temps. Ils ne savent pas que ce souhait est déjà réalisé depuis longtemps. La réalité est qu'ils passent aujourd'hui seulement le quart de leur temps au travail.

Le calcul qui conduit à ce résultat est très simple. Sachant qu'ils sont éveillés 16 heures par jour, les Français disposent d'un capital-temps annuel de 5 840 heures. Le temps que les actifs consacrent à une activité professionnelle rémunérée est en moyenne de 1 650 heures par an. C'est-à-dire 28 %, soit à peine plus du quart du temps disponible.

Si l'on se livre au même calcul à l'échelle d'une vie, le résultat est encore plus impressionnant.

*8 années de travail sur 42 années « éveillées » pour les hommes, soit 19 %.*
*• 6 années sur 45 (14 %) pour les femmes.*

Il faut remonter à la fin du XVIIIe siècle pour trouver une époque où les Français travaillaient effectivement à mi-temps ! L'évolution n'est pas terminée, avec la perspective des 35 heures et de la généralisation du travail à temps partiel... Bien sûr, les revendications sur la réduction du temps de travail ou l'aménagement d'emplois à temps partiel partent d'autres considérations. Mais on voit à quel point le temps de travail s'est effacé au profit du temps libre (bien que le temps de déplacement domicile-travail ait augmenté depuis une vingtaine d'années). Même si c'est encore le temps de travail qui, très souvent, conditionne la vie des Français, l'évolution qui s'est produite prépare l'avènement d'un autre type de société, organisé autour du temps libre.

*La durée hebdomadaire de travail a diminué de 6 heures en 15 ans.*

**De moins en moins d'heures par semaine...**

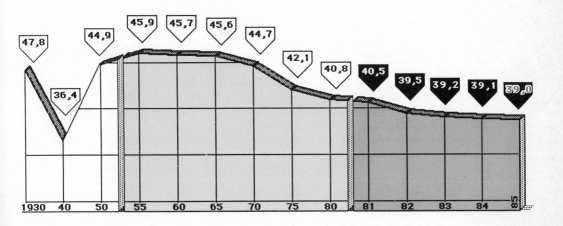

La loi instituant la semaine de 40 heures remonte à 1936. Mais les multiples dérogations sectorielles et le recours systématique aux heures supplémentaires avaient empêché son application. De sorte que jusqu'en 1968 la durée de la semaine de travail resta pratiquement constante, autour de 45 heures.

Mai 1968 allait porter un coup décisif à ces habitudes anciennes. Le protocole d'accord de Grenelle prévoyait la mise en place de mesures conventionnelles de réduction de la durée du travail. Entre 1969 et 1980, la durée du travail passait de 45,2 heures à 40,8. L'arrivée au pouvoir de la gauche donnait un nouveau coup de pouce : 39 heures en 1982, une perspective de 35 heures à moyen terme.

La nécessité du partage du travail conduira sans doute à d'autres dispositions encore plus favorables à la réduction du temps de travail moyen. En 15 ans, c'est donc une diminution moyenne de 6 heures par semaine qui s'est produite. Principalement par la réduction des horaires les plus longs, dans le bâtiment par exemple (où la moyenne atteignait près de 50 heures en 1968) ou dans les industries agroalimentaires (46 heures en 1968).

*Une plus grande harmonisation s'est faite entre les catégories de travailleurs.*

Les ouvriers, qui pendant longtemps ont travaillé plus que les autres, se sont rapprochés de la moyenne au cours des dernières années. L'écart qui les séparait des employés était de 2 heures en 1974 ; il est pratiquement nul aujourd'hui. Les raisons de cette réduction des horaires pour les postes de production ne sont pas seulement légales. Les gains de productivité réalisés par les entreprises leur ont permis de réaliser une production identique avec un nombre d'heures de travail inférieur.

La crise a, par ailleurs, contraint certaines industries à réduire de façon beaucoup plus brutale les horaires de travail par l'intermédiaire du chômage partiel. Les mesures prises dans des secteurs en difficulté, comme la sidérurgie, les mines de fer, la métallurgie et, plus récemment, l'automobile, ont pesé de façon sensible sur la durée moyenne du travail. Les disparités entre les secteurs se sont donc considérablement réduites en quelques années.

### La semaine de 34 à 54 heures

Durée hebdomadaire moyenne selon la profession et le sexe (en heures) mars 1985.

|  | ensemble | hommes | femmes |
|---|---|---|---|
| Agriculteurs exploitants | 53,9 | 60,5 | 44,1 |
| Artisans, commerçants et chefs d'entreprises | 51,6 | 53,8 | 48,2 |
| Cadres et professions intellectuelles supérieures | 40,8 | 43,0 | 35,0 |
| *dont : professions libérales* | *46,5* | *51,2* | *37,6* |
| Professions intermédiaires | 37,3 | 39,4 | 34,3 |
| Employés | 36,4 | 40,0 | 35,3 |
| Ouvriers | 38,7 | 39,5 | 35,6 |
| **Total** | **39,6** | **42,1** | **36,3** |

N.B. Il s'agit ici de la durée déclarée par l'enquêté, dans son activité principale.

Une heure de travail hebdomadaire seulement sépare aujourd'hui les transporteurs routiers (40 heures) des ouvriers de l'industrie métallurgique (39 heures). Il est vrai que ces chiffres restent très théoriques pour les routiers, dont beaucoup pratiquent des horaires longs.

*La France fait partie des pays où l'on travaille le moins.*

Jusqu'en 1975, la France était au sein de la C.E.E. le pays où les horaires (secteur industriel) étaient les plus longs. La durée hebdomadaire de travail a tendance à diminuer dans l'ensemble des pays industrialisés et la situation de la France reste moyenne à cet égard. Pourtant, si l'on examine la quantité de travail **annuelle**, la France figure dans le peloton de queue, du fait de la durée des congés payés, dont elle détient le record. Le simple examen des chiffres donne une idée du secret de la compétitivité japonaise...

Ces comparaisons internationales sont cependant difficiles à établir, car elles ne tiennent pas compte d'éléments importants tels que les heures supplémentaires, l'absentéisme ou l'impact du travail à temps partiel ou intérimaire.

## Durée hebdomadaire du travail : la France en queue de peloton

Durée hebdomadaire de travail dans l'industrie en 1984, en heures.

| | | | |
|---|---|---|---|
| Japon | 41,0 | Belgique | 34,5 |
| France | 38,9 | Allemagne (RFA) | 40,8 |
| États-Unis | 40,1 | Canada | 38,5 |
| Pays-Bas | 40,3 | Irlande | 40,8 |
| Italie | 37,5 | Royaume-Uni | 41,7 |
| Luxembourg | 41,1 | | |

## Le miracle japonais

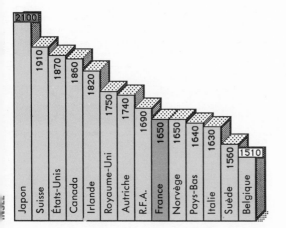

*2,3 millions de personnes travaillent à temps partiel, soit 11 % de la population active.*

Selon le Bureau international du travail, il y a travail à temps partiel lorsqu'une personne occupe de façon régulière, volontaire et unique un poste pendant une durée sensiblement plus courte que la durée normale. En pratique, on considère que le temps partiel commence en dessous de 30 heures hebdomadaires. Ce type de travail intéresse surtout les femmes, qui peuvent ainsi concilier travail et vie familiale. Les postes qu'elles occupent sont le plus souvent à faible qualification : personnels de service, aides familiales, etc.

Le nombre des travailleurs à temps partiel augmente régulièrement. La loi de janvier 1981, qui prévoyait des mesures d'incitation pour les entreprises, répondait aux besoins de certaines catégories de travailleurs. Elle répondait aussi à ceux des entreprises (surtout petites) qui ne peuvent pas toujours se permettre l'embauche d'une personne à temps plein. La France pourrait en ce domaine combler le retard qu'elle a par rapport à des pays comme les États-Unis ou la Suède, où un actif sur cinq environ travaille à temps partiel.

## 83 % des travailleurs à temps partiel sont des femmes

Travailleurs à temps partiel, selon l'âge (1985)

| | | Proportion de femmes (%) |
|---|---|---|
| • 15 à 24 ans | 342 000 | 67 % |
| • 25 à 39 ans | 904 000 | 88 % |
| • 40 à 49 ans | 451 000 | 92 % |
| • 50 à 59 ans | 431 000 | 86 % |
| • 60 ans et plus | 199 000 | 61 % |
| Total | 2 327 000 | 83 % |

INSEE

*Le travail intérimaire a été fortement remis en question.*

Les entreprises de travail intérimaire avaient connu dans les années 60 un essor considérable. Dans une période économiquement faste, elles avaient permis aux entreprises de faire face à une pénurie de personnel qualifié et à des besoins irréguliers de main-d'œuvre. Ce développement avait amené les pouvoirs publics à mettre en place, dès 1972, un dispositif légal de protection des salariés intérimaires : conditions d'emploi, durée, indemnités d'emploi précaire, etc. Dix ans plus tard, la montée du chômage incita le gouvernement à décider de nouvelles réglementations. L'ordonnance de février 1982 avait pour objectif de limiter le recours au travail temporaire, en mettant en place un statut du salarié temporaire proche de celui des autres salariés. En un an, ces mesures se traduisirent par une réduction d'environ 30 % des effectifs et la disparition de 600 établissements.

**65 % des travailleurs intérimaires
sont des hommes**

Principaux chiffres concernant le travail temporaire.

|  | 1975 | 1980 | 1984 |
|---|---|---|---|
| • Nombre d'établissements | 1 881 | 3 373 | 2 677 |
| • Nombre de salariés (1) | 105 000 | 203 300 | 106 700 |
| • Proportion d'hommes | 69,7 % | 73,4 % | 64,1 % |
| • Proportion de femmes | 30,3 % | 26,6 % | 35,9 % |

(1) Y compris le personnel des agences de travail intérimaire.

On constate pourtant que ce recul du travail temporaire n'a pas entraîné la création d'un nombre équivalent d'emplois permanents. Les deux tiers des embauches effectuées l'ont été en effet dans le cadre de contrats à durée déterminée. C'est-à-dire qu'on a remplacé une forme d'emploi précaire par une autre qui ne l'est pas moins.

ECCO REMPLACE CE QUI EST UNIQUE.

PERSONNEL TEMPORAIRE
ECCO
IMPOSSIBLE N'EST PAS ECCO

La flexibilité de l'emploi est à l'ordre du jour.

Dans tous les pays fortement industrialisés, la demande pour des formes de travail mieux adaptées aux modes de vie tend à s'accroître, surtout de la part des femmes. La France n'est pas très en avance dans ce domaine.

# Horaires de travail :
# les rythmes les plus fous

Pour 14 millions de Français, le rythme de la journée de travail est du type 8 heures-midi, 2 heures-6 heures du lundi au vendredi. Les autres, environ 9 millions, pratiquent des horaires moins classiques et ne connaissent pas le « week-end » dont leurs compatriotes savourent chaque semaine les délices.

### Pointage : de la carte au menu

23 % des salariés sont astreints au pointage ou à des contraintes de même nature (signaux sonores ou lumineux, ouverture/fermeture des portes, signature, etc.). Cette pratique, fréquente chez les ouvriers, s'est étendue à d'autres catégories, comme les employés, avec le développement de l'horaire variable. Les horaires « libres » (fixés par le travailleur en accord avec son service) ou « à la carte » (heures d'arrivée et de départ variables en dehors d'une plage fixe commune) concernaient en 1984 respectivement 10,4 % et 5,7 % des salariés. Les partisans de ces systèmes y voient la possibilité d'un meilleur aménagement du temps de chacun. Leurs détracteurs considèrent que toute forme de pointage est a priori dégradante et que seule l'instauration d'un climat de travail favorable peut satisfaire à la fois les exigences des employeurs et celles des travailleurs.

*8 % des salariés commencent leur travail avant 7 heures du matin.*
*• 45 % travaillent au moins un samedi par an.*
*• 19 % travaillent au moins un dimanche par an.*

Ce sont les ouvriers, personnels de service et employés qui sont les plus matinaux. Personnels de service et ouvriers sont aussi ceux qui terminent le plus tard (même s'il ne s'agit pas forcément des mêmes que ceux qui arrivent tôt). Les cadres sont aussi des « travaille-tard », puisque 8 % d'entre eux quittent leur bureau après 20 heures. Ce sont les employés de commerce et les agriculteurs qui travaillent le plus souvent pendant le week-end. Quant à ceux qui travaillent la nuit, ce sont principalement les personnels de service et les ouvriers, dont beaucoup travaillent encore en quatre équipes.

## Les horaires « bizarres »

Proportion de salariés :

| | 1984 (%) | |
|---|---|---|
| | Hommes | Femmes |
| • Commençant leur travail avant 7 heures | 11,9 | 5,9 |
| • Finissant leur travail entre 20 heures et 24 heures | 8,5 | 7,1 |
| • Ayant une journée de travail de 11 heures ou plus | 10,0 | 6,9 |
| • Travaillant au moins une nuit par an | 19,0 | 5,5 |
| • Travaillant au moins un samedi par an | 45,7 | 45,5 |
| • Travaillant au moins un dimanche par an | 22,7 | 16,2 |

## Contraintes à la chaîne

Le développement du travail dans le secteur industriel est à l'origine d'un grand nombre de contraintes. Le travail à la chaîne est une des contraintes les plus connues, bien qu'en diminution régulière. Un ouvrier sur deux est soumis à des cadences de travail imposées, soit par le rythme des machines, soit par des temps chronométrés.

*8 % des ouvriers*
*travaillent encore à la chaîne.*
*• La plupart sont des femmes.*

*• Un salarié sur quatre*
*ne peut communiquer dans son travail.*

Certains n'ont pas le droit de parler. D'autres en sont empêchés par le bruit ambiant ou parce qu'ils occupent un poste isolé. Heureusement, ces contraintes tendent à diminuer avec l'apparition de nouvelles méthodes de travail et l'automatisation croissante des ateliers de production. Ce qui pose d'ailleurs d'autres types de problèmes.

### Un salarié sur dix met plus de 45 minutes pour se rendre à son travail

Proportion de salariés suivant le temps de trajet aller (1984) :

| | |
|---|---|
| • Moins de 11 minutes | 36,6 % |
| • 11 à 30 minutes | 47,1 % |
| • 31 à 45 minutes | 7,7 % |
| • Plus de 45 minutes | 8,6 % |
| | 100,0 % |

N.B. 9,4 % des hommes sont à plus de 45 minutes de leur travail, contre 7,5 % des femmes. Parmi les hommes, c'est le cas de 13,1 % des cadres supérieurs et 8,3 % des ouvriers.

*La majorité des ouvriers travaillent*
*dans des conditions physiquement pénibles.*

Les contraintes du travail en usine (et, à un moindre degré, au bureau) se traduisent par une fatigue physique relativement intense, parfois même par des maladies professionnelles. Les ouvriers sont les plus exposés à ces

Ministère du Travail, de l'Emploi et de la Formation professionnelle

### Les lève-tôt et les travaille-tard

Répartition des salariés selon l'heure de départ du domicile et la durée de la journée de travail (1984).

| Heure de départ du domicile | Avant 5 h | 5 h à 6 h | 6 h à 7 h | 7 h à 8 h | 8 h à 9 h | 9 h à 10 h | 10 h à 14 h | 14 h à 20 h | Après 20 h |
|---|---|---|---|---|---|---|---|---|---|
| Salariés (%) | 5,1 | 4,5 | 15,1 | 46,0 | 15,4 | 1,9 | 5,6 | 2,0 | 1,9 |
| Durée de la journée de travail | 4 h au plus | + 4 h à 5 h | + 5 h à 6 h | + 6 h à 7 h | + 7 h à 8 h | + 8 h à 9 h | + 9 h à 10 h | + 10 h à 11 h | + 11 h |
| Salariés (%) | 1,7 | 0,6 | 1,1 | 2,5 | 12,6 | 25,8 | 34,1 | 11,1 | 10,0 |

N.B. Les totaux horizontaux sont inférieurs à 100 en raison des non-réponses.

Ministère du Travail, de l'Emploi et de la Formation professionnelle

professionnelle

## Travail et nuisances

Proportion de salariés ayant déclaré (en %) :

| | Hommes | | Femmes | | Ensemble | |
|---|---|---|---|---|---|---|
| | 1978 | 1984 | 1978 | 1984 | 1978 | 1984 |
| • Devoir rester longtemps debout | 54,9 % | 53,1 % | 45,6 % | 43,4 % | 51,2 | 49,0 |
| – parmi les ouvriers | 68,6 | 69,2 | 59,5 | 59,3 | 66,5 | 67,3 |
| • Porter ou déplacer des charges lourdes | 27,6 | 27,0 | 12,1 | 13,9 | 21,4 | 21,5 |
| – parmi les ouvriers | 39,8 | 41,2 | 19,2 | 21,6 | 35,1 | 37,3 |
| • Être dans un cadre sale | 32,0 | 29,7 | 12,9 | 10,8 | 24,5 | 21,8 |
| – parmi les ouvriers | 49,6 | 47,6 | 28,1 | 30,7 | 44,7 | 44,3 |
| • Subir l'humidité | 19,5 | 18,6 | 5,0 | 4,6 | 13,7 | 12,7 |
| – parmi les ouvriers | 27,7 | 27,9 | 10,1 | 11,2 | 23,7 | 24,6 |
| • Subir le bruit (1) | 4,7 | 3,5 | 1,8 | 1,3 | 3,5 | 2,6 |

(1) Ne peuvent pas entendre une personne qui leur parle normalement.

*Ministère du Travail, de l'Emploi et de la Formation professionnelle*

risques, en particulier dans des secteurs comme le bâtiment et les travaux publics, où le bruit, les risques d'accident et les nuisances atmosphériques se cumulent. Chez les employés de commerce, la station debout est une source supplémentaire de fatigue. D'une manière générale, des progrès importants ont été accomplis dans beaucoup d'entreprises (notamment les plus grandes), sous l'impulsion des revendications syndicales et des propositions des comités d'hygiène et de sécurité. Pourtant, malgré ces efforts et la mise en place d'équipements moins dangereux, le nombre des maladies et des accidents liés à la vie professionnelle reste élevé. Il constitue l'une des formes les plus spectaculaires de l'inégalité entre les diverses catégories de travailleurs. Même si elle ne favorise pas l'emploi à court terme, l'automatisation des entreprises devrait améliorer les conditions de travail des plus défavorisés.

## Absentéisme : le flux et le reflux

Après avoir atteint des niveaux élevés au cours de l'immédiat après-guerre (du fait de l'état de santé médiocre de la population),

## Une aussi longue absence

Nombre de journées de travail par an et absentéisme moyen :

| | Durée annuelle réelle | Absentéisme |
|---|---|---|
| • Japon | 274 jours | 4 jours |
| • États-Unis | 231 | 7,5 |
| • Suisse | 228 | 13,5 |
| • Danemark | 212 | 12 |
| • Autriche | 206 | 19 |
| • Grande-Bretagne | 206 | 14,5 |
| • France (1) | 205 | 15,5 |
| • Italie | 204 | 18 |
| • Finlande | 203 | 24 |
| • Belgique | 202 | 12 |
| • Pays-Bas | 201 | 16,5 |
| • Norvège | 201 | 29 |

(1) En 1986, les Français ont eu 160 jours de congé, soit 5 mois et 3 jours, ou 44 % du temps :

- week-end          104 jours
- vacances           25 jours
- jours fériés        10 jours
- absentéisme       16 jours en moyenne
- ponts               5 jours

*Conseil d'Europe*

l'absentéisme avait diminué jusque vers 1950 en même temps que s'amélioraient les conditions sanitaires. Il augmentait à nouveau entre 1951 et 1974, avec une structure très différente : stabilité de l'absentéisme dû aux accidents du travail ; accroissement important des absences pour maladie. Il tend aujourd'hui à baisser de nouveau.

*Les salariés sont absents de leur travail environ 20 jours ouvrables par an.*

Ce chiffre comprend les absences pour maladie, accident, maternité... et pour d'autres causes indéterminées. L'absentéisme pour maladie est en baisse depuis 1975. Deux causes à ce phénomène : réduction du nombre d'heures de travail ; meilleure prévention des maladies (renforcée par la loi de décembre 1976 sur l'action sanitaire au sein des entreprises). Il est possible aussi que l'accroissement du chômage, donc du risque de perdre son emploi, incite les salariés à faire des efforts pour réduire leurs absences.

*Les femmes ne sont pas, en réalité, beaucoup plus absentes que les hommes.*

L'absentéisme féminin apparaît globalement de moitié plus élevé que celui des hommes. Le rapport entre les deux sexes est même de 1 à 3 dans les banques et l'assurance. Mais l'écart moyen n'est plus que de 16 % si l'on exclut les congés de maternité (16 semaines depuis la loi de juillet 1978 et 36 semaines à partir du troisième enfant depuis 1980). L'essentiel de l'écart résiduel s'explique par la différence d'âge des salariés hommes et femmes. Celles-ci sont en moyenne plus jeunes que les hommes, et nombreuses en particulier dans la tranche d'âge 20-30 ans, période privilégiée de la maternité et donc des occasions d'absence annexes qu'elle implique (maladies des enfants, etc.).

*L'absentéisme varie en sens contraire du niveau de qualification.*

Quel que soit le secteur d'activité, les cadres sont en moyenne moins souvent absents que les employés, qui le sont moins que les ouvriers. On retrouve d'ailleurs chez ces derniers une hiérarchie semblable, les ouvriers les moins qualifiés étant les plus souvent absents.

Cette constatation générale mérite cependant quelques précisions. D'abord, le contrôle de l'absentéisme n'est pas exercé de la même façon selon les catégories professionnelles. Les cadres bénéficient généralement d'une latitude beaucoup plus grande. Ils sont plus fréquemment en dehors de leur bureau et pointent beaucoup plus rarement que les autres catégories.

L'absentéisme est, d'autre part, certainement lié à la fatigue physique et nerveuse engendrée par l'emploi occupé. Toutes les enquêtes montrent que celle-ci est généralement plus intense chez les « cols bleus » que chez les « cols blancs ». Enfin, il faut rappeler que les travailleurs les moins qualifiés sont aussi ceux qui ont le plus de risques d'accidents du travail et qui font le moins attention à leur santé.

## Relations du travail : la montée du consensus

Face à une situation économique difficile, les Français souhaitent une meilleure collaboration entre les principales forces du pays. Cette ébauche d'un véritable consensus social est récente. Elle est liée à l'évolution des images respectives du patronat et des syndicats auprès des salariés. Dans ce domaine comme dans d'autres, le réalisme tend à l'emporter sur l'idéologie.

*Les Français se sont réconciliés avec l'entreprise.*

Depuis quelques années, l'opinion des Français vis-à-vis de l'entreprise s'est profondément modifiée. Jusqu'en 1982, ils croyaient aux vertus du dirigisme étatique. Ils croient aujourd'hui au rôle prépondérant des entreprises dans une économie de type libéral. Ce retournement est à la fois paradoxal et capital. Paradoxal, car c'est au moment où le pouvoir en place était le moins favorable aux entreprises et où celles-ci éprouvaient le plus de difficultés que les Français ont décidé de leur accorder leur confiance. Capital aussi, dans la mesure où seul un consensus à l'intérieur des

Aujourd'hui, les Français aiment l'entreprise et les entrepreneurs.

B.D.D.P.

entreprises peut les amener à retrouver une situation plus prospère.

C'est donc avec une indulgence nouvelle que les Français observent les patrons, reconnaissant volontiers les obstacles qui se dressent devant eux. Si la lutte des classes n'est pas tout à fait morte, il semble bien que les relations à l'intérieur de l'entreprise soient aujourd'hui placées sous le signe de la bonne foi. Et, de la bonne foi à la bonne volonté, il n'y a qu'un pas, que les Français semblent être en train de franchir.

## *Le feu sacré du syndicalisme est en veilleuse.*

Il y a un siècle, les syndicats français entraient dans la légalité républicaine par la loi du 21 mars 1884. Cet anniversaire n'a pas été fêté dans la liesse. C'est que le syndicalisme centenaire accuse depuis quelques années un indiscutable « coup de vieux ». Pris de court par la crise, bousculés par les plans d'austérité et la détérioration de leur image, gênés par la montée de l'individualisme et celle des catégories moyennes, les syndicats ne se portent pas très bien. Le taux de syndicalisation des travailleurs français (moins de 20 % de la population active) est faible par rapport à celui des autres pays occidentaux (Grande-Bretagne, Allemagne, États-Unis, Belgique, Suède). Après une progression régulière jusqu'en 1975, le nombre des syndiqués a chuté de près d'un million, pour se retrouver quelque part entre 3,5 millions (estimation) et 5 millions (déclarations des syndicats).

S'ils restent attachés au principe de la représentation des salariés par les syndicats, les Français manifestent une réserve croissante vis-à-vis de l'action syndicale (voir baromètre) qu'ils jugent trop politisée. Les deux tiers d'entre eux considèrent en effet que les syndicats obéissent davantage à des motivations

### Confiants dans les entreprises

Le Nouvel Observateur/SOFRES (déc. 1985)

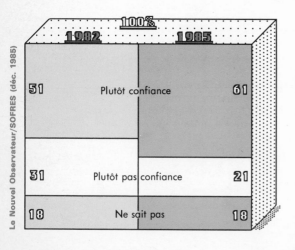

### Les conflits du travail en baisse

Évolution du nombre de journées de travail perdues à la suite des conflits (en milliers).

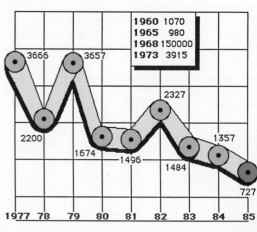

## La base ne suit plus

Aujourd'hui, pensez-vous qu'il est ou non dans le rôle des syndicats de faire passer la réussite économique avant la défense de leurs revendications salariales ?

- oui          61 %
- non          25 %
- NSP          14 %

La plupart des syndicats aujourd'hui perdent des adhérents et connaissent des difficultés financières. À ce sujet, de quelle proposition vous sentez-vous le plus proche ?

- Si les syndicats sont en crise, c'est qu'ils sont trop engagés politiquement                                         56 %
- Si les syndicats sont en crise, c'est parce qu'ils font mal leur travail de syndicat                                               19 %
- Si les syndicats sont en crise, c'est parce que beaucoup de patrons refusent encore le syndicalisme dans leur entreprise                               14 %
- Autre                                        7 %
- NSP                                          4 %

## Les salariés pour la flexibilité

Selon vous, pour combattre le chômage, faut-il plutôt ?

- que les Français travaillent moins longtemps,                                        69 %
  ou qu'ils travaillent plus longtemps      16 %

- que les salaires soient fixes,            39 %
  ou qu'une partie varie avec les résultats de l'entreprise                             55 %

- que l'on s'occupe d'abord du niveau de vie,                                          29 %
  ou de la santé des entreprises            60 %

- maintenir le niveau des charges et de la protection sociale,                         66 %
  ou réduire les charges sociales en réduisant la protection sociale des salariés                                       21 %

Sondage réalisé auprès d'un échantillon de salariés du secteur concurrentiel.

L'Expansion/BVA (5 avril 1985)

d'ordre politique qu'au souci de défendre les intérêts des salariés. Les jeunes de moins de 25 ans sont les moins convaincus de l'utilité des syndicats. Les trois quarts n'ont jamais participé à une action collective.

### La flexibilité est à la mode.

On peut imaginer plusieurs raisons à cette image défavorable des syndicats. La plus évidente est sans doute la tendance générale au repli sur soi, qui rend difficile une mobilisation pour des causes collectives. La dilution du sentiment d'appartenance à une classe sociale paraît être également une raison logique à une moindre agressivité envers les patrons. Cela se traduit par une baisse significative du nombre des conflits du travail depuis quelques années. Les bases d'un consensus existent donc au sein de l'entreprise. C'est ce qui explique la reconnaissance croissante par les salariés de la nécessité d'une plus grande flexibilité du travail. Il faut noter que, parmi tous les pays européens, c'est en France que l'on trouve le plus large accord des salariés sur les principes majeurs de cette flexibilité.

La vie professionnelle

### En vrac

- ⑤ 81 % des femmes considèrent que la forme idéale de travail est le temps partiel.
- ⑤ 73 % des femmes s'arrêteraient de travailler si on leur donnait un salaire pour élever leurs enfants.
- ⑤ 54 % des salariés sont favorables à l'incitation des travailleurs étrangers à rentrer dans leur pays (36 % contre).
- 3 % des salariés travaillent plus de 40 dimanches par an.
- 20 % travaillent plus de 40 samedis par an.
- 4,4 % travaillent plus de 75 nuits par an.
- Un actif sur deux travaille hors de la commune où il réside.
- ⑤ 63 % des Français sont pour une réduction du salaire quand l'entreprise est en difficulté, contre 38 % des Allemands, 39 % des Belges, 55 % des Britanniques et des Italiens, mais 64 % des Néerlandais.
- ⑤ 78 % des patrons considèrent qu'il y a un mouvement de fond qui tend à la modernisation sociale des entreprises françaises.

# Les Styles de Vie des Cadres dans l'Entreprise

Si les attitudes des Français vis-à-vis du travail peuvent être représentées de façon simplifiée en fonction de leurs Mentalités et Sociostyles, il est intéressant d'analyser leurs comportements spécifiques dans la vie professionnelle. Ce travail a été fait par le C.C.A. en ce qui concerne la vie professionnelle des cadres. Il a permis de démontrer que le cadre moyen n'existe pas et il aboutit à une typologie des Styles de Vie des cadres dans les entreprises. Les informations qui suivent sont tirées des travaux réalisés par Mike Burke pour le C.C.A. Une description détaillée des Styles de Vie des cadres ainsi qu'une typologie des différents Styles de Vie des entreprises figure dans son ouvrage *les Styles de vie des cadres et des entreprises* (Inter Éditions). La plupart des critères qui différencient les comportements des cadres dans leur vie professionnelle peuvent être regroupés en deux dimensions principales qui expliquent l'essentiel des différences entre les Styles. Ces dimensions sont figurées par les deux axes de la carte de la page suivante.

## Trois Mentalités

Les Styles de Vie des cadres sont répartis en trois Mentalités principales.

### La Mentalité de Repli.

Elle regroupe les « démissionnaires de la lutte pour la vie », caractérisés par un refus des valeurs de dynamisme, de combativité, d'agressivité commerciale et d'ambition professionnelle. Ses représentants ont tendance à rechercher la passivité et à ne pas s'engager dans l'entreprise (les objectifs personnels passent avant ceux de l'entreprise) afin de vivre une vie professionnelle sans histoire. Son importance est croissante et elle regroupe aujourd'hui 37 % des cadres français. Elle est composée de trois types : les Bureaucrates, les Méticuleux et les Fidèles.

### La Mentalité Impérialiste.

Elle se caractérise par l'agressivité, la volonté de conquête et de puissance. Les cadres de cette Mentalité sont des travailleurs très actifs, dégagés des idéologies et des considérations affectives ou émotionnelles. Ils sont individualistes, peu intégrés, partisans de la discipline. Ils recherchent la réussite personnelle et le pouvoir. Ils privilégient à cette fin les qualités d'efficacité et ils ont le culte de la performance, plaçant souvent la vie professionnelle avant la vie privée ou familiale. Ils croient au progrès engendré par le dynamisme industriel. Cette Mentalité ne représente plus aujourd'hui que 13 % des cadres français. La crise économique et ses répercussions sur la vie des entreprises ont créé chez eux un sentiment de frustration. Trois types composent cette Mentalité : **les Conquistadores**, les **Technocrates** et les **Francs-Tireurs.** Trois espèces qui ont connu des évolutions contrastées ces dernières années.

## La Mentalité Progressiste.

Les cadres de cette Mentalité sont tournés vers l'avenir, ouverts aux différents courants qui se manifestent dans les entreprises. Ils sont souples, adaptables aux changements et privilégient la réforme comme facteur de progrès. Ils sont volontiers contestataires et défendent les valeurs d'affrontement, de dialectique et de critique, aussi bien que celles de coopération, de dialogue et de participation. Ils considèrent que l'efficacité dans le travail n'est pas in-

compatible avec le plaisir qu'on y prend et l'épanouissement personnel. La dimension humaine est donc présente dans leurs comportements professionnels et leur décisions. C'est pourquoi ils favorisent les rapports sociaux et le travail en équipe, dans la mesure où cela améliore l'efficacité du travail et l'ambiance qui y préside.

Cette Mentalité est aujourd'hui dominante (50 % des cadres français), même si elle regroupe des modes de pensée et de travail très différents. Les cadres concernés considèrent la

### La carte des Styles de Vie des cadres dans l'entreprise

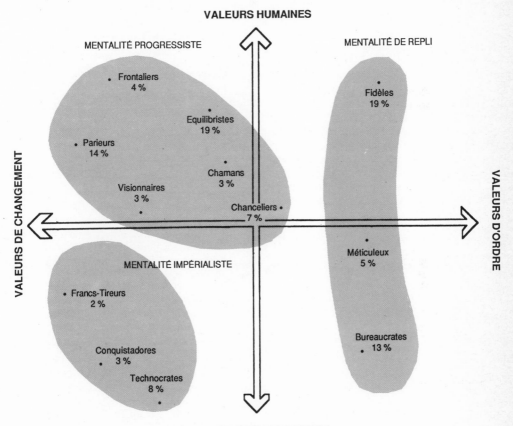

Pour lire la carte, voir la description des Styles de Vie en fin de volume.
Le premier axe représente les valeurs de l'ordre et de la hiérarchie dans l'entreprise (vers la droite) et leur contraire, les valeurs de changement et d'évolution (vers la gauche).
Le second axe représente l'importance relative accordée aux valeurs humaines (vers le haut) et à celles liées au rendement dans l'entreprise (vers le bas).

C.C.A.

| | Objectifs professionnels | Relations avec les collègues | Style personnel de management | Système de valeurs | Récompense recherchée |
|---|---|---|---|---|---|
| **1 LE MÉTICULEUX** | • Appliquer ses connaissances pour produire dans les normes de qualité. • Être irréprochable. | • Plus à l'aise dans les tout petits groupes. • Indépendant. • Respectueux envers ceux qui produisent. • Méfiant envers ceux qui vendent. | • La qualité prime sur la rentabilité. • Montre l'exemple aux subordonnés. • Se conduit parfois avec maladresse sur le plan humain. | • Primauté de la qualité. • Exigeant sur les normes. | • Accroître son autonomie pour mieux produire, contrôler et transmettre la *bonne manière* de faire son travail. |
| **2 LE BUREAUCRATE** | • Survivre le plus longtemps possible en prenant le minimum d'initiatives. • Maintenir sa position dans la hiérarchie. | • Lointain, désintéressé. • Peu impliqué vis-à-vis de l'entreprise. | • Méthodique, pointilleux et impersonnel. • Travaille lentement pour faire moins d'erreurs. | • Stabilité, permanence, ordre. • Défenseur des traditions de l'entreprise. | • Attend une augmentation régulière de son salaire et l'accumulation des points de retraite. |
| **3 LE FIDÈLE** | • Grimper dans la hiérarchie en accumulant « l'expérience maison ». | • Respectueux, consciencieux, accessible. • Accepte toutes les contraintes imposées par l'entreprise. | • Peu dynamique. • Coopératif. • Discipliné. | • Recherche la sécurité dans la permanence de l'entreprise. | • Attiré par l'augmentation de salaire et les marques d'estime. |
| **4 LE CONQUIS-TADOR** | • Avoir du pouvoir et ne pas subir les contraintes imposées par les autres. | • Dynamique, souvent égocentrique. • Travailleur acharné. • Caractériel, affectif et paternaliste. | • Audacieux et rusé. • Exige une fidélité absolue. • Aime la politique et les manœuvres. | • Sa propre réussite prime tout. • Survivre pour conquérir. | • Être le numéro un, le patron, le chef, le pacha. |
| **5 LE TECHNOCRATE** | • Appliquer à son travail le pragmatisme et la science. • Apporter de nouvelles méthodologies à son métier ou à son entreprise. | • S'entend bien avec ceux qui sont rigoureux et scientifiques. • Moins à l'aise dans les relations humaines. | • Un peu froid, austère et autoritaire. • Mal à l'aise avec les gens émotifs, créatifs ou dynamiques. | • Compétence scientifique et professionnelle. | • Accéder à un poste supérieur de direction. • Surtout, appliquer les progrès technologiques à son entreprise. |
| **6 LE FRANC-TIREUR** | • Réussir seul, par tous les moyens. | • Quand les idées de ses collègues sont différentes des siennes, il fait semblant de les accepter, puis il fait ce qu'il lui plaît. | • Distant. • Quand le rapport de force est défavorable, il se retire mais prépare sa contre-attaque. | • Ses valeurs sont ses propres désirs. • Assurer sa propre survie, même au détriment des autres. | • Recherche une position de force et de pouvoir tout en restant dans l'ombre. |

| | Objectifs professionnels | Relations avec les collègues | Style personnel de management | Système de valeurs | Récompense recherchée |
|---|---|---|---|---|---|
| **7 LE CHANCELIER** | • Travailler pour le bien de l'entreprise et le progrès de la société. • Obtenir le pouvoir pour appliquer sa propre vision des choses | • Objectif, rationnel, un peu froid. • Équilibré. | • Délègue facilement. • Honnête, humain. • Un peu conservateur. | • Croit en la moralité, la justice et la compétence. • Tout doit être mis au service du bien commun | • Exercer des responsabilités de plus en plus élevées. • Obtenir la reconnaissance des autres. |
| **8 L'ÉQUILIBRISTE** | • Réussir l'équilibre entre sa vie professionnelle et sa vie familiale. | • Affectif et intuitif. • A du mal à accepter les « magouilles » et les intrigues. | • Émotionnel, humaniste et efficace. • Compréhensif. | • Valorise la compétence, mais accepte le droit à l'erreur. • Privilégie le court terme. | • Obtenir des preuves de la réussite de l'équilibre recherché. |
| **9 LE CHAMAN** | • Position de pouvoir et d'influence dans l'entreprise. • Donner une bonne image de lui. | • Adhère ostensiblement à tous les principes de l'entreprise mais, au fond, garde ses distances à l'affût de coups spectaculaires. | • Charismatique, brillant. • Amateur de pirouettes. | • Il est plus important d'avoir l'air que de faire. | • Recherche l'influence plutôt que les satisfactions matérielles. • Recherche la reconnaissance des autres. |
| **10 LE PARIEUR** | • Être le meilleur en prenant des risques. • Être reconnu et admiré. | • L'équipe qu'il dirige passe avant l'entreprise. • Partial. | • Neutre envers les principes de l'entreprise. • Dynamique, rapide et efficace. • Ouvert et souple. | • Réussir, gagner, être le leader. | • Être un champion reconnu. • Recherche les postes opérationnels bien payés. |
| **11 LE FRONTALIER** | • Obtenir l'autonomie dans sa profession et son métier. • Imposer son rythme. | • Parfois irritant, provocant, marginal. • Stimulant. • À la limite de la rupture. | • Anarchique, affectif, intuitif. • Peu de respect pour la hiérarchie et les dogmes. • Parfois impertinent. | • Plaisir et efficacité. • Qualité de la vie en général. | • Obtenir plus de temps libre pour être plus indépendant. |
| **12 LE VISIONNAIRE** | • Convertir les autres à ses idées. • Se réaliser. | • Aime les relations intenses, impliquées et passionnées. • Considéré comme un original, un peu inspiré et illuminé. | • Autoritaire doctrinaire, intuitif. | • Importance de ses propres idées. • Souhaite les voir appliquées de façon permanente. | • Influencer le monde professionnel et social par l'application de son système de valeurs. |

conjoncture actuelle comme une période de transition vers un nouveau mode de fonctionnement des entreprises, qu'ils envisagent sans crainte. Six types de cadres composent cette Mentalité : les **Chanceliers,** les **Équilibristes,** les **Chamans,** les **Parieurs,** les **Frontaliers** et les **Visionnaires.** Chacun d'eux a sa propre vision du monde du travail.

## 12 Styles de Vie professionnelle

Les Styles de Vie des cadres français au travail peuvent être illustrés par douze types ayant des conceptions, des attitudes et des comportements spécifiques dans le domaine professionnel. Chacun pourra, à partir des descriptions qui suivent, découvrir le Style dont il est le plus proche et qui constitue son « centre de gravité » professionnel. Il pourra, à partir de là, analyser ses motivations personnelles et en tirer des enseignements pour les consolider ou, éventuellement, les modifier.

Le tableau des pages précédentes donne un résumé succinct de chaque Style en fonction de cinq critères essentiels : objectifs, relations avec les collègues ; style personnel ; système de valeurs ; récompense recherchée.

# L'Avenir du Travail

## IMAGE ACTUELLE

*Mai 68 avait montré l'émergence d'aspirations nouvelles vis-à-vis du travail. Dix-huit ans après, le souffle de la contestation paraît plus court. La crise a plaqué sur le rêve sa dure réalité. Mais, sous le conservatisme apparent, couve encore la petite flamme qui, à la première occasion, rejaillira.*

## La tentation du débrayage

L'histoire a ses raisons, que la raison ne connaît pas. Ou, plutôt, qu'elle n'approuve pas, lorsque les plans qu'elle avait échafaudés s'écroulent sous le poids d'événements imprévus. Ainsi, les Français étaient prêts, après des siècles de soumission, à vivre de nouveaux rapports avec le travail. Principalement caractérisés par la dédramatisation d'une activité que beaucoup voudraient voir comme un simple moyen et non comme un but. Exit l'aliénation du rythme métro-boulot-dodo ! Adieu les contraintes et bonjour la vie !

Mais les faits en ont décidé autrement. Et la contestation s'est tue pour laisser place à l'angoisse, alimentée par les chiffres du chômage et les menaces de la restructuration industrielle.

Pourtant, le rendez-vous des Français avec le « nouveau travail » n'est pas annulé ; il est simplement repoussé à une date ultérieure. Après avoir contrecarré la révolution en marche, l'histoire, par le biais de la technologie et des nécessités économiques, lui permettra bientôt de poursuivre son chemin. On n'arrête pas la marée.

*La crise économique a entraîné celle des énergies individuelles.*

Après trente années d'une expansion dans laquelle ils ont pris une large part, beaucoup de travailleurs sont aujourd'hui tentés de baisser les bras. Les fanatiques du travail se font rares et beaucoup ont choisi d'exercer leur dynamisme dans des domaines extraprofessionnels.

Le travail, oui ; l'aliénation, non. C'est ainsi que l'on pourrait résumer l'attitude de beaucoup de Français vis-à-vis du travail, surtout parmi les jeunes. Il ne s'agit plus de consacrer sa vie à s'éreinter dans une usine ou à s'ennuyer derrière un bureau pour la seule satisfaction de gagner de l'argent ou de « faire son devoir ». La vie est si courte, et il y a tant d'autres choses à faire en ce monde... Jusqu'ici, le travail portait en lui sa propre finalité, justifiait sa propre existence. Il est souvent perçu aujourd'hui comme un mal nécessaire, à la fois pour l'avenir de la France et pour la survie de ses habitants. C'est cette évolution qui explique le comportement actuel de beaucoup de Français face à leur vie professionnelle. Les contraintes économiques et la peur du chômage pèsent aussi de tout leur poids sur la nouvelle conception du travail.

*Le travail n'est plus considéré comme une valeur fondamentale.*

Selon certains médecins et sociologues, il existerait en France une allergie croissante au travail, plus forte que dans d'autres pays occidentaux industrialisés. La famille et la vie personnelle prennent aujourd'hui une place prépondérante.

Une enquête réalisée par la *Revue psychologique sur l'homme et le temps* (avril 1985) montrait que 80 % des actifs pensent à tout autre chose qu'à leur tâche pendant qu'ils travaillent. Les thèmes préférés sont l'amour, les vacances, la famille. On constate que le dynamisme des entreprises, lorsqu'il existe, est le plus souvent dû à un petit nombre d'individus, les « leaders », qui traînent derrière eux (plus qu'ils n'entraînent) la masse de tous ceux qui sont décidés à faire le minimum pour

### Le travail en troisième position

Parmi les choses suivantes, quelle est celle qui symbolise le mieux la réussite pour vous ?

*France-Soir Magazine /Louis Harris (14 décembre 1985)*

| | |
|---|---|
| 1 Avoir une vie de famille heureuse | 50 % |
| 2 Se sentir bien avec soi-même | 21 % |
| 3 Réussir dans son métier | 15 % |
| 4 Être aimé | 6 % |
| 5 Gagner beaucoup d'argent | 3 % |
| 6 Avoir d'importantes responsabilités, du pouvoir | 1 % |
| 7 Savoir beaucoup de choses | 1 % |
| 8 Être célèbre | 1 % |
| 9 Autres | 1 % |
| NSP | 1 % |

conserver leur place et leur salaire sans perdre leur confort. Cette désaffection vis-à-vis du travail peut être considérée comme le signe de l'angoisse des individus face à un monde qu'ils ne comprennent guère et sur lequel ils n'ont pas le sentiment de pouvoir peser.

## Cadres : la remobilisation ?

Les cadres ont perdu leur image. Il faut dire que ces dernières années ont été difficiles pour eux. Un à un, les ressorts qui les faisaient fonctionner se sont cassés, sous l'effet des nouvelles réalités socio-économico-politiques. Le statut social des cadres, d'abord, avait subi un premier choc dès 1968. Certains se sont aperçus avec stupeur qu'ils ne représentaient plus le modèle de réussite auquel chacun aspirait. Force est de constater que les jeunes ne rêvent guère aujourd'hui du costume trois-pièces et de l'attaché-case.

### La fin des « Aventuriers »

Un chiffre donne la mesure de la démotivation des cadres. La Mentalité d'Aventure, identifiée par le C.C.A. dans les années 60, regroupait les « J.C.D. » (Jeunes Cadres Dynamiques) et autres individus passionnés de performance et pétris d'ambition professionnelle. À leur apogée, en 1972, les Aventuriers représentaient 42 % de la population adulte. Les Activistes, qui sont leurs successeurs, n'en représentent plus aujourd'hui que 12 % ! C'est dire l'ampleur du doute qui a gagné les Français, cadres en tête, vis-à-vis de leur vie professionnelle.

Ce fut ensuite leur autorité dans l'entreprise qui fut mise en question. Coincés entre une direction générale préoccupée par la négociation avec les syndicats et des collaborateurs de moins en moins disposés à faire des efforts pour leur faire plaisir, les cadres éprouvèrent de plus en plus de peine à se situer. Dans le même temps, l'aggravation de la situation économique rendait leur rôle plus difficile. Les décisions quotidiennes devenaient tout à coup plus lourdes de conséquences. La détérioration des résultats des entreprises mettait en cause leur image d'efficacité, donc leur crédibilité. Le métier de cadre devenait plus risqué.

*Pendant les années de crise
les cadres ont progressivement perdu leur
standing.*

Les cadres ont vu la récompense matérielle de leurs efforts amputée de tous côtés. La diminution de leur pouvoir d'achat a précédé celle des autres catégories. Beaucoup ont vu, en outre, se réduire l'importance des avantages en nature auxquels ils étaient très attachés : montant des notes de frais, standing des voyages professionnels, cylindrée de la voiture de fonction... Il faut ajouter encore les multiples ponctions fiscales dont ils ont été les victimes privilégiées. Elles ont laminé plus encore un pouvoir d'achat qui tend à se rapprocher de celui des catégories inférieures.

Au total, les cadres ont donc vu s'éloigner une bonne partie des attributs traditionnels de leur fonction : prestige, croissance automatique des revenus, avantages en nature, pouvoir, sécurité. De quoi alimenter le fameux « malaise des cadres », à la mode depuis quelques années.

*La mentalité des cadres commence à se
transformer.*

Après la morosité des années passées, les médias, les politiciens, les chefs d'entreprise semblent s'être donné le mot pour célébrer la « France qui gagne ». La mentalité collective semble donc marquée par une confiance nouvelle dans les possibilités de l'économie française de retrouver un rang et un dynamisme qu'elle avait perdus depuis le milieu des années 70.

Les cadres, pour leur part, commencent à relever la tête, poussés par ce vent de conquête, et aussi par les contraintes de la vie en entreprise. La désindexation des salaires par rapport à l'inflation, la généralisation des systèmes de rémunération au mérite dans les entreprises sont évidemment pour beaucoup dans ce réveil. L'amélioration du climat économique international et celle de la rentabilité des sociétés ont fait le reste.

Si le modèle du « jeune cadre dynamique » des années 60 n'est plus adapté à l'époque, c'est, semble-t-il, une nouvelle génération de cadres responsables, compétents et lucides qui est en train de naître.

---

### 5 millions de cas particuliers

Bien qu'il soit difficile à appréhender, on peut estimer le nombre des cadres à environ 5 millions, soit près d'un quart des actifs. L'importance même de cet effectif montre bien sa diversité. Du cadre débutant à 100 000 francs par an au cadre dirigeant qui gagne dix fois plus, du cadre administratif au cadre commercial, du cadre de la fonction publique à celui du privé, les situations professionnelles de chacun ont finalement peu en commun. Etre cadre, aujourd'hui, ce n'est pas un métier. Cela reste une position hiérarchique, mais dans une pyramide qui s'aplatit sans cesse. Les cadres ne constituent donc plus une classe sociale homogène, mais un vaste groupe multiforme aux aspirations et aux conditions de travail multiples.

---

**Crédit Mutuel**
**L'esprit pionnier.**

Le retour des aventuriers ?

---

## Professions libérales :
## l'indépendance coûte cher

Des dentistes ouverts quatre jours par semaine, des notaires fermés le samedi... Certaines professions libérales ont résolu à leur manière le problème des 39 heures et celui de l'augmentation des impôts. Les difficultés des cadres concernent aussi les membres des professions libérales qui, par leur formation, leurs responsabilités et leurs revenus, en sont proches. Les notables d'hier ont aujourd'hui un statut économique et social moins favorable et surtout moins assuré.

**Tous se plaignent de payer trop de charges.**

À la pression fiscale sur les revenus s'est ajoutée l'augmentation des charges sociales. Ce qui a incité quelques-uns, parmi ceux qui disposent des revenus les plus élevés, à réduire leur activité et à profiter un peu plus de la vie. Ceux-là ne sont évidemment pas les plus à plaindre, même s'ils ont perdu quelques-uns de leurs privilèges d'antan.

**Certains ont aujourd'hui des revenus très modestes.**

D'autres membres des professions libérales ont des problèmes de nature différente. Des médecins, des avocats, des architectes se retrouvent aujourd'hui avec des revenus dérisoires, du fait de leur nombre trop élevé (médecins) ou de la rareté actuelle de la clientèle (architectes). Une situation nouvelle pour ces professions.

Le découragement n'a donc pas épargné ceux qui, traditionnellement, étaient considérés comme des nantis. À tel point qu'on a pu voir, spectacle inhabituel, les professions libérales dans la rue (en 1982 et en 1984). Bien sûr, les situations individuelles sont très différentes selon la nature des activités, l'ancienneté dans la profession ou la région d'implantation. Un monde (et quelques dizaines de milliers de francs par mois) sépare le notaire de province installé depuis trois générations du jeune médecin qui arrive dans une petite ville qui en compte déjà plusieurs.

**Comme les cadres, les professions libérales commencent à s'adapter.**

Après le choc des années difficiles, où les nantis (avocats, médecins ou architectes) avaient le sentiment de devenir victimes, le temps de l'adaptation a sonné. Aujourd'hui, les membres des professions libérales souhaitent sortir de leur isolement, et de leurs traditions.

---

### L'image des professions

Avez-vous plutôt confiance ou plutôt pas confiance dans :

| | Plutôt confiance | Plutôt pas confiance | Sans opinion | Ecart 1985/1982 |
|---|---|---|---|---|
| Les avocats ............................ | 37 | 41 | 22 | +2 |
| Les chefs d'entreprise ................... | 56 | 25 | 19 | +5 |
| Les instituteurs ......................... | 80 | 13 | 7 | +2 |
| Les gendarmes .......................... | 80 | 14 | 6 | +1 |
| Les prêtres ............................. | 58 | 25 | 17 | +2 |
| Les évêques ............................ | 50 | 28 | 22 | +1 |
| Les fonctionnaires ...................... | 61 | 25 | 14 | = |
| Les médecins ........................... | 90 | 6 | 4 | −1 |
| Les officiers ............................ | 54 | 22 | 24 | = |
| Les journalistes ........................ | 43 | 42 | 15 | (*) |
| Les magistrats .......................... | 50 | 29 | 21 | −2 |
| Les architectes ......................... | 59 | 21 | 20 | +5 |
| Les policiers ........................... | 73 | 19 | 8 | +1 |
| Les professeurs de l'enseignement secondaire ............................. | 73 | 14 | 13 | −1 |
| Les pompiers ........................... | 96 | 1 | 3 | −2 |
| Les commerçants ........................ | 65 | 24 | 11 | +9 |
| Les notaires ............................ | 47 | 38 | 15 | +3 |
| Les plombiers .......................... | 76 | 13 | 11 | +1 |

(*) Ne figuraient pas en 1982.

Des avocats, des notaires, des agents d'assurance, des conseils financiers se regroupent pour offrir à leur clientèle, industrielle ou privée, de meilleurs services. Beaucoup s'informatisent pour améliorer leur efficacité, donc diminuer leurs prix, et descendent du « perchoir » prestigieux mais inconfortable sur lequel ils étaient assis.

À l'ère du libéralisme, il est à la fois normal et nécessaire que les professions libérales sortent de leur carcan et regardent le monde tel qu'il est.

## L'argent et la liberté : un compromis difficile

Le travail idéal, c'est celui que l'on fait sans avoir l'impression de travailler.

Ne plus pouvoir faire la distinction entre le temps passé à une activité lucrative et celui consacré aux loisirs, voilà bien le rêve de beaucoup et la réussite de quelques-uns. Ceux qui séparent le plus nettement leur vie professionnelle et leur vie familiale ou personnelle ne semblent pas toujours les plus équilibrés ni les plus épanouis. Il faut dire que le mélange des genres n'est pas facile. Le système professionnel, tel qu'il existe en France, continue à imposer à ceux qui travaillent de jouer un rôle qui ne leur convient pas toujours.

*Gagner sa vie tout en s'épanouissant, telle est l'aspiration générale des Français.*

Ceux qui sont en âge de travailler ne sont pas assez naïfs pour imaginer qu'on puisse se soustraire à « l'ardente obligation » du travail. Même si certains avaient pu y songer lorsqu'ils étaient plus jeunes ou lorsque l'économie était prospère, ils sont bien conscients aujourd'hui de leur utopie. Mais le désir de s'épanouir en travaillant leur paraît tout à fait légitime, bien que tous ne puissent y prétendre. On retrouve ces deux extrêmes (nécessité, épanouissement) dans la description que les Français donnent de leur travail. Globalement, les jugements positifs l'emportent largement, mais on sent bien que certaines aspirations ont été refoulées depuis le début de la crise économique et ses conséquences très néfastes sur les possibilités d'emploi.

**Adultes : un emploi sûr et bien payé**
**Jeunes : un emploi bien payé et sûr**

Parmi ces raisons de choisir un travail, pourriez-vous dire quelles sont celles qui, à vous personnellement, vous paraissent les plus importantes ?

| | Plus de 25 ans (%) | 15 à 25 ans (%) |
|---|---|---|
| Un emploi : | | |
| – Stable, garanti | 60 | 49 |
| – Bien payé | 37 | 50 |
| – Qui donne des responsabilités | 33 | 32 |
| – Où il y a une bonne ambiance | 28 | 28 |
| – Qui correspond à ma formation | 25 | 25 |
| – Qui laisse du temps libre | 23 | 31 |
| – Où on n'est pas tout le temps sur mon dos | 20 | 23 |
| – Varié | 18 | 20 |
| – Où on peut prendre des risques | 11 | 12 |
| – Autres | 1 | 0 |
| NSP | 5 | 1 |

La Vie/Louis Harris (27 décembre 1985)

*Il faudra inventer de nouveaux métiers*

Lorsqu'on les questionne sur les métiers dont ils rêvent, on est surpris de l'hésitation des Français. Les professions qui avaient hier leurs faveurs ne semblent plus exercer sur eux la même attraction. On envie moins aujourd'hui les gens du spectacle, les professions libérales, les pilotes de ligne ou les hôtesses de l'air. Les acteurs de cinéma sont riches et célèbres, mais ils n'ont pas, souvent, la vie tranquille et harmonieuse que beaucoup de Français souhaitent aujourd'hui. Les membres des professions libérales ne sont plus les privilégiés qu'ils étaient. Quant à ceux dont le métier était synonyme de vie intense (pilotes, hôtesses...), ils font beaucoup moins rêver, car l'aventure n'est plus la motivation première des Français.

Dans le choix, réel ou imaginaire, d'un métier, il entre aujourd'hui d'autres dimensions que sa nature intrinsèque : les conditions dans lesquelles il s'exerce ; la liberté qu'il laisse ; les gens qu'il permet de rencontrer, etc. C'est en examinant les attitudes des jeunes qu'on mesure le mieux cette évolution. Peu des métiers traditionnels déclenchent chez eux un véritable enthousiasme. Il faudra donc inventer demain de nouveaux métiers, en même temps que de nouvelles façons de les pratiquer.

*Les jeunes veulent travailler pour vivre et non vivre pour travailler.*

Contrairement à leurs parents, les adolescents s'efforcent de ne pas trop penser à cet aspect, qu'ils savent essentiel, de leur avenir. Il faut dire que les perspectives qui s'offrent à eux n'incitent guère à l'optimisme. Il en faut, en effet, une solide dose pour rêver, à 16 ans, d'une « carrière », quand on ne sort pas des grandes écoles et que la moitié des copains un peu plus âgés ont connu l'amère expérience du chômage. Pourtant, les jeunes ne sont pas désespérés. Loin de tuer leur ambition, la crise a donné à celle-ci une autre forme. On ne cherche plus aujourd'hui à « réussir » vis-à-vis des autres, en accumulant les responsabilités et les titres. On veut réussir pour soi-même, c'est-à-dire se sentir bien dans un métier où il sera possible de créer. La grande entreprise, lieu de prédilection des jeunes loups des années 60, n'est plus aujourd'hui le terrain d'expression des ambitions professionnelles. Les « petits métiers » (entendez « petites structures »), qui permettent souvent une plus grande autonomie, ont la faveur des jeunes. Les métiers manuels ont un côté artistique qui n'est pas non plus sans intérêt à leurs yeux. Dans la mesure, bien sûr, où ils laissent suffisamment de temps libre pour qu'on puisse s'intéresser à d'autres choses. Dans le travail comme dans beaucoup d'autres domaines, l'heure n'est plus aux grandes organisations centralisées et lointaines. « Small is beautiful » (« Ce qui est petit est beau ») est l'une des idées-forces des années 80.

## Les jeunes veulent un job branché

**Population des 15-24 ans.**

**Quels sont les secteurs professionnels que vous préférez ?**

| | |
|---|---|
| 1. Le commerce et l'artisanat | 14 % |
| 2. Les médias et la publicité | 13 % |
| 3. La mode | 10 % |
| 4. Une activité artistique | 10 % |
| 5. L'informatique | 9 % |
| 6. La santé | 7 % |
| 7. La recherche scientifique | 7 % |
| 8. L'espace | 6 % |
| 9. Une administration | 6 % |
| 10. L'aide sociale | 6 % |
| 11. L'enseignement | 5 % |
| 12. L'armée | 4 % |
| 13. L'industrie | 4 % |

**Qu'est-ce qui vous attire dans ce secteur ?**

| | |
|---|---|
| 1. L'intérêt du travail | 50 % |
| 2. Les contacts humains | 35 % |
| 3. L'avenir du métier | 16 % |
| 4. Le salaire | 12 % |
| 5. La sécurité de l'emploi | 10 % |
| 6. Aider les autres | 10 % |

# ON N'EST PAS AUX PIÈCES !

*CONDUISEZ VACANCES*

Ministère de l'Urbanisme, du Logement et des Transports. Sécurité Routière.

Il faut travailler pour vivre et non vivre pour travailler.

# TRAVAIL
# ET TECHNOLOGIE

*La troisième révolution industrielle est commencée depuis près de quarante ans. Mais c'est aujourd'hui qu'elle apparaît en pleine lumière, bouleversant non seulement l'emploi mais les modes de vie. Côté positif, cela devrait satisfaire les aspirations, longtemps refoulées, à un travail plus riche et plus libre. Côté négatif, il faudra quelques années pour que s'effectue l'adaptation à une nouvelle vie professionnelle. Des années difficiles entre deux civilisations.*

## Troisième révolution industrielle, phase trois

La première révolution industrielle fut celle de la machine à vapeur, à la fin du XVIII<sup>e</sup> siècle. Elle permit à l'homme de disposer pour la première fois d'énergie en quantités importantes. On lui doit le développement considérable de l'industrie au cours du siècle suivant.

*La généralisation de l'électricité*, à la fin du XIX<sup>e</sup> siècle, allait permettre de transporter l'énergie, donc de démultiplier son utilisation, aussi bien pour les industries que pour les particuliers. C'est elle qui fut à l'origine de la seconde révolution industrielle.

La troisième révolution est celle de *l'électronique*. Contrairement à ce qui se dit généralement, elle est déjà commencée depuis plus de 30 ans. Elle a connu deux premières phases décisives pour notre avenir.

Celle du transistor, inventé après la Seconde Guerre mondiale (1948), marquait le véritable début des produits audiovisuels de masse (radio, télévision, électrophone...) et des calculateurs électroniques.

Celle du circuit intégré (petite pastille de silicone contenant un véritable circuit électronique, avec plusieurs composants) date des années 60. Elle fit littéralement exploser l'industrie électronique. Grâce à la miniaturisation, l'ordinateur est devenu de plus en plus puissant et de moins en moins cher. Il permet le développement de l'informatique et accélère celui des télécommunications. La « puce » trouve progressivement sa place dans tous les produits de la vie quotidienne.

*C'est la conjonction de ces deux techniques qui nous fait entrer aujourd'hui dans la troisième phase de la troisième révolution : la télématique.*

Celle-ci sera encore plus lourde de conséquences que les deux précédentes pour la vie des Français. Car elle ne met plus seulement en cause les processus industriels et le type de produits disponibles pour le grand public. Elle porte en elle les germes d'une véritable civilisation nouvelle, conduisant à de nouveaux modes de vie. Parmi eux, c'est sans doute le travail qui connaîtra les plus grands bouleversements. Mais le chemin sera difficile, car la société devra faire face, en même temps, à la mutation technologique et à la crise économique et sociale. Deux phénomènes qui ne sont d'ailleurs pas indépendants.

### Les révolutions se suivent et ne se ressemblent pas

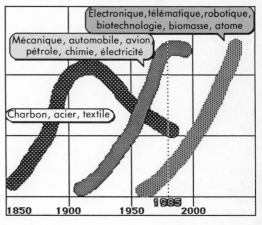

Électronique, télématique, robotique, biotechnologie, biomasse, atome

Mécanique, automobile, avion pétrole, chimie, électricité

Charbon, acier, textile

1850    1900    1950    1985    2000

L'Expansion

*L'utilisation de la micro-électronique déborde largement l'électronique.*

L'avènement de la micro-électronique est sans doute plus important pour les sociétés industrielles (et peut-être les sociétés moins avancées) que toutes les percées technologiques précédentes. On lui doit, bien sûr, le formidable développement de l'ordinateur et des produits liés à la communication (télé couleurs, magnétoscope, micro-ordinateur, vidéodisque, etc.). Son utilisation a permis non seulement d'inventer ces nouveaux produits, mais de les fabriquer à des prix devenant de moins en moins élevés. Ainsi, le prix d'une petite voiture (industrie mécanique) et celui d'un téléviseur couleurs (industrie électronique) étaient identiques en France il y a 15 ans. Aujourd'hui, avec le prix d'une petite voiture, on peut acheter six téléviseurs. La pénétration de l'électronique et de l'informatique s'effectue à quatre niveaux complémentaires :
• Introduction progressive dans le non-électronique (industrie mécanique, services...).
• Conception des produits assistée par ordinateur (C.A.O.).
• Optimisation des méthodes de fabrication grâce à l'informatique.
• Utilisation de la robotique pour la fabrication proprement dite.

**Les nouveaux venus de l'élecronique**

*Vie quotidienne et nouvelles technologies de l'Information (C.N.R.S., Mercier, Plassard, Scardigli)*

| | déjà diffusé | en cours | avenir proche |
|---|:---:|:---:|:---:|
| - Citizen band | x | | |
| - Télévision haute définition (son, image, grand écran...) | | x | |
| - Télévision numérique | | | x |
| - Télédistribution, accès à un très grand nombre de programmes | | x | |
| - Télévision avec retour | | | x |
| - Magnétoscope | x | | |
| - Lecteur de vidéodisques | | x | |
| - Caméra vidéo amateur | x | | |
| - Jeux vidéo | x | | |
| - Radiotéléphone | x | | |
| - Téléphone à clavier (serv. associé) | | x | |
| - Répondeur/enregistreur | x | | |
| - Télé-alarme (+ surveillance, mesure, commande...) | | | x |
| - Télérencontre | | x | |
| - Audio et visio-conférence | | x | |
| - Calculette (+ traductrice, etc.) | x | | |
| - Montre électronique à quartz | x | | |
| - Jeux électroniques programmés | x | | |
| - Micro-ordinateur domestique | | x | |
| - Téléphone numérique | | | x |
| - Synthétiseur de musique | x | | |
| - Télécopie | | x | |
| - Télétex, courrier électronique | | | x |
| - Téléconsultation de données | | x | |
| - Vidéotex : diffusé | | x | |
|             : inter-actif | | | x |
| - Terminal achat à distance | | | x |
| - Transfert électronique de fonds | | x | |

## L'emploi en révolution

Les deux premières phases de la révolution électronique (transistor, circuit intégré) s'étaient déroulées sans que les Français en prennent véritablement conscience. Le progrès technique paraît naturel lorsqu'il ne s'accompagne pas d'inconvénients. Avec le transistor arrivaient les premiers produits de l'audiovisuel de masse. La télévision entrait dans les foyers, apportant une relation nouvelle avec le monde, en même temps qu'un formidable instrument de loisir et de culture (n'en déplaise aux intellectuels qui donnent à ce mot une signification élitiste). Avec le circuit intégré se développait l'ordinateur, dont les applications furent d'abord limitées à l'industrie. Dans les deux cas, on créa de toutes pièces de nouveaux secteurs de l'économie, et des centaines de milliers d'emplois pour les faire vivre.

La troisième phase de la révolution électronique ne se déroulera pas dans la même allégresse. Parce que les structures sociales ne pourront s'y adapter instantanément. Parce qu'elle va, dans un premier temps, réduire considérablement le nombre des emplois. Parce que la crise, enfin, ne facilitera pas le passage à une nouvelle civilisation.

*Entre la technologie et les mentalités, la course est inégale.*

On s'était pourtant habitué à une évolution de plus en plus rapide des produits, qu'ils

Le bureau devient électronique.

soient destinés à l'industrie ou au grand public. L'accélération du rythme de leur développement s'est accompagnée de celle de leur pénétration sur le marché.

Mais l'évolution qui s'est produite dans l'électronique et surtout dans l'informatique est hors de proportion avec ce qui s'est passé auparavant. Et les industriels ont beaucoup de mal à suivre cette évolution. Quant aux individus, ils sont en état de choc. Les structures, qu'elles soient industrielles, sociales ou mentales, ne sont pas prêtes à intégrer ces bouleversements à répétition. Il s'ensuivra un décalage croissant entre ceux qui auront les moyens et la volonté de « rester dans le coup » et ceux qui se laisseront emporter par le courant.

### Des naissances
### de plus en plus rapprochées

Le délai de commercialisation des grandes inventions s'est considérablement raccourci. Il s'est écoulé 102 ans entre la découverte du phénomène physique applicable à la photographie (1727) et la photographie elle-même (1829). Celle-ci n'est d'ailleurs devenue accessible au public que 60 ans plus tard, avec l'appareil Kodak de Georges Eastman (1888). Depuis, les innovations se succèdent de plus en plus rapidement :
- téléphone : 56 ans de mise au point (1820-1876)
- radio : 35 ans (1867-1902)
- radar : 14 ans (1926-1940)
- bombe atomique : 6 ans (1939-1945).
- transistor : 5 ans (1948-1953).

Aujourd'hui, les nouvelles générations de microprocesseurs se succèdent tous les 6 mois. Les firmes opérant dans les domaines de pointe (électronique, informatique) considèrent qu'environ la moitié du chiffre d'affaires qu'elles réaliseront dans 3 ans proviendra de produits qui n'existent pas encore.

*La crise économique*
*a surtout été une crise d'adaptation.*
*• Entre 1973 et 1985, les États-Unis ont créé*
*21 millions d'emplois supplémentaires.*
*• Dans le même temps,*
*l'Europe en a perdu 4 millions.*
*• La France a perdu 250.000 emplois en*
*1983, 210 000 en 1984, 85 000 en 1985.*

Si les premières étapes de la révolution industrielle ont été bien supportées par la société, c'est sans doute parce qu'elles étaient moins brutales et que leurs effets étaient limités à des secteurs spécifiques de l'industrie. Mais c'est aussi parce qu'elles ont eu lieu dans une période de grande croissance. Une croissance qu'elles ont d'ailleurs entretenue en créant de nouveaux marchés, ceux de l'audio-visuel, puis de l'informatique industrielle.

La situation est très différente aujourd'hui, car l'économie est à un niveau de croissance faible et les mutations du secteur industriel se produisent de façon discontinue, donc plus difficilement assimilable par l'économie.

### Ceux qui créent des emplois
### ceux qui en perdent

Évolution du nombre total d'emplois dans certains pays, entre 1973 et 1984 (en millions).

|  | 1973 | 1984 | Variation) |
|---|---|---|---|
| • Canada ......... | 9,9 | 12,4 | + 25 % |
| • États-Unis ...... | 92,3 | 113,5 | + 23 % |
| • Norvège ........ | 1,7 | 2,0 | + 20 % |
| • Japon .......... | 53,3 | 59,2 | + 11 % |
| • Suède .......... | 4,0 | 4,4 | + 10 % |
| • Italie .......... | 21,1 | 22,8 | + 8 % |
| • Finlande ........ | 2,5 | 2,6 | + 6 % |
| • Pays-Bas ....... | 5,5 | 5,7 | + 4 % |
| • FRANCE ....... | 23,5 | 23,3 | − 1 % |
| • Royaume-Uni ... | 27,8 | 26,7 | − 4 % |
| • Allemagne ...... | 28,5 | 26,9 | − 6 % |
| • Espagne ........ | 15,2 | 13,3 | − 14 % |

OCDE – Eurostat

Le seul moyen de rendre l'adaptation technologique supportable par les entreprises et les individus aurait été de la réaliser de façon progressive. C'est ce qu'ont fait, par exemple, les Japonais. La plupart des pays européens ont préféré faire le gros dos et voir venir. Mais le fait de privilégier le court terme n'a jamais empêché le long terme d'arriver.

## Emplois supprimés/emplois créés : les trois décalages

Les optimistes nous assurent que de nouveaux métiers seront créés en même temps que certains disparaîtront. Certains prétendent même que l'électronique, bien maîtrisée, n'est pas une menace pour nos sociétés industrialisées, mais une chance unique pour l'avenir de l'humanité tout entière. C'est la thèse défendue, avec brio, par Jean-Jacques Servan-Schreiber dans *le Défi mondial*. L'approche est séduisante et elle n'est sans doute pas fausse. Elle fait pourtant abstraction de cette période de transition dans laquelle nous sommes engagés.

### Un milliard d'emplois à créer d'ici à l'an 2000

On prévoit que 25 millions de postes de travail seront supprimés dans les principaux pays développés d'ici à 1990, alors que quelques millions seulement seront créés. Pourtant, si l'on veut résorber le chômage mondial et faire face à la croissance démographique des 15 prochaines années, il faudra créer environ un milliard d'emplois d'ici à la fin du siècle. La tâche s'annonce particulièrement difficile à une époque marquée par la course à la productivité des pays riches et l'incapacité financière à investir des pays pauvres. Le tiers monde compte aujourd'hui 500 millions de personnes sans travail, au chômage ou sous-employées (35 millions dans les pays de l'O.C.D.E.).

Entre les compressions d'emplois dues à la mutation industrielle, et les créations que celle-ci entraînera, on peut prévoir trois décalages essentiels :

• **décalage temporel :** de nouveaux emplois ne seront pas créés en même temps qu'on en supprimera, ce qui implique un délai pendant lequel le chômage augmentera ;

• **décalage spatial :** ils ne seront pas créés au même endroit, ce qui implique une plus grande mobilité des travailleurs ;

• **décalage qualitatif :** ils n'utiliseront pas les mêmes compétences que ceux qui vont disparaître, ce qui implique un effort considérable de formation.

*L'électronique va d'abord supprimer des emplois.*

On pourrait donner mille exemples de l'impact de l'informatique ou de l'électronique sur l'emploi. Son champ d'application s'est limité jusqu'ici aux tâches de production manuelles et répétitives. Mais l'ordinateur n'entrera pas seulement dans les usines. Ses capacités trouveront une utilisation de plus en plus courante dans les bureaux où des millions de personnes effectuent chaque jour des tâches identiques, qu'il est facile d'automatiser. Dans la grande mutation de l'emploi qui se prépare, les plus épargnés seront ceux dont le métier consiste à réfléchir ou à créer, bien qu'on s'aperçoive aujourd'hui qu'ils peuvent se servir très utilement de l'ordinateur (dessinateurs et cinéastes commencent à créer des images vidéo étonnantes ; certains écrivains réalisent leur manuscrit sur des machines de traitement de texte...). S'il menace certains métiers, l'ordi-

**26,5 millions d'actifs en l'an 2 000**

Prévision d'évolution de la population.

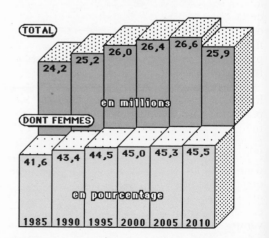

B.I.T.

nateur peut aussi très souvent se mettre à leur service.

### Les emplois de production sont les plus directement touchés.

Dans l'industrie téléphonique, le passage brutal de la commutation électromécanique des centraux à la commutation électronique a fait passer les effectifs de 42 000 à 29 000 personnes pour une production analogue. L'évolution s'est produite en cinq ans, entre 1977 et 1982. Chez Renault, l'utilisation des robots pour la fabrication de la R9 permet une économie de prix de revient d'environ 20 % par rapport à des modèles équivalents fabriqués sur les chaînes traditionnelles. L'essentiel de ces économies provient d'une réduction des coûts de main-d'œuvre, donc de l'emploi. Dès 1980, Renault annonçait que l'automatisation et la robotisation pourraient supprimer en 10 ans 17 % des emplois d'O.S. (ouvriers spécialisés) et de P1 (ouvriers qualifiés). La cataphorèse (fixation de la peinture des carrosseries par électrolyse) avait déjà fait disparaître le travail des ponceurs. Bientôt, les pistoleurs et les soudeurs pourront être remplacés par des robots. Ce sont ainsi non seulement des emplois mais des métiers qui vont mourir demain.

### Tous les travaux de services ne seront pas créateurs d'emplois.

En France, l'érosion du nombre d'emplois a été partiellement compensée depuis le début de la crise par les créations dans le domaine des services. Mais certains secteurs vont demain perdre des emplois à cause des gains de productivité possibles grâce à l'informatique, la bureautique, etc.

Ainsi, dans les compagnies d'assurances, les agents classeurs et les archiveurs perdent peu à peu leur raison d'être avec le développement des techniques d'archivage par microfilm et par ordinateur. Même certains métiers de l'informatique qui avaient fourni beaucoup d'emplois subissent la loi d'une révolution qu'ils ont aidé à faire. Les 100 000 mécanographes des années 60 ont aujourd'hui disparu et les perforatrices non reconverties sont venues grossir les rangs des chômeurs. Dans

L'informatique, une menace ou une opportunité ?

### Les services permettent de créer des emplois...

Évolution de l'emploi par grand secteur entre 1973 et 1982

| | France | États-Unis | Japon | Allemagne |
|---|---|---|---|---|
| Agriculture | – 30 % | 0 | – 27 % | – 31 % |
| Industrie | – 11 % | + 6 % | + 6 % | – 14 % |
| Services | + 21 % | + 31 % | + 25 % | + 11 % |
| TOTAL | + 2 % | + 21 % | + 10 % | – 4 % |

O.C.D.E.

### ... mais ils concernent surtout les secteurs traditionnels

Aux États-Unis, les secteurs qui devraient connaître la plus forte augmentation d'ici à 1995 ne sont pas, comme on pourrait le supposer, ceux qui sont liés aux nouvelles technologies. On créera en effet deux fois plus de postes de gardiens d'immeubles (780 000) que d'informaticiens (220 000 analystes et 205 000 programmeurs). Même si le taux de progression des emplois technologiques reste élevé, il ne représentera encore qu'une faible partie des emplois créés d'ici la fin du siècle.

les bureaux d'études et de méthodes, l'arrivée de la C.A.O. menace l'avenir des dessinateurs, traceurs et préparateurs. Le développement de la bureautique (stockage de l'information, traitement de texte, gestion de l'informatique et des dossiers, agenda automatique, télé-conférences, banques de données, courrier électronique, etc.) ne sera pas sans effet sur les postes de dactylos, secrétaires et autres employés (sans oublier certains cadres). Les banques et les compagnies d'assurances sont déjà largement équipées pour gérer les comptes ou les dossiers de leurs clients sur ordinateur. Le système du vidéocompte (inauguré par le C.C.F.) ou celui, demain, de la monnaie électronique réduiront l'intervention humaine, aussi bien dans la saisie des documents que dans le contact avec la clientèle. Que deviendront alors ceux qui en ont la charge aujourd'hui, aux guichets ou dans les bureaux ?

*Les immigrés, les travailleurs les plus âgés et les femmes sont les plus menacés.*

Les immigrés occupent pour la plupart les postes les moins qualifiés et sont peu concernés par la formation. Parce qu'ils n'en ont pas le goût ou parce qu'on ne les incite guère à développer leurs compétences. Les travailleurs les plus âgés sont souvent moins malléables à la nouveauté, qui dérange leurs habitudes de travail. Ils sont également moins disposés à se remettre en question et à retourner à l'école. Quant aux femmes, elles sont, pour le moment, passées à côté des métiers de l'informatique et elles remplissent souvent des fonctions que l'ordinateur pourrait bien assurer en partie. C'est le cas, par exemple, du métier de secrétaire. Il comporte principalement trois types d'activité : classement, dactylographie, téléphone. Les patrons peuvent dès aujourd'hui se passer des secrétaires pour le classement (courrier interne électronique, archivage centralisé et informatisé accessible immédiatement sur un terminal). La machine de traitement de texte, qui, demain, sera couplée à une machine à écrire à reconnaissance vocale, et le courrier électronique réduiront la dactylographie à sa plus simple expression. Quant au téléphone, les progrès réalisés dans le domaine des standards et des postes terminaux permettent déjà aux cadres de gérer eux-mêmes leurs appels, sans l'aide de quiconque. Alors, que deviendront les secrétaires, lorsqu'elles ne seront plus que les faire-valoir de leurs patrons ?

*Les cadres ne seront pas épargnés.*

Ce qui est vrai pour les moins qualifiés l'est aussi, quoique de façon moins générale, pour les autres. Certains cadres auront de la difficulté à participer à la révolution technologique en marche. 60 % des cadres français n'ont aucun diplôme. Ils devront demain s'adapter à des outils de travail nouveaux pour eux. Certains, souvent parmi les plus âgés, éprouvent des difficultés à dialoguer avec un terminal d'ordinateur. Ils devront bientôt accepter des méthodes de travail différentes de celles qu'ils ont toujours pratiquées : travail en équipe, décentralisation des responsabilités, rationalisation des prises de décision, etc. Une remise en question traumatisante pour certains d'entre eux.

---

### 3 millions de chômeurs en 1990 ?

Les prévisions effectuées par les experts de tous bords ne sont guère encourageantes pour l'emploi à l'horizon 1990 ou 2000. L'I.N.S.E.E., par exemple, prévoit une perte de 45 000 emplois dans l'agriculture entre 1985 et 1989, et une autre de 100 000 dans le secteur industriel. Ces pertes ne seraient pas compensées par les créations attendues dans le secteur tertiaire (services), estimées à 49 000. Au total, près de 100 000 emplois seraient à nouveau perdus pendant la période, malgré une nouvelle réduction de la durée du travail (-1,3 % par an en moyenne).

Ce scénario est cependant jugé relativement optimiste par certains prospectivistes qui prévoient pour la fin du siècle une « société duale » dont une partie serait constituée d'exclus. On ne trouve guère, en tout cas, de prévisions faisant état d'une forte diminution du chômage dans les années à venir.

---

# La « nouvelle donne » a commencé

Pour réussir cette formidable mutation technologique, que la crise rend à la fois nécessaire et douloureuse, la plupart des solutions proposées passent par un nouveau partage du travail. Les Français ne les envisagent pas avec un enthousiasme excessif et les tentatives qui ont été faites jusqu'ici (39 heures) ne paraissent pas couronnées de succès. Mais il faut, pour être objectif, faire la part entre les emplois qu'elles ont créés et ceux qu'elles ont permis de ne pas perdre.

*En réduisant le temps de travail, on ne crée pas toujours des emplois, mais on en maintient.*

Les expériences récentes ont montré qu'une réduction d'une ou deux heures par semaine du temps de travail se traduisait rarement par des embauches. On constate de la même façon que le développement du travail à temps partiel n'a pas été créateur d'emplois. Il ne faudrait pourtant pas en déduire que le partage du travail est inutile. Malgré l'accroissement du chômage, beaucoup d'entreprises sont encore en situation de sureffectif, et disposent donc d'une véritable « réserve de productivité ». C'est sur cette réserve qu'elles puisent lorsque les horaires diminuent. Le

---

### Les travailleurs du 3ᵉ type

L'informatique, qui est la cause de beaucoup de suppressions d'emplois, est aussi à l'origine d'une nouvelle façon de travailler. Le « télétravail » consiste à rester chez soi et à communiquer le résultat de son travail à l'entreprise dont on est salarié par l'intermédiaire d'un terminal d'ordinateur. Des secrétaires, ingénieurs, journalistes, etc., commencent à expérimenter ce nouveau type de travail. Les premières expériences américaines semblent donner de bons résultats, puisqu'on enregistre des gains de productivité de l'ordre de 40 %.

En France, le travail à domicile existe depuis longtemps. Il connaît une seconde jeunesse dans certaines sociétés de services. Dans des compagnies d'assurances, par exemple, des salariés gèrent chez eux des dossiers de sinistres qu'ils vont chercher au siège une fois par semaine. Avec l'utilisation, demain, d'un terminal d'ordinateur, leur travail à domicile se transformera en « télétravail ».

Gadget ou solution d'avenir ? Il paraît probable que le système se développera dans les prochaines années. Il présente l'avantage d'une meilleure productivité pour l'entreprise et d'une plus grande liberté pour les employés. Reste à savoir, maintenant, si l'absence de relations « de visu » avec les collègues ou les patrons sera ressentie comme un handicap ou comme un privilège...

---

résultat ne se traduit donc pas par des embauches, mais par un maintien des emplois existants, ce qui est évidemment moins spectaculaire. Il faut, pour en mesurer l'importance, imaginer les centaines de milliers de travailleurs licenciés qui viendraient, en l'absence de toute solution de partage, aggraver les statistiques du chômage.

---

## Vers une société « centrifuge » ?

Les Français ont connu bien des moments difficiles au cours de leur histoire. Celle-ci est même jalonnée de périodes de traumatisme alternant avec des périodes d'adaptation. La situation est cependant nouvelle dans la mesure où l'adaptation, qui s'étalait autrefois sur un siècle, doit se faire aujourd'hui en quelques années. On peut craindre aussi que l'accumulation des richesses et le goût pour le confort ne rendent plus difficiles les efforts nécessaires.

À court terme, la difficulté vient du décalage entre la situation présente et celle qui paraît indispensable pour retrouver les grands équilibres économiques. Il faudra quelques années pour que les Français « digèrent » leur entrée dans un nouveau monde, qu'ils n'ont même pas eu la possibilité de choisir. La fameuse crise qui se développe depuis maintenant dix ans n'était en fait qu'un prologue, une mise en jambes, avant d'affronter les vrais problèmes. Elle aura permis quand même une évolution des mentalités individuelles, prélude indispensable à une restructuration plus générale.

*Le « quart monde industriel » va-t-il se développer ?*

Tous les Français ne traverseront pas sans encombre cette période de mutation. Le risque est grand de voir certaines catégories sociales exclues du changement radical qui est amorcé. Les travailleurs peu qualifiés et ceux qui auront des difficultés à s'adapter (ce sont parfois les mêmes) sont les premiers visés. Mais les autres devront aussi faire l'effort d'accepter les nouvelles réalités de la vie professionnelle, sous peine de se faire exclure à leur tour. La vie professionnelle ne sera pas facile au cours des dernières années de ce siècle.

## L'informatique fait un peu moins peur

En pourcentage des personnes interrogées

| Au cours des années à venir, la diffusion de l'informatique va modifier certains aspects des conditions de vie. Considérez-vous cette évolution comme : | | | | | | |
|---|---|---|---|---|---|---|
| Une chose... | 1979 | 1980 | 1982 | 1983 | 1984 | 1985 |
| Souhaitable | 22,0 | 26,9 | 29,0 | 34,2 | 38,8 | 40,5 |
| Peu souhaitable, mais inévitable | 53,7 | 47,0 | 47,4 | 48,1 | 45,8 | 47,8 |
| Regrettable et dangereuse | 20,1 | 21,1 | 21,6 | 15,3 | 13,2 | 9,4 |
| Cela dépend | 2,0 | 0,6 | – | – | – | – |
| Ne sait pas | 2,2 | 4,4 | 2,0 | 2,4 | 2,2 | 2,3 |
| Ensemble | 100,0 | 100,0 | 100,0 | 100,0 | 100,0 | 100,0 |

CREDOC

### La technologie conditionne à la fois les modes de travail et les modes de vie.

Quelle que soit l'époque, la vie des hommes a toujours été très fortement influencée par l'état de la technique du moment. En France, les grands mouvements de l'histoire ont souvent coïncidé avec ceux de la technologie.

La correspondance paraît encore plus flagrante depuis le début de l'ère industrielle. Watt mettait au point sa machine à vapeur en 1782, sept ans avant une autre révolution, plus célèbre encore. Plus près de nous, la Seconde Guerre mondiale est à l'origine de progrès considérables dans l'aéronautique, la chimie ou le nucléaire.

Les années 80 resteront sans doute marquées par les premiers vols de la navette spatiale américaine, l'apparition des premiers « systèmes experts » et surtout l'extension de l'informatique à l'ensemble des secteurs de l'économie. L'emploi tout autant que la façon de travailler en seront profondément modifiés. Plus, sans doute, qu'au cours des époques précédentes, car les techniques ont changé plus vite et elles offrent davantage de possibilités que par le passé. On peut donc parier, sans grand risque, sur une nouvelle diminution du temps de travail, une plus grande flexibilité de l'organisation de la vie professionnelle, ainsi que sur une modification des rapports entre le travail et le revenu, entre le travail et le statut social.

Mais l'impact de la révolution technologique de cette fin de siècle ne se limitera pas au

Il était temps qu'un capitaliste fasse une révolution.

L'ordinateur va modifier l'emploi et la vie.

travail. Il touchera progressivement tous les aspects de la vie quotidienne des Français. Qu'ils le veuillent ou non, l'ordinateur sera bientôt leur compagnon de tous les jours. Au bureau, à la maison ou dans la rue. Plus encore, peut-être, que la télévision hier, l'ordinateur sera demain l'un des piliers d'une nouvelle civilisation.

Il ne faut pas, cependant, dramatiser la situation, en imaginant des lendemains très sombres pour tous ceux que l'ordinateur effraie aujourd'hui. Il faut compter aussi avec les progrès qui seront réalisés dans le sens d'une communication plus facile et plus naturelle entre l'homme et la machine. Le pire n'est jamais sûr...

L'avenir du travail

## En vrac

S  65 % des jeunes de 18 à 28 ans souhaitent créer leur entreprise.

S  57 % des garçons de 15 à 25 ans et 53 % des filles pensent que l'on peut réussir sans avoir fait d'études sérieuses.

S  Pour les Français, les principales qualités d'un homme ou d'une femme qui veut réussir sont, par ordre décroissant : être travailleur (61 %), être ambitieux (39 %), être honnête (39 %), être intelligent (32 %), être capable de saisir la chance (26 %), être diplômé (19 %), être cultivé (19 %), être patient (11 %).

S  51 % des Français pensent qu'il est plus difficile pour une femme de réussir que pour un homme (42 % non, 7 % ne se prononcent pas).

S  67 % des cadres dirigeants estiment avoir réussi leur carrière. 42 % pensent à changer d'entreprise.

E  La part des femmes dans la population active devrait atteindre 45,5 % en 2010, contre 42 % en 1985.

E  Entre 1978 et 2000, le nombre d'employés de bureau américains pourrait baisser de 17,8 millions à 11,4 millions. Dans le même temps, celui des professions libérales augmenterait de 15,6 millions à 19,8 millions.

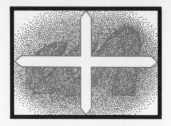

# Les Styles de Vie et le Travail

## LES FRANÇAIS SE CRAMPONNENT

La tendance générale est à la désacralisation du travail, qu'on ne veut plus considérer seulement comme un devoir ou comme une punition. Mais, face à l'insatisfaction croissante, 70 % des Français ont des réflexes conservateurs : ça ne va pas, mais on ne souhaite pas pour autant des changements importants, susceptibles de bouleverser les habitudes acquises.

### Le travail, ce n'est pas tout dans la vie

Travail-destin, travail-devoir, travail-punition. Les vieux démons de la civilisation judéo-chrétienne ne sont pas morts, mais ils sont fatigués. Et les Français avec eux, qui n'ont pas envie d'assumer pendant des siècles encore les conséquences du péché originel. Ni de considérer le travail quotidien comme une fatalité aux connotations religieuses, philosophiques ou même patriotiques.

Un certain consensus se dessine donc vers une **désacralisation** du travail tel qu'il était conçu depuis l'origine des temps. Seule une minorité, composée principalement des Rigoristes, reste attachée au travail-devoir et aux conceptions traditionnelles. Pour les autres Mentalités, le travail est avant tout un moyen de gagner sa vie. Mais chacune d'elles diffère quant à la façon dont elle conçoit la vie professionnelle. Cinq conceptions différentes coexistent : « religieuse » ; sécuritaire ; financière ; affective ; innovatrice.

### La conception « religieuse ».

C'est celle des Rigoristes (Conservateurs, Moralisateurs, Responsables). Chez eux, la volonté de **sauvegarder** le travail en tant que valeur fondamentale va de pair avec la nécessité de **moderniser** les conditions de travail. Seule en effet la modernisation permettra de maintenir ou de créer des emplois. On trouve dans ce groupe une admiration très grande pour le modèle japonais, caractérisé par la **sélection** des meilleurs éléments, l'existence et le respect d'une **hiérarchie** et l'**autorité** morale et technique qu'elle représente.

### La conception sécuritaire.

Elle est particulièrement forte chez la plupart des Matérialistes (à l'exception des Attentistes), les Militants et certains Conservateurs. Tous accordent la priorité à la garantie de l'emploi dans tous les secteurs (y compris le privé) et ensuite à la création de nouveaux postes, à la condition qu'ils ne mettent pas en péril les emplois existants.

### La conception financière.

La plupart des Égocentrés ont une vision très concrète du travail. Pour eux, il s'agit avant tout de gagner sa vie, afin de préserver ou, si possible, accroître son pouvoir d'achat. C'est pourquoi leur préférence ne va pas à une réduction du temps de travail (même si c'est pour mieux le partager) mais à son accroissement, en particulier sous forme d'heures supplémentaires, mieux rémunérées ou de

« petits boulots » que l'on exerce en plus de sa profession. Pour la même raison, beaucoup sont hostiles à l'avancement de l'âge de la retraite, qui se traduit le plus souvent par une diminution des revenus, donc du train de vie.

### La conception affective.

Les Libertaires et, à un moindre degré, les Attentistes ont deux types d'attitude vis-à-vis du travail, en fonction des circonstances. Lorsqu'ils ont la chance d'exercer un métier qu'ils ont choisi et qui correspond à leurs aspirations profondes, ils se passionnent volontiers pour lui et y investissent leur temps et leur énergie. Lorsqu'ils n'ont pas cette chance, le travail leur apparaît alors comme une aliénation totale qu'ils acceptent difficilement car ils ne sont pas prêts, à la différence des Matérialistes ou Égocentrés, à faire fi des conceptions humanistes et philosophiques que l'on peut associer au travail.

### La conception innovatrice.

Entreprenants, Dilettantes, Profiteurs et Frimeurs sont les plus ouverts aux nouvelles formes du travail. Le temps partiel, l'intérim, le travail saisonnier ou le « job-sharing » (partage d'un même poste entre plusieurs personnes) ne les effraient pas. Ils y voient au contraire une opportunité d'être plus libres,

**La carte du travail**

Pour lire la carte, voir la description des Styles de Vie en fin de volume.

tout en jouant le jeu de la modernité. C'est pourquoi ils sont aussi très favorables à l'introduction des nouvelles technologies (informatique, robotique, bureautique...). De la même façon, la mobilité sous toutes ses formes (changement d'emploi, de région, de secteur d'activité...) leur convient bien, à condition qu'ils obtiennent en échange plus d'autonomie, de liberté, de plaisir au travail. Bref, tout ce qui, plus que l'argent, satisfait leur tendance naturelle à l'anticonformisme.

## Les « Japonais » contre les « Californiens »

Dans la France du chômage, les réflexes conservateurs et individualistes sont plus forts que les besoins de solidarité. Les conceptions traditionalistes (que l'on retrouve en particulier sur toute la moitié droite de la carte) concernent encore environ les trois quarts de la population adulte. Parmi eux, seuls les Rigoristes sont prêts à jouer le jeu d'un libéralisme « à la japonaise » de type plutôt élitiste.

Face à cette résistance au changement, les partisans de la mobilité tous azimuts sont largement minoritaires. La formule « californienne » (technologie, petites unités, absence de hiérarchie, grande autonomie, climat de créativité) ne fascine que les catégories les plus jeunes attirées par l'aventure et soucieuses de casser les structures existantes jugées trop contraignantes et défavorables à la liberté individuelle.

# 5
# L'ARGENT

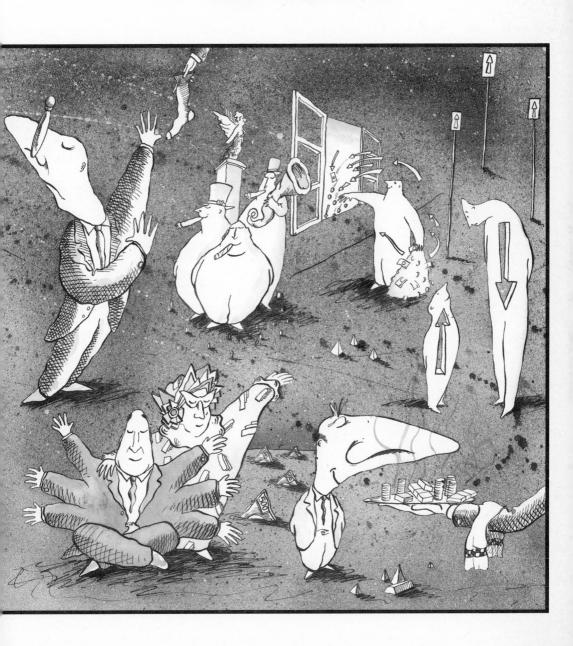

# Le baromètre de l'argent

*Enquêtes auprès de la population de 18 ans et plus ; cumuls des réponses « bien d'accord »
et « entièrement d'accord » pour les affirmations [1] et [2] (enquêtes non effectuées en 1974 et 1980) ;
pourcentages de réponses positives aux affirmations [3] et [4].*

« Il faut égaliser les revenus » [1].

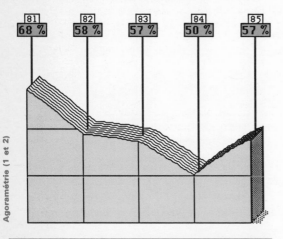

« Il ne faut pas hésiter à s'endetter » [2].

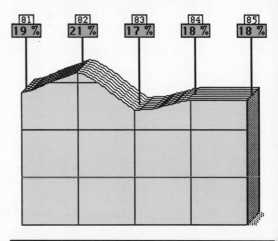

« En ce qui concerne le niveau de vie de l'ensemble des Français, depuis une dizaine d'années » [3].

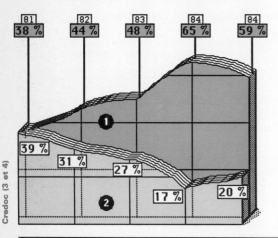

« Je suis obligée de m'imposer régulièrement des restrictions sur certains postes de mon budget » [4].

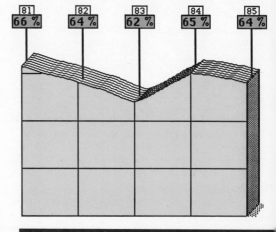

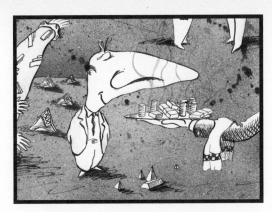

# Les Revenus

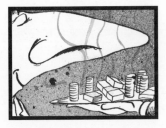

## IMAGE DE L'ARGENT

*Les Français ont eu pendant longtemps des rapports ambigus avec l'argent. Mais le pragmatisme prend de plus en plus le pas sur la philosophie ou l'idéologie. À tel point qu'on regarde avec moins de suspicion que d'envie ceux qui font fortune aujourd'hui.*

### L'argent n'a (presque) plus d'odeur

Le malaise des Français vis-à-vis de l'argent ne date pas d'hier. Les vieux dictons populaires donnent bien la mesure de l'ambiguïté des rapports qu'ils entretenaient avec lui. On sait, par exemple, que « l'argent ne fait pas le bonheur ». L'affirmation est aussi bien utilisée par ceux qui en sont démunis (pour conjurer le mauvais sort ?) que par ceux qui en ont beaucoup (comme pour s'en excuser auprès des premiers). Ce qui n'empêche pas les uns et les autres de considérer que « l'argent n'a pas d'odeur » et qu'on ne doit pas avoir honte de s'en saisir lorsqu'il vient. Mais un honnête homme ne saurait considérer l'argent comme une fin en soi, puisqu'il est à la fois « bon serviteur et mauvais maître ». Et puis, les Français se sont consolés pendant longtemps de ne pas être riches en se répétant que « plaie d'argent n'est pas mortelle »... Toute une philosophie !

Les rapports avec l'argent deviennent plus naturels.

*On a assisté au cours des années récentes à une certaine réhabilitation de l'argent.*

En faisant l'argent plus rare, la crise l'a fait aussi plus cher. C'est-à-dire plus désirable, pour la majorité des Français qui ont vu leur pouvoir d'achat réduit ou menacé. Mais, loin de rendre l'image de l'argent plus complexe et malsaine qu'elle n'était, la crise semble au contraire l'avoir « blanchi ». On hésite moins aujourd'hui à lui reconnaître son rôle essentiel de « nerf de la vie », à une époque où la consommation, les loisirs, le plaisir sont des valeurs de premier plan.

Si les plus jeunes affichent une grande décontraction vis-à-vis du « fric », qui leur apparaît à la fois nécessaire et sain, leurs aînés ont une attitude plus réservée. Entre l'attachement à l'égalité collective et la course aux privilèges individuels, leur cœur (et leur portefeuille) balance(nt). L'argent, en tout cas, joue dans la société un rôle central, que personne ne peut ignorer.

*C'est parce qu'il est de plus en plus incolore que l'argent y devient inodore.*

L'évolution de ces trente dernières années explique pourquoi les Français considèrent aujourd'hui l'argent avec plus de sérénité. Le changement essentiel est sans doute qu'ils en ont plus qu'avant. Chacun, ou presque, en a suffisamment pour vivre décemment. D'autant que sa répartition est aujourd'hui moins inégalitaire que par le passé. De plus, l'argent s'est peu à peu banalisé en changeant de forme. Le chèque a joué un rôle déterminant. Tout d'un coup, un morceau de papier pouvait prendre une valeur variable selon le montant qu'on y inscrivait. Le fait de le signer impliquait aussi une sorte de prise de pouvoir du signataire sur l'argent. La carte de crédit a constitué un pas de plus vers la dématérialisation de l'argent. Celle-ci sera demain totale, avec la monnaie électronique.

Plus abondant, mieux réparti, bientôt invisible, l'argent a donc perdu son caractère mythique. Pour devenir un simple moyen (certes indispensable) au service des aspirations de chacun. À cette nouvelle vision de l'argent correspond une nouvelle vision de la vie.

*Le pragmatisme a pris le pas sur l'idéologie.*

Le déclin des valeurs traditionnelles a eu des répercussions profondes sur la façon dont les Français considèrent l'argent. Les inégalités de revenu ou de patrimoine entre les individus ne sont plus aujourd'hui la cause essentielle des différences que l'on constate entre les groupes sociaux. L'argent est donc moins vu à travers ses aspects philosophiques ou politiques et plus dans sa signification pratique et quotidienne.

L'évolution politique n'est pas étrangère à cette réhabilitation. Pendant longtemps, l'idéologie de gauche avait fait l'amalgame argent-exploitation-inégalité, expliquant ainsi sa réserve, voire son mépris vis-à-vis de l'argent. Le passage au pouvoir, entre 1981 et 1986, fut l'occasion pour le socialisme d'une cure de réalisme. Aujourd'hui, le discours marxiste sur l'argent n'alimente plus guère les conversations, y compris celles des intellectuels. L'entreprise, les patrons, l'argent ont trouvé aux yeux de la gauche une grâce nouvelle comme, d'une manière générale, tout ce qui peut contribuer au redressement de l'économie nationale, et donc au bien-être des citoyens.

Aux interrogations idéologiques d'un autre temps, les Français préfèrent aujourd'hui des questions plus simples : comment gagner plus d'argent ? Comment le dépenser ? Comment préserver le patrimoine accumulé ? Leur approche est essentiellement pragmatique. « L'ar-

### L'argent avant le temps

Quelle est votre préférence entre... (*)

|  | 1982 | 1983 | 1984 | 1985 |
|---|---|---|---|---|
| • Une amélioration de votre pouvoir d'achat | 54,8 | 61,6 | 63,6 | 60,9 |
| • Un temps libre plus long | 44,4 | 37,0 | 36,0 | 39,1 |
| • Les deux | 0,5 | 1,0 | 0,2 | – |
| • Ne sait pas | 0,3 | 0,4 | 0,2 | – |
|  | 100,0 | 100,0 | 100,0 | 100,0 |

(*) population active.

CREDOC

gent qui bouge » a remplacé « l'argent-mythe » qui compliquait un peu trop la vie. Bref, l'argent permet de vivre, mais on ne vit pas pour l'argent.

## La fin du « péché capital »

Le fait de s'enrichir était jusqu'ici assez mal vu des Français. Mais il y avait autant de jalousie que de mépris dans l'attitude qu'ils affichaient devant la fortune, volontiers soupçonnée d'être trop rapidement acquise ou malhonnêtement entretenue. Leurs réactions ont considérablement évolué depuis quelques années. S'enrichir n'est plus aussi mal vu. Et le mot « péché » n'est plus associé à « capital » que dans le sens biblique...

*La réussite économique n'est plus un privilège.*

Le « self-made-man », héros de l'économie capitaliste et personnage peu prisé de la culture française, fait une remontée spectaculaire. Les Français sont presque unanimes à saluer les efforts qui lui ont permis « d'arriver ». L'évolution depuis dix ans est frappante. Avec la crise s'est envolée la suspicion qui entourait la réussite professionnelle. Ceux qui sont parvenus à se faire « une place au soleil » ne sont plus, comme on le pensait hier, des « aventuriers » ou des « chevaliers d'industrie » peu enclins à l'altruisme et aux scrupules, mais des gens courageux et méritants, des sortes de héros des temps modernes.

### L'argent après la tranquillité

Votre rêve serait d'avoir :

| | |
|---|---|
| • La tranquillité du savetier de la fable de La Fontaine | 43 % |
| • L'argent des Rothschild | 25 % |
| • Le talent littéraire de Georges Simenon | 6 % |
| • Le jeu de Michel Platini | 6 % |
| • Le succès d'Alain Delon ou de Catherine Deneuve | 5 % |
| • Le pouvoir du président de la République | 3 % |
| • La gloire du maréchal Foch | 1 % |
| • NSP | 11 % |

*Les Français ont une admiration croissante pour les « faiseurs de fric ».*

S'ils avaient jusqu'ici l'habitude d'admirer certains de leurs semblables pour leur physique, leur talent ou leur gloire, le sentiment qu'ils éprouvaient pour leur fortune était plus mélangé.

Les choses sont en train de changer. On trouve parmi les nouvelles idoles (des jeunes en particulier) des gens qui n'ont pas peur d'afficher leur réussite matérielle autant que professionnelle. Les « faiseurs de fric », qu'ils soient chanteurs (Iglesias, Sardou...), industriels (Tapie, Dassault...) ou champions (Platini, Noah, Prost...), sont regardés aujourd'hui avec plus d'admiration que de réprobation.

Autre manifestation de ce bouleversement récent, le succès des « romans-fric » de Paul-Loup Sulitzer (*Money, Cash, Fortune, le Roi vert, Popov*), qui parlent autant d'argent qu'ils en rapportent à leur auteur. Décrivant dans ses livres des « coups » fabuleux où les millions de dollars changent de main avec une rapidité déconcertante, celui-ci a réussi à se construire une image d'aventurier de la finance qui séduit beaucoup de Français. La presse n'a pas tardé à s'emparer de ce « créneau ». Le succès d'une revue comme *Mieux vivre* ou celui des enquêtes annuelles des grands hebdomadaires consacrées à l'argent montrent bien l'intérêt croissant des Français pour cet attribut de plus en plus légitime de la réussite.

## Les jeux de hasard ou la fortune du « pot »

Si les Français acceptent de mieux en mieux l'« argent des autres », il est bien normal qu'ils cherchent à s'enrichir à titre personnel. La plupart savent bien que, sauf héritage imprévu, leurs chances de faire fortune avec leur seul salaire sont assez minces. C'est pourquoi ils sont si nombreux à s'en remettre à la chance. Les jeux leur apportent cette part de rêve dont ils ont besoin pour mieux vivre le quotidien, en imaginant sans trop y croire des lendemains dorés. Le plus récent de ces jeux, le Loto, arrive largement en tête (pour la pratique, sinon pour les mises), devant le tiercé et la Loterie nationale. Les jeux de casino ne concernent qu'une petite minorité, généralement aisée, pour qui le jeu est, beaucoup plus qu'un moyen de s'enrichir, un art de vivre.

### 20 millions de Français jouent au Loto.

La Loterie nationale, vieille institution créée en 1933, commençait à prendre quelques rides. La création du Loto en mai 1976 donnait un nouveau support aux rêves de fortune des Français. Par rapport à la Loterie nationale, la formule est plus séduisante. Plutôt que de choisir au hasard un billet, parmi le tout petit nombre disponible chez le vendeur, chacun peut établir sa propre combinaison, donc avoir toutes ses chances dans le combat qu'il mène contre le hasard. Le Loto a tout de suite conquis un large public. Contrairement à ce que l'on imagine parfois, son intérêt principal ne réside pas seulement dans l'importance des lots. La majorité des joueurs préfère en effet les jeux où les gains sont limités (environ 1 000 francs) mais nombreux, à ceux où un petit nombre de gagnants peut toucher au moins 1 million de francs (ou même 32 millions, comme ce fut le cas pour la première fois en mai 1986). Les petites sommes gagnées de temps en temps suffisent, semble-t-il, à leur bonheur. Elles leur permettent, en tout cas, de ne pas désespérer et de continuer à jouer en se disant que la fortune arrivera bientôt. Et, avec elle, une nouvelle vie, dans laquelle il ne sera plus nécessaire de penser à l'argent.

---

### Les Français préfèrent le Loto

Parmi les jeux suivants, auxquels jouez-vous :

| | |
|---|---|
| • Loto | 38 % |
| • Tiercé | 13 % |
| • Tac-o-tac | 10 % |
| • Loterie nationale | 3 % |
| • Paris sur les champs de course | 1 % |
| • Jeux dans les casinos | 1 % |
| • Ne jouent pas | 59 % |

*Les Français jouent plus d'argent au P.M.U. qu'au Loto.*
* *29,7 milliards misés au P.M.U. en 1985.*
* *11,8 milliards au Loto*
*(dont 770 millions pour le Loto sportif).*
* *3,5 milliards à la Loterie nationale.*

France-Soir Magazine/Louis Harris (20 avr. 1985)

Les courses de chevaux ne sont pas des jeux de hasard. Elles sont cependant considérées comme telles par la plupart des Français qui, chaque dimanche, jouent leur date de naissance ou le numéro d'immatriculation de leur voiture. La clientèle du P.M.U. est plus homogène que celle du Loto. Selon un sondage effectué par la Sofres (mai 1982) pour *le Parisien*, elle est essentiellement constituée d'hommes (83 %). Les catégories sociales les plus représentées sont les ouvriers (35 %) et les inactifs (26 %).

---

### Près de 100 francs par joueur et par mois

**Vous, personnellement (1), quelle somme consacrez-vous en moyenne par mois aux jeux (Loto, Tac-o-tac, Loterie nationale, PMU, courses) ?**

| | |
|---|---|
| • Moins de 24 francs par mois | 20 % |
| • 25 à 49 francs | 21 % |
| • 50 à 74 francs | 25 % |
| • 75 à 149 francs | 16 % |
| • 150 à 299 francs | 10 % |
| • 300 francs et plus | 4 % |
| • NSP | 4 % |
| | 100 % |

(1) question posée aux joueurs uniquement.

---

Les motivations des parieurs sont doubles : l'argent, bien sûr, mais aussi le plaisir de jouer. Sans oublier celui, pour les amateurs de tiercé, de retrouver chaque dimanche les copains au bistrot du P.M.U. Jouer n'est pas une activité solitaire ; c'est ainsi souvent un acte social.

# SALAIRES

*Les salaires constituent l'élément le mieux connu des revenus des Français. S'il est vrai que l'évolution de ces revenus va dans le sens d'un resserrement, celui-ci n'est pas aussi fort ni aussi rapide qu'on le croit. Les chiffres montrent aussi qu'à travail égal les salaires sont encore loin d'être égaux entre les travailleurs.*

## 6 800 francs par mois en moyenne

Les salariés ont perçu en moyenne 82 230 francs au cours de l'année 1984. Ce chiffre correspond au salaire moyen net, après déduction des diverses cotisations sociales (Sécurité sociale, chômage, retraite). C'est celui qui apparaît sur la feuille de déclaration d'impôt remplie en 1985, en tant que salaire net imposable. Il concerne uniquement les salariés à temps plein et prend en compte leurs éventuels avantages en nature.

### Combien gagnent les Français ?

Sous son apparente simplicité, la question cache une redoutable complexité. C'est pourquoi la réponse mérite quelques commentaires préalables.

D'abord, il faut savoir de quoi on parle. Plus que la feuille de paie des salariés ou la rémunération des non-salariés, c'est le montant de leurs revenus réellement disponibles qu'il est intéressant de connaître. L'écart entre ces notions n'est pas négligeable. C'est même de grand écart qu'il faut parler lorsqu'on tient compte des *impôts* payés par les Français et des prestations *sociales* dont ils bénéficient.

Les choses se compliquent encore selon qu'on s'intéresse au revenu des individus ou à celui des *ménages*. C'est cette dernière notion qui est la plus significative, car l'unité de consommation, d'épargne ou d'investisse-

ment est plus souvent représentée dans son ensemble par le ménage que par les personnes qui le composent. Le revenu disponible des ménages est donc l'indicateur qui reflète le mieux la situation financière réelle des Français. Les étapes intermédiaires qui permettent d'y parvenir (résumées dans le schéma de la page suivante) méritent d'être détaillées : salaires bruts, revenus *non salariaux* (agriculteurs, professions libérales, commerçants...), revenus du capital (placements) de chaque membre du foyer constituent le revenu primaire du ménage. Il faut lui retrancher les cotisations sociales (Sécurité sociale, chômage, vieillesse, etc.) et les *impôts directs* (impôts sur le revenu, taxe d'habitation, taxe foncière) puis lui ajouter les prestations sociales reçues pour déterminer le revenu disponible du ménage. Chacune de ces étapes montre bien la complexité des transferts sociaux et leur incidence de plus en plus grande sur le pouvoir d'achat des Français.

Enfin, il faut préciser que les chiffres figurant dans ce chapitre correspondent à des moyennes. Par définition, chacune d'elles gomme les disparités existant entre les individus du groupe qu'elle concerne. Mais cette simplification, nécessaire, présente aussi l'avantage de la clarté...

*Par rapport à 1980, l'accroissement moyen est de 10,7 %, comparable au niveau de l'inflation (10,5 %).*

Mais toute analyse de l'évolution du pouvoir d'achat doit être faite à partir du revenu disponible, qui mesure les ressources réelles

**82 000 francs par salarié**

Évolution des salaires annuels nets moyens en francs.

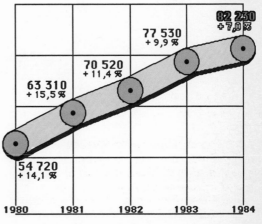

France-Soir Magazine/Louis Harris (20 avril 1985)

I.N.S.E.E.

## L'argent des Français

La structure des différents chapitres consacrés à l'argent correspond au schéma ci-dessous.

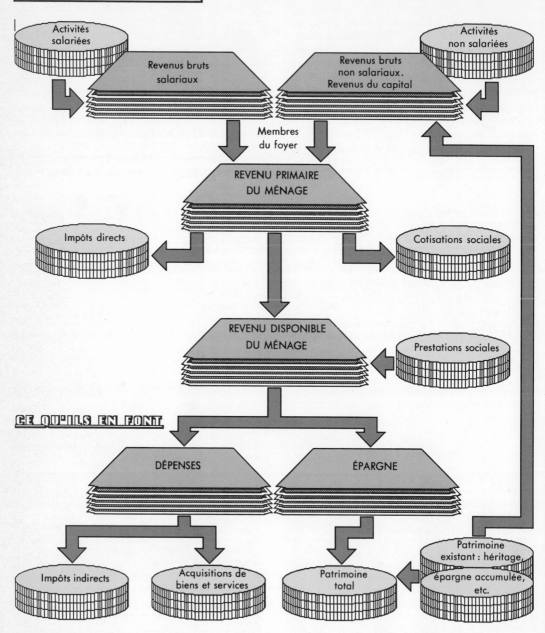

des Français après déduction des impôts et prestations sociales.

La comparaison par rapport à une période plus lointaine est encore plus délicate. Ce ne sont pas en effet exactement les mêmes personnes qui travaillaient à l'époque. Certaines sont aujourd'hui à la retraite (ou au chômage), d'autres ont changé d'emploi, d'autres enfin sont arrivées depuis sur le marché du travail. Toute comparaison dans le temps, outre qu'elle ne concerne pas le revenu disponible, ne présente donc qu'un intérêt global, beaucoup plus limité à l'échelon individuel. Enfin, les chiffres concernant le pouvoir d'achat des Français sont faussés par l'importance de « l'économie parallèle » (voir chapitre 3).

## L'éventail se resserre, mais moins qu'on ne le dit

L'évolution des salaires des différentes catégories professionnelles montre un resserrement des écarts entre le haut (cadres supérieurs) et le bas (manœuvres) de la hiérarchie. L'écart évolue moins vite entre les cadres moyens (dont les revenus ont plus augmenté que ceux des cadres supérieurs) et les employés (dont les salaires ont au contraire moins augmenté que ceux des manœuvres).

*Le S.M.I.C. augmente plus vite que les autres salaires depuis 1970.*

### Cotisations sociales : toujours plus

Les cotisations sociales sont les versements effectués par les personnes qui bénéficient de la protection sociale et par les employeurs à diverses institutions : Sécurité sociale (maladies, maternités, invalidité, décès, vieillesse, prestations familiales), ASSEDIC, caisses de retraite complémentaire.

L'évolution des cotisations entre 1975 et 1984 montre d'abord une très forte augmentation des cotisations des salariés, d'autant plus grande que le salaire est élevé. Elle montre par ailleurs l'accroissement de la part des salariés dans le montant total des cotisations.

Le montant des cotisations payées par les salariés représente aujourd'hui environ 14 % de leur salaire brut.

Évolution des cotisations sociales dans les prélèvements obligatoires (en % du P.I.B.) :

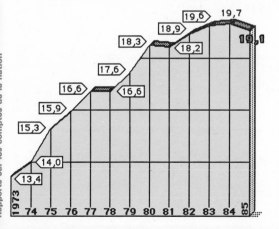

### 1970-1984 : les années du S.M.I.C.

S.M.I.C. mensuel net (en francs)*.

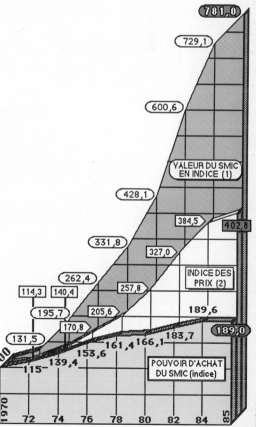

INSEE

## La pyramide usée par le sommet

Évolution des salaires nets moyens selon la catégorie professionnelle.

| Salaire annuel net (en francs/an) | 1980 | 1981 | 1982 | 1983 | 1984 | Évolution 1980/84 (1) |
|---|---|---|---|---|---|---|
| Ensemble (hommes et femmes) .............. | 54 442 | 62 890 | 70 067 | 76 811 | 82 226 | + 51 % |
| Cadres supérieurs .......................... | 141 337 | 161 699 | 177 896 | 193 062 | 206 490 | + 46 % |
| Cadres moyens ............................ | 71 819 | 82 266 | 90 560 | 98 338 | 104 182 | + 45 % |
| Contremaîtres ............................. | 69 365 | 78 858 | 86 040 | 92 882 | 97 573 | + 41 % |
| Employés ................................. | 45 258 | 52 142 | 57 759 | 63 033 | 66 862 | + 48 % |
| Ouvriers qualifiés ......................... | 46 356 | 53 175 | 58 914 | 64 314 | 67 977 | + 47 % |
| Ouvriers spécialisés ....................... | 38 858 | 44 598 | 49 762 | 54 602 | 57 850 | + 49 % |
| Manœuvres ............................... | 33 245 | 38 260 | 42 966 | 47 265 | 50 242 | + 51 % |
| Autres catégories ......................... | 37 610 | 44 231 | 50 420 | 53 718 | 56 942 | + 51 % |

(1) À titre de comparaison, le niveau cumulé de l'inflation a été de 48,2 % entre 1980 et 1984.

## 1968 : l'année pivot

Évolution des rapports entre les salaires annuels nets moyens de certaines catégories

| | 1951 | 1955 | 1960 | 1965 | 1970 | 1975 | 1980 | 1984 |
|---|---|---|---|---|---|---|---|---|
| Cadres supérieurs / ouvriers | 3,9 | 4,3 | 4,4 | 4,5 | 4,2 | 3,7 | 3,5 | 3,2 |
| Cadres moyens / ouvriers | 2,1 | 2,0 | 2,2 | 2,1 | 2,1 | 1,8 | 1,7 | 1,6 |
| Employés / ouvriers | 1,2 | 1,1 | 1,1 | 1,1 | 1,1 | 1,1 | 1,0 | 1,0 |

INSEE

• *En 15 ans, le S.M.I.C. a été multiplié par 6 contre 3,8 pour le salaire horaire ouvrier).*
• *Les « smicards » représentent 8 % de la population active salariée.*

En 1950, le s.m.i.g. (salaire minimum interprofessionnel garanti) fut indexé sur la hausse des prix (avec un seuil de déclenchement de 5 % jusqu'en 1957, puis de 2 %). Comme la moyenne des salaires augmentait plus vite que les prix, le s.m.i.g. avait pris au milieu des années 60 un retard important. En 1968, le salaire minimum fut au centre des discussions de Grenelle, le s.m.i.g. devint s.m.i.c. (salaire minimum interprofessionnel de croissance) en 1970 et fut indexé à la fois sur les prix et sur l'ensemble des salaires. Le s.m.i.c. a connu depuis une forte croissance.

Les « smicards » sont aujourd'hui environ 1 500 000. Ce sont principalement des manœuvres de certains secteurs comme l'hygiène et l'habillement. Beaucoup sont des femmes.

## Les femmes encore sous-payées

Depuis 1951, l'écart de salaire entre les hommes et les femmes (au détriment très net de ces dernières) a tendance à diminuer, de façon lente et irrégulière. Chez les ouvrières, il s'est creusé entre 1950 et 1967, puis il a diminué de 1968 à 1975 pour retrouver le niveau de 1950. Chez les cadres supérieurs, la tendance au redressement est apparue plus tôt (vers 1957), mais elle a été stoppée dès 1964. Le resserrement général constaté à partir de 1968 est dû principalement au fort relèvement du s.m.i.c. et des bas salaires, qui a profité davantage aux femmes, plus nombreuses à être concernées. Malgré l'amélioration constatée, l'écart reste encore important aujourd'hui.

TRÈS
MONEY-MONEY
EN
DANIEL D.

À travail égal, le salaire n'est pas toujours égal

*En 1984, les femmes ont gagné en moyenne 28 % de moins que les hommes.*

Ce chiffre spectaculaire donne une idée globale de la forte inégalité des salaires entre les sexes. Il faut cependant nuancer la comparaison. Les femmes occupent encore de façon générale des postes de qualification inférieure à ceux occupés par les hommes, même à fonction égale. De plus, elles effectuent des horaires plus courts que ceux des hommes, avec moins d'heures supplémentaires. Enfin,

elles bénéficient d'une ancienneté moyenne inférieure à celle des hommes.

L'inégalité reste pourtant flagrante. On constate même que l'écart, qui tendait à diminuer régulièrement au cours des années précédentes, s'est légèrement accentué en 1983. On aurait pu s'attendre à ce que la loi sur l'égalité professionnelle ait des effets inverses... Magie des chiffres, on s'aperçoit que si les femmes gagnent en moyenne un quart de moins que les hommes, ceux-ci gagnent un tiers de plus que leurs compagnes !

*Même à profession égale,*
*les femmes sont moins bien rémunérées*
*que les hommes.*
*• En 1984,*
*l'écart variait de 13 % (contremaîtres)*
*à 26 % (cadres supérieurs).*

Il s'est légèrement réduit depuis cinq ans, en particulier chez les cadres moyens et les contremaîtres, mais il reste stable chez les ouvriers et les manœuvres. Cette situation ne signifie pas que la loi sur l'égalité professionnelle n'est pas respectée. Profession égale n'implique pas, en effet, responsabilité égale. Les femmes occupent souvent dans chaque catégorie les postes à moindre responsabilité, moins bien rémunérés. Elles y ont aussi souvent moins d'ancienneté.

## Les hommes gagnent un tiers de plus que... leur moitié

Salaires annuels nets moyens selon le sexe (en francs).

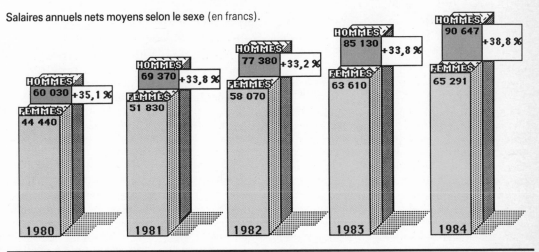

| | 1980 | 1981 | 1982 | 1983 | 1984 |
|---|---|---|---|---|---|
| HOMMES | 60 030 | 69 370 | 77 380 | 85 130 | 90 647 |
| FEMMES | 44 440 | 51 830 | 58 070 | 63 610 | 65 291 |
| écart | +35,1 % | +33,8 % | +33,2 % | +33,8 % | +38,8 % |

INSEE

## À poste égal, les écarts hommes/femmes se réduisent un peu

Évolution des salaires annuels nets moyens selon la catégorie professionnelle et le sexe

| | Cadres supérieurs | | Cadres moyens | | Contremaîtres | | Employés | |
|---|---|---|---|---|---|---|---|---|
| | Hommes | Femmes | Hommes | Femmes | Hommes | Femmes | Hommes | Femmes |
| 1980 | 146 946 | 103 532 | 76 991 | 63 132 | 70 381 | 59 902 | 51 585 | 41 781 |
| Écart H/F | – 29,5 % (*) | | – 18,0 % | | – 14,9 % | | – 19,0 % | |
| 1981 | 167 980 | 120 265 | 87 700 | 72 313 | 79 896 | 68 899 | 59 173 | 48 365 |
| Écart H/F | – 28,4 % | | – 17,6 % | | – 13,8 % | | – 18,3 % | |
| 1982 | 184 481 | 135 480 | 96 065 | 80 681 | 87 131 | 75 540 | 65 176 | 53 943 |
| Écart H/F | – 26,6 % | | – 16,0 % | | – 13,3 % | | – 17,2 % | |
| 1983 | 200 102 | 147 256 | 104 159 | 87 707 | 94 010 | 81 861 | 70 935 | 59 079 |
| Écart H/F | – 26,4 % | | – 15,8 % | | – 12,9 % | | – 16,7 % | |
| 1984 | 214 299 | 158 130 | 110 359 | 93 359 | 98 777 | 86 212 | 75 087 | 62 845 |
| Écart H/F | - 26,2 % | | - 15,4 % | | - 12,7 % | | - 16,3 % | |

| | Ouvriers qualifiés | | Ouvriers spécialisés | | Manœuvres | | Autres catégories | |
|---|---|---|---|---|---|---|---|---|
| | Hommes | Femmes | Hommes | Femmes | Hommes | Femmes | Hommes | Femmes |
| 1980 | 47 471 | 38 364 | 41 621 | 32 951 | 35 316 | 29 166 | 35 845 | 39 032 |
| Écart H/F | – 19,2 % | | – 20,8 % | | – 17,4 % | | + 8,9 % | |
| 1981 | 54 447 | 44 257 | 47 579 | 38 160 | 40 542 | 33 821 | 42 049 | 45 899 |
| Écart H/F | – 18,7 % | | – 19,8 % | | – 16,6 % | | + 9,2 % | |
| 1982 | 60 391 | 48 958 | 53 179 | 42 509 | 45 590 | 37 972 | 47 809 | 52 314 |
| Écart H/F | – 18,9 % | | – 20,1 % | | – 16,7 % | | + 9,4 % | |
| 1983 | 65 909 | 53 800 | 58 310 | 46 796 | 50 133 | 41 779 | 51 561 | 55 256 |
| Écart H/F | – 18,3 % | | – 19 8 % | | – 16,7 % | | + 7,2 % | |
| 1984 | 69 698 | 57 043 | 61 781 | 49 692 | 53 337 | 44 437 | 54 757 | 58 448 |
| Écart H/F | - 18,1 % | | - 19,6 % | | - 16,7 % | | + 6,7 % | |

INSEE

(*) Lecture : parmi les cadres supérieurs, les femmes gagnent 29,5 % de moins que les hommes.

## À travail égal, ceux qui gagnent le plus

La profession et le sexe sont, dans l'ordre, les deux principaux facteurs influant sur les revenus des salariés. Cela ne signifie pourtant pas que toutes les personnes de sexe et de profession donnés ont des salaires identiques. L'âge, le secteur (public ou privé), la région, l'activité... entrent en compte.

*L'âge est d'abord un handicap,*
*avant d'être un atout,*
*puis à nouveau un handicap.*

En début de carrière, les salaires sont moins élevés, pour deux raisons essentielles : les postes ont une qualification inférieure à ceux occupés en fin de carrière ; les primes d'ancienneté sont inexistantes ou réduites. À partir de 30 ans, l'âge devient un atout. Il le reste pendant une durée variable selon les professions, jusque vers 45 ans environ. Chez les cadres, c'est vers 35 ans que les possibilités de promotion (interne ou par changement d'entreprise) sont les plus nombreuses. Avec une tendance continue au rajeunissement.

*Le type d'activité devient un facteur prépondérant.*

Les salaires versés par les entreprises dépendent encore, dans beaucoup de cas, des conventions collectives et de la concurrence existant dans le bassin d'emploi. Mais la nature même de l'activité et le dynamisme de l'entreprise jouent un rôle de plus en plus grand. On gagne plus, à travail égal, dans les sociétés

## Cadres : les plus et les moins

L'âge, le diplôme et le chiffre d'affaires de l'entreprise sont les facteurs déterminants des salaires des cadres, pour un poste donné.

Ainsi, pour un directeur du marketing (ci-dessous), l'écart entre une personne de 31/35 ans et une autre âgée de plus de 50 ans représentait 75 000 francs annuels en 1986. L'écart entre un titulaire travaillant dans une entreprise de 200 millions de francs ou moins de chiffre d'affaires et un autre travaillant dans une entreprise de 2 à 5 milliards de francs se montait à 125 000 francs.

**Exemple du directeur du marketing** (base : 465 000 francs)

ÉCARTS SELON :

| L'âge | 30 ans ou moins | 31/35 ans | 36/40 ans | 41/45 ans | 46/50 ans | Plus de 50 ans |
|---|---|---|---|---|---|---|
| | NS | – 50 000 | – 15 000 | + 5 000 | + 12 000 | + 25 000 |
| Le diplôme | École de commerce A | École de commerce B | École d'ingénieurs A | École d'ingénieurs B | Université | Autodidacte ou bac + 2 |
| | + 28 000 | + 5 000 | NS | – 10 000 | 0 | NS |
| Le chiffre d'affaires de l'entreprise | 200 millions ou moins | 200 à 500 millions | 500 millions à 1 milliard | 1 à 2 milliards | 2 à 5 milliards | 5 à 10 milliards |
| | – 65 000 | – 20 000 | – 5 000 | + 25 000 | + 60 000 | NS |

L'Expansion (Salaires des cadres, 1986)

d'informatique performantes que dans les entreprises de travaux publics qui ne le sont pas ! Les écarts régionaux ne sont pas non plus négligeables. Ils peuvent atteindre plus de 20 % entre Paris et les régions à faible implantation industrielle.

*Les salariés du secteur public ont en moyenne des salaires inférieurs à ceux du privé.*

Malgré ses privilèges, liés à la sécurité de l'emploi et à certaines situations particulièrement avantageuses, la fonction publique n'est pas le meilleur endroit pour s'enrichir. Bien que des comparaisons précises soient difficiles à établir (en raison d'appellations différentes des fonctions et d'un système de rémunération plus complexe dans le secteur public), il semble bien qu'elles soient généralement à l'avantage du privé.

À poste égal, la rémunération des salariés dépend donc, de plus en plus, de l'entreprise dans laquelle ils travaillent, de son secteur d'activité, de son implantation géographique et de son dynamisme. La recherche du « bon emploi » est donc un exercice difficile, surtout dans la conjoncture actuelle où la simple

## Fonctionnaires : la sécurité sans la croissance

Évolution du pouvoir d'achat des salaires de la fonction publique (traitement mensuel + indemnité de résidence)

| | 1982 à 1983 | 1983 à 1984 | 1984 à 1985 |
|---|---|---|---|
| • Catégorie D ..... | + 0,4 | + 1,0 | – 1,4 |
| • Catégorie C ..... | + 0,0 | – 0,2 | – 2,1 |
| • Catégorie B ..... | – 0,3 | + 1,0 | – 1,4 |
| • Catégorie A ..... | – 1,1 | + 0,8 | – 1,9 |
| Ensemble | – 0,4 | + 0,6 | – 1,8 |

C.E.R.C.

recherche d'un emploi relève parfois de l'exploit, pour peu qu'on ne soit pas très diplômé, qu'on soit trop jeune, ou au contraire trop âgé...

Mais il est clair que les aspects financiers des emplois ne sont pas aujourd'hui ceux qui dominent. Et puis, dans cette période difficile, c'est plus souvent l'entreprise qui choisit ses employés que le contraire...

### Ceux qui ont décroché la timbale

Il n'est pas facile d'établir la liste de ceux qui gagnent le plus d'argent. Rien n'oblige en effet les détenteurs des plus gros revenus à les étaler sur la place publique. La tradition française, la crainte des « tapeurs » (ou celle du fisc !) incitent au contraire la plupart d'entre eux à taire ou à minimiser leurs gains. Voici néanmoins la liste de quelques-uns des heureux élus (les chiffres sont évidemment indicatifs) :

• Bernard Tapie aurait un salaire annuel d'environ 2 millions de francs.

• Stéphane Collaro était en 1986 le présentateur le mieux payé de la télévision : 200 000 francs par mois pour Cocoricoboy, devant Patrick Sabatier (170 000) et Philippe Bouvard (110 000 à 130 000 francs). Loin devant Marie-Laure Augry (18 000 francs), Marie-France Cubadda (21 000 francs), Bruno Masure, Bernard Rapp et Claude Sérillon (23 000 francs).

• André Bettencourt, actionnaire principal de L'Oréal, touche annuellement environ 100 millions de francs de dividendes (L'Oréal, Nestlé, Cosmair).

• Jean-Paul Belmondo : 8 millions par film.

• David Vidal-Madjar, gérant de portefeuilles, a déclaré 8 864 355 francs de revenus en 1984.

• Les dix cadres dirigeants les mieux payés de l'Air liquide gagnent en moyenne 2 millions de francs par an, deux fois plus que ceux de Bouygues, de Roussel-Uclaf ou d'Air Inter.

• Jean Lecanuet, président de l'UDF, perçoit plus de 60 000 francs par mois (hors défraiement) au titre de ses différentes responsabilités (maire, député, président du conseil général, conseiller régional, etc.).

• Roger Fauroux, PDG du groupe Saint-Gobain : un million de francs en 1985.

• 8 000 salariés perçoivent plus de 840 000 francs par an ; 4 500 dépassent le plafond de 1 million de francs.

• Sandrine Grognet a gagné 10 583 640 francs au Loto ; 38 ouvriers de la société Moulinex ont gagné ensemble 12 360 000 francs.

# REVENU DISPONIBLE DES MÉNAGES

*Les ressources des Français ne dépendent pas seulement des revenus de leur activité professionnelle. Les prestations sociales dont ils bénéficient jouent un rôle considérable, de même que les impôts qu'ils paient. Le rôle classique d'amortisseur de transferts sociaux s'est beaucoup amplifié depuis 1981.*

## Revenu primaire : il n'y a pas que les salaires

Les dépenses des Français sont effectuées pour l'essentiel à l'échelon des **ménages** plutôt qu'à celui des **individus,** qu'il s'agisse des achats de biens d'équipement ou des courses quotidiennes. C'est pourquoi on s'intéresse aussi aux revenus des ménages.

Aux salaires (nets de cotisations sociales) perçus par les différents membres du foyer, il convient d'ajouter les autres types de ressources (en dehors de toutes prestations sociales) : revenus non salariaux ; revenus du capital et de l'entreprise. L'ensemble de ces revenus constitue, avec les salaires, le revenu primaire du ménage.

*En 1984, le revenu primaire moyen des ménages était d'environ 74 700 F.*

Les salaires représentent la plus grosse part de ce revenu (encadré). Il faut y ajouter les revenus provenant des entreprises individuelles (commerces, artisanat, professions libérales, agriculture, etc.) et ceux provenant du capital (intérêts, dividendes, loyers, fermages).

Les revenus de la propriété sont ceux des placements financiers des ménages (immeubles, valeurs mobilières, or, etc.).

## Les trois sources des revenus

Répartition du revenu primaire des ménages (1984).

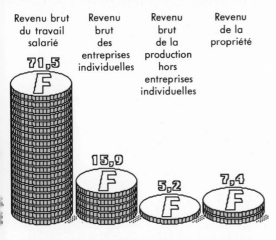

| Revenu brut du travail salarié | Revenu brut des entreprises individuelles | Revenu brut de la production hors entreprises individuelles | Revenu de la propriété |
|---|---|---|---|
| 71,5 | 15,9 | 5,2 | 7,4 |

*La composition du revenu primaire varie selon les catégories professionnelles.*

Les sources des revenus primaires des ménages sont différentes selon que le ou les membres qui les composent sont salariés ou non et selon la profession qu'ils exercent.

Ainsi, les salaires représentent la quasi-totalité des revenus des ménages dont le « chef » est ouvrier, employé ou cadre. Les professions indépendantes tirent leur revenu non seulement de leur entreprise mais aussi, souvent, du salaire du conjoint et de leur capital. Les agriculteurs, eux, tirent l'essentiel de leurs moyens de subsistance de leur exploitation. Quant aux inactifs, leurs sources de revenus sont très différentes, selon qu'ils sont retraités, qu'ils vivent de leurs rentes ou que leur conjoint est salarié ou entrepreneur individuel.

*Lorsqu'elle travaille, l'épouse apporte en moyenne 36 % du revenu primaire du ménage.*

Dans l'ensemble des ménages, le conjoint représente par son activité 17 % du revenu total. Mais ce chiffre est faussé par le fait que plus de la moitié des femmes sont inactives. Dans les ménages où l'épouse a une activité rémunérée, celle-ci représente alors en moyenne plus d'un tiers du revenu total. Ces chiffres sont en réalité sous-évalués, du fait que beaucoup de femmes d'agriculteurs ou de commerçants contribuent par leur travail au fonctionnement de l'exploitation ou de la boutique, sans avoir le plus souvent d'existence sur le plan juridique et fiscal.

## Revenu disponible : l'algèbre des transferts sociaux

Le revenu disponible des ménages est plus riche d'enseignements que leur revenu primaire. Il prend en effet en compte les transferts sociaux (prestations sociales, impôts) dont l'incidence sur les ressources des Français est croissante.

D'un côté, les prestations sociales (maladie, invalidité, accident, chômage, maternité, retraite, allocations familiales, assistances diverses, etc.) viennent s'ajouter aux revenus des familles qui en bénéficient. Leur vocation est double. Elles reposent sur le principe de l'assurance : ceux qui cotisent, de façon obligatoire ou volontaire, à des régimes de protection sont pris en charge par ces organismes en cas de problème (maladie, accident, etc.) ou à l'occasion de la retraite. Le second rôle de ces prestations est de réduire les inégalités de revenus en favorisant les catégories sociales plus modestes. Celles-ci bénéficient des allocations de salaire unique, des prêts à taux bonifié, du complément familial, des allocations de logement, de l'aide sociale, etc.

### Du revenu primaire au revenu disponible

| | 1984 | Comparaison avec 1959 |
|---|---|---|
| Revenu primaire | 100 % | 100 % |
| • Moins impôts directs | – 9,3 | – 5,5 |
| • Moins cotisations | – 29,7 | – 16,3 |
| • Plus prestations | + 35,1 | + 18,8 |
| | 96,1 % | 97,0 % |
| | du revenu primaire | |

soit 156 830 francs par ménage en 1984

INSEE

De l'autre côté, les prélèvements sociaux viennent en déduction des revenus des familles. Les cotisations sociales sont, pour les salariés, retenues à la source. Les impôts directs prélevés sur les revenus des ménages complètent le dispositif de redistribution par leur aspect progressif (plus on gagne et plus on paie proportionnellement d'impôts). Les impôts indirects (par exemple la T.V.A. payée par les ménages sur les achats de biens et services) n'interviennent pas au niveau du revenu disponible car ils concernent son utilisation et non plus sa constitution.

La compréhension de cette algèbre des transferts sociaux est essentielle pour la connaissance des ressources réelles des Français. Elle traduit à la fois l'importance des besoins financiers de l'économie nationale (impôts, cotisations) et la politique sociale du gouvernement en place (prestations).

*Les prestations sociales représentent*
*plus du tiers du revenu disponible*
*des ménages.*
*• Depuis 1970,*
*leur montant a été multiplié par 8.*
*• L'impact des prestations sociales varie*
*de 1 à 8 selon les catégories sociales.*

D'une manière générale, les prestations sociales sont inversement proportionnelles au montant des revenus primaires (salaires et autres revenus) d'une catégorie. Il y a à cela deux raisons : l'effet redistributif, qui a pour but de favoriser les bas revenus par rapport aux autres ; le fait que les prestations sont pour la plupart plafonnées et représentent donc une part des revenus d'autant plus faible que ceux-ci sont élevés. L'évolution au cours des dix dernières années est spectaculaire. Ce sont les allocations de chômage (multipliées par 42 depuis 1970 en masse) qui ont le plus augmenté.

*Les impôts directs représentent*
*10 % du revenu disponible des ménages.*
*• L'impôt sur le revenu représente*
*70 % des impôts directs.*

La médaille des revenus des ménages (et des prestations sociales qui viennent s'y ajouter) a son revers : l'impôt. L'évolution de ces dernières années s'est faite dans deux directions : le poids de l'impôt a augmenté pour la plupart des ménages ; son rôle redistributif s'est accentué. Les Français ont dû participer à un important effort de solidarité, qui s'est traduit par une perte générale de pouvoir d'achat en 1983 et 1984.

Même s'il est le plus célèbre, l'impôt sur le revenu n'est pas le seul impôt direct payé par les Français. Les particuliers acquittent aussi un impôt sur les plus-values éventuelles (vente de logements, de valeurs mobilières ou d'autres biens) et des impôts locaux (taxe foncière, taxe d'habitation).

*Le poids de l'impôt s'est beaucoup alourdi*
*au cours des dernières années.*

Après être restée à peu près stable jusqu'en 1980, la pression fiscale avait sensiblement augmenté au cours de ces dernières années. Les mesures prises depuis 1982 ont assez largement modifié le paysage fiscal : nouveau plafonnement du quotient familial ; impôt solidarité ; emprunt obligatoire ; surtaxe progressive au-delà de 20 000 francs d'impôts. Ce sont les revenus les plus élevés qui ont été les plus fortement touchés. De façon générale, les célibataires sont plus « matraqués » que les couples mariés, qui, lorsqu'ils ont des enfants, le sont plus que les concubins.

Conscient du risque d'un taux de prélèvement excessif sur les revenus (à la fois sur le plan psychologique et sur la consommation des ménages), le gouvernement s'est engagé à partir de 1984 dans une politique de réduction des impôts, suivant en cela les expériences tentées avec succès aux États-Unis et en Grande-Bretagne.

*Les Français travaillent*
*à mi-temps pour l'État*

Cela signifie que la moitié de la production intérieure, fruit du travail des Français, est aujourd'hui consommée par l'État.

Cette situation n'est cependant pas propre à la France. Des pays comme les Pays-Bas ou le Danemark font des « scores » encore plus élevés, même si la structure des prélèvements entre particuliers et entreprises est différente de ce qu'elle est en France.

## À mi-temps pour l'État

Part des prélèvements obligatoires dans le P.I.B. (en %).

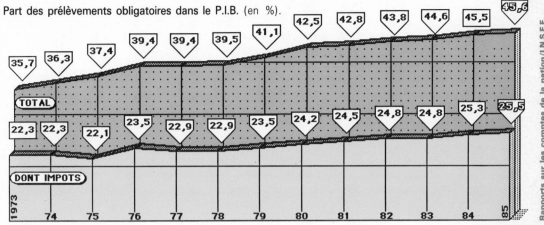

*Rapports sur les comptes de la nation/I.N.S.E.E.*

(1) Estimation.    (2) Prévision.

---

### Comparaison internationale (1984)

Part des prélèvements obligatoires dans le P.I.B. (en %) en 1983 :

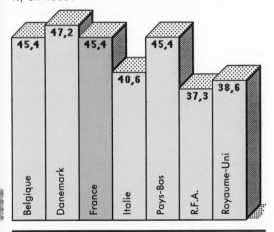

Ainsi, les cotisations de Sécurité sociale, qui représentent environ 40 % des prélèvements en France (contre 17 % en Grande-Bretagne et ... 2 % au Danemark) sont pour les trois quarts à la charge des employeurs, alors que la part des salariés est souvent plus élevée qu'ailleurs. Le « rattrapage » se fait au niveau de l'impôt sur le revenu des ménages, qui représente plus de 50 % des prélèvements au Danemark contre environ 13 % en France.

*En 1984, le revenu disponible brut par ménage était de 156 830 francs (environ 13 000 francs par mois).*
• *En 1970, il était de 34 250 F.*

Le lent cheminement précédent à travers les revenus primaires, prestations sociales et impôts directs permet enfin de dresser un bilan complet des ressources des Français. Le résultat est le revenu disponible des ménages, qui caractérise ce dont ils disposent réellement pour vivre.

En dehors des professions indépendantes et des cadres moyens et supérieurs, les ménages perçoivent plus de prestations sociales qu'ils ne paient d'impôts directs. C'est ce qui explique que leur revenu disponible soit supérieur à leur revenu primaire. Prestations et impôts directs évoluent en sens contraire : les prestations diminuent lorsque le revenu augmente ; les impôts augmentent en même temps que le revenu.

## Ce dont ils disposent

Revenu disponible de quelques ménages types en 1985 (en francs par an).

| | A | | B | | C | |
|---|---|---|---|---|---|---|
| | pas d'enfant | 3 enfants | pas d'enfant | 3 enfants | pas d'enfant | 3 enfants |
| • Salaire brut annuel | 74 996 | 74 996 | 132 960 | 132 960 | 369 798 | 369 798 |
| • moins : charges sociales (part salariale) | 9 907 | 9 907 | 16 767 | 16 767 | 43 989 | 43 989 |
| • égale : salaire net | 65 089 | 65 089 | 116 193 | 116 193 | 325 815 | 325 815 |
| • plus : prestations familiales | 0 | 27 022 | 0 | 23 456 | 0 | 14 014 |
| • moins : impôts sur le revenu (1) | 1 687 | 0 | 7 867 | 2 030 | 61 798 | 34 842 |
| • égale : revenu disponible brut | 63 402 | 92 111 | 108 326 | 137 619 | 264 017 | 304 987 |
| • soit un revenu disponible par unité de consommateur (2) de | 37 295 | 28 785 | 63 721 | 43 006 | 155 304 | 95 308 |

C.E.R.C.

**A** : Homme ouvrier spécialisé, femme sans activité professionnelle.
**B** : Homme cadre moyen, femme sans activité professionnelle.
**C** : Homme cadre supérieur, femme cadre moyen.

(1) impôts payés dans l'année sur les revenus de l'année précédente.
(2) chaque adulte compte pour 0,7 ; chaque enfant pour 0,5. On ajoute 0,3 pour les dépenses indépendantes de la famille.

*L'éventail des revenus disponibles est plus resserré que celui des revenus primaires.*

Le rapport entre les salaires nets moyens d'un cadre supérieur et d'un ouvrier spécialisé est de 3,6. Il n'est plus que de 2 environ

### Vive la crise !

Évolution du revenu disponible brut par ménage :

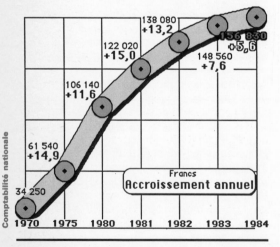

138 080
+13,2

156 830
+5,6

122 020
+15,0

148 560
+7,6

106 140
+11,6

61 540
+14,9

34 250

Francs
**Accroissement annuel**

Comptabilité nationale

1970  1975  1980  1981  1982  1983  1984

lorsqu'on compare les revenus disponibles moyens d'un ménage où l'homme est cadre supérieur et ceux où il est ouvrier. Les mécanismes de la redistribution (le cadre supérieur paie plus d'impôts en proportion de ses revenus et reçoit beaucoup moins de prestations) expliquent en partie ce spectaculaire resserrement. Une autre explication est la présence d'autres revenus salariaux (généralement celui du conjoint), plus sensible dans les ménages modestes où la femme travaille plus fréquemment et perçoit un salaire plus proche de celui de son mari que dans les ménages plus aisés.

*Le resserrement de l'éventail se poursuit régulièrement.*

La réduction des écarts entre les revenus disponibles avait commencé au début des années 70, avec le coup de pouce donné aux bas salaires. La politique en matière de prestations sociales et de fiscalité, depuis longtemps favorable à ce resserrement, l'est encore plus depuis 1981. Le résultat est un nivellement par le milieu. Les revenus supérieurs à la moyenne ont tendance à s'en rapprocher, perdant chaque année de leur avance. Les revenus inférieurs à la moyenne tendent aussi à s'en rapprocher, de sorte que les écarts diminuent.

---

#### La face cachée de la redistribution

Il est indéniable que l'éventail des revenus disponibles est moins ouvert que celui des salaires de base. Il est non moins indéniable que l'écart entre les salaires de base tend à se réduire d'année en année. Pourtant, cette redistribution des revenus par l'impôt et les prestations sociales n'est pas aussi nette qu'il y paraît. Si l'on tient compte, en effet, de l'utilisation des services collectifs financés par l'impôt direct (hôpitaux, équipements sportifs, culturels, etc.), on constate que ce sont les titulaires des plus hauts revenus qui en profitent le plus souvent au-delà de leur propre contribution. De même, les enfants des ménages les plus aisés sont ceux qui utilisent le plus longtemps le système éducatif. En ce qui concerne les dépenses collectives liées à la retraite, les anciens titulaires de hauts revenus en profitent aussi plus que les autres, du fait de leur espérance de vie plus longue. Le phénomène de la redistribution est donc en réalité complexe et ne saurait être limité à sa dimension financière apparente.

---

## 6 millions de pauvres en France

Le paradoxe fait parfois bon ménage avec le drame. Dans une société où le pouvoir d'achat augmente, bon an mal an, depuis le début de la crise, on compte de plus en plus de pauvres. D'après l'I.N.S.E.E., 3 millions de ménages ont un revenu inférieur à 55 francs par personne et par jour, c'est-à-dire insuffisant pour pouvoir se nourrir, se loger ou se vêtir décemment. 500 000 vivent dans un logement insalubre, dont 120 000 dans des cités de transit (en principe provisoires) et 100 000 dans des baraques, des caravanes, des vieux wagons ou des véhicules divers. La situation, loin de s'améliorer, est en train de s'aggraver sous l'effet dévastateur du chômage. Au total, on estime que 12 % de la population vivent en état de pauvreté.

#### Les « nouveaux pauvres »

53 % des pauvres sont des familles ou des couples, 27 % des femmes seules. Les sans-profession sont minoritaires (7,4 %). Les ouvriers et employés sans qualifica-

tion représentent 61 % des cas recensés par le Secours catholique.

Les nouveaux pauvres sont de plus en plus jeunes. Beaucoup ont moins de vingt ans. Ils ont quitté la province pour venir chercher du travail à Paris. N'en ayant pas trouvé, ils n'ont plus un sou et n'ont même pas droit aux indemnités de chômage.

D'autres ont connu, pendant quelques années, les joies de la société de consommation et des facilités de crédit qu'elle accorde assez largement. Le chômage, toujours lui, a mis fin brutalement aux rêves de voiture et de télé couleurs. Sans loyer, il n'y a plus de logement. Les meubles en ont d'ailleurs été saisis par les créanciers. Certains pourront subsister grâce aux différentes formes d'aides publiques ou privées. D'autres deviendront des clochards, définitivement exclus de la société. Peu, finalement, pourront sans dommages traverser cette épreuve douloureuse. Et les enfants qui l'auront vécue ne pourront jamais être tout à fait comme les autres.

---

*Les immigrés ne constituent qu'une minorité (environ 20 %) du « quart monde » français.*

La pauvreté existant en France n'est pas « importée ». Elle est la conséquence tragique d'un processus dont il est difficile de sortir une fois qu'il s'est mis en marche.

Partout en France, les organisations de secours aux déshérités constatent l'extension du phénomène. En 1984, le Secours catholique a eu à résoudre plus de 500 000 cas de détresse, plus du double qu'en 1981.

*Parmi les pauvres, une famille sur trois dispose de zéro franc par jour, quatre sur cinq ont moins de 25 francs par personne.*

L'histoire commence toujours de la même façon. Une personne sans qualification perd son travail. Elle cherche sans succès un emploi, tout en percevant pendant un an les allocations de chômage, puis de fin de droit. Un jour, elle se retrouve sans ressources avec des enfants à nourrir, un loyer à payer. C'est le cas d'environ un million de chômeurs aujourd'hui. Pour certains, l'engrenage ne s'arrêtera plus. La déchéance morale, puis physique les empêchera de retrouver un emploi, car les pauvres font plus peur que pitié. De la marginalité à l'exclusion, il n'y a qu'un pas, que beaucoup ne pourront éviter de franchir. La société française n'est pas la seule à sécréter cette nouvelle forme de pauvreté. Des millions de personnes sont concernées dans la Communauté européenne. Difficiles à détecter, donc à aider. Comme dans le domaine de la santé, c'est à la prévention de la pauvreté qu'il faudrait s'attaquer plutôt que de chercher à la combattre une fois qu'elle est apparue. Cette prévention passe évidemment d'abord par la lutte contre le chômage. Elle passe aussi par un réel effort de solidarité nationale. À l'heure où le corporatisme est de rigueur, ceux qui ne sont pas constitués en groupe de défense ont peu de chances d'être entendus, donc aidés. La société centrifuge n'a pas fini de tourner.

Pourtant, on assiste depuis peu à une prise de conscience collective de l'existence de cette misère individuelle. Elle a provoqué à plusieurs reprises de vastes mouvements de solidarité, souvent sous l'impulsion de personnalités très populaires. Le lancement des « Restaus du cœur » par Coluche en 1985 en est un bon exemple.

---

Les revenus

## En vrac

• Les primes des fonctionnaires représentent en moyenne le quart de leurs rémunérations. Les disparités sont importantes entre les catégories : 6 % pour les enseignants, 50 % pour certains agents des départements d'outre-mer.

• Le tirage du Loto à la télévision est suivi en moyenne par 15 millions de téléspectateurs.

• En Europe, ce sont les patrons suisses qui sont les mieux payés (après impôts), devant les français.

• 0,5 % des cadres dirigeants gagnent plus de 1 600 000 francs par an ; 3,6 % gagnent moins de 250 000 francs.

• Le rapport des rémunérations entre un PDG de grande entreprise et un manœuvre est de 22 ; il était de 26 en 1970. Celui entre un médecin et un manœuvre est de 8,5, contre 13 en 1970.

• Les cotisations sociales payées sur les salaires représentent en moyenne 39 % des salaires (dont 10,5 % à la charge des salariés, et 28,5 % à la charge des employeurs).

S̲ 80 % des femmes connaissent le salaire de leur conjoint, 7 % ne le connaissent pas (13 % ne se prononcent pas).

# Les Dépenses

## POUVOIR D'ACHAT

*Après trente ans de croissance ininterrompue de leur pouvoir d'achat, les Français ont subi depuis 1975 les effets de la crise. Mais toutes les catégories sociales n'ont pas été également touchées.*

### 1950-1980 :
### de la croissance dure
### à la croissance douce

Le pouvoir d'achat est un indicateur économique qui est devenu familier aux Français. C'est lui, en effet, qui mesure l'évolution de leurs ressources dans le temps.

Ce n'est pas en l'occurrence contre le temps que se livre le combat du pouvoir d'achat, mais contre un ennemi plus insidieux : l'inflation. Car le pouvoir d'achat ne représente rien d'autre que le résultat, jamais acquis, de cette lutte permanente. La preuve en est qu'après trente ans de croissance, il a baissé à plusieurs reprises depuis quelques années. Les « 30 glorieuses » appartiennent au passé, même si c'est un passé récent.

*Entre 1950 et 1970,*
*le pouvoir d'achat du salaire moyen*
*a été multiplié par 2.*

Durant la longue période de croissance économique qui suivit la Seconde Guerre mondiale, la pire situation était d'avoir un salaire indexé sur l'inflation, alors que l'ensemble des revenus augmentait plus vite que les prix. Ce fut le cas du s.m.i.g., qui prit un retard important sur les autres salaires jusqu'en 1968, pendant que les revenus plus élevés connaissaient une période de prospérité sans équivalent.

Pendant ces trente années, les Français se sont plus enrichis que pendant tout le siècle précédent. La plupart ont pu progressivement acquérir leur résidence principale et s'équiper des produits-phares de la société de consommation : voiture, réfrigérateur, télévision, machine à laver, etc.

Estimations à partir de données I.N.S.E.E.

### 1950-1980 – Les 30 glorieuses

Évolution des salaires nets annuels et de leur pouvoir d'achat

|  | 1950 | 1980 | Évolution du |
|---|---|---|---|
|  |  | (en francs) | pouvoir d'achat (1) |
| • Cadres supérieurs | 7 900 | 136 600 | + 203 % |
| • Cadres moyens | 4 000 | 70 500 | + 209 % |
| • Employés | 2 800 | 44 400 | + 178 % |
| • Ouvriers | 2 400 | 41 900 | + 206 % |

(1)  Tenant compte de la hausse des prix pendant la période ( + 571 %).

Il n'est donc pas surprenant que les Français se soient installés avec regret et lenteur dans la période qui suivit cet eldorado.

*Entre 1970 et 1980,*
*les salaires ont continué d'augmenter,*
*mais de façon beaucoup plus sélective.*
*• Le pouvoir d'achat des ouvriers a*
*augmenté de 4,7 % par an en moyenne.*
*• Celui des cadres supérieurs de 0,6 %.*
*• Celui du S.M.I.C. de 5,7 %.*

Ignorant la crise, les Français demandèrent la poursuite de l'accroissement de leur pouvoir d'achat, par l'intermédiaire de leurs représentants syndicaux. Malgré les difficultés économiques qui s'accumulèrent et qui se traduisirent par une forte poussée de l'inflation (14,7 % en 1973), le pouvoir d'achat moyen continua d'augmenter, mais de façon très modulée selon les catégories. Ces dix années ont donc eu un impact important sur la hiérarchie des salaires. Le haut de la pyramide se tassait, pendant qu'à la base la forte croissance du S.M.I.C. entraînait celle de l'en-

semble des bas salaires. Un phénomène inverse de celui constaté au cours des vingt années précédentes.

## 1980-1985 : la croissance faible

Le pouvoir d'achat moyen des revenus bruts a légèrement progressé au cours des cinq dernières années. Mais l'augmentation des cotisations sociales et des impôts n'a pas toujours été compensée par celle des prestations sociales. De sorte que le revenu disponible des ménages n'a connu en moyenne qu'une faible hausse (1 % par an environ).

Les disparités restent cependant fortes entre les différentes catégories sociales.

*Chez les salariés, le resserrement de*
*l'éventail des rémunérations s'est*
*poursuivi.*

Depuis 1981, le S.M.I.C. a augmenté son avance sur les autres salaires, en termes d'accroissement du pouvoir d'achat. Cela a eu

### Les gagnants et les perdants

Évolution du pouvoir d'achat des salaires annuels nets (secteur privé et semi-public).

|  | 1981 | 1982 | 1983 | 1984 | 1985 |
|---|---|---|---|---|---|
| • S.M.I.C. | + 4,15 | + 3,80 | + 0,68 | – 0,20 | + 0,03 |
| • Ouvrier spécialisé | + 1,34 | – 0,10 | + 0,15 | + 1,79 | + 0,11 |
| • Employé | + 1,53 | – 0,96 | – 0,44 | – 1,50 | + 0,15 |
| • Cadre moyen | + 1,03 | – 1,56 | – 0,96 | – 1,62 | + 0,26 |
| • Cadre supérieur | + 0,81 | – 1,64 | – 0,95 | – 0,96 | + 0,05 |
| • Ensemble | + 1,89 | – 0,34 | + 0,01 | – 0,72 | + 0,40 |

I.N.S.E.E.

pour conséquence d'améliorer les bas salaires, surtout dans les secteurs privé et semi-public. La réduction de la durée légale du travail, réalisée le plus souvent sans diminution de salaire, a fortement contribué à l'augmentation des salaires horaires les plus bas, tandis que le pouvoir d'achat des salaires mensuels, souvent plus élevés, restait stable. Globalement, le pouvoir d'achat des cadres et agents de maîtrise (en revenu disponible) a baissé pendant la période des cinq dernières années.

Les salariés de la fonction publique ont connu une évolution semblable : après une perte de pouvoir d'achat en 1979, les années 1980 et 1981 ont été plus favorables. En 1982, seuls les fonctionnaires du bas de l'échelle (catégorie D) ont vu leur pouvoir d'achat préservé.

L'expansion (6 juin 1986)

Beaucoup de cadres ont été touchés par la crise. (Couverture conçue par Patrick Benoistel.)

### La France a fait mieux que ses voisins

Variation du pouvoir d'achat du revenu disponible de 1980 à 1984.

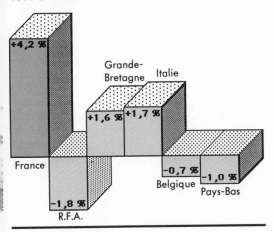

*Ce sont les cadres qui ont été les plus touchés.*

Le pouvoir d'achat des cadres est globalement en baisse depuis 1975. C'est parmi les cadres supérieurs que les effets de la crise ont été le plus sensibles. Entre 1975 et 1985, la seule année positive a été 1976 (+1,2 %).

Les différentes catégories de cadres ont connu des évolutions contrastées. Ainsi, la hiérarchie des salaires s'est tassée chez les techniciens alors qu'elle s'est accentuée chez les ingénieurs. Globalement, on assiste à une réduction des disparités lorsqu'on prend en compte l'impôt sur le revenu et les prestations reçues par les ménages dont le chef de famille est cadre. L'impact des mesures fiscales et sociales est particulièrement négatif chez les cadres célibataires. L'évolution du revenu disponible des ménages montre que les revenus des cadres ont sensiblement moins augmenté depuis une vingtaine d'années que ceux des autres catégories socioprofessionnelles.

*La situation des non-salariés est très différente selon les catégories.*

Après les baisses importantes de 1981 (– 5 %) et surtout de 1980 (– 14 %), le pouvoir d'achat des agriculteurs a retrouvé le chemin de la hausse en 1982 (environ 2,5 %) puis rechuté en 1983 (– 4,2 %).

Les viticulteurs ont été les principaux bénéficiaires, du fait des récoltes exceptionnellement abondantes de 1982 et 1983. 1984 a été moins brillante, à la suite des difficultés rencontrées au niveau européen.

Les commerçants connaissent chaque année des fortunes diverses selon leur activité, la conjoncture générale et leur dynamisme personnel. 1981 avait été pour beaucoup une année difficile ; 1982 fut bien meilleure, en particulier pour les bouchers-charcutiers. 1983

C.E.R.C.

### Pouvoir d'achat des cadres : l'embellie ?

Évolution du pouvoir d'achat du revenu disponible de ménages-types de cadres salariés.

| | CADRES MOYENS (1) | | | CADRES SUPÉRIEURS (1) | | |
|---|---|---|---|---|---|---|
| | 1982 à 1983 | 1983 à 1984 | 1984 à 1985 | 1982 à 1983 | 1983 à 1984 | 1984 à 1985 |
| Célibataire | | | | | | |
| • Homme | − 3,5 | − 0,1 | + 2,6 | − 3,4 | − 0,3 | + 1,9 |
| • Femme sans enfant | − 4,5 | + 0,3 | + 3,9 | − 3,2 | − 0,2 | + 2,9 |
| • Femme 1 enfant | − 3,1 | + 0,6 | + 2,1 | − 1,6 | − 1,3 | + 2,1 |
| Couple, 1 salaire | | | | | | |
| • Sans enfant | − 2,6 | − 0,8 | + 1,9 | − 2,4 | − 1,0 | + 1,2 |
| • 1 enfant | − 2,8 | − 0,4 | + 1,8 | − 2,2 | − 1,1 | + 1,1 |
| • 2 enfants | − 2,4 | − 0,1 | + 1,6 | − 1,2 | − 1,6 | + 0,6 |
| • 3 enfants | − 1,9 | − 0,3 | + 1,3 | − 1,1 | − 1,8 | − 0,1 |
| Couple, 2 salaires | | | | | | |
| • Sans enfant | − 3,3 | − 0,2 | + 2,6 | − 2,7 | − 0,8 | + 1,8 |
| • 1 enfant | − 2,0 | − 0,4 | + 2,4 | − 2,3 | − 0,8 | + 1,5 |
| • 2 enfants | − 2,5 | − 0,6 | + 2,2 | − 1,9 | − 1,0 | + 1,3 |
| • 3 enfants | − 2,0 | − 0,9 | + 1,8 | − 1,4 | + 1,0 | + 3,1 |

(1) Non compris les revenus du patrimoine.

---

### Le moral est meilleur

Perception du niveau de vie passé et à venir.

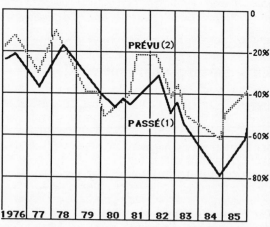

I.N.S.E.E.

(1) Différence entre la proportion de ménages déclarant que « depuis un an, le niveau de vie des Français s'est amélioré » et la proportion déclarant que « le niveau de vie s'est dégradé ».
(2) Différence entre la proportion de ménages déclarant que   au cours des prochains mois, le niveau de vie des Français va s'améliorer et la proportion déclarant que   le niveau de vie va se dégrader  .

marque un repli généralisé, confirmé en 1984.

Globalement, l'opinion des commerçants et artisans sur l'évolution de leur propre situation financière tend à se dégrader. La majorité d'entre eux considère que leur situation est moins bonne depuis quelques années, en particulier depuis la fin de l'année 1980.

Les professions de santé ont subi en 1982 les effets du blocage des tarifs conventionnés, puis les mesures prises par les pouvoirs publics pour réduire l'accroissement des dépenses de santé et équilibrer les comptes de la Sécurité sociale. Les hausses des consultations intervenues en 1983 leur ont permis de retrouver des niveaux de revenus plus élevés.

# DÉPENSES

*Les Français sont aujourd'hui plus enclins à dépenser l'argent qu'à l'épargner. La crise, bien sûr, ne leur laisse pas toujours le choix. Mais la capacité de consommer devient, plus qu'un simple plaisir, le symbole de la liberté.*

## Les Français changent, leurs dépenses changent aussi

Que font les Français du revenu dont ils disposent après avoir payé leurs impôts et perçu les éventuelles prestations sociales auxquelles ils ont droit ? Ils n'ont guère que deux solutions : dépenser ou épargner. Après avoir longtemps joué la fourmi de la fable, c'est la cigale, aujourd'hui, qui a leur préférence.

*Les Français dépensent 87 %*
*de leur revenu disponible.*
*• Entre 1960 et 1980,*
*la consommation a augmenté*
*de plus de 4 % par an en moyenne.*

Depuis 1950, le budget disponible pour la consommation s'est considérablement accru. Jusqu'en 1975, l'épargne avait largement bénéficié de cette manne. Mais la crise a contraint les Français à réduire leur effort d'économie, afin de maintenir ou d'améliorer leur niveau de vie. Malgré la crise, ceux-ci restent en effet très attachés à la consommation, qui leur a procuré beaucoup de satisfactions.

**Consommation-pouvoir d'achat :**
**la course poursuite**

Taux de croissance annuel moyen (%).

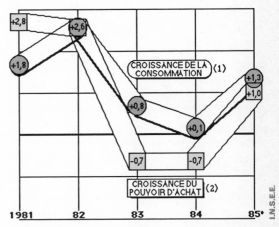

(1) Revenu disponible des ménages. (2) Consommation totale des ménages aux prix de 1970. * Estimation.

## Quand on a moins d'argent, on le dépense différemment

Lorsqu'on examine la structure du budget des Français, on pourrait penser qu'ils mangent de moins en moins et qu'ils ne s'habillent plus, afin de consacrer plus d'argent à leur santé et à leurs loisirs. L'analyse est un peu sommaire ; l'évolution en valeur relative (c'est-à-dire la part consacrée à chaque type de dépenses) doit être complétée par l'évolution en valeur absolue (les dépenses en francs et non plus en pourcentage). On s'aperçoit alors que les Français continuent d'accroître leurs dépenses en nourriture. Mais ils ne peuvent lui

I.N.S.E.E.

## Les nouvelles priorités

Évolution de la structure de la consommation des ménages (en %, calculés à partir de francs courants).

| | 1970 | 1980 | 1984 | Prévision 1990 Variante basse | Variante haute |
|---|---|---|---|---|---|
| • Alimentation | 27,5 | 21,5 | 21,3 | 20,2 | 19,5 |
| • Habillement | 8,6 | 6,7 | 6,2 | 6,1 | 6,0 |
| • Logement (+ chauffage et éclairage) | 14,5 | 16,7 | 17,9 | 16,7 | 16,7 |
| • Équipement du logement | 10,0 | 9,7 | 8,6 | 9,1 | 9,1 |
| • Santé | 9,8 | 12,5 | 13,5 | 16,6 | 16,7 |
| • Transports et communications | 11,6 | 13,5 | 13,6 | 12,8 | 13,4 |
| • Loisirs, culture | 6,0 | 6,6 | 6,4 | 8,8 | 8,9 |
| • Autres biens et services | 12,0 | 12,8 | 12,5 | 9,7 | 9,7 |
| | 100,0 % | 100,0 % | 100,0 % | 100,0 % | 100,0 % |

## Les dépenses des autres

Structure de la consommation des ménages (par habitant, en 1983).

| | France | Allemagne | Grande-Bretagne | États-Unis (1) | Japon (1) |
|---|---|---|---|---|---|
| • Alimentation | 21,1 | 19,4 | 20,2 | 15,7 | 24,2 |
| • Habillement | 6,3 | 7,9 | 6,8 | 6,2 | 6,6 |
| • Logement | 17,5 | 17,2 | 20,7 | 21,7 | 19,3 |
| • Équipement du logement | 9,0 | 9,3 | 6,9 | 5,7 | 5,5 |
| • Santé | 13,2 | 13,6 | 1,1 | 13,3 | 10,3 |
| • Transports et communications | 13,8 | 14,6 | 17,0 | 15,9 | 9,3 |
| • Loisirs, culture | 6,4 | 7,7 | 9,3 | 8,1 | 9,3 |
| • Autres | 12,7 | 10,3 | 18,0 | 13,4 | 15,5 |
| | 100,0 % | 100,0 % | 100,0 % | 100,0 % | 100,0 % |

(1) En 1982

Eurostat

consacrer beaucoup plus, sous peine de tomber malades. D'autant que les autres occasions de dépenses sont nombreuses...

*1973 est une année charnière.*

Le début de la première crise pétrolière coïncide avec une rupture du rythme de consommation des ménages. Elle est particulièrement nette à la baisse pour l'alimenta-tion, l'habillement, et l'équipement du loge-ment ; à la hausse pour les dépenses de santé et de logement. Ces arbitrages traduisent, bien sûr, l'évolution des goûts et des aspirations des Français, liée à leur nouvelle échelle des valeurs. Ils sont aussi la conséquence des contraintes économiques nouvelles. Ainsi, l'augmentation du prix de l'énergie condi-tionne celle des dépenses de logement qui, outre les loyers, comprennent le chauffage et l'électricité. Les dépenses de transport sont également liées à l'augmentation du prix de l'essence et du prix des voitures, dont la construction nécessite beaucoup d'énergie et de matières premières, elles-mêmes dépendant du prix du pétrole. Les Français n'ont réussi à maintenir le niveau de ces dépenses qu'en réalisant des économies substantielles sur les deux postes. D'où une diminution de l'achat de voitures neuves au profit du marché de l'occasion. C'est donc avec une satisfaction mêlée de surprise qu'ils ont assisté en 1986 à la chute brutale du prix du pétrole et à ses effets bénéfiques sur l'économie. Une nouvelle page était tournée...

## Des biens durables aux services

L'évolution de la structure de la consommation des ménages est un bon indicateur de l'état de la société à un moment donné.

Ainsi, la répartition entre les biens durables (meubles, équipement ménager, voiture, etc.) et les dépenses plus éphémères (alimentation, services) donne une idée des transformations qui ont eu lieu dans les modes de vie des Français.

*Les biens durables représentent moins de 10 % des dépenses des ménages.*

**La consommation redémarre**

Variation annuelle de la consommation des ménages selon les postes, en volume (%).

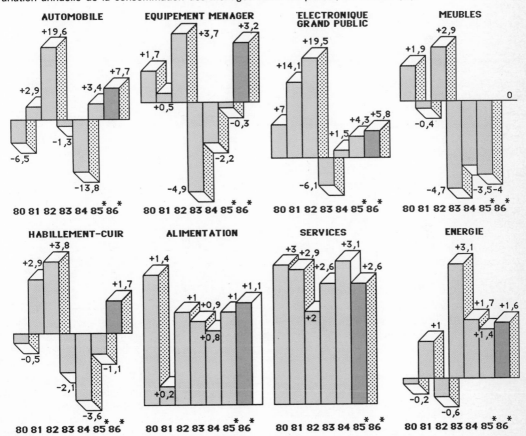

\* *Prévision*

I.N.S.E.E./B.I.P.E.

Eldorado

Le rapport qualité-prix devient essentiel.

**Services compris**

Évolution des dépenses des ménages par nature (en %).

|  | 1970 | 1984 |
|---|---|---|
| ● Biens durables (automobile, radio-TV, électroménager...) | 7,3 | 7,5 |
| ● Biens semi-durables | 15,3 | 12,2 |
| ● Biens non durables (alimentation...) | 42,1 | 39,1 |
| ● Services | 35,3 | 41,2 |
| dont : |  |  |
| – Loyer | 9,5 | 10,6 |
| – Santé | 6,9 | 10,6 |
| – Transports en commun | 2,7 | 3,4 |
| – Autres services | 16,2 | 16,6 |

Après avoir beaucoup augmenté jusqu'en 1972, au moment où les Français s'équipaient en télévision, machine à laver et automobile, la part des biens durables dans le budget tend aujourd'hui à se stabiliser. En attendant, sans doute, le développement prochain de la nouvelle génération d'équipements : magnétoscope, ordinateur familial, lecteur de disques compacts, four à micro-ondes, etc.

Mais il ne faut pas oublier que les prix de certains de ces équipements (électroménager, loisirs, en particulier) ont eu tendance à diminuer en francs constants, ce qui explique une bonne partie de cette évolution.

*Les Français dépensent de plus en plus pour les achats de services.*

La distinction entre les achats de produits manufacturés et ceux de services (assurances, réparations, coiffeur...) fait apparaître une nette diminution des premiers au profit des seconds.

L'augmentation des dépenses de services tient pour une bonne part à l'augmentation de celles qui concernent le logement (loyers et charges ou valeurs locatives pour ceux qui sont propriétaires), liée à la recherche d'un meilleur confort. Mais la hausse du prix de l'énergie explique aussi en partie celle des charges (en particulier le chauffage).

Parallèlement, les dépenses de santé se sont acccrues de façon considérable. Il faut rappeler que le montant qui figure dans le budget des ménages ne représente en fait qu'environ 20 % des dépenses totales, le reste étant pris en charge par la Sécurité sociale.

Il faut enfin préciser que la hausse des prix des services a été généralement plus forte que celle des produits manufacturés, du fait de la hausse continue des salaires qui représentent l'essentiel du prix de revient des services.

*La structure des dépenses ne dépend pas seulement des goûts et des modes.*

On a souvent tendance à oublier l'influence

Les Français sont des acheteurs de plus en plus avertis.

de ce que les économistes appellent les **prix relatifs** sur la structure des dépenses des ménages. S'il est vrai que les évolutions dans les modes de vie entraînent de nouvelles priorités dans la façon d'utiliser ses revenus, une partie du choix est conditionnée par l'augmentation relative des prix au fil du temps. Ainsi, le prix d'une montre ou d'un téléviseur a baissé en francs constants entre 1964 et 1984, ce qui rend l'achat beaucoup plus accessible aux Français, puisque leurs revenus ont, eux, beaucoup augmenté pendant cette période (le salaire ouvrier a été multiplié par 6,6).

### Les étiquettes ne valsent pas toutes au même rythme

Évolution des prix de quelques produits (en francs courants).

| | 1964 | 1984 | variation |
|---|---|---|---|
| Taxe de raccordement au téléphone . . . . . . . | 400 | 250 | − 37,5 % |
| Bracelet-montre pour homme (1) * . . . . . . . . | 69 | 49 | − 30 % |
| Téléviseur Philips noir et blanc 59/61 cm . . . | 2 097,70 | 1 700 | − 19 % |
| Machine à laver, cuve acier 1,5 kg – 3 kg * | 710 | 840 | × 1,18 |
| Réfrigérateur 220 litres * . . . . . . . . . | 975 | 1 490 | × 1,52 |
| Autocuiseur 8 litres . . | 135 | 399 | × 2,95 |
| Prix moyen du kilowattheure à usage domestique . | 0,184 | 0,545 | × 2,96 |
| Taxe de base téléphonique . . . . . . . | 0,25 | 0,75 | × 3 |
| Gauloises brunes . . . . | 1,35 | 4,25 | × 3,14 |
| Club Méditerranée : une semaine Paris-Paris en avion au village d'Al-Hoceima (Maroc) | 940 | 3 395 | × 3,61 |
| Matelas de laine 1,40 m × 1,90 m . . . . . | 519 | 1 999 | × 3,85 |
| Aspirine du Rhône, le comprimé . . . . . . . | 0,055 | 0,23 | × 4,18 |
| Indice des prix (I.N.S.E.E.) . . . . . . . . | – | – | **× 4,78** |

| | 1964 | 1984 | variation |
|---|---|---|---|
| Panier de la ménagère (2) . . . . . | 616 | 2 956 | × 4,79 |
| « Petit Larousse illustré » . . . . . . . . . | 35 | 169 | × 4,82 |
| Contravention de base | 10 | 50 | × 5 |
| Robe de chambre pour homme en laine des Pyrénées . | 67,50 | 340 | × 5,03 |
| Litre d'essence super | 1,04 | 5,65 | × 5,43 |
| « Le Nouvel Observateur » . . . . . | 2 | 11 | × 5,5 |
| Jean Levis 501 non délavé . . . . . . . . | 55 | 310 | × 5,63 |
| Livre de poche simple . . . . . . . . . . . | 1,95 | 11 | × 5,64 |
| Baguette de pain . . | 0,44 | 2,50 | × 5,68 |
| 2 CV Citroën . . . . . . | 5 200 | 30 100 | × 5,78 |
| Montre Cartier Tank en or massif et émail | 2 800 | 17 500 | × 6,25 |
| **Salaire moyen ouvrier** . . . . . . . . . | **715** | **4 689** | **× 6,56** |
| Prix moyen de la place de cinéma . . . . . . . . . | 3,03 | 20,22 | × 6,67 |
| Carnet de tickets de métro, 2ᵉ classe . . . . . | 3,70 | 25,50 | × 6,89 |
| Visite chez un généraliste . . . . . . . | 10 | 70 | × 7 |
| Enterrement 2ᵉ classe | 676,50 | 4 989,66 | × 7,38 |
| **Allocations familiales pour deux enfants de 3 à 10 ans** . . . . . . | **63,36** | **495,78** | **× 7,82** |
| Timbre . . . . . . . . . . . . | 0,25 | 2,10 | × 8,4 |
| Trench pour homme Burberrys en coton . . | 400 | 3 470 | × 8,67 |
| **S.M.I.C. horaire** . . . . . | **1,92** | **24,36** | **× 12,68** |
| Quotidiens nationaux . | 0,30 | 4 | × 13,3 |
| Kilo d'or (fin octobre) . . . . . . . | 5 555 | 103 500 | × 18,63 |

(1) Montre la moins chère du catalogue de la Redoute. Mécanique en 1964, elle est à quartz en 1984.

(2) Relevé de 49 articles pour une famille de cinq personnes établi par l'U.F.C.S. (Union féminine civique et sociale) de Lyon.

* Les prix de ces articles sont extraits des catalogues 64 et 84 de la Redoute.

À l'inverse, le journal, le timbre ou certains services ont augmenté beaucoup plus vite que les revenus, ce qui les rend plus coûteux aujourd'hui.

D'une façon générale, les prix ont tendance à baisser en francs constants au cours du temps. Cela est évidemment d'autant plus sensible que la fabrication des produits et leur mise à disposition se prêtent à des gains de productivité. C'est le cas en particulier de la plupart des produits industriels (électroménager, etc.). Les services constitués essentielle-ment de main-d'œuvre se prêtent beaucoup moins bien à de tels gains. C'est ce qui explique que le recours au coiffeur, au garagiste ou au plombier, ou la fréquentation des salles de spectacle (music-hall, théâtre, cinéma) coûtent de plus en plus cher. L'écart devrait logiquement continuer à se creuser entre les produits manufacturés et les services.

*Face à l'avenir,*
*c'est le pessimisme qui domine.*

Beaucoup de Français estiment qu'ils seront contraints de « serrer davantage les boulons » afin de contenir leurs dépenses. Le phénomène est relativement nouveau. Pendant les premières années de crise, peu de ménages avaient vraiment envisagé concrètement de réduire leur train de vie. On ne sort pas si facilement du confort douillet de la société de consommation pour se frotter à l'austérité...

Avant, cependant, d'entrer dans l'ère de la « consommation triste », les Français ont une dernière carte à jouer, celle d'une réduction de leur épargne. C'est ce qu'ils ont commencé à faire en 1983. Plus qu'une simple satisfaction, la consommation est devenue aujourd'hui un véritable art de vivre. Inquiets pour leur avenir immédiat, les Français veulent profiter sans attendre des plaisirs de la vie.

### Dur, dur... !

Êtes-vous obligé (vous ou votre foyer) de vous imposer régulièrement des restrictions sur certains postes de votre budget ?

| | 1978 | 1980 | 1982 | 1984 | 1985 |
|---|---|---|---|---|---|
| Oui | 52,4 | 59,3 | 64,1 | 65,0 | 63,7 |
| Non | 47,6 | 40,7 | 35,9 | 35,0 | 36,3 |
| Si oui, sur quels postes ? Restrictions sur... | | | | | |
| | % | % | % | % | % |
| Vacances et loisirs | 72,9 | 71,6 | 80,0 | 79,2 | 77,6 |
| Habillement | 67,3 | 66,4 | 71,4 | 76,6 | 75,2 |
| Achat d'équipement ménager | 57,6 | 53,5 | 62,1 | 65,8 | 69,1 |
| Voiture | 42,3 | 52,1 | 55,3 | 54,5 | 50,3 |
| Soins de beauté | 45,2 | 41,1 | 50,9 | 55,4 | 55,0 |
| Alimentation | 20,0 | 27,1 | 26,6 | 26,8 | 27,3 |
| Logement | 26,9 | 26,8 | 32,0 | 32,1 | 35,9 |
| Boisson et tabac | 24,2 | 21,6 | 30,6 | 28,8 | 30,2 |
| Dépenses pour les enfants (1) | 5,0 | 18,2 | 21,6 | 21,9 | 23,2 |
| Soins médicaux | 6,4 | 8,4 | 8,9 | 8,9 | 9,0 |

(1) En 1978 l'item était libellé ainsi : « Éducation des enfants ».

CREDOC

## La civilisation du crédit

Consommer avant de payer. L'idée a fait fortune en France, après avoir été expérimentée avec succès aux État-Unis dès le début du siècle. Le développement de la société dite « de consommation » n'est sans doute pas peu redevable à cette pratique.

Le grand mérite du crédit est d'avoir donné à des millions de Français l'accès à des biens auxquels ils n'auraient sans doute jamais pu prétendre. Difficile, en effet, d'attendre plusieurs années pour économiser la somme nécessaire à l'achat d'une voiture. Sans parler de l'accession au logement qui ne serait guère possible sans le crédit. Au cours des trente dernières années, le développement du crédit a sans doute autant fait pour le rapprochement des conditions de vie des Français que la croissance économique.

### Comptant ou pas comptant ?

Mode d'acquisition de certains équipements (en %) 1984.

|  | TV couleur | Magné-toscope | Lave-vaisselle | Lave-linge | Congé-lateur |
|---|---|---|---|---|---|
| – Au comptant | 67,2 | 55,2 | 73,5 | 73,1 | 77,6 |
| – À crédit | 24,6 | 32,7 | 20,8 | 20,5 | 17,6 |
| – Par cadeau | 6,0 | 4,4 | 4,3 | 5,1 | 3,8 |
| – Location ou location-vente | 1,6 | 7,6 | 0,8 | 0,4 | 0,5 |
| – Neuf | 93,8 | 93,6 | 95,6 | 94,4 | 92,0 |
| – D'occasion | 5,6 | 4,8 | 3,8 | 4,9 | 7,7 |

Le crédit à la carte.

Homsy Delafosse

Pourtant, la médaille a son revers, et la frénésie, parfois inconsciente, de certains les a conduits à bien des déboires. La dissociation de l'acte d'achat et de la dépense qu'il entraîne a en effet modifié la perception qu'ont les acheteurs du « prix des choses ». De sorte que les moins lucides se trouvèrent parfois fort dépourvus... lorsque les échéances furent venues. Le moindre accident de parcours (perte de l'emploi, maladie, etc.) suffit à déclencher un processus qui peut être douloureux. Ils sont nombreux, chaque année, ceux qui, poussés par l'envie et les vendeurs (et aussi l'inflation), sont allés trop loin sur le chemin de l'endettement et ne peuvent plus faire face à leurs engagements.

*10 millions de Français possèdent une carte de crédit.*
*• La plus répandue est la Carte bleue (4 millions de détenteurs).*

Après un démarrage assez lent au cours des années 70, les Français sont aujourd'hui 10 millions à posséder au moins un exemplaire de cette « monnaie en plastique ». Loin derrière les États-Unis, qui en comptent 700 millions, le porte-cartes étant là-bas aussi répandu que le portefeuille (en moyenne 7,6 cartes par habitant). La carte n'est donc plus considérée en France comme un privilège réservé à une élite d'hommes d'affaires et de cadres supérieurs, bien que certaines cartes, telles que celles de l'American Express ou du Diner's Club, conservent encore cette image. La plupart des Français la considèrent aujourd'hui comme un instrument utile, voire indispensable.

## De l'argent liquide à la monnaie électronique

Les cartes de crédit sont l'une des innovations qui ont largement modifié les rapports que les Français entretiennent avec l'argent. Après l'argent-métal, le chèque papier et la carte plastique, la monnaie électronique prendra demain la relève. L'argent, qui n'a déjà plus d'odeur, sera bientôt invisible.

*• Il y a aujourd'hui 27 millions de comptes en banque (particuliers).*
*• 33 % des plus de 15 ans ont un compte chèque postal.*
*• Chaque année, les Français émettent environ 3 milliards de chèques, soit un tous les deux jours en moyenne.*

Le paiement en argent liquide est aujourd'hui de plus en plus limité aux petites sommes dépensées chez le boulanger ou l'épicier. Ceux qui continuent d'utiliser les billets et les pièces le font par plaisir, par ostentation... ou par crainte du percepteur.

Le chèque n'effraie donc plus les Français (même si certains le rédigent encore en anciens francs !), qui bénéficient, au moins provisoirement, de la gratuité du traitement des chèques. Les jeunes, à partir de 13 ans, peuvent même aujourd'hui ouvrir un compte dans la plupart des grandes banques.

### 600 000 « chèques en bois »

Ce nombre (correspondant à l'année 1984) est en augmentation régulière, puisqu'il n'était que de 350 000 en 1972. Il comprend environ 200 000 chèques volés, falsifiés ou contrefaits. Les superstitieux devraient le savoir : « toucher du bois » n'est pas toujours une bonne solution pour se prémunir contre le mauvais sort...

*Les titres-restaurant et les chèques-vacances sont de l'argent à prix réduit.*
*• 700 000 salariés*
*utilisent des titres-restaurant.*

Des formes particulières de chèques ont été développées pour les salariés des entreprises. Avec les titres-restaurant, celles-ci prennent en charge une part (environ la moitié) de leur déjeuner, lorsqu'elles ne peuvent mettre à leur disposition une cantine.

### 200 millions de « chèques-restau »

On a émis, en 1985, environ 200 millions de titres-restaurant, pour une valeur de plus de 3 milliards de francs. Cinq sociétés se partagent ce marché considérable : le Ticket-Restaurant représente 39 %, devant le Chèque-Restaurant (36 %) et sa filiale le Chèque-Repas (13 %). Le Ticket-Repas représente 8,5 % et le Chèque-de-Table 2 %. L'impact de ces titres-restaurant sur l'industrie de la restauration a été considérable. On considère que la clientèle des restaurants parisiens a triplé depuis leur instauration. Il faut dire que le titre-restaurant est en quelque sorte de l'argent en solde. Des soldes qui présenteraient l'avantage de durer toute l'année...

Le chèque-vacances, créé en mars 1982, a une vocation sociale affirmée. Réservé au départ à ceux qui disposaient des plus faibles revenus (et payaient moins de 1 130 francs d'impôts), il ne connut pas le succès espéré. C'est pourquoi le plafond du montant d'impôt a été relevé à 5 000 F pour 1984, de sorte que le chèque-vacances concerne 16 des 20 millions de foyers français. Sa délivrance, facultative, est assurée par les comités d'entreprise et les organismes à caractère social (caisses de retraite, allocations familiales, etc.). Les bénéficiaires achètent ces chèques à 80 %, 50 %, voire 30 % de leur valeur nominale, pour un montant mensuel plafonné à 10 % du S.M.I.C. et pendant 8 mois de l'année. Ils peuvent les utiliser chez les commerçants, au péage des autoroutes ou dans les stations-service.

*La monnaie électronique sera une étape décisive vers l'argent invisible.*

Avec elle, le paiement se libérera de tout support matériel. Plus de pièce, de billet ou de chèque. Les cartes de crédit utilisées aujourd'hui ne constituent pas un véritable règlement, puisque les achats qu'elles couvrent doivent être réglés ultérieurement par chèque ou virement bancaire. Demain, l'introduction de la « carte à mémoire » dans un lecteur spécial installé chez le vendeur permettra à celui-ci d'être crédité immédiatement sur son compte, en même temps que le compte de l'acheteur sera débité.

## Vers la « banque à domicile »

Autre aspect des immenses possibilités ouvertes par l'électronique, la banque à domicile permettra demain aux Français de gérer leur compte au moyen d'un simple terminal Minitel installé dans leur salon. Cet appareil, relié à la banque par le réseau P.T.T., comporte un clavier qui autorise toutes les opérations classiques : transferts d'un compte vers un autre, connaissance de la situation du compte, etc., à partir d'un numéro de code confidentiel. Les utilisateurs pourront, en outre, avoir accès à certains services offerts par la banque : conseils financiers, cours de la Bourse, informations diverses. La Banque populaire de Lorraine et le C.C.F. ont été les premiers à tester le système. Des terminaux Minitel ont été mis gratuitement à la disposition d'entreprises et de particuliers. Leur utilisation permet, outre ces services bancaires, l'accès à l'annuaire électronique des P.T.T., l'achat par correspondance (la Redoute, les Trois Suisses...) et la consultation d'un nombre croissant de banques de données.

Des expériences sont actuellement en cours afin de tester les possibilités de ces cartes et les réactions de leurs titulaires. L'ère de l'argent électronique a commencé. La modicité des investissements nécessaires aux banques pour offrir de tels services par rapport aux économies qu'ils permettent de réaliser (papier, circuits administratifs, correspondance, etc.) devrait les inciter à avancer rapidement dans cette voie. Le consommateur devrait aussi y trouver son compte.

Les dépenses

## En vrac

● Entre 1960 et 1983, le pouvoir d'achat des Français a doublé ; il avait augmenté de 80 % entre 1960 et 1973.
● Entre 1970 et 1985, le prix du timbre (lettre de moins de 20 g) a été multiplié par 7. Le prix du litre de super a été multiplié par 4,9, contre 4,0 pour l'ensemble des prix à la consommation (4,1 pour les produits alimentaires, 3,8 pour les produits manufacturés, 4,2 pour les services).
● La part des dépenses des ménages consacrée à l'alimentation pourrait être inférieure à 20 % du budget en 1990 ; celle consacrée à la santé pourrait se rapprocher de 17 % (en 1963 les chiffres respectifs étaient de 30,5 % et 7,9 %).
● 68 % des hommes connaissent les dépenses de la femme avec laquelle ils vivent (réponses des femmes) ; 17 % ne les connaissent pas (15 % ne se prononcent pas).
● 47 % des femmes déclarent éprouver du plaisir à dépenser de l'argent (46 % non, 7 % ne se prononcent pas).
● Après avoir baissé en 1984, le pouvoir d'achat du salaire horaire ouvrier a progressé de 0,5 % en 1985.

# Le Patrimoine

## ÉPARGNE

*Pour maintenir leur niveau de vie malgré la crise, les Français ont dû réduire leur effort d'épargne. D'autant plus facilement semble-t-il que leur goût pour l'économie est de moins en moins prononcé. Mais, autant que le montant de l'épargne, c'est la façon d'épargner qui est en train de changer.*

### Il n'y a plus de petites économies

Le taux d'épargne des ménages, qui mesure la part du revenu disponible qu'ils consacrent à l'épargne ou à l'investissement, a fortement baissé depuis près de 10 ans. 1981 et 1982 avaient laissé espérer une certaine reprise de l'effort d'épargne, encouragé par le gouvernement en place. Les années 1983 à 1985 ont marqué une rechute spectaculaire, avec un niveau inférieur à 15 %. Il faut remonter à 1969 pour trouver un taux inférieur. Tout laisse à penser que 1986 ne sera pas non plus une bonne année pour les tirelires.

*L'endettement nouveau des ménages tend aussi à diminuer.*

À l'épargne financière annuelle des ménages s'ajoute l'endettement à moyen et à long terme qu'ils contractent en vue de l'achat ou de l'amélioration d'un logement (ou de l'investissement, pour les entrepreneurs individuels). On estime à 10 % de la valeur de leurs biens immobiliers le montant de l'endettement actuel des particuliers. L'emploi de ces ressources financières est constitué à la fois des placements, des investissements et des remboursements d'emprunts.

On constate depuis quelques années que l'endettement nouveau tend à suivre le mouvement de baisse constaté pour l'épargne globale, du fait des taux d'intérêt élevés par rapport au niveau des prix et de la désaffection pour l'immobilier. Les placements, de leur côté, connaissent depuis plusieurs années des modifications importantes. Les Français sont aujourd'hui plus ambitieux. Ils savent que l'argent qui dort a parfois un mauvais réveil...

## La déséparGne

Évolution du taux d'épargne des ménages

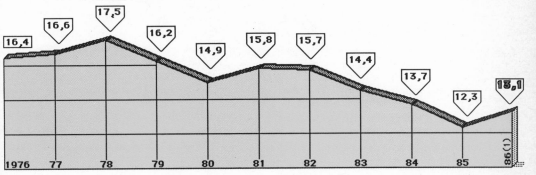

16,4 | 16,6 | 17,5 | 16,2 | 14,9 | 15,8 | 15,7 | 14,4 | 13,7 | 12,3 | 13,1

1976  77  78  79  80  81  82  83  84  85  86(1)

Rapport sur les comptes de la nation/I.NS.E.E.

### La fourmi luxembourgeoise et la cigale belge

Taux d'épargne brute dans quelques pays de l'O.C.D.E. (en % du PIB).

|              | 1984 | 1970 |
|--------------|------|------|
| • Luxembourg | 57,5 | 40,8 |
| • Japon      | 31,6 | 40,2 |
| • Suisse     | 28,6 | 32,6 |
| • Allemagne  | 21,9 | 28,1 |
| • Espagne    | 19,9 | 24,6 |
| • Canada     | 19,4 | 21,2 |
| • Royaume-Uni| 19,3 | 22,0 |
| • FRANCE     | 18,6 | 26,2 |
| • Italie     | 17,7 | 24,2 |
| • Suède      | 17,5 | 24,8 |
| • États-Unis | 17,0 | 18,1 |
| • Danemark   | 15,8 | 21,8 |
| • Belgique   | 15,6 | 27,1 |

## Le pouvoir d'achat, mais aussi les mentalités

Les mouvements d'oscillation qui caractérisent l'effort d'épargne des Français ne sont pas le fruit de leurs hésitations entre la volonté e dépenser et celle de faire des économies. Ils sont liés, de façon plus ou moins directe, et immédiate, à des facteurs concrets tels que les revenus, le chômage, l'inflation, la démographie ou la protection sociale. Certains concernent le court terme, d'autres le long terme. Une bonne façon de les appréhender est de s'intéresser au pouvoir d'achat du revenu disponible des ménages, qui prend en compte la plupart de ces paramètres.

Il serait pourtant faux de croire que le comportement des Français en matière d'épargne dépend exclusivement des facteurs

LA VIE ÇA ROULE EN SUPERCINQ

Publicis

L'important n'est plus d'épargner, mais de vivre.

financiers. La dimension **psychologique** joue un rôle considérable. Le taux d'épargne des ménages n'est que l'une des conséquences de leurs modes de vie. Il se trouve que, depuis quelques années, l'évolution du pouvoir d'achat et celle des mentalités poussent dans la même direction, celle d'une diminution de l'épargne au profit de la consommation immédiate.

*Le pouvoir d'achat et l'épargne
ne varient pas toujours dans le même sens.*

À dépenses égales, il paraît logique que l'augmentation du pouvoir d'achat entraîne celle de l'épargne. Dans la réalité, les choses ne sont pas aussi claires. Les ménages tendent à profiter des « bonnes années » pour effectuer certaines dépenses (biens d'équipements, voyages, etc.) et à freiner celles-ci pendant les périodes de vaches maigres.

Ce phénomène de compensation s'applique surtout à des dépenses exceptionnelles, pour lesquelles la liberté de décision est totale (vacances, équipements, etc.). Il n'en va pas de même pour les dépenses courantes et pour celles qui sont imposées par les circonstances (impôts supplémentaires, remplacement d'une voiture ou d'un équipement...). Globalement, le taux d'épargne reste lié à l'évolution du pouvoir d'achat, même si l'effet a parfois quelque retard sur la cause. Ainsi, la baisse constatée entre 1983 et 1985 est sans doute à mettre sur le compte à la fois de la réduction du pouvoir d'achat au cours de la période et de l'accroissement de la consommation qui s'était produit (de façon un peu artificielle) en 1981 et 1982.

*Les Français privilégient de plus en plus
la consommation par rapport à l'épargne.*

L'effort d'épargne est indissociable de la notion de durée. C'est pour l'avenir, même à court terme, que l'on met de l'argent de côté, en vue de financer une dépense prévue à une certaine échéance ou simplement pour pouvoir faire face à une difficulté imprévue. Aujourd'hui, les Français ont peur de l'avenir. Celui-ci leur paraît tellement plein d'incertitude et de risque qu'ils préfèrent se concentrer sur le présent.

Même si tous ne se laissent pas gagner par le « catastrophisme », beaucoup arrivent à des conclusions voisines quant à la façon dont il faut vivre aujourd'hui. Pour eux, l'argent est une condition nécessaire si l'on veut profiter de la vie actuelle et conserver sa liberté face aux multiples tentations quotidiennes. Consommer, c'est agir, c'est occuper son temps sur la terre, donc tenter de s'y épanouir. C'est pourquoi il faut dépenser pour vivre. Cette équation très simple explique la plupart des modes de vie contemporains. On conçoit que l'épargne y ait de moins en moins sa place.

En fait, c'est toute la « philosophie » de la vie qui a changé depuis une vingtaine d'années. La jouissance et le confort matériel ne sont plus des récompenses, mais des besoins légitimes.

## Placements : l'argent se réveille

L'ère des placements de « père de famille » est-elle révolue ? Après avoir longtemps placé l'essentiel de leurs économies à la Caisse d'épargne, dans l'or ou dans la pierre (sans oublier les bas de laine), les Français commencent à rechercher aujourd'hui des solutions plus avantageuses et s'orientent plus volontiers vers les valeurs mobilières (obligations, actions). Il faut dire que leurs patrimoines ont été depuis dix ans sérieusement érodés par une inflation persistante.

Le mouvement, cependant, n'a pas encore touché la totalité des épargnants, dont beau-

---

### Patrimoine et rapport

Structure du patrimoine de rapport et des revenus de ce patrimoine (1985, en %).

| | Structure du patrimoine de rapport | Structure des revenus du patrimoine |
|---|---|---|
| • Immobilier (bâti ou non bâti) | 36 | 18 |
| • Valeurs mobilières | 30 | 35 |
| • Autres placements | 34 | 47 |
| dont épargne liquide ou court terme | (32) | (45) |
| | 100 | 100 |

coup continuent de préférer la sécurité de la Caisse d'épargne aux grandes émotions des spéculations boursières. Quant à la pierre et à la terre, les Français n'attendent sans doute qu'un signal (celui de la reprise) pour lui manifester à nouveau un attachement qui reste viscéral.

### Les Français boudent de plus en plus la Caisse d'épargne.

En 1985, les retraits ont été supérieurs aux dépôts de quelque 500 millions de francs pour l'épargne ordinaire de la Caisse nationale d'épargne. Les avoirs des déposants dans les comptes d'épargne logement, plans d'épargne logement et livrets d'épargne populaire représentaient 25,9 milliards de francs à fin 1985 (Caisse nationale) contre 22 milliards à fin 1984.

La désinflation ne profite pas à l'Écureuil.

On assiste en outre à une redistribution entre les différents produits. Les Français ont massivement dégarni les livrets B, soumis à l'impôt, pour placer leur argent dans les livrets d'épargne populaire (pour ceux qui y ont droit), créés en juin 1982. Les CODEVI prennent aussi une part croissante.

Pour la première fois, les banques se sont vu reconnaître le droit de chasser sur les mêmes terres que l'Écureuil, celles de produits défiscalisés (nets d'impôts). La forte publicité faite autour du produit a permis aux banques de drainer une partie importante de l'épargne nouvelle (on estime à 23 % seulement la part de la Caisse d'épargne dans les dépôts concernant les CODEVI).

La désaffection croissante des Français pour la Caisse d'épargne ne s'explique pas seulement par ce transfert vers des produits bancaires de même nature. Elle marque aussi le début d'un nouveau comportement des épargnants. Curieusement, ce mouvement se produit au moment où les taux d'intérêt servis sont, exceptionnellement, du même ordre que l'inflation.

---

### L'Écureuil ne grignote plus l'argent des Français

Le livret de la Caisse d'épargne a le double avantage de la sécurité et de la liquidité. On est sûr, en effet, de toucher les intérêts et on peut retirer son argent à tout moment. Il a présenté, pendant longtemps, l'inconvénient majeur de mal protéger de l'érosion monétaire le capital qui lui était confié. Ainsi, une somme placée en 1970 sur un livret A avait perdu en 1983 un quart de sa valeur en francs constants. Une érosion due au « différentiel », constamment négatif jusqu'en 1984, entre le taux d'intérêt et l'inflation. La perte pour les épargnants a été particulièrement sévère depuis le début de la crise, car la revalorisation, légère et tardive, des taux d'intérêt est loin d'avoir compensé l'accroissement de l'inflation.

Pourtant, la situation a changé depuis 1984, où les taux d'intérêt « réels » (déduction faite de l'inflation) sont devenus positifs (6 % au début de 1986, contre 4,7 % d'inflation en 1985). Mais cette situation nouvelle reste cependant moins favorable à l'épargnant que celle obtenue par exemple avec les SICAV.

---

### Immobilier : la fin de l'âge d'or.

Depuis 5 ans, les Français ne s'intéressent plus guère à la pierre. Ceux qui souhaitaient acquérir leur logement ont été découragés par les taux d'intérêt des prêts immobiliers, surtout en phase d'inflation descendante. L'évolution de leur capacité financière (pouvoir d'achat) leur a donné aussi quelques inquiétudes, de même que leur capacité de remboursement, compte tenu des risques qui pèsent sur l'emploi. Ceux qui disposaient au contraire d'un capital à investir ont été découragés par les faibles perspectives de rentabilité, dues à l'évolution des loyers. La loi Quilliot, qui avait modifié les rapports entre les propriétaires et les locataires, dans un sens favorable à ces derniers, les avait inquiétés. De même que les dispositions fiscales décidées depuis 1981. Les nouvelles mesures prises en 1984, puis en 1986 concernant les hausses des loyers et les incitations à l'investissement dans l'immobilier locatif ont donc été accueillies avec satisfaction. Mais il faudra d'autres assurances pour que le placement immobilier retrouve tout son intérêt.

Dans cette situation difficile, c'est la maison individuelle qui résiste le mieux. L'immobilier de loisirs a trouvé un second souffle grâce à la formule de la multipropriété, qui autorise des investissements d'un montant beaucoup plus limité. Quant à la terre, elle connaît depuis quelques années une désaffection croissante, qui explique la baisse constatée depuis 1975.

*Les valeurs refuge*
*ne sont plus ce qu'elles étaient.*

Il est décidément bien difficile de placer son argent ! Déçus par les rendements qui leur sont proposés par la Caisse d'épargne, découragés par la situation chaotique du marché immobilier, les Français ont eu aussi quelques émotions avec les traditionnelles valeurs refuge.

L'or ne joue plus, depuis quelques années, son rôle de valeur refuge, les plus-values enregistrées étant très inférieures à celles obtenues avec les valeurs mobilières.

Les pierres précieuses ont connu des mouvements de grande amplitude que seuls les professionnels et spéculateurs chanceux ont pu mettre à profit. Certains épargnants ont connu de graves déboires en investissant dans le diamant.

Quant au marché des objets d'art, il ne concerne que la minorité (croissante) de Français capables de se mouvoir dans un domaine où l'argent côtoie la culture.

*Depuis 1983,*
*beaucoup de Français*
*ont redécouvert la Bourse.*

Longtemps délaissées par les Français, les valeurs mobilières ont retrouvé leurs faveurs. La Bourse leur a d'ailleurs bien rendu la politesse : hausse record de 56 % sur les actions en 1983 ; hausse très honorable de 16 % en 1984 ; nouvelle flambée en 1985 (+ 45 %).

Les efforts des pouvoirs publics pour diriger l'épargne des particuliers vers la Bourse n'auront pas été vains. De leur côté, les Français, à la recherche de placements un peu plus performants que la Caisse d'épargne, ont découvert dans la Bourse un univers nouveau, dont la diversité (actions, obligations, SICAV, fonds communs de placement, etc.) pouvait répondre à des besoins très différents.

Mais la croissance spectaculaire des actions cotées en Bourse ne doit pas faire oublier que les Français achètent surtout des obligations, d'un maniement plus facile (même si ce n'est qu'une apparence). Celles-ci constituent en effet l'essentiel des transactions à la Bourse de Paris. La capitalisation des obligations en circulation représente trois fois celle des actions contre la moitié il y a 20 ans.

L'engouement nouveau des Français pour des placements plus risqués ne traduit pas seulement leur souhait de mieux préserver leur capital. Il marque aussi leur volonté de prendre un peu plus en charge leur patrimoine, comme le reste de leur vie privée.

L'argent qui court rapporte plus que celui qui dort.

# FORTUNE

*Entre 1950 et 1980, les Français s'étaient beaucoup enrichis. Depuis, la crise et l'inflation n'ont pas réussi à stopper la croissance de leur patrimoine. Mais, si la fortune des Français est aujourd'hui plus largement répartie, le « Club des riches » reste encore très fermé.*

## 750 000 francs par ménage

Estimer la valeur du patrimoine des Français n'est pas chose facile. Il faut en effet pour cela répondre à deux questions délicates : Quels sont les *biens* possédés par les ménages ? Quelle est la *valeur* de chacun d'eux ?

La réponse à la première question (les biens) ne peut être qu'incomplète. On connaît la discrétion des Français dans ce domaine. Peu d'entre eux sont prêts à rendre public le nombre de pièces d'or, de bijoux et d'objets de valeur qu'ils conservent jalousement dans leur coffre ou dans leur cave.

La réponse à la seconde question (la valeur) ne peut être qu'approximative. Chacun sait que la valeur d'un appartement, d'une action ou d'un tableau de maître est éminemment variable et qu'elle ne peut être connue avec certitude que lorsqu'ils font l'objet d'une transaction (à condition, d'ailleurs, qu'aucun « dessous-de-table » ne vienne fausser les statistiques...).

Mais ces incertitudes et ces imperfections ne doivent pas cacher l'essentiel, qui est que les Français se sont beaucoup enrichis depuis une trentaine d'années.

*En 1985, le patrimoine global des Français pourrait être estimé à environ 15 000 milliards de francs.*

Le dernier chiffre officiellement connu est celui de 1980 : 8 000 milliards de francs. Un chiffre considérable puisqu'il représente 4 fois le montant du produit national brut de l'époque. Mais très inférieur à la réalité, car il ne tient pas compte de certains biens difficiles à évaluer. Il faut y ajouter environ 150 milliards de francs pour l'argent liquide, les objets de collection et les biens d'équipement domestique, 400 à 500 milliards pour l'or et 500 milliards pour les biens d'équipement (voitures, appareils ménagers, etc.).

**La roue de la fortune**

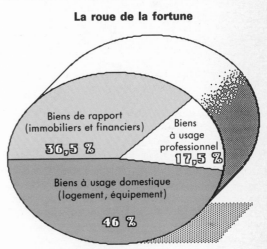

Biens de rapport (immobiliers et financiers) 36,5 %

Biens à usage professionnel 17,5 %

Biens à usage domestique (logement, équipement) 46 %

Estimations, d'après les études du C.E.R.C.

Au total, les Français se partageaient donc en 1980 un magot d'environ 9 000 milliards de francs. Si l'on émet l'hypothèse d'une hausse annuelle moyenne de 12 % en valeur entre 1980 et 1985 (contre 14 % pour la période 1971-1980), le patrimoine doit représenter aujourd'hui environ 16 000 milliards, soit 8 000 francs par ménage en moyenne. Il faut encore lui retrancher le montant de l'endettement (crédits à rembourser à moyen et à long terme), soit un peu plus de 60 000 francs par ménage. Ce qui laisse un patrimoine net de 740 000 francs en moyenne, que l'on peut arrondir à 750 000 francs, compte tenu des sous-évaluations probables.

Il faut évidemment rappeler que ce chiffre représente une moyenne qui cache en fait de nombreuses et profondes disparités.

*Le logement représente
la moitié du patrimoine des Français.*

L'immobilier reste l'élément prépondérant de la fortune des Français. Ce poste regroupe à la fois les biens immobiliers servant à la résidence de leurs propriétaires et ceux qui sont destinés au rapport (immeubles donnés en location).

Le second poste, par ordre d'importance, concerne l'*épargne liquide,* qui comprend l'ensemble des dépôts à vue (livrets d'épargne, comptes sur livret, etc.), les dépôts à terme et les bons non négociables.

Les *terres* et *terrains* représentent aussi une part décroissante, du fait de la baisse (en francs constants) qu'ils subissent depuis plusieurs années.

En revanche, le poids des *valeurs mobilières* (actions, obligations), qui s'était déjà accru entre 1976 et 1979, a poursuivi sa croissance, profitant en particulier de la très forte hausse des actions entre 1983 et 1985.

### Moins de foncier, plus de liquide

Structure du patrimoine de rapport (%).

|  | 1983 | 1970 |
|---|---|---|
| Foncier |  |  |
| • urbain | 31,5 | 35,2 |
| • rural | 10,6 | 16,7 |
|  |  |  |
| Valeurs mobilières |  |  |
| • actions | 12,4 | 19,2 |
| • obligations | 8,7 | 4,7 |
|  |  |  |
| Épargne liquide |  |  |
| • livrets | 21,1 | 13,5 |
| • épargne logement | 5,1 | 0,9 |
| • autres (1) | 10,6 | 9,8 |
|  | 100,0 | 100,0 |

(1) comptes à terme, bons, comptes courants d'associés.

*C.E.R.C.*

## Les salariés et les autres

La répartition du patrimoine global est très différente selon la profession exercée. Entre les membres des professions libérales, qui possèdent plus de 3 millions de francs, et les ouvriers, qui en ont 15 fois moins, l'écart est considérable. Il s'explique principalement par trois raisons :
• l'existence d'un capital professionnel, indispensable à l'exercice de certaines professions (les terres de l'agriculteur, les locaux et machines de l'industriel, le cabinet et l'équipement des professions libérales) ;
• le poids de l'héritage, qui entretient l'inégalité entre les diverses catégories ;
• les écarts entre les revenus, qui amplifient les écarts entre les patrimoines.

Chacun de ces facteurs va dans le sens d'un maintien général, voire d'un renforcement, des différences au fil des générations.

### L'habit fait le... patrimoine

Patrimoine brut des foyers (1) selon la catégorie socioprofessionnelle (en francs).

|  | 1985 (2) | 1980 |
|---|---|---|
| • Professions libérales | 4 300 000 | 2 350 000 |
| • Industriels et gros commerçants | 3 500 000 | 2 234 000 |
| • Exploitants agricoles | 1 900 000 | 1 067 000 |
| • Artisans et petits commerçants | 1 750 000 | 882 000 |
| • Cadres supérieurs | 1 540 000 | 848 000 |
| • Cadres moyens | 650 000 | 357 000 |
| • Inactifs | 640 000 | 345 000 |
| • Employés | 340 000 | 181 000 |
| • Ouvriers | 240 000 | 148 000 |

(1) Le nombre des foyers fiscaux est de 23 millions (contre 20 millions de ménages).
(2) Estimations à partir des études du C.E.R.C.

*C'est l'existence
d'un patrimoine professionnel
qui explique les plus gros écarts.*

Si l'on enlève la valeur des biens professionnels et des terrains qui entrent dans le patrimoine des non-salariés (agriculteurs, commerçants, industriels, professions libérales), on s'aperçoit que leur fortune est beaucoup plus proche de celle des salariés. C'est donc l'existence d'un patrimoine professionnel pour certains métiers qui explique le mieux les disparités entre les catégories sociales. L'autre explication tient à ce que les revenus dégagés par ces professions sont (à

## Le capital et le travail

Structure du patrimoine selon la fonction, par catégorie socioprofessionnelle (en %) 1980.

| Catégorie socioprofessionnelle du chef de foyer | Fonction d'usage domestique | Fonction d'usage professionnel | Fonction de rapport | Autres fonctions | Ensemble du patrimoine brut |
|---|---|---|---|---|---|
| Exploitant agricole | 17 | 64 | 17 | 2 | 100 |
| Profession libérale | 26 | 25 | 43 | 6 | 100 |
| Cadre supérieur | 46 | 3 | 44 | 7 | 100 |
| Ouvrier, salarié agricole et personnel de service | 70 | 3 | 21 | 6 | 100 |
| Inactif | 37 | 4 | 51 | 8 | 100 |
| **Ensemble** | **40** | **18** | **36** | **6** | **100** |

CERC

l'exception des agriculteurs et de certains commerçants) supérieurs à ceux des salariés. Ils permettent donc un niveau d'épargne plus élevé, ce qui accroît d'autant le patrimoine.

*Chez les salariés,*
*les écarts entre les patrimoines*
*sont beaucoup plus élevés*
*qu'entre les revenus.*
*• L'écart*
*entre le patrimoine moyen des ouvriers*
*et celui des cadres supérieurs*
*est de 6,4.*
*• L'écart entre leurs revenus disponibles*
*est proche de 2.*

La hiérarchie des patrimoines des ménages de salariés est très semblable à celle de leur revenus. Mais les écarts qui les séparent ne sont pas du même ordre. Une partie de ces différences provient de l'héritage, qui tend à maintenir, voire à renforcer, la hiérarchie entre les catégories sociales. Mais l'explication principale est que l'épargne des ménages est généralement proportionnelle à leur revenu.

*La comparaison des patrimoines « moyens »*
*réduit considérablement les écarts.*
*• L'écart entre les patrimoines des ouvriers*
*peut être estimé à 3 ou 4*
*entre le premier et le dernier décile (\*).*
*• Il est 10 fois plus élevé*
*chez les cadres supérieurs.*

(\*) Premier décile : les 10 % les moins élevés.

À l'intérieur d'une même catégorie professionnelle, le patrimoine moyen cache des disparités parfois énormes. Chez les salariés, le phénomène est d'autant plus vrai que l'on monte dans la hiérarchie professionnelle.

*Parmi les non-salariés,*
*les disparités sont encore plus marquées.*

Chez les agriculteurs, le capital professionnel peut varier dans des proportions considérables, du petit producteur laitier au gros éleveur ou à l'exploitant quasi industrialisé. De la même façon, l'outil de travail du patron d'une petite usine artisanale aura une valeur infime par rapport aux actifs d'un grand industriel, même si ce dernier n'en est pas propriétaire à 100 %.

E *1 % des Français les plus fortunés*
*détiennent près de 30 % du patrimoine total.*
*• Les 10 % les plus fortunés*
*en possèdent environ 60 %.*
*• Les 10 % de ménages les moins fortunés*
*en possèdent une part infime (0,03 %).*

La structure très étirée des patrimoines à l'intérieur de chaque catégorie sociale ne doit pas cacher l'énorme concentration du capital. La répartition du patrimoine est beaucoup plus inégale que celle des revenus. Les 10 % de revenus les plus élevés ne représentent en effet qu'un tiers du revenu global des Français après impôt.

## Fortune : l'argent des autres

Le « Club des riches », dont le « droit d'entrée » peut être fixé aux alentours de 3 millions de francs, reste très fermé. Les seuls salaires, même élevés, ne sont en général pas suffisants pour y accéder. D'autres revenus sont nécessaires, ceux par exemple des professions indépendantes, qui facilitent la création d'un capital. Mais c'est encore l'héritage qui constitue le moyen le plus sûr d'entrer dans le Club. L'instauration, en 1981, de l'impôt sur les grandes fortunes (I.G.F.) a permis d'y voir un peu plus clair dans la répartition du patrimoine des Français, même si le mystère qui entoure depuis longtemps les grosses fortunes n'est pas encore totalement dissipé.

le Point (14 avril 1936)

Le verbe avoir séduit plus sûrement que le verbe être.

E  *Il y a en France*
*plus de 100 000 grandes fortunes.*

Du fait des exonérations de l'impôt (outil de travail, œuvres d'art, forêts, etc.), les chiffres de l'I.G.F. représentent des estimations peu précises et inférieures à la réalité.

Il en ressort notamment que, sur les 100 000 foyers fiscaux ayant payé l'impôt sur les grandes fortunes, 6 détiendraient un patrimoine supérieur à un milliard de francs actuels. D'autres enquêtes montrent que les vrais chiffres sont probablement très supérieurs (voir encadré ci-après).

### 16 milliardaires en francs actuels

L'enquête menée par le magazine *l'Expansion,* qui prend en compte non pas « l'assiette administrative » des patrimoines mais tente d'approcher leur valeur de marché, répertorie 50 fortunes supérieures à 550 millions de francs. 16 d'entre elles dépassent le milliard :

- Héritage Marcel Dassault (avions, presse...) : 7 à 7,5 milliards de francs ;
- Liliane Bettencourt (L'Oréal...) : 6,6 à 7 milliards de francs ;
- Marcel Bich (stylos, briquets...) : 2,1 à 2,2 milliards de francs ;
- Edmond de Rothschild (banque...) : 2 à 2,5 milliards de francs ;
- Robert Hersant (presse) : 2 à 2,2 milliards de francs ;
- Michel David-Weill (banque Lazard...) : 1,5 à 2 milliards de francs ;
- Geneviève Seydoux (Schlumberger, Seydoux...) : 1,5 à 1,6 milliard de francs ;
- Jean-Noël Bongrain (produits alimentaires) : 1,3 à 1,4 milliard de francs ;
- Sylvain Floirat (Matra, Hachette...) : 1,2 à 1,3 milliard de francs ;
- Philippe Rossillon (Schlumberger) : 1,2 à 1,25 milliard de francs ;
- Jérôme Seydoux (chargeurs...) : 1,1 à 1,2 milliard de francs ;
- Nicolas Seydoux (Schlumberger, Gaumont...) : 1,1 à 1,2 milliard de francs ;
- Anne Gruner-Schlumberger (Schlumberger) : 1,1 à 1,2 milliard de francs ;
- Michel Seydoux (audiovisuel, aviation) : 1 à 1,1 milliard de francs ;
- Francis Bouygues (bâtiment) : 1 à 1,1 milliard de francs ;
- Gustave Leven (Perrier) : 1 à 1,1 milliard de francs.

*Les « petits riches » ont plus d'immobilier, les « gros riches »*
*ont plus de valeurs mobilières.*

Parmi les biens non professionnels, les immeubles représentent en moyenne 47 % du patrimoine, les valeurs mobilières et liquidités, 53 %.

Ce sont les immeubles de rapport qui constituent l'essentiel (53,2 %) du parc immobilier. Les résidences principales ne représentent que 22,1 %, les résidences secondaires 12,4 %. Il va de soi, en effet, que plus on a de biens immobiliers, plus il est difficile de les habiter tous !

*le Nouvel Observateur/Proscop (18 octobre 1985)*

## France riche, France pauvre

| Les 10 départements les plus riches | | Les 10 départements les plus pauvres | |
|---|---|---|---|
| (en % du patrimoine global des Français) | | | |
| • Paris | 11,50 | • Creuse | 0,16 |
| • Hauts-de-Seine | 3,88 | • Territoire de Belfort | 0,19 |
| • Nord | 3,57 | • Ariège | 0,20 |
| • Bouches-du-Rhône | 3,30 | • Cantal | 0,20 |
| • Rhône | 3,06 | • Alpes-de-Haute-Provence | 0,21 |
| • Alpes-Maritimes | 2,40 | • Lot | 0,21 |
| • Gironde | 2,26 | • Gers | 0,22 |
| • Yvelines | 2,21 | • Haute-Loire | 0,23 |
| • Val-de-Marne | 2,09 | • Haute-Saône | 0,25 |
| • Seine-Maritime | 2,08 | • Meuse | 0,26 |

C'est la part relative de l'immobilier et des valeurs mobilières qui différencie le plus les petites fortunes des grosses. Si toutes disposent généralement d'un capital immobilier élevé en valeur absolue, celui-ci reste relativement constant quel que soit le niveau de la fortune. Ce sont ensuite les portefeuilles de valeurs mobilières qui font la différence.

Dans beaucoup de cas, ces valeurs mobilières sont en fait les biens professionnels détenus par les gros industriels, plutôt que des portefeuilles d'actions de sociétés cotées en Bourse. Pour ces derniers, les bonnes performances enregistrées depuis 1983 ont évidemment représenté une importante revalorisation des patrimoines.

## Les plus riches sont des hommes d'action

Structure (en %) du patrimoine des assujettis à l'I.G.F.

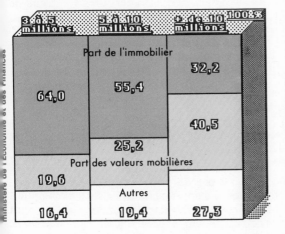

Le patrimoine

### En vrac

• Entre 1950 et 1984, le taux moyen d'épargne des ménages a été de 14,8 % de leur revenu disponible.
• 10 % des Français possèdent des valeurs mobilières.
• Sur 100 détenteurs de valeurs mobilières, 28 ont un diplôme d'enseignement supérieur ; ce n'est le cas que de 9 % de la population de plus de 18 ans ; 30 habitent la région parisienne ; 17 % pour la population de plus de 18 ans.
• En 1984, l'achat d'un logement représentait 63 % de l'épargne totale des ménages, contre 70 % en moyenne entre 1950 et 1975.
• Le patrimoine des inactifs et des retraités représente le tiers du patrimoine total des Français.
• Entre 1980 et 1984, les terres agricoles ont perdu en moyenne 5 % de leur valeur chaque année ; elles avaient gagné près de 10 % par an entre 1950 et 1960.
• Les particuliers ne représentent que le cinquième des souscriptions aux émissions d'obligations, chaque année. L'essentiel est souscrit par les investisseurs institutionnels.

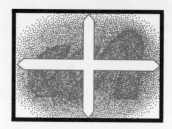

# Les Styles de Vie et l'Argent

## LE TEMPS DES DÉPENSIERS

La crise économique est vécue de deux façons par les Français. Certains se sentent menacés dans leur pouvoir d'achat et sont amenés à réduire une épargne à laquelle ils restent très attachés. D'autres s'efforcent, contre vents et marées, de maintenir leur niveau de vie. Pour eux, la « dématérialisation » croissante de l'argent rend celui-ci de plus en plus abstrait.

### Les deux réactions à la crise

Contrairement à ce que l'on pourrait imaginer, la crise (dans ses effets sur l'argent) ne rassemble pas les Français autour d'un modèle unique. Elle radicalise au contraire les deux comportements types qui existaient déjà dans ce domaine. D'un côté, ceux pour qui l'argent est surtout lié à l'épargne et au patrimoine, même s'il sert évidemment à financer les dépenses quotidiennes. De l'autre, ceux qui considèrent l'argent comme un moyen permettant d'obtenir des satisfactions à court terme, ignorant délibérément la liaison traditionnelle entre l'argent et l'effort nécessaire pour le gagner. Contrairement à ce qui se passe dans le domaine du travail, les traditionalistes sont ici minoritaires. En particulier à cause des Matérialistes, qui, pour la plupart d'entre eux, basculent dans un système où l'argent-outil remplace l'argent-récompense. La majorité des Français, même si certains s'en défendent, vivent dans une société de consommation nouvelle manière.

Face à la crise économique, ce sont donc deux civilisations de l'argent qui s'affrontent. Avec des réactions différentes aux menaces, réelles ou supposées, qui pèsent sur la capacité de dépenser et sur celle d'épargner.

### Les temps sont durs pour les Accumulateurs.

Utilitaristes, Conservateurs et Moralisateurs sont les derniers représentants de la conception traditionnelle de l'argent. Le vieux dicton selon lequel « toute peine mérite salaire » pourrait constituer leur devise. Étant difficile à gagner, l'argent est pour eux difficile à dépenser C'est pourquoi il est affecté essentiellement à des dépenses d'utilité (nourriture, logement, santé...), à l'exclusion de tout superflu, aussi bien en ce qui concerne l'équipement que les activités culturelles ou les loisirs. La destination principale de cet argent gagné « à la sueur de son front » ne peut être en effet frivolité, mais plutôt le bas de laine ou la Caisse d'épargne, qui en est la version moderne. Le langage populaire parle souvent d'argent « liquide ».

En fait, c'est d'argent « solide » qu'on devrait parler à propos de ces accumulateurs. Du liquide il n'a en effet aucune des caractéristiques : il ne « coule » pas entre leurs doigts, qui savent bien comment le retenir ; il ne s'évapore pas des cachettes bien hermétiques dans lesquelles il est enfermé. C'est donc plutôt d'espèces « sonnantes et trébuchantes » qu'il s'agit en l'occurrence.

La crise économique, en menaçant leur revenu dans son accroissement (l'augmentation du pouvoir d'achat n'est plus assurée) et dans sa régularité (risque de chômage, donc d'interruption), a contraint les Accumulateurs à des choix douloureux. Ceux d'entre eux qui ont des revenus modestes ont dû arbitrer en faveur des dépenses quotidiennes (nourriture, voiture, etc.), au détriment non seulement du superflu (ce qu'ils pratiquaient déjà), mais aussi de l'épargne. Et l'on a vu baisser les montants des dépôts dans les Caisses d'épargne pour financer l'augmentation du prix de l'essence, du bifteck, des prélèvements fiscaux.

*Argent inodore et indolore
pour les Dépensiers.*

À l'opposé des Accumulateurs, les Dépensiers privilégient l'utilisation de l'argent à des fins immédiates, pour le transformer en **plaisir.** Cette notion de plaisir recouvre d'ailleurs des conceptions différentes pour les Styles de Vie qui constituent ce groupe : plaisir de consommer pour les Frimeurs et les Entreprenants ; plaisir de dépenser pour les Profiteurs ; plaisir de jouer pour les Dilettantes ou pour les Défensifs, Vigiles et Exemplaires qui rêvent de la grosse somme d'argent tombée du ciel qui changera leur vie. Leur rapport avec l'argent est donc beaucoup plus « décontracté » que celui des Accumulateurs. Ici, point d'argent « solide » ni « liquide ». Il est déjà devenu symbolique avec l'utilisation, très largement

## La carte de l'argent

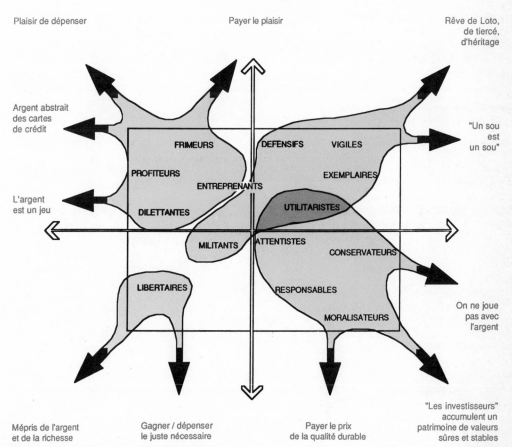

Pour lire la carte, voir la description des Styles de Vie en fin de volume.

répandue chez les Dépensiers, du chèque et de la carte de crédit. Il deviendra très vite immatériel avec *l'argent électronique,* qu'ils appellent de leurs vœux. Cette dématérialisation de l'argent entraîne chez eux une nette diminution du sens de la responsabilité financière. Il n'est plus nécessaire à leurs yeux qu'il y ait concordance entre l'argent dépensé et celui qui est gagné. Le recours au crédit renforce évidemment cette tendance.

Ni liquide ni solide, l'argent est pour les Dépensiers plus proche du gaz. Il en a les aspects les plus caractéristiques : incolore (il est immatériel), sans saveur (si ce n'est celle des choses qu'il procure), inodore (pour les Dépensiers, l'argent n'a vraiment pas d'odeur !)... On peut ajouter à cette liste de qualificatifs celui d'**indolore.** Les possibilités de prélèvement automatique, les transferts comptables d'un compte à un autre au moyen d'une simple signature, le recours au crédit déjà mentionné rendent son utilisation facile. Même les impôts, prélevés mensuellement, occasionnent un « pretium doloris » de plus en plus limité.

Membres d'une civilisation où l'argent perd ses attributs traditionnels, les Dépensiers éprouvent de plus en plus de difficultés à connaître leur situation financière du moment.

*Une minorité de Français éprouvent une sorte de mépris pour l'argent.*

C'est le cas essentiellement des Libertaires dont la préoccupation constante est de ne pas se laisser « piéger » par la société de consommation. À l'accroissement de leur pouvoir d'achat, ils préfèrent toujours un travail passionnant ou, le cas échéant, qui leur laisse la liberté dont ils ont besoin pour être eux-mêmes et gérer leur temps selon leurs aspirations.

# 6
# LES LOISIRS

# Le baromètre des loisirs

*Enquêtes auprès de la population de 18 ans et plus ; cumul des réponses « bien d'accord »
et « entièrement d'accord » à l'affirmation (2), pourcentages des réponses positives aux affirmations (1),
(3) et (4).*

Pensez-vous que vos conditions de vie vont s'améliorer
ou se détériorer au cours des cinq prochaines années ?
Vont s'améliorer.

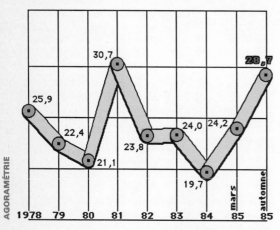

On est pris pour des abrutis à la télévision...

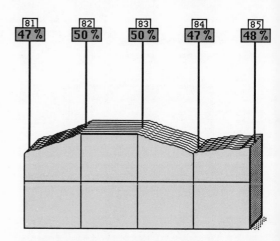

Dans l'organisation de ma semaine, la vie de travail vient
parfois en conflit avec ma vie personnelle ou familiale.

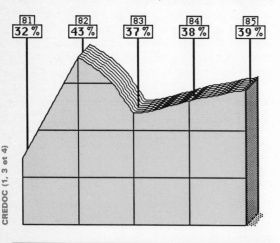

Je suis obligé de m'imposer des restrictions sur mon
budget vacances-loisirs.

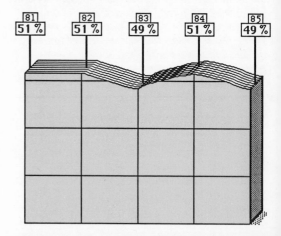

# Le Temps Libre

## PRATIQUES

*Dans une société qui n'est plus en mesure de satisfaire le droit au travail, c'est le droit au loisir qui s'impose. Ni récompense ni parenthèse, le loisir d'aujourd'hui répond a la volonté de liberté et d'individualisme des Français. Mais la civilisation des loisirs n'est qu'une étape vers une destination plus ambitieuse.*

### Le loisir atteint la majorité

C'est Joffre Dumazedier qui, l'un des premiers, décrivit l'importance nouvelle des loisirs dans la société contemporaine. Et la civilisation des loisirs qu'il nous promettait il y a vingt ans apparaissait comme l'aboutissement logique d'une société en forte expansion, qui commençait à avoir les moyens de penser à autre chose qu'au travail.

En vingt ans, l'idée de loisir a fait son chemin. Elle est aujourd'hui intégrée à la vie quotidienne des Français, bien que vécue très différemment selon les catégories sociales. Le loisir a donc atteint une double majorité : la sienne et celle des Français.

*Les Français ont à la fois plus de temps libre, plus de pouvoir d'achat et une nouvelle mentalité vis-à-vis des loisirs.*

Le loisir fut pendant longtemps un produit de luxe que la société ne pouvait offrir à l'ensemble de ses membres. Sa reconnaissance en tant qu'activité sociale majeure supposait en effet que trois conditions soient réunies pour le plus grand nombre : un temps libre suffisamment long ; un pouvoir d'achat permettant d'accéder aux loisirs « marchands » (de loin les plus nombreux) ; un état d'esprit favorable à une véritable intégration. Le temps libre s'est accru au-delà de toute espérance depuis quelques décennies. Le pouvoir d'achat des Français a connu parallèlement un essor sans précédent. Quant à l'état d'esprit, il a tant évolué que le loisir est aujourd'hui reconnu non seulement comme un droit mais comme l'un des aspects les plus riches et les plus nécessaires de la vie. La civilisation des loisirs est là, au moins dans ses grandes lignes. Qui pourrait en douter ?

**AKAI : à la source du son**

AKAI
HAUTE FIDÉLITÉ

Saint-Paul et Associés

Le loisir occupe une place croissante.

*Mais la civilisation des loisirs n'est qu'une étape sur le chemin de l'épanouissement individuel.*

Il est clair que la période actuelle est celle d'une transition entre deux civilisations. Si l'on connaît assez bien celle qu'on quitte, il est difficile d'imaginer avec précision celle vers laquelle on se dirige. Pendant longtemps, le loisir a été limité à ses trois fonctions essentielles : délassement, divertissement, développement de la personnalité. Si la description reste valable, elle ne rend pas compte d'un

### MacLuhan avant Gutenberg

Parmi les distractions suivantes, quelle est celle que vous préférez ?

le Monde – RTL – les Cahiers du cinéma/Louis Harris
(8 mai 1986)

|                                          | %   |
| ---------------------------------------- | --- |
| • Regarder la télévision ................... | 33  |
| • Lire ................................. | 16  |
| • Aller au cinéma ...................... | 12  |
| • Le sport ............................ | 11  |
| • Écouter de la musique chez soi ........ | 8   |
| • Sortir au restaurant, en boîte, etc ...... | 7   |
| • Aller au concert ou au théâtre ......... | 4   |
| • Les expositions, les musées ........... | 2   |
| • Sans opinion ....................... | 7   |
| TOTAL .......................... | 100 |

mouvement récent d'une importance extrême. Il ne s'agit plus seulement d'équilibrer les « figures imposées » de la vie par des « figures libres », mais, idéalement, de mélanger les unes et les autres. Afin qu'elles ne soient plus que les ingrédients indissociables d'une vie plus riche et, finalement, plus agréable. C'est dans cette recherche (encore hésitante) de la véritable harmonie que se définit peu à peu le portrait de l'honnête homme du XXIᵉ siècle.

## Travail/loisirs : le principe des temps communicants

Toute modification de l'emploi du temps de la vie ressemble un peu à ce que les mathématiciens appellent un « jeu à somme nulle ». C'est-à-dire que toute modification de l'une de ses composantes entraîne une modification de sens contraire de l'ensemble des autres. Version un peu intellectuelle du gâteau de taille constante dont il est impossible de prendre une plus grosse part sans restreindre celle des autres convives...

*Toute réduction du temps de travail entraîne un accroissement trois fois plus élevé du temps libre.*

Prenons une journée de travail de 8 heures, soit 10 avec les transports et les autres « travaux forcés » (tâches ménagères, courses et obligations diverses). Il reste environ 6 heures de temps éveillé pour les autres activités (si l'on compte 8 heures de sommeil). La moitié sera consacrée aux « loisirs obligés », à caractère répétitif, tels que les trois repas quotidiens, la toilette, la promenade du chien, etc. De sorte que le temps réellement disponible pour des activités librement choisies n'est plus que de 3 heures environ.

Supposons maintenant que la semaine de travail passe de 40 (pour simplifier) à 35 heures, soit une heure de moins par jour ouvrable, ou encore 12,5 % du temps de travail. Le temps de loisir disponible sera alors de 4 heures au lieu de 3, soit 33 % de plus.

Une diminution du temps de travail aboutit donc à une augmentation presque triple du temps de loisir.

La part du loisir dans l'emploi du temps

de la vie bénéficie donc d'un important effet de levier. Ce simple théorème a des conséquences sociales considérables.

*La crise n'a pas retardé le processus, elle l'a au contraire accéléré.*

On aurait pu penser que les difficultés des dix dernières années allaient arrêter l'évolution amorcée dans les années 60, en cassant la croissance, indispensable au dévelopement du pouvoir d'achat et à l'affirmation de la mentalité postindustrielle. Il semble, au contraire, que la crise ait accéléré le mouvement. La montée du chômage a posé en effet de façon urgente le problème du partage du travail et donc celui d'une nouvelle réduction de sa durée. Or, c'est de la réduction du temps de travail que se nourrit le temps de loisir. Et c'est d'un nouvel aménagement de la vie professionnelle que naîtra l'emploi du temps de la vie souhaité par les Français.

*Le temps consacré aux activités de loisir a augmenté en proportion du temps libre.*

Comme la nature, les hommes ont horreur du vide. Ils craignent en particulier celui que représente le temps passé à ne rien faire. C'est pourquoi ils se sont empressés de transférer aux activités de loisir le temps gagné sur le travail.

Dans la plupart des cas, c'est la télévision qui s'est taillé la part du lion. D'une manière générale, les loisirs liés à l'audiovisuel et à la pratique sportive ont largement profité du temps libre supplémentaire accumulé au fil des ans. Laissant finalement peu de place à la réflexion ou aux activités d'ordre spirituel. Les Français d'aujourd'hui sont plus préoccupés de vivre que de se regarder vivre. De peur, sans doute, de perdre du temps. Ou par crainte, peut-être, des résultats d'une éventuelle introspection...

# L'argent des loisirs : le superflu est devenu nécessaire

Les dépenses consacrées aux loisirs augmentent de façon régulière depuis 25 ans, bien qu'il ne soit pas facile de les isoler avec précision dans les budgets des ménages. Depuis 1973, la croissance des dépenses de loisirs-culture se maintient à 5,5 % par an en moyenne. Moins qu'entre 1970 et 1973 par an : (+ 6,8 %) mais autant qu'entre 1959 et 1970. Le poste transports, qui représente une partie des dépenses de loisirs (vacances, sorties, etc.) a augmenté aussi de façon importante, bien qu'une large part soit imputable à l'accroissement du prix de l'énergie. Dans l'ensemble des dépenses « loisirs », la part consacrée à l'équipement est prépondérante. L'évolution des taux de possession des principaux équipements depuis 10 ans montre à l'évidence combien les activités de loisir se sont développées.

Il faut ajouter que les prix relatifs des produits de loisir ont baissé régulièrement depuis 1972 (2,2 % par an en moyenne), ce qui signifie que les dépenses des Français pour leurs loisirs ont plus augmenté en francs constants que pour les autres postes. Quand n dispose de plus en plus de temps libre, on dépense plus pour l'occuper agréablement.

---

**Les Français investissent dans le loisir**

Part du budget des ménages consacrée aux loisirs (%) :

|  | 1959 | 1984 |
|---|---|---|
| Loisirs | 5,4 | 6,4 |
| Transports et communications (1) | 8,9 | 13,6 |

Taux de possession de quelques équipements de loisirs (%).

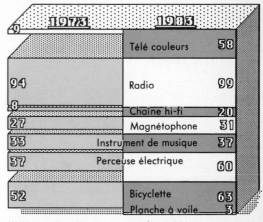

| | 1973 | 1983 |
|---|---|---|
| Télé couleurs | | 58 |
| Radio | 94 | 99 |
| Chaîne hi-fi | 8 | 20 |
| Magnétophone | 27 | 31 |
| Instrument de musique | 33 | 37 |
| Perceuse électrique | 37 | 60 |
| Bicyclette | 52 | 63 |
| Planche à voile | | 3 |

I.N.S.E.E.

(1) Une partie seulement est consacrée aux loisirs.

## L'épanouissement ou le déclin ?

Le temps libre se vivait autrefois comme une récompense. Il fallait avoir bien travaillé pour y avoir droit. L'individu se devait d'abord à sa famille, à son métier, à son pays, après quoi il pouvait penser à lui-même. Les plus âgés des Français sont encore très sensibles à cette notion de mérite, indissociable pour eux de celle de loisir. Mais, pour les plus jeunes (la frontière se situe à 40 ans), le loisir est un droit fondamental. Plus encore, sans doute, que le droit au travail, puisqu'il concerne les aspirations les plus personnelles. Il n'y a donc aucune raison de se cacher, ni d'attendre pour faire ce que l'on a envie de faire, bref pour « profiter de la vie ». Cette volonté de jouissance sans délai est l'une des caractéristiques de la société actuelle. Le déclin des valeurs religieuses n'y est pas étranger. Pour les Français d'aujourd'hui, l'esprit de sacrifice et le report de jouissance postmortem ont beaucoup perdu de leur importance passée.

Les Français organisaient jusqu'ici leur vie autour de leurs **obligations.** Les plus jeunes souhaitent aujourd'hui l'organiser autour de leurs **passions.**

*Ce retournement des mentalités n'est ni fortuit ni gratuit.*

Il traduit l'opposition croissante entre deux visions très différentes de la vie. La première est **optimiste** et **athée.** Elle part du principe que le rêve de l'homme (qui n'est pas sûr de son immortalité) est de pouvoir être lui-même sur la Terre. C'est-à-dire un individu unique (le pléonasme n'est pas non plus gratuit) dont la vie, également unique, n'appartient qu'à lui. Le but ultime est donc de maîtriser celle-ci et de la remplir de la façon la plus libre possible. Dans cette optique, le cheminement de ces dernières décennies représente un progrès considérable. Les Français, comme beaucoup d'Occidentaux, ont avancé sur la voie d'une sorte d'« individualisme philosophique », auquel ils aspirent en fait depuis longtemps.

La seconde vision est à la fois **pessimiste** et **philosophique.** La tendance actuelle à privilégier l'individu et le court terme par rapport à la masse et à l'éternité est ressentie comme l'amorce d'une décadence qui menace les sociétés développées. L'égoïsme n'est guère compatible avec les progrès de la vie en société. Avec lui se développent les risques d'antagonisme entre des intérêts a priori divergents. En refusant l'effort, la solidarité et le sacrifice, les hommes se condamneraient à une fin prochaine.

Le choix serait donc entre l'individualisme forcené, condition de l'épanouissement de l'homme, et la référence à des valeurs transcendantales et collectives, sans lesquelles le monde ne pourrait survivre. La première solution peut conduire à l'égoïsme, la seconde au totalitarisme. Entre ces deux écueils, la société devra naviguer avec précision. Sur son itinéraire, la civilisation des loisirs n'est sans doute qu'une étape. Plus proche de la rive individuelle que de la rive collective.

---

### Les loisirs en tranches

Répartition des dépenses des ménages en biens et services culturels (1984).

| | |
|---|---|
| • Biens d'équipement | 29,6 % |
| • Disques, livres, presse, photo | 58,2 % |
| • Spectacles et services | 12,2 % |
| | 100,0 % |

Dépenses culturelles : 3,3 % des dépenses totales, soit 4 550 francs par ménage et par an.

I.N.S.E.E.

# INÉGALITÉS

*En matière de loisirs, la France est coupée en deux.*
*À temps libre égal, les activités pratiquées par l'une et l'autre France sont très différentes, de même que l'état d'esprit des personnes concernées. Plus que toute autre chose, c'est l'âge qui les sépare. Il rappelle de façon éclatante tout le chemin parcouru en une génération.*

## Le temps du temps libre

Les Français consacrent de plus en plus de temps à leurs loisirs et ils pratiquent des activités de plus en plus variées. C'est ce que fait apparaître la grande étude réalisée par le ministère de la Culture sur les pratiques culturelles des Français, en 1973 et 1981. Entre ces deux dates, le plus grand bouleversement concerne la pratique des sports. En particulier,

La télévision devient le centre du foyer.

Polaris-DFS

### L'emploi du temps libre des Français

« Depuis un an, c'est-à-dire depuis septembre 1983, cela vous est-il, ou non, arrivé au moins une fois... »

| | 1984 % | 1981 (*) % | 1973 (*) % |
|---|---|---|---|
| • *d'acheter des livres autres que des livres de classe, pour vous-même ou pour quelqu'un d'autre, en cadeau :* | | | |
| Oui | 54 | 56 | 51 |
| Non | 46 | 44 | 49 |
| • *d'aller au cinéma :* | | | |
| Oui | 51 | 50 | 52 |
| Non | 49 | 50 | 48 |
| • *de visiter des monuments historiques :* | | | |
| Oui | 36 | 32 | 32 |
| Non | 64 | 68 | 68 |
| • *de visiter un musée :* | | | |
| Oui | 26 | 30 | 27 |
| Non | 74 | 70 | 73 |
| • *de voir une exposition de peinture, de sculpture :* | | | |
| Oui | 23 | 21 | 18 |
| Non | 77 | 79 | 82 |
| • *d'assister à un spectacle de variétés, music-hall, chansonniers :* | | | |
| Oui | 21 | 10 | 11 |
| Non | 79 | 90 | 89 |
| • *d'emprunter un livre ou un disque dans une bibliothèque ou discothèque :* | | | |
| Oui | 20 | / | / |
| Non | 80 | / | / |
| • *d'aller au théâtre, voir une pièce jouée par des professionnels :* | | | |
| Oui | 15 | 10 | 12 |
| Non | 85 | 90 | 88 |
| • *d'aller au cirque :* | | | |
| Oui | 14 | 10 | 11 |
| Non | 86 | 90 | 89 |
| • *d'assister à un concert de musique rock, funky, jazz, pop :* | | | |
| Oui | 13 | 10 | 6 |
| Non | 87 | 90 | 94 |

→

50 millions de consommateurs (décembre 1984)

| | 1984 % | 1981 (*) % | 1973 (*) % |
|---|---|---|---|
| • d'assister à un concert de musique classique : | | | |
| Oui .............. | 9 | 8 | 7 |
| Non .............. | 91 | 92 | 93 |
| • de fréquenter un festival : | | | |
| Oui .............. | 8 | 7 | 8 |
| Non .............. | 92 | 93 | 92 |
| • d'assister à un spectacle de ballet dansé par des professionnels : | | | |
| Oui .............. | 6 | 5 | 6 |
| Non .............. | 94 | 95 | 94 |
| • d'assister à une opérette : | | | |
| Oui .............. | 5 | 2 | 4 |
| Non .............. | 95 | 98 | 96 |
| • de voir une exposition de bandes dessinées : | | | |
| Oui .............. | 5 | / | / |
| Non .............. | 95 | / | / |
| • de consulter des archives locales, départementales ou nationales : | | | |
| Oui .............. | 5 | / | / |
| Non .............. | 95 | / | / |
| • d'assister à un opéra : | | | |
| Oui .............. | 3 | 2 | 3 |
| Non .............. | 97 | 98 | 97 |

Le total vertical des réponses à chaque question est toujours égal à 100 %.
(*) Rappels enquêtes du ministère de la Culture.

celle des sports individuels, avec le développement foudroyant du jogging et de la gymnastique. En revanche, la pêche et la chasse attirent de moins en moins de monde. Est-ce à cause d'une évolution des mœurs peu favorable à ces activités, ou plus simplement à cause de la raréfaction du gibier et du poisson ? En ce qui concerne la lecture, un transfert s'est opéré entre les quotidiens, les magazines et les livres. D'autres évolutions importantes sont apparues entre 1981 et 1984 : les Français sont plus nombreux à se rendre aux concerts de musique moderne ; ils visitent plus souvent les musées ; ils vont plus fréquemment dans les théâtres.

## Le foyer tend à devenir un centre de loisirs.

Si les Français sont plus nombreux à sortir le soir, c'est plus pour se rendre chez des amis ou des parents que pour aller au spectacle ou au concert. Il faut dire que la télévision (avec la couleur) et la radio (avec la modulation de fréquence) sont des concurrents sérieux, et beaucoup moins coûteux. Il faut cependant noter l'accroissement important de l'assistance à des spectacles de variétés depuis quelques années. Le phénomène concerne principalement les jeunes, de plus en plus nombreux à se rendre dans les nouveaux temples du music-hall pour y écouter la musique qu'ils aiment. Cela n'empêche pas qu'un nombre croissant de Français ont une préférence pour les activités qui se pratiquent à la maison. Une tendance qui ne devrait pas diminuer avec le développement attendu des loisirs liés à la vidéo ou la communication.

### Le retour à la maison

Pour leurs loisirs, les Français préfèrent, d'une manière générale, des activités... (%).

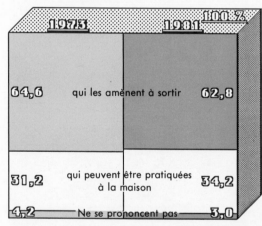

ministère de la Culture

## Les deux France des loisirs

La pratique des loisirs coupe la France en deux parties d'importance comparable. D'un côté, les Français de la « vieille école », pour lesquels les loisirs sont ce « quelque chose en plus » qui complète et agrémente la vie courante, faite de travail, de contraintes et de devoirs. De l'autre, les Français les plus « modernes », qui considèrent le loisir comme un droit fondamental, au service de leur épanouissement personnel. À travers ces deux France s'opposent deux visions des loisirs : les premiers les conçoivent comme une récompense ; les seconds comme une activité à part entière. Ces deux catégories de Français sont séparées principalement par trois caractéristiques : l'âge, le niveau de formation et, à un moindre degré, le sexe. Le temps consacré, le type d'activité pratiqué, l'état d'esprit qui y préside sont très différents d'une catégorie à l'autre. À tel point que les classes sociales, qui sont par ailleurs en train de s'estomper, tendent à se reformer autour des loisirs.

### Pourquoi ils ne sortent pas ?

Vous n'êtes pas allé depuis un an à un concert, à un spectacle de variétés, de danse, au théâtre, au cinéma, au musée, à une exposition ou visiter un monument historique. « Parmi ces raisons, quelle est celle (ou quelles sont celles) qui explique(nt) le mieux que vous ne soyez pas allé à un concert, à un spectacle de variétés, de danse, au théâtre, au musée, à une exposition ou visiter un monument historique depuis un an ? »

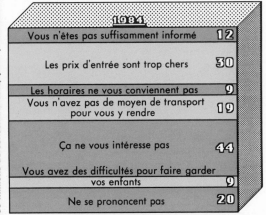

| 1984 | |
|---|---|
| Vous n'êtes pas suffisamment informé | 12 |
| Les prix d'entrée sont trop chers | 30 |
| Les horaires ne vous conviennent pas | 9 |
| Vous n'avez pas de moyen de transport pour vous y rendre | 19 |
| Ça ne vous intéresse pas | 44 |
| Vous avez des difficultés pour faire garder vos enfants | 9 |
| Ne se prononcent pas | 20 |

Total supérieur à 100 en raison des réponses multiples.

*La pratique dépend beaucoup de la profession exercée, donc de la formation.*

D'une façon générale, la pratique de n'importe quelle forme de loisir augmente avec le niveau scolaire.

Les activités de nature « culturelle » (musique, théâtre, musées, etc.) sont celles qui séparent le plus les Français les plus diplômés de ceux qui le sont moins. La quasi-totalité des activités de loisir, à l'exception des loisirs dits de masse (radio, télévision) et des jeux d'argent du type Loto ou P.M.U., sont pratiquées par ceux dont le niveau d'instruction est au moins équivalent au baccalauréat. On retrouve ces mêmes écarts entre les professions qui sont souvent liées à l'instruction.

### Les initiés et les autres

Pratiques culturelles selon les catégories socioprofessionnelles :

| | Livres (1) | Cinéma (2) | Musées (2) | Jogging (2) |
|---|---|---|---|---|
| – Agriculteurs | 13,4 | 36,1 | 19,5 | 14,2 |
| – Petits commerçants et artisans | 16,7 | 55,1 | 29,3 | 20,1 |
| – Gros commerçants et industriels | 20,9 | 75,7 | 43,3 | 23,1 |
| – Cadres supérieurs et professions libérales | 25,1 | 81,3 | 60,1 | 31,3 |
| – Cadres moyens | 25,6 | 75,7 | 49,0 | 28,1 |
| – Employés | 18,9 | 64,6 | 33,5 | 24,0 |
| – Ouvriers qualifiés et contremaîtres | 18,8 | 56,1 | 26,4 | 16,7 |
| – Ouvriers spécialisés, manœuvres | 19,2 | 53,1 | 23,2 | 15,5 |
| – Inactifs | 19,4 | 38,2 | 20,8 | 9,5 |
| Moyenne | 20,3 | 49,6 | 30,1 | 18,0 |

(1) Nombre moyen de livres chez soi.
(2) Proportion de personnes ayant pratiqué au moins 1 fois dans l'année l'activité désignée.

*ministère de la Culture, 1981*

Les causes de ce phénomène ne semblent pourtant pas être liées aux revenus. Le jogging, la visite des musées ou les promenades ne sont pas des activités coûteuses. Elles sont cependant ignorées ou presque des catégories ayant le niveau d'instruction le plus faible. Manque d'intérêt pour son propre développement physique et intellectuel, absence d'expérience et de références pendant l'époque de l'enfance, ou complexe vis-à-vis des autres ? Sans doute un peu tout cela à la fois. Cette ligne de démarcation entre les Français est d'autant plus nette qu'elle est tracée et entretenue par ceux-là mêmes qui se refusent à la franchir.

*Les hommes pratiquent plus d'activités que les femmes, mais les écarts diminuent.*

Dans la plupart des activités de loisir, les hommes sont plus souvent concernés que les femmes. Le sport apparaît ainsi comme une occupation très majoritairement masculine. Les femmes limitent leur participation à des activités telles que la natation, la danse, la gymnastique ou le jogging.

La femme des années 80 est sportive.

Dans le domaine des médias, les femmes inactives constituent la clientèle privilégiée des radios. Elles regardent cependant moins la télévision et lisent moins les journaux que les hommes. Leurs sorties préférées sont les promenades en forêt et les pique-niques. Le théâtre et le cirque les attirent plus que les hommes, qui préfèrent le cinéma ou les stades (côté gradins). On pourrait croire que les femmes, moins nombreuses que les hommes à exercer une activité rémunérée, disposent de

## Le sexe des loisirs

Taux de pratique (*) supérieurs chez les hommes (%).

| | Hommes | Femmes | Moyenne |
|---|---|---|---|
| – Lecture | 74,8 | 73,3 | 74,0 |
| – Fête foraine | 47,2 | 39,0 | 43,1 |
| – Bal public | 30,7 | 25,7 | 28,2 |
| – Cinéma | 53,1 | 46,4 | 49,7 |
| – Spectacle sportif | 30,5 | 10,8 | 20,6 |
| – Concerts musique pop | 12,8 | 7,6 | 10,2 |
| – Concerts musique classique | 8,0 | 7,1 | 7,5 |
| – Festivals | 7,8 | 6,6 | 7,2 |
| – Courses de chevaux | 4,5 | 3,3 | 3,9 |
| – Opéra | 2,1 | 1,9 | 2,0 |
| – Foires, expositions, salons | 45,5 | 37,6 | 41,5 |
| – Monuments historiques | 33,0 | 30,4 | 31,7 |
| – Manifestations politiques | 11,9 | 5,5 | 8,7 |
| – Lecture quotidienne d'un journal | 48,9 | 43,5 | 46,2 |
| – Écoute quotidienne du journal télévisé | 63,6 | 61,6 | 62,6 |
| – Jogging | 21,5 | 14,7 | 18,1 |
| – Natation | 15,2 | 14,2 | 14,7 |
| – Football | 18,3 | 4,4 | 11,3 |
| – Tennis | 11,7 | 7,4 | 9,5 |
| – Vélo | 9,1 | 6,6 | 7,8 |
| – Ski | 8,4 | 6,5 | 7,4 |
| – Tennis de table | 4,1 | 0,9 | 2,5 |
| – Équitation | 2,0 | 1,5 | 1,7 |
| – Judo | 2,2 | 0,6 | 1,4 |
| – Boules | 1,6 | 0,1 | 0,8 |
| – Moto | 1,4 | 0,1 | 1,5 |

Taux de pratique (*) supérieurs chez les femmes (%).

| | Hommes | Femmes | Moyenne |
|---|---|---|---|
| – Visite des zoos | 20,5 | 24,7 | 22,6 |
| – Danses folkloriques | 10,2 | 12,2 | 11,2 |
| – Théâtre | 9,4 | 11,0 | 10,2 |
| – Cirque | 9,1 | 10,3 | 9,7 |
| – Ballets | 4,3 | 5,7 | 5,0 |
| – Opérettes | 2,0 | 2,8 | 2,4 |
| – Antiquités, brocante | 27,9 | 29,3 | 28,6 |
| – Écoute quotidienne de la radio | 71,4 | 72,3 | 71,8 |
| – Gymnastique | 6,8 | 13,1 | 9,9 |
| – Danse | 0,1 | 1,6 | 0,8 |

(*) Au cours des 12 derniers mois.

F.C.A.

ministère de la culture

plus de temps libre. Ce serait oublier que les tâches ménagères occupent l'essentiel de leur temps. Pourtant, les femmes (surtout les plus jeunes) sont en train de remonter le handicap. Après avoir investi (partiellement) les lieux où l'on travaille, elles s'attaquent aujourd'hui à ceux où l'on se divertit.

*On pratique plus les loisirs dans les villes que dans les campagnes.*

Certains types de loisirs sont indépendants de l'endroit où l'on habite. C'est le cas, généralement, de la lecture des journaux, de l'écoute de la radio ou de la télévision. Les différences sont alors faibles entre les petites et les grandes villes, sauf en ce qui concerne Paris, où la profusion des autres formes de loisirs entre en concurrence avec ses activités classiques.

D'autres types de loisirs nécessitent par contre des équipements ou des infrastructures spécifiques. C'est le cas, par exemple, des spectacles et de la plupart des sports. On conçoit alors que la pratique en soit plus réduite dans les petites communes, généralement moins bien équipées que les grandes villes. Paris pulvérise les moyennes nationales dans la plupart des activités de loisir. D'une manière générale, les Parisiens sont à peu près 3 fois plus nombreux que la moyenne à pratiquer les diverses formes d'activités culturelles. Mais il est clair que le théâtre ou l'opéra sont peu accessibles aux habitants des campagnes. Et puis, la vie dans les grandes villes (à Paris en particulier) serait sans doute plus

## Loisirs des villes, loisirs des champs

Comparaison des pratiques de loisirs selon la taille des communes (chiffres indiquant la proportion d'individus ayant pratiqué une activité au cours des 12 derniers mois).

| | Communes rurales | Moins de 20 000 hab. | 20 000 à 100 000 hab. | Plus de 200 000 | Paris (intra-muros) | Moyenne nationale |
|---|---|---|---|---|---|---|
| – Lecture | 58,0 | 69,7 | 77,6 | 80,8 | 95,3 | 74,0 |
| – Fête foraine | 45,3 | 52,8 | 47,2 | 42,0 | 22,1 | 43,1 |
| – Bal public | 33,7 | 23,7 | 27,9 | 26,2 | 19,0 | 28,2 |
| – Cinéma | 33,0 | 43,3 | 47,8 | 56,8 | 79,6 | 49,7 |
| – Spectacle sportif | 18,2 | 20,4 | 21,9 | 24,5 | 10,4 | 20,6 |
| – Théâtre | 4,6 | 4,5 | 6,8 | 10,6 | 39,5 | 10,2 |
| – Concerts musique pop | 5,5 | 7,1 | 8,0 | 11,4 | 23,0 | 10,2 |
| – Concerts musique classique | 4,3 | 4,4 | 5,6 | 8,0 | 27,3 | 7,5 |
| – Cirque | 7,2 | 8,7 | 6,5 | 13,1 | 10,9 | 9,7 |
| – Ballets | 2,1 | 3,1 | 3,3 | 5,9 | 15,9 | 5,0 |
| – Opéra | 0,3 | 0,2 | 0,6 | 2,7 | 11,3 | 2,0 |
| – Foires, expositions, salons | 36,3 | 35,7 | 43,6 | 48,9 | 39,9 | 41,5 |
| – Monuments historiques | 24,7 | 29,9 | 31,6 | 34,6 | 39,9 | 31,7 |
| – Musées | 20,1 | 26,0 | 28,1 | 33,2 | 55,6 | 30,1 |
| – Manifestations politiques | 6,8 | 6,1 | 7,5 | 9,1 | 17,5 | 8,7 |
| – Journaux (tous les jours) | 54,4 | 47,1 | 46,5 | 48,8 | 37,4 | 46,2 |
| – Radio (tous les jours) | 68,9 | 70,0 | 70,3 | 76,7 | 67,8 | 71,8 |
| – Journal télévisé (tous les jours) | 70,0 | 67,5 | 59,1 | 59,2 | 39,9 | 62,6 |
| – Jogging | 11,4 | 17,7 | 18,8 | 23,0 | 20,3 | 18,1 |
| – Natation | 8,8 | 12,6 | 13,3 | 18,8 | 24,4 | 14,7 |
| – Football | 8,3 | 8,4 | 11,4 | 14,5 | 8,2 | 11,3 |
| – Gymnastique | 7,4 | 8,4 | 10,8 | 11,4 | 7,6 | 9,9 |
| – Tennis | 5,0 | 6,1 | 10,1 | 12,7 | 15,5 | 9,5 |
| – Vélo | 6,1 | 8,6 | 8,9 | 8,7 | 6,3 | 7,8 |
| – Ski | 4,8 | 5,6 | 6,3 | 10,8 | 11,1 | 7,4 |
| – Voile | 0,8 | 1,7 | 2,0 | 4,3 | 6,9 | 2,9 |

ministère de la Culture

difficilement supportable sans les occasions de sortie qu'elle procure. La pratique des sports et les spectacles y sont autant de moyens de créer une vie sociale moins anonyme et solitaire. Même si elle plus artificielle que dans les campagnes.

*C'est l'âge qui explique le mieux les différences entre les pratiques de loisirs.*

On pourrait imaginer que l'âge mûr est aussi l'âge d'or des loisirs : moins de contraintes familiales (les enfants ont acquis leur autonomie), des possibilités financières supérieures, une plus grande stabilité person-nelle et professionnelle. Les chiffres montrent qu'il n'en est rien.

Il est frappant de constater l'écart existant entre les moins de 40 ans et leurs aînés. Parmi les dizaines d'activités analysées, deux seule-ment augmentent avec l'âge : la lecture des journaux et le temps passé devant la télévision. Les autres (sports, spectacles, activités de plein air, etc.) diminuent rapidement avec l'âge. Notons qu'il s'agit principalement d'activités extérieures. S'il est concevable que les plus de 60 ans soient plus casaniers, cela est plus inattendu de la part de ceux qui ont entre 40 et 60 ans. Lassitude, désintérêt, peur de ne pas être « à la hauteur » pour les activités physiques, de ne pas être « dans le coup » pour

### Après 39 ans, les loisirs en quarantaine

Comparaison des pratiques de loisirs selon l'âge (chiffres indiquant la proportion d'individus ayant pratiqué une activité au cours des 12 derniers mois).

| | Âge | | | Âge | | | Moyenne nationale |
|---|---|---|---|---|---|---|---|
| | 15-19 | 20-24 | 25-39 | 40-59 | 60-69 | 70 et + | |
| – Lecture | 92,9 | 89,3 | 83,1 | 67,6 | 64,4 | 48,9 | 74,0 |
| – Fête foraine | 69,9 | 60,9 | 54,7 | 37,2 | 23,0 | 10,0 | 43,1 |
| – Bal public | 58,4 | 48,2 | 33,6 | 22,8 | 9,4 | 1,9 | 28,1 |
| – Cinéma | 90,4 | 84,5 | 64,4 | 37,7 | 20,0 | 7,2 | 49,7 |
| – Spectacle sportif | 38,0 | 29,9 | 23,2 | 18,7 | 8,0 | 5,4 | 20,6 |
| – Théâtre | 12,8 | 10,1 | 14,5 | 8,3 | 8,7 | 4,7 | 10,2 |
| – Concerts musique pop | 24,5 | 30,4 | 12,4 | 3,2 | 1,0 | 0,7 | 10,2 |
| – Concerts musique classique | 7,4 | 8,6 | 9,4 | 8,1 | 5,0 | 3,2 | 7,5 |
| – Cirque | 8,3 | 10,3 | 16,8 | 8,0 | 4,8 | 2,4 | 9,7 |
| – Ballets | 4,4 | 6,1 | 6,9 | 4,6 | 4,7 | 1,8 | 5,0 |
| – Opéra | 1,0 | 1,9 | 2,5 | 2,0 | 1,9 | 2,0 | 2,0 |
| – Foires, salons, expositions | 50,6 | 54,8 | 50,9 | 42,1 | 29,9 | 9,9 | 41,5 |
| – Monuments historiques | 39,8 | 37,7 | 36,6 | 30,6 | 28,0 | 14,7 | 31,7 |
| – Musées | 40,2 | 38,0 | 34,1 | 28,2 | 27,0 | 13,7 | 30,1 |
| – Manifestations politiques | 9,7 | 11,9 | 11,8 | 8,7 | 4,1 | 1,2 | 8,7 |
| – Journaux (tous les jours) | 28,3 | 29,7 | 36,2 | 56,3 | 61,4 | 59,9 | 46,2 |
| – Radio (tous les jours) | 64,9 | 70,9 | 76,2 | 72,6 | 71,3 | 66,9 | 71,8 |
| – Journal télévisé (tous les jours) | 39,7 | 44,1 | 52,8 | 67,6 | 83,0 | 85,7 | 62,6 |
| – Jogging | 27,5 | 28,4 | 20,1 | 16,3 | 11,3 | 6,9 | 18,1 |
| – Natation | 31,1 | 26,0 | 19,0 | 10,0 | 6,0 | 0,6 | 14,7 |
| – Football | 44,5 | 19,0 | 12,9 | 3,6 | 0,4 | – | 11,3 |
| – Gymnastique | 27,2 | 12,1 | 11,1 | 7,6 | 5,9 | 1,3 | 9,9 |
| – Tennis | 20,9 | 17,3 | 14,7 | 4,7 | 0,6 | 0,4 | 9,5 |
| – Vélo | 10,9 | 9,1 | 11,6 | 6,2 | 5,1 | 1,4 | 7,8 |
| – Ski | 11,0 | 14,7 | 12,2 | 4,1 | 1,7 | 0,7 | 7,4 |
| – Voile | 6,0 | 7,2 | 5,1 | 0,4 | 0,2 | 0,1 | 2,9 |

ministère de la Culture

les activités culturelles ? L'explication est peut-être à la fois plus simple et plus grave : **le manque d'habitude.** Les plus de 40 ans sont les représentants d'une autre génération, pour laquelle la civilisation des loisirs n'est qu'une invention récente. Nés avant la Seconde Guerre mondiale, ils ont dû consacrer plus de temps au travail qu'au loisir, pour des raisons souvent matérielles. Certaines activités qui sont normales aujourd'hui leur paraissent sans doute un peu futiles. Et même si elles tentent certains, les autres considèrent qu'il est trop tard pour s'y mettre c'est peut-être dans la conception des loisirs que l'écart entre ces deux générations est le plus net.

*L'évolution de la pratique des loisirs est un indicateur très fidèle du changement social.*

L'intérêt majeur de ces comparaisons est qu'elles permettent de mesurer avec une certaine précision le chemin, considérable, parcouru par la société. La cassure très nette entre les moins de 40 ans et les plus âgés est le signe concret et spectaculaire du passage, en une génération, de la civilisation industrielle à un autre type de civilisation. Qu'il s'agisse, précisément, de la civilisation des loisirs reste bien évidemment discutable. Il est sûr, en tout cas, que les loisirs y occupent une place de choix.

Le temps libre

**En vrac**

- En 1990, les dépenses de loisirs-culture pourraient représenter près de 8 % du budget des ménages, contre 6,5 % aujourd'hui.
- 65 % des ménages disposent à la fois d'une automobile, d'un réfrigérateur, d'une machine à laver et d'un téléviseur ; 1 % n'ont aucun de ces appareils ont aucun, 2,5 % un seul.
- La répartition des dépenses culturelles des ménages a peu varié depuis 1970 entre les biens d'équipement (30 % en 1985), les disques, livres, journaux, photographies (58 %) et les spectacles (12 %).
- En francs 1970, le poste loisirs-culture est passé de 5,8 % du budget des ménages en 1970 à 7,8 % en 1984.

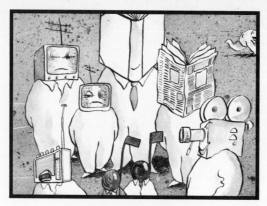

# Les Médias

phobes », qui ont choisi de ne pas se laisser prendre à ce qu'ils considèrent comme un piège. La preuve est qu'on les trouve aussi bien parmi les catégories aux revenus élevés que chez les plus modestes.

La télé s'est bien vite installée dans l'emploi du temps des Français. Au point d'animer

## TÉLÉVISION

*En trente ans, la télévision est devenue le principal loisir des Français. Elle s'ouvre aujourd'hui à de nouvelles activités « périphériques » : magnétoscope, vidéo, ordinateur... Les rapports des Français avec la télévision commencent à se transformer.*

### De la drogue douce à la drogue dure

**1950.** 297 privilégiés possèdent l'« étrange lucarne » sur laquelle ils peuvent suivre quelques émissions expérimentales. C'est le début d'une véritable révolution dans les modes de vie et de pensée.

**1986.** Plus de 17 millions de foyers sont équipés de la boîte magique. Et les 6 % qui ne le sont pas sont pour la plupart des « télé-

### L'amie de la famille

14 % des foyers disposent d'au moins 2 postes (dont 1 % au moins 3).

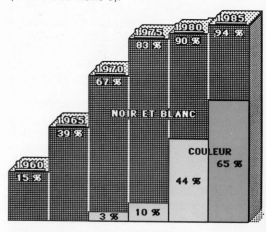

la plupart de leurs soirées, de leurs week-ends, souvent même de leurs repas. L'information, la distraction, la connaissance sont les trois apports principaux de la télévision. C'est cette variété qui en a fait l'instrument irremplaçable qu'elle est aujourd'hui. Même si, à la différence des vraies drogues douces, celle-ci n'est pas toujours euphorisante ! Au bout de toutes ces années d'utilisation régulière, la drogue douce s'est d'ailleurs transformée en drogue dure.

### Le petit écran de plus en plus petit

En 1972, tous les téléviseurs couleurs achetés par les Français avaient un écran de dimension supérieure à 43 cm. En 1985, la proportion n'est plus que de 75 %. Quant aux téléviseurs noir et blanc, 87 % d'entre eux avaient un écran d'au moins 45 cm en 1972 contre 24 % seulement aujourd'hui.
Plus petits, les récepteurs actuels sont aussi moins gourmands en énergie. Une télé-couleurs consommait 450 W en 1967, contre environ 100 aujourd'hui. Pour le noir et blanc, la consommation est passée de 200 W en 1960 à 50 W aujourd'hui.

*Les téléspectateurs passent 3 h 27 min chaque jour devant le petit écran.*

La télévision occupe plus de la moitié de leur temps libre. Le temps passé varie bien sûr selon les individus. Il est difficile pourtant de savoir ce qui motive ces comportements différents. Ceux qui consacrent le moins de temps à la télévision sont-ils ceux qu'elle intéresse le moins ou ceux qui sont le moins disponibles ?
La durée d'écoute a un peu augmenté ces dernières années : 2 heures 51 minutes par jour et par individu en 1975, 3 heures 27 minutes en 1986. Elle reste comparable à celle des autres pays européens, mais très inférieure à celle des États-Unis (environ 7 heures !). Il faut dire que le choix y est beaucoup plus vaste : il n'est pas rare de recevoir une quarantaine de chaînes, dont certaines (à câble) sont très spécialisées ; la télévision fonctionne jour et nuit. Il faut préciser aussi que le chiffre de 7 heures mesure le temps pendant lequel le récepteur est **allumé**, ce qui ne signifie pas que les familles américaines aient l'oeil rivé sur la télévision pendant tout ce temps.

### Drogue douce ou drogue dure ?

| Ceux qui regardent le plus | Ceux qui regardent le moins |
|---|---|
| • les femmes<br>• les personnes mariées<br>• les plus âgés<br>• les inactifs<br>• les non-diplômés | • les hommes<br>• les célibataires<br>• les jeunes<br>• les cadres<br>• les diplômés de l'enseignement supérieur |
| • les habitants des campagnes | • les habitants des grandes villes |

C.E.S.P.

Si 84,5 % des possesseurs de téléviseurs déclarent regarder la télévision tous les jours ou presque, 4,8 % d'entre eux disent ne jamais la regarder. Ce chiffre atteint 7,1 % chez les personnes âgées d'au moins 65 ans et 8 % chez les veufs. De quoi détruire le mythe des vieilles personnes seules prostrées devant leur télé...

## La guerre des chaînes

Lors de la vague d'enquête réalisée par le C.E.S.P. (Centre d'étude des supports de presse) en janvier 1986, c'est TF1 qui avait pris la tête de l'audience télévision, avec 66 % de téléspectateurs ayant regardé au moins une fois la chaîne au cours d'une journée moyenne (du lundi au vendredi). Soit au total 27 millions

Nouveau Langage

La guerre des chaînes a un seul enjeu : la publicité.

de téléspectateurs. Antenne 2 arrivait en seconde position en audience, mais en première en ce qui concerne la durée d'écoute.

### La force de l'habitude

25 % seulement des téléspectateurs choisissent ce qu'ils regardent à la télévision. 37 % regardent en effet une seule et même chaîne, 60 % regardent une chaîne plus volontiers que les autres. Parmi ceux qui choisissent, 44 % le font à l'aide d'un magazine spécialisé. Presque autant (40 %) utilisent la page TV de leur quotidien, 16 % essaient les chaînes en allumant leur poste ou quand l'émission qui précède est finie ou ne les intéresse plus.

Quant aux deux chaînes étrangères, Télé-Luxembourg et Télé-Monte-Carlo, elles réalisent des scores faibles, du fait d'une couverture limitée à quelques régions frontalières ; environ 4 % pour la première et 2 % pour la seconde. En attendant la télévision par satellite, qui pourrait bouleverser la situation actuelle.

### Les Français sont plus nombreux à regarder TF 1 mais ils regardent A 2 plus longtemps

Audience et durée d'écoute de 4 chaînes au cours d'une journée moyenne en janvier 1986.

|  | TV en général | TF 1 | A 2 | FR 3 | Canal + |
|---|---|---|---|---|---|
| **Lundi au vendredi :** • Millions d'auditeurs | 35,6 | 27,0 | 26,3 | 11,2 | 3,4 |
| • Audience (1) | 87,7 % | 66,3 % | 64,7 % | 27,4 % | 8,4 % |
| • Durée d'écoute journalière (par téléspectateur) | 3 h 27 | 1 h 53 | 1 h 57 | 1 h 12 | 1 h 25 |
| **Audience du samedi** | 87,4 % | 67,3 % | 65,8 % | 29,0 % | 7,2 % |
| **Audience du dimanche** | 90,0 % | 79,0 % | 65,7 % | 26,4 % | 4,1 % |

(1) Nombre de téléspectateurs ayant regardé au moins une fois la télévision au cours d'une journée de semaine.

## Les émissions les plus regardées restent les films et les variétés.

Il faut distinguer entre les émissions préférées des Français et celles qui attirent l'audience la plus nombreuse. On trouve dans cette dernière catégorie les journaux télévisés, que l'on regarde par habitude, ou par nécessité, mais dont le contenu est d'autant moins attrayant qu'il est fidèle à l'actualité quotidienne... Les genres d'émissions qui plaisent le mieux n'évoluent guère. Cinéma, variétés et sport constituent le tiercé gagnant. Avec

### Le palmarès 85

L'audience d'une émission est évidemment une bonne indication de son intérêt pour le public. Elle ne peut cependant être considérée indépendamment de sa date et surtout de son heure de diffusion, ainsi que des programmes proposés au même moment par les autres chaines.

Au hit-parade de l'année télévisée 1985, ce sont comme d'habitude les films qui ont obtenu les plus fortes audiences, suivis de certains événements sportifs et des émissions de variété. Voici, dans chaque catégorie, les 5 plus fortes audiences enregistrées par Audimat (1 point = 185 000 foyers) :

**Films :**
• L'Été meurtrier : 61,3 % (TF1)
• Trois Hommes à abattre : 59,7 % (TF1)
• La Balance : 56,7 % (A2)
• Le Cavaleur : 56,5 % (TF1)
• L'Indic : 56,1 % (TF1)
• J'ai épousé une ombre : 56,1 % (TF1)

**Événements sportifs :**
• Bordeaux-Juventus : 50,8 % (A2)
• Finale de la Coupe d'Europe Juventus-Liverpool (jour du drame du Heysel) : 48,3 % (TF1)
• France-Bulgarie : 47,6 % (A2)
• Juventus-Bordeaux : 45,1 % (TF1)
• Nantes-Belgrade : 40,8 % (TF1)

**Variétés (1) :**
• Carnaval : 46 % (TF1)
• Le Grand Bêtisier : 45,3 % (TF1)
• Le Jeu de la vérité (Coluche) : 44,3 % (TF1)
• Cocoricocoboy : 43,6 % (TF1)

**Téléfilms :**
• Les cinq dernières minutes (Histoire d'os) : 46,1 % (A2)
• Les cinq dernières minutes (Meurtre à la baguette) : 42 % (A2)

C.E.S.P.

des variations très fortes selon la nature des émissions qui leur sont consacrées et la personnalité des présentateurs. L'audience est également très variable selon le moment de la journée, avec des « creux » l'après-midi avant 19 heures et des pointes entre 20 h 30 et 21 h 30. Elle varie également au cours de la semaine (maximum atteint le dimanche soir).

*Les nouvelles chaînes*
*modifient le paysage audiovisuel.*

La télévision libère ses chaînes ! La nais-

sance, en février 1986, de la cinquième et de la sixième chaîne, a marqué l'entrée dans une nouvelle ère, celle de la télévision privée, amorcée en 1983 avec la création de Canal Plus. La Cinq, chaîne à vocation populaire, à l'image des télévisions américaines et italiennes, n'avait pas trouvé après plusieurs mois d'existence, la faveur des Français, ce qui facilitait sa mise en cause par le nouveau pouvoir politique. Par ailleurs, les téléspectateurs potentiels de TV6 (essentiellement les

- Les cinq dernières minutes *(Crime sur mégahertz)* : 40,9 % (A2)
- Les cinq dernières minutes *(Tilt)* : 39,1 % (A2)
- *Princesse Daisy* : 36,6 % (A2)

**Feuilletons et séries (1) :**
- Les oiseaux se cachent pour mourir : 39,5 % (TF1)
- Loterie : 35,9 % (A2)
- L'Amour en héritage : 32,1 % (A2)
- Simon et Simon : 32 % (A2)
- Au nom de tous les miens : 31,7 % (TF1)

**Émissions politiques :**
- Face à face Fabius-Chirac : 45,8 % (TF1)
- Ça nous intéresse, Monsieur le président (2ᵉ émission) : 33,8 % (TF1)
- Ça nous intéresse, Monsieur le président (1ʳᵉ émission) : 32,4 % (TF1)
- L'Heure de vérité (Jean-Marie Le Pen) : 32,1 % (A2)
- Interview de François Mitterrand : 29,3 % (A2)

**Débats :**
- Les dossiers de l'écran (La résistance oubliée) : 20 % (A2)
- Droit de réponse (Les immigrés) : 19,6 % (TF1)
- Les dossiers de l'écran (Le cancer, où en est-on ?) : 19,3 % (A2)
- Les dossiers de l'écran (Le suicide chez les adolescents) : 18 % (A2)
- Les dossiers de l'écran (Etre beau et laid) : 17,5 % (A2)

**Magazines d'information :**
- 7 sur 7 : Roger Hanin : 26,7 % (TF1)
- 7 sur 7 : Christine Ockrent : 25,3 % (TF1)
- 7 sur 7 : Yannick Noah : 24,4 (TF1)
- 7 sur 7 : Jean Boissonnat : 23,1 % (TF1)
- 7 sur 7 : Jacques Attali : 23,1 % (TF1)

(1) Audience moyenne de toutes les émissions (sauf pour « le Jeu de la vérité »).

### Les enfants regardent moins la télé que leurs parents

La télévision joue dans la vie des enfants un rôle important, même s'ils la regardent moins que leurs aînés : 2 heures 10 par jour entre 8 et 14 ans, contre 2 heures 44 pour les plus de 15 ans. Si le temps passé devant le petit écran varie avec l'âge (plus on grandit, plus on regarde), il varie aussi avec le sexe. Les petites filles (8-9 ans) regardent moins que les garçons du même âge, mais les grandes filles (13-14 ans) regardent plus que les grands garçons. Le statut de la mère apparaît déterminant sur le temps passé par les enfants devant le petit écran. Contrairement à une idée reçue, les enfants dont la mère travaille à l'extérieur regardent moins la télévision que ceux dont la mère reste au foyer. Mais c'est surtout le niveau d'instruction de la mère qui influence la durée d'écoute des enfants : ceux dont la mère a une instruction de niveau primaire passent 2 fois plus de temps devant le téléviseur que ceux dont la mère est diplômée de l'enseignement supérieur. La télévision est partie intégrante de la vie des enfants. Le rythme familial s'organise souvent autour d'elle, ce que n'approuvent pas tous les enfants. Outil de distraction, outil d'information, la télévision contribue de façon indiscutable à l'instruction des enfants, dont elle alimente aussi la sensibilité et l'imagination. Les émissions de fiction (quand ce n'est pas l'actualité quotidienne) fournissent des modèles, parfois contestables, qui serviront de thèmes aux discussions dans les cours de récréation. Les préférences vont aux films (61 % des suffrages) et aux feuilletons, alors que les émissions qui leur sont particulièrement destinées ne recueillent que 35 % de leurs voix. À la différence des parents, les enfants considèrent la publicité comme un type d'émission à part entière : 97 % d'entre eux la regardent, dont 86 % avec plaisir. Le regard des enfants sur la télévision est donc différent de celui des parents. Ce que résume joliment un garçon de 13 ans : « La télé, quand on est petit, c'est fait pour rêver... et, quand on est grand, c'est fait pour comprendre. »

C.E.S.P.

jeunes) durent attendre quelques mois que la succession ininterrompue de vidéos se transforme en une véritable grille de programmes.

## La télé d'aujourd'hui n'est pas celle de tous les Français

De tous les médias, la télévision est celui qui touche le plus de monde, le plus longtemps. C'est pourquoi elle est le plus souvent considérée par ceux qui la font comme un média de masse, destiné à tous les Français quels que soient leur âge, leur niveau d'instruction ou la nature de leurs préoccupations personnelles.

Il est de plus en plus difficile de prétendre à cette universalité. L'époque n'est plus aux grands mouvements de masse, mais à des attentes de plus en plus spécifiques. Dans leurs autres loisirs, les Français se voient offrir un choix beaucoup plus large, que ce soit pour lire un magazine, pratiquer un sport, écouter la radio, voir un film ou aller au restaurant. Ils ne retrouvent pas cette variété à la télévision, où les programmes, même répartis sur six chaînes, leur paraissent parfois notoirement insuffisants.

*Un tiers des Français ne se sentent pas concernés par la plupart des programmes.*

**Les Styles de Vie et la télé**

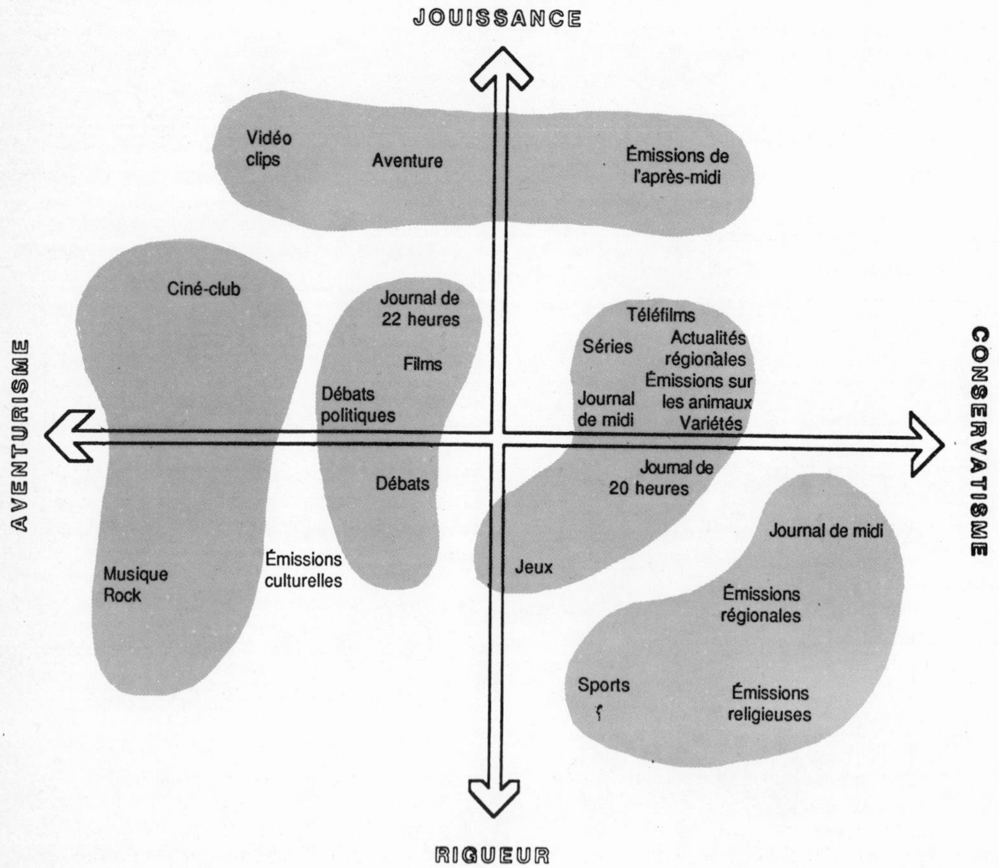

JOUISSANCE

Vidéo clips — Aventure — Émissions de l'après-midi

AVENTURISME

Ciné-club

Journal de 22 heures

Films

Débats politiques

Téléfilms

Séries — Actualités régionales

Émissions sur les animaux

Journal de midi — Variétés

CONSERVATISME

Débats

Émissions culturelles

Jeux

Journal de 20 heures

Journal de midi

Musique Rock

Émissions régionales

Sports

Émissions religieuses

RIGUEUR

C.C.A.

Pour lire la carte, voir la description des Styles de Vie en fin de volume.

La télévision reste faite principalement pour un hypothétique groupe moyen, supposé homogène en termes de centres d'intérêt et sensible au style et au langage traditionnels de la plupart des émissions. Même si cette analyse est fondée (ce qui n'apparaît pas dans les sondages !), il reste une tranche d'environ 30 à 35 % de la population qui ne se sent pas concernée par la télévision d'aujourd'hui. Les « marginaux » de la télé lui reprochent son côté B.C.-B.G. (bon chic-bon genre) ou de viser un peu trop bas. Ce groupe de téléphobes n'est vraiment identifiable qu'en termes de Styles de Vie. Les chaînes auraient tort de les négliger dans la mesure où leur niveau culturel, souvent supérieur à la moyenne, en fait des leaders d'opinion. Dans la mesure aussi où leur pouvoir d'achat, également supérieur à la moyenne, en fait une clientèle potentielle de choix pour les annonceurs. Or, le prix des spots publicitaires (qui représentent 65 % des ressources des chaînes) devrait, en toute logique, tenir compte non seulement de l'audience des émissions qui les encadrent mais aussi des caractéristiques de ceux qui les regardent...

## La télévision partenaire

Les Français se félicitent de la fin du monopole audiovisuel, c'est-à-dire à la fois du plus grand nombre de chaînes et d'une plus grande indépendance de chacune d'elles. Mais leurs souhaits restent assez traditionnels en matière de programmes. C'est plutôt du côté des « marginaux de la télé » décrits précédemment qu'il faut chercher les idées qui feront la télévision de demain. Contrairement à la masse des téléspectateurs, gourmands de télévision, ceux-ci font plutôt figure de gourmets. Ils préfèrent consommer moins et de façon plus sélective, cherchant dans les programmes des émissions plus « pointues ». Le choix qui leur est offert aujourd'hui par les chaînes (en dehors de quelques indéniables réussites telles que « Apostrophes » [Antenne 2], « Moi, je » [Antenne 2] ou « L'Enjeu » [TF1]) fait que ces gourmets sortent souvent de table avec la faim. Leurs aspirations d'évasion, d'intensité, de modernisme ou d'anticonformisme trouvent en effet peu d'écho dans les sujets traités aussi bien que dans le ton et le style qui sont utilisés.

Certaines catégories de Français s'éloignent donc de plus en plus de la télévision traditionnelle pour aller vers de nouveaux médias qui leur correspondent mieux : magazines spécialisés, radios libres, bandes dessinées, etc. Il était normal qu'ils soient les premiers à se ruer vers les nouveaux modes d'utilisation de la télévision offerts par le magnétoscope, les jeux vidéo ou la quatrième chaîne payante.

Après un temps de retard, la vidéo explose.

Ces nouveaux « produits périphériques » relèguent le petit écran à un simple rôle d'outil, au service des aspirations du moment. Avec eux s'achève l'ère de la télévision passive. La voie est aujourd'hui ouverte vers une totale maîtrise de l'instrument, puisqu'il devient possible de lui imposer ses choix et de multiplier les activités possibles à partir de lui. L'ère de l'« interactivité » commence.

*Le magnétoscope*
*permet de mettre la télé en conserve.*
*• 2 500 000 foyers étaient équipés à fin 1985.*
*• On en comptait 7 000 en 1977.*

Pratiquement inconnu il y a 7 ou 8 ans, le magnétoscope équipe aujourd'hui environ un foyer sur dix. L'expansion du marché a pourtant souffert des mesures prises par les pouvoirs publics. Au blocage de Poitiers d'octobre 1982 avaient succédé des dispositions toutes défavorables au développement de la vidéo : accroissement de la т.v.а. sur les accessoires, délai d'un an imposé aux éditeurs pour la sortie en cassettes des nouveaux films, instauration d'une taxe plus élevée que celle de la télévision. Les rumeurs sur le lancement prochain d'un nouveau standard vidéo (le 8 mm) n'étaient pas non plus faites pour encourager une clientèle dont, par ailleurs, le pouvoir d'achat avait plutôt tendance à baisser. Aussi, la jeune industrie de la vidéo, dont certains (les vidéoclubs en particulier) avaient trop anticipé la croissance du marché, connaissait-elle dès la mi-1983 sa première crise. Les perspectives sont aujourd'hui plus favorables, avec l'accroissement du nombre des chaînes, donc, du nombre d'émissions « magnétoscopiables ».

### Les vidéomaniaques

Il existe deux races d'utilisateurs de magnétoscopes. Les premiers (environ 40 %) sont des téléspectateurs plutôt traditionnels et boulimiques qui trouvent là un moyen de conserver les émissions qu'ils aiment ou de garder en réserve celles qu'ils ne peuvent pas voir parce qu'elles passent trop tard, lorsqu'ils sont absents ou en même temps que le programme qu'ils regardent. Ils peuvent ainsi créer une chaîne supplémentaire faite de programmes on ne peut plus personnels. Les autres fréquentent l'un des 5 000 vidéoclubs existants, où ils se rendent un peu moins d'une fois par semaine en moyenne, principalement pour louer des films. Les vidéomaniaques ne sont pas très typés sur le plan sociodémographique, en dehors du fait qu'on les trouve surtout dans la tranche 25 à 35 ans. Ils se définissent beaucoup plus en termes de Styles de Vie qu'en termes de revenus ou d'activité professionnelle. Chacun d'eux dépense en moyenne plus de 300 francs par mois pour les cassettes (vierges ou enregistrées), l'abonnement à une vidéothèque et les autres frais occasionnés par l'exercice de la « vidéomanie ».

Les attraits de la vidéo s'inscrivent dans les courants les plus forts de la société contemporaine : désir de personnalisation des loisirs ; intérêt pour les équipements techniques sophistiqués ; goût pour le cinéma ; attirance pour les activités pratiquées au foyer, etc. Le mouvement amorcé en 1980 devrait donc se poursuivre dans les années qui viennent. Les perspectives technologiques y contribueront évidemment beaucoup.

Le magnétoscope sera de moins en moins l'accessoire de luxe qu'il est aujourd'hui, mais l'un des symboles de la société dans laquelle nous entrons.

### Les jeux vidéo cherchent leur second souffle.

Comme pour les magnétoscopes, 1980 avait donné le coup d'envoi aux ventes de consoles de jeux vidéo, à brancher sur le téléviseur familial. L'enthousiasme des enfants, clientèle privilégiée de ce type de produits, laissait espérer un développement foudroyant. Cet engouement s'expliquait principalement par trois raisons : l'existence d'un défi à relever (battre la machine) ; l'accès à un monde imaginaire ; le côté « gadget » sophistiqué qui attire souvent les enfants.

Aujourd'hui, l'enthousiasme semble un peu retombé. Depuis 1983, les ventes, bien que toujours en hausse, ont été inférieures aux attentes des professionnels. Le phénomène est d'ailleurs mondial. La concurrence des jeux électroniques portatifs n'est sans doute pas étrangère à cette désaffection. Beaucoup invoquent également la lassitude des utilisateurs vis-à-vis de jeux qu'ils finissent par trop bien connaître. Un certain nombre d'enfants semblent en effet revenir à des jouets plus traditionnels (trains électriques, poupées), sur lesquels ils peuvent sans doute plus librement projeter leurs rêves. Les fabricants comptent sur l'introduction de l'ordinateur individuel pour relancer le marché des jeux vidéo.

### Les ordinateurs domestiques sont encore des objets mal identifiés.
### • 800 000 foyers en étaient équipés à la fin de 1985.

L'ordinateur à la maison constitue pour beaucoup d'experts une étape décisive dans le processus qui devrait transformer le foyer en un minicentre informatique. Le téléphone et la télévision sont déjà présents et prêts à recevoir leurs accessoires. Le vidéotex devrait s'implanter rapidement par le biais de l'annuaire électronique, que les р.т.т. ont commencé à installer gratuitement dans les foyers (Minitel). Après avoir conquis les entreprises, grosses ou moyennes, l'ordinateur a commencé à pénétrer chez les membres des professions libérales, pour qui la dépense est justifiée par des économies au niveau professionnel. Les fabricants s'attachent aujourd'hui à le faire entrer dans les foyers.

Le mouvement est déjà très fort dans certains pays comme les États-Unis ou la Grande-Bretagne. Les Français se sont montrés jusqu'ici plus réticents. La pression exercée par les enfants se heurte à plusieurs freins : prix encore élevés ; crainte des parents de ne pas savoir se servir de la machine ; grande difficulté, surtout, à se faire une idée des matériels et des programmes existants. Comment, en effet, se repérer dans le maquis des marques aux performances difficiles à comparer et aux accessoires incompatibles entre eux ? D'autant qu'on n'a aucune idée de ce que l'on peut vraiment faire avec un ordinateur (et encore moins de ce que l'on aura envie de faire lorsqu'il sera là) ! Il faudra donc que les fabricants et les détaillants fassent un effort considérable d'information et de conseil pour que l'ordinateur perde l'image mystérieuse, voire mythique, qu'il a encore aujourd'hui.

## L'ère de l'interactivité est commencée.

Les loisirs audiovisuels étaient jusqu'ici pratiqués de façon passive. On regardait, on écoutait les programmes diffusés par les stations de télévision ou de radio, avec une faible possibilité de choix (sauf dans le cas des disques ou des cassettes). Demain, les loisirs audiovisuels demanderont une réelle participation. Déjà, le magnétoscope permet aux téléspectateurs de se composer une chaîne tout à fait personnelle. L'arrivée de Canal Plus, puis de la cinquième et de la sixième chaîne, a élargi le choix, en particulier dans le domaine apprécié des films. La télévision par câble apportera la régionalisation et l'« interactivité » (possibilité pour le téléspectateur d'envoyer des informations simples à l'émetteur, pour lui faire connaître, par exemple, son opinion sur le programme qu'il regarde...). Enfin, la télévision par satellite permettra l'accès à un grand nombre de chaînes étrangères, qui viendront brutalement concurrencer les chaînes françaises.

L'ordinateur ira encore plus loin dans l'interactivité, grâce à ses utilisations multiples : saisie de données, calcul, gestion, jeux, traitement de texte, apprentissage, applications musicales, surveillance, etc.

Les Français se trouveront donc demain face à des possibilités extrêmement variées. Pour la première fois, ils pourront réellement utiliser leur petit écran comme un outil sur lequel viendront s'afficher les images de leur choix. Il est bien difficile, aujourd'hui, de prédire comment ils vivront cette révolution technologique. Il paraît probable, en tout cas, que leurs modes de vie en seront affectés. La télévision, de son côté, devra aussi s'adapter à ces nouvelles réalités et rayer de son vocabulaire le mot « grand public », qui ne voudra plus rien dire.

Les éléments, au moins technologiques sont donc réunis pour que se développe la société de communication promise.

Après l'entreprise, l'ordinateur s'installe dans la maison.

Fargeat et Associés

# RADIO

*La radio a fait son entrée dans le XXI<sup>e</sup> siècle. Aux stations nationales et périphériques, dont la vocation est de diffuser une culture uniforme à des masses indifférenciées, s'ajoutent aujourd'hui les radios locales privées, proches et spécialisées. Le mouvement ne fait que commencer. Il concernera demain l'ensemble des moyens de communication.*

## Tous branchés

La radio est pour beaucoup de Français l'indispensable compagnon de la vie courante. L'amélioration continue de la qualité de réception leur a permis de donner libre cours à leur goût pour la musique et pour l'information.

À l'évolution technologique s'est ajoutée, depuis 1982, l'évolution juridique. L'autorisation des « radios libres » (officiellement « radios locales privées ») est une date importante dans l'histoire des médias. Elle permet un nouveau type de relation entre les stations et leurs auditeurs, basé sur le dialogue, l'engagement ou le partage d'un même centre d'intérêt. Le mouvement est significatif. Il traduit le besoin irrépressible des Français pour de nouveaux médias plus spécialisés, utilisant un ton et un style plus actuels. La presse avait été la première à y répondre. La radio ne pouvait pas refuser longtemps d'y répondre à son tour.

Avec les radios locales, chaque Français peut trouver aujourd'hui une radio qui lui ressemble.

*Tous les foyers sont équipés d'au moins un poste de radio.*
*• 20,5 millions de récepteurs en 1971. Plus de 50 millions aujourd'hui.*

Depuis quelques années, la modulation de fréquence (mono et stéréo), les radiocassettes, les radio-réveils, les autoradios et les tuners ont largement contribué au développement d'un marché qu'on aurait pu croire saturé.

**Un poste par Français**

99 % des foyers sont équipés dont :                    Composition du parc :

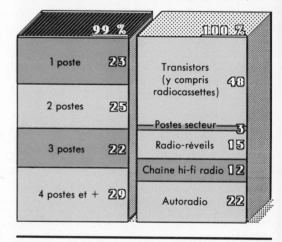

| 1 poste | 23 |
| 2 postes | 25 |
| 3 postes | 22 |
| 4 postes et + | 29 |

| Transistors (y compris radiocassettes) | 48 |
| Postes secteur | 3 |
| Radio-réveils | 15 |
| Chaîne hi-fi radio | 12 |
| Autoradio | 22 |

*Seule la possession de la FM différencie les catégories sociales.*
*• 65 % des Français sont équipés d'un poste recevant la modulation de fréquence.*

Les taux de possession sont assez inégaux selon l'âge, la profession ou la région, et donnent à la FM un aspect moins populaire que la radio en général. Comme c'est souvent le cas pour les produits à forte « technologie ajoutée », ce sont les plus jeunes, les plus aisés et les plus « urbains » qui sont les plus équipés.

*67 % des automobilistes disposent d'un autoradio.*
*• En 10 ans, le taux d'équipement radio des automobilistes a plus que triplé (24 % en 1971).*

Les jeunes, en particulier, sont séduits par la qualité croissante de l'écoute, liée à l'évolution spectaculaire des matériels (récepteurs, haut-parleurs, amplis, égaliseurs, etc.). Aujourd'hui, les ventes des radiocassettes représentent les trois quarts des 2 millions d'autoradios achetés (contre 11 % en 1971).

*Les Français consacrent moins de temps à la radio qu'à la télé, mais pas aux mêmes moments.*
*• 2 heures 45 par auditeur et par jour en semaine, 45 minutes de moins que la télévision.*

Il faut dire que les programmes de la radio durent plus longtemps et qu'il est souvent possible de les écouter tout en faisant autre chose, ce qui est plus difficile avec la télévision.

*La bande des quatre s'étire.*

Dans la lutte farouche qui oppose les stations périphériques, R.T.L. a pris un avantage, concrétisé à la fois par une audience supérieure et par une durée d'écoute plus longue. Les stations de la « bande des quatre » ont des implantations géographiques assez différentes. Radio Monte-Carlo détient 40 % de l'écoute radio du Sud-Est et un taux un peu moins élevé dans le Sud-Ouest. Les trois autres stations se partagent le reste de la France, avec une prépondérance de R.T.L. dans le Nord et l'Est, et d'Europe 1 dans l'Ouest, le Centre et la région Rhône-Alpes. France-Inter fait un bon score dans le Sud-Ouest et l'Ouest, et obtient

### Radio-consommateurs : les mêmes que pour la télé

| Ceux qui écoutent le plus | Ceux qui écoutent le moins |
|---|---|
| • les femmes | • les hommes |
| • les plus âgés | • les plus jeunes |
| • les moins instruits | • les plus instruits |
| • les petits patrons | • les agriculteurs |
| • les femmes au foyer | • les étudiants |
| • les habitants du Nord et du Bassin parisien | • les habitants du Sud-Ouest et de l'Ouest |

**L'écoute maximale est atteinte entre 7 heures et 18 heures.** Elle diminue ensuite au fur et à mesure que la soirée se poursuit et que les Français s'installent devant leur petit écran. On écoute aussi la radio le samedi et surtout le dimanche, jour pourtant traditionnellement consacré à la télé. C'est en octobre et novembre que la radio a le plus d'auditeurs, alors que les postes sont le plus silencieux en juillet et août (sauf sur les plages, où ils ne sont pas toujours bien tolérés).

C.E.O.

environ 15 % d'écoute dans le Sud-Est, fief de R.M.C. L'absence de publicité de marque (seules les publicités « collectives » sont autorisées sur France-Inter) ne semble pas l'avoir favorisée auprès des auditeurs, qui sont de moins en moins publiphobes.

### RTL en tête

| | Audience cumulée (1) | | Durée moyenne d'écoute (1) | Présence moyenne (2) | |
|---|---|---|---|---|---|
| | Millions d'auditeurs | % | | Millions d'auditeurs | % |
| • RTL | 7,8 | 19,3 | 2 h 27 | 1,0 | 2,5 |
| • Europe 1 | 7,5 | 18,4 | 1 h 46 | 0,7 | 1,7 |
| • France Inter | 6,2 | 15,2 | 1 h 37 | 0,5 | 1,3 |
| • RMC | 2,8 | 6,9 | 2 h 12 | 0,3 | 0,8 |
| • Radios locales privées | 7,9 | 19,4 | 2 h 25 | 1,0 | 2,5 |
| • Autres stations (3) | 12,6 | 30,9 | 2 h 20 | 1,5 | 3,8 |
| • Radio en général | 28,6 | 70,4 | 2 h 43 | 4,1 | 10,1 |

(1) Auditeurs ayant écouté au moins une fois dans la journée (moyenne du lundi au vendredi).

(2) Audience d'un quart d'heure moyen pendant la journée (du lundi au vendredi).

(3) Toutes stations françaises et étrangères écoutées en France (y compris France Inter et les stations de Radio France) à l'exclusion des stations périphériques et des radios locales privées.

C.E.S.P.

# Radios libres : les ondes de choc

Depuis 1982, les radios libres ont réalisé une percée remarquable, confirmée par les sondages.

- *Près de 20 % de l'audience radio cumulée.*
- *18 % des auditeurs de la « bande des quatre » auraient délaissé leur station habituelle.*
- *Le transfert atteindrait 26 % chez les jeunes de 16 à 24 ans.*

C'est dire combien les radios libres étaient attendues et combien elles sont appréciées aujourd'hui. 1 400 radios libres ont été autorisées sur le territoire au terme d'une période transitoire pendant laquelle les auditeurs ont eu un peu mal aux oreilles, entre les glissements de fréquence, les brouillages et les superpositions de programmes. La moitié environ sont ouvertes à la publicité de marques. Les autres ont un statut associatif et ne peuvent diffuser que des campagnes collectives.

### Le triomphe de NRJ

La « plus belle des radios » a réussi son pari. Depuis 1985, elle est entrée dans le club des « grandes » radios. Sur Paris, la station obtient 22 % d'audience, soit près de 2 millions d'auditeurs (58 % de l'audience des radios locales parisiennes), contre 31 % à RTL et 26 % à Europe 1. Elle relègue France-Inter à la quatrième place (21 %).
Menacée de suspension fin 1984 pour ne pas avoir respecté les règles imposées aux R.L.P., NRJ avait réussi à faire descendre dans la rue des dizaines de milliers d'adolescents, et obtenu le soutien de quelques chanteurs célèbres. Son succès, indéniable, tient en une formule simple et efficace : beaucoup de musique (des « tubes » plus ou moins récents) ; peu d'informations ; le son FM ; un ton jeune et « cool ».
La rançon de ce succès est la participation de NRJ à TV6, qui est la transposition télévisuelle de la formule appliquée en radio.

*Musique, décontraction, spécialisation sont les principales raisons de l'intérêt pour les radios libres.*

La diffusion quasi permanente de musique est ce qui attire le plus les Français vers les radios libres. C'est déjà ce qui avait expliqué

le succès des stations régionales FM sœurs cadettes de France-Inter (FIP, FIL, FIM...).

La spécialisation de la plupart des radios libres est une autre qualité déterminante par rapport à leurs grandes sœurs, qui ne peuvent survivre qu'en s'adressant au « grand public », comme les chaînes de télévision. Cette spécialisation est, par définition, régionale ou locale, puisque la zone d'écoute des stations est limitée. Mais la vraie spécificité des radios libres tient à ce que chacune s'adresse à un groupe d'individus ayant quelque chose en commun : l'amour d'un certain type de musique (rock, classique, chanson française, etc.), la politique, la religion, ou encore d'autres signes de ralliement tels que l'ethnie ou l'homosexualité.

Les radios libres de plus en plus « branchées ».

*Les radios libres constituent l'un des médias de l'avenir.*

Les principes qui régissent les médias de la nouvelle génération sont simples : passer d'une optique de masse à une approche personnalisée ; s'adresser à des groupes définis par des modes de vie communs plutôt que par toute caractéristique sociodémographique. C'est ce qu'a fait avec succès la presse depuis quelques années. Les radios nationales et périphériques, qui surveillent avec attention cette évolution, préparent des ripostes. Entre radios périphériques et radios libres, la seconde manche va bientôt se jouer.

## Les Styles de Vie et la radio

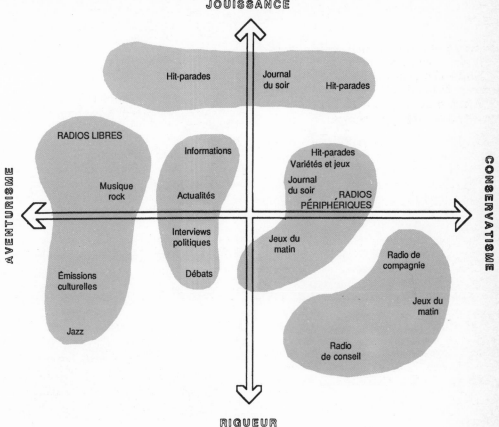

JOUISSANCE

Hit-parades

Journal du soir

Hit-parades

RADIOS LIBRES

Informations

Hit-parades
Variétés et jeux

Journal
du soir

RADIOS
PÉRIPHÉRIQUES

AVENTURISME

CONSERVATISME

Musique
rock

Actualités

Interviews
politiques

Jeux du
matin

Radio de
compagnie

Émissions
culturelles

Débats

Jeux du
matin

Jazz

Radio
de conseil

RIGUEUR

C.C.A.

Pour lire la carte, voir la description des Styles de Vie en fin de volume.

## CINÉMA

*Dans le dur combat qui l'oppose à la télévision, le cinéma avait failli déclarer forfait. Puis il a décidé de résister en misant sur ses atouts essentiels : l'actualité des films et la puissance de l'image sur grand écran. Avec les nouvelles chaînes, la télé contre-attaque. Comme d'habitude, ce sont les Français qui arbitrent.*

## Nuit et brouillard

Les 400 millions de spectateurs de 1957 avaient fondu comme neige au soleil. Au fur et à mesure qu'ils s'équipaient de la télévision, les Français désertaient les salles obscures. Trop cher, trop compliqué de choisir un film, de faire la queue, etc., alors que la télé diffuse près de 500 films chaque année. En 10 ans, le cinéma perdait ainsi plus de la moitié de sa clientèle. Une érosion massive qui laissait augurer de la disparition pure et simple de toute une industrie.

*Depuis 1975, les efforts des professionnels ont permis de limiter les dégâts.*

Face à cette situation dramatique, producteurs et exploitants ne baissèrent pas les bras. Ils se lancèrent dans un courageux programme de rénovation : nouveaux « complexes multi-salles » proposant un choix plus grand dans des salles plus petites et moins nombreuses ; modulation du prix des places ; efforts des producteurs et des promoteurs. En 1975, le déclin semblait finalement enrayé et la fréquentation remontait en 1982 au niveau de 200 millions de spectateurs par an. Les récentes années (1983 à 1985) ont cependant vu une nouvelle baisse.

---

### Le retournement

Évolution de la fréquentation des cinémas (en millions de spectateurs) et du nombre des salles.

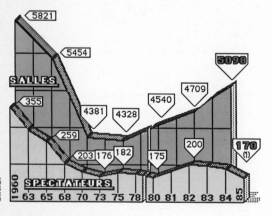

(1) Estimations.

---

### Le cinéma à la télé

**Films long métrage programmés à la télévision** (sur les 3 premières chaînes).

|  | 1981 | 1982 | 1983 | 1984 | 1985 |
|---|---|---|---|---|---|
| • Films français | 283 | 279 | 256 | 251 | 293 |
| • Films étrangers dont : | 217 | 196 | 219 | 234 | 207 |
| – États-Unis | 171 | 132 | 153 | 153 | 159 |
| – reste du monde | 46 | 64 | 66 | 81 | 48 |
| Total | 500 | 475 | 475 | 485 | 500 (1) |

(1) dont 130 sur TF 1, 158 sur A 2 et 212 sur FR 3.

---

*Le cinéma se porte mieux en France que dans les autres pays d'Europe*

La crise du cinéma n'est pas spécifiquement française et le phénomène de transfert sur la télévision n'a pas épargné les autres pays. En Europe, la France est le pays qui a le mieux réussi à maîtriser les difficultés de son industrie cinématographique. Le cinéma italien, longtemps considéré comme l'un des plus dynamiques et créatifs, est à l'agonie.

Il faut dire que, partout, la télévision, avec la multiplication des chaînes privées, exerce une concurrence très rude. L'arrivée en France de Canal Plus, puis des chaînes privées, représente un risque dont les professionnels du cinéma sont conscients.

Plus que tout, c'est la force de l'image projetée sur grand écran dans une salle obscure qui représente l'atout essentiel du cinéma. C'est de sa capacité à maintenir cet avantage que dépendra son avenir.

## La France championne d'Europe

Fréquentation des cinémas dans quelques pays (en millions de spectateurs).

| | 1984 | 1960 |
|---|---|---|
| • France | 188 | 366 |
| • États-Unis | 1 190 | 2 100 |
| • Japon | 150 | 1 014 |
| • Allemagne | 111 | 610 |
| • Italie | 132 | 746 |
| • Grande-Bretagne | 55 | 501 |
| • Espagne | 119 | 370 |
| • Inde (1982) | 4 700 | – |

# Un loisir de jeunes

Les jeunes sont ceux qui sortent le plus de chez eux. Le cinéma leur apporte la possibilité de se retrouver entre copains, en bande ou avec leur petit(e) ami(e). Il représente pour eux un moyen d'évasion dans le rire, gentil ou décapant, ou dans l'aventure, terrienne ou intergalactique. Il est donc normal que la jeunesse constitue le public privilégié du cinéma. Beaucoup de films sont d'ailleurs faits spécialement pour elle (*la Boum, E.T., la Guerre des étoiles*, etc.) et figurent aux premières places du hit-parade cinématographique.

*Les images de cinéma restent celles qui ont le plus d'impact.*

Les jeunes d'aujourd'hui sont nés avec la civilisation de l'image. Ils sont donc sensibles à la force particulière de celles que leur propose le cinéma. Leur goût croissant pour la science-fiction peut se donner libre cours,

## Un Français sur deux ne va jamais au cinéma...

En 1985, 19 millions de Français sont allés au cinéma au moins une fois (825 000 de moins qu'en 1984), soit 49 % de la population de 15 ans et plus. Parmi eux, 40 % sont des spectateurs réguliers et assidus. Ce sont essentiellement des jeunes : 90 % de ceux qui sont âgés de 15 à 24 ans vont au moins une fois par an au cinéma, contre seulement 12,1 % des personnes âgées de plus de 65 ans.

Les cinéphiles appartiennent plutôt aux catégories instruites : 81 % de ceux qui ont poursuivi des études supérieures vont au cinéma, contre 20 % de ceux qui ont un niveau d'études primaires.

76 % du nombre des entrées sont assurées par les moins de 35 ans ; les jeunes de 15 à 24 ans représentent à eux seuls 51 % des entrées (contre 19,5 % de la population totale).

C.N.C.-C.E.S.P.

## ... mais le cinéma reste le spectacle le plus fréquenté

| Sont allés au moins une fois au cours des 12 derniers mois au spectacle suivant : | 1973 % | 1981 % | 1984 % |
|---|---|---|---|
| • Cinéma | 51,7 | 49,6 | 49 |
| • Match ou spectacle sportif payant | 24,3 | 20,3 | N.D. |
| • Music-hall, variétés, chansonniers | 11,5 | 10,5 | 21 |
| • Pièce de théâtre jouée par des professionnels | 12,1 | 10,3 | 15 |
| • Concert de musique pop, de folk, de rock, de jazz | 6,5 | 10,1 | 13 |
| • Cirque | 10,8 | 9,7 | 14 |
| • Concert de grande musique | 6,9 | 7,5 | 9 |
| • Festival | 7,8 | 7,2 | 8 |
| • Ballet dansé par des professionnels | 5,8 | 5,0 | 6 |
| • Opérette | 4,4 | 2,4 | N.D. |
| • Opéra | 2,6 | 2,0 | 3 |

N.D. : non disponible.

ministère de la Culture (1973 et 1981) 50 millions de consommateurs (1984)

grâce aux fantastiques possibilités de la vidéo et de l'ordinateur, magistralement utilisées par les studios-laboratoires californiens. Le monde magique de Spielberg et de Coppola est l'illustration la plus parfaite de l'imaginaire des jeunes des années 80. *La Guerre des étoiles* ou *Indiana Jones* traduisent à la fois leur besoin d'évasion et leur besoin de technologie.

# Le rire et l'aventure au hit-parade

Si les jeunes aiment par-dessus tout l'aventure au cinéma, ils ne détestent pas les films qui font rire. Mais ce sont leurs aînés qui ont assuré le succès des grands films comiques que l'on trouve tout en haut du palmarès de ces dernières années.

On note, dans les classements, la part considérable prise par les films « à gros budget ». Le cinéma est un art où il devient aujourd'hui difficile de réussir sans investir. Il faut offrir à un public de plus en plus exigeant les acteurs, les décors, les truquages, la qualité technique (sans oublier la promotion !) auxquels il est maintenant habitué. Ce goût croissant pour la performance tend à favoriser les grandes productions américaines, au détriment des films français, plus intimistes. Avec, heureusement, quelques exceptions qui ont permis à des Truffaut ou à des Sautet de faire vivre un cinéma qui donne plus à penser qu'à voir. Le cinéma américain, en croissance régulière, représentait en 1984 37 % des entrées contre 49 % aux films français. Contre les « les grosses machines » américaines, les petits films à succès comme *Trois Hommes et un couffin* » restent l'exception.

## Les 'Césars' du public

Best-sellers du marché français (de 1956 à 1984, en millions d'entrées).

| | | | | | | | |
|---|---|---|---|---|---|---|---|
| La Grande Vadrouille (F) | 17,226 | West Side Story (USA) | 8,633 | Orange mécanique (USA) | 5,915 | Opération tonnerre (GB) | 5,470 |
| Il était une fois dans l'Ouest (I) | 14,537 | E.T. l'extra-terrestre (USA) | 7,891 | Mourir d'aimer (F) | 5,914 | Lawrence d'Arabie (GB) | 5,468 |
| Les Dix Commandements (USA) | 13,990 | Le Gendarme de St-Tropez (F) | 7,780 | Guerre et Paix (USA) | 5,856 | Bon Baisers de Russie (GB) | 5,460 |
| Ben-Hur (USA) | 13,502 | Les Bidasses en folie (F) | 7,465 | L'Aile ou la cuisse (F) | 5,840 | Les dieux sont tombés sur la tête (Afrique/Sud) | 5,443 |
| Le Pont de la rivière Kwaï (GB) | 13,439 | Les Aventures de Rabbi Jacob (F) | 7,354 | Le Bossu (F) | 5,821 | Quand passent les cigognes (URSS) | 5,397 |
| Le Jour le plus long (USA) | 11,887 | Les Sept Mercenaires (USA) | 7,025 | Les Aventuriers de l'arche perdue (USA) | 5,791 | L'As des as (F) | 5,385 |
| Le Corniaud (F) | 11,722 | La Chèvre (F) | 6,964 | Sissi face à son destin (Autriche) | 5,777 | Grease (USA) | 5,342 |
| Le Livre de la jungle (USA) | 10,224 | Les Grandes Vacances (F) | 6,946 | Les Fous du stade (F) | 5,740 | Rox et Rouky (USA) | 5,286 |
| Les Canons de Navarone (USA) | 10,166 | Michel Strogoff (F) | 6,868 | À nous les petites Anglaises (F) | 5,704 | La Jument verte (F) | 5,271 |
| Les Cent Un Dalmatiens (USA) | 10,004 | Le gendarme se marie (F) | 6,786 | Notre-Dame de Paris (F) | 5,675 | Merlin l'Enchanteur (USA) | 5,235 |
| Les Misérables (2 époques) (F) | 9,938 | Sissi (Autriche) | 6,593 | La Vérité (F) | 5,655 | Marche à l'ombre (F) | 5,194 |
| Le Docteur Jivago (USA) | 9,760 | Goldfinger (GB) | 6,467 | Les Valseuses (F) | 5,573 | Le Professionnel (F) | 5,156 |
| La Guerre des boutons (F) | 9,625 | Sissi jeune impératrice (Autriche) | 6,393 | La Folie des grandeurs (F) | 5,562 | L'Exorciste (USA) | 5,133 |
| Les Aristochats (USA) | 9,370 | La Cuisine au beurre (F) | 6,381 | Robin des bois (USA) | 5,540 | Le Dernier Tango à Paris (USA) | 5,133 |
| La Vache et le prisonnier (F) | 8,843 | Le Bon, la brute et le truand (I) | 6,294 | Le Cerveau (F) | 5,540 | Indiana Jones et le Temple maudit (USA) | 5,120 |
| Emmanuelle (F) | 8,782 | Les Dents de la mer (USA) | 6,244 | Le Petit Baigneur (F) | 5,540 | L'Été meurtrier (F) | 5,086 |
| La Grande Évasion (USA) | 8,735 | Le Gendarme et les extra-terrestres (F) | 6,236 | Le Gendarme à New York (F) | 5,495 | Les Aventures de Bernard et Bianca (USA) | 5,049 |
| | | Oscar (F) | 6,098 | Love Story (USA) | 5,493 | | |

C.N.C.

### Ciné-parade 83-84

(2 ans d'exploitation : 1983-1984 [en millions d'entrées])

| | | | |
|---|---|---|---|
| Les dieux sont tombés sur la tête | 5,512 | À la poursuite du diamant vert | 2,867 |
| | | Rambo | 2,828 |
| Marche à l'ombre | 5,194 | Octopussy | 2,818 |
| | | Greystoke | 2,696 |
| Indiana Jones et le Temple maudit | 5,120 | Jamais plus jamais | 2,547 |
| L'Été meurtrier | 5,086 | J'ai épousé une ombre | 2,535 |
| Le Marginal | 4,903 | Gandhi | 2,477 |
| Les Compères | 4,822 | Pinot simple flic | 2,362 |
| Papy fait de la résistance | 4,094 | Les Ripoux | 2,358 |
| Flashdance | 4,083 | Les Gremlins | 2,240 |
| Banzaï | 3,760 | La Vengeance du serpent à plumes | 2,236 |
| Tootsie | 3,648 | | |
| Les Morfalous | 3,599 | Fort Saganne | 2,135 |
| Tchao Pantin | 3,465 | Amadeus | 2,075 |
| Le Ruffian | 3,383 | Carmen | 2,033 |
| Joyeuses Pâques | 3,304 | Vive les femmes | 2,027 |
| Le Retour du Jedi | 3,167 | Rue barbare | 2,007 |
| L'Œil du tigre | 2,887 | | |

### Une nouvelle génération de stars

Les stars ne sont plus ce qu'elles étaient. Malgré des résultats d'entrées fort honorables, les films de Delon ou Belmondo (*Parole de flic*, *Hold-up*) ne sont arrivés en 1985 qu'en quinzième position au box-office, avec deux fois moins d'entrées que *Trois Hommes et un couffin*, révélation de l'année, et *les Spécialistes* avec Lanvin et Giraudeau.

La force d'attraction des superstars françaises est donc remise en cause par l'arrivée d'une nouvelle génération de jeunes vedettes qui s'appellent Christophe Lambert, Giraudeau, Lanvin, Lhermitte, Berry, Blanc, Jugnot, etc. De plus, la participation d'un grand acteur à un film n'est plus une condition suffisante pour en assurer le succès. Le genre, l'histoire, les effets spéciaux comptent aujourd'hui autant que le générique pour attirer les foules. Les succès de *Witness*, *Retour vers le futur*, *le flic de Beverly Hills*, *la Déchirure*, *la Forêt d'émeraude* en tête du box-office 1985, ne s'expliquent pas autrement.

*Le rire reste un genre apprécié au cinéma.*

La tradition comique du cinéma français est bien vivace. Louis de Funès avait su faire oublier la disparition de Fernandel. Il avait même réussi la performance incroyable de placer 13 de ses films (dont 4 *Gendarme*) dans la liste des 50 plus gros succès depuis 1956. Coluche apparaissait comme son successeur incontesté. Plus proche sans doute de Fernandel que de Louis de Funès, depuis qu'il avait prouvé qu'il était capable de faire dans le drame (*Tchao Pantin*) aussi bien que dans la bouffonnerie.

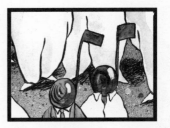

# MUSIQUE

*Les Français écoutent de plus en plus de musique. Les équipements dont ils disposent les incitent à privilégier les cassettes par rapport aux disques. En attendant la prochaine révolution : le disque compact.*

## Le disque ne tourne plus rond

Telle une drogue, la musique a envahi peu à peu la vie des Français. Le nombre des postes de radio équipés de la modulation de fréquence, l'engouement pour les radios libres, les ventes de chaînes hi-fi et de magnétophones en sont une éclatante illustration. La musique fait aujourd'hui partie de la vie quotidienne. Que ce soit à la maison, en voiture ou même dans la rue, avec le fameux Walkman et ses dérivés. La chaîne hi-fi est devenue, au fil des années, le complément indispensable des meubles du salon ou de la chambre à coucher. Les Français y attachent d'ailleurs souvent autant d'importance.

Face aux nuisances engendrées par la société industrielle, la musique apparaît comme un moyen d'enjoliver l'environnement. Avec le risque de participer aux nuisances auxquelles on s'efforce d'échapper...

## De la musique avant toute chose

37 % des foyers sont équipés d'une chaîne haute-fidélité. 770 000 ont été achetées en 1985 (dont près de 80 % de fabrication étrangère).
On peut y ajouter les 300 000 électrophones, les 800 000 magnétophones à cassettes, les 1 950 000 récepteurs de radio, les 2 160 000 autoradios, les 2 050 000 radio-magnétophones, les 100 000 platines laser et les 2 600 000 téléviseurs qui sont venus compléter l'équipement musical des Français.

Hautefeuille S.A.

La musique fait partie des mœurs, même si elle ne les adoucit pas toujours.

*Pourtant, ce besoin irrépressible de musique ne profite guère à l'industrie du disque, qui connaît des années difficiles.*
*• Les ventes de 33 tours baissent régulièrement (– 47 % de 1978 à 1985).*

Après la fantastique envolée des années 60 (c'était l'époque des Beatles et de Salut les copains ), le disque avait continué à progresser jusqu'en 1978. Six ans plus tard, en 1984, les Français ont acheté 120 millions de disques. Ce sont les 33 tours qui se vendent le moins bien, alors que les 45 tours et surtout les cassettes continuent leur progression.
Parmi les raisons souvent avancées pour expliquer cette érosion des ventes de disques, on peut citer le développement récent du piratage (on estime que 5 % des cassettes préenregistrées vendues sont des cassettes pirates), l'accroissement de la T.V.A. (de

18,60 % à 33 %) ou encore la disponibilité croissante de la « musique gratuite » à la radio (surtout les radios libres). Sans oublier, si nécessaire, l'évolution du pouvoir d'achat.
On cite aussi l'importance de la copie privée, liée au développement des ventes de magnétophones, radiocassettes et cassettes vierges. Un argument réfuté par une étude réalisée en 1984 par le CETREC pour les fabricants de matériel : 45 % des possesseurs de magnétophones (et 55 % des moins de 25 ans) affirment que l'enregistrement privé les incite à l'achat de disques ou de cassettes.
Quant à la qualité de ce qui est proposé au public, elle n'est apparemment pas en cause si l'on en juge par les taux d'écoute élevés des émissions de radio et télévision consacrées à la musique.

### L'usure des 33 tours

Structure des ventes de disques (en millions).

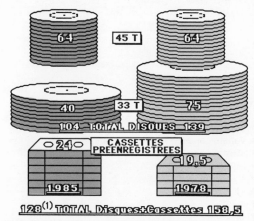

(1) Y compris 1 million de disques compacts.

*Le phénomène concerne la plupart des pays occidentaux.*

Malgré ses difficultés, la France n'est pas la plus touchée. Les États-Unis, le Japon ont connu des situations particulièrement difficiles. Aux États-Unis, de grandes firmes d'édition musicale n'ont dû leur salut qu'à la notoriété internationale de certaines de leurs vedettes. C'est le cas, par exemple, de CBS qui n'a pu survivre que grâce au phénomène

Michael Jackson, record mondial des ventes de ces dernières années.

## Des variétés peu variées

Les goûts des Français en matière de musique évoluent relativement peu. Seuls les spécialistes s'attachent de façon exclusive à un type de musique très précis à l'intérieur d'un genre musical. Il n'est pas toujours aisé, par exemple, de faire la distinction entre le hard-rock, le rockabilly, la funky-music, etc., que beaucoup rangent ensemble dans la catégorie plus large du rock ou de la musique pop.

Pourtant, la musique anglo-saxonne ne représente pas l'essentiel des disques et des cassettes achetés par les Français, contrairement à une idée répandue et souvent confortée par l'écoute de la radio.

Si la musique classique représente 16 % du nombre des disques achetés, elle constitue en réalité une part plus importante du budget disques des Français, puisqu'il s'agit dans presque tous les cas de 33 tours.

---

### Les Français achètent français

Part des différents genres musicaux dans les ventes de disques (1983).

| | |
|---|---|
| • Variétés françaises | 45 % |
| • Variétés anglo-américaines | 20 % |
| • Musique classique | 16 % |
| • Musique orchestrale | 5 % |
| • Collections enfantines | 5 % |
| • Jazz | 5 % |
| • Humour | 2 % |
| • Divers | 2 % |
| | 100 % |

---

## Le salut est dans le disque compact

Face à ces difficultés, les professionnels de l'industrie du disque placent l'essentiel de leurs espoirs dans le développement du disque compact. Après la stéréo, la quadriphonie, les minichaînes et les mini-enceintes, l'invention du lecteur de disques à laser représente une percée technologique de grande envergure. Le système présente en effet des avantages déterminants : qualité de reproduction incomparable, usure pratiquement nulle, encombrement réduit. Lancé au Japon en octobre 1982 et aux États-Unis en juin 1983, il connaît déjà un succès spectaculaire. En France, le démarrage a été plus lent, avec 25 000 appareils achetés en 1983 et 40 000 en 1984, mais les estimations pour 1985 (100 000 lecteurs et 2 600 000 disques) sont optimistes.

*Le disque compact est le premier pas dans un univers extrêmement prometteur.*

L'avenir du disque laser devrait être d'autant plus brillant qu'il constitue la première application « grand public » d'une technologie totalement nouvelle. La lecture au laser peut en effet s'appliquer à la vidéo (les systèmes vidéodisques sont actuellement au point, même si leur prix de vente est élevé) et à l'informatique personnelle. Un vidéodisque compact de 12 cm de diamètre peut contenir l'équivalent d'une grande bibliothèque. Quelques secondes suffisent pour retrouver une information précise et la faire apparaître sur l'écran. Le principal inconvénient du disque compact par rapport à la cassette (ne pas pouvoir être effacé) est en train de disparaître. Les recherches entreprises devraient permettre la mise sur le marché un disque effaçable et enregistrable indéfiniment.

---

### Le raz de marée du vidéoclip

La vague du vidéoclip s'est abattue sur la France en 1982. Le phénomène s'imposait très vite comme une forme nouvelle de l'art contemporain, mariant les principaux ingrédients de la culture audiovisuelle. La qualité des images, la force de la musique et celle des effets spéciaux donnent à ces minispectacles de trois minutes un formidable impact. Principalement destinés aux jeunes, ils sont un reflet fidèle de leur vision du monde actuel. Et ce n'est pas par hasard que le pessimisme, le narcissisme, la violence, le goût pour le fantastique et le besoin d'évasion y sont plus souvent présents que le romantisme, l'humour ou la joie de vivre. Dans la société du vidéoclip, le disque compact est appelé à jouer un grand rôle. Il permettra demain à chacun de se constituer une vidéodiscothèque, reléguant ainsi les 33 tours et 45 tours d'aujourd'hui au musée des objets d'un autre temps.

# LECTURE

*Parmi les médias, c'est la presse qui, la première, s'est adaptée aux nouveaux modes de vie. Elle offre aujourd'hui à ses lecteurs des choix propres à satisfaire la vaste palette de leurs centres d'intérêt. De son côté, le livre a fait aussi beaucoup d'efforts. Sans négliger la littérature, il apporte de plus en plus une réflexion et des réponses aux questions, de toutes natures, qui intéressent les Français.*

## Presse :
## l'âge de la « démassification »

Un homme informé en vaut deux. La complexité croissante de la société n'a fait que renforcer la véracité de la maxime. Pendant longtemps, le besoin d'information fut essentiellement lié au souci d'une connaissance générale. Il concerne aujourd'hui tous les aspects de la vie courante. Comment travailler efficacement sans savoir comment évolue le métier qu'on exerce, l'entreprise dans laquelle on est employé, son secteur d'activité, etc. Comment organiser sa vie et celle de sa famille sans suivre l'actualité économique, politique, juridique, internationale ?

*La presse a réussi à trouver sa place dans l'orchestre des médias.*

Ce sont les journaux et les livres qui, jusqu'au milieu du XXᵉ siècle, ont assuré l'essentiel de l'information. Mais les besoins de la société et les possibilités de la technologie (il est possible que les secondes aient précédé les premiers) ont bouleversé en quelques décennies le paysage très monolithique des médias. La radio, puis la télévision ont donné de la vie et de la voix à la communication avec le public.

Un statu quo avait été rapidement trouvé. La presse assurait son rôle d'informateur ; la radio diffusait de la musique ; la télévision se concentrait sur le spectacle.

C'était compter sans l'ambition et l'imagination des pionniers de l'époque. Les hommes de radio se rendirent bien vite compte du parti qu'ils pouvaient tirer des possibilités du direct. La guerre d'Algérie fut à cet égard un fantastique terrain d'expérience et l'impact de mai 68 doit sans doute beaucoup à la radio, présente sur les barricades.

ON A FAIT L'AMOUR PENDANT DES HEURES, IL Y A 6 MOIS. Y'A DU NOUVEAU, RAPPELLE-MOI. 277.20.00.

ACTUEL

Avant les radios libres, la presse libre.

### L'érosion de la presse quotidienne

**Habitudes de lecture des quotidiens** (nationaux et régionaux).

|  | 1983 | 1984 | 1985 |
|---|---|---|---|
| • Nombre de lecteurs | 22 630 000 | 22 277 000 | 22 217 000 |
| • Pénétration | 57,3 % | 55,8 % | 55,1 % |
| • Lecteurs réguliers | 18 832 000 | 18 564 000 | 18 445 000 |

De leur côté, les hommes de télévision eurent bientôt l'intuition que l'image pouvait être encore plus forte au service de l'actualité qu'à celui de la chansonnette. De sorte que la presse, coincée entre la radio et la télévision, ses deux sœurs cadettes surdouées, dut redéfinir complètement son rôle. On vit alors apparaître de nouveaux magazines. Certains, comme *l'Express*, privilégiaient le texte. D'autres, comme *Paris-Match*, s'intéressaient davantage à l'image. Les « news magazines » et les « picture magazines », avec leur rythme hebdomadaire, offraient aux lecteurs un recul et une réflexion utiles face à l'actualité.

*La spécialisation est la réponse de la presse aux attentes du public et à la concurrence.*

Beaucoup d'éditeurs de journaux et de magazines ont compris que la diversité était indispensable à l'intérieur des médias. Il devient difficile d'offrir tout à tout le monde, sans être amené à faire des compromis rédactionnels de moins en moins acceptables. La spécialisation permet de s'adresser de façon plus efficace à un public spécifique, aux besoins bien identifiés. La liste est longue de ces magazines qui, de l'automobile à l'informatique, en passant par le sport ou le jardinage, se sont installés au cours de ces dernières années dans les « créneaux » ouverts par les nouveaux centres d'intérêt des Français. D'adaptation en adaptation, de succès en échec, la presse française s'est ainsi complètement remodelée pour survivre et se développer face à ses deux grands concurrents électroniques. Il lui faudra la même volonté et la même imagination pour survivre demain au développement des médias informatiques (banques de données, etc.).

*Les quotidiens connaissent un déclin régulier*
• *250 titres en 1885, 175 en 1939, 88 aujourd'hui.*
• *Depuis 1946, le tirage des quotidiens est passé de 9 à 7 millions d'exemplaires, alors que la population augmentait de 18 millions.*
• *45 % des Français lisent un quotidien régulièrement contre 60 % en 1967.*

Ces chiffres montrent bien la désaffection croissante des Français pour les quotidiens. À la concurrence radio-télé s'est ajoutée celle, tout aussi forte, des magazines. Pour beaucoup de Français, le journal télévisé du soir et les informations entendues à la radio en prenant le petit déjeuner constituent la dose journalière nécessaire et suffisante. Pour ceux qui souhaitent en savoir plus, les analyses proposées par les hebdomadaires sont une solution efficace et agréable. Moins longue et moins coûteuse que la lecture assidue d'un quotidien.

## Du tirage dans la diffusion

Nombre de lecteurs des quotidiens nationaux (en milliers).

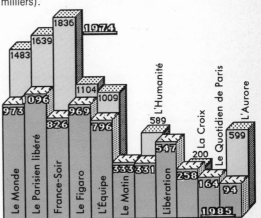

Entre 1974 et 1985, le nombre des lecteurs de la presse quotidienne a diminué de plus d'un quart. La chute est surtout sensible à Paris, où seulement 36 % des habitants (plus de 15 ans) lisent un quotidien national contre 56 % en province pour les quotidiens régionaux. Le seul à ne pas être concerné par cette érosion est *Libération*. *Libé* (pour ses intimes) a inauguré un nouveau genre journalistique, moderne, irrespectueux et bien informé. Un regard sans complaisance sur la société telle qu'elle est.

## Le prix du quotidien

Parmi les raisons qui expliquent la désaffection vis-à-vis des quotidiens, celle de l'évolution de leur prix de vente ne saurait être sous-estimée. En 20 ans, le prix des quotidiens nationaux a en effet été multiplié par 13, alors que l'indice des prix n'était multiplié que par 4,8. Sachant qu'un journal valait 0,30 F en 1964, il devrait valoir aujourd'hui 1,50 F s'il avait suivi la hausse des prix. Il vaut en réalité un peu plus de 4 francs.

*Les magazines font preuve
d'une plus grande vitalité.*

Face à la presse quotidienne, ou plutôt à côté d'elle, la presse des magazines fait preuve depuis quelques années d'un réel dynamisme. L'évolution défavorable des habitudes de lecture des Français n'a pas empêché la mise en orbite de « best-sellers » tels que *Prima, V.S.D., Vital, Newlook* ou *Femme actuelle*, le relancement réussi d'anciens poids lourds amaigris comme *Paris-Match, le Chasseur français* ou *Actuel*, ou la croissance spectaculaire de magazines tels que *Télé-Star, Cosmopolitan* ou *Première*.

Il suffit de porter un regard panoramique sur les rayons d'un kiosque pour avoir une vision complète et précise des motivations actuelles des Français. La liste des lancements

Le choc des images, un atout pour les magazines.

fournit aussi des indications passionnantes sur leur évolution. Les échecs sont, à cet égard, aussi riches d'enseignement que les succès.

Après la forte croissance des années 60, les **magazines d'actualité** reprennent leur souffle. Indépendamment des efforts publicitaires et promotionnels de chacun d'eux, c'est l'importance des événements et la qualité des enquêtes, documents et dossiers spéciaux qui conditionnent le tirage.

Les **magazines féminins** se portent un peu moins bien en 1985 qu'en 1984. Après les lancements un peu élitistes et féministes de ces dernières années *(Biba, Cosmopolitan, Vital...)*, on a vu le retour des magazines destinés à une audience plus traditionnelle et moins « parisienne ». Avec des résultats spectaculaires comme ceux de *Femme actuelle* dont les tirages ont rapidement atteint des sommets (le million d'exemplaires dépassé pour *Femme actuelle*, sœur hebdomadaire de *Prima*).

## Les 10 rouleaux compresseurs

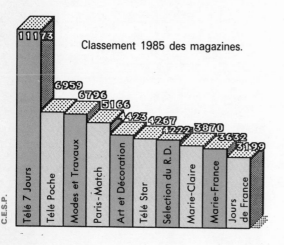

Classement 1985 des magazines.

C.E.S.P.

11173 — Télé 7 Jours
6959 — Télé Poche
6796 — Modes et Travaux
5166 — Paris-Match
4423 — Art et Décoration
4267 — Télé Star
4222 — Sélection du R.D.
3870 — Marie-Claire
3632 — Marie-France
3199 — Jours de France

## Les news-magazines se maintiennent malgré la télé

Nombre de lecteurs (en milliers).

| | 1979 | 1980 | 1981 | 1982 | 1983 | 1984 | 1985 |
|---|---|---|---|---|---|---|---|
| • Paris-Match | 3 967 | 4 731 | 5 033 | 4 945 | 5 236 | 4 983 | 5 166 |
| • VSD | 1 478 | 1 918 | 2 361 | 2 348 | 2 539 | 2 488 | 2 273 |
| • L'Express | 2 827 | 2 804 | 2 822 | 2 370 | 2 632 | 2 364 | 2 369 |
| • Le Point | 2 033 | 2 168 | 2 252 | 2 035 | 2 156 | 2 090 | 2 119 |
| • Le Nouvel Observateur | 2 211 | 2 203 | 2 757 | 2 031 | 2 020 | 1 866 | 1 951 |

C.E.S.P.

**Lectures pour tous**

Nombre de lecteurs des principaux magazines en 1985 :

### Hebdomadaires d'actualité générale et économique

| | | | |
|---|---|---|---|
| – L'Express | 2 369 000 | – Paris-Match | 5 165 000 |
| – France-Dimanche | 2 407 000 | – Le Pèlerin | 2 039 000 |
| – Ici Paris | 1 845 000 | – Le Point | 2 119 000 |
| – Le Journal du dimanche | 1 277 000 | – Spéciale Dernière | 1 045 000 |
| – Minute | 570 000 | – Valeurs actuelles | 522 000 |
| – Le Nouvel Économiste | 625 000 | – La Vie | 1 701 000 |
| – Le Nouvel Observateur | 1 951 000 | – V.S.D. | 2 273 000 |
| | | – L'Expansion (bimensuel) | 1 200 000 |

### Féminins et Familiaux

*Hebdomadaires*

| | | | |
|---|---|---|---|
| – Bonne Soirée | 821 000 | – Jours de France | 3 199 000 |
| – Chez Nous | 1 099 000 | – Nous Deux | 2 408 000 |
| – Confidences | 1 149 000 | – Elle | 2 207 000 |
| – Femmes d'auj/ Modes de Paris | 3 088 000 | – Point de vue images du monde | 968 000 |
| – Femmes d'auj/ Chez Nous | 4 025 000 | – Intimité | 1 605 000 |

*Mensuels*

| | | | |
|---|---|---|---|
| – Biba | 1 323 000 | – Marie-Claire | 3 870 000 |
| – 100 idées | 1 271 000 | – Marie-France | 3 632 000 |
| – Clair Foyer | 1 570 000 | – Modes et Travaux | 6 796 000 |
| – Cosmopolitan | 1 155 000 | – Parents | 3 172 000 |
| – Enfants Magazine | 1 229 000 | – Prima | 4 511 000 |
| – Femme pratique | 2 297 000 | – Santé Magazine | 2 115 000 |
| – Ma maison-Mon ouvrage | 679 000 | – Vital | 1 266 000 |
| | | – Votre beauté Votre santé | 1 724 000 |

*Bimestriel*    – La Bonne Cuisine    1 726 000

### Hebdomadaires Télévision

| | | | |
|---|---|---|---|
| – Télé Guide | 777 000 | – Télé 7 jours | 11 173 000 |
| – Télé Poche | 6 959 000 | – Télé Star | 4 267 000 |
| – Télérama | 1 978 000 | – Télé Journal/ Télé Z | 1 527 000 |
| – Télé Magazine | 775 000 | | |
| – Super Télé | 743 000 | | |

### Automobile

*Bimensuel*    – L'Auto-Journal    1 887 000

*Mensuels*

| | | | |
|---|---|---|---|
| – L'Action automobile | 2 323 000 | L'Automobile | 2 229 000 |
| – Échappement | 1 568 000 | – Auto-Moto | 2 640 000 |
| | | – Sport Auto | 1 316 000 |

### Décoration – Maison – Jardin

*Hebdomadaire*    – Rustica    1 006 000

*Mensuels*

| | | | |
|---|---|---|---|
| – L'Ami des jardins et de la maison | 1 142 000 | – Maison & Jardin | 1 001 000 |
| – Bricolage-Tout faire | 1 330 000 | – Maison française | 678 000 |
| – La Maison de Marie-Claire | 1 302 000 | – Mon jardin ma maison | 1 579 000 |
| | | – Système D | 1 360 000 |

*Bimestriels*

| | | | |
|---|---|---|---|
| – Art & Décoration | 4 423 000 | – Votre maison | 1 436 000 |
| – Maisons & Travaux | 2 018 000 | – La Maison individuelle | 1 034 000 |

### Distraction – Loisirs – Culture et Divers

*Hebdomadaires*

| | | | |
|---|---|---|---|
| – L'Équipe du lundi | 2 355 000 | – France Football | 1 024 000 |
| – L'Officiel des spectacles | 1 340 000 | – OK Magazine | 1 104 000 |

*Bimensuel*    – Salut !    1 247 000

*Mensuels*

| | | | |
|---|---|---|---|
| – Actuels | 1 934 000 | – Photo Magazine | 1 829 000 |
| – Ça m'intéresse | 1 949 000 | – Podium-Hit | 1 343 000 |
| – Le Chasseur français | 2 897 000 | – Première | 2 193 000 |
| – L'étudiant | 911 000 | – Rock & Folk | 1 173 000 |
| – Géo | 3 333 000 | – Science et Vie | 3 113 000 |
| – Historama | 851 000 | – Sélection du Reader's Digest | 4 222 000 |
| – Mondial | 1 343 000 | | |
| – Notre temps | 2 428 000 | | |
| – Le Nouveau Onze | 1 982 000 | – Télé 7 Jeux | 3 480 000 |
| – La Pêche et les Poissons | 1 158 000 | – Tennis Magazine | 884 000 |
| – Photo | 1 735 000 | – Vidéo 7 | 1 242 000 |

*Bimestriels*

| | | | |
|---|---|---|---|
| – Grands Reportages | 574 000 | – Jeux et Stratégie | 937 000 |

C.E.S.P.

**Les magazines familiaux** ont bien résisté à la concurrence des suppléments hebdomadaires des quotidiens le *(Figaro Magazine, France-Soir Magazine, l'Équipe Magazine).*

Les **magazines de télévision** restent les champions incontestés du tirage, prouvant que des médias a priori concurrents peuvent non seulement coexister mais se compléter. Il en est de même pour la vidéo et l'informatique, qui ont engendré une presse spécialisée qui est en train de prendre sa place.

Parmi les autres catégories de magazines, il faut noter le poids du secteur **maison-décoration**, dont 8 titres dépassent le million de lecteurs (nombre d'exemplaires vendus par taux de circulation). On peut saluer aussi la performance d'un magazine comme *Actuel*, qui, avec ses 2 millions de lecteurs, prouve que les Français sont de plus en plus réceptifs à un ton et à un style où la décontraction n'exclut ni la qualité de l'information ni le talent.

*Afin de mieux s'adapter à sa clientèle, la presse monte aux « créneaux ».*

Face à l'expansion de la galaxie McLuhan, la galaxie Gutenberg a su se remettre en question et s'adapter avec intelligence et imagination. C'est même elle qui, la première, a montré la voie de la « segmentation » du public selon ses centres d'intérêt et ses modes de vie. Les « créneaux » ne manquent

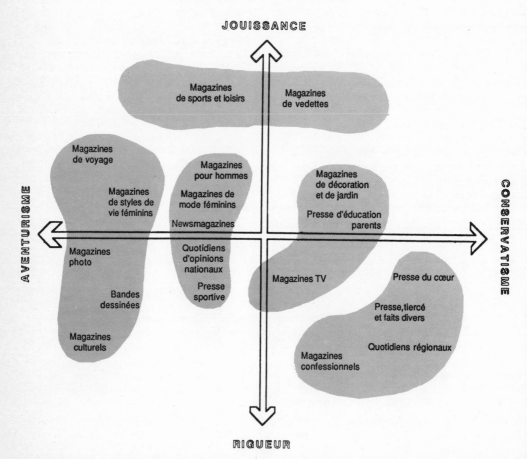

**Les Styles de Vie et la presse**

JOUISSANCE

Magazines de sports et loisirs

Magazines de vedettes

Magazines de voyage

Magazines pour hommes

Magazines de décoration et de jardin

Magazines de styles de vie féminins

Magazines de mode féminins

AVENTURISME

Newsmagazines

Presse d'éducation parents

CONSERVATISME

Magazines photo

Quotidiens d'opinions nationaux

Magazines TV

Presse du cœur

Bandes dessinées

Presse sportive

Presse, tiercé et faits divers

Magazines culturels

Quotidiens régionaux

Magazines confessionnels

RIGUEUR

C.C.A.

Pour lire la carte, voir la description des Styles de Vie en fin de volume.

pas ; il suffit de bien repérer la cible et de bien viser...

Aux 3 000 titres de la presse française, il s'en ajoute chaque année environ 200 nouveaux. Les trois quarts environ survivent à leur première année d'existence. Signe qu'au royaume de l'audiovisuel la presse n'a pas dit (ou plutôt écrit) son dernier mot. Gutenberg n'est pas mort.

## Livres : Gutenberg immortel ?

Si les Français lisent beaucoup moins de journaux et un peu moins de magazines, ils s'intéressent davantage aux livres. L'explosion récente de l'audiovisuel n'a donc pas fait oublier le temps où la connaissance se transmettait par l'écrit. Radio, télé, cinéma et littérature ne sont d'ailleurs pas que des concurrents. Les machines à sons et images puisent abondamment dans les livres pour y trouver leur matière.

À l'inverse, des émissions de télévision ou de radio deviennent des livres, de sorte que McLuhan n'a pas, comme on pourrait le penser, perpétré la mort du père (Gutenberg).

*Les adultes lisent plus.*
*• 3 adultes sur 4*
*lisent au moins un livre par an ;*
*1 sur 3 en lit au moins 10.*
*• Les plus gros lecteurs sont les 15-20 ans,*
*les diplômés*
*et les habitants des grandes villes.*

*• 28 % des possesseurs de livres*
*en ont plus de 200.*

Les non-lecteurs (26 %) sont principalement des agriculteurs et des inactifs (en particulier des personnes âgées), et leur nombre tend à diminuer. D'une façon générale, les Français lisent d'autant plus de livres qu'ils en ont déjà dans leur bibliothèque. Mais il est difficile de savoir lequel de ces deux phénomènes est la cause de l'autre ! Les romans sont les plus nombreux dans les bibliothèques, en particulier les romans contemporains, dont les lecteurs les plus assidus sont les femmes inactives de moins de 60 ans, les employés et les Parisiens. Les livres de poche occupent une place importante dans la bibliothèque des jeunes, des cadres moyens et des employés. On en trouve moins en milieu rural que dans les grandes villes.

*Les Français achètent en moyenne*
*un million de livres par jour.*
*• 372 millions d'exemplaires en 1984,*
*répartis sur 27 000 titres.*
*• 2 fois plus qu'il y a 20 ans.*
*• 56 % des plus de 15 ans*
*ont acheté au moins un livre.*

L'édition française est prolifique (même si plus de la moitié des titres édités sont en fait des rééditions). Avec 220 000 titres existants, le catalogue de l'édition française est l'un des plus riches du monde. On compte, parmi ces

---

**Montre-moi ta bibliothèque, je te dirai qui tu es**

Nombre de livres possédés selon la catégorie socioprofessionnelle (1981).

| | aucun livre % | moins de 10 % | de 10 à 19 % | de 20 à 49 % | de 50 à 99 % | de 99 à 199 % | plus de 200 % | Total % |
|---|---|---|---|---|---|---|---|---|
| Agriculteurs, exploitants et salariés | 36 | 2 | 7 | 20 | 9 | 13 | 13 | 100 |
| Patrons industrie et commerce | 17 | – | 8 | 18 | 15 | 16 | 26 | 100 |
| Cadres supérieurs, prof. libérales | 3 | – | – | 5 | 11 | 22 | 59 | 100 |
| Cadres moyens | 3 | – | 3 | 10 | 12 | 28 | 44 | 100 |
| Employés | 9 | 1 | 5 | 18 | 22 | 23 | 22 | 100 |
| O.Q., contremaîtres | 16 | 2 | 5 | 19 | 20 | 20 | 18 | 100 |
| O.S., manœuvres, personnel de service | 21 | 2 | 9 | 24 | 17 | 18 | 9 | 100 |
| Élèves et étudiants | 6 | 2 | – | 11 | 16 | 27 | 38 | 100 |
| Autres et inactifs | 28 | 2 | 6 | 14 | 14 | 16 | 20 | 100 |

ministère de la Culture

titres, nombre de chefs-d'œuvre de la littérature qui ont très largement contribué à l'image culturelle de la France dans le monde. Même si elle n'est pas aussi prestigieuse que par le passé (mais cela, seul l'avenir le dira avec certitude), la production actuelle (celle en tout cas qui est lue) constitue un reflet fidèle de l'état des connaissances et des préoccupations des lecteurs.

---

### 70 titres par jour

Nombre de titres et nombre d'exemplaires édités en 1984 dans chaque catégorie de livres.

| | Nombre de titres | Nombre d'exemplaires (en millions) |
|---|---|---|
| • Littérature | 8 995 | 159,5 |
| • Livres pour la jeunesse | 5 275 | 71,7 |
| • Livres de sciences humaines | 3 834 | 17,8 |
| • Livres scolaires | 3 771 | 53,9 |
| • Livres pratiques | 3 223 | 42,9 |
| • Livres scientifiques, professionnels et techniques | 2 330 | 8,6 |
| • Beaux-arts et beaux livres | 891 | 6,3 |
| • Encyclopédies et dictionnaires | 655 | 11,2 |
| Total | 28 974 | 371,9 |

Syndicat national de l'édition

---

Les Français achètent de plus en plus de romans contemporains, qui représentent près des deux tiers de leurs dépenses dans la catégorie des romans. Les ouvrages très actuels, tels que Mémoires, témoignages, essais ou biographies, connaissent aussi une évolution favorable. Les progressions les plus spectaculaires, en nombre d'exemplaires, concernent les livres de sciences humaines et les livres pratiques, qui poursuivent une croissance amorcée depuis quelques années. Elles consacrent l'intérêt croissant des lecteurs pour les livres qui leur permettent de comprendre un peu mieux qui ils sont (psychologie, sociologie, etc.) et pour ceux qui les aident à améliorer la qualité de leur vie courante (cuisine, bricolage, sport...). Mais il faut mentionner aussi la part prise par les romans populaires (collections Harlequin, Duo), qui explique à elle seule

une bonne partie de la croissance en volume de ces dernières années. Les encyclopédies et dictionnaires connaissent, en revanche, une certaine désaffection depuis 1980. Les Français hésitent sans doute à acheter ou à renouveler des livres coûteux, qui ne représentent pas, en période de baisse du pouvoir d'achat, des dépenses prioritaires.

### *Les enfants délaissent la lecture.*

La tendance observée depuis quelques années se maintient : baisse relative du nombre des albums ; stabilité du nombre des livres pour la jeunesse (romans, histoires...) ; croissance des bandes dessinées, bien qu'inférieure à celle des années précédentes.

En dehors des bandes dessinées, que tous ou presque affectionnent, beaucoup donnent la priorité à des activités plus proches de

---

### Le marketing au service du livre

Pendant longtemps, le livre a été considéré comme un « objet intellectuel » très particulier, dont le contenu devait parler pour lui-même. Il ne pouvait donc décemment recourir pour sa promotion aux mêmes méthodes que les lessives et autres produits de grande consommation. Aujourd'hui, un nombre croissant d'éditeurs regardent le livre comme un véritable produit, sans doute particulier, mais susceptible de bénéficier de toutes les aides à la commercialisation. 5 millions de Français adhèrent à des clubs de livres. Le plus grand d'entre eux, France-Loisirs, compte en France 3 800 000 adhérents, qui ont acheté en 1984 environ 25 millions de livres. Les « romans roses » modernes ont donné un second souffle au livre au format de poche. Le lancement de la collection Harlequin en 1978 constitue à cet égard un événement de première importance. En quelques années, Harlequin est devenue la première collection de poche avec plus de 30 millions d'exemplaires vendus ! Les encyclopédies par fascicules sont à mi-chemin entre le livre et le magazine. Tous les Français se souviennent de la première collection Alpha-Encyclopédie. La recette (une encyclopédie en petits morceaux vendus en kiosque au prix d'un magazine) a depuis fait école : 60 millions de fascicules vendus en 1983. Bien sûr, les obsédés de la « Culture » avec une majuscule traitent par le mépris ces genres de littérature, de même que les moyens qui leur ont permis de s'imposer. Mais ils oublient que c'est grâce à ces mêmes moyens que le livre a pu pénétrer dans des foyers où il n'était jamais entré.

l'audiovisuel (cinéma, musique, télévision, etc.) et aux magazines spécialisés correspondants. Est-ce que cette désaffection des jeunes pour la lecture persistera lorsqu'ils seront adultes ? C'est la question que les éditeurs (et les parents) se posent.

*La « culture de poche »*
*représente un tiers des livres achetés.*
*• Sur les 29 000 titres parus en 1984,*
*les deux tiers étaient des livres de poche.*

La belle vitalité de l'édition française tient pour une large part aux performances des livres au format de poche. La plupart des titres sont des rééditions de livres anciens ou récents (environ deux ans). Outre sa commodité (idéal pour les transports en commun), le livre au format de poche a permis à un grand nombre de Français d'accéder à peu de frais aux grandes œuvres de la littérature française et étrangère, à travers quelque 21 000 titres, répartis dans plus de 300 collections.

*L'électronique menace-t-elle vraiment*
*l'avenir du livre ?*

La question est à l'ordre du jour. Les mots, aujourd'hui imprimés sur des livres de papier et de carton, auront-ils demain un support électronique ? Les amoureux de la chose imprimée, déjà courroucés par le fait qu'on n'ait plus

## Les Styles de Vie et les médias

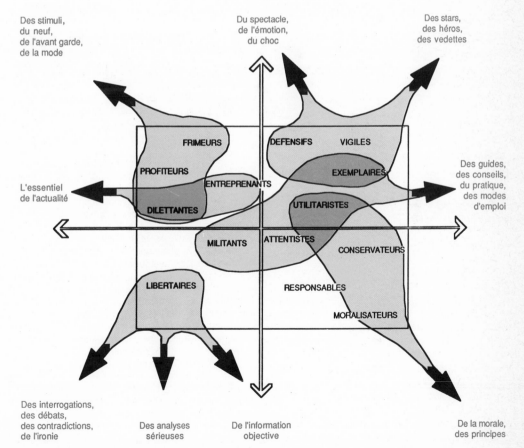

Des stimuli, du neuf, de l'avant garde, de la mode

Du spectacle, de l'émotion, du choc

Des stars, des héros, des vedettes

FRIMEURS — DEFENSIFS VIGILES

PROFITEURS — EXEMPLAIRES

L'essentiel de l'actualité — ENTREPRENANTS

Des guides, des conseils, du pratique, des modes d'emploi

DILETTANTES — UTILITARISTES

MILITANTS ATTENTISTES — CONSERVATEURS

LIBERTAIRES — RESPONSABLES

MORALISATEURS

Des interrogations, des débats, des contradictions, de l'ironie

Des analyses sérieuses

De l'information objective

De la morale, des principes

C.C.A.

Pour lire la carte, voir la description des Styles de Vie en fin de volume.

à couper les pages d'un roman, tremblent devant les possibilités de la technologie moderne. Il est vrai que le contenu des livres peut être proposé sous d'autres formes que le papier. Mais le livre est aussi un objet, que l'on peut compulser, ranger dans sa bibliothèque et avec lequel on entretient un rapport particulier et peut-être irremplaçable.

Il ne faudrait donc pas exagérer l'importance de la menace électronique. De même que la radio n'a pas tué le disque, de même que la télévision n'a pas tué le cinéma, on peut penser que l'électronique ne tuera pas le livre. Pourvu que les éditeurs fassent les efforts d'adaptation nécessaires pour définir, au fil du temps, les conditions d'une cohabitation harmonieuse entre des modes d'expression qui répondent à des besoins complémentaires. Pourquoi Gutenberg et McLuhan ne feraient-ils pas match nul ?

Les médias

## En vrac

● Le record d'audience à la télévision est obtenu le dimanche par TF1 (32 millions de téléspectateurs en moyenne), en particulier grâce au film de 20 h 30.

● 51 % des Français seraient d'accord pour que l'on supprime la télévision un soir par semaine (43 % contre).

● Les Français ont acheté 700 000 magnétoscopes en 1985 et 19,7 millions de cassettes vidéo.

● 40 % des spectateurs de cinéma pleurent facilement lorsqu'ils voient des films émouvants, contre 58 %.

[S] En janvier 1986, les comédiens préférés des Français étaient, par ordre décroissant : Gérard Depardieu, Philippe Noiret, Jean-Paul Belmondo, Bernard Giraudeau, Alain Delon, Gérard Lanvin, Yves Montand, Michel Serrault, Dustin Hoffman, Christophe Lambert, Lino Ventura.

[S] Les comédiennes préférées étaient, par ordre décroissant : Isabelle Adjani, Catherine Deneuve, Romy Schneider, Marlène Jobert, Nathalie Baye, Miou-Miou, Simone Signoret, Nicole Garcia, Annie Girardot, Nastassja Kinski.

[S] 56 % des Français préfèrent les films français ; 15 % les films américains ; 25 % n'ont pas de préférence ; 4 % pas d'opinion.

[S] 71 % des Français apprécient les spots publicitaires à la télévision (25 % non, 3 % ne se prononcent pas). Mais 79 % seraient opposés à la présence d'écrans de publicité pendant les journaux télévisés (13 % favorables, 8 % ne se prononcent pas).

● En Grande-Bretagne, le nombre d'entrées au cinéma a été divisé par 3 entre 1970 et 1983 (66 millions contre 199). 37 films ont été produits en 1973, contre 131 en France.

● Chaque Français lit en moyenne 5 magazines différents.

# Les Activités Physiques

## SPORT

*Pendant longtemps, on a cherché à séparer les choses de l'esprit et celles du corps. Aujourd'hui, la tendance est au mélange des genres, dans un but d'équilibre et d'harmonie. La liste des sports phares des années 80 montre un profond désir de réunification des deux dimensions essentielles de l'individu.*

### L'autre culture

L'honnête homme du XVIIᵉ siècle, était celui qui avait réussi la synthèse des principales disciplines de l'esprit et du corps et qui, comme les Femmes savantes de Molière, avait des « clartés de tout ». Tout en ne se « piquant de rien », comme le conseillait La Rochefoucault... Les choses avaient ensuite plutôt tourné à l'avantage de celles de l'esprit.

L'honnête homme de cette fin de XXᵉ siècle est à la recherche d'un nouvel équilibre. Et la culture, au sens classique du terme, fait aujourd'hui bon ménage avec la... culture physique.

Les années 80 auront été marquées, en France et dans la plupart des pays occidentaux, par la redécouverte du corps. Dans un désir, collectif et inconscient, de mieux supporter les agressions de la vie moderne par une meilleure résistance physique. Mais aussi parce que l'apparence est un atout important dans une société qui valorise la forme (y compris physique) autant que le fond. Parce qu'elle donne, enfin, l'agréable impression de l'immortalité...

*Globalement, la pratique des sports est en forte hausse.*
*• 52 % des hommes et 40 % des femmes s'adonnent à une activité sportive (dont deux sur trois régulièrement)*
*• Les chiffres étaient respectivement de 41 % et de 28 % en 1973.*

Jogging, natation, foot, gymnastique, vélo, ski, voile, judo..., tous les moyens sont bons pour entretenir son corps et (éventuellement) se faire plaisir. Mais les Français ne choisissent pas au hasard l'activité physique qui leur

## Le sport en hausse

| Pourcentage des personnes dans chaque catégorie ayant exercé au moins une fois en 1981 les activités : | FOOTING | NATATION | FOOTBALL | GYMNASTIQUE | TENNIS | VÉLO | SKI | VOILE | PING-PONG | ÉQUITATION | JUDO | DANSE | BOULES | MOTO | TIR À LA CARABINE | GOLF | TIR À L'ARC | AUTRE |
|---|---|---|---|---|---|---|---|---|---|---|---|---|---|---|---|---|---|---|
| Ensemble | 18,0 | 14,7 | 11,1 | 10,0 | 9,5 | 7,8 | 7,5 | 2,9 | 2,5 | 1,8 | 1,4 | 0,9 | 0,8 | 0,7 | 0,4 | 0,2 | 0,1 | 3,5 |
| **Sexe :** Hommes | 21,5 | 15,2 | 18,3 | 6,8 | 11,7 | 9,1 | 8,4 | 4,0 | 4,1 | 2,0 | 2,2 | 0,1 | 1,6 | 1,4 | 0,6 | 0,3 | – | 5,2 |
| Femmes | 14,7 | 14,2 | 4,4 | 13,3 | 7,4 | 6,6 | 6,5 | 1,9 | 0,9 | 1,5 | 0,6 | 1,6 | 0,1 | 0,1 | 0,2 | 0,1 | 0,1 | 1,9 |
| **Âge :** 15 à 19 ans | 27,5 | 31,1 | 44,5 | 27,2 | 20,9 | 10,9 | 11,0 | 6,0 | 7,5 | 5,1 | 5,7 | 2,5 | 0,5 | 2,0 | 0,7 | 0,3 | 0,2 | 8,2 |
| 20 à 24 ans | 28,4 | 26,0 | 19,0 | 12,1 | 17,3 | 9,1 | 14,7 | 7,2 | 5,5 | 3,3 | 3,7 | 1,5 | 0,7 | 1,1 | 0,5 | 0,4 | 0,3 | 5,6 |
| 25 à 39 ans | 20,1 | 19,0 | 12,9 | 11,1 | 14,7 | 11,6 | 12,2 | 5,1 | 2,8 | 2,5 | 1,3 | 1,3 | | 1,3 | 0,7 | 0,2 | – | 5,1 |
| 40 à 59 ans | 16,3 | 10,0 | 3,6 | 7,6 | 4,7 | 6,2 | 4,1 | 0,4 | 1,2 | 0,6 | 0,2 | 0,2 | 0,5 | – | 0,1 | 0,2 | – | 1,9 |
| 60 à 69 ans | 11,3 | 6,0 | 0,4 | 5,9 | 0,6 | 5,1 | 1,7 | 0,2 | 0,1 | 0,2 | 0,2 | – | 0,9 | 0,2 | 0,2 | 0,2 | – | 1,0 |
| 70 ans et plus | 6,9 | 0,6 | – | 1,3 | 0,4 | 1,4 | 0,7 | 0,1 | 0,1 | – | – | 0,6 | – | 0,1 | – | – | – | – |
| **Catégorie socioprofessionnelle :** Agriculteurs | 14,2 | 8,8 | 11,4 | 7,3 | 5,4 | 5,6 | 6,0 | 2,2 | 2,4 | 2,6 | 0,2 | 1,0 | 0,5 | 0,5 | 1,1 | 0,3 | – | 4,8 |
| Petits commerçants et artisans | 20,4 | 17,6 | 11,7 | 9,7 | 9,8 | 9,5 | 12,1 | 2,5 | 1,8 | 4,7 | 0,9 | 0,9 | 0,5 | 0,4 | – | – | – | 4,9 |
| Gros commerçants et industriels | 23,1 | 16,7 | 21,7 | 17,6 | 13,6 | 6,4 | 17,7 | 11,3 | 1,6 | 7,3 | 2,0 | 2,0 | 2,7 | – | – | – | – | 7,8 |
| Cadres sup. et prof. libérales | 31,3 | 29,9 | 11,0 | 18,2 | 27,1 | 11,6 | 17,9 | 9,1 | 5,1 | 3,1 | 2,2 | 3,0 | 1,3 | 0,9 | – | 0,7 | – | 6,6 |
| Cadres moyens | 28,1 | 27,4 | 19,5 | 14,8 | 21,1 | 11,8 | 14,4 | 7,4 | 4,9 | 3,7 | 1,7 | 1,4 | 0,6 | 1,0 | 1,0 | 0,9 | 0,3 | 5,9 |
| Employés | 24,0 | 19,2 | 13,2 | 13,7 | 13,2 | 13,3 | 9,8 | 2,4 | 4,3 | 2,2 | 1,7 | 1,0 | 0,5 | 1,7 | 0,5 | 0,2 | – | 3,2 |
| O.Q. et contremaîtres | 16,7 | 15,7 | 14,5 | 11,7 | 9,1 | 9,3 | 6,1 | 2,5 | 2,2 | 0,6 | 2,0 | 0,8 | 0,7 | 1,2 | 0,4 | – | 0,1 | 2,9 |
| O.S., manœuvres, pers. de service | 15,5 | 12,8 | 13,8 | 9,5 | 6,1 | 6,9 | 4,4 | 1,2 | 2,0 | 1,2 | 2,5 | 0,6 | 1,2 | 0,4 | 0,4 | – | 0,1 | 3,8 |
| Inactifs de plus de 60 ans | 9,5 | 3,0 | 0,6 | 3,6 | 0,1 | 2,7 | 1,2 | 0,4 | 0,3 | 0,2 | 0,1 | – | 0,8 | – | 0,1 | 0,1 | – | 0,5 |
| Autres inactifs | 16,0 | 11,5 | 7,2 | 7,9 | 7,3 | 5,3 | 6,9 | 2,4 | 2,2 | 0,8 | 0,9 | 0,4 | 0,6 | 0,6 | – | – | – | 2,1 |

ministère de la Culture

permettra de mieux profiter de la vie et de retarder les effets redoutés du vieillissement. L'évolution dans les préférences et dans la pratique est très significative des grands mouvements qui ont affecté la société depuis quelques années. On y retrouve la trace des principales inégalités entre les âges, les sexes et les catégories socioprofessionnelles des Français.

*Les années 80 marquent le triomphe des sports individuels.*
*• 32 % des Français pratiquent un sport individuel (25 % en 1973).*

La grande lame de fond de l'individualisme ne pouvait pas épargner le sport. Le raz de marée du jogging, puis celui de l'aérobic en sont la spectaculaire illustration. On peut y ajouter le tennis, l'équitation, le ski, le squash, le golf et bien d'autres encore. Même la voile, qui était autrefois surtout pratiquée en équipage, a acquis ses titres de noblesse avec les courses transatlantiques en solitaire.

Après l'aérobic, l'aquabulding (gymnase Club Auteuil).

Bartoli Conseil

Les femmes, auparavant moins concernées que les hommes, ont trouvé dans le sport la réponse à certaines de leurs préoccupations : rester en bonne forme physique ; se forger un corps séduisant ; conquérir un domaine jusque-là surtout réservé à l'homme ; lutter contre les signes apparents du vieillissement.

Les hommes trouvent dans le sport individuel des motivations différentes de celles qu'ils avaient trouvées dans le sport d'équipe. Ce dernier leur permettait de s'amuser ou de se mesurer aux autres. Le sport individuel les aide à se façonner un physique résistant, agréable à regarder. La seule compétition qu'il autorise est celle qu'on se livre à soi-même. Il ne s'agit donc pas, avec le sport individuel, de se faire plaisir mais de se faire du bien.

Même s'il faut pour cela se « faire du mal » en cherchant à reculer ses propres limites.

## La grande inégalité

Plus encore que les autres activités de loisirs, la pratique sportive est éminemment variable selon les catégories sociales. Le sexe,

l'âge et la profession sont les variables qui décrivent le mieux ces différences, tant en ce qui concerne la nature des activités que l'intensité de leur pratique.

D'une manière générale, les Français sont d'autant plus sportifs qu'ils occupent une position élevée dans la hiérarchie sociale. Ainsi, le tennis, dont on a beaucoup vanté la « démocratisation », est pratiqué par 27 % des cadres supérieurs et... 5 % d'agriculteurs.

*L'âge reste un facteur déterminant.*

Pourtant, les « nouveaux vieux » s'intéressent de plus en plus au sport, à commencer par ceux qui leur sont le plus accessibles comme la natation, le cyclisme ou la gymnastique classique. Il est probable que l'influence de l'âge sur la pratique sportive se fera de moins en moins sentir.

### Un Français sur cinq fait partie d'une association sportive

Proportion de personnes de 18 ans et plus faisant partie d'une association sportive.

| 1978 | 1979 | 1980 | 1981 | 1982 | 1983 | 1984 | 1985 |
|------|------|------|------|------|------|------|------|
| 15 % | 14 % | 16 % | 16 % | 17 % | 17 % | 18 % | 20 % |

Répartition selon les catégories en 1984 :
• Sexe : 21 % des hommes, 12 % des femmes.
• Âge : 25 % de moins de 31 ans ; 22 % de 31 à 45 ans ; 11 % de 46 à 64 ans ; 4 % à partir de 65 ans.
• Diplôme : 12 % aucun ou C.E.P. ; 23 % BEPC, BEPS, BE ; 26 % Bac ou études supérieures.

CREDOC

Lorsque la capacité physique n'est pas en cause, les obstacles à la pratique du sport chez les adultes d'âge mûr sont liés à la tradition, qui réservait le sport plutôt aux gens aisés, disposant du temps et de l'argent nécessaires. Si les contraintes matérielles ont, pour la plupart, disparu, les contraintes culturelles demeurent.

*Les femmes*
*sont en train de rattraper les hommes*
*dans la pratique des sports individuels.*
*• Depuis 1973,*
*elles sont deux fois plus nombreuses*
*à pratiquer le jogging ou l'aérobic.*

En 10 ans, les femmes ont beaucoup réduit leur retard sur les hommes en matière sportive. Les sports d'équipe continuent de ne pas les passionner, mais les possibilités qui leur sont offertes en ce domaine restent peu nombreuses. Elles se ruent en revanche sur les sports individuels.

Moins nombreuses encore que les hommes, elles pratiquent en général plus régulièrement. Il suffit de se rendre dans les nouvelles salles de culture physique qui fleurissent dans les grandes villes pour s'en rendre compte.

*De leur côté,*
*les hommes ne sont pas restés inactifs.*

À l'instar des femmes, leur motivation n'est pas seulement d'entretenir leur forme physique ou leur capacité de séduction. Il s'y ajoute le désir de la compétition, qui reste plus typiquement masculin, bien que les femmes y soient moins insensibles aujourd'hui. Sans oublier le besoin de jouer et de se retrouver entre copains, qui explique l'engouement persistant pour certains sports d'équipe.

## Sports des années 80 : forme, individualisme et sophistication

Le nombre des Français licenciés dans les différentes fédérations sportives est en augmentation constante. Cette évolution ne donne

### Sport et aventure : l'union libre

La persistance de la crise a donné à beaucoup le goût de l'évasion. Les médias, qui ne manquent pas une occasion de montrer les exploits de toutes sortes, ont incité beaucoup d'individus à se lancer dans l'aventure. Malgré la disparition de Thierry Sabine, de Philippe de Dieuleveult, d'Alain Colas ou d'Arnaud de Rosnay, les volontaires pour courir le Paris-Dakar, descendre en « rafting » les rivières africaines, enchaîner les sommets dans un temps limité, courir dans le désert, ou simplement faire un circuit en land-rover ne manquent pas. Plus que la motivation purement sportive, c'est sans doute la volonté de se dépasser psychiquement et d'échapper à une société terne qui n'engendre guère l'enthousiasme qui explique ce goût croissant pour l'aventure.

bien sûr qu'une vision très partielle de la pratique sportive (combien de « joggers », de skieurs, de cyclistes ou de... boulistes sont-ils inscrits à une fédération ?). Mais elle reflète la bonne santé globale du sport de masse.

L'aventure est de plus en plus « médiatisée ».

*La volonté de progresser dans un sport*
*est de plus en plus répandue.*

L'accroissement du nombre des licenciés révèle une tendance relativement nouvelle : le désir croissant des Français de bien pratiquer le sport de leur choix. Cette volonté s'est logiquement assortie de l'inscription à une fédération, qui consacre le passage du statut de simple amateur à celui de sportif véritable.

### Licenciement collectif

**Nombre de licenciés des fédérations sportives.**

|  | 1984 | Proportion de femmes | 1971 |
|---|---|---|---|
| – Fédérations olympiques | 5 880 363 | 24 % | 2 409 958 |
| – Fédérations non olympiques | 2 274 590 | 23 % | 1 053 705 |
| – Fédérations et groupes multisports | 1 289 229 | 30 % | 620 015 |
| – Fédérations scolaires et universitaires | 2 329 674 | 36 % | 1 443 644 |
| Total | 11 773 856 | 28 % | 5 527 322 |

Homsy Delafosse et Associés

ministère de la Jeunesse et des Sports

À cet égard, le cas du tennis est très significatif. Alors qu'autrefois les pratiquants se contentaient d'échanger quelques balles sur un court pour s'amuser, ils ont aujourd'hui d'autres exigences. Sans rêver d'imiter les grands champions qu'ils suivent à la télévision, beaucoup veulent améliorer leur technique et figurer dans le club, sélectionné, des « classés ». Le formidable succès des stages intensifs, le développement des ventes d'équipement témoignent sans ambiguïté de cette soif de progresser. Une tendance particulièrement sensible chez les jeunes, qui prennent le sport très au sérieux et cherchent très vite à faire des performances.

Le sport d'élite, dont la qualité reflète généralement celle du sport de masse, devrait logiquement profiter de cette évolution. La France peut donc espérer retrouver demain les champions qui lui manquent tant aujourd'hui dans certaines disciplines.

*Le nombre de ceux qui pratiquent*
*le jogging ou la gymnastique*
*a doublé en 10 ans.*
* *Un Français sur cinq pratique le jogging.*
* *Un sur huit pratique la gymnastique.*

Ce n'est pas une mode mais un grand mouvement de fond qui pousse chaque semaine des millions de Français à s'essouffler dans les bois ou à transpirer dans les salles. Dans la longue liste des sports, le jogging et la gymnastique occupent des places à part, d'ailleurs complémentaires. Le jogging permet de cultiver le souffle et la résistance, nécessaires à un bon équilibre général. La gymnastique et la musculation qui lui est souvent associée permettent de sculpter son corps et de renforcer son pouvoir de séduction (tant vis-à-vis des autres que vis-à-vis de soi-même). Et ce n'est pas un hasard si les femmes, longtemps hostiles à toute mise en évidence de leurs muscles, se retrouvent aujourd'hui dans les salles de musculation.

Plus qu'un simple moyen de garder la forme, l'aérobic (qui cède un peu le pas aujourd'hui devant le stretching, la danse ou la gym plus classique) est devenu un véritable art de vivre, une messe du corps célébrée plusieurs fois par semaine dans une ambiance de musique disco et de transpiration. C'est le culte du corps que l'on célèbre ainsi dans les salles spécialisées, temples d'une nouvelle religion : l'« égologie ».

*La tendance est à la sophistication.*

La pratique des sports en dit long sur la société comme sur ses membres. L'évolution

---

### Les sports et la crise

Les sports chers ont subi de façon diverse la crise économique et la baisse du pouvoir d'achat qu'elle a provoquée.

**La voile : avis de coup de vent.** Il y a en France environ 500 000 bateaux de plaisance (les deux tiers ne dépassent pas 6 mètres) et 2 millions de Français font plus ou moins régulièrement de la voile. Si la passion reste forte, les finances ne suivent plus. En 1985, 21 337 bateaux de plaisance ont été immatriculés contre 21 577 en 1984... mais 34 900 en 1979. Crédit coûteux, fiscalité lourde, manque de place dans les ports, etc.

**La planche... de salut ?** Moins chère, plus facile à transporter et à utiliser, la planche à voile a connu en quelques années un développement spectaculaire. À tel point que la France détient aujourd'hui, avec environ 500 000 planches (pour 900 000 véliplanchistes), le premier parc du monde. Elle en est aussi le premier producteur. Pourtant, les ventes de planches stagnent depuis 1983 (environ 80 000 par an) après la forte croissance du début des années 80.

**Le golf commence à faire son trou.** Malgré ses larges espaces et sa faible densité, la France n'est pas encore une terre d'élection pour le golf. La Fédération tente pourtant de le rendre accessible à un public plus large, en créant par exemple des golfs municipaux et en multipliant les stages d'initiation. Mais les réticences ne sont pas seulement financières. La fréquentation des golfs (55 000 pratiquants) n'atteint pas encore celle des stades de football, et le brassage social y reste plus limité.

**U.L.M. : décollage vertical.** Inconnu il y a quelques années, l'ultraléger motorisé est à l'aviation ce que la planche à voile est à la plaisance. L'engouement instantané des Français s'explique à la fois par leur goût pour l'évasion et l'aventure et par la facilité nouvelle de réaliser le vieux rêve d'Icare. Pourtant, l'absence de réglementation initiale a conduit à quelques accidents spectaculaires, qui ont rendu les candidats à la troisième dimension plus méfiants. Après un décollage fulgurant, l'U.L.M. n'a pas encore atteint son altitude ni sa vitesse de croisière.

de la pratique sportive traduit un double mouvement. La recherche de la sophistication sociale pousse les sportifs, les jeunes en particulier, vers les sports bénéficiant d'une « image sociale » favorable : tennis, planche à voile, ski, golf, squash, etc. D'autre part, la sophistication technologique, qui caractérise l'époque en général, concerne de plus en plus le sport. La voile, l'u.l.m., le ski, et, à un moindre degré, le tennis ou le cyclisme en ont largement bénéficié. Aussi, les sports qui sont aujourd'hui à la mode nécessitent un équipement de plus en plus complet et requièrent un apprentissage de plus en plus long. Ce qui est cohérent avec le goût actuel pour les sports où l'on s'investit (au propre comme au figuré), et dans lesquels l'amateurisme au sens traditionnel n'est plus de mise.

Le choix d'un sport n'est pas neutre, il a toujours une signification individuelle et sociale.

# LOISIRS CRÉATIFS

*Dans une société où la machine occupe une place croissante, les Français avaient un peu oublié l'usage de leurs mains. Conscients de cette lacune, ils s'efforcent aujourd'hui de retrouver les gestes oubliés. Conscients aussi que le plaisir de la vie ne peut être complet sans celui de la création.*

## Le bonheur multidimensionnel

La définition du bonheur, en cette fin du xxe siècle, s'exprime simplement. Il s'agit d'obtenir que chacune des multiples activités quotidiennes contribue à l'épanouissement complet de l'individu.

Contrairement aux apparences, cette définition n'est pas banale. On peut même dire

qu'elle est révolutionnaire, dans la mesure où elle traduit deux bouleversements dans la conception que les Français ont de la vie.

*Le bonheur des uns n'est pas celui des autres.*

L'affirmation ne date pas d'aujourd'hui. Pourtant, elle prend de plus en plus d'importance dans la façon dont chacun conduit sa propre vie. La décennie passée, avec la crise économique et morale qui la caractérise, a tué les derniers espoirs d'un bonheur collectif. Dans tous les domaines, l'individu prend le pas sur le groupe.

*Les Français veulent pouvoir exprimer toutes les facettes de leur personnalité profonde.*

Le second changement important dans la conception du bonheur est que la vie ne devrait pas être découpée en tranches indépendantes les unes des autres. Pourquoi accepter que les activités obligatoires, travail en tête, soient moins enrichissantes que celles qui sont librement choisies ? Pourquoi faudrait-il mériter quelques instants de bonheur par des moments de contrainte ou d'ennui ? Les Français sont de plus en plus hostiles à la bipolarisation de leur vie dans tous ses aspects. Ce qu'ils veulent est au fond bien simple : pouvoir exprimer tour à tour les différentes facettes de leur personnalité profonde, sans avoir à en refouler aucune. Ne plus être réduits à une seule de leurs composantes, mais pouvoir les expérimenter toutes.

Cette préoccupation croissante pour « l'être » (même si « l'avoir » tient toujours une grande place dans la vie) est un phénomène majeur dans l'évolution sociale. Une nouvelle conception de l'existence est en train de s'installer.

Dans la vie personnelle, la traditionnelle opposition entre le corps et l'esprit est aujourd'hui dépassée. Les preuves, en ce dernier domaine, ne manquent pas. Le développement récent de la pratique sportive et surtout l'évolution des motivations qui l'expliquent en sont une première illustration. L'engouement actuel pour les activités manuelles et créatrices en est une autre, tout aussi importante.

## Activités manuelles : les gestes qui sauvent

Les machines ont progressivement pris le relais de la main humaine. Comme autant de prothèses qui ont à la fois amplifié son pouvoir et réduit son indépendance. De sorte que l'individu ne crée plus aujourd'hui comme il créait hier. Ses réalisations sont beaucoup plus indirectes, puisqu'elles transitent le plus souvent par la machine. Elles sont aussi beaucoup plus partielles puisque les travaux de fabrication ont été de plus en plus divisés, afin d'en accroître l'efficacité. Le sentiment de la création personnelle, matérialisé par l'objet fabriqué par un seul homme, s'est donc éloigné, tandis que se développait la société industrielle.

Conscients de cet appauvrissement de leur vie créatrice, les Français commencent à rechercher les moyens d'une « rééducation ». C'est ce qui explique en partie la croissance des loisirs créatifs, tels que le bricolage, la cuisine, la musique ou la photographie.

R.S.C. & G.

Tout ce qui est bon pour le foyer est bon pour la qualité de la vie.

*On bricole et on jardine*
*à la fois par plaisir et par nécessité.*

Rien d'étonnant à ce que le bricolage connaisse depuis quelques années un fort développement. D'un côté, des motivations d'ordre psychologique : le besoin de faire quelque chose de ses mains, dans une société où l'activité professionnelle le permet de moins en moins. Ce qui explique d'ailleurs pourquoi les employés ou les cadres sont mieux disposés à l'égard du bricolage que les ouvriers ou les artisans, moins frustrés sur le plan manuel.

---

### Bricolage et jardinage sont les deux mamelles de la France

#### Bricolage

- 13 millions de foyers bricolent (ils n'étaient que 4 millions en 1968). Plus au nord qu'au sud, plutôt lorsqu'ils sont propriétaires que locataires.
- 66 % des bricoleurs le sont à titre régulier, contre 38 % en 1968.
- Le budget annuel d'un bricoleur s'élève en moyenne à 2 000 francs.
- 40 % des foyers possèdent une boîte à outils. Plus de 20 % ont leur propre établi.

#### Jardinage

Les dépenses consacrées au jardin augmentent de 20 % par an depuis 1976.
- 35 % ont une tondeuse à gazon.
- 13 % ont un motoculteur.
- On trouve environ 140 millions de plantes vertes dans les maisons et les appartements. Entre 1972 et 1984, les dépenses consacrées aux plantes de la maison ont été multipliées par 7.

UNIBAL – Promojardin

---

De l'autre côté, les motivations d'ordre économique balaient les rares réticences qui subsistent. En période de réduction du pouvoir d'achat, il est facile, grâce à quelques outils et un peu de temps, de réduire ses dépenses d'entretien ou d'ameublement dans des proportions considérables. C'est d'ailleurs pourquoi une part importante de l'économie domestique est liée au bricolage. À titre d'exemple, le « kit » (montage de meubles, de cuisines, mais aussi de bateaux, voire de chaînes hi-fi) représente déjà 3 % du marché de l'ameublement. Il pourrait atteindre 20 % en 1990.

Parallèlement au bricolage, le jardinage connaît aussi un fort engouement. Les Français sont de plus en plus nombreux à disposer d'une maison individuelle, donc d'un jardin. Il faut y ajouter le nombre croissant de ceux qui, habitant en appartement, souhaitent lui donner des airs de campagne. Le mythe de la nature reste donc fort chez les Français. Beaucoup souhaitent préserver, même au milieu de la ville, leurs racines paysannes. Le mouvement actuel de retour vers les campagnes devrait encore favoriser ce goût pour le jardinage.

### 22 millions de jardiniers

Rustica/Ipsos (9 janvier 1985)

- 55 % des Français (plus de 18 ans) jardinent : 37 % s'occupent d'un potager, 34 % d'un jardin d'agrément, 13 % d'un balcon.
- Les raisons pour lesquelles ils cultivent leur jardin sont, dans l'ordre : la détente, le délassement (48 %), embellir le cadre de vie (36 %), plaisir de cultiver les produits de la terre (36 %), manger plus sainement (34 %), faire des économies (20 %), avoir une activité physique (19 %).
- 23 % de ceux qui jardinent cultivent plus de légumes qu'auparavant pour faire face à l'augmentation des prix (70 % non, 7 % ne se prononcent pas).
- Les fleurs préférées des Français sont (parmi une liste proposée) : la rose (55 %) ; le muguet (13 %), l'œillet (11 %), le lys (9 %), le bleuet (5 %).

### *Il y a loin de la cuisine-devoir à la cuisine-loisir.*

Les Français ressentent de plus en plus le besoin de faire la fête, pause appréciée dans le tourbillon et la froideur de la vie. Parmi les différentes formes qu'elle peut prendre, le bon repas partagé avec les proches est sans aucun doute l'un des plus recherchés. La cuisine de fête revêt aujourd'hui des aspects plus variés que par le passé. Du plat unique, dont la recette est empruntée aux traditions régionales les plus anciennes (pot-au-feu, cassoulet, choucroute, etc.) à la cuisine la plus exotique (chinoise, africaine, mexicaine...) en passant (plus rarement) par la nouvelle cuisine.

Opposée à la cuisine-devoir par définition, la cuisine de fête, ou cuisine-loisir, en est aussi le contraire dans sa conception. Le temps ne compte plus, seule importe la qualité des ingrédients. Si le menu est profondément différent, la façon de le consommer ne l'est pas moins : le couvert passe de la cuisine à la salle à manger ; la composante diététique, souvent intégrée dans le quotidien, est le plus souvent absente de la fête. Enfin, les accessoires prennent une importance croissante : bougies, décoration de la table et des plats, etc. La cuisine-loisir est de plus en plus marquée par

le polysensualisme auquel aspirent les Français. Le goût, l'odorat, l'œil, le toucher y sont particulièrement à l'honneur. Une douce musique de fond viendra flatter l'oreille, afin que le plaisir soit à son comble.

La cuisine n'est pas, on le devine, une activité comme une autre. C'est tout l'être profond qui s'exprime face au premier besoin de l'individu, celui de manger. Rien n'est donc gratuit dans les rites qui président à sa célébration.

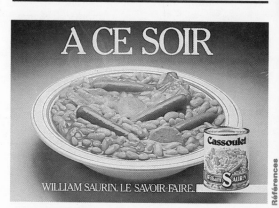

A CE SOIR

Cassoulet

WILLIAM SAURIN. LE SAVOIR-FAIRE.

Références

La cuisine, un moyen de se retrouver pour le quotidien ou pour la fête.

### *Les activités artistiques permettent aux Français d'exprimer d'autres facettes de leur personnalité.*

Leur besoin d'épanouissement total ne pouvait ignorer ce qui, plus peut-être que tout autre aspect, caractérise la nature humaine : la sensibilité. On retrouve bien dans les tendances actuelles cette volonté de rééquilibrer des activités professionnelles souvent froides, rationnelles, par d'autres qui le sont moins.

L'évolution de la société française depuis 30 ans avait laissé peu de place à la vie intérieure de l'individu. La mode n'était pas à l'expression des pulsions artistiques, mais aux joies plus primaires du matérialisme et de la consommation. Si ces habitudes sont loin d'avoir disparu, beaucoup de Français souhaitent aujourd'hui les compléter par d'autres, jusqu'ici refoulées.

C'est pourquoi ils sont nombreux à s'intéresser à la musique, à prendre des cours de peinture ou de sculpture; à s'adonner aux joies de l'écriture ou de la photographie.

*20 millions de Français possèdent un instrument de musique*
* *7 millions savent en jouer.*

La flûte arrive largement en tête, avec 2 millions d'unités achetées chaque année (elle est étudiée dans certaines classes des écoles primaires), devant la guitare (environ 200 000) et le piano, loin derrière avec 30 000 achats par an. L'accordéon n'est plus à la mode et les Français n'en achètent plus que 20 000 chaque année. Même si une grande partie de ces instruments est fabriquée à l'étranger, le goût de la pratique musicale demeure.

### Des artistes par millions

| Au cours des 12 derniers mois : | 1973 % | 1981 % |
|---|---|---|
| • *ont fait de la musique ou du chant dans le cadre d'une organisation ou avec un groupe d'amis* ........... | 5,1 | 5,1 |
| – avec un groupe amateur de pop, de folk, de rock ou de jazz ........... | 1,5 | 2,3 |
| – avec une chorale ............... | 1,5 | 1,8 |
| – avec une formation d'amateurs de musique classique ................. | 0,5 | 0,5 |
| – avec un groupe musical folklorique | 0,6 | 0,3 |
| – avec une fanfare, une harmonie .. | 1,1 | 0,3 |
| • *ont pratiqué, en amateurs, des activités littéraires ou artistiques* ....... | 11,4 | 12,6 |
| – poésie, littérature ............... | 2,9 | 3,5 |
| – peinture, sculpture, gravure ...... | 4,4 | 3,5 |
| – poterie, céramique, reliure ou autre | 2,5 | 2,2 |
| – théâtre d'amateur ............... | 0,9 | 1,3 |
| – danse classique ou folklorique .... | 1,5 | 1,9 |
| – autre chose ................... | 3,4 | 3,8 |
| • *ont pratiqué cette ou ces activités* – en privé ...................... | 8,2 | 8,7 |
| – dans le cadre d'une organisation, d'un club, d'un centre culturel, d'une maison de jeunes ................. | 3,1 | 14,8 |

ministère de la Culture

Les activités physiques

### En vrac

• Une femme sur trois pratique un sport et y consacre au moins une heure par semaine.
• Les Français achètent chaque année près de 2 millions de vélos (pour un parc total d'environ 19 millions).
• 150 000 Français pratiquent les sports sous-marins (pêche, exploration). 100 000 pratiquent le ski nautique. 33 000 pratiquent le canoë-kayak.
• Il y a en France 3 millions de joueurs de tennis, dont 1,3 million de licenciés (150 000 en 1970). Ils achètent chaque année environ 1,4 million de raquettes et 6 millions de balles « P ».
[S] Le dimanche, entre une bonne émission de télévision et une promenade dans la nature, 76 % des Français choisiraient la promenade (17 % la télévision, 7 % ne se prononcent pas).
[E] Il y aurait environ 4 000 pratiquants de l'U.L.M. (ultra léger motorisé) et 10 000 du Delta-plane.
• La baisse des ventes de bateaux de plaisance s'explique à 80 % par les ventes de petits bateaux (inférieurs à 10 mètres).
• La plaisance a fait 70 morts en 1984. 10 000 véliplanchistes ont dû être secourus.
[S] 83 % des Français préfèrent inviter leurs amis chez eux, 13 % au restaurant (4 % ne se prononcent pas).

# Les Vacances

## VACANCES D'HIVER

*Les « petites vacances », que l'on prend en hiver ou à l'occasion des week-ends, tendent à se généraliser. L'instauration de la cinquième semaine de congés payés n'y est bien sûr pas étrangère. Mais ce goût croissant pour des parenthèses plus nombreuses dans la vie quotidienne traduit aussi un nouvel état d'esprit face aux loisirs.*

### Vacances d'hiver : le coup de pouce de la cinquième semaine

Les Français avaient jusqu'ici montré une préférence très nette pour les formules groupant en une même période l'ensemble des vacances de l'année. La nouvelle diminution du temps de travail, le développement des emplois à temps partiel et la cinquième semaine de congés payés vont dans le sens d'une remise en cause de cette pratique. Si travail et temps libre ne peuvent pas, par définition, être vécus simultanément, la tendance est aujourd'hui au morcellement des loisirs, en allongeant les soirées et les fins de semaine. Parce que la recherche actuelle de l'équilibre et de l'harmonie s'accommode mal de l'idée de n'être bien dans sa peau qu'un mois par an.

La « mentalité des congés payés » devrait donc changer progressivement, dans le sens d'une plus grande intégration du temps libre dans l'emploi du temps quotidien. Face aux « grandes vacances », les « loisirs à la petite semaine » ont un bel avenir devant eux.

*Les vacances d'hiver sont encore un phénomène minoritaire et sélectif.*

Les longues files de voitures qui se croisent, en février, sur les routes des stations de sports d'hiver ne doivent pas faire oublier que la plupart des Français restent encore chez eux.

Il est difficile de dire aujourd'hui, quatre ans après l'instauration d'une cinquième semaine de congés payés pour tous les salariés, si la ruée attendue vers l'or blanc a bien eu lieu. La conjoncture économique de ces dernières années a sans doute incité beaucoup de Français à mettre à profit ces quelques jours supplémentaires pour rendre visite à leur famille ou se lancer dans des travaux de bricolage jusqu'ici délaissés, faute de temps. Il n'en reste pas moins que les Français sont de plus en plus nombreux à partir en vacances d'hiver, même si tous ne se dirigent pas vers les pistes enneigées.

*En 10 ans, le taux de départ est passé de 17 à 25 %.*

L'évolution est semblable à celle constatée pour les vacances d'été. Mais, plus encore qu'en été, les taux de départ en vacances d'hiver sont éminemment variables selon la profession exercée, le lieu d'habitation et l'âge.

*8,8 % des Français se rendent dans les stations de ski.*

Un tiers seulement de ceux qui partent en vacances d'hiver les passent à la montagne. Le « boom » des sports d'hiver, décrit chaque année par les médias au moment des migrations de février, n'est donc en fait qu'une déflagration de faible intensité, même si elle fait chaque année un peu plus de bruit.

La prétendue démocratisation de la neige ne résiste pas à l'analyse. Les inactifs (généralement âgés et donc peu tentés par le ski, que

---

### Vacances d'hiver : le dégel

Taux de départ et nombre moyen de journées par personne partie pour l'ensemble de la population :

| Ensemble de la population | Taux de départ (en %) | | Jours par personne | |
|---|---|---|---|---|
| | vacances d'hiver | dont sports d'hiver | vacances d'hiver | dont sports d'hiver |
| Hiver 1974-1975 ..................... | 17,1 | 4,3 | 14,3 | 12,7 |
| Hiver 1975-1976 ..................... | 18,1 | 4,8 | 15,4 | 13,2 |
| Hiver 1976-1977 ..................... | 17,9 | 5,5 | 14,6 | 11,4 |
| Hiver 1977-1978 ..................... | 20,6 | 6,6 | 13,7 | 10,2 |
| Hiver 1978-1979 ..................... | 22,1 | 7,1 | 13,9 | 10,4 |
| Hiver 1979-1980 ..................... | 22,7 | 7,8 | 14,3 | 10,0 |
| Hiver 1980-1981 ..................... | 23,8 | 7,9 | 14,0 | 9,9 |
| Hiver 1981-1982 ..................... | 24,6 | 8,2 | 14,2 | 9,8 |
| Hiver 1982-1983 ..................... | 24,3 | 9,2 | 14,4 | 9,6 |
| Hiver 1983-1984 ..................... | 26,2 | 10,0 | 13,8 | 9,4 |
| Hiver 1984-1985 ..................... | 24,9 | 8,8 | 14,1 | 9,8 |
| **Commune de résidence** (1984-85) | | | | |
| • Commune rurale ................... | 16,1 | 5,8 | 13,2 | 9,5 |
| • Agglomération : | | | | |
| de moins de 20 000 hab. ........... | 18,9 | 6,8 | 11,8 | 9,6 |
| de 20 000 à 100 000 hab. .......... | 21,6 | 7,5 | 14,0 | 11,1 |
| de plus de 100 000 hab. (sauf agglom. de Paris) ........... | 27,2 | 11,0 | 13,7 | 9,7 |
| parisienne (sauf Paris) ............ | 41,4 | 13,3 | 15,1 | 9,7 |
| • Ville de Paris ..................... | 55,5 | 14,1 | 18,6 | 10,2 |

I.N.S.E.E.

La durée moyenne des vacances d'hiver est assez élevée : 14,1 jours en 1985. Elle tient compte des vacances prises à Noël et de celles prises plus tard, en particulier au moment des vacances scolaires.

beaucoup n'ont jamais eu l'occasion de pratiquer) ne sont quasiment pas représentés. De même, les ouvriers et les agriculteurs restent pour la plupart très peu concernés par le phénomène. Peut-être le seront-ils demain.

Le grand désert blanc est de plus en plus fréquenté.

*Le prix des vacances de neige décourage beaucoup de Français.*

Les raisons de la désaffection de certaines catégories sociales vis-à-vis des sports d'hiver

sont de deux ordres. D'abord, les vacances de neige sont les plus coûteuses : le budget d'une famille de quatre personnes, dont deux enfants en âge de skier, varie entre 5 000 et 10 000 francs pour une semaine, selon la date. On comprend que cela décourage bon nombre de prétendants à l'ivresse des cimes.

Viennent ensuite s'y ajouter des raisons d'ordre psychologique : pour beaucoup, le ski reste une activité liée à un certain statut social, du type « Parisien aisé ». Ce sont d'ailleurs souvent les mêmes personnes qui sont concernées par les obstacles financiers et psychologiques. De sorte que l'élévation générale du pouvoir d'achat n'est pas la seule condition à une véritable démocratisation de la neige.

*Le ski de fond, la cinquième semaine et la multipropriété devraient favoriser les vacances de neige.*

Le développement spectaculaire du ski de fond explique en partie l'accroissement des départs constaté depuis quelques années. Le frein représenté par l'âge (beaucoup hésitent à commencer le ski de piste à 40 ou 50 ans) devenait d'un seul coup moins décisif. Sur le plan financier, le ski de fond présente aussi des avantages déterminants : pas de dépenses de remontées mécaniques ; achat ou location

**Attention aux départs !**

Taux de départ et nombre moyen de journées par personne partie selon la catégorie socioprofessionnelle, en 1984-85.

| | Taux de départ (%) | | Jours par personne | |
|---|---|---|---|---|
| | Vacances d'hiver | Dont sports d'hiver | Vacances d'hiver | Dont sports d'hiver |
| • Exploitants et salariés agricoles | 6,8 | 3,7 | 9,8 | 9,4 |
| • Patrons de l'industrie et du commerce | 22,3 | 9,9 | 10,7 | 9,0 |
| • Cadres supérieurs et professions libérales | 60,3 | 27,2 | 15,0 | 9,7 |
| • Cadres moyens | 46,6 | 20,8 | 13,7 | 10,9 |
| • Employés | 25,4 | 9,2 | 12,4 | 9,6 |
| • Ouvriers | 16,0 | 5,1 | 10,5 | 8,6 |
| • Personnel de service | 15,5 | 8,8 | 14,2 | 8,2 |
| • Autres actifs | 35,9 | 6,5 | 14,9 | 12,7 |
| • Inactifs | 18,8 | 2,9 | 20,0 | 10,0 |
| Moyenne | 24,9 | 8,8 | 14,1 | 9,8 |

M.B.C.

I.N.S.E.E.

d'équipements moins onéreux. Plus récemment, la cinquième semaine de congés payés, obligatoirement prise en dehors des « grandes vacances » traditionnelles, a levé un autre frein. Les Français devraient moins hésiter à l'avenir à consacrer au ski une petite partie de leur précieux capital-vacances.

Enfin, la croissance de la multipropriété a transformé pour les ménages concernés une partie des dépenses en investissement. On peut donc logiquement penser que les stations de ski, dont la France est particulièrement riche, n'ont pas encore vécu leurs plus belles années. Quitte à spéculer sur l'or, autant choisir l'or blanc !

---

### Multipropriété : la piste blanche

Née en 1967 à Superdévoluy, la multipropriété (ou propriété à temps partagé) s'est rapidement développée dans tous les sites de vacances. Sur les 80 000 périodes vendues, les deux tiers le sont à la montagne. Malgré une conjoncture difficile dans l'immobilier, le secteur de la multipropriété a bien résisté à la crise. Les prix (de 25 000 à 50 000 francs pour une semaine) varient selon la période choisie, la renommée de la station et la surface de l'appartement (la plupart sont des studios ou des deux-pièces). Les propriétaires qui ne souhaitent pas occuper leur période peuvent la louer ou l'échanger contre une autre période dans un autre lieu de vacances. Ils ne sont cependant que 5 % à profiter de la bourse d'échange mise en place par les principaux promoteurs. Profiter de la montagne tout en réalisant un investissement, telle est la motivation essentielle des « multipropriétaires » (le plus souvent des familles ayant des revenus supérieurs à 200 000 francs par an, déjà propriétaires de leur habitation principale et d'une ou de plusieurs résidences secondaires). Les différentes formules, souvent originales, présentent cependant quelques inconvénients : les charges sont élevées (de 500 à 800 francs par semaine) ; la revente n'est pas toujours facile pour les périodes situées en dehors des vacances scolaires. Tout n'est donc pas rose au royaume de l'or blanc.

---

# Week-ends :
## les Français aiment les dimanches

Les week-ends (pardon, les fins de semaine) représentent, par leur côté régulier et répétitif, un aspect particulier des vacances des Français. Si le dimanche est une vieille conquête (presque centenaire), son jumelage avec le samedi (ou le lundi) est beaucoup plus récent. Même si tous les Français n'en bénéficient pas, de par les conditions particulières de leur activité professionnelle, la plupart apprécient cette parenthèse hebdomadaire entre deux semaines de travail.

$\boxed{S}$ *59 % des Français considèrent le dimanche*
*comme un jour à part.*
*Ils ne sont que 11 % à le haïr,*
*comme dans la chanson de Juliette Gréco.*

Le dimanche est donc, pour la majorité de nos concitoyens, un jour exceptionnel, synonyme de fête et de famille, une pause appréciée dans un emploi du temps généralement chargé. Un point de repère, aussi, dans le déroulement de la vie.

---

### Le septième jour

Ce que les Français font régulièrement le dimanche :

| | |
|---|---|
| • Regarder le film du soir à la télévision | 72 % |
| • Bavarder au calme | 69 % |
| • Recevoir de la famille, des amis | 55 % |
| • Passer la journée à la campagne | 48 % |
| • Bricoler, jardiner | 48 % |

Ce qu'ils aimeraient faire plus souvent :

| | |
|---|---|
| • Aller au restaurant | 46 % |
| • Visiter un musée, un château | 40 % |
| • Aller déjeuner chez des amis | 34 % |
| • Recevoir des amis | 31 % |
| • Faire du sport | 30 % |

Ce qu'ils n'aiment vraiment pas faire :

| | |
|---|---|
| • Jouer au tiercé | 88 % |
| • Préparer le travail du lundi | 74 % |
| • S'occuper des devoirs des enfants | 73 % |
| • Regarder des cassettes vidéo | 72 % |
| • Retrouver des amis au café | 70 % |

Le Journal du dimanche/Ipsos (11 août 1985)

Le repas de midi est une étape importante du rituel dominical. 60 % des familles font plus de cuisine le dimanche que pendant la semaine.

Le repas de midi commence généralement par un apéritif (64 % des foyers). Les Français restent en majorité fidèles au traditionnel poulet et au gigot.

42 % d'entre eux terminent le déjeuner par un gâteau (ils sont même 56 % parmi les plus de 60 ans ; gourmandise ou tradition ?). En matière de tradition, celle de la messe est en train de se perdre, puisque moins d'un quart des ménages se rendent à l'église le dimanche. Les loisirs dominicaux ont, semble-t-il, moins évolué que la pratique religieuse : famille, amis, télévision et promenade y tiennent la plus grande place.

### Oui aux magasins ouverts le dimanche

57 % des français sont favorables à l'ouverture des magasins le dimanche. Si c'était le cas, 21 % seraient prêts à effectuer le dimanche une grande partie de leurs achats de la semaine (I).
De leur côté, 48 % des commerçants sont déjà ouverts le dimanche. Parmi ceux qui n'ouvrent pas, 86 % ne seraient pas prêts à le faire si la réglementation le permettait. D'abord pour des raisons de convenance personnelle (66 %). Ensuite parce qu'ils estiment qu'ils auraient peu de clients ce jour-là (2).

(1) Opidoc/Mammouth (2 novembre 1985)
(2) ICF (12 novembre 1985)

⑤ *Les Français passent en moyenne 8 week-ends hors de chez eux chaque année.*

2 500 000 foyers possèdent une résidence secondaire. 20 % n'y vont pratiquement jamais. 43 % s'y rendent régulièrement, toute l'année ou seulement à la belle saison.

Les départs en week-end ne s'expliquent pas seulement par le nombre élevé des résidences secondaires. Beaucoup de Français vont à l'occasion passer un ou deux jours chez un membre de leur famille ou chez des amis. Les Parisiens sont sans conteste les champions de la discipline. Les bouchons qui se forment sur les autoroutes au départ de la capitale dès le vendredi soir en sont l'illustration.

Quel que soit l'emploi du temps de la vie qui prévaudra demain, il devra sans doute, comme aujourd'hui, ménager des pauses régu-

lières. Afin de rythmer le déroulement souvent heurté de la vie quotidienne et d'en faire accepter plus facilement les contraintes.

# GRANDES VACANCES

*Fête, repos et défoulement restent les principales motivations des Français en congés. Mais un mouvement se dessine vers un autre type de vacances, susceptible d'apporter un enrichissement sur les plans physique et culturel. Plus que la peur de « mourir idiot » c'est la volonté de « vivre intelligent » qui caractérise la nouvelle conception des loisirs.*

## Partir, c'est vivre un peu

Les Français ont entamé leur conquête des congés payés en 1936. Ils n'ont cessé depuis de gagner de nouvelles batailles. La dernière en date (1982) portait à cinq le nombre de semaines de vacances payées à tous les salariés. Mais beaucoup, par le jeu de l'ancienneté ou de conventions particulièrement avantageuses, disposent en fait d'au moins six semaines de congés annuels.

Jusqu'ici, les vacances se déroulaient essentiellement en été. Le soleil de la mer ou de la campagne venait récompenser onze mois d'efforts, de contraintes, voire de frustrations. Pour être réussies, les vacances devaient être en contraste total avec les onze mois qui les précédaient : farniente, bronzage, gastronomie, fête et insouciance...

Cette vision est encore partagée par la majorité des Français. D'autres, en nombre croissant, refusent que l'équilibre de leur vie soit fait d'une moyenne entre deux périodes (de longueur très inégale) dont l'une serait caracté-

## Un été 85

– Évolution du taux de départ en vacances d'été (%) :

| | 1970 | 1977 | 1978 | 1979 | 1980 | 1981 | 1982 | 1983 | 1984 | 1985 |
|---|---|---|---|---|---|---|---|---|---|---|
| • Taux | 44,6 | 50,7 | 51,7 | 53,3 | 53,3 | 54,3 | 54,5 | 55,2 | 53,9 | 53,8 |
| • Durée moyenne de séjour (jours) | ND | 25,6 | 26,2 | 25,4 | 24,8 | 24,7 | 24,6 | 24,7 | 24,7 | 24,7 |
| • Proportion de séjours à l'étranger (%) | ND | 18,3 | 18,3 | 16,5 | 16,5 | 17,1 | 16,2 | 14,9 | 16,9 | 16,7 |

– Taux de départ selon la catégorie socioprofessionnelle en été 1985 (%) :

| | |
|---|---|
| • Exploitants et salariés agricoles | 17,7 |
| • Patrons de l'industrie et du commerce | 53,1 |
| • Cadres supérieurs et professions libérales | 86,2 |
| • Cadres moyens | 81,9 |
| • Employés | 62,9 |
| • Ouvriers | 49,2 |
| • Personnel de service | 51,0 |
| • Autres actifs | 66,5 |
| • Inactifs | 40,2 |
| Ensemble de la population | 53,8 |

– Taux de départ selon le lieu de résidence habituel en été 1985 (%) :

| | |
|---|---|
| • Commune rurale | 36,0 |
| • Agglomération : | |
| de moins de 20 000 hab. | 45,4 |
| de 20 000 à 100 000 hab. | 56,2 |
| de plus de 100 000 hab. | |
| (sauf agglom. de Paris) | 60,5 |
| parisienne (sauf Paris) | 79,9 |
| • Ville de Paris | 79,9 |

### – Quand ? (%)

| | |
|---|---|
| • Mai | 6,0 |
| • Juin | 9,2 |
| • Juillet | 38,4 |
| • Août | 39,4 |
| • Septembre | 7,0 |

### – Où ? (%)

| | |
|---|---|
| • Mer | 44,6 |
| • Campagne | 24,1 |
| • Montagne | 15,6 |
| • Ville | 7,9 |
| • Circuit | 7,8 |

### – Quel hébergement ? (%)

| | |
|---|---|
| • Résidence principale (parents, amis) | 26,2 |
| • Tente et caravane | 19,5 |
| • Location | 16,2 |
| • Résidence secondaire | 14,8 |
| • Résidence secondaire (parents, amis) | 9,7 |
| • Hôtel | 5,5 |
| • Villages de vacances | 3,9 |
| • Auberges de jeunesse et autres | 4,2 |

I.N.S.E.E.

En combien de fois avez-vous pris vos vacances d'été ? • Une seule : 78 %  • Plusieurs : 22 %

### Combien de temps êtes-vous parti ?

| | |
|---|---|
| • Moins d'une semaine | 5 % |
| • Environ une semaine | 14 % |
| • Environ deux semaines | 22 % |
| • Environ trois semaines | 18 % |
| • Environ quatre semaines | 18 % |
| • Environ cinq semaines | 7 % |
| • Plus longtemps | 14 % |
| • NSP | 2 % |

### Quel a été votre principal moyen de transport ?

| | |
|---|---|
| • Voiture | 75 % |
| • Train | 11 % |
| • Avion | 6 % |
| • Autocar | 3 % |
| • Bateau | 2 % |
| • Autre | 2 % |
| • Non précisé | 1 % |

### Comment êtes-vous parti ?

| | |
|---|---|
| • Avec un groupe organisé | 6 % |
| • En voyage individuel avec un forfait (transports + séjour) | 3 % |
| • En voyage individuel sans forfait | 89 % |
| • Non précisé | 2 % |

### Êtes-vous resté le plus souvent au même endroit ?

| | |
|---|---|
| • Oui | 77 % |
| • Ont effectué un circuit | 23 % |

Communica International/Sofres (septembre 1985)

risée par la contrainte, l'autre par le défoulement.

Les Français sont habitués à ce que la France soit aux « abonnés absents » chaque année à la même époque, gagnée par un genre d'hibernation très particulier (qui n'aurait lieu qu'en été !). Pourtant, s'il est vrai que la machine économique est en panne, il ne faut pas en déduire pour autant que chaque habitant de l'Hexagone a mis la clef sous la porte.

*45 % des Français*
*ne partent pas en vacances.*

Même si l'on trouve au mois d'août beaucoup de monde sur les routes, dans les gares ou dans les aéroports (les vacanciers ont la mauvaise idée de partir en même temps et d'aller aux mêmes endroits), les statistiques montrent que près de la moitié des Français restent chez eux. Certains parce qu'ils en ont envie (pourquoi se mêler à la foule quand on est si bien chez soi ?) ; d'autres parce qu'ils en ont besoin (des travaux à faire, un autre métier à exercer...) ; d'autres enfin parce qu'ils n'ont pas les moyens de faire autrement.

Les chiffres laissent à penser que c'est cette dernière raison qui est la plus répandue. Mais les obstacles financiers sont d'origine diverse : nécessité d'économiser l'argent des vacances dans la perspective d'un gros achat (voiture, travaux d'aménagement de la maison, etc.) ; refus de devoir se priver pendant onze mois pour se donner le sentiment de dépenser sans compter pendant quelques semaines.

*La proportion des départs a augmenté*
*d'un tiers en 20 ans.*

Les agriculteurs, traditionnellement peu concernés par les vacances, sont 2,4 fois plus nombreux à partir qu'en 1965. Il n'empêche que la ressemblance entre la hiérarchie des professions et celle des départs en vacances reste frappante. Mais, comme c'est le cas pour l'échelle des salaires, l'éventail tend à se resserrer et les différences à s'estomper. On retrouve ici la double évolution visible dans beaucoup de domaines : nivellement par le haut et constitution d'une vaste catégorie moyenne. Les vacanciers sont plus nombreux, et leurs vacances sont différentes.

Le voyage reste associé au rêve.

## Des vacances, pour quoi faire ?

Les motivations des Français en vacances sont assez simples. Beaucoup souhaitent profiter de ce temps privilégié pour se reposer et « recharger les batteries » avant une nouvelle année de travail. C'est en particulier le souhait des vacanciers âgés de 30 à 50 ans. Telles des batteries solaires, ils offriront alternativement leurs deux pôles (dos et ventre) à l'astre du jour, afin d'emmagasiner la précieuse énergie...

Les boulimiques de l'activité tous azimuts se recrutent surtout chez les jeunes. Mais le mouvement semble gagner peu à peu les autres catégories. Même les personnes du troisième âge souhaitent, de plus en plus, des vacances actives. Pour apprendre des choses nouvelles et pour ne pas s'ennuyer.

La formule des « 3 S » (Sea, Sun, Sex ; mer, soleil, amour) semble donc reculer devant celle inaugurée il y a longtemps par le Club Méditerranée : animation, fête, activités. Formule qui n'exclut d'ailleurs aucune des trois motivations précédentes...

*Les vacanciers actifs*
*souhaitent d'abord pratiquer le sport.*

Si la majorité des Français en vacances veulent « vivre leurs fantasmes », l'affirmation recouvre des réalités différentes selon les individus. Le sport occupe la première place chez les moins de 40 ans. Parmi les plus jeunes (moins de 20 ans), la recherche de l'aventure amoureuse n'arrive qu'en seconde position. Mais il est permis de mettre en doute ce classement, sachant que certains fantasmes sont plus faciles à avouer que d'autres ! On sait que les vacances restent pour les adolescents l'occasion principale du premier flirt et des premiers rapports sexuels.

Face aux activités physiques en tout genre, la lecture occupe une place de choix dans les vacances des Français. Est-ce parce qu'ils regardent moins la télévision que pendant l'année (faute, souvent, de disposer d'un poste) ou simplement parce que l'ambiance des vacances est plus propice à cette activité et qu'ils disposent du temps nécessaire ? La frontière qui sépare la vie quotidienne de la vie de vacances s'estompe.

## Destination France

Les catalogues et les affiches ont beau faire rêver les Français de paradis éloignés sur fond de soleil et de paysages exotiques, ceux qui passent du rêve à la réalité restent peu nombreux. Cinq vacanciers sur six restent en effet fidèles à l'Hexagone.

Les contraintes financières pèsent de tout leur poids. Près de la moitié des vacanciers déclaraient en 1985 qu'ils avaient dû modifier leurs habitudes et rechercher des vacances plus économiques. De sorte que 51 % ont été hébergés gratuitement, dans la famille, chez des amis ou dans leur propre résidence secondaire.

*La mer fait toujours recette.*

Est-ce la mer ou bien le soleil, son complément naturel, qui attire les Français ? Sans doute l'image symbolique, fortement ancrée dans l'inconscient collectif, d'un lieu créé de toute évidence pour les vacances. Mais les Français, qui rêvent toujours de mer et de soleil, en connaissent bien les inconvénients estivaux : difficulté d'hébergement, inflation des prix, omniprésence de la foule... C'est pourquoi ils se tournent de plus en plus volontiers vers les régions intérieures, plus accessibles, qui gagnent à être connues.

*Moins longtemps et moins cher,*
*tel fut le signe de ralliement*
*des dernières vacances d'été.*

La moitié des vacanciers ont déclaré avoir fait des économies par rapport à leurs habitudes. Le budget distractions a été le premier touché. Les fins de soirée dans les discothèques ont été plus rares et, en tout cas, accompagnées de moins de consommations. La nourriture elle-même a fait l'objet de certaines restrictions : repas de midi remplacé par un pique-nique ; apéritifs moins nombreux ; menus moins copieux. Beaucoup d'hôteliers et de restaurateurs ont vu leur chiffre d'affaires stagner, voire régresser par rapport à l'année précédente.

Après plusieurs années pendant lesquelles ils avaient décidé d'oublier la crise au moins un mois par an, les Français sont donc revenus aux dures réalités. D'autant qu'il leur faut aujourd'hui financer une semaine de plus tous les ans. Partir plus souvent est un souhait de plus en plus répandu ; encore faut-il en avoir les moyens.

## Vacances à l'étranger : cap au sud

Les Français ne sont pas, en vérité, de grands voyageurs. Un sur six seulement de ceux qui partent en vacances passe une frontière. C'est bien peu par rapport aux autres Européens. Ce faible taux explique au moins autant l'excédent de la balance touristique de la France (1,5 milliard de francs) que l'affluence des touristes dans notre pays.

*Lorsqu'ils vont à l'étranger,*
*les Français ont le réflexe soleil.*

C'est ce qui explique que les plus grands courants de migration se font dans le sens nord-sud. La plupart des départs concernent les destinations européennes proches comme l'Espagne ou l'Italie (plus d'un tiers à elles deux).

*Les étrangers sont de plus en plus nombreux*
*à visiter la France.*
*• 2 500 000 Américains*
*en 1985 (+ 25 % par rapport à 1984).*

## Les grandes migrations

Répartition des séjours à l'étranger (vacances d'été).

|  | 1985 | 1984 |
|---|---|---|
| • Andorre, Espagne, Portugal | 34,8 % | 34,3 % |
| • Italie | 13,2 | 16,3 |
| • Algérie, Maroc, Tunisie | 13,7 | 15,4 |
| • Grèce, Monaco, Turquie | 6,4 | 5,9 |
| • Yougoslavie | 2,4 | 1,2 |
| • Iles Britanniques | 5,5 | 5,1 |
| • Autres pays de l'Europe de l'Ouest (RFA, Autriche, Belgique, Scandinavie, Suisse, Benelux) | 14,5 | 11,2 |
| • Europe de l'Est (y compris URSS) | 1,2 | 1,9 |
| • Pays à destination lointaine (Afrique, Amériques, Asie, Océanie) | 5,2 | 7,0 |
| • Circuits | 3,1 | 1,7 |
|  | 100,0 % | 100,0 % |
| Nombre total de séjours (en milliers) | 6 208 | 6 119 |

I.N.S.E.E.

Nul doute que la parité franc-dollar (très favorable en 1985) a incité nombre d'Américains à visiter un pays qui, outre ses attraits touristiques, leur permettait de réaliser de bonnes affaires. Un véritable pactole pour les hôtels de luxe, dont les chambres (parfois à plus de 1 000 francs la nuit) se sont arrachées. Paris a vu défiler près de 500 000 Américains, des Champs-Élysées à Beaubourg, en passant par Pigalle et la tour Eiffel. Le changement a été brutal en 1986, avec la chute du dollar et la crainte du terrorisme. Mais la France reste d'abord la destination privilégiée des Belges, des Hollandais et, à un moindre degré, des Anglais (au total plus de 8 millions de touristes en 1985). Il faut dire qu'elle est pour eux un point de passage obligé vers la mer.

## Le goût des vacances intelligentes

Pour la grande majorité des vacanciers, la réussite des vacances n'est plus proportionnelle à l'intensité du bronzage qu'on en ramène. Cette évolution des mentalités n'est pas encore totale, mais elle est significative. Si le bronzage est de moins en moins associé à l'image des vacances, ce n'est pas seulement parce que les Français savent que le soleil est dangereux pour la peau et pour les poumons (ils disposent avec les pilules bronzantes de moyens permettant d'échapper à ces risques). La vraie raison est qu'ils veulent aujourd'hui profiter de leurs vacances pour « faire des choses ».

Partir, c'est être libre.

### Les activités sportives restent les plus pratiquées...

Pour beaucoup, les vacances sont l'occasion unique de s'initier à la pratique d'un sport ou de se perfectionner. Les préférences vont au tennis et au vélo, suivis de près par la planche à voile. Les stages d'initiation ou de perfectionnement connaissent depuis quelques années un succès considérable. Ceux de tennis attirent chaque été des dizaines de milliers de vacanciers de tous âges. Les performances de Noah et de quelques autres ont déclenché des vocations. Le sérieux et l'effort y sont de mise, assurés par des moniteurs sévères et le regard impitoyable des caméras vidéo.

### ... mais les activités culturelles et intellectuelles se développent.

Le souci des Français de donner libre cours à tous les aspects de leur personnalité est de plus en plus apparent. Il les incite à profiter de leurs vacances pour enrichir leurs connaissances et découvrir des activités auxquelles ils n'avaient jamais eu l'occasion de s'intéresser. Là encore, les stages sont de plus en plus appréciés. Que ce soit pour s'initier à l'informatique, à la pratique d'un instrument de musique ou à la dégustation des vins. Du plus sage au plus farfelu, les stages proposent aujourd'hui des dizaines d'activités culturelles, artistiques, traditionnelles ou récentes, qui permettent à chacun de réveiller une vieille vocation endormie ou oubliée.

*Le besoin de vacances « intelligentes »
est l'un des aspects
de la grande mutation des mentalités.*

Qu'il s'agisse de sport ou d'informatique,

les motivations qui poussent les Français à ne pas « bronzer idiot » en vacances sont de deux types.

La volonté, d'abord, de progresser à titre personnel, en profitant d'une période privilégiée, sans autres contraintes que celles qu'on s'impose. Afin de mettre à jour ses connaissances pour s'adapter à l'évolution de plus en plus rapide des techniques, des métiers et des modes de vie.

Le désir, ensuite, de s'épanouir en découvrant de nouveaux domaines, en laissant s'exprimer des penchants personnels pour telle ou telle activité, que l'on n'avait pu jusqu'ici explorer. Pour s'enrichir et, qui sait, faire un jour d'un hobby découvert en vacances un

## Les Styles de Vie et les Vacances

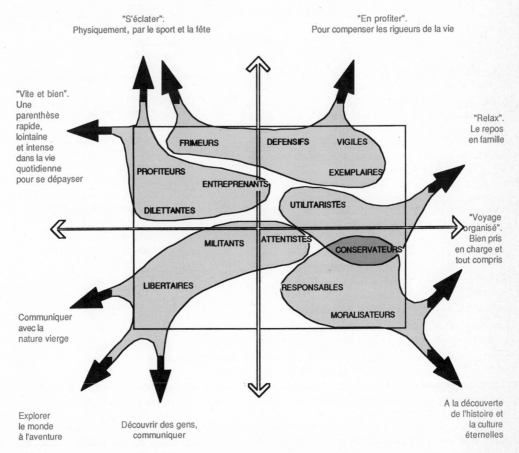

Pour lire la carte, voir la description des Styles de Vie en fin de volume.

véritable métier dans lequel on se sentira mieux en accord avec soi-même.

Il en est donc des vacances comme de toutes les activités des Français. La séparation, jusqu'ici totale, entre les périodes de congés et celles consacrées au travail apparaît de moins en moins satisfaisante. Pour beaucoup, l'équilibre de la vie ne peut résider dans le contraste entre des occupations opposées, mais, au contraire, dans une plus grande intégration de chacune dans le quotidien. L'homme est par nature un personnage multidimensionnel. C'est en assumant de façon continue ses différentes composantes qu'il a le plus de chances de rencontrer l'harmonie. Ce que certains appellent plus simplement le bonheur...

---

Les vacances

### En vrac

● Parmi les Français qui partent en vacances d'hiver, 7 sur 10 partent en voiture.

● Il y a eu, en 1985, 100 morts en haute montagne, 650 blessés.

● 75 % des chutes à ski se produisent en fin de matinée ou en fin de journée. Parmi ceux qui se blessent, on compte 5 fois moins de débutants que de skieurs moyens ou expérimentés.

● Parmi ceux qui se blessent en pratiquant le ski de fond, 70 % sont des femmes.

[S] 3 % des Français passent tous les week-ends hors de leur domicile ; 20 % partent au moins un week-end par mois (31 % des Parisiens) ; 54 % ne partent jamais en week-end.

[S] 21 % des Français sont allés à l'étranger en 1985 (31 % des Parisiens).

● 400 000 touristes français sont allés aux États-Unis en 1985.

[S] S'ils avaient le choix de la répartition de leurs congés, les Français choisiraient, par ordre décroissant : 3 semaines en été et 2 en hiver (20 %) ; 3 semaines en été, 1 en hiver, 1 au printemps (19 %) ; 4 semaines en été et 1 en hiver (17 %) ; 5 semaines en été (13 %) ; autres (19 %) ; ne se prononcent pas (12 %).

[S] 12 % des vacanciers profitent de leurs vacances pour avoir de nouvelles aventures amoureuses.

[S] Parmi ceux qui n'envisageaient pas de partir en vacances en été 1985, 39 % l'expliquaient par des raisons financières, 22 % des raisons professionnelles, 16 % des raisons de santé, 14 % des raisons familiales, 10 % d'autres raisons.

[E] 1 200 000 Français disposent d'une caravane.

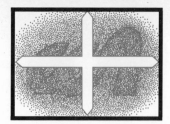

# Les Styles de Vie et les Loisirs.

## LA MOSAÏQUE

Les attitudes des Français face au loisir et la place qu'ils leur accordent dans l'emploi du temps de leur vie dépendent d'un grand nombre de facteurs. Parmi ceux-ci, c'est la conception sociale du loisir, c'est-à-dire la façon dont chacun intègre les autres dans ses activités librement choisies, qui paraît déterminante. Cette approche permet d'isoler quatre comportements fondamentaux de loisirs, correspondant à quatre groupes distincts sur la carte des Styles de Vie.

## Loisirs utiles pour les Rigoristes

Pour les Rigoristes, l'oisiveté est mère de tous les vices. Le temps libre doit avoir une utilité, vis-à-vis de l'entourage immédiat ou de la collectivité. À la maison, ils se consacrent à tout ce qui peut améliorer le confort du foyer ou renforcer son autonomie. À l'extérieur, ils donnent l'essentiel de leur temps à des clubs ou associations dans lesquels ils ont la sensation d'être utiles.

Leurs loisirs sont donc la prolongation de leur travail et l'idée d'obligation, de devoir y est aussi prépondérante. Tout au plus acceptent-ils de temps à autre de partir en vacances ou de faire une promenade en forêt. Mais c'est avec l'alibi de se reposer, de « recharger les batteries » ou de se « changer les idées ». Afin qu'on ne puisse pas les suspecter de prendre vraiment du plaisir à des activités socialement inutiles. Pour les rigoristes, le loisir reste avant tout une récompense à laquelle on a droit lorsque le travail est fini.

## Loisirs en famille pour les Matérialistes et les Vigiles

Leur conception des loisirs est assez proche de celle des Rigoristes. Mais, plus que la maison, lieu de résidence qui abrite la vie quotidienne, c'est la famille qui les intéresse en priorité. Si le bricolage et les activités d'autoproduction occupent une part non négligeable de leur temps, c'est plus par goût ou par nécessité économique que par devoir. Mais ils s'efforcent aussi de conserver du temps pour des activités plus gratifiantes, de préférence pratiquées en famille : des occupations passives, comme la télévision ou la radio, à d'autres plus actives, comme le sport, qui apparaît aux plus jeunes comme une condition nécessaire à l'équilibre et à la santé.

## Loisirs en bande pour les Dilettantes, Profiteurs, Frimeurs et Défensifs

Les Décalés les plus proches du pôle sensualiste et les plus jeunes des Égocentrés ont une vision commune des loisirs. Le temps libre est pour beaucoup d'entre eux la grande priorité, dans la mesure où leur activité professionnelle ne les satisfait pas pleinement. Le désir d'évasion est très présent dans leurs comportements de loisir, pendant les vacances ou dans la vie quotidienne. Le besoin de « s'éclater » leur fait préférer les sports de compétition, en particulier ceux qui permettent un certain exhibitionnisme. Dans les activités qu'ils choisissent, la possibilité de les pratiquer en bande, entre copains, est souvent déterminante. C'est pourquoi la musique moderne, qui conjugue à la fois une certaine violence et la communion occupe une grande place dans leur vie.

## Loisirs solitaires pour les Activistes et les Libertaires

Les Activistes ne disposent pas de beaucoup de loisirs, de par leur vie professionnelle généralement chargée. Lorsqu'ils en prennent, leurs comportements les rattachent aux Décalés (Libertaires en particulier), dont ils partagent le goût pour l'épanouissement in-

dividuel. Un goût qui se traduit par la volonté d'apprendre ou de se perfectionner.

Il arrive aussi aux Activistes de consacrer du temps à des activités à caractère social. Tandis que les Rigoristes se sentent plus ou moins obligés de se rendre utiles à la collectivité, les Activistes y trouvent au contraire un moyen supplémentaire de mettre en valeur leurs qualités de leaders ou d'organisateurs.

Les loisirs des Activistes sont donc principalement tournés vers l'enrichissement personnel. La motivation des Libertaires est comparable ; elle s'exprime plus souvent par la recherche de la culture générale que par celle d'un perfectionnement dans des domaines directement utilisables dans la vie professionnelle.

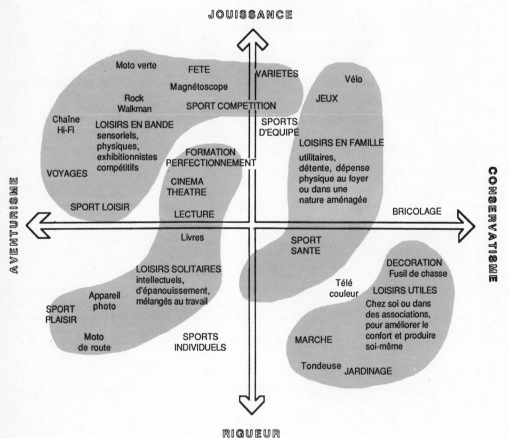

**Les Styles de Vie et les loisirs**

JOUISSANCE

Moto verte
FETE
VARIETES
Vélo
Magnétoscope
Rock Walkman
SPORT COMPETITION
JEUX
Chaîne Hi-Fi
LOISIRS EN BANDE
sensoriels, physiques, exhibitionnistes compétitifs
SPORTS D'EQUIPE
LOISIRS EN FAMILLE
utilitaires, détente, dépense physique au foyer ou dans une nature aménagée
FORMATION PERFECTIONNEMENT
VOYAGES
CINEMA THEATRE
SPORT LOISIR
LECTURE
BRICOLAGE

AVENTURISME — CONSERVATISME

Livres
SPORT SANTE
LOISIRS SOLITAIRES
intellectuels, d'épanouissement, mélangés au travail
DECORATION
Fusil de chasse
Télé couleur
LOISIRS UTILES
Chez soi ou dans des associations, pour améliorer le confort et produire soi-même
Appareil photo
SPORT PLAISIR
Moto de route
SPORTS INDIVIDUELS
MARCHE
Tondeuse
JARDINAGE

RIGUEUR

C.C.A.

Pour lire la carte, voir la description des Styles de Vie en fin de volume.

# LES STYLES DE VIE DES FRANÇAIS

# Les Styles de Vie

On ne sait pas grand-chose d'un individu lorsqu'on sait que c'est un homme de 35 ans, qu'il est cadre moyen et qu'il habite dans une ville de plus de 100 000 habitants. Il manque à cette description des informations sur *la manière dont il vit*, qui est de plus en plus indépendante de ses caractéristiques socio-démographiques (sexe, âge, activité, lieu de résidence...).

C'est pourquoi la connaissance des Styles de Vie des Français devient un complément de plus en plus nécessaire à la compréhension de la société. Voici une description des 5 Mentalités et des 14 Socio-styles, identifiés par le C.C.A. (Centre de communication avancé) qui composent la carte de la société française d'aujourd'hui. Elle vous permettra, tout au long du livre, de lire les cartes illustrant certains thèmes et celles présentées en synthèse à la fin de chaque chapitre.

---

### 12 000 heures d'interviews tous les 2 mois

Pour chacune des études sur les Styles de Vie de la population française, renouvelée tous les deux ans, le C.C.A. interviewe à domicile 3 500 Français de plus de 15 ans pendant 3 heures 30. Le questionnaire porte sur 4 types de questions : Que faites-vous ? Que pensez-vous ? Que voulez-vous ? De quoi rêvez-vous ? Les 150 questions posées aboutissent à 3 500 variables, qui sont traitées mathématiquement sur ordinateur. Parallèlement à cette enquête globale, des études sectorielles sont réalisées (environ 6 chaque année), sur des thèmes aussi différents que la beauté, la banque, l'automobile, l'alimentation, le travail, etc. Enfin, le Baromètre du C.C.A. permet de mesurer tous les six mois l'évolution des attitudes et des comportements des Français.

---

## Le mariage de la sociologie et de l'ordinateur

Le Style de Vie d'un individu est la façon dont il s'intègre à la société. Il est le résultat d'un compromis permanent entre des éléments souvent contradictoires : valeurs et contraintes collectives ; valeurs et aspirations personnelles ; obligations familiales, professionnelles, sociales... Ainsi, la façon de s'habiller d'un individu est le résultat de l'arbitrage entre ses goûts personnels, ceux de son entourage, son pouvoir d'achat, le climat, la morale du pays et de l'époque, les pressions de toute nature qui s'exercent sur lui.

L'étude des Styles de Vie permet de décrire la société actuelle à travers l'observation de ses membres dans leur vie quotidienne. Elle permet aussi de mesurer l'évolution sociale dans le temps. Elle peut expliquer la nature des changements qui se produisent, effectuer des projections ou imaginer des scénarios pour l'avenir.

*C'est l'empirisme qui caractérise l'étude des Styles de Vie.*

Le principe est simple. On interroge régulièrement un large échantillon représentatif des Français sur tous les aspects de leur vie quotidienne, ce qu'ils pensent, ce qu'ils font, leurs projets, leurs rêves..., puis on regroupe l'ensemble des réponses en grandes familles homogènes.

Dans la réalité, ce travail est extrêmement complexe, puisqu'il s'agit de comparer entre elles des dizaines de milliers de données. Il n'a pu être réalisé que grâce aux progrès de l'ordinateur et des techniques de traitement de données (analyses multivariées, analyses en composantes principales, etc.).

Les résultats obtenus sont donc par principe indépendants de tout modèle, théorie, idéologie ou dogme, posé a priori et destiné à être vérifié par l'expérience. C'est l'un des intérêts essentiels de cette méthode aujourd'hui unique au monde.

*L'ordinateur n'est qu'un outil au service de l'étude sociologique.*

Le « paysage social » de la France, tel qu'il ressort de l'ordinateur, est donc l'aboutissement d'un travail sophistiqué, permettant de passer de plusieurs centaines de dimensions (une par question posée aux interviewés) à un espace à deux dimensions principales, qui devient alors compréhensible par un être humain. Il reste ensuite à interpréter ces dimensions, qui sont celles qui résument le mieux l'état des Français à un moment donné. C'est tout le travail des sociologues qui vont analyser chacune des grandes familles de Français, les baptiser, décrire leurs caractéristiques et mesurer leur évolution.

## La carte de France des Styles de Vie

La carte 1985 des Styles de Vie est déterminée par ses deux axes :
• l'axe horizontal, qui va du *Conservatisme* (à droite) à l'*Aventurisme* (à gauche) ;
• l'axe vertical, qui va de la *Rigueur* (en bas) à la *Jouissance* (en haut).

Cette carte montre que les Français se répartissent aujourd'hui en 5 grandes familles, appelées Mentalités. Ce sont les MATÉRIALISTES (27 % de la population), les ÉGOCENTRÉS (22,5 %), les RIGORISTES (20 %), les DÉCALÉS (17 %) et les ACTIVISTES (13,5 %). Chaque Mentalité se divise en 2 ou 3 Socio-styles (Moralisateurs, Exemplaires, Militants, Libertaires, Défensifs, etc.). La société française compte au total 14 Socio-styles, représentant chacun entre 3 et 11 % de la population.

Le centre de la carte représente le Pragmatisme. C'est par rapport à lui que se définissent les Français aujourd'hui.

### Comment lire la carte des Styles de Vie ?

Chacun des 14 Socio-styles de la carte est représenté par un point. Les caractéristiques d'un Socio-style donné dépendent de sa distance par rapport aux deux axes : tendance plus ou moins grande au *Conservatisme* ou, à son contraire, l'*Aventurisme* (axe horizontal) ; tendance plus ou moins grande à la *Rigueur* ou à son contraire, la *Jouissance* (axe vertical). Ainsi, les Libertaires sont des individus attirés à la fois par les valeurs de Rigueur et d'Aventurisme. Plus les Socio-styles sont éloignés l'un de l'autre sur la carte, plus ils sont différents.

Les Mentalités ne sont pas représentées par un point, mais par une surface. Cela explique, par exemple, que la Mentalité d'Égocentrage regroupe à la fois des individus à forte tendance conservatrice (les Vigiles) et d'autres beaucoup plus aventuristes (les Frimeurs). Il en est de même pour la Mentalité de Décalage, qui regroupe les Profiteurs, attirés par les valeurs de sensualisme et de jouissance, et les Libertaires, attirés au contraire par la rigueur et l'ascétisme.

## LES ACTIVISTES : LE POIDS DES IDÉES, LE CHOC DES INNOVATIONS

Oui, on est bien en crise. Les Activistes la ressentent très fortement et la considèrent comme une menace de déclin, voire de décadence pour la France et ses habitants. Il faut donc réagir et s'adapter, avant qu'il ne soit trop tard. L'adaptation des Activistes est caractérisée par le *réalisme* et le *court terme*.

Pas de « grand projet » fumeux et lointain pour ces pragmatiques, qui se battent au jour le jour, préférant la réforme à la révolution, croyant plus à l'action qu'aux raisonnements intellectuels.

Leurs atouts sont de deux ordres : une position sociale souvent assez élevée (beaucoup sont cadres, patrons ou exercent une profession libérale ; d'autres, d'origine modeste, sont cadres sociaux, syndicaux, autodidactes de haut niveau, responsables politiques) ; une « surinformation » puisée dans les médias et entretenue par les discussions quotidiennes.

L'Ambition, la réussite et le goût du « leadership » les motivent plus que le luxe ou la richesse. Une très forte ambition personnelle les pousse à réussir. Les responsabilités, la gloire, la volonté d'accomplir son destin, la satisfaction d'être le premier (dans la hiérarchie professionnelle, dans celle du savoir ou des idées) passent avant l'argent. Celui-ci n'est qu'une récompense, qui leur permet de se procurer les symboles de leur réussite. Le standing, dont ils sont très friands, est en effet le signe extérieur de leur appartenance à l'élite de la nation. Ils n'ont donc pas pour habitude de garder l'argent gagné pour l'accumuler et le transmettre à leurs enfants. Ils préfèrent le dépenser en objets de loisirs.

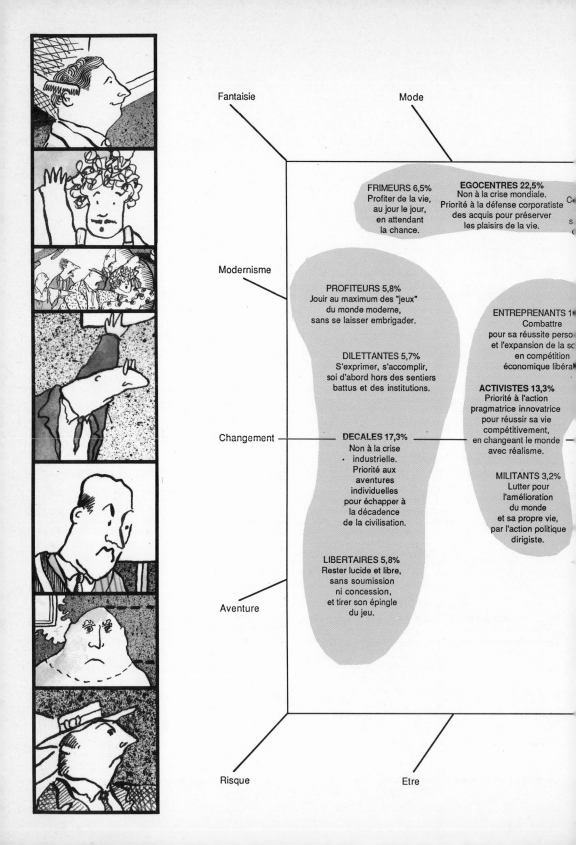

Fantaisie

Mode

FRIMEURS 6,5%
Profiter de la vie,
au jour le jour,
en attendant
la chance.

EGOCENTRES 22,5%
Non à la crise mondiale.
Priorité à la défense corporatiste
des acquis pour préserver
les plaisirs de la vie.

Modernisme

PROFITEURS 5,8%
Jouir au maximum des "jeux"
du monde moderne,
sans se laisser embrigader.

ENTREPRENANTS 1
Combattre
pour sa réussite perso
et l'expansion de la so
en compétition
économique libéra

DILETTANTES 5,7%
S'exprimer, s'accomplir,
soi d'abord hors des sentiers
battus et des institutions.

ACTIVISTES 13,3%
Priorité à l'action
pragmatrice innovatrice
pour réussir sa vie
compétitivement,
en changeant le monde
avec réalisme.

Changement

DECALES 17,3%
Non à la crise
industrielle.
Priorité aux
aventures
individuelles
pour échapper à
la décadence
de la civilisation.

MILITANTS 3,2%
Lutter pour
l'amélioration
du monde
et sa propre vie,
par l'action politique
dirigiste.

LIBERTAIRES 5,8%
Rester lucide et libre,
sans soumission
ni concession,
et tirer son épingle
du jeu.

Aventure

Risque

Etre

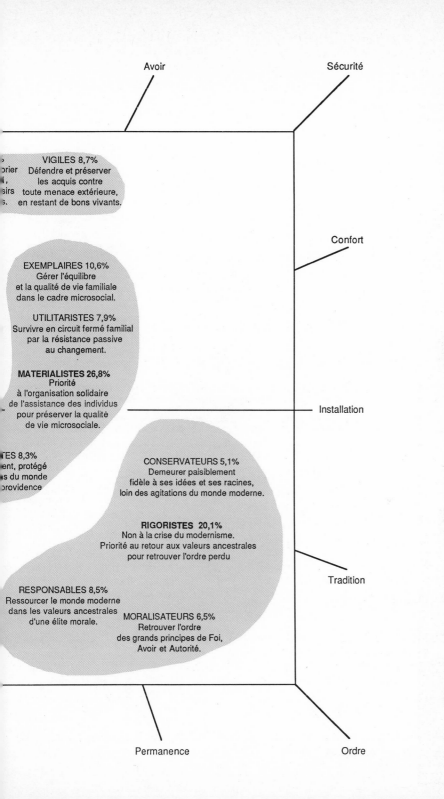

Avoir

Sécurité

VIGILES 8,7%
Défendre et préserver
les acquis contre
toute menace extérieure,
en restant de bons vivants.

Confort

EXEMPLAIRES 10,6%
Gérer l'équilibre
et la qualité de vie familiale
dans le cadre microsocial.

UTILITARISTES 7,9%
Survivre en circuit fermé familial
par la résistance passive
au changement.

MATERIALISTES 26,8%
Priorité
à l'organisation solidaire
de l'assistance des individus
pour préserver la qualité
de vie microsociale.

Installation

ES 8,3%
ent, protégé
s du monde
providence

CONSERVATEURS 5,1%
Demeurer paisiblement
fidèle à ses idées et ses racines,
loin des agitations du monde moderne.

RIGORISTES 20,1%
Non à la crise du modernisme.
Priorité au retour aux valeurs ancestrales
pour retrouver l'ordre perdu

Tradition

RESPONSABLES 8,5%
Ressourcer le monde moderne
dans les valeurs ancestrales
d'une élite morale.

MORALISATEURS 6,5%
Retrouver l'ordre
des grands principes de Foi,
Avoir et Autorité.

Permanence

Ordre

*S'ils se battent surtout pour eux-mêmes, ils sont aussi désireux de faire progresser la société.*

Le spectre de la décadence sociale leur donne des ailes. Refusant de subir ce processus, ils s'efforcent de l'enrayer. Pour cela, il leur faut transformer la société en l'exposant au choc du futur. Face à la majorité de Français qui se replient et cherchent par tous les moyens à se protéger, eux restent sur le pont du navire, bien décidés à l'empêcher de couler et résolus à secouer les autres par l'électrochoc des innovations. L'introduction de nouvelles technologies (robotique, bureautique, micro-informatique) est pour eux une évidente nécessité. Le doute et les sentiments n'assaillent pas ces professionnels qui veulent avant tout préserver leur pouvoir.

*Mais les Activistes sont moins créatifs et audacieux qu'autrefois.*

Ils parlent de surmonter la crise et d'adapter le monde moderne industriel plutôt que de créer une société postindustrielle. Et ils se fient aux recettes traditionnelles sans réellement inventer de nouveaux modèles de fonctionnement social :
– pour les uns (Socio-style Entreprenant), le libéralisme économique radical, les lois de l'offre et de la demande concurrentielles, la gestion pure et dure, le capitalisme demeurent les règles d'or pour surmonter la crise ;
– pour les autres (Socio-style Militant), au contraire, le collectivisme, les nationalisa-tions, la planification et le dirigisme économique de conception marxiste sont les clés magiques du changement.

*Que leur sensibilité politique se situe plutôt à droite (Entreprenants) ou à gauche (Militants), ils font de moins en moins confiance aux idéologies.*

Ils recherchent plutôt des leaders pragmatiques et des hommes d'action pour « piloter à vue », se méfiant des bureaucraties, des experts, des commissions et des discussions sans fin.

Actifs, résolus, dynamiques, prêts à prendre des risques, les Activistes d'aujourd'hui apparaissent peu innovateurs.

La tentation de l'action pour l'action s'exerce au détriment de la réflexion. Le pragmatisme quotidien risquent de couper les ailes de l'innovation à long terme.

# LES SOCIO-STYLES DE LA MENTALITÉ ACTIVISTE

## Les Entreprenants

Libéralisme – Élitisme – Compétition – Technologie – Pragmatisme – Innovation.

Leur mode de vie est centré sur le travail. Ils sont attirés à la fois par le modernisme technologique et la gestion participative des hommes. Ils veulent être des leaders ; le pouvoir les motive plus que la richesse. Ils sont optimistes quant à la survie de la société industrielle et la sortie de la crise... à condition qu'on leur donne les moyens d'investir et de mettre en place un nouveau libéralisme économique à visage humain. Sur le plan économique, ils jouent avec l'argent, consomment des biens d'équipement de haut de gamme, très modernes mais plutôt discrets. Ils se sentent injustement frappés par la crise et par le fisc. Leur information est plus pragmatique qu'intellectuelle, centrée sur l'actualité.

## Les Militants

Progrès – Dirigisme – Solidarité – Idéologie – Lutte – Fidélité.

Leur mode de vie se partage entre le militantisme sur le lieu de travail et les loisirs utiles à la maison. Ils sont motivés à la fois par la réalisation de leur idéal humanitaire et par le souci d'une installation familiale confortable. Socialement, ils sont actifs, dynamiques, combatifs, et s'appliquent à promouvoir le bonheur matériel dans une société qu'ils souhaitent égalitaire mais dirigiste. Économiquement, ils investissent prioritairement dans l'acquisition et l'installation du foyer, faisant largement appel au crédit, et recherchent les bonnes affaires. Leur vie culturelle se partage entre les distractions télévisées et la presse d'opinion.

# LES MATÉRIALISTES :
# LE CHARME DISCRET
# DE LA VIE TRANQUILLE

Face aux Activistes bouillonnants, les Matérialistes tranquilles représentent l'autre versant de l'adaptation à la crise. Si l'objectif est toujours de *survivre*, eux considèrent que c'est à la *solidarité nationale* d'y veiller et à l'État-providence de l'organiser.

Appartenant aux classes moyennes, ouvriers, employés, les Matérialistes éprouvent un sentiment d'humilité et d'impuissance personnelle devant cette crise dans laquelle ils se sont retrouvés bien malgré eux. Leur réaction naturelle est de déléguer aux « spécialistes » (hommes d'État, techniciens, technocrates) le soin de s'arranger des grandes questions nationales. Pour le reste (vie privée, régionale, locale), ils aspirent à une *décentralisation* totale pour s'occuper eux-mêmes de leurs affaires.

*Ils cherchent l'ordre et la tranquillité dans le repli sur la famille.*

Les Matérialistes consacrent l'essentiel de leur énergie à la Vie « microsociale » (famille, amis, clubs, associations, entreprise), dont ils attendent confort et harmonie. Ces nostalgiques du « bon vieux temps » (la campagne, l'artisanat, les petits commerces) ont besoin d'ordre. Ils acceptent le monde moderne, mais à condition que celui-ci n'empiète pas sur leur territoire et surtout à condition qu'il ne bouscule pas leurs habitudes et ne tue pas les relations humaines, auxquelles ils sont très attachés. Toute agression ou menace les fait réagir très vivement, par le corporatisme, la xénophobie, l'autodéfense ; une main de fer dans un gant de velours. Ce sont eux qui demandent à la justice plus de sévérité. Leur repli les conduit aussi à favoriser toutes les formes d'*autoproduction :* jardinage, bricolage, décoration...

*Le confort et la qualité de la vie sont leurs aspirations essentielles.*

Le bien-être matériel est aussi important que la tranquillité d'esprit et la sécurité. Les Matérialistes s'attachent à leur maison, à leur emploi et aux principaux points d'ancrage de leur vie quotidienne. Ils cherchent partout cette chaleur humaine dont ils ont tant besoin. S'ils rêvent d'un État-providence, ils aspirent également à une entreprise paternaliste, si possible préservée de l'invasion des robots, de l'ordinateur et du béton. Les lieux dans lesquels ils vivent doivent ressembler à des nids douillets, dans lesquels on peut couler des jours paisibles. Bien à l'abri d'un monde extérieur dur, dangereux et trop compétitif.

*L'organisation actuelle de la société industrielle ne les mobilise guère.*

Elle tend au contraire à les effrayer et à développer chez eux une mentalité d'assistés. Pourtant, les Matérialistes peuvent se mobiliser et être dynamiques, à condition que la machine sociale et économique sache s'adapter à leur psychologie : par la décentralisation et la déconcentration, par l'humanisation de la technologie, par l'esprit de groupe et d'équipe, mais aussi sur des objectifs concrets, à leur dimension et à court terme.

Les Matérialistes sont partagés dans leurs convictions politiques, mais ils restent légalistes, respectueux de l'État et des institutions. Leur civisme et leur participation personnelle s'expriment d'autant mieux qu'ils se sentent dirigés par un gouvernement sûr de lui, protégés par un État-providence et compris par des chefs paternalistes.

# LES SOCIO-STYLES
# DE LA MENTALITÉ
# MATÉRIALISTE

## Les Utilitaristes

Enracinement – Famille – Paternalisme – Patriotisme – Protectionnisme – Autorité.

Ils vivent repliés sur la famille, le foyer, le petit patrimoine qu'il faut entretenir et transmettre aux générations suivantes. Ils restent fidèles à leurs racines culturelles et régionales, à leurs traditions et à leurs habitudes. Ils tendent à se couper de la société pour se protéger du choc des innovations de toute nature. Peu impliqués politiquement, ils sont attachés à une conception traditionnelle de la patrie.

Sur le plan économique, ils sont généralement modestes et sobres. Ils achètent peu, des produits utilitaires, et cherchent à produire eux-mêmes la plus grande partie de ce dont ils ont besoin pour vivre. Ils recherchent dans l'information les aspects essentiellement pratiques, microsociaux, rassurants.

## Les Attentistes

Inertie – Convivialité – Épargne – Respectabilité – État-providence – Inquiétude.

Leur vie privée est très individualiste, enracinée dans les principes et les habitudes, sans ambition. Ils apprécient les relations amicales, par exemple au sein des associations. Ils se désintéressent de la vie économique, culturelle et politique et délèguent leurs problèmes à l'État et aux institutions. Sans être hostiles aux innovations en général, ils les refusent dans leur vie quotidienne. Leur consommation est très modeste, à l'exception de la voiture et des soins corporels, et ils privilégient l'épargne. Ils sont culturellement sous-informés. Leur désarroi devant la crise entraîne chez eux des réactions de passivité et une très forte demande d'assistance, dans de nombreux domaines.

## Les Exemplaires

Ordre – Civisme – Foyer – Paix – Équilibre – Effort.

Leur motivation essentielle est une vie familiale équilibrée dans une maison confortable, qu'ils aménagent, entretiennent et embellissent avec passion. Ils se replient sur la vie locale, microsociale, et s'efforcent de défendre, jusqu'au protectionnisme, leur emploi et leurs privilèges menacés par la crise. Sur le plan économique, ils donnent la priorité à l'équipement du foyer et à son confort, ainsi qu'à l'automobile, au détriment des vacances ou des plaisirs de la table. Sur le plan culturel, ils apprécient le sport à la télé, les magazines pratiques et les médias de compagnie.

# LES RIGORISTES : AU NOM DES GRANDS PRINCIPES

À l'opposé des Matérialistes, les Rigoristes considèrent que la crise qui frappe la société française n'est pas économique. Cette crise est pour eux celle du monde moderne, porteuse d'une *décadence* inéluctable des valeurs, des religions et de la morale. C'est donc contre cette décadence qu'il faut lutter, plutôt que contre ses manifestations économiques (chômage, inflation, etc.).

Le regard qu'ils portent sur la société actuelle n'est ni optimiste ni tendre : les jeunes n'ont plus de morale ; la famille « fout le camp » ; l'État n'a plus d'autorité ; les immigrés sont des parasites... C'est le *laisser-aller*, sensible aussi bien dans la politique que dans l'enseignement ou même l'Église, qui est pour eux responsable du déclin des institutions et des valeurs morales.

*La solution passe par le retour aux grands principes.*

Comme les Matérialistes, les Rigoristes se replient sur la famille. Mais la leur est plus *traditionnelle*, élargie aux parents plus éloignés. La microsociété dans laquelle ils vivent est organisée autour de la *religion*, des *associations* et des *collectivités locales*.

Leur attitude est de plus en plus *réactionnaire* (au sens de « refus ») face à un monde qui se dérobe sous eux et qu'ils ne reconnaissent plus. Il s'agit d'abord pour eux de retrouver l'ordre perdu, par la discipline, la rigueur, l'autorité, voire la répression. Ils appellent donc de leurs vœux un leader charismatique, seul capable de provoquer le sursaut nécessaire.

*L'argent est, plus qu'un simple moyen, une valeur en soi.*

Les Rigoristes ne sont pas opposés au bien-être matériel. Mais à la condition qu'il soit amplement mérité par l'effort, le sacrifice, l'austérité et l'épargne. Leur ascétisme profond les prédispose peu à profiter des plaisirs de l'argent. Aux achats de biens éphémères, ils préfèrent la satisfaction de laisser quelque chose derrière soi, dans un souci de pérennité et de tradition. Bâtir un patrimoine et le préserver, telle est la grande mission de leur vie.

Déçus et désarçonnés par la société en crise, les Rigoristes en appellent aux certitudes et aux valeurs qui ont fait hier la grandeur de la France. Du fait de leur âge, souvent élevé, et de leur faible importance économique (très inférieure à leur importance numérique), il n'est pas sûr que leur appel soit entendu.

Mais le Rigorisme est aussi une tendance dynamique : une renaissance des valeurs spiritualistes et moralistes, analogue à la « révolution néoconservatrice » qui touche les États-Unis depuis quelques années.

Aux antipodes sociologiques des Décalés, ultramodernistes, asociaux et amoraux, les Rigoristes incarnent le dynamisme du retour aux sources des valeurs ancestrales.

La mentalité Rigoriste est de sensibilité élitiste : on n'y croit guère à l'égalitarisme total, aux vertus collectivistes ; les Rigoristes font plus confiance aux individualités fortes, aux chefs-nés, aux prophètes, et sont prêts à leur déléguer tout pouvoir et à leur obéir.

Cette mentalité renaît depuis 1983, principalement chez les petits patrons, artisans et commerçants, cadres moyens des villes moyennes et d'âge moyen. Elle constitue la branche spiritualiste du grand courant de Recentrage dont les Matérialistes sont l'autre composante.

# LES SOCIO-STYLES DE LA MENTALITÉ RIGORISTE

## Les Responsables

Autorité – Morale – Libéralisme économique – Religion – Standing – Façade sociale.

Leur mode de vie est orienté vers la gestion rigoureuse d'un capital familial, matériel et financier qu'ils s'efforcent de protéger contre tous les risques. Socialement, ils sont pessimistes et tendent à revenir aux valeurs traditionnelles, tout en prônant l'ultralibéralisme sur le plan économique, par la défense de la libre entreprise et du pouvoir patronal. Économiquement, ils sont tentés de réduire leur épargne pour maintenir une consommation de standing indispensable à leur statut social de notable. Leur culture est classique, tournée vers l'information pratique, écrite, rigoureuse.

## Les Conservateurs

Religion – Patrie – Respectabilité – Conformisme – Sécurité – Patriotisme.

Ils sont très repliés sur la vie familiale et microsociale, enracinés dans le terroir d'origine, et s'efforcent de résister à la déstabilisation amenée par l'innovation technologique. Ils délèguent aux institutions le soin de maintenir l'ordre dans une société menacée par la violence et restent profondément patriotes. Ils subissent avec fatalisme la rigueur économique et font preuve d'un relatif optimisme à moyen terme. La crise a encouragé leur tendance à l'autoproduction, à l'épargne et aux achats de précaution. Leur vie culturelle est avant tout religieuse et ils recherchent des médias de soutien moral et de compagnie. Les plus jeunes sont favorables à une véritable « révolution conservatrice ».

## Les Moralisateurs

Travail – Famille – Patrie – Morale – Ordre – Austérité.

Leurs motivations principales sont la respectabilité sociale, la protection de leur foyer et le développement de leur patrimoine. Socialement, ils aspirent à plus d'ordre, de discipline et d'assistance ; ils restent prêts à se battre pour défendre les principes et les idées de la nation. Sur le plan économique, ils privilégient l'autoproduction, l'épargne sans risque et l'assurance. Culturellement, ces patriotes, religieux, recherchent un renforcement de leurs convictions dans une presse traditionaliste et régionale, et trouvent à la radio et à la télévision les distractions et la présence dont ils ont besoin.

# LES DÉCALÉS :
# L'AVENTURE PERSONNELLE ASOCIALE

Né dans les années 80, le courant de Décalage est l'un des plus caractéristiques de la réaction à la crise. Il se développe surtout chez les jeunes (35 % des Décalés ont moins de 25 ans) urbains, étudiants ou déjà cadres ou professions libérales. Il se traduit par un refus de l'intégration, jugée aliénante, au modèle de la société industrielle actuelle.

Sous des dehors parfois farfelus (parfois sages), les Décalés sont lucides. Bien informés sur ce qui se passe autour d'eux, ils ont une façon bien particulière de réagir.

*Ils constatent sans angoisse l'échec du monde industriel et en tirent les conclusions.*

Pour eux, la crise n'est pas un accident de parcours de la société industrielle mais bien une décadence irrémédiable. Les anciennes recettes, les valeurs idéologiques et les institutions ont fait faillite. Il n'est donc pas question de les respecter ni de les répéter. Le regard des Décalés est à la fois *sans illusion et cynique*. Peu intéressés par la société en tant que valeur collective, ils ne sont pas disposés à lui venir en aide. Leur souci essentiel est de tirer leur épingle du jeu à titre individuel. Face aux difficultés croissantes de la vie en société, ils développent une stratégie d'adaptation minimale, sans contestation mais sans militantisme.

*Les Décalés mènent une double vie. L'une est privée, l'autre est sociale ; l'une est profonde, l'autre artificielle.*

Seule leur vie privée mobilise les Décalés. C'est là qu'ils puisent toutes leurs satisfactions, faites de passions, d'aventures et d'émotions intenses. Tout est bon pour « s'éclater » le plus loin possible du conformisme social et de la morale conventionnelle : danse, musique, cinéma fantastique, jeux, moto... Jusqu'à la drogue et même, dans certains cas, le suicide. Leur goût des voyages et de l'exotisme s'exerce autant dans la réalité que dans l'*imaginaire*.

Leur *instabilité* les incite à dépenser leur temps et leur argent dans le superflu, bien avant le nécessaire.

Mais il y a la vie sociale, à laquelle ils ne peuvent se dérober totalement. Alors les Décalés rusent. Ils font semblant de se fondre dans le système de l'entreprise et de la société, en y consacrant le minimum d'énergie. L'intérim, le travail à temps partiel, l'absentéisme les aident à supporter les contraintes de la vie professionnelle.

*La vie des Décalés est avant tout solitaire et sans racines.*

Ils n'ont vraiment ni famille, ni classe, ni patrie. Leur souci permanent est de profiter au maximum de cette société en faillite, tout en s'en éloignant le plus possible.

Mais ces Styles de Vie sont peut-être déjà en train d'inventer la société du XXIᵉ siècle. Ils entrent de plain-pied dans l'électronique, l'informatique, ils sont prêts au télé-travail et à la mobilité géographique au niveau planétaire. Ils associent les cultures intellectuelle et sensorielle, du livre et de la bande dessinée, de l'informatique et de la musique.

Les Décalés ont le cœur plutôt à gauche, mais à l'extrême gauche utopiste plutôt qu'au collectivisme bureaucratique. Cependant, ils ne militent plus et se retirent du jeu politique, non inscrits sur les listes électorales ou abstentionnistes, spectateurs ironiques et cyniques de jeux politiques qu'ils jugent stériles.

*Le courant de Décalage se caractérise par la fuite des énergies.*

Ces jeunes élites ne participent plus à une société qui ne sait pas les motiver. L'enjeu le plus important des années 90 est sans doute là : les hommes politiques, les patrons sauront-ils réconcilier ces Décalés avec la société et les remettre au travail ; sauront-ils, comme aux États-Unis, en faire une famille innovatrice et productive, en respectant leur mode de double vie ? C'est de la réponse à cette question que dépend en partie l'avenir de la France.

Cette mentalité typique des années 80 est née après le grand déclin de l'esprit de mai 68. Ce phénomène restera sans doute limité à une minorité d'individus, mais son impact social sera considérable de par l'importance intellectuelle et culturelle de ses membres.

# LES SOCIO-STYLES ET LA MENTALITÉ DE DÉCALAGE

## Les Profiteurs

Avant-garde – Sensualisme – Permissivité – Luxe – Gadget.

Ils s'intéressent avant tout aux loisirs, aux vacances et à la mode. Sur le plan social, ils sont démotivés et ne croient pas en l'avenir de la société industrielle. Ils cherchent seulement à en tirer profit, sans en subir les contraintes. L'essentiel de leur énergie est consacré à leur épanouissement personnel, par le sport, le voyage ou l'imagination, plutôt que par les activités économiques, professionnelles ou politiques. Leur consommation est ostentatoire, orientée vers le superflu et volontairement provocatrice. Ils appartiennent à la civilisation de l'image, du fantastique et de la science-fiction.

## Les Dilettantes

Dynamisme – Hédonisme – Individualisme – Technologie – Mobilité.

Leur mode de vie est caractérisé par une grande disponibilité personnelle aux aventures et aux stimulations, et par la recherche constante du plaisir. L'absence de grands projets mobilisateurs dans le domaine politique ou économique les pousse à mettre leur potentiel intellectuel innovateur à leur propre service. Ils donnent la priorité aux consommations d'évasion et de loisir, généralement de haut de gamme, et sont à l'affût de la nouveauté technique. Culturellement, ils sont partagés entre l'intellectualisme de la presse d'opinion et le sensualisme des médias audiovisuels.

## Les Libertaires

Radicalisme – Cynisme – Imagination – Liberté – Pessimisme.

Solitaires et instables, ils sont à la recherche de leur propre identité par les stimulations culturelles, sans souci d'installation matérielle.

Ils rejettent les priorités économiques d'une société dont ils prévoient la décadence irrémédiable et se comportent en spectateurs ironiques de la crise. Ils fuient la réalité sociale pour se consacrer à leur développement personnel. Généralement modestes, ils préfèrent dépenser leur argent pour des biens culturels plutôt que pour une installation « bourgeoise ». Comme chez les Dilettantes, leurs intérêts se partagent entre l'intellectualisme et le fantastique, entre la presse d'opinion et la bande dessinée.

# LES ÉGOCENTRÉS : L'AUTODÉFENSE DES ACQUIS

Les Égocentrés sont les derniers-nés de la crise, puisqu'ils ne sont apparus en tant que groupe homogène qu'en 1984. Comme les Décalés, ils sont plutôt jeunes, mais la grande différence avec ces derniers est qu'ils sont souvent moins bien armés qu'eux pour la vie, de par leurs origines sociales plus modestes et leur niveau plus faible de formation : jeunes de formation technique, ouvriers et employés de faible qualification, jeunes chômeurs souvent dans les banlieues des régions industrielles.

Leur attitude générale devant la vie se caractérise par le refus de la rigueur générale et de ses implications sur le plan personnel. Leur réflexe est de se replier, d'attendre que les choses se passent, tout en se protégeant.

*Ils sont les plus angoissés par les difficultés économiques.*

Leur pessimisme général tourne même au catastrophisme lorsqu'il s'agit de l'emploi, compte tenu de leur vulnérabilité particulière dans ce domaine. Cette crainte permanente les rend assez *critiques* à l'égard des autres Français. La tentation est donc de rejeter tous ceux qui, par leur présence ou leurs privilèges, « prennent leur travail ». Que ce soit à l'intérieur (immigrés, femmes, fonctionnaires, retraités...) ou à l'extérieur du pays (Américains, Soviétiques, émirs et autres, responsables à leurs yeux de la crise), sans parler des machines, des robots et des ordinateurs qui constituent autant de boucs émissaires. La *xénophobie*, le *goût du protectionnisme et de l'ordre* constituent des traits courants chez les Égocentrés. Comme les Matérialistes, ils délèguent le soin de rétablir l'ordre à l'État, qu'ils souhaitent plus fort, autoritaire et dur, et sont de farouches partisans de l'« autodéfense ».

*Les satisfactions matérielles constituent une revendication primordiale.*

Le désir profond des Égocentrés est de s'affirmer. Pour eux, la vraie réussite est celle de l'argent, qui permet à la fois de « frimer » et de s'installer, deux manières d'affirmer leur existence à la face du monde. Sur le plan matériel, ils cherchent à satisfaire un goût certain pour la propriété : une maison bien à soi pourvue de tous les produits en vue de la société de consommation, parmi lesquels les vêtements et surtout *l'automobile* jouent un rôle de premier plan. Leur installation est aussi, dès que possible, sociale. Les Égocentrés aiment vivre dans des clans, au sein desquels ils prennent du bon temps... et exhibent les attributs de leur réussite. Ils sont de bons vivants, généreux avec leurs amis, aimant boire, manger, danser, faire la fête.

Mais, sous cette carapace un peu primaire, sectaire, et sous ce goût prononcé pour l'argent, se cache une âme plutôt romantique. L'attrait des films de guerre et de la science-fiction ne parvient pas à étouffer celui de la presse du cœur et le culte du vedettariat. Le rêve, le merveilleux, le grand spectacle ont leurs faveurs : rêves noirs du « no future » désespéré ou rêves roses des romans-photos, l'avenir dira ce qui finalement l'emportera chez ces bons vivants inquiets.

*La mentalité d'Égocentrage est faite de paradoxes.*

Amour de la vie et de la fête et inquiétude agressive ; amitié et convivialité généreuse pour ses amis et racisme xénophobe ; esprit tribal corporatiste et individualisme d'auto-défense égotiste ; esprit revendicatif et anti-syndicalisme ; besoin d'un État fort et de l'autorité et esprit frondeur à l'égard des institutions... ces paradoxes sont typiques d'une génération et d'une classe (les jeunes

d'origine ouvrière surtout) désorientées par la crise.

Les Égocentrés, d'origine populaire, ont souvent une tradition de gauche. Mais ils se reconnaissent de moins en moins dans les institutions politiques, syndicales et sociales. Certains virent même au poujadisme anti-politicien, tentés par l'extrême droite ou à la recherche de nouveaux leaders hors du club des hommes politiques traditionnels.

# LES SOCIO-STYLES DE LA MENTALITÉ D'ÉGOCENTRAGE

## Les Vigiles

Protectionnisme – Autodéfense – Isolation-nisme – Ordre – Pouvoir d'achat.

Ils veulent avant tout protéger leur vie privée, leur foyer, leur famille (élargie aux amis) de toute agression extérieure. Très inquiets des menaces que la crise fait peser sur eux, ils cherchent des boucs émissaires et réclament plus de sévérité envers la délinquance, plus de fermeté envers les étrangers. Ils ont l'ambition d'acquérir par un travail acharné des biens et un pouvoir d'achat élevé. L'aménagement du foyer et l'automobile passent avant les dépenses de loisirs et les vacances. Ce sont plus des émotionnels que des intellectuels. Ils sont peu intéressés par l'actualité sociale et cherchent au contraire à s'en évader dans la fiction sentimentale ou le fait divers.

## Les Défensifs

Pessimisme – Corporatisme – Fête – Maté-rialisme – Protectionnisme – Installation.

Leur mode de vie est tout entier tourné vers un rêve d'installation et de confort. Ils compensent l'inaccessibilité actuelle de ce rêve par la fête bruyante ou les sports exhibition-nistes. Leur vision de l'avenir est très pessi-miste, voire catastrophiste. Elle engendre la délégation passive de la gestion du pays à l'État et le rejet des « responsables » de la crise, en particulier les étrangers. Sur le plan économique, leur frustration est permanente, et ils s'efforcent de la compenser en vivant au-dessus de leurs moyens, en recourant par exemple au crédit. Leur culture est à tendance nihiliste (« no future ») ; elle dissimule un besoin profond de romantisme et un côté « fleur bleue », provisoirement occultés par la crise.

## Les Frimeurs

Copains – Fête – Dépense – Évasion – Force – Frustration.

Très inquiets des difficultés actuelles, ils recherchent l'évasion par la fête et l'imaginaire au sein d'une bande de copains qui leur tient lieu de famille et de tribu sociale.

Déracinés et sans avenir, frustrés sur le plan économique, ils reportent sur la classe politique la responsabilité de la crise et cherchent à se « débrouiller » à titre individuel. Ils dépensent la totalité de leur argent en achats ostentatoires, mais rêvent de pouvoir s'installer confortablement. Leur culture, souvent exhibitionniste, et leur culte de la force et de l'ordre traduisent leur déstabilisation face à la crise et à l'évolution sociale.

# 1986 :
## LA MOBILISATION MOLLE
*Une interview-synthèse de Bernard Cathelat,*
*directeur de recherches au C.C.A.*

En 1985, dans la première édition de *Francoscopie*, vous aviez insisté sur l'émiettement de la société française en plusieurs groupes dont les Styles de Vie étaient différents, voire concurrents. Est-ce que les études récentes du C.C.A. confirment ce que vous appeliez l'atomisation sociale ?

Tout à fait. Après 12 années de crise et 5 ans de dramatisation de cette crise sur le plan social, les Français cherchent à s'adapter. Mais les voies qu'ils choisissent sont très diversifiées, très individualisées. De plus en plus, la société apparaît comme une émulsion dans laquelle se juxtaposent ces molécules que sont les individus. Au lieu d'être soudées entre elles, comme dans un cristal, ces molécules ont des liens extrêmement faibles. Il faut aujourd'hui recourir à la description de 5 grandes mentalités, elles-mêmes décomposées en 14 Styles de Vie distincts, pour rendre compte du paysage social actuel.

Chacun peut se rendre compte que nous ne sommes plus depuis quelques années dans une société de masse, et que chaque groupe social (les jeunes, les ouvriers, les cadres, les inactifs, etc.) ne peut plus être considéré comme distinct et homogène. Peut-on dire qu'il n'y a plus de classes sociales ?

Il y a encore, certes, des classes sociales, qui sont définies par exemple par l'argent, l'âge ou le niveau culturel. Mais, au-delà de ces classes sociales, si l'on veut comprendre les réactions des différents groupes sociaux, que ce soit pour des raisons politiques, économiques, ou sociologiques, il faut analyser leurs Styles de Vie pour comprendre les nuances de comportement à l'intérieur de chacun d'eux. On ne peut plus aujourd'hui vendre un produit, prendre une mesure politique, faire une émission de télévision qui soient destinés et appréciés par tous. Au moment où on parle de flexibilité dans le domaine économique, il est nécessaire de prendre en compte cette diversité

des mentalités, chaque fois que l'on s'adresse aux Français.

En contrepartie de cette diversité, de cette mosaïque de Styles de Vie, y a-t-il dialogue entre les différents groupes, ou au moins tolérance dans la perception que chacun a des autres ?

On remarque dans nos études qu'il y a généralement peu de conflits entre les différents Styles de Vie. Mais c'est, précisément, parce qu'il y a peu de contacts et d'échanges entre eux. Nous allons de plus en plus vers une société tribale, voire même une société de ghettos dans laquelle des tribus différentes vont voisiner, cohabiter comme on dit aujourd'hui, mais sans travailler ensemble ni se féconder mutuellement pour faire naître des idées. On remarque même que la tolérance, qui était restée forte pendant les années 70, est en train de diminuer. On supporte moins bien les extrêmes, les marginaux, qui sont souvent considérés comme des fauteurs de trouble.

Cette moindre acceptation des marginalité n'est-elle pas due à la vague de néo-conservatisme qui s'est abattue sur les pays occidentaux, en commençant par les États-Unis, ce qu'on a appelé l'Amérique de Reagan ?

Nous avions décelé dès 1976 un grand courant de recentrage, caractérisé à la fois par une sorte de fatigue sociale et la recherche de la qualité de la vie et la tranquillité. Depuis 1980, nous assistons à une accentuation et surtout à une radicalisation de cette tendance conservatrice. Le phénomène américain des « Yuppies », mariage entre le modernisme technologique et l'esprit puritain du *Mayflower*, est en train de se développer en France. Ce modernisme conservateur s'incarne à travers la mentalité Rigoriste, que l'on peut qualifier de réactionnaire au sens propre, puisqu'elle réagit à la course au progrès de ces 30 dernières années, à la mise en cause de toutes les valeurs traditionnelles, à la destruction des idéologies. Le développement de la crise économique a provoqué un grand besoin de réenracinement, de hiérarchie, d'ordre.

*Il est apparent que ce mouvement rigoriste joue un rôle croissant dans la vie sociale. Quelles sont, selon vous, ses manifestations les plus significatives ?*

Son impact économique est tout à fait évident. Il n'est qu'à voir la fascination qu'exercent les entreprises japonaises, qui sont généralement construites sur ce modèle. L'impact sur la consommation est lui aussi évident, avec le retour fréquent aux produits « à l'ancienne », aux images de marque rétro (Mamie Nova, la Mère Denis, les dindonneaux Père Dodu, etc.).

Mais il faut préciser que ce courant est en fait le mélange de deux tendances distinctes : conservatisme des idées et des valeurs ; modernisme des outils et des techniques. C'est-à-dire qu'on va acheter des produits alimentaires à l'ancienne, mais de préférence surgelés et on les fait cuire dans un four à micro-ondes...

*Considérez-vous que ce mouvement rigoriste néoconservateur a joué un rôle déterminant lors des élections législatives de mars 1986 ?*

Sans aucun doute. On a vu s'accroître, dans l'électorat flottant, la part des Styles de Vie conservateurs, autoritaires, assoiffés d'ordre et de discipline, traditionnellement attirés par les partis de droite.

Mais il faut dire aussi que cette poussée de conservatisme social a plutôt démobilisé une partie de l'électorat de gauche, notamment parmi les jeunes, qui se sont abstenus plus que la moyenne.

*La démobilisation politique ne concerne pas que les jeunes. Le discours politique classique, qu'il vienne de droite ou de gauche, ne mobilise guère les Français, qui ne jurent plus que par la cohabitation.*

Nos plus récentes études montrent effectivement qu'environ un tiers des Français ne se reconnaissent plus dans les définitions et les clivages politiques traditionnels. C'est ce qui explique par exemple que les personnalités politiques qui rencontrent le plus d'adhésion se situent souvent en marge des partis, comme Raymond Barre, Michel Rocard ou Simone Veil, ou même en marge de l'échiquier politique.

C'est ce qui explique aussi que les Français sont très favorables à la cohabitation, qui leur apparaît comme une voie possible à la sortie de la crise, après les tentatives jugées insatisfaisantes de la droite et de la gauche. On s'aperçoit, d'une manière générale, que les institutions, qu'il s'agisse des partis, des syndicats, ou des pouvoirs publics, sont considérées avec beaucoup de suspicion, car elles n'ont pas permis d'éviter la crise, ni de mettre en avant un système de valeurs acceptable par le plus grand nombre.

*Cela signifie donc que le « trou noir sociologique » dont vous parliez il y a un an est toujours d'actualité.*

Il est tout à fait étonnant de constater que, malgré les grands changements politiques de 1981 puis de 1986, malgré un débat politique de plus de 6 mois avant les élections de mars, ce trou noir des valeurs demeure. Il n'y a toujours pas de grand horizon, d'idéal, de système de référence dans lequel chacun pourrait se reconnaître. En fait, il manque à cette société émiettée et morcelée une culture de base, un liant, permettant de coller les morceaux entre eux. Il manque un totem commun à l'ensemble de la communauté française. De ce « bouillon de culture social », on ne voit pas sortir de grandes innovations, de grand rêve collectif, de grand projet. Cela veut dire qu'il n'y a pas d'enjeu commun pour lequel les Français sont aujourd'hui prêts à se bagarrer, à se mobiliser.

*Cette absence de mobilisation que vous décrivez paraît contradictoire avec le dynamisme nouveau qui, si l'on en croit les médias, se serait emparé des Français depuis peu. Partout, il n'est plus question que de la « France qui gagne », des « vainqueurs », de création d'entreprise, etc.*

La perspective est différente selon qu'on observe la société dans son ensemble ou les individus qui la composent. Dans le premier cas, il n'y a pas de prise en compte d'enjeux collectifs et on assiste tout au plus à une sorte de « mobilisation molle » des énergies. Mais, lorsqu'on s'intéresse aux individus, on s'aperçoit que la période de dramatisation, très forte entre 1982 et 1984, est terminée. Progressivement, le pessimisme diminue et le moral est meilleur. L'amélioration des indices économiques (inflation, prix du pétrole, etc.) a bien sûr joué un rôle important. À la passivité et à la résignation commence à se substituer une certaine énergie.

*Le renouveau de l'esprit d'entreprise dont parlent les médias ?*

Pas exactement. En fait, il s'agit d'un esprit d'entreprise d'une nature tout à fait nouvelle. Il touche ceux que j'appelle les « renards de la crise ». Ce sont des gens profondément individualistes, relativement conservateurs sur le plan des idées, mais plutôt modernistes quant à l'acceptation et l'utilisation des techniques. Ils n'ont pas la volonté de changer la société, mais de la gérer dans l'état où elle est, tout en en tirant le maximum de profit sur le plan personnel. Ils veulent profiter de la crise, en étant plus malins que les autres. Ils vivent au jour le jour, ce sont des pragmatiques et non pas des rêveurs ou des utopistes, animés par un grand dessein humaniste. Il ne faut donc pas attendre d'eux des innovations véritables, mais une exploitation astucieuse des conditions du moment. Bref, ce ne sont pas des pionniers, des gens qui vont refaire le monde, mais des opportunistes vivant et réfléchissant à court terme.

*Même si ces nouveaux entrepreneurs ne sont pas des grands découvreurs, des Christophe Colomb de la fin du xxᵉ siècle, ils peuvent quand même entraîner derrière eux tous ceux qui, jusqu'ici, ne faisaient guère avancer le bateau, car il y avait peu de capitaines.*

Sans doute. Pour employer le même langage, on peut dire que les Français ont moins le mal de mer, moins peur des récifs, et qu'ils sont en train de prendre le pied marin. Mais ils sont conscients de traverser une tempête et ils ne voient guère le beau temps arriver.

*Revenons aux capitaines. Il est manifeste que, depuis trois ou quatre ans, les leaders d'opinion, ceux qui comptent et qui mobilisent les foules ne sont plus les hommes politiques. Les « nouveaux gourous » des Français s'appellent Montand, Coluche, (qui, depuis sa mort, reste très présent dans les esprits comme dans les médias), Tapie ou Gainsbourg. Que signifie ce changement de modèles ?*

Je crois que nous sommes entrés dans une société du simulacre. Il y a en effet dans l'actualité de nouveaux héros à forte personnalité et très fort pouvoir d'attraction, mis en avant par les médias. On peut mettre dans cette même catégorie des personnalités comme Tapie, qui symbolise une nouvelle race d'entrepreneurs (au même titre que les patrons japonais), Coluche, Thierry Sabine, le docteur Kouchner, Christine Ockrent, ou même le pape Jean-Paul II. Tous sont très fortement médiatisés, et suppléent finalement au vide actuel de valeurs collectives. Je crois que le succès de ces nouveaux leaders est la conséquence d'un formidable malentendu. Le succès de Tapie ne signifie pas le renouveau de l'esprit d'entreprise. L'impact de Jean-Paul II n'empêche pas le divorce ou la contraception. L'engouement des Français pour le Paris-Dakar et la sympathie manifestée au moment de la mort de Thierry Sabine ne signifient pas le renouveau de l'esprit d'aventure. Nos études de Styles de Vie tendraient plutôt à prouver le contraire. De la même façon qu'Hollywood fabriquait des comédies musicales pendant la grande crise américaine pour faire oublier les angoisses de l'époque, notre société sécrète aujourd'hui des héros qui sont une compensation théâtrale à des manques sociaux.

On peut même dire, paradoxalement, que plus Tapie aura du succès, moins l'esprit d'entreprise et de compétition sera développé en France. Ceux qui le regardent à la télévision ou vont assister à ses réunions cherchent en fait à recevoir une injection magique d'esprit d'entreprise, d'agressivité commerciale, pour devenir aussi malins et riches que Tapie, mais ne sont pas prêts à faire les mêmes efforts. Plus le pape déplace des foules pendant ses voyages et moins la religion, finalement, se porte bien. De la même manière, à travers Thierry Sabine, les Français ont fait semblant d'avoir l'esprit d'aventure. En regardant les images du Paris-Dakar à la télévision, chacun a l'impression d'être Indiana Jones, et de jouer les conquérants. À travers Tapie, Jean-Paul II, Sabine, Coluche, Kouchner ou Harlem Désir, et tous ces personnages hors du commun, chacun vit en fait un simulacre de dynamisme, de foi, d'aventure ou de générosité. Il faut donc lire l'impact de ces personnalités en creux, comme un révélateur des manques sociaux plutôt que comme un indicateur de tendances nouvelles.

S'il est vrai que les Français vivent aujourd'hui par héros interposés, alors où passe leur énergie ; quels sont les domaines où ils se mobilisent vraiment et en profondeur ?

Cette mobilisation, elle se fait aujourd'hui sur le quotidien, sur les choses qui touchent les Français directement et individuellement. La mobilisation n'est plus macrosociale, mais microsociale. Un bon exemple est le mouvement « Touche pas à mon pote » : ce n'est pas un mouvement idéologique ou politique, ou mondialiste. Il s'agit d'une attitude immédiate vis-à-vis des personnes avec qui on vit, une sorte de réflexe tribal, un geste de solidarité pragmatique destiné simplement à améliorer la qualité de la vie autour de soi, sans vouloir changer structurellement la société. On peut dire la même chose des Restaurants du Cœur de Coluche. L'idée ne venait pas d'un moraliste ou d'un humaniste, mais au contraire d'un amuseur public spécialisé dans la dérision, qui ne proposait pas de changer la société, mais de résoudre un problème concret et immédiat : celui de la faim. La mobilisation en faveur de l'école libre, en 1982, celle destinée à l'Éthiopie, étaient d'une nature identique.

D'une façon générale, les grands mouvements de mobilisation de ces dernières années ont complètement échappé aux institutions, ainsi qu'aux grands leaders politiques, moraux,

intellectuels ou religieux. Ils ont été organisés par des marginaux préoccupés de résoudre des problèmes à court terme et de façon pragmatique. Cela signifie que, dans la société actuelle, les Français sont prêts à se battre pour eux-mêmes, leur famille et leurs proches, mais pas pour l'humanité tout entière. Le « système D » est plus important que l'idéologie, le « coup de main » occasionnel est plus efficace et mobilisateur que la volonté de changer le monde.

Cette préférence pour le court terme, le pragmatisme, la proximité ne risque-t-elle pas, si elle dure, de renforcer l'instabilité sociale ? Quels sont pour vous les principaux enjeux sociaux des prochaines années ?

L'enjeu, pour les années à venir, c'est de savoir si on verra renaître une civilisation qui ne sera plus uniquement individualiste et défensive mais collective et offensive. C'est aussi de voir si les énergies individuelles continuent de s'investir dans la « débrouille » personnelle ou dans la solidarité. C'est enfin de savoir si l'on verra naître une nouvelle génération de leaders. Les personnes qui compteront demain seront-elles, comme dans le passé, issues du monde politique ou du monde intellectuel et moral, ou, comme c'est le cas actuellement, engendrées par les médias ?

C'est à partir de ces trois données (profil des leaders, type de mobilisation, nature des ambitions collectives) que l'on saura dans quel type de société la France abordera le troisième millénaire.

# ANNEXES

# ANNEXE REGIONALE

• La carte des régions et des départements

## POPULATION
• Totale
• Part de la population nationale
• Population par sexe
• Par tranche d'âge
• Par catégorie socioprofessionnelle et par sexe
• Selon le niveau d'instruction
• Population étrangère par sexe
• Population étrangère par nationalité
• Nombre de mariages et évolution
• Taux de nuptialité et évolution
• Nombre de naissances et évolution
• Taux de natalité et évolution
• Taux de mortalité infantile
• Nombre de divorces et évolution
• Taux de divortialité et évolution
• Espérance de vie à la naissance par sexe et évolution
• Taux de mortalité et évolution

## VIE QUOTIDIENNE
• Nombre de ménages
• Répartition selon le nombre de personnes
• Proportion de propriétaires de leur logement et évolution
• Eléments de confort du logement

• Equipement des ménages
• Taux d'activité et évolution
• Taux d'activité par sexe
• Taux de chômage
• Conflits du travail
• Revenu total par ménage et par habitant
• Montant de l'impôt sur le revenu par habitant et évolution
• Taux de départ en vacances d'été
• Taux de départ en vacances d'hiver
• Dépense moyenne au P.M.U. par habitant

## CADRE DE VIE
• Taux d'urbanisation
• Nombre de communes de 10 000 habitants et plus et évolution
• Densité de personnel sanitaire et social
• Nombre de lits d'hôpitaux
• Nombre de places de crèches
• Nombre de places dans les maisons de retraite
• Nombre d'entreprises de 2 000 salariés et plus
• Nombre d'hypermarchés
• Equipements sportifs
• Criminalité

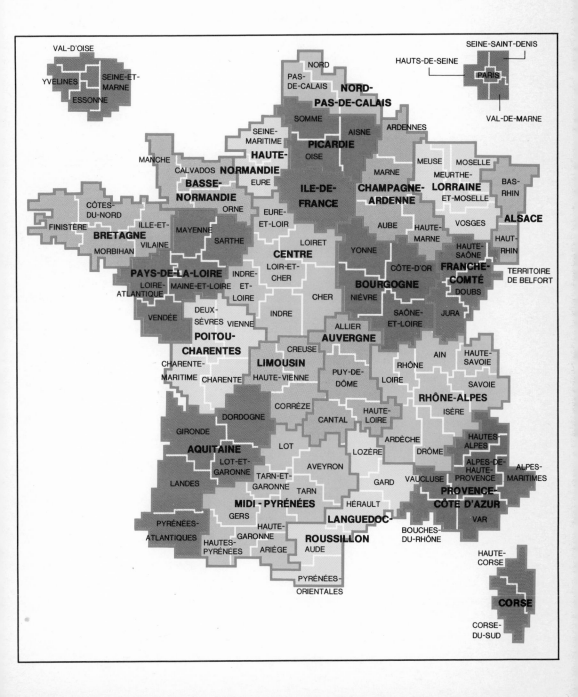

# Population

*Sauf indication contraire, les chiffres correspondent à l'année 1982.*

| | population totale | part de la population nationale | population par sexe | | population par tranche d'âge | | |
|---|---|---|---|---|---|---|---|
| | | | | | part des 0-14 ans | part des 20-34 ans | part des p de 65 |
| | | | hommes | femmes | | | |
| | *nombre* | % | *nombre* | | % | % | % |
| Ile de France .......... | 10 064 900 | 18,5 | 4 880 040 | 5 184 800 | 19,7 | 25,5 | 12,7 |
| Champagne – Ardenne | 1 344 820 | 2,5 | 666 200 | 678 620 | 22,3 | 23,9 | 13,4 |
| Picardie .............. | 1 740 460 | 3,2 | 858 440 | 882 020 | 23,0 | 24,0 | 12,7 |
| Haute-Normandie ....... | 1 659 520 | 3,1 | 815 480 | 844 040 | 22,7 | 24,4 | 12,3 |
| Centre .............. | 2 265 340 | 4,2 | 1 114 560 | 1 150 780 | 20,7 | 22,7 | 15,9 |
| Basse-Normandie ....... | 1 350 480 | 2,5 | 660 080 | 690 400 | 22,2 | 23,4 | 13,7 |
| Bourgogne ............ | 1 592 360 | 2,9 | 781 680 | 810 620 | 20,5 | 22,0 | 16,5 |
| Nord – Pas-de-Calais ... | 3 919 240 | 7,1 | 1 909 900 | 2 009 340 | 23,8 | 24,1 | 11,9 |
| Lorraine .............. | 2 334 740 | 4,3 | 1 153 200 | 1 181 540 | 21,8 | 24,5 | 11,7 |
| Alsace ................ | 1 553 740 | 2,9 | 760 480 | 793 260 | 20,6 | 25,1 | 12,7 |
| Franche-Comté ........ | 1 078 700 | 2,0 | 531 460 | 547 240 | 22,4 | 23,3 | 13,0 |
| Pays de la Loire ....... | 2 937 980 | 5,4 | 1 434 960 | 1 503 020 | 23,3 | 23,1 | 13,3 |
| Bretagne ............ | 2 703 440 | 5,0 | 1 311 520 | 1 391 920 | 21,6 | 22,5 | 14,7 |
| Poitou – Charentes ..... | 1 567 600 | 2,9 | 768 220 | 799 380 | 19,9 | 21,7 | 16,8 |
| Aquitaine ............. | 2 655 800 | 4,9 | 1 285 420 | 1 370 380 | 18,7 | 22,1 | 17,2 |
| Midi – Pyrénées ........ | 2 308 760 | 4,2 | 1 128 240 | 1 180 500 | 17,9 | 21,7 | 18,1 |
| Limousin ............. | 736 340 | 1,4 | 357 360 | 378 980 | 16,7 | 21,0 | 20,6 |
| Rhône – Alpes ......... | 5 022 780 | 9,2 | 2 459 800 | 2 563 000 | 21,2 | 23,2 | 13,1 |
| Auvergne ............. | 1 329 180 | 2,5 | 650 220 | 678 960 | 19,1 | 21,9 | 17,0 |
| Languedoc – Roussillon | 1 929 520 | 3,6 | 935 640 | 993 880 | 18,3 | 21,6 | 17,8 |
| Provence – Alpes – Côte d'Azur ........... | 3 942 980 | 7,3 | 1 910 500 | 2 032 480 | 18,1 | 21,7 | 17,0 |
| Corse ............. | 234 640 | 0,4 | 119 400 | 115 240 | 17,8 | 21,9 | 17,2 |
| Ensemble ............. | 54 273 296 | 100,0 | 26 492 800 | 27 780 400 | 20,6 | 23,4 | 14,3 |

# population par catégorie socioprofessionnelle et par sexe

| *agriculteurs exploitants* | | *artisans commerçants chefs d'entreprise* | | *cadres professions intellectuelles supérieures* | | *professions intermédiaires* | |
|---|---|---|---|---|---|---|---|
| hommes | femmes | hommes | femmes | hommes | femmes | hommes | femmes |
| *nombre* | | *nombre* | | *nombre* | | *nombre* | |
| 11 660 | 6 080 | 205 500 | 96 180 | 521 840 | 200 900 | 566 140 | 433 100 |
| 30 140 | 16 400 | 24 460 | 12 520 | 25 400 | 6 420 | 53 280 | 33 800 |
| 25 180 | 14 540 | 32 420 | 17 480 | 32 480 | 8 960 | 70 180 | 44 580 |
| 20 060 | 14 240 | 31 540 | 19 800 | 34 580 | 10 020 | 70 720 | 44 700 |
| 50 160 | 28 900 | 50 420 | 29 580 | 45 560 | 14 120 | 93 900 | 60 100 |
| 44 400 | 39 860 | 30 700 | 18 360 | 22 160 | 6 560 | 46 800 | 32 720 |
| 38 960 | 19 860 | 34 900 | 17 780 | 28 720 | 8 760 | 60 860 | 41 640 |
| 34 440 | 21 300 | 63 740 | 42 300 | 68 980 | 20 160 | 156 720 | 87 720 |
| 22 220 | 12 860 | 37 900 | 21 180 | 44 980 | 12 200 | 105 480 | 57 360 |
| 12 660 | 8 260 | 24 700 | 11 400 | 39 640 | 9 900 | 72 020 | 39 880 |
| 19 860 | 11 760 | 21 640 | 10 760 | 18 360 | 5 860 | 45 920 | 28 520 |
| 88 800 | 61 040 | 62 440 | 33 980 | 52 900 | 14 120 | 112 340 | 75 060 |
| 90 860 | 73 120 | 62 140 | 38 520 | 52 460 | 13 700 | 99 840 | 72 960 |
| 55 440 | 28 080 | 39 700 | 18 620 | 24 120 | 7 660 | 53 640 | 38 780 |
| 72 760 | 38 460 | 73 500 | 31 280 | 57 320 | 18 200 | 103 360 | 69 840 |
| 81 420 | 38 360 | 65 860 | 27 120 | 49 440 | 15 860 | 91 160 | 63 880 |
| 27 820 | 19 500 | 18 740 | 9 800 | 10 960 | 4 120 | 27 020 | 18 600 |
| 72 080 | 40 000 | 129 720 | 66 160 | 130 200 | 38 980 | 241 660 | 157 560 |
| 45 740 | 25 500 | 36 260 | 20 560 | 22 760 | 7 540 | 53 060 | 37 040 |
| 41 660 | 14 520 | 54 080 | 22 800 | 39 640 | 13 040 | 70 260 | 51 340 |
| 36 980 | 14 940 | 109 860 | 47 540 | 99 100 | 31 240 | 168 600 | 107 740 |
| 4 040 | 460 | 8 120 | 2 560 | 3 340 | 1 460 | 6 520 | 4 700 |
| 927 340 | 548 040 | 1 218 340 | 616 280 | 1 424 940 | 469 780 | 2 369 480 | 1 601 620 |

## population par catégorie socioprofessionnelle et par sexe *(suite)*

| | employés | | ouvriers (y compris les ouvriers agricoles) | | retraités | | sans activité professionnelle (A | |
|---|---|---|---|---|---|---|---|---|
| | hommes | femmes | hommes | femmes | hommes | femmes | hommes | fem |
| | *nombre* | | *nombre* | | *nombre* | | *nombre* | |
| Ile de France ........ | 454 300 | 1 164 760 | 984 840 | 234 920 | 482 720 | 638 800 | 1 653 040 | 2 410 |
| Champagne – Ardenne | 36 600 | 100 200 | 173 440 | 52 580 | 84 280 | 86 940 | 238 600 | 369 |
| Picardie ............. | 46 580 | 128 380 | 235 000 | 72 100 | 107 340 | 108 700 | 309 260 | 487 |
| Haute-Normandie ..... | 38 740 | 139 320 | 233 140 | 64 820 | 94 600 | 108 800 | 292 100 | 442 |
| Centre .............. | 61 480 | 188 940 | 279 660 | 93 160 | 171 460 | 189 760 | 361 920 | 546 |
| Basse-Normandie ..... | 31 180 | 104 940 | 165 440 | 45 020 | 84 860 | 101 620 | 234 540 | 341 |
| Bourgogne .......... | 42 220 | 122 640 | 192 360 | 55 520 | 128 980 | 126 940 | 254 680 | 417 |
| Nord – Pas-de-Calais . | 99 780 | 253 680 | 495 340 | 132 920 | 245 600 | 201 500 | 745 300 | 1 249 |
| Lorraine ............. | 68 580 | 168 160 | 315 240 | 70 080 | 150 940 | 114 320 | 407 860 | 725 |
| Alsace .............. | 48 160 | 129 380 | 218 740 | 60 020 | 91 760 | 102 860 | 252 800 | 431 |
| Franche-Comté ....... | 26 620 | 74 260 | 143 420 | 48 060 | 70 300 | 73 360 | 185 340 | 294 |
| Pays de la Loire ...... | 72 940 | 231 560 | 340 500 | 103 180 | 189 940 | 224 080 | 515 100 | 760 |
| Bretagne ............ | 71 900 | 193 440 | 276 940 | 70 500 | 186 900 | 217 260 | 470 480 | 712 |
| Poitou – Charentes ... | 43 240 | 117 580 | 172 800 | 45 680 | 131 980 | 125 380 | 247 300 | 417 |
| Aquitaine ........... | 79 720 | 211 340 | 272 160 | 70 720 | 211 720 | 225 920 | 414 880 | 704 |
| Midi – Pyrénées ...... | 67 320 | 170 580 | 217 560 | 52 880 | 195 820 | 188 480 | 359 660 | 623 |
| Limousin ............. | 19 100 | 53 200 | 77 060 | 22 300 | 72 200 | 81 260 | 104 460 | 170 |
| Rhône – Alpes ....... | 142 400 | 410 780 | 599 160 | 171 920 | 302 820 | 346 140 | 841 760 | 1 331 |
| Auvergne ........... | 31 720 | 99 540 | 148 960 | 37 020 | 105 240 | 114 180 | 206 480 | 337 |
| Languedoc – Roussillon | 65 800 | 131 500 | 183 080 | 35 020 | 173 500 | 130 840 | 307 620 | 594 |
| Provence-Alpes – Côte d'Azur .......... | 162 580 | 314 480 | 397 860 | 61 600 | 315 900 | 298 560 | 619 620 | 1 156 |
| Corse .............. | 13 900 | 13 720 | 25 000 | 1 140 | 20 740 | 10 720 | 37 740 | 80 |
| Ensemble ........... | 1 724 860 | 4 522 380 | 6 147 700 | 1 601 160 | 3 619 600 | 3 816 420 | 9 060 540 | 14 604 |

(A) Les personnes sans activité professionnelle comprennent les chômeurs n'ayant jamais travaillé ainsi que les inactifs divers autres que les retraités.

Les pourcentages ont été calculés d'après les chiffres du recensement de 1982 (sondage au 1/20).

(1) Y compris le diplôme de fin d'études obligatoires.
(2) Y compris le brevet élémentaire, le brevet d'enseignement primaire supérieur.
(3) C.A.P. ou B.E.P. avec ou sans B.E.P.C.

## ...pulation de 15 ans et plus selon le niveau d'instruction

| ...cun ...lôme ...claré | certificat d'études primaires (1) | B.E.P.C. (2) | C.A.P. ou B.E.P. (3) | Brevet professionnel (4) | Bac technique (5) | Bac général (6) | Diplômes santé professions sociales | D.U.T. B.T.S. (7) | Autres diplômes supérieurs (8) |
|---|---|---|---|---|---|---|---|---|---|
| % | % | % | % | % | % | % | % | % | % |
| ,5 | 18,3 | 7,5 | 14,6 | 2,7 | 1,7 | 6,7 | 1,8 | 3,4 | 7,7 |
| ,1 | 25,3 | 5,7 | 16,5 | 1,9 | 1,3 | 3,7 | 1,3 | 2,0 | 2,2 |
| ,6 | 23,1 | 5,7 | 15,2 | 1,8 | 1,3 | 3,7 | 1,3 | 2,0 | 2,3 |
| ,1 | 21,2 | 5,3 | 17,5 | 2,0 | 1,1 | 3,5 | 1,3 | 2,1 | 2,9 |
| ,3 | 25,0 | 6,0 | 16,6 | 2,1 | 1,3 | 3,9 | 1,2 | 2,1 | 2,6 |
| ,0 | 23,3 | 5,3 | 16,1 | 1,6 | 1,1 | 3,5 | 1,4 | 1,9 | 2,7 |
| ,1 | 25,9 | 5,7 | 16,7 | 2,1 | 1,5 | 3,9 | 1,4 | 2,0 | 2,8 |
| ,0 | 24,1 | 6,1 | 16,3 | 2,0 | 1,2 | 3,7 | 1,4 | 2,0 | 2,3 |
| ,8 | 20,7 | 4,8 | 19,1 | 2,2 | 1,3 | 3,7 | 1,4 | 2,2 | 2,7 |
| ,3 | 16,7 | 3,9 | 22,6 | 3,3 | 1,6 | 3,9 | 1,5 | 2,7 | 3,4 |
| ,8 | 25,6 | 5,8 | 17,4 | 2,2 | 1,6 | 3,9 | 1,6 | 2,3 | 2,8 |
| ,0 | 22,5 | 5,4 | 18,9 | 2,3 | 1,4 | 3,9 | 1,4 | 1,9 | 2,4 |
| ,5 | 24,8 | 6,5 | 17,4 | 2,1 | 1,5 | 4,4 | 1,7 | 2,4 | 2,7 |
| ,2 | 23,9 | 5,4 | 15,9 | 1,8 | 1,3 | 4,1 | 1,3 | 1,8 | 2,2 |
| ,8 | 21,5 | 6,4 | 16,9 | 2,2 | 1,3 | 5,1 | 1,6 | 2,1 | 3,0 |
| ,1 | 21,7 | 6,7 | 14,4 | 1,9 | 1,4 | 5,5 | 1,6 | 2,4 | 3,3 |
| ,1 | 28,4 | 5,6 | 15,4 | 1,8 | 1,2 | 4,3 | 1,4 | 1,7 | 2,3 |
| ,6 | 22,0 | 6,2 | 16,8 | 2,5 | 1,8 | 4,9 | 1,7 | 2,8 | 3,8 |
| ,9 | 26,9 | 7,0 | 15,5 | 2,0 | 1,3 | 4,8 | 1,6 | 2,2 | 2,8 |
| ,7 | 20,6 | 7,7 | 12,1 | 1,8 | 1,2 | 5,8 | 1,7 | 2,1 | 3,4 |
| ,4 | 19,1 | 7,8 | 12,7 | 2,2 | 1,4 | 6,4 | 1,8 | 2,4 | 3,8 |
| ,0 | 17,7 | 8,9 | 7,6 | 1,3 | 0,6 | 7,3 | 1,4 | 1,7 | 2,5 |
| ,4 | 21,8 | 6,4 | 16,0 | 2,2 | 1,4 | 4,9 | 1,6 | 2,4 | 3,8 |

Y compris le brevet de maîtrise, le diplôme de fin de stage F.P.A. 2e degré, B.E.A., B.E.C., B.E.H., B.E.I., B.E.S., B.A.T.A.
Baccalauréat de technicien, séries F, G, H ; brevet de technicien, brevet E.N.P. ou lycée technique d'État, capacité en droit.
Baccalauréat général, y compris bac technique T et diplômes techniques ou professionnels de niveau secondaire.
Y compris les diplômes universitaires du 1er cycle, les diplômes d'études supérieures techniques, certificat de fin d'études
...nales et certificat d'aptitude pédagogique.
Y compris les diplômes universitaires des 2e ou 3e cycles, C.A.P.E.S., C.A.P.E.T., les diplômes de sortie de grandes écoles
...liques ou privées, écoles d'ingénieurs.

## population étrangère

| | par sexe | | par nationalité | | | | | |
|---|---|---|---|---|---|---|---|---|
| | hommes | femmes | CEE | italienne | espagnole | algérienne | marocaine | tuni |
| | *nombre* | | | | *nombre* | | | |
| Île de France ......... | 762 380 | 572 680 | 46 400 | 61 900 | 85 680 | 293 980 | 121 960 | 7 |
| Champagne – Ardenne . | 41 340 | 31 780 | 4 060 | 6 020 | 5 160 | 17 740 | 8 500 | 2 |
| Picardie .............. | 46 040 | 33 560 | 5 560 | 3 100 | 4 020 | 9 900 | 16 480 | 1 |
| Haute-Normandie ...... | 32 720 | 21 300 | 3 040 | 2 720 | 1 480 | 13 200 | 7 580 | 2 |
| Centre .............. | 62 640 | 52 860 | 3 180 | 2 760 | 7 820 | 12 600 | 15 900 | 2 |
| Basse-Normandie ...... | 13 420 | 9 020 | 1 600 | 1 120 | 900 | 2 600 | 3 320 | |
| Bourgogne ........... | 48 100 | 38 680 | 2 620 | 7 900 | 5 780 | 9 060 | 16 800 | 3 |
| Nord – Pas-de-Calais ... | 106 120 | 82 040 | 14 800 | 18 980 | 5 280 | 59 160 | 33 420 | 3 |
| Lorraine .............. | 107 360 | 78 960 | 10 440 | 47 540 | 9 920 | 44 940 | 15 680 | 3 |
| Alsace .............. | 71 580 | 53 560 | 7 740 | 18 920 | 8 040 | 19 780 | 15 240 | 3 |
| Franche-Comté ....... | 45 060 | 34 040 | 960 | 8 040 | 2 820 | 16 940 | 13 720 | 1 |
| Pays de la Loire ....... | 23 340 | 18 300 | 1 980 | 760 | 1 420 | 4 400 | 9 500 | 2 |
| Bretagne ............. | 12 180 | 7 480 | 1 580 | 760 | 1 680 | 1 960 | 2 540 | |
| Poitou – Charentes .... | 14 960 | 11 080 | 2 040 | 840 | 1 840 | 1 760 | 3 820 | |
| Aquitaine ........... | 66 880 | 54 140 | 6 040 | 7 860 | 29 880 | 8 220 | 19 320 | 1 |
| Midi – Pyrénées ....... | 62 420 | 49 280 | 5 600 | 13 160 | 26 880 | 15 420 | 12 980 | 3 |
| Limousin ............. | 11 180 | 8 540 | 720 | 560 | 1 540 | 1 840 | 1 980 | |
| Rhône – Alpes ........ | 262 540 | 195 480 | 11 300 | 68 140 | 34 220 | 137 940 | 36 620 | 33 |
| Auvergne ............ | 34 380 | 26 260 | 1 580 | 2 740 | 4 120 | 6 280 | 5 880 | |
| Languedoc – Roussillon . | 71 060 | 55 160 | 6 960 | 5 720 | 51 240 | 20 260 | 23 100 | 2 |
| Provence – Alpes – Côte d'Azur .......... | 189 740 | 133 080 | 18 880 | 49 320 | 31 340 | 96 680 | 34 080 | 41 |
| Corse ................ | 18 920 | 7 660 | 780 | 4 880 | 380 | 1 260 | 12 700 | 2 |
| Ensemble ............ | 2 104 360 | 1 575 740 | 157 860 | 333 740 | 321 440 | 795 920 | 431 120 | 189 |

(B) Les *mariages* sont rapportés au lieu de leur célébration.
(C) Le *taux de nuptialité* est le nombre de mariages célébrés au cours de l'année rapporté à la population moyenne de l'année.
(D) Les naissances ou nés vivants sont la somme des naissances vivantes et des faux mort-nés.
   Les *naissances vivantes* correspondent aux naissances d'enfants en vie au moment de leur déclaration à l'état civil.
   Les *faux mort-nés* sont des enfants vivants à la naissance mais décédés avant la déclaration à l'état civil. Cette déclaration doit être faite dans les trois jours francs qui suivent la naissance.

| ges (B) | | taux de nuptialité (C) | | naissances (D) | | taux de natalité (E) | | taux de mortalité infantile (F) |
|---|---|---|---|---|---|---|---|---|
| | 1983 | 1973 | 1983 | 1973 | 1983 | 1973 | 1983 | 1982 |
| | nombre | % | % | nombre | | % | % | ‰ |
| 1 | 49 786 | 66,9 | 49,1 | 166 965 | 152 745 | 17,1 | 15,1 | 8,6 |
| 4 | 7 553 | 82,9 | 56,0 | 23 873 | 19 187 | 18,0 | 14,2 | 10,8 |
| 8 | 10 076 | 84,8 | 57,4 | 30 355 | 25 382 | 18,3 | 14,5 | 9,7 |
| 6 | 9 689 | 84,6 | 58,1 | 28 445 | 25 534 | 18,0 | 15,3 | 9,5 |
| 0 | 11 949 | 77,8 | 52,3 | 34 194 | 29 119 | 16,1 | 12,7 | 8,1 |
| 2 | 8 068 | 88,5 | 59,4 | 22 787 | 19 483 | 17,5 | 14,3 | 7,2 |
| 4 | 8 779 | 79,0 | 54,8 | 24 414 | 20 111 | 15,6 | 12,6 | 10,0 |
| 5 | 25 676 | 89,7 | 65,1 | 74 599 | 63 743 | 19,1 | 16,2 | 11,8 |
| 0 | 14 318 | 81,9 | 61,7 | 39 880 | 32 826 | 17,2 | 14,1 | 9,8 |
| 5 | 9 826 | 76,5 | 62,2 | 24 215 | 21 655 | 16,1 | 13,7 | 8,2 |
| 1 | 6 233 | 80,2 | 57,2 | 18 545 | 15 391 | 17,7 | 14,1 | 9,3 |
| 2 | 16 785 | 85,8 | 56,6 | 50 893 | 42 072 | 18,6 | 14,2 | 9,5 |
| 6 | 15 738 | 82,9 | 57,6 | 43 396 | 35 676 | 16,8 | 13,1 | 9,6 |
| 9 | 8 616 | 84,1 | 54,7 | 23 823 | 19 033 | 15,7 | 12,1 | 9,1 |
| 6 | 14 157 | 75,7 | 52,8 | 36 703 | 30 873 | 14,5 | 11,5 | 9,4 |
| 4 | 11 792 | 74,1 | 50,5 | 30 382 | 25 468 | 13,5 | 10,9 | 9,6 |
| 6 | 3 620 | 72,6 | 49,0 | 9 059 | 7 296 | 12,2 | 9,9 | 8,5 |
| 9 | 26 702 | 72,3 | 52,6 | 78 506 | 70 611 | 16,6 | 13,9 | 8,6 |
| 3 | 7 045 | 74,7 | 52,7 | 19 628 | 15 232 | 14,8 | 11,4 | 11,4 |
| 6 | 10 860 | 74,3 | 55,6 | 22 715 | 22 914 | 12,8 | 11,7 | 10,8 |
| 7 | 22 009 | 69,8 | 54,9 | 48 671 | 49 462 | 13,5 | 12,4 | 8,9 |
| 7 | 1 236 | 62,8 | 50,7 | 2 832 | 2 945 | 12,7 | 12,1 | 7,3 |
| 0 | 300 513 | 76,9 | 54,9 | 854 880 | 746 758 | 16,4 | 13,6 | 9,4 |

issances ne sont pas rapportées au lieu de naissance mais au lieu du domicile de la mère.
taux de natalité de l'année *n* est le rapport des naissances de l'année *n* à la population totale moyenne de l'année *n*.
taux rectifié de mortalité infantile est le rapport suivant :

$$\frac{\text{décès de moins d'un an} + \text{faux mort-nés}}{(\text{naissances de l'année précédente} + \text{naissances de l'année considérée}) + \text{faux morts-nés}}$$

| | divorces (G) | | taux de divortialité (H) | | espérance de vie à la naissance (I) 1968 | | 1982 | | taux de mortalité (J) | |
|---|---|---|---|---|---|---|---|---|---|---|
| | 1973 | 1983 | 1973 | 1983 | hommes | femmes | hommes | femmes | 1973 | 1983 |
| | nombre | | % | % | ans | | ans | | ‰ | ‰ |
| Île de France | 11 412 | 22 939 | 11,7 | 22,6 | 68,6 | 75,8 | 71,5 | 79,0 | 8,9 | 8,3 |
| Campagne – Ardenne | 1 309 | 2 587 | 9,9 | 19,2 | 67,2 | 74,6 | 69,7 | 78,3 | 10,4 | 10,0 |
| Picardie | 1 556 | 3 088 | 9,4 | 17,6 | 66,7 | 74,0 | 69,5 | 77,5 | 10,9 | 10,1 |
| Haute-Normandie | 1 693 | 3 187 | 10,7 | 19,1 | 66,7 | 74,5 | 69,4 | 78,0 | 9,7 | 9,5 |
| Centre | 1 632 | 3 474 | 7,7 | 15,2 | 68,6 | 75,5 | 71,5 | 79,4 | 11,3 | 10,7 |
| Basse-Normandie | 1 121 | 1 928 | 8,6 | 14,2 | 66,4 | 74,7 | 70,4 | 78,6 | 10,2 | 10,1 |
| Bourgogne | 1 215 | 2 622 | 7,8 | 16,4 | 68,1 | 75,5 | 70,4 | 79,0 | 12,4 | 11,9 |
| Nord – Pas de Calais | 3 104 | 6 641 | 8,0 | 16,8 | 65,0 | 72,8 | 67,3 | 76,2 | 11,2 | 10,4 |
| Lorraine | 1 709 | 4 025 | 7,4 | 17,3 | 66,1 | 73,8 | 68,8 | 77,4 | 10,0 | 9,7 |
| Alsace | 1 073 | 2 971 | 7,2 | 18,8 | 65,2 | 73,2 | 69,3 | 77,1 | 10,8 | 10,0 |
| Franche-Comté | 765 | 1 908 | 7,3 | 17,5 | 67,5 | 74,8 | 70,5 | 78,5 | 10,1 | 9,4 |
| Pays de la Loire | 1 587 | 3 658 | 5,8 | 12,3 | 67,5 | 75,0 | 70,8 | 78,8 | 10,2 | 9,7 |
| Bretagne | 1 146 | 3 320 | 4,4 | 12,2 | 64,8 | 74,0 | 68,3 | 77,8 | 11,7 | 11,6 |
| Poitou – Charentes | 1 126 | 2 442 | 7,4 | 15,5 | 69,4 | 75,9 | 72,3 | 79,5 | 11,5 | 11,1 |
| Aquitaine | 2 079 | 4 611 | 8,2 | 17,2 | 68,3 | 75,7 | 71,2 | 79,0 | 12,1 | 11,6 |
| Midi – Pyrénées | 1 711 | 3 327 | 7,6 | 14,2 | 69,3 | 75,5 | 72,3 | 79,0 | 12,0 | 11,5 |
| Limousin | 398 | 986 | 5,4 | 13,4 | 69,2 | 76,1 | 71,3 | 79,1 | 14,3 | 13,8 |
| Rhône – Alpes | 4 165 | 8 432 | 8,8 | 16,6 | 67,4 | 75,1 | 70,9 | 78,9 | 10,2 | 9,2 |
| Auvergne | 997 | 1 964 | 7,5 | 14,7 | 67,4 | 74,8 | 69,9 | 78,6 | 12,6 | 12,0 |
| Languedoc – Roussillon | 1 337 | 3 535 | 7,5 | 18,1 | 69,0 | 75,8 | 71,9 | 79,0 | 12,1 | 11,4 |
| Provence – Alpes – Côte d'Azur | 4 736 | 9 181 | 13,1 | 22,9 | 68,5 | 75,8 | 71,4 | 78,9 | 10,9 | 10,8 |
| Corse | 176 | 244 | 7,9 | 10,0 | 69,0 | 76,9 | 71,0 | 78,4 | 11,1 | 11,5 |
| Ensemble | 46 047 | 97 070 | 8,8 | 17,7 | 67,5 | 75,0 | 70,4 | 78,4 | 10,7 | 10,1 |

(G) Les *divorces* sont les divorces prononcés correspondant aux demandes en divorce accueillies par les tribunaux de grande instance rapportées au lieu de décision.
(H) Le *taux de divortialité* est le nombre de divorces prononcés au cours de l'année rapporté à la population moyenne de l'année.
(I) L'espérance de vie à la naissance pour l'année 1968 provient de la moyenne triennale 1967-1969.
Par contre, les chiffres de l'espérance de vie à la naissance pour 1982 proviennent uniquement des années 1981 et 1982 sont donc des chiffres provisoires, car ils ne tiennent pas compte de 1983.
(J) *Taux de mortalité* : c'est le rapport des décédés d'une année à la population moyenne de l'année, calculé pour 1 000 habitants

# Vie quotidienne

*N.B. Un ménage est, selon la définition de l'I.N.S.E.E., l'ensemble des personnes occupant une même résidence principale, quels que soient les liens existant entre elles. Le nombre des ménages est donc égal à celui des résidences principales. Les données pour 1982 sont issues du sondage au 1/20.*

| | nombre de ménages | part des ménages comportant | | | | | ménages propriétaires de leur logement | |
|---|---|---|---|---|---|---|---|---|
| | | 1 personne | 2 personnes | 3 personnes | 4 personnes | 5 personnes et plus | 1975 | 1982 |
| | milliers | % | % | % | % | % | % | % |
| Île de France ............. | 3 940,8 | 30,2 | 27,9 | 18,4 | 14,9 | 8,6 | 36,4 | 38,8 |
| Champagne – Ardenne .... | 472,1 | 23,2 | 28,0 | 18,6 | 16,9 | 13,2 | 46,1 | 50,8 |
| Picardie ................. | 586,3 | 20,1 | 28,3 | 19,7 | 17,0 | 14,9 | 51,8 | 56,8 |
| Haute-Normandie ......... | 575,4 | 21,5 | 28,4 | 19,8 | 17,1 | 13,1 | 43,0 | 48,8 |
| Centre ................... | 821,3 | 23,5 | 30,2 | 18,6 | 16,4 | 11,3 | 52,3 | 56,6 |
| Basse-Normandie ......... | 475,1 | 23,9 | 28,4 | 17,5 | 16,2 | 14,0 | 45,7 | 50,8 |
| Bourgogne .............. | 584,4 | 25,2 | 29,8 | 18,0 | 15,6 | 11,4 | 49,3 | 54,7 |
| Nord – Pas-de-Calais ...... | 1 316,7 | 21,1 | 27,3 | 19,4 | 15,9 | 16,3 | 47,2 | 50,8 |
| Lorraine ................. | 792,7 | 21,2 | 27,0 | 20,0 | 17,3 | 14,6 | 44,0 | 49,9 |
| Alsace ................... | 543,5 | 22,9 | 27,8 | 19,9 | 15,9 | 13,4 | 47,1 | 49,6 |
| Franche-Comté .......... | 375,6 | 23,0 | 27,6 | 18,8 | 16,5 | 14,2 | 47,4 | 52,6 |
| Pays de la Loire ......... | 1 005,0 | 21,9 | 28,0 | 17,4 | 17,6 | 15,0 | 55,5 | 60,4 |
| Bretagne ................ | 948,8 | 24,8 | 26,9 | 16,6 | 17,5 | 14,3 | 59,9 | 63,4 |
| Poitou – Charentes ....... | 558,8 | 21,8 | 30,9 | 18,6 | 16,3 | 12,5 | 57,6 | 61,9 |
| Aquitaine ............... | 949,5 | 23,0 | 29,3 | 19,5 | 16,2 | 12,0 | 51,4 | 55,1 |
| Midi – Pyrénées .......... | 813,6 | 22,7 | 28,8 | 19,3 | 16,6 | 12,7 | 55,7 | 59,1 |
| Limousin ................ | 277,1 | 25,6 | 31,0 | 19,1 | 13,7 | 10,5 | 54,7 | 58,1 |
| Rhône – Alpes .......... | 1 791,5 | 24,5 | 27,6 | 18,7 | 17,1 | 12,1 | 43,8 | 49,1 |
| Auvergne ............... | 483,5 | 24,7 | 28,9 | 19,3 | 15,9 | 11,2 | 51,8 | 55,8 |
| Languedoc – Roussillon ... | 706,3 | 23,1 | 31,1 | 19,2 | 16,2 | 10,4 | 51,8 | 55,1 |
| Provence – Alpes – Côte d'Azur ............. | 1 492,3 | 25,4 | 31,0 | 19,4 | 15,4 | 8,9 | 42,3 | 46,0 |
| Corse .................. | 80,0 | 21,0 | 28,9 | 20,0 | 17,5 | 12,6 | 54,4 | 52,8 |
| Ensemble ............... | 19 590,4 | 24,6 | 28,5 | 18,8 | 16,1 | 11,9 | 46,7 | 50,7 |

| | éléments de confort (1982) | | | équipement des ménages (1983) (K) | | | | t v |
|---|---|---|---|---|---|---|---|---|
| | W.-C. intérieurs | Chauffage central | Tout le confort | lave-linge | lave-vaisselle | congélateur | téléphone | |
| | % | % | % | % | % | % | % | |
| Île de France ........ | 87,0 | 79,5 | 71,9 | 74,3 | 21,5 | 18,8 | 83,7 | 8 |
| Champagne – Ardennes | 85,8 | 67,9 | 63,7 | 86,0 | 20,9 | 47,7 | 71,6 | 9 |
| Picardie ............ | 77,8 | 62,9 | 57,0 | 86,2 | 20,3 | 40,5 | 71,1 | 9 |
| Haute-Normandie .... | 86,2 | 71,0 | 66,5 | 88,9 | 27,5 | 32,4 | 74,9 | 9 |
| Centre ............. | 83,9 | 72,5 | 67,3 | 83,3 | 17,5 | 36,3 | 75,5 | 9 |
| Basse-Normandie ..... | 80,6 | 63,3 | 58,6 | 76,6 | 18,9 | 38,9 | 69,3 | 8 |
| Bourgogne .......... | 83,6 | 64,8 | 60,6 | 85,3 | 16,4 | 41,8 | 71,7 | 9 |
| Nord – Pas-de-Calais . | 70,0 | 52,8 | 46,7 | 88,9 | 19,4 | 36,8 | 60,1 | 9 |
| Lorraine ............ | 89,5 | 64,2 | 61,1 | 87,4 | 15,9 | 45,6 | 68,1 | 9 |
| Alsace ............. | 87,2 | 61,1 | 57,8 | 82,0 | 17,6 | 44,0 | 76,4 | 9 |
| Franche-Comté ....... | 88,1 | 66,5 | 62,6 | 87,4 | 21,4 | 35,5 | 68,2 | 9 |
| Pays de la Loire ..... | 83,2 | 73,5 | 67,9 | 86,9 | 23,5 | 39,3 | 73,3 | 9 |
| Bretagne ........... | 82,1 | 72,5 | 67,2 | 82,8 | 18,1 | 40,9 | 71,5 | 9 |
| Poitou – Charentes ... | 78,6 | 61,2 | 56,4 | 86,1 | 18,1 | 47,2 | 72,5 | 9 |
| Aquitaine ........... | 85,2 | 62,3 | 58,9 | 82,9 | 23,9 | 37,9 | 73,2 | 9 |
| Midi – Pyrénées ...... | 85,9 | 63,7 | 60,3 | 83,6 | 20,2 | 39,0 | 72,6 | 9 |
| Limousin ........... | 79,5 | 64,6 | 59,5 | 80,5 | 15,7 | 44,2 | 73,1 | 8 |
| Rhône-Alpes ........ | 88,6 | 67,3 | 63,8 | 84,8 | 20,6 | 31,6 | 76,5 | 9 |
| Auvergne ........... | 82,5 | 63,7 | 58,9 | 86,7 | 19,8 | 41,0 | 73,3 | 9 |
| Languedoc – Rousillon | 91,3 | 54,0 | 51,6 | 85,7 | 19,6 | 25,2 | 71,7 | 9 |
| Provence – Alpes Côte d'Azur ........ | 92,3 | 63,7 | 60,9 | 80,0 | 23,4 | 20,1 | 75,6 | 9 |
| Corse .............. | 87,8 | 42,7 | 40,1 | nd | nd | nd | 69,9 | |
| Ensemble ........... | 85,0 | 67,5 | 62,6 | 82,6 | 20,5 | 33,1 | 74,4 | 9 |

(K) L'équipement des ménages en biens durables, tels que : machine à laver, télévision, automobile, constitue l'un des indicateurs les plus accessibles des niveaux de vie.

Les résultats proviennent pour l'essentiel de l'*enquête périodique sur les attitudes et les intentions d'achats des particuliers* qu'effectue l'I.N.S.E.E.

L'échantillon de l'enquête est représentatif de l'ensemble des ménages ordinaires de la France continentale.

L'erreur aléatoire peut être importante pour certaines régions. Elle l'est d'autant plus que la population interrogée est plus faible et les variations importantes constatées dans les résultats peuvent ne pas correspondre à la réalité. Les résultats sont

| | automobile |
|---|---|
| | % |
| | 65,1 |
| | 78,5 |
| | 72,0 |
| | 79,0 |
| | 73,8 |
| | 73,1 |
| | 70,1 |
| | 71,0 |
| | 73,5 |
| | 72,0 |
| | 71,4 |
| | 81,6 |
| | 76,2 |
| | 77,0 |
| | 78,2 |
| | 77,7 |
| | 76,1 |
| | 75,7 |
| | 75,9 |
| | 70,9 |
| | 70,5 |
| | nd |
| | 72,8 |

**travail**

| | taux d'activité (L) | | taux d'activité par sexe (L) [1982] | | taux de chômage |
|---|---|---|---|---|---|
| | 1962 | 1982 | H | F | 1985 |
| | % | % | % | % | % |
| Île de France ......... | 47,3 | 48,6 | 56,7 | 41,8 | 8,1 |
| Champagne – Ardenne | 39,0 | 41,6 | 52,1 | 33,7 | 11,1 |
| Picardie ............. | 37,3 | 41,7 | 52,1 | 33,5 | 11,1 |
| Haute-Normandie ..... | 40,3 | 43,8 | 53,2 | 35,7 | 12,3 |
| Centre .............. | 40,5 | 43,6 | 52,5 | 36,7 | 9,1 |
| Basse-Normandie ..... | 41,4 | 43,2 | 52,1 | 36,8 | 11,3 |
| Bourgogne .......... | 38,7 | 41,4 | 51,4 | 33,7 | 10,0 |
| Nord – Pas-de-Calais .. | 35,9 | 38,2 | 49,0 | 29,0 | 13,0 |
| Lorraine ............. | 37,0 | 40,1 | 52,1 | 30,0 | 10,6 |
| Alsace .............. | 40,0 | 42,9 | 55,0 | 33,2 | 8,5 |
| Franche-Comté ....... | 39,1 | 41,5 | 52,4 | 33,8 | 8,6 |
| Pays de la Loire ...... | 40,6 | 42,3 | 51,3 | 35,3 | 11,6 |
| Bretagne ............ | 40,3 | 40,6 | 50,2 | 33,8 | 11,3 |
| Poitou – Charentes ... | 37,7 | 40,7 | 51,1 | 33,0 | 11,3 |
| Aquitaine ............ | 40,7 | 41,1 | 51,7 | 32,9 | 11,3 |
| Midi – Pyrénées ...... | 39,2 | 40,1 | 51,2 | 31,9 | 9,4 |
| Limousin ............ | 42,6 | 41,2 | 50,9 | 34,4 | 8,6 |
| Rhône – Alpes ........ | 42,1 | 43,7 | 53,9 | 35,3 | 8,6 |
| Auvergne ............ | 39,7 | 42,0 | 52,4 | 34,3 | 9,6 |
| Languedoc – Roussillon | 34,3 | 37,7 | 49,2 | 28,1 | 14,8 |
| Provence – Alpes – Côte d'Azur .......... | 37,6 | 39,3 | 51,6 | 29,3 | 12,7 |
| Corse ............... | 18,3 | 36,2 | 52,2 | 22,5 | 12,2 |
| Ensemble ............ | 40,5 | 42,5 | 52,6 | 34,5 | 10,3 |

ant donnés avec une décimale, cette présentation ne signifiant nullement que les valeurs réelles sont connues avec e précision.

considérée comme appartenant à la population active toute personne ayant déclaré sur son bulletin individuel, lors ensements généraux de la population :

bien exercer une profession (même si elle poursuit simultanément des études) ; population active ayant un emploi ;

bien être sans travail et chercher un emploi (même si elle n'a jamais travaillé ou si elle bénéficie d'une retraite) : e disponible à la recherche d'un emploi.

apprentis sous contrat et les personnes aidant un membre de leur famille dans sa profession (aides familiaux) sont rés comme actifs.

| | travail *(suite)* | | revenu total par habitant (N) | impôt sur le revenu | | vacances | | P.M. |
|---|---|---|---|---|---|---|---|---|
| | *conflits (1984) (M)* | | | (par habitant) (O) | | *été 1983* | *hiver 1983/84* | dépens par habitar |
| | journées perdues | part de chaque région | | 1973 | 1983 | (taux de départ) | (taux de départ) | 1983 |
| | *milliers* | *%* | *francs* | *francs* | | *%* | *%* | *francs* |
| Île de France ......... | 185,0 | 15,5 | 81 996 | 1 459 | 6 124 | 76,9 | 45,0 | 656 |
| Champagne – Ardennes | 42,0 | 3,5 | 62 484 | 621 | 2 997 | 50,3 | 25,4 | 347 |
| Picardie .............. | 42,2 | 3,5 | 56 571 | 623 | 2 833 | 48,1 | 19,7 | 438 |
| Haute-Normandie ..... | 90,1 | 7,6 | 58 950 | 670 | 3 071 | 64,0 | 32,7 | 492 |
| Centre .............. | 15,8 | 1,3 | 59 876 | 608 | 2 915 | 55,2 | 30,0 | 304 |
| Basse-Normandie ..... | 22,9 | 1,9 | 55 292 | 514 | 2 494 | 41,7 | 14,3 | 461 |
| Bourgogne ........... | 69,7 | 5,8 | 59 086 | 534 | 2 725 | 44,5 | 24,4 | 301 |
| Nord – Pas de Calais . | 171,0 | 14,3 | 55 336 | 521 | 2 434 | 54,9 | 16,2 | 553 |
| Lorraine .............. | 81,5 | 6,8 | 57 971 | 537 | 2 453 | 48,4 | 14,1 | 386 |
| Alsace .............. | 20,6 | 1,7 | 61 347 | 622 | 3 068 | 43,4 | 13,7 | 406 |
| Franche-Comté ....... | 9,0 | 0,8 | 55 921 | 500 | 2 426 | 50,2 | 17,8 | 298 |
| Pays de la Loire ...... | 47,2 | 4,0 | 55 783 | 489 | 2 447 | 53,6 | 20,7 | 306 |
| Bretagne ............. | 19,8 | 1,7 | 55 984 | 453 | 2 477 | 50,0 | 18,1 | 308 |
| Poitou – Charentes ... | 10,0 | 0,8 | 56 115 | 463 | 2 382 | 35,6 | 16,0 | 278 |
| Aquitaine ............ | 27,3 | 2,3 | 57 979 | 545 | 2 850 | 46,4 | 23,7 | 330 |
| Midi – Pyrénées ...... | 21,5 | 1,8 | 56 851 | 479 | 2 633 | 46,7 | 24,3 | 291 |
| Limousin ............. | 17,8 | 1,5 | 57 496 | 463 | 2 508 | 38,2 | 12,7 | 277 |
| Rhône – Alpes ....... | 118,1 | 9,9 | 59 990 | 647 | 3 050 | 60,0 | 25,0 | 435 |
| Auvergne ........... | 21,3 | 1,8 | 56 414 | 491 | 2 572 | 48,5 | 18,7 | 275 |
| Languedoc – Rousillon | 74,7 | 6,3 | 55 906 | 441 | 2 594 | 49,9 | 19,4 | 433 |
| Provence – Alpes – Côte d'Azur ......... | 79,1 | 6,6 | 60 652 | 677 | 3 525 | 45,4 | 31,6 | 656 |
| Corse ............... | 5,8 | 0,5 | | 355 | 2 033 | | | 980 |
| Ensemble ........... | 1 192,4 | 100,0 | 62 391 | 724 | 3 388 | 55,2 | 26,2 | 453 |

(M) Une distinction est établie entre conflits généralisés et conflits localisés (arrêts de travail consécutifs à un mo d'ordre propre à l'entreprise ou à l'établissement concerné). Seuls ces derniers (dans la mesure où ils peuvent être rapportés à une région précise) sont pris en compte dans ces résultats.
(N) Le revenu total est la somme des ressources avant impôt et paiement des cotisations sociales.
(O) Le tableau présente le montant global des rôles émis au cours de l'année indiquée. Il s'agit donc des impôt concernant les revenus perçus au cours de l'année précédente, ainsi que les revenus perçus les années antérieure et non encore imposés ou faisant l'objet d'un redressement.

# Cadre de vie

| | taux d'urbani-sation (P) | Nombre de communes de 10 000 habitants et plus | | personnel sanitaire et social (1983) (Q) | | | | |
|---|---|---|---|---|---|---|---|---|
| | | 1962 | 1982 | médecins | pharma-ciens d'officine | chirurgiens-dentistes | assistantes sociales | infirmiers |
| | % | nombre | | densité (pour 100 000 habitants) | | | | |
| Île de France ......... | 96,3 | 158 | 224 | 262,2 | 41,8 | 77,5 | 80,2 | 550,6 |
| Champagne – Ardenne . | 62,4 | 14 | 14 | 158,6 | 35,2 | 47,7 | 35,0 | 422,7 |
| Picardie .............. | 60,7 | 13 | 20 | 145,0 | 32,6 | 39,5 | 51,8 | 424,6 |
| Haute-Normandie ...... | 69,1 | 19 | 26 | 176,2 | 33,1 | 39,5 | 41,0 | 375,2 |
| Centre .............. | 62,9 | 19 | 31 | 162,3 | 37,0 | 46,1 | 44,7 | 401,6 |
| Basse-Normandie ...... | 53,4 | 12 | 17 | 167,4 | 35,5 | 39,8 | 44,5 | 489,7 |
| Bourgogne ........... | 57,9 | 11 | 19 | 172,2 | 37,9 | 47,7 | 41,8 | 445,1 |
| Nord – Pas-de-Calais .. | 86,4 | 78 | 82 | 177,7 | 36,0 | 34,7 | 56,9 | 398,0 |
| Lorraine .............. | 72,4 | 33 | 36 | 181,0 | 31,4 | 50,8 | 42,0 | 456,2 |
| Alsace ................ | 73,2 | 9 | 20 | 217,7 | 27,1 | 61,0 | 42,2 | 490,2 |
| Franche-Comté ........ | 58,8 | 10 | 14 | 176,0 | 36,7 | 45,6 | 43,0 | 454,0 |
| Pays de la Loire ....... | 60,1 | 19 | 30 | 172,8 | 37,5 | 48,7 | 46,5 | 454,2 |
| Bretagne ............. | 55,6 | 22 | 29 | 183,5 | 39,5 | 56,8 | 46,8 | 584,9 |
| Poitou – Charentes .... | 50,5 | 11 | 13 | 174,4 | 41,1 | 49,2 | 39,2 | 431,8 |
| Aquitaine ............. | 64,6 | 25 | 36 | 216,8 | 50,1 | 70,0 | 58,7 | 494,7 |
| Midi – Pyrénées ....... | 59,3 | 20 | 27 | 230,6 | 45,6 | 73,3 | 70,7 | 546,2 |
| Limousin ............. | 50,9 | 5 | 6 | 196,6 | 48,7 | 50,8 | 60,9 | 565,7 |
| Rhône – Alpes ........ | 76,9 | 44 | 63 | 207,4 | 39,0 | 63,3 | 64,0 | 508,0 |
| Auvergne ............. | 58,2 | 12 | 13 | 195,4 | 45,9 | 56,8 | 57,0 | 497,4 |
| Languedoc – Roussillon . | 70,7 | 14 | 18 | 253,3 | 47,9 | 72,9 | 46,3 | 592,0 |
| Provence – Alpes – Côte d'Azur ........... | 89,6 | 37 | 61 | 288,8 | 46,0 | 89,5 | 66,7 | 573,5 |
| Corse .............. | 54,3 | 2 | 2 | 202,1 | 51,1 | 73,4 | 51,1 | 502,3 |
| Ensemble ............ | 73,4 | 587 | 801 | 210,4 | 39,9 | 60,5 | 57,6 | 496,6 |

(P) Le taux d'urbanisation est la part de la population urbaine dans l'ensemble de la population.
(Q) Le ministère de la Santé rencontre des difficultés, notamment pour la région parisienne, dans l'élaboration des résultats relatifs aux personnels sanitaires. De ce fait, les comparaisons temporelles de ces informations ne sont pas toujours significatives.

Médecins : ensemble des médecins en activité recensés par les directions départementales des affaires sanitaires et sociales, qu'ils soient ou non inscrits à l'Ordre : non compris les médecins militaires.

Chirurgiens-dentistes : effectif des chirurgiens-dentistes recensés par les directions départementales des affaires sanitaires et sociales : non compris les stomatologistes, classés avec les médecins.

Infirmiers : effectif établi à partir des listes dressées par les directions départementales de l'action sanitaire et sociale : y compris les infirmiers psychiatriques.

| | hôpitaux | | crèches (T) | | hospices et maisons de retraite (public) | | entreprises de 2 000 employés et plus | hyper-marchés (U) | piscine (V) |
|---|---|---|---|---|---|---|---|---|---|
| | publics (R) | privés (S) | collectives | familiales | publics | publics automones | | | |
| | (nombre de lits) | (nombre de lits) | 1983 | 1983 | 1982 | 1982 | établis-sement | 1984 | 1982 |
| | pour 1 000 habitants | pour 1 000 habitants | nombre de places | nombre de places | nombre de lits | nombre de lits | nombre | nombre | nombre |
| Île de France ........... | 5,5 | 3,8 | 37 467 | 14 997 | 9 330 | 9 468 | 37 | 85 | 450 |
| Champagne – Ardennes.. | 5,9 | 1,7 | 2 245 | 834 | 5 191 | 2 131 | 1 | 15 | 55 |
| Picardie ............... | 5,5 | 1,9 | 1 034 | 961 | 5 554 | 4 137 | 3 | 21 | 79 |
| Haute-Normandie ........ | 5,6 | 2,0 | 1 139 | 705 | 5 128 | 4 301 | 3 | 10 | 93 |
| Centre ................. | 5,9 | 2,5 | 2 828 | 2 121 | 8 185 | 7 328 | 4 | 23 | 178 |
| Basse-Normandie ........ | 6,3 | 1,8 | 1 108 | 1 076 | 5 591 | 2 499 | 6 | 8 | 55 |
| Bourgogne .............. | 6,6 | 2,6 | 1 275 | 1 150 | 5 525 | 5 373 | 6 | 14 | 102 |
| Nord – Pas de Calais .... | 4,8 | 2,4 | 2 548 | 805 | 9 953 | 4 177 | 23 | 33 | 175 |
| Lorraine ............... | 5,3 | 3,6 | 1 864 | 774 | 4 412 | 4 274 | 13 | 31 | 125 |
| Alsace ................. | 6,9 | 3,9 | 1 495 | 777 | 3 768 | 1 555 | 3 | 19 | 76 |
| Franche-Comté ......... | 5,7 | 1,7 | 990 | 854 | 1 962 | 2 827 | 6 | 8 | 77 |
| Pays de la Loire ........ | 5,9 | 2,2 | 1 905 | 1 444 | 7 527 | 8 629 | 6 | 38 | 175 |
| Bretagne ............... | 6,6 | 3,0 | 1 432 | 1 363 | 8 243 | 5 183 | 3 | 27 | 111 |
| Poitou – Charentes ...... | 6,4 | 1,5 | 1 523 | 621 | 4 964 | 3 692 | 1 | 18 | 126 |
| Aquitaine .............. | 5,2 | 4,2 | 2 826 | 2 635 | 4 620 | 7 174 | 3 | 26 | 192 |
| Midi – Pyrénées ........ | 5,6 | 3,8 | 2 053 | 2 025 | 6 329 | 4 215 | 4 | 22 | 232 |
| Limousin ............... | 7,8 | 2,0 | 819 | 494 | 1 503 | 3 094 | 2 | 4 | 57 |
| Rhône – Alpes ......... | 6,7 | 3,2 | 4 805 | 3 259 | 9 294 | 8 635 | 17 | 41 | 338 |
| Auvergne .............. | 7,1 | 2,5 | 987 | 1 053 | 3 384 | 5 424 | 4 | 12 | 76 |
| Languedoc – Rousillon ... | 5,9 | 5,4 | 1 850 | 923 | 4 506 | 2 432 | 2 | 18 | 156 |
| Provence – Alpes – Côte d'Azur ............. | 5,1 | 6,1 | 6 349 | 1 399 | 4 999 | 5 621 | 7 | 38 | 424 |
| Corse | 5,4 | 4,7 | 162 | 0 | 281 | 0 | 0 | 2 | 18 |
| Ensemble | 5,8 | 3,3 | 78 704 | 40 270 | 120 249 | 102 349 | 154 | 513 | 3 370 |

(R) Les informations relatives aux hôpitaux publics portent sur l'ensemble des établissements d'hospitalisation publics à l'exclusio des centres hospitaliers spécialisés en psychiatrie mais y compris des établissements de moyen et long séjour qui n'étaient pa pris en compte auparavant.

Le nombre de lits indiqués au 31 décembre ne concerne que les lits d'hospitalisation complète.

(S) Les informations relatives au système hospitalier privé proviennent du recensement effectué par le ministère des Affaire sanitaires et sociales et de la Solidarité nationale au 1er janvier 1983.

Ces résultats concernent les secteurs : « médecine, chirurgie, obstétrique », « repos, régime, convalescence », « réadaptatio fonctionnelle », « lutte contre les maladies mentales », « lutte antituberculeuse ». Les hôpitaux psychiatriques privés faisant fonctio d'établissements publics (23 pour l'ensemble du pays) ont été assimilés au secteur public et sont donc exclus de ces résultats Sont également exclus les 20 centres de lutte contre le cancer. 4 556 lits en service, 145 114 admissions, 1 363 561 journée d'hospitalisation (y compris l'hôpital de jour).

| équipements sportifs | | criminalité (1982) | | | | | | |
| instal-lations sportives couvertes | terrain de plein air | infractions (total) | crimes | délits | | | | |
| | | | | total | dont | | | |
| | | | | | vols | circulation | chèques escroquerie abus de confiance | coups et blessures |
| 1982 | 1982 | | | | | | | |
| nombre | nombre | nombre | nombre | nombre | nombre | nombre | nombre | nombre |
| 3 512 | 8 169 | 186 779 | 582 | 111 337 | 40 989 | 19 268 | 16 172 | 6 187 |
| 519 | 2 051 | 12 226 | 32 | 9 790 | 2 186 | 3 028 | 664 | 550 |
| 406 | 1 704 | 20 848 | 71 | 16 690 | 4 313 | 5 743 | 2 447 | 1 034 |
| 489 | 1 631 | 18 000 | 63 | 15 475 | 5 533 | 5 005 | 1 374 | 1 000 |
| 739 | 3 321 | 23 530 | 72 | 17 992 | 4 235 | 6 266 | 1 364 | 1 151 |
| 260 | 1 412 | 14 431 | 40 | 11 678 | 2 662 | 4 271 | 818 | 780 |
| 549 | 2 517 | 16 119 | 52 | 12 429 | 2 830 | 4 570 | 886 | 706 |
| 1 092 | 2 851 | 26 211 | 172 | 21 682 | 7 623 | 5 601 | 1 476 | 2 031 |
| 709 | 2 328 | 26 484 | 87 | 20 929 | 4 592 | 6 916 | 1 816 | 1 110 |
| 618 | 2 133 | 16 035 | 49 | 12 380 | 3 781 | 4 215 | 436 | 943 |
| 391 | 1 154 | 9 804 | 49 | 7 923 | 1 779 | 2 435 | 533 | 611 |
| 1 001 | 4 462 | 28 549 | 66 | 22 264 | 5 617 | 8 879 | 1 470 | 1 669 |
| 901 | 4 404 | 24 448 | 49 | 20 551 | 4 803 | 10 076 | 1 548 | 1 428 |
| 454 | 2 339 | 14 528 | 45 | 11 562 | 2 303 | 3 757 | 1 470 | 623 |
| 681 | 3 515 | 24 430 | 59 | 18 817 | 4 578 | 5 518 | 1 885 | 1 229 |
| 663 | 3 342 | 19 950 | 60 | 14 426 | 3 138 | 4 367 | 1 978 | 992 |
| 262 | 1 107 | 6 026 | 11 | 4 552 | 992 | 1 285 | 593 | 331 |
| 1 562 | 6 993 | 50 528 | 188 | 39 969 | 11 122 | 11 571 | 4 553 | 2 716 |
| 245 | 1 403 | 11 955 | 39 | 9 029 | 1 643 | 2 861 | 717 | 711 |
| 400 | 2 507 | 20 742 | 85 | 15 645 | 4 491 | 4,108 | 1 468 | 1 109 |
| 909 | 3 964 | 45 594 | 331 | 32 383 | 11 135 | 7 195 | 2 529 | 2 391 |
| 45 | 138 | 4 406 | 5 | 3 587 | 342 | 823 | 402 | 249 |
| 16 407 | 63 445 | 621 623 | 2 207 | 451 090 | 130 687 | 127 758 | 46 599 | 29 611 |

(T) Les crèches collectives sont destinées à garder pendant la journée, durant le travail de leur mère, des enfants bien portants ayant moins de trois ans.

Les crèches à domicile sont nommées crèches familiales depuis l'arrêté du 22 octobre 1971. Il s'agit de placements de jour pour enfants en bonne santé de moins de trois ans chez les gardiennes agréées par les services départementaux d'action sanitaire et sociale sous la responsabilité et le contrôle de puéricultrices diplômées d'État.

(U) Hypermarché : très grande unité de vente au détail présentant un très large assortiment en alimentation comme en marchandises générales ; surface de vente de 2 500 m² minimum ; vente généralisée en libre service et paiement des achats en une seule opération à des caisses de sortie (à l'exception éventuellement de certains rayons) ; parking de grande dimension mis à la disposition de la clientèle.

(V) L'ensemble des piscines comprend les piscines couvertes et de plein air.

# BIBLIOGRAPHIE

Beaucoup d'ouvrages, chaque année, traitent directement ou indirectement des différents aspects de la vie des Français. Voici la liste de quelques-uns de ceux, parus récemment, dont la lecture nous a paru enrichissante.

☐ *Affiches de pub 1983-85.* Philippe BENOIT/Didier TRUCHOT. *Éditions du Chêne.*

☐ Amnesty International. Rapport 1985.

☐ *BC-BG. Le Guide du Bon Chic Bon Genre.* Thierry MANTOUX. *Hermé.*

☐ *Conquérir notre futur.* Numéro spécial de *LSA.* (8 novembre 1985).

☐ « Demain la France ». Numéro spécial de *l'Expansion.* Octobre-novembre 1985.

☐ *La Bêtise.* André GLUCKSMANN. *Grasset.*

☐ *La Figure de Fraser.* Jacques ATTALI. *Fayard.*

☐ *La Fin des habitudes.* Jacques LESOURNE/Didier TRUCHOT. *Éditions du Chêne.*

☐ *La Guerre des images.* José FRÈCHES. *Denoël.*

☐ *La Nouvelle Communication politique.* Roland CAYROL. *Larousse.*

☐ *La Politique et ses images.* Jean-Paul GOURÉVITCH. *Edilig.*

☐ *La Provocation.* HOMMES ET MACHINES EN SOCIÉTÉ. *CESTA.*

☐ *L'Atlas du changement culturel.* MINISTÈRE DE LA CULTURE.

☐ *Le Journal de l'Année 1985. LAROUSSE.*

☐ *L'Enfant et la publicité.* Jean-Noël KAPFERER. *Dunod.*

☐ *Le Prochain Monde.* Albert BRESSAND/Catherine DISTLER. *Le Seuil.*

☐ *Les Années 80.* Christian SCHLATTER. *Flammarion.*

☐ *Les Dix Commandements de l'avenir.* John NAISBITT. *Sand.*

☐ *Les Enjeux de la fin du siècle.* Ouvrage collectif. *Desclée de Brouwer.*

☐ *Les Français, passions et tabous.* André LAURENS. *Alain Moreau.*

☐ *Les Métamorphoses de l'Europe.* Michel RICHONNIER. *Flammarion.*

☐ *L'État-minimum.* Guy SORMAN. *Albin Michel.*

☐ *Liberté, Égalité, Modernité.* Philippe MESSINE. *La Découverte.*

☐ *L'Illusion du pouvoir.* Bernard RIDEAU. *La Table ronde.*

☐ *Mots de passe 1945-1985.* Dirigé par Pascal ORY. *Autrement.*

☐ *Naître en français.* Emile GENOUVRIER. *Larousse.*

☐ *Opinion publique 1986.* SOFRES. *Gallimard.*

☐ *Prospective 2005.* COMMISSARIAT GÉNÉRAL du PLAN/CNRS.

☐ *Quand la publicité est aussi un roman.* Pierre LEMONNIER. *Hachette.*

☐ *Splendeurs et Misères de la politique.* Michel BONGRAND. *Larousse.*

☐ *Styles de vie (2 volumes).* Bernard CATHELAT. *Les Éditions d'Organisation.*

☐ *Tableaux de l'économie française 1985.* INSEE.

☐ *Tous ensemble.* François de CLOSETS. *Le Seuil.*

☐ *Vive la France quand même.* Claude BROVELLI. *Éditions France Empire.*

# PRINCIPALES SOURCES D'INFORMATION

Si vous souhaitez en savoir plus sur les différents thèmes abordés dans *Francoscopie*, vous pouvez prendre contact avec les organismes spécialisés. La liste qui suit, sans être exhaustive, vous permettra d'obtenir les réponses à vos questions ou d'autres adresses. (Les rubriques sont classées par ordre alphabétique.).

## ASSURANCES

• **Ministère de l'Economie, des Finances et du Budget, Direction des assurances**, 54 rue de Châteaudun, 75436 Paris Cedex 9 (Tél. : 42 81 91 55).

• **Caisse nationale d'assurance maladie des travailleurs salariés (C.N.A.M.T.S.)**, 66 avenue du Maine, 75014 Paris (Tél. : 43 21 01 10).

• **Caisse nationale d'assurance vieillesse des travailleurs salariés (C.N.A.V.T.S.)**, 110-112 rue de Flandre, 75951 Paris Cedex 19 (Tél. : 42 03 96 57).

• **Centre de documentation et d'information de l'assurance (C.D.I.A.)**, 2 rue de la Chaussée-d'Antin, 75009 Paris (Tél. : 42 47 90 00).

## CONSOMMATION ET MODES DE VIE.

• **Ministère de l'Économie, des Finances et du Budget, Direction générale de la concurrence et de la consommation (D.G.C.C.)**, 41 quai Branly, 75007 Paris (Tél. : 45 50 71 11).

• **Ministère de l'Économie, des Finances et du Budget, Direction de la consommation et de la répression des fraudes**, 13 rue Saint-Georges, 75436 Paris Cedex 09 (Tél. : 42 85 13 50).

• **Agence française pour la maîtrise de l'énergie (A.F.M.C.)**, 27 rue Louis Vicat, 75015 Paris (Tél. : 47 65 20 00).

• **Centre de communication avancé (C.C.A.)**, 136 avenue Charles-de-Gaulle, 92522 Neuilly-sur-Seine (Tél. : 47 47 30 26).

• **Centre d'études et de recherches sur le bien-être (C.E.R.E.B.E.)**, 142 rue du Chevaleret, 705013 Paris (Tél. : 45 84 14 20).

• **Centre de recherches, d'études et d'observations des conditions de vie (C.R.E.D.O.C.)**, 142 rue du Chevaleret, 75013 Paris (Tél. : 45 84 14 20).

• **Institut national de la consommation (I.N.C.)**, 80 rue Lecourbe, 75015 Paris (Tél. : 45 67 35 57).

• **Union des fédérations de consommateurs (U.F.C.)** 14 rue Froment, 75011 Paris (Tél. : 48 07 19 00).

## CULTURE ET ARTS.

• **Ministère de la Culture et de la Communication : Centre national de la cinématographie**, 12 rue de Lubeck, 75116 Paris (Tél. : 45 05 14 40).

• **Centre national des lettres**, 6 rue Dufrenoy, 75116 Paris (Tél. : 45 04 56 71).

• **Délégation aux arts plastiques**, 27 avenue de l'Opéra, 75001 Paris (Tél. : 42 61 56 16).

• **Département de la décentralisation artistique (F.I.A.C.R.E.)**, 27 avenue de l'Opéra, 75001 Paris (Tél. : 42 61 56 16).

• **Direction du livre et de la lecture**, 27 avenue de l'Opéra, 75001 Paris (Tél. : 42 61 56 16).

• **Direction des musées de France, École du Louvre**, 34 quai du Louvre, 75001 Paris (Tél. : 42 60 39 26).

• **Direction de la musique et de la danse**, 53 rue Saint-Dominique, 75007 Paris (Tél. : 45 55 92 03).

• **Institut des hautes études cinématographi-**

ques (**I.D.H.E.C.**), 28 avenue Corentin-Cariou, 75019 Paris (Tél. : 42 01 62 71).

• **Service Information et Communication**, 3 rue de Valois, 75001 Paris (Tél. : 42 96 10 40).

• **Sous-direction à la création artistique**, 11 rue Berryer, 75008 Paris (Tél. : 45 63 90 55).

• **Sous-direction des métiers d'art et des professions artistiques**, 27 avenue de l'Opéra, 75001 Paris (Tél. : 42 61 56 16).

• Pour la province, s'adresser à la **Direction régionale des Affaires culturelles (D.R.A.C.).** Autres :

• **Association professionnelle du spectacle**, 7 rue du Helder, 75009 Paris (Tél. : 47 70 37 18).

• **École des beaux-arts, atelier bande dessinée**, 134 route de Bordeaux, 16000 Angoulême (Tél. : 45 92 66 02).

• **École nationale supérieure des beaux-arts**, 17 quai Malaquais, 75272 Paris Cedex (Tél. : 42 60 34 57).

• **Fédération française des maisons de jeunes et de la culture**, 54 boulevard des Batignolles, 75017 Paris (Tél. : 43 87 66 83).

• **Institut français d'architecture**, 6 rue de Tournon, 75006 Paris (Tél. : 46 33 90 36).

• **Société des auteurs et compositeurs dramatiques (S.A.C.D.)**, 11 bis rue Ballu, 75009 Paris (Tél. : 42 80 66 65).

• **Société des auteurs, compositeurs et éditeurs de musique (S.A.C.E.M.)**, 225 avenue Charles-de-Gaulle, 95521 Neuilly-sur-Seine Cedex (Tél. : 47 47 56 50).

• **Société de la propriété artistique et des dessins et modèles (S.P.A.D.E.M.)**, 12 rue Henner, 75009 Paris (Tél. : 42 85 41 01)

## ENFANTS.

• **Centre d'information et de documentation jeunesse (C.I.D.J.)**, 101 quai Branly, 75740 Paris Cedex 15 (Tél. : 45 67 35 85).

• **Centre international de l'enfance**, château de Longchamp, bois de Boulogne, 75016 Paris, (Tél. : 45 06 79 92).

• **Institut de l'enfant (I.E.D.)**, 352 rue Saint-Honoré, 75001 Paris (Tél. : 42 60 30 34).

• **Institut national d'études démographiques (I.N.E.D.)**, 27 rue du Commandeur, 75675 Paris Cedex 14 (Tél. : 43 20 13 45).

• **Union nationale des associations de parents d'enfants inadaptés**, 15 rue Coysevox, 75018 Paris (Tél. : 42 63 84 33).

## FEMMES.

• **Ministère des droits de la femme**, 53 avenue d'Iéna, 75016 Paris (Tél. : 45 01 86 56).

• **Agence femmes information (A.F.I.)**, 21 rue des Jeûneurs, 75001 Paris (Tél. : 42 33 37 47).

• **Centre d'information féminine (C.I.F.)**, 4 rue Bayard, 75008 Paris (Tél. : 45 62 53 78).

• **Centre national d'information sur les droits des femmes (C.N.I.D.F.)**, B.P. 470-08, 75366 Paris Cedex 08 (Tél. : 42 25 05 05), antennes régionales.

• **Centre d'orientation, de documentation et d'information féminin (C.O.D.I.F.)**, 81 rue Sénac, 13001 Marseille (Tél. : 91 47 24 89).

• **Mouvement français pour le planning familial « Du côté des femmes »**, 94 boulevard Masséna, 75013 Paris (Tél. : 45 84 00 23), antennes régionales

## IMMIGRATION.

• **Agence IM'MEDIA**, 164 rue Saint-Maur, 75011 Paris (Tél. : 43 38 47 30).

• **Centre de documentation migrants**, 91 rue Gabriel-Péri, 92120 Montrouge (Tél. : 46 57 11 67).

• **Centre d'information et d'étude des migrations (C.I.E.M.)**, 46 rue de Montreuil, 75011 Paris (Tél. : 43 72 49 34).

• **Office national d'immigration (O.N.I.), Service des mouvements migratoires**, 44 rue Bargue, 75015 Paris (Tél. : 47 83 80 20).

• **SOS Racisme**, 19 rue Martel, 75010 Paris (Tél. : 45 23 07 62).

## INSTRUCTION
## ET FORMATION PROFESSIONNELLE.

• **Ministère de l'Éducation nationale**, 110 rue de Grenelle, 75007 Paris (Tél. : 45 50 10 10).

• **Ministère du Travail, de l'Emploi et de la Formation professionnelle, Délégation à la formation professionnelle**, 55 rue Saint-Dominique, 75700 Paris (Tél. : 45 56 80 00).

• **Association nationale pour la formation professionnelle des adultes (A.F.P.A.)**, 13 place de Villiers, 93000 Montreuil (Tél. : 48 58 90 40).

• **Centre national de documentation pédagogique**, 24 rue d'Ulm, 75005 Paris (Tél. : 43 29 21 64).

• **Centre pour le développement de l'information sur la formation permanente (Centre I.N.F.F.O.)**, tour Europe, Cedex 07, 92080 Paris La Défense (Tél. : 47 78 13 50).

• **Office national d'information sur les enseignements et les professions (O.N.I.S.E.P.)**, 46-52 rue Albert, 75013 Paris (Tél. : 45 83 32 21).

## LOISIRS ET SPORTS.

• **Ministère de la Jeunesse et des Sports**, 78 rue Olivier-de-Serres, 75015 Paris (Tél. : 48 28 40 00).

• **Ministère du Commerce, de l'Artisanat et du Tourisme, direction du Tourisme**, 17 rue de l'Ingénieur-Robert-Keller, 75015 Paris (Tél. : 45 75 82 16).

• **Agence nationale de l'information touristique (A.N.I.T.)**, 8 avenue de l'Opéra, 75041 Paris Cedex 01 (Tél. : 42 96 63 63).

## LOGEMENT ET ENVIRONNEMENT.

• **Ministère de l'Urbanisme, du Logement et des Transports**, 2 avenue du Parc-de-Passy, 75775 Paris Cedex 16 (Tél. : 45 03 91 92).

• **Ministère de l'Environnement**, 14 boulevard du Général-Leclerc, 92524 Neuilly-sur-Seine Cedex (Tél. : 47 58 12 12).

• **Agence nationale pour l'amélioration de l'habitat (A.N.A.H.)**, 17 rue de la Paix, 75002 Paris (Tél. : 42 61 57 23).

• **Centre d'information et de documentation sur le bruit (C.I.D.B.)**, 4 rue Beffroy, 92200 Neuilly-sur-Seine (Tél. : 47 22 38 91).

• **Confédération générale du logement (C.G.L.)**, 45 rue de la Chaussée-d'Antin, 75009 Paris (Tél. : 42 80 43 89).

• **Confédération nationale du logement (C.N.L.)**, 8 rue Mériel, BP 119, 93104 Montreuil (Tél. : 48 57 04 64).

• **Conservatoire de l'espace littoral et des rivages lacustres**, 78 avenue Marceau, 75008 Paris (Tél. : 47 20 11 20).

• **Délégation à l'aménagement du territoire et à l'action régionale (D.A.T.A.R.)**, 1 avenue Charles-Floquet, 75007 Paris (Tél. : 47 83 61 20).

• **Fédération française des sociétés de la protection de la nature**, 57 rue Cuvier, 75005 Paris (Tél. : 43 36 04 14).

• **Fédération des parcs naturels de France**, 4 rue de Stockholm, 75008 Paris (Tél. : 42 94 90 84)

## MÉDIAS.

• **Carrefour de la communication**, 31 rue Delarivière-le-Foullon, La Défense, 92800 Puteaux (Tél. : 47 74 51 31).

• **Centre d'étude des supports de presse (C.E.S.P.)**, 32 avenue Georges-Mandel, 75016 Paris (Tél. : 45 53 22 10).

• **Institut national de la communication audiovisuelle (I.N.A.)**, 193-197 rue de Bercy, 75012 Paris (Tél. : 43 47 64 30).

• **Institut de recherche et étude publicitaire (I.R.E.P.)**, 62 rue la Boëtie, 75008 Paris (Tél. : 45 63 71 73).

• **Inter-audiovisuel**, 34 avenue Marceau, 75008 Paris (Tél. : 47 20 20 42).

• **Mission TV-Câbles**, 11 rue Berryer, 75008 Paris (Tél. : 45 63 90 55).

• **Société française de production et de création audiovisuelle**, 34 rue des Alouettes, 75019 Paris (Tél. : 42 03 99 04).

• **Syndicat national des télévisions et radios locales (S.N.T.R.L.)**, 60 rue du Président-Wilson, 92300 Levallois-Perret (Tél. : 45 26 57 90).

• **Syndicat professionnel des radios indépendantes et des nouvelles télévisions (S.P.R.I.N.T.)**, 33, avenue Montaigne, 75008 Paris (Tél. : 47 20 01 86).

## MONDE.

• **Ministère des Affaires étrangères, bibliothèque**, 37 quai d'Orsay, 75007 Paris (Tél. : 45 55 95 40).

• **Ministère des Relations extérieures, Coopération et Développement, centre de documentation**, 1 bis avenue de Villars, 75700 Paris (Tél. : 45 55 95 44).

• **Amnesty International**, 18 rue Théodore-Deck, 75015 Paris (Tél. : 43 31 94 95).

• **Banque mondiale**, 66 avenue d'Iéna, 751016 Paris (Tél. : 47 23 54 21).

• **Bureau d'information des communautés européennes**, 61 rue des Belles-Feuilles, 75116 Paris (Tél. : 45 01 58 85).

• **Bureau d'information du Parlement européen**, 288 boulevard Saint-Germain, 75005 Paris (Tél. : 45 50 34 11).

• **Centre d'études prospectives et d'informations internationales (C.E.P.I.I.)**, 9 rue Georges-Pitard, 75001 Paris (Tél. : 48 42 68 00).

• **Comité français pour l'UNICEF**, Documentation, 35 rue Félicien-David, 75016 Paris (Tél. : 45 24 60 00).

• **Organisation de coopération et de développement économiques (O.C.D.E.)**, 2 rue André-Pascal, 75016 Paris (Tél. : 45 24 82 00).

• **Organisation des Nations unies (O.N.U.)**, Centre d'information pour la France, 4-6 avenue de Saxe, 75700 Paris (Tél. : 45 77 16 10).

• **Organisation des Nations unies pour l'éducation, la science et la culture, (U.N.E.S.C.O.)**, Centre de documentation de sciences sociales, 1 rue Miollis, 75015 Paris (Tél. : 45 77 16 10)

## PERSONNES AGÉES.

• **Ministère des Affaires sociales, cabinet du secrétaire d'Etat chargé des retraités et des personnes âgées**, 61-65 rue Dutot, 75015 Paris (Tél. : 45 39 25 75).

• **Centre d'études, de documentation, d'information et d'action sociale (C.E.D.I.A.S.)**, 5 rue Las Cases, 75007 Paris (Tél. : 45 51 66 10).

• **Comité départementaux des personnes âgées (C.O.D.E.R.P.A.)**, renseignements dans les préfectures.

• **Directions départementales de l'action sanitaire et sociale (D.D.A.S.S.)**.

• **Fondation nationale de gérontologie**, 49 rue Mirabeau, 75016 Paris (Tél. : 45 25 92 80).

## RELIGIONS.

• **Bibliothèque juive contemporaine**, 23 rue de Cléry, 75002 Paris (Tél. : 45 08 15 23).

• **Centre d'information et de documentation religieuses**, 6 place du Parvis-Notre-Dame, 75004 Paris (Tél. : 46 33 01 01).

• **Centre protestant d'études et de documentation**, 46 rue de Vaugirard, 75006 Paris (Tél. : 46 33 77 24).

• **Institut musulman de Paris**, 5 place du Puits-de-l'Ermite, 75005 Paris (Tél. : 45 35 97 33).

• **Secrétariat général de l'épiscopat**, 106 rue du Bac, 75007 Paris (Tél. : 42 22 61 70).

• **Service orthodoxe de presse**, 14 rue Victor-Hugo, 92400 Courbevoie (Tél. : 43 33 52 48)

## SANTÉ

• **Ministère des Affaires sociales**, 8 avenue de Ségur, 75007 Paris (Tél. : 45 67 55 44).

• **Association nationale des centres d'interruption de grossesse et de contraception**, 165 boulevard Aristide-Briand, 85000 La Roche-sur-Yon (Tél. : 51 37 00 60).

• **Centre technique national d'études et de recherches sur le handicap et les inadaptations**, 27 quai de la Tournelle, 75005 Paris (Tél. : 43 29 65 10).

- **Comité antitabagique**, 68 boulevard Saint-Michel, 75000 Paris (Tél. : 43 25 07 08).

- **Comité français d'éducation pour la santé**, 9 rue Newton, 75116 Paris (Tél. : 47 23 72 07).

- **Haut Comité d'étude et d'information sur l'alcoolisme**, 27 rue Oudinot, 75700 Paris (Tél. : 45 67 35 35).

- **Institut national de la santé et de la recherche médicale (I.N.S.E.R.M.)**, 44 chemin de Ronde, 78110 Le Vésinet (Tél. : 49 76 33 33).

- **Mission interministérielle de lutte contre la toxicomanie**, 71 rue Saint-Dominique, 75007 Paris (Tél. : 45 55 92 30).

## TRAVAIL ET REVENUS.

- **Ministère du Travail**, 1 place de Fontenoy, 75007 Paris (Tél. : 45 67 55 44).

- **Ministère de l'Agriculture**, 78 rue de Varenne, 75700 Paris (Tél. : 45 55 95 50).

- **Agence nationale pour la création d'entreprise (A.N.C.E.)**, 142 rue du Bac, 75007 Paris (Tél. : 45 44 38 25).

- **Association d'études et de recherches sur l'organisation du travail (A.E.R.O.T.)**, 6 boulevard Richard-Lenoir, 75011 Paris (Tél. : 47 00 47 72).

- **Association nationale pour l'amélioration des conditions de travail (A.N.A.C.T.)**, 7 boulevard Romain-Mollard, 92128 Montrouge (Tél. : 46 57 13 30).

- **Bureau international du travail (B.I.T.)**, 205 boulevard Saint-Germain, 75007 Paris (Tél. : 45 46 92 02).

- **Centre d'études de l'emploi**, 51 rue de la Chaussée-d'Antin, 75009 Paris (Tél. : 42 85 72 07).

- **Centre d'études et de recherches sur les qualifications (C.E.R.E.Q.)**, 9 rue Sextius-Michel, 75015 Paris (Tél. : 45 75 62 63).

- **Centre d'étude des revenus et des coûts (C.E.R.C.)**, 3 boulevard de Latour-Maubourg, 75007 Paris (Tél. : 45 55 42 81).

- **Centre de recherche économique sur l'épargne (C.R.E.P.)**, 105 ter rue de Lille, 75007 Paris (Tél. : 45 55 92 09).

- **Institut national de recherches et de sécurité (I.N.R.S.)**, 30 rue Olivier-Noyer, 75680 Paris Cedex 14 (Tél. : 45 45 67 67).

- **Union nationale pour l'emploi dans l'industrie et le commerce (U.N.E.D.I.C.)**, 77 rue de Miromesnil, 75008 Paris (Tél. : 42 94 22 00).

## DOCUMENTATION GÉNÉRALE
### ET DIVERS.

- **Institut national de la statistique et des études économiques (I.N.S.E.E.)**, 18 boulevard Adolphe-Pinard, 75014 Paris (Tél. : 45 40 01 12).

- **Ministère de l'Intérieur et de la Décentralisation**, 1 bis place des Saussaies, 75008 Paris (Tél. : 45 22 90 90).

- **Ministère de la Justice**, 13 place Vendôme, 75042 Paris Cedex 01 (Tél. : 42 61 80 22).

- **Banque française du commerce extérieur (B.F.C.E.)**, 21 boulevard Haussmann, 75009 Paris (Tél. : 42 47 47 47).

- **Bibliothèque nationale**, 58 rue de Richelieu, 75084 Paris Cedex 02 (Tél. : 42 66 62 62).

- **Bibliothèque publique d'information (B.P.I.), Centre national d'art et de culture Georges-Pompidou**, rue Saint-Martin, B.P. 75191 Paris Cedex 04 (Tél. : 42 77 12 33).

- **Bibliothèque Sainte-Geneviève**, 10 place du Panthéon, 75005 Paris (Tél. : 43 29 61 00).

- **Centre national de la recherche scientifique (C.N.R.S.), Centre de documentation de sciences humaines**, 82 rue Cardinet, 75017 Paris (Tél. : 42 67 07 60).

- **Centre d'information et de documentation sur l'homosexualité**, 71 rue de Bagnolet, 75020 Paris (Tél. : 43 70 69 14).

- **Chambre de commerce et d'industrie de Paris**, 27 avenue de Friedland, 75008 Paris (Tél. : 45 61 99 00).

- **Commissariat général au Plan**, 18, rue de Martignac, 75700 Paris (Tél. : 45 56 51 64).

- **Conseil économique et social**, palais d'Iéna, 1 avenue d'Iéna, 75116 Paris (Tél. : 47 23 72 34).

- **Documentation française**, 29-31 quai Voltaire, 75007 Paris (Tél. : 42 61 50 10).

- **Fondation nationale des sciences politiques**, 27 rue Saint-Guillaume, 75341 Paris Cedex 07 (Tél. : 42 60 39 60).

- **Futuribles**, 55 rue de Varenne, 75007 Paris (Tél. : 42 22 63 10).

- **Institut national de la propriété industrielle (I.N.P.I.)**, 26 bis, rue de Léningrad, 75800 Paris (Tél. : 42 66 93 13).

- **Service d'étude de l'activité économique et de la situation sociale**, 4 rue Michelet, 75006 Paris (Tél. : 40 33 50 66).

OBSERVATOIRES
ÉCONOMIQUES RÉGIONAUX DE L'INSEE À :

Ajaccio, Amiens, Besançon, Bordeaux, Caen, Clermont-Ferrand, Dijon, Lille, Limoges, Lyon, Marseille, Montpellier, Nancy, Nantes, Orléans, Poitiers, Reims, Rennes, Rouen, Strasbourg, Toulouse.

# INDEX

# REMERCIEMENTS

Ce livre est avant tout le résultat de l'analyse des travaux et des idées des personnes et des organismes les plus qualifiés dans chacun des domaines abordés. Nous sommes donc très reconnaissants à tous ceux qui ont bien voulu être nos interlocuteurs, nous fournir des informations, souvent inédites, et nous prodiguer leurs conseils. Nos remerciements s'adressent en particulier à :

- **Agoramétrie. Eric STEMMELEN.**
- **Amnesty International. M. DURAND.**
- **C.N.A.M.T.S.** (Caisse nationale d'assurance maladie des travailleurs salariés). **M. REVERCHON.**
- **C.C.A.** (Centre de communication avancé). **Bernard CATHELAT.**
- **C.D.I.A.** (Centre de documentation et d'information de l'assurance). **Jacques LAMBERT, Chantal HEDAL.**
- **C.I.D.R.** (Centre d'information et de documentation religieuses). **Jacques FOURNIER, Elisabeth LE NORMAND.**
- **C.N.C.** (Centre national de la cinématographie). **Françoise JOLIBOIS** et Service de l'information et des études.
- **C.R.E.D.O.C.** (Centre de recherche pour l'étude et l'observation des conditions de vie). **Ghislaine DROUAULT.**
- **D.D.B.** (Doyle, Dale, Bernbach). **Christian BARLUET, Jeanine RECLUS.** .
- **L'Expansion. Pierre BEAUDEUX, Jean-Noël GURVIEZ.**
- **Information-Marketing. Michel AUDRAS, M. JAILLARD, M. MOREAU.**

- **I.N.S.E.E.** (Institut national de la statistique et des études économiques). **Jean-François MOREAUX, Marc CHRISTINE, Jean-Paul MILLOT.**
- **I.N.S.E.R.M.** (Institut national de la santé et de la recherche médicale). **G. PEQUIGNOT, Mlle MOGEOL.**
- **Institut de l'enfant. Joël-Yves LE BIGOT.**
- Ministère des Affaires sociales (S.E.S.I.). **Danielle LE ROUX.**
- Ministère de l'Education nationale. S.I.G.E.S. (Service de l'informatique de gestion et des statistiques).
- Ministère de l'Intérieur et de la Décentralisation. **Xavier MAUREL.**
- Ministère de la Jeunesse et des Sports. **P. PAGES.**
- Ministère de la Justice. **Martine BARBARIN, M. GELEYN.**
- Ministère de l'Urbanisme, du Logement et des Transports. Direction de la sécurité et de la circulation routière. Service de presse et des relations extérieures.
- Secrétariat général de l'épiscopat. **Nicole DENAIN.**
- **S.I.D.** (Service d'information et de diffusion du Premier ministre). **Joseph DANIEL, Colette GIRALDON, Dominique WEILL.**

- Illustrations sur ordinateur : **Pierre DUSSER**
- Mise en pages : **Eva RIFFE** et **Juan COUSIÑO**
- Iconographie : **Anne-Marie MOYSE**

PHOTOCOMPOSITION MAURY, MALESHERBES.

IMPRESSION JOMBART, ÉVREUX.

Dépôt légal : Octobre 1986. - N° de série Éditeur : 13655.
IMPRIMÉ EN FRANCE (Printed in France). - 503085. - Octobre 1986.